SUMMA CUM LAUDE
[국어 기본서]

숨마쿰라우데®

고전 시가

SUMMA CUM LAUDE 고전 시가

COPYRIGHT

숨마쿰라우데® [고전 시가]

이 책을 집필한 선생님들

임동민 / 인명여고
김철주 / 우성고
임호원 / 동탄 국제고
이참다운 / 한성과학고
최혜민 / 미림여고

1판 5쇄 발행일 : 2023년 11월 20일
펴낸이 : 이동준, 정재현
기획 및 편집 : 김성준, 정혜진
디자인 : 굿윌디자인

펴낸곳 : (주)이룸이앤비
출판신고번호 : 제2009 – 000168호
주소 : 경기도 성남시 수정구 위례광장로 21-9 KCC 웰츠타워 2층 2018호
대표전화 : 02 – 424 – 2410
팩스 : 070 – 4275 – 5512
홈페이지 : www.erumenb.com
ISBN : 978 – 89 – 5990 – 363 – 4

THINK MORE ABOUT YOUR FUTURE

INTRODUCTION

[이 책을 펴내면서]

"어떠한 상황에서도 삶에 의미만 부여하면 절대 죽지 않는다."라는 가정에서 만들어진 로고 테라피(logo therapy)라는 심리 치료법이 있습니다.
그렇다면 무엇이 삶의 의미일까요?

여우 한 마리가 토끼를 쫓고 있었습니다.
그러나 그 여우는 결코 토끼를 잡을 수가 없었습니다.
여우는 한 끼의 식사를 위해 뛰었지만
토끼는 살기 위해 뛰었기 때문입니다.

당신이 무엇을 하고자 한다면
간절히 원하십시오.
지금 무엇을 하지 못하거나
일이 안 되는 것은
그만큼 간절히 원하고 있지 않기 때문입니다.
어떠한 일이 도저히 불가능하다고 자신부터 그렇게 믿고 시작하는 것은
그 일을 자기로 하여금 못하게 하는 수단입니다.
모든 것이 자신의 생각에 달려 있습니다.
평범한 사람은 단지 시간을 어떻게 소비할까를 생각하지만
현명한 사람은 그 시간을 가치 있게 사용하기 위해 노력한다고 합니다.
현명해지십시오.

여러분의 미래는 웅대하게 열려 있다는 사실을 잊지 않기를 바랍니다.

지은이들

SUMMA CUM LAUDE 고전 시가

STRUCTURE

[구성 및 특징]

1 고전 시가 대표 작품 150편 수록

- 대표 작품 150편 수록: 시대별·갈래별 구성
- 내신·수능 완벽 대비: 내신·수능에 출제될 가능성이 높은 필수 작품 수록

고등학교 주요 국어 교과서와 문학 교과서에 수록된 고전 시가 중 시대별·갈래별 대표 작품 150편을 엄선하여 수록하였습니다. 총 150편의 고전 시가 대표 작품을 통해 내신은 물론 수능에 출제될 만한 필수 작품들을 완벽하게 학습할 수 있도록 구성하였습니다.

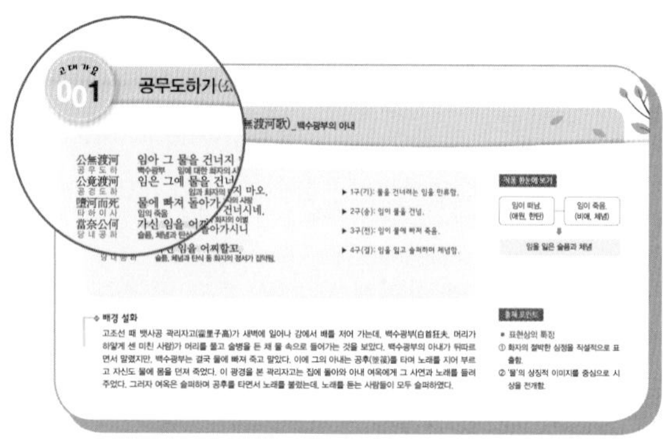

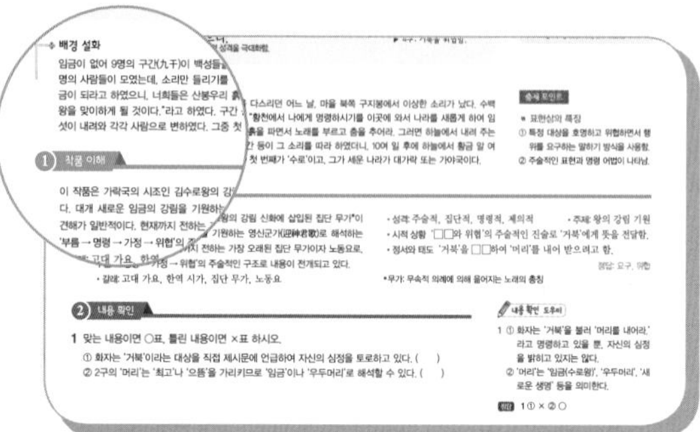

2 자기 주도 학습에 적합한 감상 중심의 구성

- 행간주를 통한 작품 분석: 핵심 구절, 시어, 표현 기법 등 스스로 학습이 가능한 자세한 분석
- 작품의 배경 설화, 현대어 풀이 수록

작품의 핵심 구절이나 시어, 표현 기법 등에 대한 자세한 행간주를 통해 작품을 혼자서도 쉽게 학습할 수 있도록 하였습니다. 또한 작품의 원문, 배경 설화, 현대어 풀이 등을 함께 제시하여 작품에 대한 이해의 폭을 넓힐 수 있도록 하였습니다.

3 꼼꼼한 작품 분석 및 자세한 설명

- 작품 한눈에 보기: 쉽고 빠른 작품 이해의 길잡이
- 출제 포인트, 수능 필수 개념, 수능 필수 개념 플러스: 작품의 출제 방향과 핵심 사항, 관련 개념 등 작품 이해에 도움이 되는 내용 수록

'작품 한눈에 보기'의 구조도나 표를 통해 작품의 전체 내용 및 핵심 내용을 한번에 확인할 수 있도록 하였으며, '출제 포인트'를 통해서는 작품의 출제 방향과 핵심 사항 등을 파악할 수 있도록 하였습니다. 또 '수능 필수 개념'을 통해서는 수능에 자주 출제되는 필수 개념 등을 학습할 수 있으며, '수능 필수 개념 플러스'를 통해서는 작품 이해에 도움이 되는 다양한 내용을 학습할 수 있도록 하였습니다.

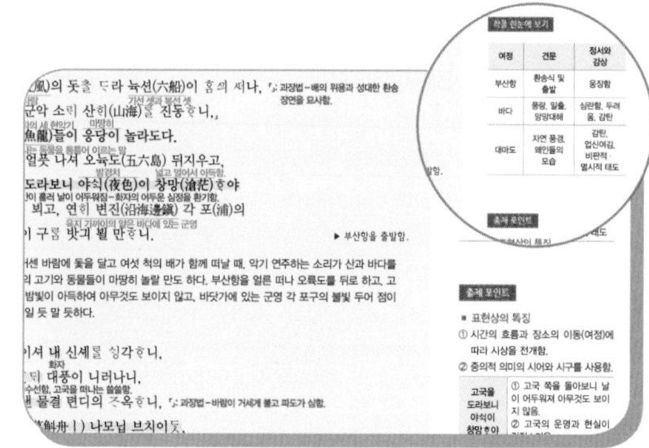

THINK MORE ABOUT YOUR FUTURE

STRUCTURE

3단계 학습 시스템

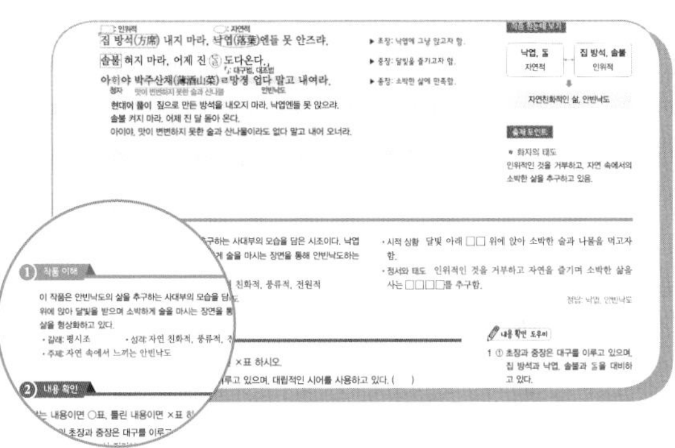

1단계 작품의 기본적인 내용 이해

작품의 해제, 갈래, 성격, 주제 등의 핵심 내용을 수록하였습니다. 또한 '시적 상황'과 '정서와 태도'에 관한 내용을 빈칸 채우기 문제 형식으로 구성하여 직접 쓰면서 공부할 수 있도록 하였습니다. '1단계'를 통해 작품의 기본적인 내용을 이해할 수 있습니다.

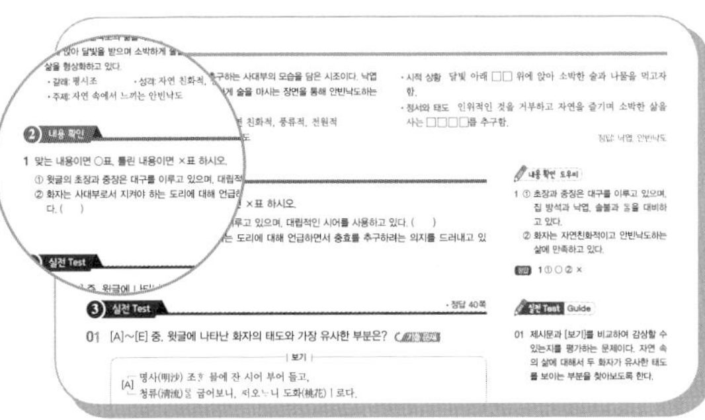

2단계 문제를 통한 감상 내용 확인

작품을 이해했다고 하더라도 바로 실전 문제를 풀기는 어려울 수 있습니다. '2단계'를 통해 간단한 내용 확인 문제를 풀어 봄으로써 작품의 이해도를 스스로 점검할 수 있도록 하였습니다. 또한 '내용 확인 도우미'를 통해 문제에 대한 해설을 바로 확인할 수 있습니다.

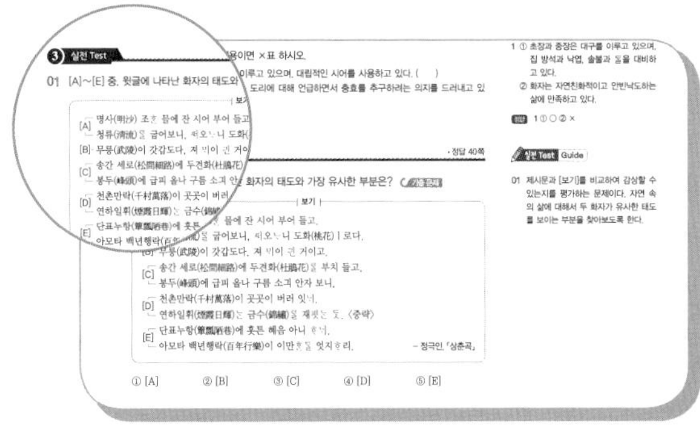

3단계 실전 문제를 통한 실력 Test

작품을 통해 학습한 내용을 실전 문제에 바로 적용해 볼 수 있도록 수능·평가원 기출문제 및 변형 문제 등을 수록하였습니다. '3단계'에서는 실제 수능 출제 경향을 반영한 다양한 유형의 문제를 풀어 봄으로써 수능에 대한 감각을 익히고 실전에 대비할 수 있도록 하였습니다.

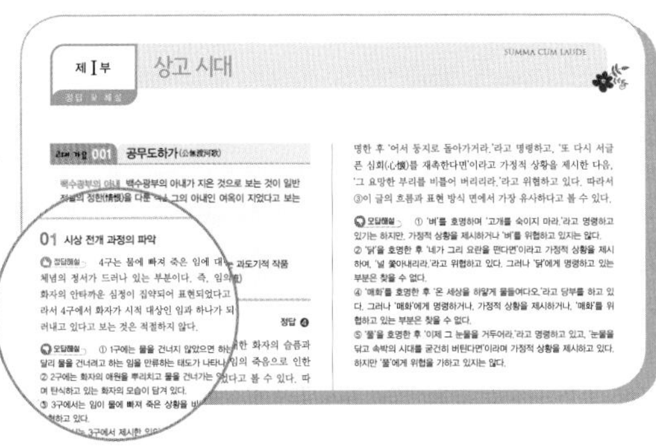

5 정답 및 해설(秘 Sub Note)

- 충실한 정답 해설과 오답 해설: 작품의 이해도를 높여 주는 자세한 문제 풀이 방법 제시
- [보기]에 대한 자세한 설명: 폭넓은 작품 이해의 길잡이

자세하고 충실한 정답 해설과 오답 해설을 통해 실전 문제를 완벽하게 이해할 수 있도록 하였습니다. 또한 [보기] 작품의 갈래, 해제, 주제, 현대어 풀이 등도 빠짐없이 수록하여 작품을 더욱 폭넓게 학습할 수 있도록 하였습니다.

SUMMA CUM LAUDE 고전 시가

CONTENTS

[차 례]

I 상고 시대

• 고대 가요

• 향가

• 한시

II 고려 시대

• 고려 가요

• 경기체가

• 시조

• 한시

THINK MORE ABOUT YOUR FUTURE

CONTENTS

SUMMA CUM LAUDE 고전 시가

CONTENTS

THINK MORE ABOUT YOUR FUTURE

CONTENTS

SUMMA CUM LAUDE 고전 시가

INDEX

[작품 빨리 찾기]

THINK MORE ABOUT YOUR FUTURE

INDEX

제 I 부 상고 시대

고대 가요

- 고대 부족 국가 시대에서 삼국 시대 초기까지 향가가 지어지기 전에 불린 노래를 가리킴.
- 원시 종합 예술(고대 국가의 제천 의식에서 행해진 시가 · 무용 · 음악이 통합된 집단 가무)에서 출발한 집단적 서사 가요에서 개인적 서정 가요로 변천되는 양상을 보임.
- 구전(口傳)되어 오다가 후대에 한역(漢譯)되어 본래의 형태를 구체적으로 알기는 어려우나, 작품과 같이 전해지는 배경 설화를 통해 그 내용을 이해할 수 있음.

향가

- 향찰(鄕札, 한자의 음과 뜻을 빌려 우리말 어순에 따라 쓰는 표기법)을 사용하여 신라 시대부터 고려 시대 초기까지 창작된 노래를 가리킴.
- 형식 면에서 '4구체 → 8구체 → 10구체'로 발전하는 양상을 보이고, 주로 승려나 화랑 등의 귀족 계층에서 창작되어 불교나 주술, 화랑의 추모 등의 내용을 다룸.
- 배경 설화와 함께 『삼국유사』에 14수, 『균여전』에 11수가 전해짐.

한시

- 원래는 한문으로 정착된 중국의 정형시를 가리키며, 우리나라에서는 삼국 시대에 완전히 정착된 모습을 보임.
- 한 구(句)는 네 자, 다섯 자, 일곱 자로 이루어지며, 4행시인 절구(絕句), 8행시인 율시(律詩), 12행 이상으로 이루어진 배율(排律) 등으로 나뉨.
- 한시의 대가인 신라 시대 최치원의 작품 등을 통해 당시의 한문학이 상당한 수준이라고 짐작할 수 있음.

고대 가요 001

공무도하가(公無渡河歌)_백수광부의 아내

公無渡河 공 무 도 하	임아 그 물을 건너지 마오. 백수광부 임에 대한 화자의 사랑	▶ 1구(기): 물을 건너려는 임을 만류함.
公竟渡河 공 경 도 하	임은 그예 물을 건너시네. 임과 화자의 이별	▶ 2구(승): 임이 물을 건넘.
墮河而死 타 하 이 사	물에 빠져 돌아가시니 임의 죽음	▶ 3구(전): 임이 물에 빠져 죽음.
當奈公何 당 내 공 하	가신 임을 어찌할꼬. 슬픔, 체념과 탄식 등 화자의 정서가 집약됨.	▶ 4구(결): 임을 잃고 슬퍼하며 체념함.

작품 한눈에 보기

임이 떠남. (애원, 한탄) — 임이 죽음. (비애, 체념)

↓

임을 잃은 슬픔과 체념

배경 설화

고조선 때 뱃사공 곽리자고(霍里子高)가 새벽에 일어나 강에서 배를 저어 가는데, 백수광부(白首狂夫, 머리가 하얗게 센 미친 사람)가 머리를 풀고 술병을 든 채 물 속으로 들어가는 것을 보았다. 백수광부의 아내가 뒤따르면서 말렸지만, 백수광부는 결국 물에 빠져 죽고 말았다. 이에 그의 아내는 공후(箜篌)를 타며 노래를 지어 부르고 자신도 물에 몸을 던져 죽었다. 이 광경을 본 곽리자고는 집에 돌아와 아내 여옥에게 그 사연과 노래를 들려주었다. 그러자 여옥은 슬퍼하며 공후를 타면서 노래를 불렀는데, 노래를 듣는 사람들이 모두 슬퍼하였다.

출제 포인트

■ 표현상의 특징

① 화자의 절박한 심정을 직설적으로 표출함.

② '물'의 상징적 이미지를 중심으로 시상을 전개함.

1 작품 이해

이 작품은 임을 잃은 슬픔을 노래한, 우리나라에서 가장 오래된 서정 시가이다. '사랑－이별－죽음'으로 변화되는 '물'의 상징적 이미지를 통해 우리 민족의 보편적인 정서인 한(恨)을 노래하고 있다. 이 작품에 나타나는 한의 정서는 「정읍사」, 「송인」, 「가시리」, 「서경별곡」, 「진달래꽃」 등에 계승되어 우리 시가 문학의 전통이 되었다.

• 갈래: 고대 가요, 한역 시가, 서정 시가 • 성격: 애상적, 체념적

• 주제: 임을 잃은 슬픔

• 시적 상황 화자의 만류에도 불구하고 □에 빠져 죽은 임에 대한 애절한 슬픔을 드러냄.

• 정서와 태도 물을 건너려다가 죽은 임에 대한 화자의 탄식과 □□의 정서를 나타냄.

정답: 물, 체념

2 내용 확인

1 맞는 내용이면 ○표, 틀린 내용이면 ×표 하시오.

① 1구의 '물'은 화자의 사랑을 상징적 이미지로 드러낸 시어이다. ( )

② 화자는 자신의 애원을 무시하고 물에 빠져 죽은 임을 원망하고 있다. ( )

내용 확인 도우미

1 ① 화자는 임이 물을 건너지 않음으로써 사랑을 뿌리치지 않기를 바라고 있다.

② 화자는 4구에서 물에 빠져 죽은 임에 대한 체념과 탄식의 정서를 드러내고 있다.

정답 1 ① ○ ② ×

3 실전 Test

• 정답 2쪽

01 윗글에 대한 설명으로 적절하지 않은 것은?

① 1구에서는 화자가 자신의 기대를 저버리는 대상의 행위를 만류하고 있다.

② 2구에서는 화자가 자신의 애원을 뿌리치고 떠나는 대상을 보며 한탄하고 있다.

③ 3구에서는 대상과 관련한 시적 상황을 직설적으로 표현하고 있다.

④ 4구에서는 대상과 일체가 되려는 화자의 의지를 드러내고 있다.

⑤ 4구에서는 3구의 상황에 대한 화자의 정서를 집약해서 드러내고 있다.

실전 Test Guide

01 글의 시상 전개 과정과 각 구의 관련성을 파악하는 문제이다. 각 구에 드러난 화자의 태도와 더불어 시상 전개 방식의 적절성을 판단하도록 한다.

고대 가요 002

구지가(龜旨歌)_구간(九干) 등

龜何龜何 구 하 구 하	거북아, 거북아. 주술의 대상, 신령스러운 존재	▶ 1구: 거북을 부름(호명).
首其現也 수 기 현 야	머리를 내어라. 우두머리, 임금(수로왕), 새로운 생명	▶ 2구: 거북에게 명령함.
若不現也 약 불 현 야	내어놓지 않으면, 가정적 표현, 위협적 진술의 전제	▶ 3구: 상황을 가정함.
燔灼而喫也 번 작 이 끽 야	구워서 먹으리. 위협을 통해 주술적 성격을 극대화함.	▶ 4구: 거북을 위협함.

작품 한눈에 보기

왕의 출현 기원 — 소원의 성취 갈구

⬇

왕의 강림(降臨)을 기원함.

배경 설화

임금이 없어 9명의 구간(九干)이 백성들을 다스리던 어느 날, 마을 북쪽 구지봉에서 이상한 소리가 났다. 수백 명의 사람들이 모였는데, 소리만 들리기를 "황천에서 나에게 명령하시기를 이곳에 와서 나라를 새롭게 하여 임금이 되라고 하였으니, 너희들은 산봉우리 흙을 파면서 노래를 부르고 춤을 추어라. 그러면 하늘에서 내려 주는 왕을 맞이하게 될 것이다."라고 하였다. 구간 등이 그 소리를 따라 하였더니, 10여 일 후에 하늘에서 황금 알 여섯이 내려와 각각 사람으로 변하였다. 그중 첫 번째가 '수로'이고, 그가 세운 나라가 대가락 또는 가야국이다.

출제 포인트

■ 표현상의 특징

① 특정 대상을 호명하고 위협하면서 행위를 요구하는 말하기 방식을 사용함.

② 주술적인 표현과 명령 어법이 나타남.

1 작품 이해

이 작품은 가락국의 시조인 김수로왕의 강림 신화에 삽입된 집단 무가*이다. 대개 새로운 임금의 강림을 기원하는 영신군가(迎神君歌)로 해석하는 견해가 일반적이다. 현재까지 전하는 가장 오래된 집단 무가이자 노동요로, '부름 → 명령 → 가정 → 위협'의 주술적인 구조로 내용이 전개되고 있다.

- 갈래: 고대 가요, 한역 시가, 집단 무가, 노동요

- 성격: 주술적, 집단적, 명령적, 제의적
- 주제: 왕의 강림 기원
- 시적 상황 '□□와 위협'의 주술적인 진술로 '거북'에게 뜻을 전달함.
- 정서와 태도 '거북'을 □□하여 '머리'를 내어 받으려고 함.

정답: 요구, 위협

*무가: 무속적 의례에 의해 읊어지는 노래의 총칭

2 내용 확인

1 맞는 내용이면 ○표, 틀린 내용이면 ×표 하시오.

① 화자는 '거북'이라는 대상을 직접 제시문에 언급하여 자신의 심정을 토로하고 있다. (　　)

② 2구의 '머리'는 '최고'나 '으뜸'을 가리키므로 '임금'이나 '우두머리'로 해석할 수 있다. (　　)

내용 확인 도우미

1 ① 화자는 '거북'을 불러 '머리를 내어라.'라고 명령하고 있을 뿐, 자신의 심정을 밝히고 있지는 않다.

② '머리'는 '임금(수로왕)', '우두머리', '새로운 생명' 등을 의미한다.

정답 1 ① × ② ○

3 실전 Test

• 정답 2쪽

01 다음 중 글의 흐름과 표현 방식 면에서 윗글과 가장 유사한 것은?

① 벼야, 들녘의 벼야. 고개를 숙이지 마라. 모진 풍파를 겪고도 고개를 쳐들 수 있는 그대를 그 누가 원망하리.

② 닭아, 이 방정맞은 닭아. 그리던 임을 만나 사랑을 속삭일 꿈길에, 네가 그리 요란을 떤다면 눈 부릅뜨고 널 쫓아내리라.

③ 새야, 속절없는 두견새야. 어서 둥지로 돌아가거라. 또 다시 서글픈 심회(心懷)를 재촉한다면 그 요망한 부리를 비틀어 버리리라.

④ 매화야, 새하얀 매화야. 온 세상을 하얗게 물들여다오. 눈 덮인 산에 피어난 그 절개 가상하니, 너를 본 모든 사람이 너의 절개를 따르리라.

⑤ 풀아, 힘들어 지친 풀아, 이제 그 눈물을 거두어라. 눈물을 닦고 속박의 시대를 굳건히 버틴다면 끝끝내 너희가 꿈꾸던 세상이 펼쳐지리라.

실전 Test Guide

01 글의 시상 전개 과정과 표현 방식을 이해하였는지를 평가하는 문제이다. 각 구에 드러난 화자의 말하기 방식을 바탕으로 글의 흐름과 표현 방식이 유사한 선택지를 찾아보도록 한다.

고대 가요 003

황조가(黃鳥歌)_유리왕

翩翩黃鳥 편 편 황 조	훨훨 나는 저 꾀꼬리 가볍게 나는 모양, 의태어 └ 객관적 상관물(화자와 대비되는 존재)	▶ 1구(기): 가볍게 나는 꾀꼬리의 모습
雌雄相依 자 웅 상 의	암수 정답게 노니는데, 화자의 외로운 처지를 부각함.	▶ 2구(승): 암수가 정다운 꾀꼬리의 모습
念我之獨 염 아 지 독	외로울사 이내 몸은 화자의 정서를 집약한 표현	▶ 3구(전): 외로운 화자의 모습
誰其與歸 수 기 여 귀	뉘와 함께 돌아갈꼬. 함께 돌아갈 임이 없는 슬픔을 탄식함. 설의법	▶ 4구(결): 화자가 외로움을 탄식함.

작품 한눈에 보기

선경	↔	후정
꾀꼬리 암수가 서로 정다움. (외부 정경 제시)		임이 없어 외로움. (화자의 내적 인식)

⬇ 화자의 외로움 강조

❖ 배경 설화

유리왕은 왕비 송씨(松氏)가 죽자, 화희(禾姬)와 치희(雉姬)라는 두 여인을 후처로 맞았다. 이들은 왕의 사랑을 받기 위해 늘 서로 다투었는데, 왕이 기산(箕山)에 사냥을 가서 궁궐을 비운 사이에 화희는 치희를 모욕하여 한(漢)나라로 쫓아 버렸다. 왕이 사냥에서 돌아와 이 말을 듣고는 곧바로 말을 달려 치희의 뒤를 쫓았으나 화가 난 그녀는 돌아오지 않았다. 왕이 치희의 마음을 돌리기를 포기하고 나무 밑에서 탄식하고 있을 때, 짝을 지어 날아가는 꾀꼬리를 보고 이 노래를 지었다고 한다.

출제 포인트

■ 표현상의 특징

① 자연(꾀꼬리)과 인간(나)의 대비를 통해 외로움의 정서를 드러냄.

② 선경후정(先景後情)의 방식으로 시상을 전개함.

1 작품 이해

이 작품은 꾀꼬리를 매개로 사랑하는 임을 잃은 슬픔과 외로움을 노래한 고대 가요이다. 고구려 2대 임금인 유리왕의 작품으로, 작가와 창작 시기가 명확하게 알려진 가장 오래된 서정 시가이다. 또 자연과 인간의 대비를 통해 화자의 외로움을 노래한 최초의 작품으로, 암수가 짝을 이루어 정답게 노니는 꾀꼬리의 모습과 임을 잃고 외로워하는 화자의 처지를 대비하여 외로움의 정서를 효과적으로 드러내고 있다.

• 갈래: 고대 가요, 한역 시가, 서정 시가

• 성격: 서정적, 애상적

• 주제: 임을 잃은 슬픔과 외로움

• 시적 상황 화자가 임을 떠나보낸 상황에서 □□□가 정답게 놀고 있는 모습을 바라봄.

• 정서와 태도 화자는 암수 서로 정다운 꾀꼬리와 자신의 처지를 대비하면서 □□□을 느끼고 있음.

정답: 꾀꼬리, 외로움

2 내용 확인

1 맞는 내용이면 ○표, 틀린 내용이면 ×표 하시오.

① 화자는 근경에서 원경으로 시선을 이동하며 시상을 전개하고 있다. (　　)

② 과거와 현재의 대비를 통해 주제 의식을 부각하고 있다. (　　)

내용 확인 도우미

1 ① 화자는 선경후정의 방식을 통해 자신의 외로움을 노래하고 있다.

② 정다운 꾀꼬리와 외로운 화자를 대비하여 화자의 외로움을 강조하고 있다.

정답 1 ① × ② ×

3 실전 Test

• 정답 2쪽

01 윗글의 표현상 특징으로 적절하지 않은 것은?

① 1구에서는 의인화를 통해 꾀꼬리에 대한 친밀감을 나타내고 있다.

② 2구에서는 꾀꼬리의 정다운 모습을 통해 화자의 처지를 부각하고 있다.

③ 3구에서는 도치법을 활용하여 화자의 정서를 강조하고 있다.

④ 4구에서는 설의법을 사용하여 화자가 처한 상황을 드러내고 있다.

⑤ 1~4구에서는 선경후정(先景後情)의 방식을 통해 시상을 전개하고 있다.

실전 Test Guide

01 글의 표현상의 특징을 파악하는 문제이다. 사용된 표현법과 시상 전개 방식을 토대로 표현상의 특징과 그 효과에 대해 생각해 보도록 한다.

고대 가요 004

해가(海歌)_작자 미상

龜乎龜乎出水路 구호구호출수로
거북아 거북아 수로 부인을 내놓아라.
(동해 용왕(해룡) / 순정공의 아내) ▶ 1구: 거북을 부른 후 수로 부인의 귀환을 명령함.

掠人婦女罪何極 약인부녀죄하극
남의 아내 훔쳐간 죄 얼마나 큰가?
(위협을 하는 구체적 이유) ▶ 2구: 거북의 죄를 지적함.

汝若悖逆不出獻 여약패역불출헌
네 만약 거역하고 내어놓지 않으면,
(가정적 표현, 위협적 진술을 전제함.) ▶ 3구: 명령을 따르지 않을 상황을 가정함.

入網捕掠燔之喫 입망포략번지끽
그물로 잡아 구워 먹으리.
(거북을 징벌하기 위한 수단 / 위협을 통해 주술적 성격을 극대화함.) ▶ 4구: 거북을 위협함.

작품 한눈에 보기

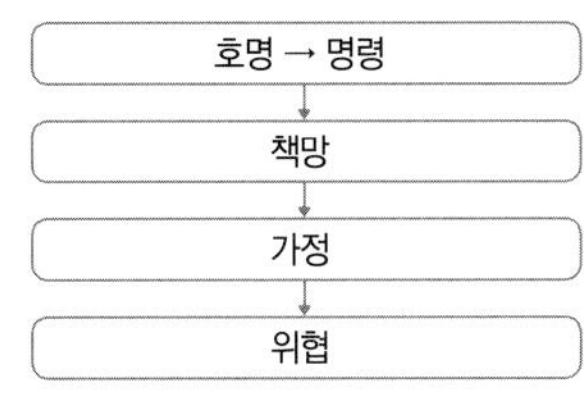

배경 설화

『삼국유사』에 따르면, 신라 성덕왕 때 순정공이 강릉 태수로 부임하던 중 바닷가 임해정에서 점심을 먹고 있었는데, 바다의 용이 나타나 순정공의 아내인 수로 부인을 바닷속으로 납치해 갔다. 공이 어찌할 바를 모르고 있는데 한 노인이 나타나 "옛말에 여러 사람의 입은 쇠도 녹인다 했으니, 바닷속의 짐승이 어찌 많은 사람들의 말을 두려워하지 않겠소? 인근의 백성들을 모아 노래를 지어 부르고 막대기로 언덕을 치면 부인을 찾을 수 있을 것이오."라고 하였다. 이에 노인의 말에 따라 노래를 지어 불렀더니 용이 수로 부인을 도로 내놓았다.

출제 포인트

■ 표현상의 특징
① 직설적이고 명령적인 어조를 사용함.
② 특정 대상(거북)을 호명하며 위협하고 원하는 바를 명령함.

1) 작품 이해

이 작품은 신라 성덕왕 때 수로 부인이 해룡(海龍)에게 잡혀가자 남편 순정공이 백성들을 동원하여 불렀다는 집단 가요이자, 「구지가」가 후대로 계승되어 만들어진 고대 가요이다. 「구지가」의 신화적 성격이 약화되고 '수로 부인'과 관련된 전설이 결합되어 만들어진 작품으로 추정된다. 이 노래의 배경 설화 속 '여러 사람의 입은 쇠도 녹인다'는 노인의 말을 통해 고대인들이 언어의 주술성을 믿었다는 것을 추측할 수 있다.

• 갈래: 고대 가요, 한역 시가, 집단 무가

• 성격: 주술적, 집단적, 명령적
• 주제: 수로 부인의 귀환을 기원함.
• 시적 상황 거북(해룡)이 □□ □□을 바닷속으로 잡아가자 사람들과 노래를 부름.
• 정서와 태도 백성들이 거북으로 표상된 해룡에게 수로 부인의 귀환을 요구하며 □□함.

정답: 수로 부인, 위협

2) 내용 확인

1 맞는 내용이면 ○표, 틀린 내용이면 ×표 하시오.

① 윗글은 「구지가」의 형식과 내용을 계승한 고대 가요이다. ( )
② 화자는 '거북'을 신령스러운 힘을 지닌 경외의 대상으로 여기고 있다. ( )

내용 확인 도우미

1 ① 제시문은 '거북'에게 어떤 행동을 하도록 위협하는 「구지가」의 형식과 내용을 계승한 작품이다.
② '거북'은 수로 부인을 납치한 부정적인 존재로 나타나 있다.

정답 1 ① ○ ② ×

3) 실전 Test

• 정답 3쪽

01 윗글과 [보기]를 비교한 설명으로 가장 적절한 것은?

보기

> 거북아, 거북아. / 머리를 내어라.
> 내어놓지 않으면, / 구워서 먹으리.
>
> – 구간 등, 「구지가」

① 윗글은 [보기]와 달리, 대상에게 말을 건네는 방식으로 진술하고 있다.
② 윗글은 [보기]와 달리, 대상을 위협하는 이유가 구체적으로 드러나 있다.
③ [보기]는 윗글과 달리, '호명 – 명령 – 가정 – 위협'의 구조로 전개되고 있다.
④ [보기]는 윗글과 달리, 대상을 징벌하기 위한 수단을 직접적으로 제시하고 있다.
⑤ [보기]는 윗글과 달리, 화자가 소망하거나 요구하는 바를 직설적으로 표현하고 있다.

실전 Test Guide

01 제시문과 [보기]를 비교하여 이해하는 문제이다. 표현 방식과 시상 전개 방식을 중심으로 두 작품의 공통점과 차이점을 확인하도록 한다.

고대 가요 005

정읍사(井邑詞)_어느 행상인의 아내

기원의 대상, 절대적 존재(천지신명), 광명과 안녕의 상징

ᄃᆞᆯ하 노피곰 도ᄃᆞ샤

높임의 의미를 지닌 존칭의 호격 조사

어긔야 ⓐ머리곰 비취오시라.

여음: 의미가 아닌 흥 · 리듬을 드러내는 소리, 남는 소리

「어긔야 어강됴리.

아으 다롱디리.」 「」: 노래의 운율을 맞추기 위한 후렴구 ▶ 기: 달에게 남편의 안녕을 기원함.

ⓑ져재 녀러신고요.

시장, 남편의 직업(행상인)을 추측할 수 있음.

어긔야 ⓒ즌 ᄃᆡ를 드ᄃᆡ욜셰라.

위험한 곳, 진흙탕, 음탕한 유흥가 ~ㄹ셰라: ~할까 두렵다. 남편에 대한 아내의 걱정과 불안감을 드러냄.

어긔야 어강됴리. ▶ 서: 남편이 위험에 처할까 염려함.

ⓓ어느이다 노코시라.

어긔야 내 가논 ᄃᆡ ⓔ졈그ᄅᆞᆯ셰라.

어긔야 어강됴리.

'내'의 해석에 따라 의미가 달라짐.
① 나: 화자가 남편을 마중 가는 길
② 임(남편): 남편이 행상을 다니는 길, 남편의 귀갓길
③ 나와 임: 부부 앞에 놓인 인생길

아으 다롱디리. ▶ 결: 남편의 무사 귀가를 기원함.

현대어 풀이 달님이시여, 높이높이 돋으시어,
멀리멀리 비춰 주소서.
〈후렴구〉
(당신은) 시장에 가 계신가요?
(당신이 땅이) 진 데를 디딜까 두렵습니다.
〈후렴구〉
어느 곳에나 (짐을 풀어) 놓으십시오.
내 가는 데 (날이) 저물까 두렵습니다.
〈후렴구〉

작품 한눈에 보기

ᄃᆞᆯ		즌 ᄃᆡ
• 화자가 기원하는 대상 • 남편의 안녕을 기원하는 화자의 마음이 투영됨. • 밝음의 이미지	↔	• 위험한 곳 • 남편이 위험해질까 염려하는 화자의 마음이 투영됨. • 어둠의 이미지

⬇

임(남편)의 무사 귀환을 바람.

배경 설화

정읍에 살고 있는 사람이 행상을 떠나 오래도록 돌아오지 않았다. 그러자 그의 아내가 산에 올라 멀리 남편이 있는 곳을 바라보며, 남편이 밤에 다니다가 해를 입을까 염려되어 이 노래를 불렀다고 한다. 사람들은 그 후 이 여인이 남편을 기다리다 그대로 죽어서 만들어졌다는 바위 또는 이 여인이 남편을 기다리던 바위를 망부석(望夫石)이라고 불렀다.

출제 포인트

■ 표현상의 특징

① 화자의 소망을 자연물인 '달'에 의탁하여 드러냄.

② 'ᄃᆞᆯ하~비취오시라'와 '내 가논 ᄃᆡ 졈그ᄅᆞᆯ셰라'에 빛과 어둠의 이미지가 대조적으로 나타남.

■ 시구의 의미에 따른 시적 화자의 성격

'즌'의 의미		화자의 성격
• 남편에게 닥칠 수 있는 위험한 요소 • 다른 여성, 남편을 유혹하는 것	→	• 남편을 걱정하며 기다리는 순종적 여인 • 남편이 다른 여자를 만날까 의심하는 여인

1 작품 이해

이 작품은 정읍현에 살던 한 여인이 행상을 나간 남편의 안전을 기원하며 남편에 대한 걱정과 근심을 진솔하게 드러내고 있는 고대 가요이다. 현전하는 유일한 백제 노래로, 화자는 돌아오지 않는 남편의 밤길을 염려하며 집으로 무사히 귀환하기를 달에게 빌고 있다. 이 노래는 민간에서 향유되다가 고려를 거쳐 조선의 궁중 음악으로 편입되었고, '어긔야 어강됴리. / 아으 다롱디리.'는 궁중 음악으로 개편되면서 덧붙여진 것으로 추정된다.

• 갈래: 고대 가요, 서정 시가
• 성격: 기원적, 여성적, 서정적
• 주제: 남편의 안전을 기원하는 마음
• 시적 상황 □□을 나가 돌아오지 않는 남편을 기다림.
• 정서와 태도 □에게 남편의 무사 귀환을 빌며 남편을 걱정하고 있음.

정답: 행상, 달

2 내용 확인

1 맞는 내용이면 ○표, 틀린 내용이면 ×표 하시오.

① '달'은 화자의 외로운 처지를 부각하는 역할을 하는 소재이다. (　　)
② '점그롤셰라'에는 남편을 걱정하는 아내의 걱정과 염려가 드러나 있다. (　　)
③ 화자는 남편의 안전을 염려하는 마음을 반어적으로 표현하고 있다. (　　)

2 남편의 귀갓길을 안전하게 지켜 줄 천지신명과 같은 절대적 존재를 의미하는 시어를 찾아 쓰시오.

➡ (　　　　　　　　　　)

3 '□□'는 화자의 남편에게 닥칠 수 있는 위험을 비유적으로 표현한 시어이다.

4 '내 가논 듸'는 주체를 누구로 삼느냐에 따라 '□□의 귀갓길', '□□이/가 마중 가는 길', '□□의 인생길'로 해석할 수 있다.

내용 확인 도우미

1 ① 화자는 '달'에게 남편의 안전과 무사 귀환을 기원하고 있다.
② '점그롤셰라'에서 남편에 대한 걱정과 무사 귀환하기를 기원하는 화자의 마음이 드러난다.
③ 화자는 행상하는 남편을 걱정하는 마음을 진솔하게 드러내고 있다.

2 '돌'은 화자가 남편의 안녕을 기원하는 대상으로, 천지신명과 같은 절대적인 힘을 가진 존재를 의미한다.

3 '즌 듸'는 남편이 직면할 수 있는 위험한 상황을 비유적으로 표현한 것이다.

4. '내 가논 듸'의 '내'는 '남편(임), 아내(화자), 부부'로 해석할 수 있다.

정답 1 ① × ② ○ ③ × 2 돌 3 즌 듸 4 남편, 아내, 부부

3 실전 Test

• 정답 3쪽

01 윗글의 표현상 특징으로 적절하지 않은 것은?

① 자연물을 활용하여 화자의 기대와 소망을 표현하고 있다.
② 음성 상징어를 활용하여 대상을 생동감 있게 그려 내고 있다.
③ 특별한 의미가 없는 구절을 반복하여 운율감을 형성하고 있다.
④ 대상에게 말을 건네는 형식을 통해 화자의 정서를 드러내고 있다.
⑤ 다양한 종결 어미를 활용하여 화자의 마음을 효과적으로 표현하고 있다.

02 [보기]를 바탕으로 ⓐ~ⓔ를 이해할 때, 적절하지 않은 것은? 기출 문제

보기

정읍은 전주에 소속된 현(縣)이다. 이 고을 사람이 행상을 떠나 오래도록 돌아오지 않았다. 그 아내는 산 위 바위에 올라가 남편이 있을 먼 곳을 바라보면서 남편이 밤길에 오다가 해를 입지나 않을까 염려하였다. 고개에 올라 남편을 기다리던 아내는 언덕에 망부석으로 변해 남아 있다고 한다.

– 『고려사』 악지, 「삼국 속악 백제조」

① ⓐ에는 남편을 걱정하는 아내의 간절한 마음이 담겨 있다.
② ⓑ에서 남편의 직업이 상인임을 알 수 있다.
③ ⓒ는 남편에게 일어날 수 있는 모든 부정적인 상황을 의미한다.
④ ⓓ에는 남편 자신의 안전을 먼저 생각하라는 아내의 당부가 나타난다.
⑤ ⓔ에는 남편을 위한 아내의 희생 의지가 드러난다.

실전 Test Guide

01 글의 표현상의 특징과 그로 인한 효과를 파악해 보는 문제이다. 시어의 특성과 어미의 활용 방식, 화자의 어조 등을 고려하여 작품의 표현상 특징을 파악하고 그 효과에 대해 생각해 보도록 한다.

02 [보기]를 바탕으로 시구에 나타난 화자의 정서와 태도, 시적 상황 등을 파악해 보는 문제이다. [보기]에 언급된 작품의 창작 배경을 바탕으로 시구의 의미를 판단하도록 한다.

향가 006

서동요(薯童謠)_서동

선화 공주(善花公主)니믄

「놈 그ᅀᅳ지 얼어 두고 ▶ 1, 2구: 선화 공주의 사랑
(남 / 몰래 / 결혼하고)

맛둥바ᄋᆞᆯ
(마 파는 아이: 서동(薯童))

바ᄆᆡ 몰 안고 가다.」 「」: 실현되지 않은 상황을 발생한 일로 표현함(참요적). ▶ 3, 4구: 서동과의 밀애
(밤에)

현대어 풀이 선화 공주님은 / 남몰래 결혼하고 / 맛둥 서방을 / 밤에 몰래 안고 간다.

작품 한눈에 보기

주객전도의 표현 방식

현실		노래
서동이 선화 공주를 사랑함.	↔	선화 공주가 서동을 사랑함.

출제 포인트

■ 표현상의 특징
① 주객전도(主客顚倒)의 표현이 사용됨.
② 일어나지 않은 일을 현재형으로 서술하여 소망을 실현하려는 의도를 드러냄(참요적, 주술적).

❖ 배경 설화

서동(맛둥)은 백제 제30대 무왕의 아명(兒名)이다. 서동은 신라 진평왕의 셋째 공주 선화가 아름답다는 소문을 듣고, 신라로 가 아이들에게 마를 나누어 주며 이 노래를 부르고 다니게 하였다. 이로 인해 쫓겨난 선화 공주를 아내로 얻게 되고, 후에 백제의 왕위에 올랐다.

1 작품 이해

이 작품은 서동이 선화 공주와 결혼하기 위해 아이들에게 부르게 한 4구체 향가이다. 현전하는 가장 오래된 향가이며, 애정의 주체와 객체를 실제와 다르게 전도하여 서동의 소망을 표출하였다.

- 갈래: 4구체 향가
- 성격: 참요*적, 주술적, 민요적
- 주제: 선화 공주의 은밀한 사랑

- 시적 상황 선화 공주가 남몰래 □□과 결혼하고 밤마다 만남.
- 정서와 태도 서동이 선화 공주에 대한 □□의 정을 표출함.

정답: 서동, 연모

* 참요(讖謠): 시대적 상황이나 정치적 징후 따위를 예언, 암시하는 주술성을 지닌 민요

2 내용 확인

1 맞는 내용이면 ○표, 틀린 내용이면 ×표 하시오.

① 개인의 소망을 종교의 힘으로 이루려는 의지를 표출하고 있다. ( )
② 실제 일어나지 않은 상황을 발생한 일인 것처럼 노래하고 있다. ( )

내용 확인 도우미

1 ① 제시문에 종교적인 내용은 언급되지 않았다.
② 선화 공주와 서동의 만남은 일어나지 않았지만, 발생한 일처럼 표현하였다.

정답 1 ① × ② ○

3 실전 Test

• 정답 3쪽

01 [보기]를 바탕으로 윗글을 이해한 내용으로 가장 적절한 것은?

보기

「서동요」는 백제의 서동이 신라 진평왕의 딸인 선화 공주를 홀로 사모하여 신라 서울의 아이들에게 공짜로 마를 나누어 주며 부르게 한 노래로 알려져 있다. 서동은 이 노래가 퍼져 궁궐에서 쫓겨난 선화 공주를 만나 함께 백제로 돌아갔고, 이후 백제의 무왕이 되어 선화 공주를 왕비로 맞아들였다고 한다.

① 윗글에서 서동은 적극적인 사랑의 주체로 등장하는군.
② 윗글로 인해 선화 공주의 비밀이 사람들에게 알려지게 되었군.
③ 윗글은 선화 공주가 소망하는 바를 이루어 주는 역할을 하였군.
④ 윗글은 화자가 직접 사모하는 대상에게 마음을 고백하는 형식을 취하는군.
⑤ 윗글이 널리 퍼진 이후의 결과를 보았을 때, 윗글은 참요적 성격을 띠는군.

실전 Test Guide

01 창작 배경과 관련하여 작품의 내용을 이해하는 문제이다. [보기]를 바탕으로 제시문의 역할과 의미, 형식, 성격 등을 파악하도록 한다.

향가

007 헌화가(獻花歌)_견우 노인

지뵈 바회 ᄀᆞᆺ새
자ᄇᆞᆫ 몬손 암쇼 노히시고,
나ᄅᆞᆯ 안디 븟그리샤ᄃᆞᆫ
고ᄌᆞᆯ 것거 바도림다.

(자줏빛 / 접근하기 힘든 공간 / 놓게 하시고 / 화자 / 가정법 / 수로 부인에 대한 노인의 정성)

▶ 1, 2구: 암소의 고삐를 놓음.

▶ 3, 4구: 꽃을 꺾어 바치고 싶음.

현대어 풀이 자줏빛 바위 가에 / 잡고 있는 암소를 놓게 하시고,
나를 아니 부끄러워하신다면 / 꽃을 꺾어 바치겠습니다.

작품 한눈에 보기

곶(꽃)
⬇
수로 부인에 대한 화자의 사랑

❖ **배경 설화**

신라 성덕왕 때 순정공이 강릉 태수로 부임하던 길에 바닷가에서 점심을 먹게 되었는데, 높은 봉우리 위에 철쭉꽃이 만개해 있었다. 순정공의 부인인 수로가 이를 보고 꽃을 꺾어 달라고 하자, 모두가 인적이 이를 수 없는 곳이라고 하였다. 그때 암소를 끌고 가던 노옹(老翁)이 수로 부인의 말을 듣고는 그 꽃을 꺾어 오고 노래를 지어서 바쳤다.

출제 포인트

■ 표현상의 특징
① 가정법을 사용하여(3구) 화자의 심리를 표현함.
② 연모의 정을 담은 소재(꽃)를 활용하여 자신의 마음을 드러냄.

1 작품 이해

이 작품은 수로 부인에 대한 흠모의 정을 표현한 4구체 향가이다. 다른 향가와 달리 주술성이나 종교적 성격이 없이 당시의 순수한 미의식을 드러내고 있다.

- 갈래: 4구체 향가
- 성격: 서정적, 민요적

- 주제: 수로 부인에 대한 흠모의 정
- 시적 상황 견우 노인이 암소의 고삐를 놓고 바위 가에 있는 □을 꺾어 수로 부인에게 바침.
- 정서와 태도 위험을 무릅쓸 정도로 수로 부인을 □□함.

정답: 꽃, 흠모

2 내용 확인

1 맞는 내용이면 ○표, 틀린 내용이면 ×표 하시오.

① '바회 ᄀᆞᆺ'는 보통 사람들이 접근하기 어려운 공간이다. (　　)
② 3구에서는 상황을 가정하여 화자의 정서를 드러내고 있다. (　　)

2 수로 부인에 대한 화자의 연정을 표현하는 소재를 찾아 쓰시오.

➡ (　　　　　　　　)

내용 확인 도우미

1 ① '바회 ᄀᆞᆺ'는 사람이 접근하기 어려운 곳으로, 이를 극복하고 꽃을 바치겠다는 화자의 순정을 드러낸다.
② '나ᄅᆞᆯ 안디 븟그리샤ᄃᆞᆫ'에서 가정법을 활용하고 있다.

2 노인은 '곶(꽃)'을 통해 수로 부인에 대한 자신의 흠모의 정을 전달하고 있다.

정답 1 ① ○ ② ○ 2 곶(꽃)

3 실전 Test

• 정답 4쪽

01 윗글을 이해한 것으로 적절하지 않은 것은?

① '바회 ᄀᆞᆺ'라는 배경은 화자의 순정을 부각하는군.
② '암쇼'는 꽃을 갖기 위해 수로 부인이 희생해야 하는 것이군.
③ '나'는 꽃을 꺾으러 가는 화자라고 볼 수 있겠군.
④ '안디 븟그리샤ᄃᆞᆫ'은 꽃을 꺾어 오기 위한 조건이로군.
⑤ '곶'은 수로 부인을 향한 흠모의 정을 형상화한 것이군.

실전 Test Guide

01 시어의 의미 및 역할을 파악하는 문제이다. 화자와 수로 부인을 중심으로 주요 소재와 배경의 역할을 생각해 보도록 한다.

향가

008 원왕생가(願往生歌)_광덕

ᄃᆞᆯ하 이뎨
기원의 대상
서방(西方)ᄭᆞ장 가샤리고.
서방 정토 – 극락세계
무량수불(無量壽佛)* 전(前)에
닏곰다가 ᄉᆞᆲ고샤셔.
일러(다가) 말씀을 올리소서.
다딤 기프샨 존(尊)어ᄒᆡ 울워러
부처에 대한 찬양 부처님
두 손 모도호ᅀᆞᆯᄇᆞ
합장하는 모습. 경건함.
원왕생(願往生)* 원왕생(願往生)
소망을 직접 표출함. 죽어서 극락에 다시 태어나기를 원함.(기원의 내용)
그릴 사ᄅᆞᆷ 잇다 ᄉᆞᆲ고샤셔.
시적 화자
아으 이몸 기텨 두고
낙구 첫머리의 감탄사(10구체 향가의 특징)
사십팔대원(四十八大願)* 일고샬까.
설의법

▶ 1~4구: 달에게 청원함.

▶ 5~8구: 극락왕생을 소망함.

▶ 9~10구: 청원을 심화 · 강조함.

현대어 풀이 달님이시여, 이제
서방 정토까지 가시렵니까.
무량수불 앞에
일러 사뢰옵소서.
다짐 깊으신 부처님께 우러러
두 손을 모아
왕생을 원하여 왕생을 원하여
그리워하는 사람이 있다고 사뢰옵소서.
아아, 이 몸 남겨 두고
마흔여덟 가지 큰 소원을 이루시겠습니까.

작품 한눈에 보기

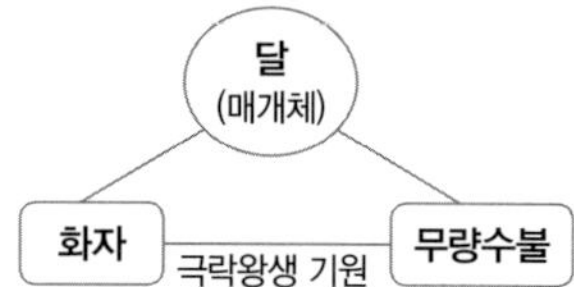

출제 포인트

■ 표현상의 특징
① '달'을 매개체로 활용하여 소원을 빎.
② 설의적인 표현(10구)을 통해 자신의 소망을 강조함.

수능 필수 개념

"기원의 대상으로서의 '달'"
달은 천상의 존재이면서 광명의 이미지를 갖고 있어 예로부터 기원의 대상이었다. 백제 가요 「정읍사」에도 이 작품과 유사하게 기원의 대상인 '달'이 등장한다. 한편 「원왕생가」와 「정읍사」의 '달'은 화자와 대상을 연결해 주는 매개체 역할을 하기도 한다.

어휘 풀이
* 무량수불: 아미타불. 대승 불교의 부처 가운데 서방 극락정토의 주인이 되는 부처
* 원왕생: 왕생을 기원함. '왕생'은 사람이 이 세상에서 죽어 다른 세상에 다시 태어남을 가리키는 말로, 주로 극락세계에 다시 태어나는 것을 의미함.
* 사십팔대원: 아미타불이 중생을 구제하기 위해 정한 48가지의 소원

배경 설화

신라 문무왕 때 광덕과 엄장이라는 두 친구가 있었다. 두 사람은 누구든지 먼저 서방 정토에 갈 때는 서로 알려 줄 것을 약속하였다. 광덕이 죽으면서 먼저 서방 정토로 간다는 것을 알리자, 엄장은 장사를 지낸 후 광덕의 아내와 함께 살게 되었다. 밤에 엄장이 동침을 청하자 광덕의 아내는 정색을 하며 말하기를 "죽은 남편은 10여 년을 같이 살았으나 한 번도 동침하지 않고 오직 수도에만 전념하였는데, 지금 당신은 이런 추한 행동을 하려 하니, 정토를 구하기는 나무에서 물고기를 구하는 것과 마찬가지이다."라고 하였다. 이에 엄장은 부끄러움을 느끼며 물러나와 크게 뉘우친 후, 원효를 만나 도를 닦고 서방 정토에서 왕생하게 되었다고 한다.

1 작품 이해

이 작품은 극락정토에서 다시 태어나기를 바라는 기원을 담은 10구체 향가이다. 당시 아미타불은 중생을 구제한다는 부처로, 아미타불을 믿으면 극락으로 간다는 종교적 믿음이 퍼져 있었다. 이러한 믿음이 달을 매개체로 한 간절한 청원으로 형상화되어 있다.

• 갈래: 10구체 향가 • 성격: 불교적, 기원적

• 주제: 극락왕생에 대한 염원
• 시적 상황 □을 바라보며 극락세계에서 왕생할 것을 기원함.
• 정서와 태도 달을 통해 극락왕생의 소망을 □□□□에게 전달하고자 함.

정답: 달, 무량수불

2 내용 확인

1 맞는 내용이면 ○표, 틀린 내용이면 ×표 하시오.

① 화자는 초월적 존재에게 자신의 소원을 직접적으로 이야기하고 있다. ( )

② 자연물에 화자의 감정을 이입하여 우회적으로 화자의 정서를 표현하고 있다. ( )

2 10구의 '□□□□'는 설의적 표현으로, 화자는 이를 통해 소망을 강조하며 시상을 마무리하고 있다.

내용 확인 도우미

1 ① 화자는 극락왕생하고 싶은 자신의 소망을 달을 통해 무량수불에게 전달하고 있다.

② 화자는 7구에서 극락왕생하고 싶은 마음을 직설적으로 표현하고 있다.

2 10구의 '일고살까'에는 의문의 형식으로 표현하여 의미를 강조하는 방법인 설의법이 나타난다.

정답 1 ① × ② × 2 일고살까

3 실전 Test

• 정답 4쪽

01 윗글에 대한 설명으로 적절하지 않은 것은?

① '다딤 기프샨'에서 부처님을 찬양하는 태도를 볼 수 있군.

② '두 손 모도호슬ᄫᆞ'는 '돌'이 '무량수불' 앞에서 취하는 자세로군.

③ '원왕생'은 화자가 '무량수불'에게 기원하는 말이로군.

④ '그릴 사름'은 화자 자신을 가리키는 말이겠군.

⑤ '이몸 기텨 두고'는 화자가 왕생하지 못하는 상황을 말하는 것이로군.

02 윗글과 [보기]의 '달'에 대한 설명으로 가장 적절한 것은?

보기

달님이시여, 높이높이 돋으시어
어긔야, 멀리멀리 비춰 주소서.
어긔야 어강됴리.
아으 다롱디리.
시장에 가 계신가요?
어긔야 진 데를 디딜까 두렵습니다.
어긔야 어강됴리.
어느 곳에나 놓으십시오.
어긔야 내 가는 데 저물까 두렵습니다.
어긔야 어강됴리.
아으 다롱디리.

– 어느 행상인의 아내, 「정읍사」

① 윗글과 [보기]의 '달' 모두 시련을 겪고 있는 화자를 위로해 주는 역할을 한다.

② 윗글과 [보기]의 '달' 모두 어두운 세상을 밝게 비추는 구원자의 역할을 한다.

③ 윗글과 [보기]의 '달' 모두 애상적 분위기를 형성하여 화자의 정서를 부각하는 역할을 한다.

④ 윗글의 '달'은 소원을 전달해 주는 매개체이고, [보기]의 '달'은 소원을 직접 이루어 줄 수 있는 존재이다.

⑤ 윗글의 '달'은 극락세계로 갈 수 있는 초월적 존재이고, [보기]의 '달'은 현실적 제약에 얽매여 있는 존재이다.

실전 Test Guide

01 시적 상황과 시어 간의 관계를 파악해 보는 문제이다. 화자와 대상의 관계를 중심으로 시적 상황을 파악하여 그 적절성을 판단하도록 한다.

02 제시문과 [보기]를 비교하여 감상하는 문제이다. 두 작품에 공통으로 사용된 소재인 '달'의 의미와 기능을 중심으로 두 작품의 공통점과 차이점을 확인하도록 한다.

향가

009 처용가(處容歌)_처용

식볼 볼기 드래
공간적 배경, 신라의 서울인 경주를 가리킴.
밤 드리 노니다가
시간적 배경
드러사 자리 보곤
들어와
가로리 네히어라.
다리가 두 명이 있었다는 의미(대유법): 역신이 아내를 범한 상황
▶ 기: 역신이 침범함.

둘흔 내해엇고
나의 것(내 아내의 다리)
둘흔 뉘해언고.
누구의 것(역신의 다리)
▶ 서: 상황에 대한 의문을 제기함.

본디 내해다마른
아사놀 엇디흐릿고.
빼앗긴 것을 ① 아내를 빼앗아 간 역신에 대한 관용적 태도 ② 아내를 빼앗긴 상황에 대한 체념
▶ 결: 관용(체념)적 태도를 보임.

현대어 풀이 서울 밝은 달에
밤늦도록 노니다가
들어와 잠자리를 보니
다리가 넷이구나.
둘은 내 것이고
둘은 누구의 것인가?
본래 내 것이다마는
빼앗긴 것을 어찌하겠는가.

배경 설화

『삼국유사』에 따르면 신라 제49대 헌강왕 때, 역신(疫神, 전염병을 퍼뜨린다는 신)이 처용의 아름다운 아내를 흠모하여 사람으로 변해 몰래 동침하였다고 한다. 처용은 동침 현장을 보고 이 노래를 부르며 춤을 추고 물러났다. 역신은 처용이 노하지 않고 가무(歌舞)를 펼친 것에 감동하였다고 한다. 역신은 처용에게 무릎을 꿇어 사죄하면서 이후로는 처용의 형상만 보아도 그 문에 들어가지 않겠노라 하였다. 그 이후 사람들은 처용의 형상을 문에 붙여 사귀(邪鬼, 요사스러운 귀신)를 물리치고 경사를 맞아들였다고 전해진다.

작품 한눈에 보기

역신: 처용의 아내를 빼앗음. — 처용: 아내를 빼앗김. → 관용, 체념

출제 포인트

■ 표현상의 특징
① 대유법을 사용하여 신체의 일부인 다리를 통해 두 사람이 있다는 의미를 드러냄.
② 사실적인 묘사와 설의적 표현을 통해 시적 상황과 화자의 심리를 전달함.

■ 화자의 태도
아내를 빼앗은 대상인 역신에게 화를 내는 대신에 주어진 상황을 체념적으로 수용(관용적으로 포용)하는 태도를 보임.

수능 필수 개념

"벽사진경(辟邪進慶)"
요사스러운 것을 물리치고 경사스러운 일로 나아감을 의미한다. 「처용가」는 아내를 침범한 역신을 물러가도록 한 노래라는 점에서 벽사진경의 성격을 갖고 있다고 볼 수 있다.

1 작품 이해

이 작품은 처용이 아내를 침범한 역신을 보고 물러나며 불렀다고 전해지는 8구체 향가이다. 처용이 노하지 않은 것에 감복*한 역신이 물러갔다는 설화와 함께 전해지며, 이 때문에 나쁜 귀신을 쫓는 축사(逐邪)*의 기능을 가진 주술적 노래로 평가된다. 또한 고려 가요 「처용가」의 모태가 된 작품으로, 향가 「처용가」의 여섯 구절이 고려 가요 「처용가」에 그대로 들어가 있어 향가 해독의 시금석 역할을 하였다.

- 갈래: 8구체 향가
- 성격: 주술적

- 주제: 아내를 범한 역신에 대한 관용적 태도
- 시적 상황 □□이 아내를 침범하는 상황을 목격함.
- 정서와 태도 아내를 빼앗긴 상황에서도 □□□이고 체념적인 태도를 보임.

정답: 역신, 관용적

* 감복: 마음속으로 감동하여 탄복함.
* 축사: 요사스러운 기운이나 귀신을 물리쳐 내쫓음.

2 내용 확인

1 맞는 내용이면 ○표, 틀린 내용이면 ×표 하시오.

① 화자는 문제 상황을 적극적으로 해결하려는 의지를 드러내고 있다. (　　)
② 대유법을 활용하여 부정적인 상황을 표현하고 있다. (　　)

2 화자의 관용적 태도가 드러난 구절을 찾아 쓰시오.

➡ (　　　　　　　　　　　　　　　　　　　　)

내용 확인 도우미

1 ① 화자는 역신이 아내를 침범한 문제 상황에 대해 체념적으로 수용하고 있다.
② '두 사람이 있다'는 것을 '가ᄅᆞ리 네히어라'라고 표현한 것은 사물의 일부나 특징을 들어 그 자체나 전체를 나타내는 대유법을 활용한 것이다.

2 화자는 역신이 아내를 범하는 장면을 목격한 후, 마지막 구에서 체념적이고 관용적인 태도를 보이고 있다.

정답 1 ① × ② ○ 2 아ᅀᆞᄂᆞᆯ 엇디ᄒᆞ릿고.

3 실전 Test

• 정답 4쪽

01 윗글을 계승한 노래인 [보기]와 윗글을 비교한 내용으로 가장 적절한 것은?

보기

신라 서울 밝은 달밤에 새도록 놀다가 / 돌아와 내 자리를 보니 다리가 넷이로구나. / 아아, 둘은 내 것이거니와 둘은 누구의 것인가? / 이런 때에 처용 아비 곧 보시면 / 열병신(熱病神) 따위야 횟감이로다. / 천금(千金)을 줄까? 처용 아비여, / 칠보(七寶)를 줄까? 처용 아비여, / 천금도 칠보도 다 말고 / 열병신을 나에게 잡아다 주소서. / 산이나 들이나 천 리 먼 곳으로 / 처용 아비를 피해 가고 싶다. / 아아, 열병 대신의 소망이로다.

– 작자 미상, 「처용가」

① 윗글은 [보기]와 달리 대화의 형식으로 진행되고 있다.
② 윗글은 [보기]와 달리 문제 상황이 직접 제시되어 있다.
③ [보기]는 윗글과 달리 처용 아내의 하소연이 드러나 있다.
④ [보기]는 윗글과 달리 처용을 대하는 역신의 심리가 드러나 있다.
⑤ 윗글과 [보기]에서는 모두 처용의 능력을 과장하여 표현하고 있다.

02 [보기]를 참고하여 윗글을 감상한 내용으로 적절하지 않은 것은?

보기

처용은 동해 용왕의 아들로 신라의 수도 경주에 살았는데, 그의 아내가 매우 아름다워 역신이 몰래 그 아내를 흠모하였다. 어느 날 밤 처용이 집을 비운 사이에 역신이 처용의 아내와 동침하였는데, 처용이 돌아와 그 광경을 보고 이 노래를 부르며 물러 나왔다. 아내를 빼앗긴 상황에서도 화를 내지 않는 처용의 관용과 도량에 감복한 역신은 이후로 처용의 형상을 그린 것만 보아도 그 문에 들어가지 않겠다고 하였다. 그 이후 사람들은 처용의 얼굴을 그려 대문에 붙여 전염병을 막으려 했다고 한다.

① '식ᄫᆞᆯ ᄇᆞᆯ기 ᄃᆞ래'에서 윗글의 시간적, 공간적 배경을 알 수 있다.
② '가ᄅᆞ리 네히어라.'에서 역신이 아내와 동침한 상황을 추측할 수 있다.
③ '본ᄃᆡ 내해다마ᄅᆞᆫ'에서 처용의 아내가 매우 아름다웠다는 것을 알 수 있다.
④ '아ᅀᆞᄂᆞᆯ 엇디ᄒᆞ릿고.'에서 처용의 관용과 도량을 찾을 수 있다 .
⑤ 역신이 감복한 이후의 상황을 볼 때, 윗글은 축사(逐邪)의 기능을 했다고 볼 수 있다.

실전 Test Guide

01 제시문과 [보기]를 비교하여 이해할 수 있는지를 평가하는 문제이다. 세부 내용과 형식, 표현 등을 중심으로 두 작품을 비교하여 공통점과 차이점을 확인하도록 한다. 참고로 [보기]에 제시된 「처용가」는 고려 가요에 해당한다.

02 [보기]를 바탕으로 제시문의 시적 상황과 기능, 화자의 태도 등을 파악해 보는 문제이다. 창작 배경을 바탕으로 시구의 의미를 생각해 보도록 한다.

향가 010

제망매가(祭亡妹歌)_월명사

생사(生死) 길흔
삶과 죽음의 갈림길
이에 이샤매 머뭇그리고,
여기(이승)에 / 죽음에 대한 두려움
나는 가누다 말ㅅ도
죽은 누이
몯다 니르고 가누닛고.
갑작스러운 죽음에 대한 안타까움.
▶ 기: 누이의 죽음에 대한 안타까움

어느 ᄀᆞ솔 이른 ⓐᄇᆞᄅᆞ매
가을 / 누이의 요절을 암시함.
이에 뎌에 ᄠᅥ러딜 ⓑ닙ᄀᆞᆮ,
죽은 누이(직유법)
ᄒᆞᄃᆞᆫ 가지라 나고
같은 부모(은유법)
가논 곧 모ᄃᆞ론뎌.
▶ 서: 누이의 죽음에서 느끼는 삶의 무상감

낙구 첫머리의 감탄사
아야 미타찰(彌陀刹)*아 맛보올 나
누이가 극락으로 갔으리라고 믿음.
도(道) 닷가 기드리고다.
누이를 잃은 슬픔을 종교적으로 승화함. → 누이와의 재회에 대한 기약
▶ 결: 슬픔의 종교적 승화

현대어 풀이 삶과 죽음의 길은
여기 있음에 머뭇거리고
나는 간다는 말도
못다 이르고 갑니까?
어느 가을 이른 바람에
이리저리 떨어질 잎처럼
한 가지에 나고
가는 곳을 모르는구나.
아아, 극락세계에서 만날 나
도 닦아 기다리련다.

작품 한눈에 보기

이승	미타찰
이별의 공간	재회의 공간

↓

이별의 슬픔을 종교적으로 승화함.

출제 포인트

■ 표현상의 특징

인간의 삶과 죽음을 자연물에 빗대어 형상화함.

시구	비유적 의미
이른 ᄇᆞᄅᆞᆷ	누이의 요절
ᄠᅥ러딜 닙	죽은 누이
ᄒᆞᄃᆞᆫ 가지	같은 부모

■ 화자의 정서와 태도

혈육(누이)의 죽음으로 인한 슬픔을 종교적으로 승화하고자 함.

수능 필수 개념

"10구체 향가"

가장 정제된 향가의 형태로 평가받고 있다. 특히 낙구(落句)의 감탄사는 후대에 발생한 시조의 종장 첫 구와 가사의 낙구에 영향을 준 것으로 보인다.

어휘 풀이

* 미타찰: 아미타불이 있는 극락세계. 아미타불을 외면 죽은 뒤 극락에 간다고 함.

배경 설화

『삼국유사』에 따르면 신라 경덕왕 때에 월명사가 젊은 나이에 죽은 누이를 위해 재(齋, 죽은 이의 명복을 빌기 위하여 부처에게 음식물이나 재물 등을 바침.)를 올리면서, 이 노래를 지어 부르고 있었다. 이때 홀연히 광풍이 불어와 지전(돈 모양으로 오린 종이)을 서쪽으로 날려 보내 없어지게 하였다고 한다.

1 작품 이해

이 작품은 누이의 죽음으로 인한 슬픔을 종교적으로 극복하고자 하는 마음을 담은 10구체 향가이다. 누이의 죽음을 '떨어질 잎'으로, 같은 부모에게서 태어난 동기간임을 '한 가지'로 표현하는 등 인간의 생사(生死)를 자연물에 빗대어 형상화하여 문학성이 높다고 평가받고 있다. 또한 집단 감정의 표현이나 어떤 목적 의식이 있는 노래가 아닌, 순수한 서정시로서의 지평을 열어 주고 있다.

- 갈래: 10구체 향가
- 성격: 애상적, 추모적, 종교적
- 주제: 죽은 누이에 대한 추모와 재회 기약
- 시적 상황 일찍 죽은 □□를 위하여 제사를 지냄.
- 정서와 태도 혈육을 잃은 □□과 안타까움을 종교적으로 극복하고자 함.

정답: 누이, 슬픔

2 내용 확인

1 맞는 내용이면 ○표, 틀린 내용이면 ×표 하시오.

① 화자는 삶의 무상감을 깨달으며 시상을 마무리하고 있다. ( )
② 5구의 '이른 ᄇᆞᄅᆞ매'는 누이가 젊은 나이에 죽었음을 암시한다. ( )

2 누이와의 재회를 기다리는 화자의 태도를 드러낸 구절을 찾아 쓰시오.

➡ ( )

3 화자는 '□□□'에서 죽은 누이와 다시 만날 수 있으리라고 생각하면서 혈육을 잃은 슬픔을 종교적으로 극복하려는 태도를 보이고 있다.

내용 확인 도우미

1 ① 화자는 누이의 죽음으로 인한 슬픔을 종교적으로 극복하며 시상을 마무리하고 있다.
② '이른 ᄇᆞᄅᆞ매'는 누이의 요절을 암시한다.

2 화자는 결구의 마지막 부분인 10구에서 도를 닦으며 누이와의 재회를 기다리겠다고 하였다.

3 화자는 9~10구에서 불교의 극락세계를 의미하는 미타찰에서 죽은 누이와 다시 만날 날을 도 닦으며 기다리겠다고 하였다.

정답 **1** ① × ② ○ **2** 도(道) 닷가 기드리고다. **3** 미타찰

3 실전 Test

• 정답 5쪽

01 윗글에 대한 설명으로 적절하지 않은 것은?

① 혈육의 죽음을 통해 느낀 인생의 무상감을 표현하고 있다.
② 화자와 대상 간의 관계를 비유적 표현을 통해 드러내고 있다.
③ 대상의 부재(不在)로 인한 슬픔을 직설적으로 나타내고 있다.
④ 재회에 대한 확신으로 이별의 슬픔을 극복하는 태도를 보이고 있다.
⑤ 개인의 고뇌를 종교적인 차원으로 승화하려는 의지를 드러내고 있다.

02 윗글의 ⓐ, ⓑ와 [보기]의 밑줄 친 시어들을 비교하여 이해한 내용으로 적절하지 않은 것은? 기출 문제

보기

A. 간밤에 부던 바람 만정 도화(桃花) 다 지겠다
아이는 비를 들어 쓸려고 하는구나
낙화인들 꽃이 아니랴 쓸어 무엇 하리오

– 정민교

B. 바람 불어 쓰러진 나무 비 온다 싹이 나며
임 그려 든 병이 약 먹다 나을쏘냐
저 임아 널로 든 병이니 네 고칠까 하노라

– 유희춘

① ⓐ와는 달리 A의 '바람'은 화자의 시련을 상징하고 있다.
② ⓐ와 B의 '바람'은 어떤 결과를 가져오는 원인으로 작용하고 있다.
③ ⓑ와는 달리 A의 '도화'는 화자의 감회와 흥취를 부각하고 있다.
④ ⓑ와는 달리 B의 '나무'는 화자 자신을 비유하고 있다.
⑤ ⓑ, A의 '도화', B의 '나무'는 수동성을 함축하고 있다.

실전 Test Guide

01 화자의 정서 및 태도를 파악하는 문제이다. 제시문에 나타난 화자의 정서와 화자가 태도를 드러내는 방식에 주목하여 선택지의 적절성을 판단하도록 한다.

02 제시문과 [보기]를 비교하여 이해할 수 있는지 평가하는 문제이다. 시어의 의미 및 역할을 중심으로 두 작품을 비교하여 공통점과 차이점을 확인하도록 한다.

011 찬기파랑가(讚耆婆郎歌)_충담사

열치매
열어젖히며 □: 기파랑의 인품을 상징하는 시어
나토얀 [ᄃᆞ리]
달-광명, 염원의 대상, 우러러보는 존재
ᄒᆡᆫ 구룸 조초 ᄠᅥ 가ᄂᆞᆫ 안디하. ▶ 기: 기파랑의 고결한 모습(화자의 질문)

새파ᄅᆞᆫ [나리]여ᄒᆡ
냇물-맑고 깨끗함.
기랑(耆郎)ᄋᆡ ᄌᆞᄉᆡ 이슈라.
기파랑
일로 나리ㅅ [지벽]히
조약돌-둥글면서 단단함.
낭(郎)ᄋᆡ 디니다샤온
기파랑
ᄆᆞᅀᆞᄆᆡ ᄀᆞᇂ홀 좇누아져. ▶ 서: 기파랑의 인품 찬양(달의 대답)
마음의 끝(기파랑의 뜻)
아으 [잣ㅅ가지] 노파
낙구 첫머리의 감탄사 — 강직한 절개
서리 몯누올 화반(花判)이여. ▶ 결: 기파랑의 절개 예찬(화자의 독백)
시련, 고난, 불의 화랑의 우두머리

현대어 풀이
(구름을) 열어젖히며 / 나타난 달이
흰 구름 좇아 떠가는 것이 아니냐?
새파란 냇물에 / 기랑의 모습이 있구나.
이로부터 냇가 조약돌에 / 기파랑이 지니시던
마음의 끝을 따르고자.
아아, 잣나무 가지 높아
서리조차 모르실 화랑의 우두머리여.

작품 한눈에 보기

기파랑의 인품	
ᄃᆞᆯ(달)	광명과 염원의 대상으로 우러러보는 존재임.
나리(냇물)	맑고 깨끗한 인품을 상징함.
지벽(조약돌)	원만하고 강직한 성품을 상징함.
잣ㅅ가지	고결한 인품, 강직한 절개를 갖고 있음.

⬇

기파랑의 고매한 인품을 예찬함.

출제 포인트

■ 표현상의 특징

① 상징적인 의미를 가진 시어(ᄃᆞᆯ, 나리, 지벽, 잣ㅅ가지)들을 활용하여 기파랑의 고매한 인품을 예찬함.

② 화자가 질문을 하고 달이 답을 하는 문답의 형식으로 시상을 전개함.

달에게 물음(기).	기파랑을 생각함.
달의 대답(서)	기파랑의 고매한 인품을 찬양함.
화자의 독백(결)	기파랑의 절개를 예찬함.

■ 대립적 의미의 시어

잣ㅅ가지 기파랑의 고결한 절개 ↔ **서리** 시련, 고난, 불의

배경 설화

신라 경덕왕 24년 3월 3일, 왕이 귀정문(歸正門) 누각 위에 올라 신하들에게 길거리에서 위엄이 있고 엄숙한 태도가 있는 한 사람을 데려오라고 하였다. 이때 마침 한 스님이 납의(衲衣, 낡은 헝겁을 모아 기워 만든 승려의 옷)를 입고 앵통(櫻筒, 앵두나무로 만든 통)을 지고 남쪽에서 오고 있었는데, 왕이 보고 기뻐하여 누각 위로 맞아들였다. 스님은 자신을 충담(忠談)이라고 아뢰며 왕에게 차를 달여 바쳤는데, 차의 맛이 이상하고 찻잔 속에서 이상한 향기가 풍겼다. 왕이 "스님이 기파랑을 찬미한 향가가 그 뜻이 무척 높다고 하니, 그 말이 과연 옳은가?" 라고 물으니, 충담이 그렇다고 대답하였다. 왕이 나라를 잘 다스리고 백성을 평안하게 하는 바른 길을 읊은 향가인 안민가(安民歌)를 지어 달라고 명하자 충담은 곧 노래를 지어 바쳤다. 왕은 그를 왕사(王師, 임금의 스승)로 봉했으나 충담은 두 번 절하고 받지 않았다.

1 작품 이해

이 작품은 신라 경덕왕 때의 승려 충담사가 화랑인 기파랑을 추모하며 지은 10구체 향가이다. 기파랑의 고결한 인품과 절개를 고도의 비유와 상징적 수법으로 형상화하고 있다.

- 갈래: 10구체 향가 • 성격: 추모적, 예찬적
- 주제: 기파랑의 고매한 인품에 대한 예찬

- 시적 상황 화자와 달이 자연물에서 □□□을 떠올리며 대화를 주고받음.
- 정서와 태도 자연물의 속성에 빗대어 기파랑의 고매한 인품과 곧은 절개를 □□함.

정답: 기파랑, 예찬

2 내용 확인

1 맞는 내용이면 ○표, 틀린 내용이면 ×표 하시오.

① 화자는 찬양의 대상과 대조적인 자신의 모습을 비교하며 자신을 성찰하고 있다. (　　)
② 화자는 '돌(달)'에게 자신의 소망을 이루어 달라고 기원하고 있다. (　　)

2 기파랑의 고매한 인품과 대립적인 의미를 가진 시어를 쓰시오.

➡ (　　　　　　　　　　)

3 '□□'는 기파랑의 맑고 깨끗한 모습을, '□□'은 기파랑의 원만하면서 강직한 성품을 의미하는 시어이다.

4 화자는 기파랑의 인품을 상징적인 의미를 가진 □□□에 빗대어 예찬하고 있다.

내용 확인 도우미

1 ① 화자는 기파랑을 찬양하고 있지만 자신을 성찰하고 있지는 않다.
② '돌(달)'은 광명의 존재이며 누구나 우러러보는 숭고한 대상으로, 기파랑의 인품을 상징한다.

2 '잣ㅅ가지'는 기파랑의 강직한 절개를 상징하고, '서리'는 시련과 고난, 불의를 상징한다.

3 '나리(냇물)'는 맑고 깨끗한 속성으로 기파랑의 모습을 나타내고, '지벽(조약돌)'은 둥글면서 단단한 속성으로 기파랑의 인품을 나타낸다.

4 기파랑의 인품을 '나리', '지벽', '잣ㅅ가지', 즉 자연물에 빗대어 표현하고 있으며, 상징적 의미를 부여하여 기파랑을 예찬하고 있다.

정답 1 ① × ② ×　2 서리
3 나리, 지벽　4 자연물

3 실전 Test

• 정답 5쪽

01 윗글을 읽고 '기파랑'의 특성을 추론한 내용으로 적절하지 않은 것은?

① 항상 맑고 깨끗한 마음가짐을 잃지 않았을 거야.
② 어려운 처지의 사람을 누구보다 먼저 나서서 도왔을 거야.
③ 훌륭한 인품 덕에 누구나 높이 우러러보는 존재였을 거야.
④ 아무리 힘들고 어려운 일이 있더라도 곧은 절개를 꺾지 않았을 거야.
⑤ 주위 사람들과 원만하게 지내면서도 불의에는 강직한 모습을 보였을 거야.

02 윗글과 [보기]를 비교하여 감상한 내용으로 가장 적절한 것은? 기출 문제

보기

풍상(風霜)이 섯거친 날에 갓 픠온 황국화(黃菊花)를
금분(金盆)에 가득 담아 옥당(玉堂)에 보내오니
도리(桃李)야, 꽃인양 마라 님의 뜻을 알괘라.

– 송순

① 윗글의 '잣ㅅ가지–서리'는 [보기]의 '황국화–풍상'과 대응된다.
② 윗글과 [보기]는 시간의 변화에 따라 시상이 전개되고 있다.
③ 윗글과 [보기]의 화자는 모두 대상과의 관계 개선을 희망하고 있다.
④ 윗글과 [보기]에서 대상의 부재는 화자에게 갈등의 원인이 되고 있다.
⑤ 윗글의 '화반'은 그리움의 대상이고, [보기]의 '님'은 원망(怨望)의 대상이다.

실전 Test Guide

01 시어가 함축하고 있는 의미를 파악하는 문제이다. 소재가 가진 일반적 속성과 작품 속 다른 대상과의 관계를 이해하고 선택지의 적절성을 판단하도록 한다.

02 제시문과 [보기]를 비교하여 감상해 보는 문제이다. 시어의 의미 및 시상 전개, 화자의 정서와 태도를 중심으로 두 작품을 비교하여 공통점과 차이점을 확인하도록 한다.

향가

012 모죽지랑가(慕竹旨郎歌)_득오

간 봄 그리매
죽지랑과 함께한 시절
모든 것ᄉᆞ 우리 시름.
죽지랑과 이별한 슬픔
아ᄅᆞᆷ 나토샤온
아름다움 / 늙음을 암시
즈ᅀᅵ 살쯈 디니져.
(죽지랑의) 모습이
눈 돌칠 ᄉᆞ이예
눈 돌릴 사이, 잠깐 사이
맛보ᄋᆸ디 지소리.
재회에 대한 소망
낭(郞)이여 그릴 ᄆᆞᅀᆞᄆᆡ 녀올 길
죽지랑
다봊 굴허헤 잘 밤 이시리.
저세상, 험한 이승

▶ 기: 이별의 슬픔과 그리움
▶ 승: 죽지랑의 모습 회상
▶ 전: 죽지랑과의 재회 소망
▶ 결: 재회에 대한 확신

현대어 풀이 지나간 봄을 그리워하니
모든 것이 울어 시름(에 잠기는구나)
아름다움을 나타내신
(죽지랑의) 모습에 주름살이 지는구나.
눈 돌릴 사이에
만나 뵙도록 지으리이다.
낭이여, 그리는 마음의 가는 길
다북쑥 (우거진) 마을에서 (함께) 잘 밤이 있으리.

작품 한눈에 보기

시간 순서에 따른 시상 전개

과거
죽지랑과 함께했던 날을 그리워하며, 죽지랑의 아름다웠던 모습을 떠올림.

↓

현재
죽지랑이 없는 현재를 슬퍼함.

↓

미래
죽지랑과의 재회를 소망함.

출제 포인트

■ 화자의 정서 및 태도

간 봄 그리매	죽지랑과 함께한 과거를 그리워함.
모든 것ᄉᆞ 우리 시름.	세상 모든 것이 울어 시름에 잠길 정도로 죽지랑의 죽음을 슬퍼함.
살쯈 디니져.	늙어 가는 죽지랑의 모습을 보며 무상감을 느낌.
맛보ᄋᆸ디 지소리.	재회를 소망함.
다봊 굴허헤 잘 밤 이시리.	• 저승에서 만나기를 소망함. • 이승에서 만날 수 없음을 한탄함.

수능 필수 개념 플러스

"지어진 시기에 따른 해석"

창작 시기	내용
죽지랑이 죽기 전	죽지랑에 대한 고마움
죽지랑이 죽은 후	추모의 정

배경 설화

신라 효소왕 때 화랑인 죽지랑의 낭도인 득오라는 사람이 있었다. 매일 죽지랑을 모시던 득오가 갑자기 열흘 가까이 나오지 않자, 그의 어머니를 불러 연유를 물었다. 그녀는 득오가 아간(阿干, 신라 때의 벼슬 이름)인 익선의 명에 따라 부산성의 창고지기로 급하게 가게 되었다고 하였다. 이를 듣고 죽지랑은 낭도 137인을 거느리고 득오를 위로하러 가서 떡과 술을 먹이고 익선에게 휴가를 주어 함께 돌아갈 수 있도록 해 줄 것을 청하였으나, 익선이 허락하지 않았다. 이때 세금으로 곡식을 거두어 가던 관리 간진이 낭도를 아끼는 죽지랑의 인품을 아름답게 보고, 익선의 융통성 없음을 못마땅하게 여겨 익선에게 곡식 30석을 주면서 낭의 청을 허락해 줄 것을 청하였으나 거절당했다. 간진이 말과 안장까지 주자, 익선은 득오를 놓아 주었다. 이러한 은혜를 입은 득오는 죽지랑을 사모하게 되었고 이 노래를 지었다고 한다.

1 작품 이해

이 작품은 신라 효소왕 때 죽지랑에게 도움을 받았던 낭도 득오가 죽지랑을 그리워하며 부른 8구체 향가이다. 순수한 사모의 정과 애도를 표현한 서정적인 노래로, 종교적이거나 주술적인 성격을 띠지 않은 것이 특징이다.

- **갈래:** 8구체 향가
- **성격:** 회상적, 추모적, 서정적
- **주제:** 죽지랑에 대한 추모의 정
- **시적 상황** 죽지랑의 죽음 이후 그와 함께했던 과거를 □□함.
- **정서와 태도** 과거를 회상하며 무상감과 슬픔을 느끼고 죽지랑과의 재회를 □□함.

정답: 회상, 소망

2 내용 확인

1 맞는 내용이면 ○표, 틀린 내용이면 ×표 하시오.

① '간 봄'은 죽지랑이 살아 있었던 때를 의미한다. (   )
② '맛보옵디 지ᄉᆞ리.'에서 화자는 대상과 재회할 것이라는 의지를 드러내고 있다. (   )
③ 화자는 이별의 상황을 만든 대상을 원망하며 슬픔을 느끼고 있다. (   )

2 살아생전의 죽지랑의 모습을 회상하는 부분으로, 늙음에 대한 한탄이나 삶의 무상감을 느낄 수 있는 구절의 첫 어절과 끝 어절을 찾아 쓰시오.

➡ (   )

3. '□□ □□'는 화자가 죽지랑을 다시 만날 수 있는 저승 세계를 의미한다.

내용 확인 도우미

1 ① '간 봄'은 '지나간 봄'을 의미하며 죽지랑과 함께했던 때를 가리킨다.
② '맛보옵디 지ᄉᆞ리.'는 화자가 죽지랑이 이미 죽었지만 죽지랑과의 재회를 소망한다는 의지를 드러낸 표현이다.
③ 화자는 죽지랑의 죽음을 슬퍼하고 있을 뿐, 원망의 감정은 드러내고 있지 않다.

2 3~4구는 아름다웠던 죽지랑의 모습이 점차 늙어 감을 표현한 부분이다.

3 '다봊 굴허'는 죽어서라도 죽지랑과 재회하기를 소망하는 화자의 마음과 관련된 부분이다.

정답 1 ① ○ ② ○ ③ ×   2 아름, 디니져
3 다봊 굴허

3 실전 Test

• 정답 6쪽

01 윗글에 대한 설명으로 가장 적절한 것은?

① 자연물과의 대비를 통해 화자의 정서를 강조하고 있다.
② 청각적 이미지를 활용하여 대상에 생동감을 부여하고 있다.
③ 여음구를 활용하여 화자의 감정을 집약적으로 표현하고 있다.
④ 비유적 표현을 통해 시적 상황을 구체적으로 형상화하고 있다.
⑤ 색채의 대비를 통해 대상의 이미지를 강렬하게 전달하고 있다.

02 윗글과 [보기]를 비교하여 감상한 내용으로 적절하지 않은 것은?

보기

반중(盤中) 조홍(早紅)감이 고와도 보이ᄂᆞ다.
유자(柚子) 아니라도 품엄 즉도 ᄒᆞ다마ᄂᆞᆫ
품어 가 반기리 업슬ᄉᆡ 글노 설워ᄒᆞᄂᆞ이다.

– 박인로, 「조홍시가」

① 윗글은 [보기]와 달리 대상과의 재회에 대한 소망이 드러나 있다.
② 윗글과 [보기] 모두 대상의 부재로 인한 화자의 감정을 드러내고 있다.
③ 윗글의 화자는 [보기]와 달리 자신의 감정을 다른 대상까지 확대하고 있다.
④ 윗글에서는 '봄'이, [보기]에서는 '조홍감'이 회상의 매개체 역할을 하고 있다.
⑤ 윗글과 [보기] 모두 정서를 직접 드러내는 시어를 사용하여 시상을 전개하고 있다.

실전 Test Guide

01 글의 표현상의 특징을 파악하는 문제이다. 작품 속 표현 방식과 그 효과에 대해 생각해 보도록 한다.

02 제시문과 [보기]를 비교하여 이해하는 문제이다. 시적 상황과 화자의 정서, 시어의 역할을 중심으로 두 작품을 비교하여 공통점과 차이점을 확인하도록 한다.

향가 013

도솔가(兜率歌)_월명사

두 개의 해가 나타남.
오늘 ㉠이에 ㉡산화(散花) 블어 ▶ 1구: 두 개의 해가 나타나 산화가를 부름.
산화공덕(散花功德) – 부처님 앞에 꽃을 뿌려 공양을 하는 것(여기서는 '산화가'를 의미함.)
ᄲᆞᆯᄇᆞᆯ본 ㉢고자 너는 ▶ 2구: 뿌린 꽃에게 말을 걺.
뿌리 온 / '꽃'을 가리킴(의인화).
㉣고ᄃᆞᆫ ᄆᆞᅀᆞᄆᆡ 명(命)ㅅ 브리ᅀᆞᆸ디 ▶ 3구: 꽃이 해야 할 일을 제시함.
부림을 당하여
미륵 좌주(彌勒座主)* ㉤뫼셔롸. ▶ 4구: 미륵 좌주를 모시기를 명령함.
기원의 대상

현대어 풀이 오늘 이에 산화의 노래를 불러
뿌리 온 꽃아, 너는
곧은 마음의 명을 심부름하옵기에
미륵 좌주를 모셔라.

작품 한눈에 보기

문제 상황
두 개의 해가 나타남.

⬇

해결 방안
산화공덕(꽃을 뿌려 부처를 공양함.)

출제 포인드

■ 표현상의 특징
① '꽃'을 의인화하여 화자의 소망을 드러냄.
② 명령형 어미를 사용하여 화자의 소망을 제시함.

어휘 풀이
* 미륵 좌주: 미륵보살. 석가가 죽은 후에 내세에 성불하여 중생을 제도한다는 보살

❖ **배경 설화**

신라 경덕왕 19년 4월 초하루에 해가 둘이 떠서 10여 일간 없어지지 않는 변고가 일어났다. 천체를 맡아 보던 일관(日官)이 인연 있는 중을 청해 산화공덕을 하면 재앙을 없앨 수 있다고 하자, 왕이 제단을 마련하고 인연 있는 중을 기다렸다. 때마침 월명사가 길을 가고 있으므로 그를 불러 기도하는 글을 지으라 하였다. 이에 월명사가 「도솔가」를 지어 부르자 해의 변괴가 사라졌다고 한다.

1) 작품 이해

이 작품은 두 개의 해가 하늘에 나타난 국가적 변괴 상황을 해결하기 위해 지어 부른 4구체 향가이다. 화자는 산화공덕을 통해 미륵보살이 문제를 해결해 주기를 기원하고 있다.

- 갈래: 4구체 향가
- 성격: 주술적, 불교적
- 주제: 산화공덕으로 국가의 변괴를 해결하고자 함.
- 시적 상황 두 개의 해가 나타나는 국가적 변괴 상황을 맞이하여 □□□□을 함.
- 정서와 태도 산화공덕으로 자신의 □□을 실현하려고 함.

정답: 산화공덕, 소망

2) 내용 확인

1 맞는 내용이면 ○표, 틀린 내용이면 ×표 하시오.
① 명령형의 어미를 통해 소망을 제시하고 있다. ( )
② 색채가 대비되는 시어를 활용하여 문제 상황을 부각하고 있다. ( )

2 문제 상황을 해결해 줄 수 있는 기원의 대상을 찾아 쓰시오.
➡ ( )

내용 확인 도우미

1 ① 4구의 '뫼셔롸'에서 명령형의 어미로 화자의 소망을 제시하고 있다.
② 색채의 대비를 보이는 시어는 찾을 수 없다.

2 화자는 산화공덕을 하여 '미륵 좌주'에게 변괴를 해결해 줄 것을 기원하고 있다.

정답 1 ① ○ ② × 2 미륵 좌주

3) 실전 Test

• 정답 7쪽

01 윗글의 ㉠~㉤을 이해한 내용으로 적절하지 않은 것은?

① ㉠은 두 개의 해가 나타난 변괴를 가리킨다.
② ㉡은 문제 해결을 위한 제의를 의미한다.
③ ㉢은 제의에 사용되는 소원 전달의 매개체이다.
④ ㉣은 의식을 치르는 사람들의 자세를 드러낸다.
⑤ ㉤은 명령형으로 대상을 위협하려는 의도를 표출한다.

실전 Test Guide

01 시어의 의미를 파악하는 문제이다. 제시문의 내용을 바탕으로 시적 상황과 앞뒤의 문맥을 이해한 후, 시어의 의미 및 역할을 생각해 보도록 한다.

한시

014 여수장우중문시(與隨將于仲文詩)_을지문덕

한시	풀이	구성
神策究天文 신 책 구 천 문	「그대의 신기한 계책은 하늘의 이치를 다하였고 (반어법 - 거짓 칭찬 / 수나라 장수 우중문)	▶ 기: 적장의 계책 칭찬
妙算窮地理 묘 산 궁 지 리	기묘한 헤아림은 땅의 이치를 통하였네.」 「」: 대구법 (반어법)	▶ 승: 적장의 계획 칭찬
戰勝功旣高 전 승 공 기 고	싸움에 이겨 그 공이 이미 높으니 (더 이상 이기지 못한다. - 조롱)	▶ 전: 적장의 공명심 자극
知足願云止 지 족 원 운 지	만족함을 알고 그만두기를 바라노라. (위협, 경고 - 화자의 당당하고 자신감 있는 태도가 드러남.)	▶ 결: 퇴각 종용

작품 한눈에 보기

적장의 능력 찬양 — 조롱과 야유, 위협과 경고

⬇

적장의 퇴각을 종용함.

출제 포인트

■ 표현상의 특징

① 표면적으로는 적장을 찬양하지만, 이면적으로는 적장을 조롱하는 반어법을 사용함.

② 앞뒤 내용의 높낮이를 대조적으로 설정하는 억양법을 활용하여 적장에게 물러갈 것을 종용하고 있음.

1 작품 이해

이 작품은 고구려의 명장 을지문덕이 수(隋)나라의 대군을 맞아 살수에서 싸울 때에 자신이 판 함정에 빠진 적장(敵將) 우중문(于仲文)에게 지어 보낸 한시이다. 표면적으로는 우중문을 칭찬하고 있지만, 내면적으로는 자신이 그보다 훨씬 나음을 표현하고 있다.

- 갈래: 한시(오언 고시*)
- 성격: 풍자적, 반어적
- 주제: 적장에 대한 조롱과 야유
- 시적 상황 □□에게 전쟁을 그만할 것을 종용하고 있음.
- 정서와 태도 적장을 조롱하면서 승리에 대한 □□□을 강하게 드러내고 있음.

정답: 적장, 자신감

* 오언 고시: 한시(漢詩)에서, 한 구(句)가 다섯 글자씩인 고체시(당나라 이전의 시)

2 내용 확인

1 맞는 내용이면 ○표, 틀린 내용이면 ×표 하시오.

① 기구와 승구는 상대방을 칭찬하는 내용으로, 대구법을 활용하고 있다. ( )

② 상대를 칭송하다가 조롱하는 억양법을 통해 적장의 퇴각을 종용하고 있다. ( )

내용 확인 도우미

1 ① 기구와 승구는 동일한 구조로 대구를 이루고 있다.

② 처음에는 치켜세우다가 깎아내리거나, 먼저 낮추다가 갑자기 높이는 등의 방법을 억양법이라고 한다.

정답 1 ① ○ ② ○

3 실전 Test

• 정답 7쪽

01 윗글에 나타난 화자의 태도로 가장 적절한 것은?

① 사실을 과장하여 상대를 자만에 빠지게 하고 있다.

② 재치를 발휘해 상대의 모순된 행위를 비판하고 있다.

③ 영웅적인 기개로 상대의 잘못을 준엄하게 호통치고 있다.

④ 상대를 높이는 듯하면서 우회적으로 조롱하고 위협하고 있다.

⑤ 싸움에서 승리한 사실을 강조하면서 상대의 위선을 꼬집고 있다.

실전 Test Guide

01 시에 드러난 화자의 태도를 파악하는 문제이다. 표면적으로 드러난 내용과 그 이면에 깔려 있는 화자의 상반된 태도를 이해해 보도록 한다.

한시

015 제가야산독서당(題伽倻山讀書堂)_최치원

狂奔疊石吼重巒 광 분 첩 석 후 중 만	첩첩 바위 사이를 미친 듯 달려 겹겹 봉우리 울리니, 활유법–세차게 흐르는 물살을 비유함. ▶ 기: 독서당 주변의 모습
人語難分咫尺間 인 어 난 분 지 척 간	지척에서 하는 말소리도 분간키 어려워라. 아주 가까운 거리 / 인간의 소리 ▶ 승: 말소리를 막아 버리는 물소리
常恐是非聲到耳 상 공 시 비 성 도 이	늘 시비하는 소리 귀에 들릴세라. 화자가 속세를 떠나려는 이유 / 들릴까 두렵구나. ▶ 전: 속세에 대한 부정적 인식
故敎流水盡籠山 고 교 류 수 진 롱 산	짐짓 흐르는 물로 온 산을 둘러 버렸다네. ▶ 결: 속세와 단절하고 싶은 마음 물소리를 이용하여 속세의 소리를 차단함(자연물의 주관적 변용).

작품 한눈에 보기

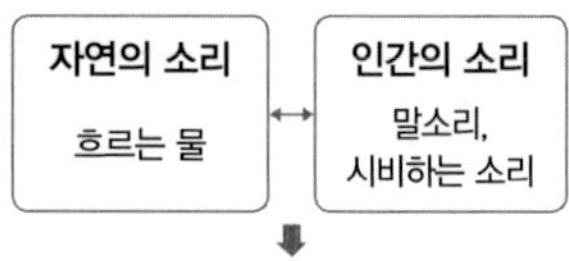

자연에 묻혀 살고 싶음.

출제 포인트

■ 표현상의 특징

① 자연의 소리와 인간의 소리를 대비하여 화자의 정서를 드러냄.

② '물'의 이미지를 활용하여 속세와의 단절을 표현함.

1 작품 이해

이 작품은 최치원이 혼란한 시대 상황에 절망하여 가야산에 은거할 때 지은 한시이다. '물소리'와 '시비하는 소리'라는 대조적인 소재를 활용하여 세상과 단절하고자 하는 의지를 드러내고 있다.

- 갈래: 한시(칠언 절구*)
- 성격: 상징적, 현실 비판적
- 주제: 속세를 멀리하고 산중에 숨고 싶은 마음

- 시적 상황 화자가 머무르고 있는 가야산독서당에 □□□가 가득한데, 이로 인해 세상의 시비하는 소리가 들리지 않음.
- 정서와 태도 속세와 자신을 분리하여 □□ 속에 은둔하고 싶은 마음을 드러내고 있음.

정답: 물소리, 자연

* 칠언 절구: 한시에서 한 구가 칠언으로 된 절구. 모두 4구로 이루어짐.

2 내용 확인

1 맞는 내용이면 ○표, 틀린 내용이면 ×표 하시오.

① '물'은 계속 흘러가므로 영원성을 상징한다고 볼 수 있다. (   )

② 화자는 세상과 격리되어 살아가는 자신의 처지를 슬퍼하고 있다. (   )

2 '흐르는 물'과 대비되는 의미의 시어나 시구를 모두 찾아 쓰시오.

➡ (,   )

내용 확인 도우미

1 ① 제시문에서 '물'은 세상과의 단절을 의미할 뿐, 영원성을 상징하고 있지는 않다.

② 화자는 세상과 거리를 두고 자연 속에서 살아가고 싶어 한다.

2 자연의 소리인 '흐르는 물소리'와 대비되는 시어는 인간의 소리인 '말소리'와 '시비하는 소리'이다.

정답 1 ① × ② × 2 말소리, 시비하는 소리

3 실전 Test

• 정답 7쪽

01 윗글에 나타난 화자의 정서와 태도로 가장 적절한 것은?

① 자연물을 본받으려는 태도를 나타내고 있다.

② 자신의 처지를 한탄하는 정서를 드러내고 있다.

③ 내면적 갈등을 극복하려는 태도를 표출하고 있다.

④ 현실의 자기 삶에 대한 반성적 태도를 보이고 있다.

⑤ 세속적인 삶으로부터 거리를 두려는 태도를 밝히고 있다.

실전 Test Guide

01 제시문에 나타나는 화자의 정서와 태도를 묻는 문제이다. 화자의 정서와 태도는 시적 상황에 대한 화자의 대응 방식과 관련된다는 점을 고려하도록 한다.

한시

016 추야우중(秋夜雨中)_최치원

○: 화자의 고독을 심화시키는 소재

秋風唯苦吟 (추 풍 유 고 음) — 가을바람에 이렇게 힘들여 읊고 있건만 (계절적 배경) ▶ 기: 외로움을 달래기 위해 시를 읊음.

世路少知音 (세 로 소 지 음) — 세상 어디에도 알아주는 이 없네. (화자의 능력을 인정해 주지 않는 현실) ▶ 승: 세상이 자신을 알아주지 않음.

窓外三更雨 (창 외 삼 경 우) — 창밖엔 깊은 밤 비 내리는데 (세상과의 단절 암시) ▶ 전: 비가 고독을 심화시킴.

燈前萬里心 (등 전 만 리 심) — 등불 앞에선 만 리 밖으로 마음 향하네. (세상과의 심리적 거리감, 타국에서 느끼는 고국에 대한 그리움) ▶ 결: 세상과의 거리감을 느낌.

작품 한눈에 보기

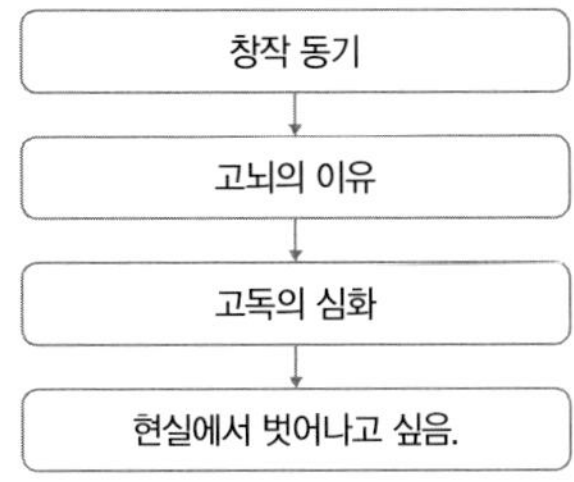

출제 포인트

■ 표현상의 특징

자연물(밤비)을 통해 화자의 정서를 심화시킴.

1 작품 이해

이 작품은 세상이 자신을 알아주지 않아 고독한 심정을 표현한 한시이다. 탁월한 능력을 가졌지만 자신의 뜻을 펼치지 못한 것에 대한 지식인의 고뇌가 드러나 있다.

• 갈래: 한시(오언 절구) • 성격: 서정적, 애상적

• 주제: 자신의 뜻을 펼치지 못한 지식인의 고뇌, 고향에 대한 그리움
• 시적 상황 비 내리는 가을 밤 홀로 □를 읊조리고 있음.
• 정서와 태도 세상이 자신을 알아주지 않아 □□을 느낌.

정답: 시, 고독

2 내용 확인

1 맞는 내용이면 ○표, 틀린 내용이면 ×표 하시오.

① '깊은 밤'은 화자의 외로움을 심화시키고, '비'는 화자의 외로움을 달래 준다. ( )

② '가을바람'은 화자의 쓸쓸함과 외로움의 정서를 불러일으키는 계절적 소재이다. ( )

내용 확인 도우미

1 ① '깊은 밤'과 '비'는 모두 화자의 외로움을 심화시키는 소재이다.
② '가을바람'은 화자의 고독한 정서를 불러일으키는 계절적 소재이다.

정답 1 ① × ② ○

3 실전 Test

• 정답 7쪽

01 [보기]를 읽고 윗글에 대해 보인 반응으로 적절하지 않은 것은? 기출 문제

보기

최치원은 당나라에서 문장가로 이름을 떨쳤지만, 이방인의 한계를 느끼고 신라로 귀국한다. 신라에서 뜻을 펼치려고 하였지만 894년 올린 개혁 정책인 「시무책」은 시행되지 않았다. 결국, 자신의 뜻을 펼칠 수 없다고 생각한 최치원은 마흔 살이 채 되기도 전에 난세를 비관하여 관직을 내놓고 가야산에 은거하였다.

① '가을바람'은 세상에서 소외된 화자의 처지와 조응하여 화자의 쓸쓸함을 더하는군.
② 기구와 승구, 결구의 끝에 쓰인 한자음 '음, 음, 심'은 화자의 탄식처럼 들리는군.
③ '알아주는 이 없네.'에는 화자의 재능을 몰라주는 세상에 대한 한탄이 담겨 있어.
④ '만 리'는 화자와 세상과의 거리가 멀다는 것을 강조하고 있는 것 같아.
⑤ '향하네.'에는 신라의 정치가로서 이름을 날리겠다는 화자의 의지가 드러나 있어.

실전 Test Guide

01 작가의 삶을 이해하고 작품을 감상할 수 있는지를 평가하는 문제이다. [보기]를 통해 작가의 삶에 대해 이해하고 이를 바탕으로 시에 드러난 화자의 정서와 태도 등을 고려해 작품을 감상하도록 한다.

한시

017 촉규화(蜀葵花)_최치원

[A]
寂莫荒田側 (적 막 황 전 측) ㉠쓸쓸하게 황량한 밭 곁에
　　촉규화가 피어 있는 곳(소외되고 거친 곳)
繁花壓柔枝 (번 화 압 유 지) ㉡탐스러운 꽃이 여린 가지 누르고 있네. ⬭: 화자의 학문적 경지
▶ 수: 황량한 들판에 피어 있는 탐스러운 촉규화

[B]
香輕梅雨歇 (향 경 매 우 헐) 향기는 매우(梅雨) 지나 희미해지고
　　매실이 누렇게 익을 무렵의 장맛비
影帶麥風欹 (영 대 맥 풍 의) 그림자는 맥풍(麥風) 맞아 기우뚱하네.
　　보리가 익어 가는 시절에 부는 바람
▶ 함: 비 온 후의 촉규화

[C]
車馬誰見賞 (거 마 수 견 상) ㉢수레나 말 탄 사람 그 뉘가 보아 줄까?
　　권력이나 높은 지위를 가진 사람
蜂蝶徒相窺 (봉 접 도 상 규) ㉣벌이나 나비들만 엿볼 따름이네.
　　보잘것없는 사람
▶ 경: 아무도 보아 주지 않는 촉규화

[D]
自慙生地賤 (자 참 생 지 천) ㉤태어난 곳 비천하니 스스로 부끄럽고
　　신분적 한계 / 자신의 신분에서 느끼는 소외감, 자조적 태도
堪恨人棄遺 (감 한 인 기 유) 사람들이 내버려 두니 그저 한스럽네.
　　자신의 처지에 대한 한탄과 체념
▶ 미: 촉규화를 알아보지 못하는 세상에 대한 한탄

작품 한눈에 보기

촉규화		화자
탐스러운 꽃이지만 사람들이 알아주지 않음.	=	재능이 있지만 인정받지 못함.

⬇

세상에 대한 한탄

출제 포인트

■ 표현상의 특징
① 자연물(촉규화)에 빗대어 화자의 감정과 처지를 드러냄.
② 선경후정의 방식으로 시상을 전개함.

수능 필수 개념 플러스

“「촉규화」의 의미”
'촉규화'는 접시꽃을 뜻한다. 이 작품에서는 탐스럽고 아름다운 꽃을 피우면서도 거친 밭에서 태어났기에 외면당하는 화자 자신을 의미한다.

1 작품 이해

이 작품은 화자가 훌륭한 인품과 능력을 가지고 있음에도 세상이 자신을 알아주지 않는 현실을 개탄*하며 자연물에 자신의 처지를 빗대어 노래한 한시이다. 아무도 찾지도 않는 척박한 곳에 쓸쓸히 피어 있는 촉규화를 통해 자신이 학문의 완숙한 경지에 이르렀으나, 이를 알아보지 못하는 정치적 현실을 개탄하고 있다.

• 갈래: 한시(오언 율시*)　　• 성격: 비유적, 애상적, 체념적
• 주제: 자신을 알아주지 않는 현실에 대한 개탄

• 시적 상황　황량한 땅에서 탐스러운 꽃을 피웠지만 아무도 돌아보지 않는 □□□같이 세상이 화자를 알아주지 않음.
• 정서와 태도　화자는 아무도 알아주지 않는 자신의 처지를 □□하고 있음.

정답: 촉규화, 한탄

* 개탄: 분하거나 못마땅하게 여겨 한탄함.
* 오언 율시: 한 구(句)가 다섯 글자씩으로 된 여덟 줄의 한시

2 내용 확인

1 맞는 내용이면 ○표, 틀린 내용이면 ×표 하시오.

① 화자는 황량한 밭에서도 피어나는 촉규화의 생명력을 찬양하고 있다. (　　)
② 화자는 촉규화를 통해 자신의 처지를 돌아보고 현실을 극복하려는 의지를 표출하고 있다. (　　)
③ 윗글에서는 인생사를 자연과 대비하여 인생무상을 드러내고 있다. (　　)

내용 확인 도우미

1 ① 화자는 소외된 곳에 핀 촉규화를 자신과 동일시하고 있을 뿐, 촉규화의 생명력을 찬양하고 있지는 않다.
② 화자는 촉규화를 통해 자신의 처지를 한탄하고 있을 뿐, 현실을 극복하고자 하는 의지를 보이지는 않는다.
③ 화자의 삶과 자연물(촉규화)의 공통점에 주목하고 있으며, 인생무상은 드러나지 않는다.

정답 1 ① × ② × ③ ×

3 실전 Test

• 정답 7쪽

01 윗글에 대한 설명으로 가장 적절한 것은? 기출 문제

① 설의적 표현으로 긍정적 태도를 보이고 있다.
② 청각적 심상을 통해 화자의 처지를 부각하고 있다.
③ 계절감을 주는 어휘로 시적 분위기를 조성하고 있다.
④ 직유법을 사용하여 대상과의 친밀감을 나타내고 있다.
⑤ 영탄적 표현으로 화자의 단호한 의지를 표출하고 있다.

02 ㉠~㉤에 대한 이해로 적절하지 않은 것은?

① ㉠: 소외되고 거친 곳을 표현한 것이군.
② ㉡: 화자의 완숙한 학문적 경지를 드러낸다고 할 수 있겠군.
③ ㉢: 권력이나 높은 지위를 가진 사람을 가리키는군.
④ ㉣: 도움이 되지 않는 보잘것없는 사람을 의미한다고 볼 수 있겠군.
⑤ ㉤: 촉규화가 피어 있는 곳을 말하는 것이군.

03 [보기]를 참고할 때, 윗글에 대한 감상으로 적절하지 않은 것은? 기출 문제

보기

최치원의 「촉규화」는 삶의 현실이나 인식 태도를 사물에 투사하여 그 사물과 자아의 동일성을 이룬 한문 서정시의 하나이다. 최치원의 삶을 고려할 때, 그는 탁월한 능력을 갖추고 있었지만 출신상의 한계로 인해 세상에 크게 쓰이지 못한 채 평범한 사람들 속에서 살아야 할 때가 많았다. 최치원은 이 작품에서 자신의 목소리를 대변하는 '화자'를 통해 이와 같은 자신의 처지를 '촉규화'에 투사하여 표현하고 있다.

① [A]에서 화자는 자신의 출신상의 한계와 탁월한 능력을 대비하여 말하고 있어.
② [B]에서 화자는 자신의 탁월한 능력을 조만간 펼칠 수 있을 것이라는 기대감을 표명하고 있어.
③ [C]에서 화자는 자신을 크게 써 줄 수 있는 사람들에게 관심을 받지 못하고 평범한 이들 속에서 살아야 하는 것에 대해 아쉬움을 나타내고 있어.
④ [D]에서 화자는 자신의 출신과 처지에 대한 부끄러움과 한스러움의 감정을 표현하고 있어.
⑤ [A]에서는 '촉규화'의 외양 묘사를 통해, [D]에서는 '촉규화'의 내면 서술을 통해 화자 자신의 처지를 드러내고 있어.

실전 Test Guide

01 글에 나타난 표현상의 특징을 파악하는 문제이다. 화자의 정서와 태도, 시적 상황 등을 표현하는 방식과 그 효과에 대해 생각해 보도록 한다.

02 시어의 의미를 파악하는 문제이다. 제시문의 내용을 바탕으로 앞뒤 문맥을 이해한 후, 시어의 의미를 생각해 보도록 한다.

03 [보기]를 참고하여 작품을 적절하게 이해할 수 있는지를 판단하는 문제이다. [보기]의 내용을 바탕으로 제시문을 감상해 보도록 한다.

제 Ⅱ 부 고려 시대

고려 가요

- 고려 시대에 평민들이 부르던 민요적 시가를 가리킴. 고려 시대에 이르러 귀족층이 향유하던 한문학이 주류를 이루고, 향가가 쇠퇴하자, 평민층의 문학으로 새롭게 등장함.
- 고대로부터 전승되어 온 민요에 기원을 둔 것으로, 구전되다가 훈민정음 창제 후 문자로 정착됨. 그러나 '남녀상열지사(男女相悅之詞, 남녀가 서로 사랑하면서 즐거워하는 가사)'라는 이유로 개작(改作)되거나 삭제되기도 함.
- 내용상으로는 남녀 간의 사랑과 이별, 삶의 애환 등 평민들의 진솔한 감정을 노래한 것이 많고, 형식상으로는 3음보, 분절체(分節體, 몇 개의 절로 이루어진 시가 형태), 후렴구가 있는 것이 많음.

경기체가

- 고려 중엽부터 조선 초기까지 귀족 문인들 사이에서 유행하던 정형시를 가리킴.
- 내용상으로는 귀족 사대부들의 향락적이고, 퇴폐적인 풍류 생활과 현실 도피적인 정서를 다룬 작품이 대부분이며, 글이나 경치, 기상 등을 주요 제재로 삼음.
- 형식상으로는 3음보, 전대절(前大節)과 후소절(後小節)로 나뉘는 분절체, 연장체(聯章體, 몇 개의 연으로 이루어진 시가 형태), '경(景)긔 엇더ᄒᆞ니잇고'라는 후렴구가 존재하는 특징이 있음.

시조

- 고려 중엽에 발생하여 고려 말엽에 형식이 완성된 우리나라 고유의 정형시를 가리킴.
- 10구체 향가와 분장체(分章體)의 고려 가요, 민요 등의 영향으로 발생하였으며 3장 6구 45자 내외, 4음보(3 · 4조, 4 · 4조)의 형식임.
- 고려 유신(遺臣)들이 지은 회고가(懷古歌) 등 유교적 충의(忠義) 사상을 다룬 작품이 많음.

한시

- 고려 시대에 이르러 과거 제도가 실시되고 교육 기관이 설치된 이후 불교문화가 발달함에 따라 한시가 다수 창작됨.
- 외적의 침략으로 인해 민족의식의 중요성이 대두되면서 우리나라의 역사를 다룬 민족 서사시가 창작되기도 함.

고려 가요

018 가시리_작자 미상

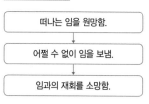

가시리 가시리잇고 나는
3·3·2조, 3음보 여음(음악성, 특별한 의미는 없음.)
ᄇᆞ리고 가시리잇고 나는
이별의 사실 확인, 애원, 원망
위 증즐가 대평셩ᄃᆡ(大平盛大) – 이별의 내용과 어울리지 않는 후렴구 → 궁중에서 불리면서 삽입된 것으로 추측됨.
아(감탄사) └ 악기의 의성어
▶ 1연(기): 이별에 따른 원망

날러는 엇디 살라 ᄒᆞ고
하소연, 애절함.
ᄇᆞ리고 가시리잇고 나는
반복을 통해 슬픔을 강조함.
위 증즐가 대평셩ᄃᆡ(大平盛大)
▶ 2연(승): 원망의 고조

잡ᄉᆞ와 두어리마ᄂᆞᄂᆞᆫ
(임을) 붙잡아 두고 싶지마는
선ᄒᆞ면 아니 올셰라 – 임을 보내는 이유, 소극적이고 순종적 태도
–ㄹ세라(~할까 두렵다.)
위 증즐가 대평셩ᄃᆡ(大平盛大)
▶ 3연(전): 어쩔 수 없이 보내는 마음

셜온 님 보내ᄋᆞᆸ노니 나는
┌ ① 주체: 화자 → 화자를 서럽게 하는 임
└ ② 주체: 임 → 이별을 서러워하는 임
가시는 ᄃᆞᆺ 도셔 오쇼셔 나는
재회의 소망을 직접적으로 표현함(간절한 기다림).
위 증즐가 대평셩ᄃᆡ(大平盛大)
▶ 4연(결): 재회에 대한 소망

현대어 풀이 가시겠습니까? 가시겠습니까?
(나를) 버리고 가시겠습니까?
나더러는 어찌 살라 하고
(나를) 버리고 가시겠습니까?
붙잡아 두고 싶지만
(임께서) 서운하시면 오지 않을까 두렵습니다.
서러운 임을 보내 드리니
가시자마자 곧 돌아서서 오십시오.

작품 한눈에 보기

떠나는 임을 원망함.
↓
어쩔 수 없이 임을 보냄.
↓
임과의 재회를 소망함.

출제 포인트

■ 표현상의 특징
① 3음보의 율격과 여음, 후렴구의 반복을 통해 리듬감을 형성함.
② 같은 구절(가시리잇고)을 반복하여 화자의 애절한 심정을 강조함.
③ 화자의 정서를 순우리말로 진솔하게 표현함.

수능 필수 개념

"고려 가요의 특징"
고려 가요는 고려 시대 평민층의 시가 양식으로, 남녀 간의 사랑, 이별의 슬픔, 삶의 애환 등을 진솔하게 표현하였다. 몇 개의 연이 연속되는 분연체의 형태와 3음보의 율격이 많이 나타나며, 후렴구가 붙는 경우가 많다. 구전되어 오다가 한글 창제 이후에 문자로 정착되었다.

"고려 가요 속 후렴구의 기능"
고려 가요에서 후렴구는 각 연의 끝부분에 반복적으로 사용되어 연을 구분지어 준다. 그리고 음악성을 느낄 수 있게 하며, 작품 전체에 통일성을 부여함으로써 구조적 안정감을 주는 기능을 한다.

1 작품 이해

이 작품은 사랑하는 사람을 떠나보내는 애절함을 진솔한 언어로 표현한 고려 가요이다. 간결하고 소박한 함축적인 시어로 이별의 감정을 표현하였으며 자기 희생적이다. 또한 화자는 떠나는 임을 붙잡고 싶지만, 어쩔 수 없이 임을 보내면서 임과 다시 만날 것을 기원하는 소극적인 태도를 보이고 있다. 우리 민족의 보편적인 정서인 이별의 정한(情恨)*이 잘 드러나 있다고 평가받고 있다.

• 갈래: 고려 가요 • 성격: 서정적, 민요적, 애상적, 여성적

• 주제: 이별의 정한과 재회에 대한 소망
• 시적 상황 이별의 상황에서 사랑하는 □을 붙잡고 싶지만, 어쩔 수 없이 떠나보내고 있음.
• 정서와 태도 떠나는 임을 붙잡고 싶어하지만, 결국은 이별을 받아들이며 다시 만날 것을 □□함.

정답: 임, 소망

* 정한: 정과 한을 아울러 이르는 말

2 내용 확인

1 맞는 내용이면 ○표, 틀린 내용이면 ×표 하시오.

① 화자는 이별의 상황에서 느끼는 슬픔을 노래하고 있다. (　　)
② 다양한 비유적 표현을 활용하여 시상 전개에 변화를 주고 있다. (　　)

2 윗글이 궁중에서 불리면서 삽입된 것으로 추측되는 구절을 찾아 쓰시오.

➡ (　　　　　　　　　　　　　　　　　　　　　　　　　　　)

3 4연에서 '셜온'의 주체를 □으로 보면 '셜온 님'은 '이별을 서러워하는 임'으로, □□로 보면 '나를 서럽게 하는 임'으로 해석할 수 있다.

내용 확인 도우미

1 ① 화자는 어쩔 수 없이 임을 떠나보내면서 슬픔을 느끼고 있다.
② 이별을 받아들이는 화자의 상황이나 정서를 비유적으로 표현하지 않고 직접적으로 드러내고 있다.

2 '위 증즐가 대평셩ᄃᆡ'는 이별의 슬픔과는 어울리지 않는 후렴구이다.

3 '셜온'의 주체를 임이나 화자로 볼 수 있다.

정답 1 ① ○ ② ×　2 위 증즐가 대평셩ᄃᆡ　3 임, 화자

3 실전 Test

• 정답 9쪽

01 윗글에 대한 설명으로 적절하지 <u>않은</u> 것은?

① 음악적 효과를 위해 여음과 후렴구를 활용하고 있다.
② 청자로 설정된 임에게 직접 호소하는 방식으로 전개되고 있다.
③ 화자의 소망과 배치되는 임의 행위를 반복하여 나타내고 있다.
④ 간절한 기다림과 재회에 대한 소망을 직접적으로 표출하고 있다.
⑤ 소망과 현실 사이에서 갈등하는 내면을 반어적으로 표현하고 있다.

02 윗글을 심화 학습하는 과정에서 [보기]의 자료를 접하였다. 이를 바탕으로 윗글을 감상한 내용으로 적절하지 <u>않은</u> 것은? 기출 문제

보기

[「가시리」의 형식상 특징]
• 3음보를 기본 율격으로 하여 리듬감을 형성함.
• 음악적 효과를 높여 주는 역할을 하는 후렴구를 반복함.

[「가시리」의 내용상 특징]
• 자신에게 닥친 부당한 상황을 어쩔 수 없이 받아들이는 데서 오는 한(恨)의 정서가 나타남.
• 이별의 상황에 적극적으로 대응하지 못하고 체념하는 소극적인 화자의 태도가 담겨 있음.

① '가시리 가시리잇고'에서 3 · 3 · 2조의 3음보 율격을 확인할 수 있군.
② '위 증즐가 대평셩ᄃᆡ'는 음악적 효과를 높여 주는 후렴구라고 할 수 있군.
③ '날러는 엇디 살라 ᄒᆞ고'는 임을 붙잡지 못하고 체념한 심정을 드러내고 있군.
④ '선ᄒᆞ면 아니 올셰라'에는 이별의 상황에 소극적으로 대응하는 이유가 드러나 있군.
⑤ '셜온 님 보내ᄋᆞᆸ노니'에는 어쩔 수 없이 이별을 받아들이는 한의 정서가 담겨 있군.

실전 Test Guide

01 글의 표현상의 특징을 확인하는 문제이다. 화자가 처해 있는 시적 상황과 화자의 정서가 어떠한 방식을 통해 표현되고 있는지 파악하도록 한다.

02 [보기]를 참고하여 제시문을 감상할 수 있는지 평가하는 문제이다. 각 구절의 의미와 특징, 각 구절에 드러난 화자의 정서를 [보기]와 연결하여 파악하도록 한다.

고려 가요

019 정과정(鄭瓜亭)_정서

내 님믈 그리ᅀᆞ와 우니다니
고려 의종 / 그리워하여 / 울며 지내더니
산(山) 졉동새 난 이슷ᄒᆞ요이다.
감정 이입의 대상, '한'을 상징함. / 비슷합니다.
아니시며 거츠르신 ᄃᆞᆯ 아으
거짓되고 허망한 줄을 / 감탄사
잔월효성(殘月曉星)이 아ᄅᆞ시리이다.
새벽녘의 달과 별. 화자의 결백을 알고 있는 초월적 존재(천지신명)
넉시라도 님은 ᄒᆞᆫᄃᆡ 녀져라 아으
일편단심, 임에 대한 충정
벼기더시니 뉘러시니잇가.
자신을 모함한 사람을 원망함.
과(過)도 허믈도 천만(千萬) 업소이다.
자신의 결백을 직설적으로 토로함.
ᄆᆞᆯ힛마리신뎌
뭇사람들의 참소(모함)하는 말
ᄉᆞᆯ웃븐뎌 아으
슬프구나
니미 나ᄅᆞᆯ ᄒᆞ마 니ᄌᆞ시니잇가.
자신을 잊은 임을 원망함.
아소 님하, 도람 드르샤 괴오쇼셔.
10구체 향가의 흔적(낙구 첫머리의 감탄사) / 임의 사랑을 회복하고 싶은 소망

▶ 1~4행(기): 자신의 고독한 처지와 결백 토로

▶ 5~10행(서): 자신의 결백 토로

▶ 11행(결): 임의 사랑을 회복하고 싶은 소망

현대어 풀이 내가 임을 그리워하여 울며 지내더니
산 접동새와 나는 (처지가) 비슷합니다.
(나를 참소하는 말이) 사실이 아니며 거짓인 줄, 아아
새벽녘의 달과 별이 아실 것입니다.
넋이라도 임과 함께 지내고 싶어라. 아아
(나에게 잘못이 있다고) 우기던 사람이 누구였습니까?
(나는) 잘못도 허물도 전혀 없습니다.
뭇사람의 (나를 헐뜯는) 말이로구나.
슬프구나. 아아
임께서 나를 벌써 잊으셨습니까?
(그렇게 하시) 마소서 임이시여. (마음을) 돌이켜 (내 말을) 들으시어 (나를 나시) 사랑해 주소서.

작품 한눈에 보기

임금에 대한 신하의 충정 = 임에 대한 여인의 사랑

빗대어 표현함.

출제 포인트

■ 표현상 · 형식상의 특징

① 감정 이입을 통해 정서를 표현함(접동새: 한의 정서).
② 다른 고려 가요와 달리 연이 나뉘어 있지 않고 후렴구가 없음.
③ 10구체 향가의 전통이 남아 있음: 8, 9행을 묶으면 10구체 향가와 유사한 구조, 3단 구성, 낙구의 감탄사(아소) 사용

수능 필수 개념

"충신연주지사(忠臣戀主之詞)"
충성스러운 신하가 임금을 연모하는 노래라는 의미로, 신하가 임금을 그리워하는 정을 여성 화자가 사랑하는 사람을 그리워하는 것에 빗대어 애절하게 표현한 작품을 가리킨다. 정철의 가사 「사미인곡」, 「속미인곡」 등이 이에 속한다.

1 작품 이해

이 작품은 임금에 대한 신하의 정을 임에 대한 여인의 사랑에 빗대어 표현한 고려 가요이다. 작가가 유배지에서 임금(고려 의종)의 부름을 기다리다가 소식이 없자, 자신의 결백을 밝히고 임금과의 약속을 환기하고자 이 작품을 지었다고 한다. 임을 그리워하며 외롭게 지내고 있는 자신의 처지를 '접동새'에 빗대어 표현하였으며, 원통하고 억울한 심정과 임에 대한 원망, 충정, 그리움 등 화자의 복잡한 심리가 혼재되어 있다. 또 형식을 보면 향가의 흔적이 남아 있는 과도기적 작품으로 향가계 고려 가요라고도 볼 수 있으며, 한글로 전하는 고려 가요 중 유일하게 작가와 연대가 밝혀져 있다.

- **갈래:** (향가계) 고려 가요
- **성격:** 애상적, 고백적, 기원적
- **주제:** 임금을 향한 변함없는 충정과 자신의 결백 호소
- **시적 상황** 다른 사람들의 모함으로 임에게 버림받고, 임을 그리워하면서 자신의 □□을 주장하고 있음.
- **정서와 태도** 화자는 자신의 고독한 처지와 결백, 억울함을 토로하며 임의 □□을 회복하고 싶은 소망을 드러내고 있음.

정답: 결백, 사랑

2 내용 확인

1 맞는 내용이면 ○표, 틀린 내용이면 ×표 하시오.

① '님'은 화자가 변함없이 사랑하는 대상으로, 임금을 의미한다. (　　)
② 화자는 자신을 잊은 임에 대한 원망의 정서를 드러내고 있다. (　　)
③ 후렴구를 반복하여 리듬감을 살리고 있다. (　　)

2 화자가 궁극적으로 소망하는 바가 직설적으로 나타난 시행을 찾아 쓰시오.

➡ (　　　　　　　　　　　　　　　　　　　　　　　　　　　　)

3 화자는 자신의 감정을 '□□□'에 이입하여 표현하고 있다.

내용 확인 도우미

1 ① '님'은 일편단심의 대상으로, 화자가 사랑하는 사람, 신하인 작가가 충정을 다하는 임금을 의미한다.
② '니미 나를 ᄒᆞ마 니ᄌᆞ시니잇가.'에 자신을 잊은 임에 대한 원망이 나타나 있다.
③ 제시문에는 고려 가요의 일반적 특징인 후렴구가 나타나지 않는다.

2 화자는 임의 사랑을 회복하고 싶은 소망을 11행에서 직접적으로 드러내고 있다.

3 '접동새'는 한을 상징하는 것으로, 화자는 자신과 비슷한 존재로 인식하고 있다.

정답 1 ① ○ ② ○ ③ × 2 아소 님하, 도람 드르샤 괴오쇼셔. 3 접동새

3 실전 Test

• 정답 9쪽

01 윗글에 대한 이해로 가장 적절한 것은?

① 화자는 자신의 과거를 돌아보며 반성하고 있군.
② 화자는 임과의 재회에 대해 비관적으로 전망하고 있군.
③ 화자는 자신을 어려운 상황에 빠뜨린 사람을 원망하고 있군.
④ 화자는 이별을 겸허히 받아들이고 새로운 시작을 준비하고 있군.
⑤ 화자는 임과의 옛 추억을 회상하면서 임의 안녕을 기원하고 있군.

02 윗글과 [보기]의 공통점으로 가장 적절한 것은? 기출 문제

보기

어이 못 오던다 무ᄉᆞᆷ 일로 못 오던다.

너 오ᄂᆞᆫ 길 우희 무쇠로 성(城)을 ᄡᅡ고 성(城) 안헤 담 ᄡᅡ고 담 안헤란 집을 짓고 집 안헤란 두지 노코 두지 안헤 궤(櫃)를 노코 궤(櫃) 안헤 너를 결박(結縛)ᄒᆞ여 노코 쌍(雙)비목 외걸새에 용(龍)거북 ᄌᆞ물쇠로 수기수기 ᄌᆞᆷ갓더냐 네 어이 그리 아니 오던다.

ᄒᆞᆫ ᄃᆞᆯ이 셜흔 ᄂᆞᆯ이여니 날 보라 올 ᄒᆞ리 업스랴.

– 작자 미상

① 자연물에 의탁하여 감정을 드러내고 있다.
② 연쇄적 표현을 통해 정서를 강조하고 있다.
③ 가정적 상황을 설정하여 과장되게 표현하고 있다.
④ 비유와 상징을 통해 다양한 의미를 암시하고 있다.
⑤ 의문문을 사용하여 말을 거는 듯한 효과를 내고 있다.

실전 Test Guide

01 화자의 정서와 태도를 파악할 수 있는지 확인하는 문제이다. 시적 상황과 시구의 의미를 중심으로 화자가 어떠한 정서와 태도를 보이고 있는지 생각해 보도록 한다.

02 두 작품의 공통점을 파악해 보는 문제이다. 임과 함께하지 못하는 유사한 상황에서 느끼는 정서를 각각의 작품이 어떠한 방식으로 표현하였는지 표현상의 특징을 중심으로 생각해 보도록 한다.

고려 가요 020

동동(動動)_작자 미상

덕(德)으란 곰비예 받줍고, / 복(福)으란 림비예 받줍고,
뒤에, 다음 잔에, 신령님께 / 앞에, 앞 잔에, 임(임금님)께
덕(德)이여 복(福)이라 호놀, / 나수라 오소이다.
바치러
아으 동동(動動)다리.
후렴구–음악성, 구조적 안정감을 줌.
▶ 서사: 덕과 복을 빎. 송도(頌禱)

현대어 풀이 덕은 뒤에(다음 잔에, 신령님께) 바치고, / 복은 앞에(앞 잔에, 임께) 바치니
덕이며 복이라 하는 것을 / 바치러 오십시오.

[A]
정월(正月)ㅅ 나릿므른 / 아으 어져 녹져 호논뒤,
나릿물 ↔ 몸(화자), 객관적 상관물–화자의 외로움을 고조시키는 대상
누릿 가온뒤 나곤 / 몸하 호올로 녈셔.
외로움을 느낌.
아으 동동(動動)다리.
동동: 북소리, 다리: 악기 소리
▶ 정월령: 홀로 외롭게 지냄. 고독

현대어 풀이 정월의 냇물은 / 아아 얼었다가 녹았다가 하는데
세상 가운데 태어난 / 내 몸은 홀로 살아가는구나.

이월(二月)ㅅ 보로매, / 아으 노피 현 / 등(燈)ㅅ블 다호라.
보름에 / 임의 높은 인품을 비유함.
만인(萬人) 비취실 즈ᅀ샷다.
모습이시도다.
아으 동동(動動)다리.
▶ 이월령: 임의 인품을 찬양함. 송축(頌祝)

현대어 풀이 이월 보름에 / 아아 (임의 모습이) 높이 켜 놓은 / 등불 같구나.
만인을 비추실 모습이시도다.

삼월(三月) 나며 개(開)훈 / 아으 만춘(滿春) 돌욋고지여.
늦은 봄 진달래꽃–임의 아름다운 모습을 비유함.
누믹 브롤 즈슬 / 디녀 나샷다.
부러워할
아으 동동(動動)다리.
▶ 삼월령: 임의 아름다운 모습을 찬양함. 송축

현대어 풀이 삼월이 지나며 핀 / 아아 늦은 봄 진달래꽃이여.
남이 부러워할 모습을 / 지니고 태어나셨구나.

사월(四月) 아니 니저 / 아으 오실셔 곳고리새여.
객관적 상관물–화자의 외로움을 고조시킴.
므슴다 녹사(錄事)니몬 / 녯 나롤 닛고신뎌.
고려 시대의 벼슬(임의 신분이 나타남.)
아으 동동(動動)다리.
▶ 사월령: 오지 않는 임에 대한 원망. 애련(哀憐)

현대어 풀이 사월을 잊지 않고 / 아아 오는구나 꾀꼬리 새여.
무슨 일로 녹사님은 / 옛날의 나를 잊고 계시는가.

오월(五月) 오일(五日)애, / 아으 수릿날 아촘 약(藥)은
단오 / 단오 / 단옷날 아침에 먹는 익모초 즙
즈믄 힐 장존(長存)호샬 / 약(藥)이라 받줍노이다.
임에 대한 정성
아으 동동(動動)다리.
▶ 오월령: 임의 장수를 기원함. 기원(祈願)

현대어 풀이 오월 오일에 / 아아 단옷날 아침 약은 / 천 년을 길이 사실 / 약이라 바칩니다.

작품 한눈에 보기

서사	• 송도(頌禱) • 궁중에서 불리면서 삽입된 것으로 추측됨.
본사 (정월령~십이월령)	• 임에 대한 연모, 화자의 슬픔과 외로움 등을 표현함. • 월령체 구성: 1월~12월의 각 달별 특성과 세시 풍속을 언급함.

출제 포인트

■ 표현상의 특징

① '임'을 다양한 사물에 비유함.

이월령	노피 현 등ㅅ블
삼월령	만춘 돌욋곶

② 객관적 상관물을 통해 화자의 외로움을 강조함.

정월령	나릿믈↔몸(화자)
사월령	곳고리새↔녹사님(임)

③ 각 연마다 후렴구(아으 동동다리)를 반복하여 음악성을 형성함.

④ 경어체와 부드러운 어조를 사용함.

수능 필수 개념

"월령체 형식"

월령체(달거리)란, 한 해 열두 달의 순서에 따라 노래한 시가의 형식을 말한다. 「동동」은 1월에서 12월까지 시간의 흐름에 따라 시상을 전개하고 있으며, 각 달의 세시 풍속을 반영하기도 하였다. 대표적인 월령체 형식의 시가에는 「농가월령가」, 「관등가」 등이 있다.

유월(六月)ㅅ 보로매 / 아으 별해* ᄇᆞ룐 빗 다호라.
유두일 / 벼랑에 버린 빗. 임에게 버림받은 화자를 비유함.
도라보실 니믈 / 젹곰 좃니노이다.
조금, 잠시나마
아으 동동(動動)다리.
▶ 유월령: 임에게 버림받은 슬픔. 애련

현대어 풀이 유월 보름(유두일)에 / 아아 (내 신세가) 벼랑에 버린 빗과 같구나.
돌아보실 임을 / 잠시나마 따르겠습니다.

칠월(七月)ㅅ 보로매 / 아으 백종(百種) 배(排)ᄒᆞ야 두고,
백중 / 온갖 음식(재물)을 벌여
니믈 ᄒᆞᆫ ᄃᆡ 녀가져 / 원(願)을 비ᅀᆞᆸ노이다.
화자의 소망
아으 동동(動動)다리.
▶ 칠월령: 임과 함께하고 싶은 소망. 연모(戀慕)

현대어 풀이 칠월 보름(백중날)에 / 아아 온갖 음식(재물) 벌여 두고 / 임과 함께 살고자 / 소원을 빕니다.

팔월(八月)ㅅ 보로ᄆᆞᆫ / 아으 가배(嘉俳) 나리마ᄅᆞᆫ,
추석
니믈 뫼셔 녀곤 / 오ᄂᆞᆯ낤 가배(嘉俳)샷다.
아으 동동(動動)다리.
▶ 팔월령: 임에 대한 그리움. 연모

현대어 풀이 팔월 보름은 / 아아 한가윗날이지만
임을 모시고 지내야만 / 오늘이 (진정한) 한가윗날입니다.

구월(九月) 구일(九日)애 / 아으 약(藥)이라 먹논
중양절
황화(黃花)고지 안해 드니, / 새셔 가만ᄒᆞ얘라.
노란 국화꽃(국화전의 재료), 객관적 상관물 / 임이 없는 쓸쓸함.
아으 동동(動動)다리.
▶ 구월령: 임이 없는 쓸쓸함. 고독

현대어 풀이 구월 구일(중양절)에 / 아아 약이라고 먹는
노란 국화꽃이 집 안에 피니 / 초가집 안이 조용하구나.

시월(十月)애 / 아으 져미연 ᄇᆞᄅᆞᆺ* 다호라.
잘게 썬 보리수나무, 임에게 버림받은 화자를 비유함.
것거 ᄇᆞ리신 후(後)에 / 디니실 ᄒᆞᆫ 부니 업스샷다.
아으 동동(動動)다리.
▶ 시월령: 임에게 버림받은 슬픔. 애련

현대어 풀이 시월에 / 아아 (내 신세가) 잘게 썬 보리수나무 같구나.
꺾어 버린 후에 / (이것을) 지니실 한 분이 없으시구나.

십일월(十一月)ㅅ 봉당 자리예 / 아으 한삼(汗衫)* 두퍼 누워
안방과 건넌방 사이의 흙바닥
슬ᄒᆞᆯᄉᆞ라온뎌 / 고우닐 스싀옴 녈셔. / 아으 동동(動動)다리.
슬픈 일이구나 / 각자 / 지내는구나.
▶ 십일월령: 홀로 지내는 슬픔. 비련(悲憐)

현대어 풀이 십일월 봉당 자리에 / 아아 홑적삼을 덮고 누워
슬픈 일이구나. / 고운 이를 (놔두고) 각자 따로 지내는구나.

십이월(十二月)ㅅ 분디남ᄀᆞ로 갓곤 / 아으 나ᄉᆞᆯ 반(盤)잇 져 다호라.
분지나무 / 소반 / 젓가락, 화자를 비유함.
니믜 알ᄑᆡ 드러 얼이노니 / 소니 가재다 므ᄅᆞᄋᆞᆸ노이다. / 아으 동동(動動)다리.
다른 사람에게 시집가게 된 운명을 한탄함.
▶ 십이월령: 임과 맺지 못한 인연. 애련

현대어 풀이 십이월 (내 신세가) 분지나무로 깎은 / 아아 (임께) 차려 올릴 소반의 젓가락 같구나.
임 앞에 들어 가지런히 놓으니 / (엉뚱하게도) 손님이 가져다 뭅니다.

출제 포인트

■ 표현상의 특징
화자를 다양한 사물에 빗대어 표현함.

유월령	별해 ᄇᆞ룐 빗
시월령	져미연 ᄇᆞᄅᆞᆺ
십이월령	반잇 져

수능 필수 개념

"객관적 상관물"
화자의 정서를 직접적으로 드러내지 않고 간접적으로 나타낼 때 동원되는 모든 사물을 가리킨다. 「동동」에서는 정월령의 '나릿믈'과 구월령의 '황화곶' 등이 화자의 정서를 대조적으로 혹은 간접적으로 드러내는 객관적 상관물이라고 볼 수 있다.

수능 필수 개념 플러스

"「동동」에 나타난 세시 풍속"

2월 연등	불을 켠 등을 달아 부처에게 복을 빎.
5월 단오	음력 5월 5일. 여자는 창포물에 머리를 감고, 남자는 씨름을 함.
6월 유두일	음력 6월 15일. 나쁜 일을 떨어 버리기 위해 동쪽으로 흐르는 물에 머리를 감음.
7월 백중	음력 7월 15일. 민간에서는 과일과 음식을 마련하여 먹고 놀고, 사찰에서는 재(齋)를 올림.
8월 추석	음력 8월 15일. 신라의 가배(嘉排)에서 유래되었다고 함. 가을에 거둔 곡식으로 조상에게 제사를 지냄.
9월 중양절	음력 9월 9일. 남자들은 시를 짓고 각 가정에서는 국화전을 만들어 먹고 놀음.

어휘 풀이
* 별해: 벼랑
* ᄇᆞᄅᆞᆺ: 보리수나무
* 한삼: 속적삼

1 작품 이해

이 작품은 일 년 열두 달의 흐름에 따라 임과 이별한 화자의 심정을 노래한 고려 가요이다. 현존하는 가장 오래된 월령체(月令體) 노래로, 각 달의 특성과 세시 풍속을 통해 임에 대한 화자의 정성과 소망, 원망과 그리움 등을 진솔하게 드러내고 있다. 임금에 대한 송도(頌禱)*의 내용인 서사는 궁중에서 불리면서 삽입된 것으로 추측된다.

- 갈래: 고려 가요(월령체 시가)
- 성격: 서정적, 민요적, 송도적, 연가*적
- 주제: 임에 대한 송도와 연모의 정
- 시적 상황 임과 □□한 화자가 일 년 열두 달의 특성과 세시 풍속을 통해 임에 대한 송도와 연모하는 마음을 드러내고 있음.
- 정서와 태도 연모하는 임의 장수를 기원하며 임에 대한 □□□과 연모의 정을 표현하고 있음. 정답: 이별, 그리움

* 송도: 경사를 기리고 축하함.
* 연가: 사랑하는 사람을 그리워하면서 부르는 노래

2 내용 확인

1 맞는 내용이면 ○표, 틀린 내용이면 ×표 하시오.

① 화자를 다른 대상에 빗대어 표현하고 있다. (　)
② 대조적 의미를 갖는 시어를 활용하여 화자의 처지를 강조하고 있다. (　)

내용 확인 도우미

1 ① 화자는 자신을 '별해 ᄇᆞ룐 빗', '져미연 ᄇᆞᄅᆞᆺ', '져' 등에 빗대어 표현하고 있다.
② 정월령에서 '나릿믈'과 '몸(화자)', 사월령에서 '곳고리새'와 '녹사님'을 대조하여 화자의 외로움을 강조하고 있다.

정답 1 ① ○ ② ○

3 실전 Test

• 정답 10쪽

01 윗글에 대한 이해로 적절하지 않은 것은? 기출 문제

① 정월령의 '나릿믈'과 십일월령의 '봉당 자리'는 화자의 처지와 대비된다.
② 오월령의 '약'과 칠월령의 '원'에는 화자의 정성과 기원이 담겨 있다.
③ 유월령의 '좃니노이다.'와 칠월령의 'ᄒᆞᆫ ᄃᆡ 녀가져'에는 화자의 소망이 직접적으로 표출되고 있다.
④ 유월령의 '빗'과 시월령의 'ᄇᆞᄅᆞᆺ'은 버림받은 화자의 신세를 비유한 사물이다.
⑤ 시월령의 '디니실 ᄒᆞᆫ 부니 업스샷다.'와 십일월령의 '스싀옴 녈셔.'에는 고독하게 지내는 삶이 드러나 있다.

02 윗글의 [A]와 [보기]를 비교하여 감상한 내용으로 적절하지 않은 것은? 기출 문제

보기

강이 풀리면 배가 오겠지 / 배가 오면은 님도 탔겠지 //
님은 안 타도 편지야 탔겠지 / 오늘도 강가서 기다리다 가노라 //
님이 오시면 이 설움도 풀리지 / 동지 섣달에 얼었던 강물도 //
제멋에 녹는데 왜 아니 풀릴까 / 오늘도 강가서 기다리다 가노라

– 김동환, 「강이 풀리면」

① [A]와 [보기] 모두 임에 대한 그리움의 정서가 바탕에 깔려 있다.
② [A]와 [보기] 모두 강물이 얼었다 풀리는 상황과 시적 화자의 처지를 대비하고 있다.
③ [A]는 [보기]와 달리 대립된 욕망으로 인한 시적 화자의 고뇌가 나타나 있다.
④ [보기]는 [A]와 달리 임을 향한 시적 화자의 행위가 구체적으로 드러나 있다.
⑤ [보기]는 [A]와 달리 연쇄적 시상 전개를 통해 시적 화자의 심정이 강조되고 있다.

실전 Test Guide

01 시어나 시구에 담긴 의미를 중심으로 제시문의 내용을 파악하는 문제이다. 시어나 시구가 상징하는 바가 화자의 어떤 상황이나 정서와 관련이 있는지를 생각해 보도록 한다.

02 작품 간 공통점과 차이점을 비교하여 파악할 수 있는지 확인하는 문제이다. 화자의 상황, 정서, 태도를 중심으로 제시문과 [보기]가 어떤 공통점과 차이점이 있는지를 파악하도록 한다.

청산별곡(靑山別曲)_작자 미상

3·3·2조 3음보 / 이상향, 현실 도피처(= 바다) / a–a–b–a 구조

살어리 살어리랏다. 청산(靑山)애 살어리랏다.
멀위랑 ᄃᆞ래랑 먹고, 청산(靑山)애 살어리랏다.
얄리얄리 얄랑셩 얄라리 얄라.

- 멀위랑 ᄃᆞ래랑: 소박한 음식
- 살어리랏다: ① 화자가 청산에 살고 있지 않은 경우 – 청산(이상향)에 살고 싶다는 의지 ② 화자가 청산에 살고 있는 경우 – 청산(피난처)에 사는 것이 괴롭지만 어쩔 수 없다는 한탄
- 의미 없는 후렴구. 'ㄹ, ㅇ'의 반복(경쾌한 느낌) → 음악성을 부여하고 구조적인 안정감을 줌.

▶ 1연: 자연(청산)에 대한 동경

현대어 풀이 살겠노라 살겠노라. 청산에서 살겠노라.
머루와 다래를 먹고, 청산에서 살겠노라.

「우러라 우러라 새여, 자고 니러 우러라 새여.」
널라와 시름 한 나도 자고 니러 우니노라.
얄리얄리 얄라셩 얄라리 얄라.

- 「」: 반복법, 영탄법
- 새여: 감정 이입의 대상
- 널라와: 너보다 / 한: 많은

▶ 2연: 삶의 비애

현대어 풀이 우는구나 우는구나 새여, 자고 일어나서 우는구나 새여.
너보다 시름이 많은 나도 자고 일어나서 울며 지내노라.

가던 새 가던 새 본다. 「믈 아래 가던 새 본다.」
잉무든 장글란 가지고, 믈 아래 가던 새 본다.
얄리얄리 얄라셩 얄라리 얄라.

- 「」: 속세에 대한 미련
- 가던 새: ① 갈던 사래(이랑) ② 날아가던 새 / 믈 아래: 속세(↔ 청산, 바다)
- 잉무든 장글란: ① 이끼 묻은 쟁기 ② 이끼 묻은 은장도 ③ 날이 무딘 병기

▶ 3연: 속세에 대한 미련

현대어 풀이 가던 새 가던 새를 본다. 물 아래로 가던 새를 본다.
이끼 묻은 쟁기를 가지고, 물 아래로 가던 새를 본다.

이링공 뎌링공 ᄒᆞ야 나즈란 디내와손뎌,
오리도 가리도 업슨 바므란 ᄯᅩ 엇디 호리라.
얄리얄리 얄라셩 얄라리 얄라.

- 나즈란 디내와손뎌: 낮은 지내 왔지만
- 바므란: 밤, 절망적인 고독의 시간

▶ 4연: 삶의 고독

현대어 풀이 이럭저럭하여 낮은 지내 왔지만,
올 사람도 갈 사람도 없는 밤은 또 어찌하리오.

어듸라 더디던 돌코, 누리라 마치던 돌코.
ᄆᆡ리도 괴리도 업시 마자셔 우니노라.
얄리얄리 얄라셩 얄라리 얄라.

- 돌코: 어쩔 수 없는 운명
- ᄆᆡ리도: 미워할 이 / 괴리도: 사랑할 이
- 마자셔 우니노라: 운명(혼자서 견뎌야 하는 고독)에 대한 체념

▶ 5연: 운명에 대한 체념

현대어 풀이 어디에다 던지던 돌인가? 누구를 맞히려던 돌인가?
미워할 사람도 사랑할 사람도 없이 맞아서 울고 있노라.

살어리 살어리랏다. 바ᄅᆞ래 살어리랏다.
ᄂᆞᄆᆞ자기 구조개랑 먹고, 바ᄅᆞ래 살어리랏다.
얄리얄리 얄라셩 얄라리 얄라.

- 바ᄅᆞ래: 이상향, 현실 도피처(= 청산)
- ᄂᆞᄆᆞ자기 구조개랑: 소박한 음식

▶ 6연: 자연(바다)에 대한 동경

현대어 풀이 살겠노라 살겠노라. 바다에서 살겠노라. / 나문재(해초), 굴, 조개 먹고 바다에서 살겠노라.

작품 한눈에 보기

청산		바다
• 청산(1연) – 자연을 동경함. • 새(2연) – 시름이 많음. • 새(3연) – 속세에 대한 미련을 느낌. • 밤(4연) – 고독을 느낌.	대칭적 구조	• 바다(6연) – 자연을 동경함. • 돌(5연) – 운명에 체념함. • 사슴(7연) – 절박함과 고독을 느낌. • 술(8연) – 고뇌를 해소함.

⬇

자연(이상향)에서 살고자 하는 소망을 드러냄.

출제 포인트

■ 표현상의 특징
① 시구(살어리랏다, 우러라 새여)를 반복하여 의미를 강조함.
② 상징적인 의미를 가진 시어(청산, 바ᄅᆞᆯ, 돌)를 활용하여 화자의 정서를 드러냄.
③ 후렴구와 'ㄹ, ㅇ'의 반복, 'a–a–b–a' 구조와 3음보의 율격으로 음악성을 드러냄.
④ 화자의 감정을 '새'에 이입하여 슬픔을 표현함(3연).

■ 후렴구의 특성
① 고려 가요의 형식적 특성을 보여 줌.
② 반복적인 사용으로 음악성을 부여함.
③ 노래의 내용과는 상관 없음.
④ 'ㄹ, ㅇ'을 통해 경쾌한 느낌을 줌.

■ 「청산별곡」의 화자와 주제에 대한 다양한 해석

유랑민	삶의 터전을 잃은 유랑민의 슬픔
실연한 사람	이별의 슬픔
좌절한 지식인	현실에서 좌절한 지식인의 슬픔

가다가 가다가 드로라. 에졍지 가다가 드로라.
듣노라 외딴 부엌. 속세와 단절된 공간

사ᄉᆞ미 ᄶᅵᆸ대예 올아셔 ᄒᆡ금(奚琴)을 혀거를 드로라.
① 사슴이 해금을 켜는 것과 같은 기적이 일어나기를 바라는 심정 ② 사슴 가면을 쓴 광대를 보고 시름을 잊고자 하는 심정

얄리얄리 얄라셩 얄라리 얄라.
▶ 7연: 기적을 바라는 삶의 절박함

현대어 풀이 가다가 가다가 듣노라. 외딴 부엌을 지나가다 듣노라.
사슴이 장대에 올라가서 해금을 켜는 것을 듣노라.

「가다니 ᄇᆡ브른 도긔 설진 강수를 비조라.」 「」: 고뇌를 술로 달램. 체념
독한 술. 현실의 괴로움을 잊기 위한 매개체

조롱곳 누로기 ᄆᆡ와 잡ᄉᆞ와니, 내 엇디 ᄒᆞ리잇고.
조롱박꽃 누룩이 붙잡으니 체념

얄리얄리 얄라셩 얄라리 얄라.
▶ 8연: 고뇌를 술로 달램.

현대어 풀이 가다가 보니 배가 불룩한 독에 진한 술을 빚는구나.
조롱박꽃 같은 누룩(술)이 매워 (나를) 붙잡으니 낸들 어찌하랴.

수능 필수 개념 플러스

"고전 시가의 자연"

고전 시가 속의 '자연'은 현실과 대비되는 '도피처'나 '이상향'으로 표현되기도 하고, 보고 즐기는 '완상(玩賞)의 대상'이나 '풍류의 공간'으로 표현되기도 한다. 때로는 삶의 교훈이나 진리를 얻는 '깨달음의 공간'이나 '본받아야 할 대상'으로 나타나기도 한다.

1 작품 이해

이 작품은 삶의 비애와 현실의 고통에서 벗어나 이상향에서 살기를 소망하는 내용을 담은 고려 가요이다. 몽골의 침략이나 무신들의 무단 정치* 등으로 고통받던 당시 고려인들의 삶의 모습과 현실 도피적, 낙천적 사고방식과 인생관 등이 잘 반영되어 있다. 이상향이나 도피처를 '청산'과 '바롤'로, 운명을 '돌'로 표현하는 등 상징성이 뛰어나고, 화자의 고뇌와 슬픔을 절절하게 형상화했다는 점에서 서정성이 돋보이는 작품으로 평가받고 있다. 화자를 유랑민, 실연한 사람, 좌절한 지식인 등으로 볼 수 있으며, 이에 따라 다양하게 해석할 수 있다.

- 갈래: 고려 가요 • 성격: 현실 도피적, 애상적
- 주제: 삶의 고통과 비애
- 시적 상황 유랑민 또는 실연한 사람, 혹은 좌절한 지식인이 삶의 고통에서 벗어나 □□에서 살기를 소망함.
- 정서와 태도 삶의 비애를 느끼고 □□□에서의 새로운 삶을 소망함.

정답: 자연, 이상향

* 무단 정치: 군대나 경찰 따위의 무력으로 행하는 정치

2 내용 확인

1 맞는 내용이면 ○표, 틀린 내용이면 ×표 하시오.

① 화자는 속세를 떠나 이상향에서 살아가기를 소망하고 있다. ( )
② 후렴구를 반복하여 화자의 정서를 집약적으로 드러내고 있다. ( )

2 '□□'과 '□□'은 현실의 고통과 근심을 벗어난 도피처, 이상향으로 볼 수 있다.

3 화자의 외로움이 극대화되는 시간적 배경을 나타내는 시어를 4연에서 찾아 쓰시오.

➡ ( )

4 8연의 '□□'는 현실적 고통을 잊기 위한 매개체라고 볼 수 있다.

내용 확인 도우미

1 ① 화자는 현실에서 고통을 느끼고, 청산과 바다로 표현된 이상향을 동경하고 있다.
② 후렴구는 구조적 안정감과 음악성을 느끼게 하지만, 삶의 고통을 표현하는 전체 내용과는 어울리지 않는다.

2 '청산'과 '바롤'은 현실과 대조되는 공간으로, 이상향이나 도피처를 의미한다.

3 올 사람도 갈 사람도 없는 '바므(밤)'는 절망적인 고독의 시간이다.

4 화자는 '강수', 즉 술을 통해 삶의 고뇌를 잊고자 한다.

정답 1 ① ○ ② × 2 청산(청산), 바롤(바다) 3 바므(밤) 4 강수

3 실전 Test

• 정답 10쪽

01 윗글에 대한 감상으로 적절하지 않은 것은?

① 화자가 청산에 살고 있지 않은 상황이라면, '살어리랏다.'를 '살고 싶구나.'로 풀이하여 청산을 동경하는 것으로 볼 수 있겠군.
② 화자가 청산에 살고 있는 상황이라면, '살어리랏다.'를 '살아야만 하는구나.'로 풀이하여 괴롭지만 청산에서 살아갈 수밖에 없다고 한탄하는 것으로 볼 수 있겠군.
③ 화자를 좌절한 지식인으로 본다면, '시름'은 정치적으로 혼란한 현실을 떠나왔음에도 지속되는 괴로움으로 볼 수 있겠군.
④ 화자를 좌절한 지식인으로 본다면, '강수'를 통해 어지러운 정치 현실로 인한 괴로움을 치유하고 현실 극복 의지를 가지게 되는 것으로 볼 수 있겠군.
⑤ 화자를 유랑민으로 본다면, '잉무든 장글란 가지고, 믈 아래 가던 새 본다.'를 '녹슨 쟁기를 가지고, 갈던 밭을 본다.'로 풀이하여 예전 생활에 대한 미련을 갖는 것으로 볼 수 있겠군.

02 윗글과 [보기]의 공통점으로 가장 적절한 것은? 기출 문제

보기

향단(香丹)아 그넷줄을 밀어라.
머언 바다로
배를 내어 밀듯이, / 향단아.

이 다소곳이 흔들리는 수양버들나무와
베갯모에 놓이듯 한 풀꽃더미로부터,
자잘한 나비 새끼 꾀꼬리들로부터,
아주 내어 밀듯이, 향단아.

산호(珊瑚)도 섬도 없는 저 하늘로
나를 밀어 올려 다오.
채색(彩色)한 구름같이 나를 밀어 올려 다오.
이 울렁이는 가슴을 밀어 올려 다오!

서(西)으로 가는 달같이는
나는 아무래도 갈 수가 없다.

바람이 파도를 밀어 올리듯이
그렇게 나를 밀어 올려 다오. / 향단아.

– 서정주, 「추천사(鞦韆詞) – 춘향의 말 1」

① 대화를 주고받는 상황을 통해 현실감을 높이고 있다.
② 특정한 음운의 반복을 통해 음악성을 획득하고 있다.
③ 유사한 어구의 반복을 통해 화자의 정서를 강조하고 있다.
④ 감정 이입의 대상을 활용하여 화자의 정서를 드러내고 있다.
⑤ 현실과 이상향을 이어 주는 매개체를 활용하여 시상을 전개하고 있다.

실전 Test Guide

01 화자가 처해 있는 상황을 바탕으로 시를 이해할 수 있는지를 평가하는 문제이다. 화자가 처해 있는 상황에 따라 시어나 시구의 의미가 달라지는 것에 유의하여 그 의미를 판단해 보도록 한다.

02 작품 간 공통점을 파악할 수 있는지 확인하는 문제이다. 두 작품의 표현상의 특징과 그 효과를 비교하여 공통점을 확인하도록 한다.

고려 가요 022

서경별곡(西京別曲)_작자 미상

서경(西京)이 아즐가 서경이 셔울히 마르는
평양 / 여음구. 특별한 의미는 없으나 음악성을 부여함.
위 두어렁셩 두어렁셩 다링디리
후렴구, 북소리를 표현한 것으로 음악성을 부여함. 이별의 내용과 어울리지 않음.
닷곤ᄃᆡ 아즐가 닷곤ᄃᆡ 쇼셩경 고ᄋᆈ마른
닦은 곳 / 작은 서울, 평양 '괴요마른'을 잘못 기록함(사랑하지마는).
위 두어렁셩 두어렁셩 다링디리

여ᄒᆡ므론 아즐가 여ᄒᆡ므론 **질삼뵈** ᄇᆞ리시고
이별하기보다는 / 길쌈하던 베, 생업을 의미하며, 화자가 여성임을 드러냄.
위 두어렁셩 두어렁셩 다링디리

괴시란ᄃᆡ 아즐가 괴시란ᄃᆡ **우러곰 좃니노이다.**
사랑해 주신다면 / 이별을 거부하는 적극적 태도
위 두어렁셩 두어렁셩 다링디리

▶ 1연(기): 이별을 받아들이지 않음.

현대어 풀이 서경이 서경이 서울이지마는 / (새로) 닦은 곳인 (새로) 닦은 곳인 소성경을 사랑합니다마는 / (임과) 이별하기보다는 (임과) 이별하기보다는 길쌈하던 베를 버리고서라도 / 사랑만 해 주신다면 사랑만 해 주신다면 울면서 따라가겠습니다.

떨어진들(임과 이별한들)
「구스리 아즐가 구스리 바회예 디신ᄃᆞᆯ
임과 화자의 사랑 / 시련, 장애물, 부정적 상황
위 두어렁셩 두어렁셩 다링디리
여음구, 특별한 의미 없이 음악성을 부여함.
긴히ᄯᆞᆫ 아즐가 긴힛ᄯᆞᆫ 그츠리잇가 나ᄂᆞᆫ
임에 대한 영원한 사랑과 믿음, 인연을 강조함. 설의법
위 두어렁셩 두어렁셩 다링디리

즈믄 ᄒᆡ를 아즐가 즈믄 ᄒᆡ를 외오곰 녀신ᄃᆞᆯ
천 년, 오랜 세월. 과장법 / 외로이, 홀로
위 두어렁셩 두어렁셩 다링디리

신(信)잇ᄃᆞᆫ 아즐가 신(信)잇ᄃᆞᆫ 그츠리잇가 나ᄂᆞᆫ」 「」: 대구법
임에 대한 영원한 사랑과 믿음을 강조함. 설의법, 반복법
위 두어렁셩 두어렁셩 다링디리

▶ 2연(서): 임에 대한 영원한 사랑과 믿음을 맹세함.

현대어 풀이 구슬이 구슬이 바위에 떨어진들 / 끈이야 끈이야 끊어지겠습니까? / (임과 헤어져) 천 년을 천 년을 외로이 살아간들 / (임을) 믿는 마음이야, 믿는 마음이야 끊어지겠습니까?

대동강(大同江) 아즐가 대동강(大同江) 너븐디 몰라셔
이별의 공간, 단절
위 두어렁셩 두어렁셩 다링디리
ᄇᆡ 내여 아즐가 ᄇᆡ 내여 노ᄒᆞᆫ다 **샤공아**
화자가 임과의 사랑을 방해한다고 여기는 존재, 임을 대신하는 원망의 대상
위 두어렁셩 두어렁셩 다링디리
음란한 줄, 바람난 줄
네 가시 아즐가 **네 가시 럼난디 몰라셔** / 위 두어렁셩 두어렁셩 다링디리
각시
녈 ᄇᆡ예 아즐가 녈 ᄇᆡ예 연즌다 샤공아 / 위 두어렁셩 두어렁셩 다링디리
가는
대동강(大同江) 아즐가 대동강(大同江) 건넌편 고즐여 / 위 두어렁셩 두어렁셩 다링디리
꽃, 다른 여인
ᄇᆡ 타 들면 아즐가 **ᄇᆡ 타 들면 것고리이다** 나ᄂᆞᆫ / 위 두어렁셩 두어렁셩 다링디리
새로운 여인을 만날 것임.

▶ 3연(결): 떠나는 임에 대한 원망과 불신

현대어 풀이 대동강이 대동강이 넓은 줄을 몰라서 / 배를 내어 배를 내어 놓았느냐, 사공아. / 네 아내가 네 아내가 음란한(바람난) 줄을 몰라서 / 떠나는 배에 떠나는 배에 (임을) 태웠느냐, 사공아. / (임은) 대동강, 대동강 건너편 꽃(다른 여인)을 / 배를 타고 들어가면, 배를 타고 들어가면 꺾을 것입니다.

작품 한눈에 보기

이별을 거부하고 안타까워함.
↓
임에 대한 영원한 사랑과 믿음을 맹세함.
↓
떠나는 임을 원망하고 믿지 못함.

출제 포인트

■ 표현상의 특징
① 2연에서 대구법과 설의법(그츠리잇가)을 사용하여 변함없는 사랑과 믿음을 맹세함.
② 동일한 시구와 여음구(아즐가, 나ᄂᆞᆫ), 후렴구(위 두어렁셩 두어렁셩 다링디리)의 반복을 통해 리듬감을 형성함.
③ 비유와 상징을 통해 화자의 정서를 드러냄.

수능 필수 개념 플러스

"「정석가」와의 유사성"
「서경별곡」의 2연과 「정석가」의 6연은 유사하다. 이는 당시 유행했던 표현이거나 구전 과정에서 차용되었을 가능성이 있다.

"「가시리」와의 비교"

구분		가시리	서경별곡
공통점	갈래	고려 가요	
	형식	분연체, 후렴구, 3음보	
	주제	이별의 정한	
차이점	화자의 태도	소극적, 순종적으로 이별을 수용하며 재회를 소망함.	적극적으로 이별을 거부함.

1 작품 이해

이 작품은 이별의 정한(情恨)을 노래하고 있는 고려 가요이다. 「가시리」 등의 작품과는 다르게 이 작품의 화자는 생업(질삼뵈)을 버리고서라도 임을 따르겠다며 이별을 거부하는 적극적인 태도를 보이고 있다. 또 임이 만날 새로운 여인을 질투하는 모습도 드러나 있다.

- 갈래: 고려 가요
- 성격: 서정적, 적극적
- 주제: 연모의 마음과 이별의 정한
- 시적 상황 사랑하는 임과 대동강가에서 □□하고 있음.
- 정서와 태도 적극적으로 이별을 □□하고, 변함없는 사랑과 믿음을 맹세하지만, 임이 새로운 여인을 만날 것에 대한 염려를 드러냄.

정답: 이별, 거부

2 내용 확인

1 맞는 내용이면 ○표, 틀린 내용이면 ×표 하시오.

① 화자는 임과의 이별을 적극적으로 거부하고 있다. (　　)

② 2연의 '바회'는 임과의 사랑을 지키겠다는 화자의 절개를 의미한다. (　　)

2 2연에서는 반복법과 □□□, □□□을 사용하여 임에 대한 영원한 사랑과 믿음을 강조하고 있다.

3 3연에서 언급된 '□□□'은 이별의 공간으로, 공간적 배경이자 임과의 '단절'을 의미한다.

내용 확인 도우미

1 ① 화자는 1연에서 '질삼뵈'를 버리고서라도 임을 따르겠다는 적극적인 태도를 보이고 있다.
② '바회'는 임과 화자의 사랑을 상징하는 '구슬'을 깨뜨리는 시련이나 장애물을 의미한다.

2 2연의 1~4행, 5~8행이 대구를 이루며, '그츠리잇가'에 설의법이 나타난다.

3 '대동강'은 임이 배를 타고 화자를 떠나는 곳으로, 이별과 단절의 공간이다.

정답 1 ① ○ ② × 2 대구법, 설의법 3 대동강

3 실전 Test

• 정답 11쪽

01 윗글의 시어 및 시구에 대한 설명으로 적절하지 <u>않은</u> 것은? 기출 문제

① '질삼뵈'는 화자가 여성이란 사실을 단적으로 보여 준다.
② '우러곰 좃니노이다.'는 화자가 이별을 거부하고 있음을 드러낸다.
③ '샤공'은 화자와 임의 사랑을 방해하는 역할을 한다.
④ '네 가시 럼난디 몰라셔'는 음란한 세태를 비판하는 데서 비롯되었다.
⑤ '비 타 들면 것고리이다'에는 미래에 나타날 임의 행동을 경계하는 심리가 내재되어 있다.

02 윗글과 [보기]를 비교하여 감상한 내용으로 적절하지 <u>않은</u> 것은? 기출 문제

> **보기**
>
> 비 갠 긴 둑에 풀빛이 고운데,
> 남포에서 임 보내며 슬픈 노래 부르네.
> 대동강 물이야 언제나 마르려나,
> 이별 눈물 해마다 푸른 물결 보태나니.
>
> – 정지상, 「송인(送人)」

① 윗글과 [보기] 모두 설의법을 활용하여 시상을 전개하고 있다.
② 윗글과 [보기] 모두 이별의 공간이 구체적으로 설정되어 있다.
③ 윗글과 [보기] 모두 자연과 화자의 정서가 대조적으로 드러나 있다.
④ [보기]와 달리 윗글에서는 이별의 원인을 제3자의 탓으로 돌리고 있다.
⑤ [보기]와 달리 윗글에서는 이별의 상황을 거부하는 적극적 태도가 드러나 있다.

실전 Test Guide

01 시어 및 시구의 의미를 파악하는 문제이다. 시적 상황과 화자의 정서와 관련하여 시어 및 시구의 의미를 생각해 보도록 한다.

02 제시문과 [보기]를 비교하여 감상하는 문제이다. 표현상의 특징, 시적 상황, 화자의 태도를 중심으로 두 작품의 공통점과 차이점에 대해 생각해 보도록 한다.

고려 가요 023 정석가(鄭石歌)_작자 미상

① '정경(鉦磬)'이라는 악기를 의인화한 표현 ② '정석'이라는 임의 이름

딩아 돌하 당금(當今)에 계샹이다. / 딩아 돌하 당금(當今)에 계샹이다.
정(鄭) 석(石) 지금
션왕셩대(先王聖代)예 노니ᄋᆞ와지이다. ▶ 1연(서사): 태평성대를 기원함.
태평성대를 기원함, 전체 내용과 어울리지 않음. → 궁중 음악으로 수용되면서 덧붙여진 것으로 추측됨.

현대어 풀이 징이여 돌이여 지금에 계십니다. / 징이여 돌이여 지금에 계십니다. 태평성대에 놀고 싶습니다.

삭삭기 셰몰애 별헤 나ᄂᆞᆫ / 삭삭기 셰몰애 별헤 나ᄂᆞᆫ
사각사각 벼랑에 여음구. 특별한 의미가 없으며, 음악성을 부여함.
구은 밤 닷 되를 심고이다. / 그 바미 우미 도다 삭나거시아
「」: 불가능한 상황 설정을 통한 역설적 표현(3~5연에서도 반복됨.)
그 바미 우미 도다 삭나거시아 / 유덕(有德)ᄒᆞ신 님믈 여ᄒᆡᄋᆞ와지이다.
임(임금)과 이별하고 싶습니다. – 이별하고 싶지 않다는 반어적인 표현

현대어 풀이 사각사각 가는 모래 벼랑에 / 사각사각 가는 모래 벼랑에 / 구운 밤 닷 되를 심습니다. 그 밤이 움이 돋아 싹이 나야만 / 그 밤이 움이 돋아 싹이 나야만 / 덕 있는 임을 여의게 해 주십시오.

옥(玉)으로 련(蓮)ㅅ고즐 사교이다. / 옥(玉)으로 련(蓮)ㅅ고즐 사교이다.
새깁니다.
바회 우희 졉듀(接柱)ᄒᆞ요이다. / 그 고지 삼동(三同)이 퓌거시아
바위 접을 붙입니다. 세 묶음이, 추운 겨울에
그 고지 삼동(三同)이 퓌거시아 / 유덕(有德)ᄒᆞ신 님 여ᄒᆡᄋᆞ와지이다.

현대어 풀이 옥으로 연꽃을 새깁니다. / 옥으로 연꽃을 새깁니다. / (그 꽃을) 바위 위에 접을 붙입니다. / 그 꽃이 세 묶음이 (혹은 몹시 추운 겨울에) 피어야만 / 그 꽃이 세 묶음이 (혹은 몹시 추운 겨울에) 피어야만 / 덕 있는 임을 여의게 해 주십시오.

마름질하여
므쇠로 텰릭을 ᄆᆞᆯ아 나ᄂᆞᆫ / 므쇠로 텰릭을 ᄆᆞᆯ아 나ᄂᆞᆫ
무관이 입던 관복
텰ᄉᆞ(鐵絲)로 주롬 바고이다. / 그 오시 다 헐어시아
주름을 박습니다.
그 오시 다 헐어시아 / 유덕(有德)ᄒᆞ신 님 여ᄒᆡᄋᆞ와지이다.

현대어 풀이 무쇠로 철릭(관복)을 마름질해 / 무쇠로 철릭을 마름질해 / 철사로 주름을 박습니다. / 그 옷이 다 헐어야만 / 그 옷이 다 헐어야만 / 덕 있는 임을 여의게 해 주십시오.

므쇠로 한쇼를 디여다가 / 므쇠로 한쇼를 디여다가
지어다가
텰슈산(鐵樹山)애 노호이다. / 그 쇠 텰초(鐵草)를 머거아
쇠로 된 나무가 있는 산
그 쇠 텰초(鐵草)를 머거아 / 유덕(有德)ᄒᆞ신 님 여ᄒᆡᄋᆞ와지이다.
▶ 2~5연(본사): 불가능한 상황을 가정하여 영원한 사랑을 기원함.

현대어 풀이 무쇠로 큰 소를 지어다가 / 무쇠로 큰 소를 지어다가 / 쇠로 된 나무가 있는 산에 놓습니다. / 그 소가 쇠로 된 풀을 먹어야만 / 그 소가 쇠로 된 풀을 먹어야만 / 덕 있는 임을 여의게 해 주십시오.

시련, 장애물, 부정적 상황
구스리 바회예 디신ᄃᆞᆯ / 구스리 바회예 디신ᄃᆞᆯ
임과 화자의 사랑 떨어진들 천 년, 오랜 세월, 과장법
긴힛ᄃᆞᆫ 그츠리잇가. / 즈믄 ᄒᆡ를 외오곰 녀신ᄃᆞᆯ
임에 대한 영원한 사랑과 믿음, 인연을 강조함, 설의법
즈믄 ᄒᆡ를 외오곰 녀신ᄃᆞᆯ / 신(信)잇ᄃᆞᆫ 그츠리잇가. ▶ 6연(결사): 영원한 사랑과 믿음을 맹세함.
임에 대한 영원한 사랑과 믿음을 강조함, 설의법, 반복법

현대어 풀이 구슬이 바위에 떨어진들 / 구슬이 바위에 떨어진들 / 끈이야 끊어지겠습니까? / (임과 헤어져) 천 년을 외로이 살아간들 / 천 년을 외로이 살아간들 / (임을) 믿는 마음이야 끊어지겠습니까?

작품 한눈에 보기

불가능한 상황 가정	임과 이별함(역설적 표현).
• 구운 밤에 싹이 나면 • 옥 연꽃에 꽃이 피면 • 무쇠 옷이 다 헐면 • 무쇠 소가 쇠로 된 풀을 먹으면	

⬇

임과 이별할 수 없음.

출제 포인트

■ 표현상의 특징
① 불가능한 상황을 설정하고 반어적으로 표현함으로써 임과 이별하지 않겠다는 의지를 강조함.
② 반복법과 설의법, 과장법을 통해 임에 대한 영원한 사랑을 강조함.
③ 상징적 시어를 사용하여 화자의 정서를 드러냄.

구슬	임과의 사랑
바회	시련, 장애물
긴	영원한 사랑과 믿음

수능 필수 개념 플러스

"불가능한 상황 설정을 통한 역설적 표현"
「정석가」에는 '구운 밤에는 싹이 나지 않는다.'와 같은 일반적인 진리와 '구운 밤에 싹이 난다.'와 같은 가정이 서로 모순되는 역설적 표현이 사용되고 있다. 이는 불가능한 상황을 가능한 상황으로 설정하여 화자가 원하는 바(임과 영원히 이별하고 싶지 않음.)를 강조하는 것이라고 볼 수 있다. 이러한 표현을 사용한 다른 작품으로는 문충의 「오관산요」가 있다.

1 작품 이해

이 작품은 임과의 사랑이 영원하기를 기원하는 고려 가요이다. 불가능한 상황을 설정하여 임과 이별하지 않겠다는 화자의 의지를 강조하여 표현하고 있다. '임'을 '임금'으로 볼 경우 신하가 임금에게 바치는 송축가로 볼 수 있다.

• 갈래: 고려 가요 • 성격: 서정적, 의지적, 민요적

• 주제: 임(임금)에 대한 영원한 사랑 / 태평성대를 기원함.
• 시적 상황 불가능한 상황을 설정하여 임에 대한 □□을 드러냄.
• 정서와 태도 임과 이별하지 않겠다는 □□를 반복적으로 드러냄.

정답: 사랑, 의지

2 내용 확인

1 맞는 내용이면 ○표, 틀린 내용이면 ×표 하시오.

① 1연에는 전체 내용과 어울리지 않는 부분이 있는데, 이를 통해 윗글이 궁중 음악으로 쓰였다고 짐작할 수 있다. ( )

② 의미 없는 후렴구를 반복적하여 화자의 바람을 드러내고 있다. ( )

내용 확인 도우미

1 ① 1연의 '션왕셩ᄃᆡ예 노니ᄋᆞ와지이다.'는 궁중 음악으로 수용되면서 덧붙여진 것으로 추측된다.
② 2~5연에서는 '유덕ᄒᆞ신 님믈 여희ᄋᆞ와지이다.'를 반복하여 화자의 소망을 반어적으로 표현하고 있다.

정답 1 ① ○ ② ×

3 실전 Test

• 정답 11쪽

01 [보기]를 참고하여 윗글을 감상한 내용으로 적절하지 않은 것은? 기출 문제

보기

「정석가」의 서사에서는 나라의 안녕을 기원하고, 본사에서는 화자의 마음을 반어적으로 드러내고 있는데, 동일한 발상의 기법을 쓰면서도 생성과 소멸의 시어들을 대칭적으로 사용하고 있다. 결사에서는 상징적인 시어를 통해 대상과의 인연을 강조하고 있다.

① 1연의 '션왕셩ᄃᆡ예 노니ᄋᆞ와지이다.'는 나라의 안녕을 기원하는 내용이다.
② 2~5연은 모두 불가능한 상황을 가정하고 있다는 점에서 발상의 기법이 동일하다.
③ 2, 3연의 '삭나거시아', '퓌거시아'와 4, 5연의 '헐어시아', '머거아'는 생성과 소멸의 대칭 관계를 이룬다.
④ 2~5연의 '유덕ᄒᆞ신 님믈 여희ᄋᆞ와지이다.'는 임과의 이별을 받아들이는 화자의 마음을 반어적으로 표현하고 있다.
⑤ 6연의 '긴'이라는 시어를 통해 대상과의 인연이 영원할 것임을 강조하고 있다.

02 윗글과 [보기]를 비교하여 감상한 것으로 가장 적절한 것은? 기출 문제

보기

님이 오마 ᄒᆞ거ᄂᆞᆯ 져녁 밥을 일 지어 먹고
중문(中門) 나서 대문(大門) 나가 지방(地方) 우희 치ᄃᆞ라 안자 이수(以手)로 가액(加額)ᄒᆞ고 오ᄂᆞᆫ가 가ᄂᆞᆫ가 건넌 산(山) ᄇᆞ라보니 거머흿들 셔 잇거ᄂᆞᆯ 져야 님이로다 보션 버서 품에 품고 신 버서 손에 쥐고 곰븨 님븨 님븨 곰븨 쳔방 지방 지방 쳔방 즌 듸 ᄆᆞ른 듸 ᄀᆞᆯ희지 말고 워렁충창 건너가셔 정(情)엣말 ᄒᆞ려 ᄒᆞ고 겻눈을 흘깃 보니 상년(上年) 칠월(七月) 사흔날 ᄀᆞᆯ가 벅긴 주추리 삼대 ᄉᆞᆯ드리도 날 소겨거다.
모쳐라 밤일싀망졍 ᄒᆡᆼ혀 낫이런들 ᄂᆞᆷ 우일 번ᄒᆞ괘라. – 작자 미상

① 윗글은 [보기]에 비해 시간과 공간이 구체적으로 드러난다.
② [보기]는 윗글에 비해 설의적 표현이 두드러지게 나타난다.
③ 윗글과 [보기] 모두 대조와 연쇄를 통해 생동감을 드러낸다.
④ 윗글과 [보기] 모두 격정적 어조를 통해 고요한 분위기를 드러낸다.
⑤ 윗글은 상황의 가정에서, [보기]는 행동의 묘사에서 과장이 드러난다.

실전 Test Guide

01 [보기]를 참고하여 시의 의미와 특징을 종합적으로 파악할 수 있는지를 확인하는 문제이다. [보기]의 설명이 각 연에 어떻게 드러나 있는지를 살펴보면서 시의 의미와 특징을 파악하도록 한다.

02 작품 간 공통점과 차이점을 비교하여 파악할 수 있는지 확인하는 문제이다. 표현 방법 등을 중심으로 제시문과 [보기]에 어떤 공통점과 차이점이 있는지를 생각해 보도록 한다.

만전춘별사(滿殿春別詞) _ 작자 미상

어름 우희 댓닙자리 보와 님과 나와 어러 주글만뎡
(좋지 않은 잠자리 / 죽을지언정)
어름 우희 댓닙자리 보와 님과 나와 어러 주글만뎡
정(情) 둔 오ᄂᆞᆳ밤 더듸 새오시라 더듸 새오시라 ▶ 1연: 임과 보내는 밤이 짧아 아쉬움을 느낌.
(임과 정을 맺은 / 임과 오래 함께하고 싶은 마음)

현대어 풀이 얼음 위에 댓잎 자리 펴서 임과 내가 얼어 죽을망정,
얼음 위에 댓잎 자리 펴서 임과 내가 얼어 죽을망정,
정 둔 오늘 밤 더디 새소서, 더디 새소서.

경경(耿耿) 고침상(孤枕上)애 어느 ᄌᆞ미 오리오
(근심에 싸인 외로운 베갯머리 / 잠을 이루지 못함, 전전반측)
서창(西窓)을 여러ᄒᆞ니 도화(桃花)ㅣ 발(發)ᄒᆞ두다.
(외로움을 심화하는 객관적 상관물 – 화자와 대조됨.)
「도화난 시름 업서 소춘풍(笑春風)ᄒᆞᄂᆞ다 소춘풍(笑春風)ᄒᆞᄂᆞ다」 「」: 의인법, 반복법
(봄바람에 웃는다.)
▶ 2연: 임이 떠난 후 외로움을 느낌.

현대어 풀이 근심 어린 외로운 잠자리에 어찌 잠이 오리오.
서쪽 창문을 열어젖히니 복숭아꽃이 피었구나.
복숭아꽃은 근심 없어 봄바람에 웃는구나, 봄바람에 웃는구나.

넉시라도 님을 ᄒᆞᆫᄃᆡ 녀닛 경(景) 너기다니
(남의 상황이라고만 여겼는데)
넉시라도 님을 ᄒᆞᆫᄃᆡ 녀닛 경(景) 너기다니
벼기더시니 뉘러시니잇가 뉘러시니잇가 ▶ 3연: 임을 원망함.
((영원히 함께하자는 약속을) 어긴 사람이)
「정과정」의 5, 6행과 유사함.
→ 구전 과정에서 첨가된 것으로 추측됨.

현대어 풀이 넋이라도 임과 함께한다는 말을 남의 일이라고 여겼는데 (넋이라도 임과 함께하는 것으로 여겼는데) / 넋이라도 임과 함께한다는 말을 남의 일이라고 여겼는데 / (함께하자는 약속을) 어긴 사람이 누구였습니까? 누구였습니까?

올하 올하 아련 비올하
(오리야, 방탕한 임)
「여흘란 어듸 두고 소(沼)해 자라 온다」 「」: 화자와의 만남이 싫증 나면 다른 여인에게 가겠다(임의 목소리).
(화자 / 다른 여자)
소콧 얼면 여흘도 됴ᄒᆞ니 여흘도 됴ᄒᆞ니 ▶ 4연: 임의 방탕한 생활을 풍자함.
(방탕한 생활을 하는 임을 풍자함.)

현대어 풀이 오리야 오리야 어리석은 비오리야 / 여울은 어디 두고 늪에 자러 오느냐? / 늪마저 얼면 여울도 좋으니, 여울도 좋으니.

남산(南山)애 자리 보와 옥산(玉山)을 벼여 누어
(따뜻한 온돌 / 옥 베개)
금수산(錦繡山) 니블 안해 사향(麝香) 각시를 아나 누어
(금실로 수놓은 비단 / 사향주머니, 아름다운 여인)
남산(南山)애 자리 보와 옥산(玉山)을 벼여 누어
금수산(錦繡山) 니블 안해 사향(麝香) 각시를 아나 누어
약(藥)든 가ᄉᆞᆷ을 맛초ᅀᆞᆸ사이다 맛초ᅀᆞᆸ사이다 ▶ 5연: 임과의 해후를 바람.
(사향이 든 / 임과 함께하기를 소망함.)

현대어 풀이 남산에 잠자리를 보아 옥산을 베고 누워 / 금수산 이불 안에서 사향 각시를 안고 누워 / 남산에 잠자리를 보아 옥산을 베고 누워 / 금수산 이불 안에서 사향 각시를 안고 누워 / 사향이 든 (향기로운) 가슴을 맞춥시다, 맞춥시다.

아소 님하 / 원대평생(遠代平生)애 여힐ᄉᆞᆯ 모ᄅᆞᄋᆞᆸ새 ▶ 6연: 임과의 영원한 사랑을 기원함.
(이 세상 영원히, 과장법)

현대어 풀이 아아 임이시여 / 영원히 이별할 줄 모르고 지냅시다.

작품 한눈에 보기

임과 함께 있음.	임과 함께하는 시간이 지속되길 바람.
↓	
임과 떨어져 있음.	외로움을 느낌.
	함께하자는 약속을 어긴 임을 원망함.
	임의 방탕함을 원망함.
	임과 함께 지내는 시간을 상상함.

⬇

임과의 영원한 사랑을 소망함.

출제 포인트

■ 표현상의 특징
① 남녀의 강렬한 사랑을 비유와 상징을 통해 표현함.
② 극한의 상황 설정, 객관적 상관물의 활용, 시행의 반복을 통해 화자의 정서를 강조함.

수능 필수 개념

"남녀상열지사(男女相悅之詞)"
남녀가 서로 사랑하면서 즐거워하는 노랫말이라는 의미로, 조선 시대에 사대부들이 '고려 가요'를 낮잡아 부른 말이다. 조선 사대부들은 고려 가요에 남녀의 사랑이 너무 직설적으로 나타나 있는 것이 유교 이념에 어긋난다고 비판하였다.

수능 필수 개념 플러스

"시조 양식의 기원"
2연과 5연의 반복되는 부분을 지우면 형식이 시조(3장 6구 45자 내외, 4음보)와 유사하다. 학계에서는 이것을 시조 양식의 기원이라고 보기도 한다.

1 작품 이해

이 작품은 남녀 사이의 강렬한 사랑을 비유와 상징, 감각적인 언어로 노래한 고려 가요이다. 조선 사대부들에 의해 남녀상열지사로 비판받기도 하였으나, 남녀의 사랑을 진솔하게 표현한 작품으로 평가받고 있다.

- 갈래: 고려 가요
- 성격: 연정적, 향락적, 퇴폐적
- 주제: 임과의 영원한 사랑에 대한 소망

- 시적 상황 임과의 짧은 밤을 보내고, □이 떠난 후에는 잠을 못 이루고 있음.
- 정서와 태도 임이 떠난 후 외로움을 느끼며 방탕한 생활을 하는 임을 □□하지만, 임과의 영원한 사랑을 소망함.

정답: 임, 원망

2 내용 확인

1 맞는 내용이면 ○표, 틀린 내용이면 ×표 하시오.

① 4연의 '올(오리)'은 임이 사랑하는 다른 여인을 의미한다. (　　)

② 윗글에서는 시행을 반복하여 화자의 정서를 강조하고 있다. (　　)

2 화자의 처지와 대비되는 존재로, 화자의 외로움을 심화시키는 소재를 2연에서 찾아 쓰시오.

➡ (　　　　　　　　　　)

내용 확인 도우미

1 ① '올(오리)'은 임을 의미하고 '소'는 다른 여인을 의미한다.

② 1연의 '어름 우희 ~ 어러 주글만뎡' 등 시행을 반복하여 화자의 사랑을 강조하고 있다.

2 '도화'는 화자의 처지와 대비되어 화자의 외로움을 심화하는 객관적 상관물이다.

정답 1 ① × ② ○　2 도화

3 실전 Test

• 정답 12쪽

01 윗글에 대한 설명으로 적절하지 않은 것은?

① '더듸 새오시라'에는 임과 오래 함께하고 싶은 화자의 마음이 드러난다.

② '어느 ᄌᆞ미 오리오'에는 임 생각에 잠 못 이루는 화자의 외로움이 드러난다.

③ '비올하'는 방탕한 생활을 하는 임을 빗대어 표현한 것이다.

④ '약'은 임의 건강을 기원하는 화자의 마음이 드러난다.

⑤ '원대평생'에는 임과 영원히 함께하고 싶은 화자의 마음이 드러난다.

02 윗글과 [보기]를 비교하여 감상한 내용으로 적절하지 않은 것은?

보기

내 님믈 그리ᅀᆞ와 우니다니 / 산(山) 졉동새 난 이슷ᄒᆞ요이다.
아니시며 거츠르신 ᄃᆞᆯ 아으 / 잔월 효성(殘月曉星)이 아ᄅᆞ시리이다.
넉시라도 님은 ᄒᆞᆫᄃᆡ 녀져라 아으 / 벼기더시니 뉘러시니잇가.
과(過)도 허믈도 천만(千萬) 업소이다. / ᄆᆞᆯ힛마리신뎌
ᄉᆞᆯ읏븐뎌 아으 / 니미 나ᄅᆞᆯ ᄒᆞ마 니ᄌᆞ시니잇가
아소 님하, 도람 드르샤 괴오쇼셔.

– 정서, 「정과정(鄭瓜亭)」

① 윗글과 [보기] 모두 임에 대한 사랑을 진솔하게 표현하고 있군.

② 윗글과 [보기] 모두 자신을 모함한 사람에 대한 원망이 드러나 있군.

③ 윗글과 달리 [보기]는 화자의 정서를 자연물에 이입하여 표현하고 있군.

④ [보기]와 달리 윗글은 임의 방탕한 생활에 대한 풍자가 드러나 있군.

⑤ [보기]와 달리 윗글은 극한의 상황을 설정하여 화자의 정서를 강조하고 있군.

실전 Test Guide

01 시어나 시구에 담긴 의미를 중심으로 제시문의 내용을 파악하는 문제이다. 시어나 시구가 의미하는 바가 화자의 어떤 상황이나 정서와 관련이 있는지를 생각해 보도록 한다.

02 작품 간 공통점과 차이점을 비교하여 파악할 수 있는지 확인하는 문제이다. 화자의 상황, 정서, 태도를 중심으로 제시문과 [보기]가 어떤 공통점과 차이점이 있는지를 파악하도록 한다.

경기체가

025

한림별곡(翰林別曲)_한림 제유

〈제1장〉

3 · 3 · 4조 3음보

원슌문(元淳文) 인노시(仁老詩) 공노ᄉᆞ륙(公老四六)
유원순의 문장 / 이인로의 시 / 이공로의 사륙변려문(4자 혹은 6자의 대구로 된 문장)

니정언(李正言) 딘한림(陳翰林) 쌍운주필(雙韻走筆)
정언 벼슬의 이규보 / 한림 벼슬의 진화 / 쌍운으로 운자를 빨리 내어 시를 지음.

튱긔ᄃᆡᄎᆡᆨ(沖基對策) 광균경의(光鈞經義) 량경시부(良鏡詩賦)
유충기의 대책문(물음에 답하는 글) / 민광균의 경서 해석 / 김양경의 시와 부(한시)

— 문인들의 명문장 나열

위 시댱(試場)ㅅ 경(景) 긔 엇더ᄒᆞ니잇고.
감탄사 / 광경이 그 어떠합니까? 설의법, 반복법 → ① 자부심을 드러냄, ② '경기체가' 명칭의 유래가 됨.

엽(葉) 금ᄒᆞᆨᄉᆞ(琴學士)의 옥슌문ᄉᆡᆼ(玉笋門生) 금ᄒᆞᆨᄉᆞ(琴學士)의 옥슌문ᄉᆡᆼ(玉笋門生)
전통 음악의 한 형식 / └ 학사 금의(당대 문인들의 우두머리 역할을 한 사람) / 옥으로 된 죽순처럼 뛰어난 문하생

위 날조차 몃 부니잇고.
금학사의 옥순문생 중 한 사람 / └ 참으로 많다(설의법). → 자긍심

▶ 제1장: 문인들의 명문장과 금의의 제자들에 대한 예찬

현대어 풀이 유원순의 문장, 이인로의 시, 이공로의 사륙변려문 / 이규보와 진화의 쌍운을 내어 빨리 짓는 시 / 유충기의 대책문, 민광균의 경서 풀이, 김양경의 시와 부 / 아, 과거를 보는 시험장의 광경이 그 어떠합니까? / (엽) 금의가 배출한 옥으로 만든 죽순처럼 뛰어난 문하생들, 금의가 배출한 옥으로 만든 죽순처럼 뛰어난 문하생들 / 아, 나까지 모두 몇 분입니까?

〈제2장〉

당한셔(唐漢書) 장로ᄌᆞ(莊老子) 한류문집(韓柳文集)
역사책 / 장자, 노자 사상 / 한유와 유종원의 문집

니두집(李杜集) 난ᄃᆡ집(蘭臺集) ᄇᆡᆨ락텬집(白樂天集)
이백과 두보의 시집 / 백거이의 문집

모시샹셔(毛詩尙書) 주역츈츄(周易春秋) 주ᄃᆡ례긔(周戴禮記)

— 명저(名著, 훌륭한 저술 또는 이름난 저서) 나열

위 주(註)조쳐 내 외옰 ㉠경(景) 긔 엇더ᄒᆞ니잇고.
주석까지 / 내리 외우는

엽(葉) 대평광긔(大平廣記) ᄉᆞᄇᆡᆨ여 권(四百餘卷) 대평광긔(大平廣記) ᄉᆞᄇᆡᆨ여 권(四百餘卷)
중국의 설화집

위 력남(歷覽)ㅅ 경(景) 긔 엇더ᄒᆞ니잇고.
열람하는

▶ 제2장: 학문과 독서에 대한 긍지

현대어 풀이 당서와 한서, 장자와 노자, 한유와 유종원의 문집 / 이백과 두보의 시집, 난대 영사들의 시문집, 백거이의 문집 / 시경과 서경, 주역과 춘추, 대대례와 소대례를 / 아 수(註)마저 줄곧 외우는 모습이 그 어떠합니까? / (엽) 태평광기 400여 권, 태평광기 400여 권 / 아, 두루 읽는 모습이 그 어떠합니까?

〈제8장〉

음수를 맞추기 위해 '당츄ᄌᆞ'의 첫 음절을 반복함.

당당당(唐唐唐) 당츄ᄌᆞ(唐楸子) 조협(皂莢) 남긔
호두나무 / 쥐엄나무

홍(紅)실로 홍(紅)글위 ᄆᆡ요이다.
붉은 그네. 유희 / 맵니다

혀고시라 밀오시라 뎡쇼년(鄭少年)하
당기시라 / 미시라

위 내 가논 ᄃᆡ ᄂᆞᆷ 갈셰라.
남이 갈까 두렵다.
— ① '내가 가는 데 남이 갈까 두렵다'는 경계의 의미 ② 그네를 뛰며 노는 광경의 사실적 표현

엽(葉) 샥옥셤셤(削玉纖纖) 쌍슈(雙手)ㅅ길헤 샥옥셤셤(削玉纖纖) 쌍슈(雙手)ㅅ길헤
옥을 깎은 것처럼 곱고 보드라운 여자의 손 / 두 손을 마주 잡고 가는 길에

위 휴슈동유(携手同遊)ㅅ 경(景) 긔 엇더ᄒᆞ니잇고.
손을 맞잡고 함께 노는 광경, 흥겨움의 극치

▶ 제8장: 그네뛰기의 즐거운 광경

현대어 풀이 호두나무와 쥐엄나무에 / 붉은 실로 붉은 그네를 맵니다. / 당기어라 밀어라, 정 소년아 / 아, 내가 가는 곳에 남이 갈까 두렵구나. / (엽) 옥을 깎은 듯 부드러운 두 손길에, 옥을 깎은 듯 부드러운 두 손길에 / 아, 손잡고 노니는 모습이 그 어떠합니까?

작품 한눈에 보기

명문장 나열 명저 나열 → 학문에 대한 자부심

그네 뛰는 모습 → 향락적 생활

출제 포인트

■ 표현상의 특징

① '경(景) 긔 엇더ᄒᆞ니잇고.'라는 설의적 표현을 반복하여 자부심을 드러냄.
② 구체적 사물을 운율에 맞게 나열함.
③ 한자어를 활용한 3 · 3 · 4조의 3음보로 구성됨.
④ 제8장은 순우리말 위주로 표현됨.

수능 필수 개념

"경기체가"

고려 중기에 발생하여 조선 초기까지 신흥 사대부들이 주로 지은 시가 양식이다. 한자어를 많이 활용하여 주로 양반 귀족들의 향락적인 생활 양식과 그들의 자부심을 드러내는 내용이다. 일반적으로 각 연(聯)은 전대절과 후소절로 나뉘며, 각 소절의 끝에 '경기하여(景幾何如)' 또는 '경(景) 긔 엇더ᄒᆞ니잇고.'라는 구절이 반복된다. 주요 작품으로 「한림별곡」 외에 안축의 「관동별곡」, 「죽계별곡」, 권호문의 「독락팔곡」 등이 있다.

수능 필수 개념 플러스

"「한림별곡」의 짜임"

장	내용
제1장	명문장과 금의의 제자들 예찬
제2장	명저의 나열과 독서에 대한 긍지
제3장	유명 서체와 붓, 명필 찬양
제4장	상류 계층의 주흥과 풍류
제5장	화원의 경치 노래
제6장	주악과 악기 소리 찬양
제7장	후원의 경치 노래
제8장	그네뛰기의 즐거움

1 작품 이해

이 작품은 한림원의 여러 선비들이 공동으로 지은 경기체가이다. 현전하는 경기체가 중 가장 오래된 작품으로, 총 8장의 연장체이다. 구체적인 사물을 나열한 뒤 '경(景) 긔 엇더ᄒᆞ니잇고.'로 마무리하여 신흥 사대부의 자부심을 드러내고 있다.

- 갈래: 경기체가
- 성격: 귀족적, 과시적, 향락적, 풍류적
- 주제: 신진 사대부들의 학문적 자부심, 귀족들의 향락적 생활과 풍류
- 시적 상황 제1장에서는 과거 보는 시험장의 광경, 제2장에서는 학문을 수련하는 광경, 제8장에서는 □□ 타는 광경이 나타남.
- 정서와 태도 문학적 경지와 풍류 생활에 대한 □□□이 드러남.

정답: 그네, 자부심(자긍심)

2 내용 확인

1 맞는 내용이면 ○표, 틀린 내용이면 ×표 하시오.

① 당대 민중들의 소박한 생활상이 나타나 있다. (　　)
② 특정 음절이나 시구를 반복하여 리듬감을 형성하고 있다. (　　)

2 '경기체가'라는 갈래 명칭의 유래가 된 표현을 찾아 쓰시오.

➡ (　　　　　　　　　　　　　　　　　　　　)

내용 확인 도우미

1 ① 경기체가에는 신진 사대부들의 자부심이 드러나 있다.
② '경(景) 긔 엇더ᄒᆞ니잇고.'의 반복과 제8장의 '당당당' 등을 통해 리듬감을 형성하고 있다.

2 '경(景) 긔 엇더ᄒᆞ니잇고.'라는 설의적 표현을 통해 자긍심을 과시하고 있는데, 경기체가라는 명칭은 여기에서 유래하였다.

정답 1 ① × ② ○　2 경(景) 긔 엇더ᄒᆞ니잇고.

3 실전 Test

• 정답 13쪽

01 윗글의 ㉠에 대한 감상으로 가장 적절한 것은?

① 학문에 정진하겠다는 의지적 태도가 드러나는군.
② 특별한 의미 없는 구절을 반복하여 운율을 형성하는군.
③ 자신이 바라보고 있는 자연에 대한 감탄이 드러나는군.
④ 자신들의 학문과 재주에 대한 과시적 태도가 드러나는군.
⑤ 귀족들의 과시적 생활에 대한 비판적 태도가 드러나는군.

02 윗글과 [보기]의 공통점으로 가장 적절한 것은?

보기

창(窓) 내고쟈 창을 내고쟈 이 내 가슴에 창 내고쟈
고모장지 셰살장지 들장지 열장지 암돌져귀 수돌져귀 비목걸새 크나큰 쟝도리로 뚝딱 바가 이 내 가슴에 창 내고쟈
잇다감 하 답답ᄒᆞᆯ 제면 여다져 볼가 ᄒᆞ노라.

– 작자 미상

① 3음보의 율격을 통해 리듬감을 드러내고 있다.
② 설의적 표현으로 화자의 정서를 강조하고 있다.
③ 후렴구를 반복하여 구조적인 통일감을 주고 있다.
④ 제재를 열거하는 방식으로 시상을 전개하고 있다.
⑤ 추상적인 대상을 구체적 사물에 빗대어 표현하고 있다.

실전 Test Guide

01 시구의 의미를 파악하는 문제이다. 시상의 흐름을 고려하여 시구에 드러난 화자의 태도에 대해 생각해 보도록 한다.

02 제시문과 [보기]를 비교하여 파악하는 문제이다. 표현상의 특징과 그 효과를 중심으로 두 작품의 공통점을 확인하도록 한다.

시조
026 ᄒᆞᆫ 손에 막ᄃᆡ 잡고~ _우탁

「ᄒᆞᆫ 손에 막ᄃᆡ 잡고 또 ᄒᆞᆫ 손에 가싀 쥐고,」「」: 대구법
└ 백발(늙음)을 막고자 동원된 도구 ┘
「늙ᄂᆞᆫ 길 가싀로 막고 오ᄂᆞᆫ 백발(白髮) 막ᄃᆡ로 치려터니,」
「」: 대구법 – 추상적 개념인 세월을 '길'과 '백발'로 구체화함(해학적).
백발(白髮)이 제 몬져 알고 즈럼길노 오더라.
의인법 – 늙음의 수용

▶ 초장: 막대와 가시를 잡음.
▶ 중장: 백발을 막으려 함.
▶ 종장: 백발을 막지 못함.

현대어 풀이 한 손에 막대를 잡고 또 한 손에는 가시를 쥐고,
늙는 길은 가시로 막고 오는 백발은 막대로 치려고 하였더니
백발이 제가 먼저 알고서 지름길로 오는구나.

작품 한눈에 보기

늙는 길과 백발을 가시와 막대로 막으려 함.
↓
백발이 지름길로 옴. (늙음을 막지 못함.)

출제 포인트

■ 표현상의 특징
① 추상적 개념인 '늙음'을 '늙ᄂᆞᆫ 길', '오ᄂᆞᆫ 백발'로 구체화하여 표현함.
② 대구법과 의인법을 활용함.

1) 작품 이해

이 작품은 세월의 흐름을 막고 싶은 마음을 표현한 시조이다. 화자는 막대, 가시까지 동원해 늙음을 막아 보려 하다가 결국 자연의 섭리는 막을 수 없음을 받아들인다. 세월의 흐름이라는 추상적 개념을 '길', '백발' 등의 구체적인 대상으로 표현하여 해학적인 면모를 드러내고 있다.

• 갈래: 평시조 • 성격: 해학적

• 주제: 늙음에 대한 탄식과 수용
• 시적 상황 □□와 가싀로 늙음을 막아 보려 하지만 막을 수 없음.
• 정서와 태도 늙음을 막아 보려고 애를 쓰지만 결국 늙음의 불가피함을 □□함.

정답: 막ᄃᆡ, 수용

2) 내용 확인

1 맞는 내용이면 ○표, 틀린 내용이면 ×표 하시오.

① '백발'을 의인화하여 표현하고 있다. ( )
② 화자는 늙음을 탄식하면서도 이를 달관한 태도를 보이고 있다. ( )

내용 확인 도우미

1 ① 종장에서 '백발'이 먼저 알고 지름길로 온다면서 사람처럼 표현하였다.
② 화자는 늙음을 막으려 하지만, 결국 늙음을 받아들이고 달관하는 모습을 보이고 있다.

정답 1 ① ○ ② ○

3) 실전 Test

• 정답 13쪽

01 윗글과 [보기]의 공통점으로 적절한 것은?

보기

동지(冬至)ㅅᄃᆞᆯ 기나긴 밤을 한 허리를 버혀 내여,
춘풍(春風) 니불 아릐 서리서리 너헛다가,
어론 님 오신 날 밤이여든 구뷔구뷔 펴리라.
– 황진이

① 특정한 계절감이 드러나는 시어를 활용하고 있다.
② 의태어를 활용하여 우리말의 묘미를 살리고 있다.
③ 대상에 인격을 부여하여 마치 사람처럼 표현하고 있다.
④ 백색의 시각적 심상을 활용하여 시상을 전개하고 있다.
⑤ 추상적인 개념을 구체적인 사물로 전환하여 표현하고 있다.

실전 Test Guide

01 서로 다른 작품을 비교하여 이해할 수 있는지 확인하는 문제이다. 표현상의 특징을 중심으로 두 작품의 공통점을 파악하도록 한다.

시조

027 이화에 월백ᄒᆞ고 은한이~ _이조년

◯: 백색, 시각적 이미지

이화(梨花)에 월백(月白)ᄒᆞ고 은한(銀漢)이 삼경(三更)인 제 ▶ 초장: 봄밤의 풍경

배꽃 / 은하수 / 밤 11시~새벽 1시의 늦은 밤

일지 춘심(一枝春心)을 자규(子規)ㅣ 야 아랴마ᄂᆞᆫ, ▶ 중장: 봄밤의 정서를 돋우는 자규

하나의 나뭇가지에 어린 봄 마음, 봄밤의 애상감 / 두견새, 한(恨) 상징, 청각적 이미지

다정(多情)도 병(病)인 냥ᄒᆞ여 ᄌᆞᆷ 못 드러 ᄒᆞ노라. ▶ 종장: 봄밤에 느끼는 애상감

봄밤의 애상감 / 육체적 질병이 아닌 애상적 정한(情恨) / 화자가 잠 못 이루는 원인

현대어 풀이 배꽃에 달빛이 비치고 은하수가 삼경(늦은 밤)을 알리는 때에
가지 끝에 어린 봄날의 정서를 두견새가 알 리가 있을까마는(알고 저리 우는 것일까마는)
다정다감한 것도 병처럼 되어서 잠을 못 이루고 있구나.

작품 한눈에 보기

선경	후정
봄밤의 풍경 (초장, 중장)	애상감 (종장)

출제 포인트

■ 표현상의 특징
계절감을 나타내는 시어(이화, 일지춘심), 백색의 시각적 이미지(이화, 월백, 은한)를 활용하여 화자의 정서를 드러냄.

1 작품 이해

이 작품은 봄밤의 애상적 정서를 표현한 시조이다. 백색의 시각적 이미지가 두드러지는 여러 시어들과 한(恨)의 정서를 드러내는 소재인 두견새를 활용하여 봄밤에 느끼는 애상감을 표현하고 있다.

- 갈래: 평시조
- 성격: 서정적, 애상적, 감각적
- 주제: 봄밤의 애상적인 정서
- 시적 상황 □□에 달빛이 배꽃에 비치는 모습을 보며 잠 못 이룸.
- 정서와 태도 봄밤의 풍경을 보고 □□□을 느끼고 있음.

정답: 봄밤, 애상감

2 내용 확인

1 맞는 내용이면 ○표, 틀린 내용이면 ×표 하시오.

① 선경후정의 방식으로 화자의 정서를 드러내고 있다. (　　)
② 자연물을 활용하여 애상적 분위기를 드러내고 있다. (　　)

내용 확인 도우미

1 ① 초장, 중장에서는 봄밤의 풍경이, 종장에서는 화자의 애상감이 드러나 있다.
② 배꽃, 달빛, 은하수 등을 통해 봄밤의 애상적 분위기를 형성하고 있다.

정답 1 ① ○ ② ○

3 실전 Test

• 정답 13쪽

01 윗글과 [보기]에 대한 이해로 적절하지 않은 것은? 기출 문제

보기

> 국화야, 너난 어이 삼월 동풍(三月東風) 다 지내고
> 낙목한천(落木寒天)에 네 홀로 피었나니.
> 아마도 오상고절(傲霜孤節)은 너뿐인가 하노라. – 이정보

① 윗글에서는 달빛을 받는 '이화'에서 환기된 정서가 '자규'를 통해 심화되고 있다.
② [보기]의 '네 홀로'에는 다른 꽃들과 대조되는 국화의 속성이 드러나 있다.
③ 윗글에서는 '은한'이 기우는 '삼경'이, [보기]에서는 '동풍'이 불어오는 '삼월'이 화자가 대상과 이별하는 시간적 배경으로 제시되어 있다.
④ 윗글의 '다정'에는 애상감이, [보기]의 '오상고절'에는 굳건한 절개가 표현되어 있다.
⑤ 윗글의 'ᄌᆞᆷ 못 드러 ᄒᆞ노라.'에는 감정을 주체하지 못하는 화자의 모습이, [보기]의 '너뿐인가 하노라.'에는 대상을 예찬하는 화자의 태도가 나타나 있다.

실전 Test Guide

01 서로 다른 두 작품을 비교하여 파악할 수 있는지 확인하는 문제이다. 시어를 통해 드러나는 화자의 상황, 정서를 중심으로 두 작품의 특징을 살펴보도록 한다.

시조

028 이런들 엇더ᄒᆞ며 져런들~_이방원

「이런들 엇더ᄒᆞ며 져런들 엇더하료.」「」: 대구법 (설의법)
(고려 왕조를 섬긴들 / 새 왕조를 섬긴들)
▶ 초장: 지조와 명분은 중요하지 않음.

만수산(萬壽山) 드렁츩이 얼거진들 엇더ᄒᆞ리.
(송악산. 고려 일곱 왕릉이 있음. / └ 칡덩굴 / 설의법)
▶ 중장: 어울려 사는 삶을 제안함.

우리도 이ᄀᆞᆺ치 얼거져 백 년(百年)ᄭᆞ지 누리리라.
(이방원(조선 건국 세력)과 정몽주(고려 유신) / └ 칡덩굴처럼 얽혀, 직유법)
▶ 종장: 조선 왕조에의 참여를 권유함(회유함).

현대어 풀이 이렇게 산들 어떠하며 저렇게 산들 어떠하리.
만수산의 칡덩굴이 (서로) 얽혀진 것처럼 살아간들 어떠하리.
우리도 이와 같이 얽혀 한평생을 누리리라.

작품 한눈에 보기

만수산 드렁츩 서로 얽힌 모습
↓ 비유
우리도 이ᄀᆞᆺ치 얼거져 조선 왕조에 참여하자고 회유함.

출제 포인트

■ 표현상의 특징
대구법, 설의법, 직유법을 사용하여 화자의 의도를 간접적으로 드러냄.

1 작품 이해

이 작품은 이방원이 고려의 충신 정몽주를 회유하기 위해 지었으며, 「하여가(何如歌)」라고도 불리는 시조이다. 정몽주에게 '드렁츩'이 얽힌 모습처럼 우리도 얽혀 지내자며, 자신의 의도를 우회적으로 드러내고 있다.

• 갈래: 평시조 • 성격: 회유적, 설득적, 우의적

• 주제: 고려의 충신을 조선 왕조에 참여하도록 회유함.
• 시적 상황 만수산 □□□처럼 얽혀 백 년까지 누리자고 함.
• 정서와 태도 조선 왕조를 도와 어울려 살아가자고 □□하고 있음.

정답: 드렁츩, 회유(권유)

2 내용 확인

1 맞는 내용이면 ○표, 틀린 내용이면 ×표 하시오.

① 고려 왕조에 대한 굳은 절개와 충성을 노래하고 있다. ( )
② 대구법, 설의법 등 다양한 표현 방법을 사용하여 화자의 의도를 간접적으로 드러내고 있다. ( )

내용 확인 도우미

1 ① 고려의 충신인 정몽주에게 조선 왕조에 참여하자고 회유하고 있다.
② 초장에는 대구법과 설의법이, 중장에는 설의법이 사용되었다.

정답 1 ① × ② ○

3 실전 Test

• 정답 14쪽

01 윗글과 [보기]를 비교하여 감상한 내용으로 적절하지 않은 것은?

보기

이 몸이 주거 주거 일백 번(一百番) 고쳐 주거,
백골(白骨)이 진토(塵土)되여 넉시라도 잇고 업고,
님 향(向)ᄒᆞᆫ 일편단심(一片丹心)이야 가싈 줄이 이시랴.
– 정몽주

① 윗글은 [보기]와 달리 우회적 표현으로 화자의 의도를 드러내고 있다.
② [보기]는 윗글과 달리 반어적 표현을 사용하여 상대를 비판하고 있다.
③ [보기]는 윗글과 달리 점층적 표현을 사용하여 시상을 고조하고 있다.
④ [보기]는 윗글과 달리 극한 상황을 가정하여 화자의 의지를 강조하고 있다.
⑤ 윗글과 [보기]는 모두 의문형 어미를 활용하여 시상을 전개하고 있다.

실전 Test Guide

01 작품 간 공통점과 차이점을 비교하여 파악할 수 있는지 확인하는 문제이다. 표현상의 특징과 화자의 태도를 중심으로 두 작품을 비교해 보도록 한다.

시조

029 이 몸이 주거 주거~_정몽주

이 몸이 주거 주거 일백 번(一百番) 고쳐 주거,
반복법 / 불가능한 상황을 설정하여 의지를 강조함.
백골(白骨)이 진토(塵土)되여 넉시라도 잇고 업고,
티끌과 흙 / 넋(혼백) / 없어지지 않는다. 설의법
님 향(向)ᄒᆞᆫ 일편단심(一片丹心)이야 가싈 줄이 이시랴.
고려 왕조 / 진심에서 우러나오는 변치 아니하는 마음. 화자의 정서(고려 왕조에 대한 충성심)가 집약됨.

▶ 초장: 죽음의 상황 가정

▶ 종장: 죽음의 상황의 점층적 표현

▶ 종장: 임에 대한 변함없는 마음 (고려에 대한 변함없는 충절) 강조

현대어 풀이 이 몸이 죽고 죽어 일백 번 다시 죽어,
백골이 흙과 티끌이 되어 넋이라도 있든지 없든지 간에,
임(고려 왕조)을 향한 일편단심이야 없어질 수가 있으랴.

작품 한눈에 보기

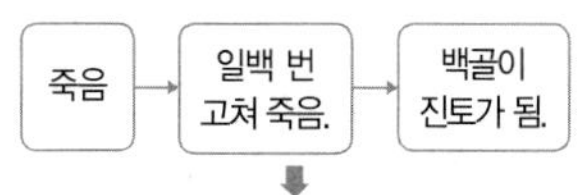

고려 왕조에 대한 충성심 강조

출제 포인트

■ 표현상의 특징
반복법, 과장법, 점층법, 설의법을 사용하여 주제 의식을 강조함.

1 작품 이해

이 작품은 죽음이라는 극단적인 상황을 가정하여 임(고려 왕조)에 대한 변함없는 마음을 직설적으로 표현한 시조이다. 이방원의 「하여가」에 대한 답가로 알려져 있으며, 「단심가(丹心歌)」로도 불린다.

- 갈래: 평시조
- 성격: 의지적, 직설적

- 주제: 고려 왕조에 대한 변함없는 충절
- 시적 상황 죽더라도 임에 대한 □□□□은 변함없을 것이라고 다짐하고 있음.
- 정서와 태도 고려 왕조에 대한 □□을 지키겠다는 의지를 드러냄.

정답: 일편단심, 충절

2 내용 확인

1 맞는 내용이면 ○표, 틀린 내용이면 ×표 하시오.

① 점층적 표현을 통해 화자의 의지를 강조하고 있다. ( )

② 화자는 임과 이별하는 상황에서도 변함없는 사랑을 맹세하고 있다. ( )

내용 확인 도우미

1 ① '주거→일백 번 고쳐 주거→백골이 진토되여'와 같이 시상을 전개하고 있다.
② 임(고려 왕조)에 대한 일편단심을 맹세하고 있지만, 이별의 상황으로 보기는 어렵다.

정답 1 ① ○ ② ×

3 실전 Test

• 정답 14쪽

01 윗글과 [보기]의 공통점으로 가장 적절한 것은?

보기

이 몸이 주거 가셔 무어시 될ᄉᆞ 하니,
봉래산(蓬萊山) 제일봉(第一峯)에 낙락장송(落落長松) 되야 이셔,
백설(白雪)이 만건곤(萬乾坤)ᄒᆞᆯ 제 독야청청(獨也靑靑)ᄒᆞ리라. – 성삼문

① 자연 친화적인 태도를 보이고 있다.
② 자신의 삶을 되돌아보며 반성하고 있다.
③ 임에 대한 변함없는 충절을 드러내고 있다.
④ 현실과 이상 사이의 갈등을 드러내고 있다.
⑤ 부재하는 대상에 대한 그리움을 드러내고 있다.

실전 Test Guide

01 제시문과 [보기]의 공통점을 파악하는 문제이다. 화자의 태도에 주목하여 두 작품의 공통점을 파악해 보도록 한다.

시조

030 백설이 ᄌᆞ자진 골에~ _이색

조선 건국을 추진하는 신흥 세력

백설(白雪)이 ᄌᆞ자진 골에 구루미 머흐레라.
고려 유신, 충신 / 녹아 없어진 / 험하구나.
반가온 매화(梅花)ᄂᆞᆫ 어ᄂᆡ 곳에 픠엿ᄂᆞᆫ고.
지조, 절개, 우국지사 / 안타까움
석양(夕陽)에 홀로 셔 이셔 갈 곳 몰라 ᄒᆞ노라.
고려가 기울어 가는 상황 / 고뇌, 안타까움, 맥수지탄(麥秀之歎)

▶ 초장: 골짜기에 구름이 일고 있음.
(고려 말의 혼란스러운 상황)
▶ 중장: 매화가 피어 있지 않음.
(우국지사가 나타나지 않는 현실)
▶ 종장: 석양에 서서 고뇌하고 있음.
(고려가 기울어 가는 상황을 안타까워함.)

현대어 풀이 흰 눈이 녹아 없어진 골짜기에 구름이 험하구나.
반가운 매화는 어느 곳에 피어 있는가?
식양에 홀로 서서 갈 곳을 몰라 하노라.

작품 한눈에 보기

백설, 매화	↔	구름
고려 유신, 우국지사		조선을 건국하려는 신흥 세력

⬇

고려의 쇠망에 안타까움을 느낌.

출제 포인트

■ 표현상의 특징
'백설', '구름', '매화' 등의 자연물을 통해 시적 상황을 우회적으로 표현하고 있다.

1 작품 이해

이 작품은 기울어 가는 고려 왕조를 안타깝게 여기는 마음이 드러난 시조이다. 고려에서 조선으로 나라가 바뀌는 역사적 전환기에 화자는 우국지사를 상징하는 '매화'가 피어 있지 않은 현실을 한탄하고 있다.

- 갈래: 평시조 • 성격: 애상적, 우국적, 우의적, 비유적, 풍자적
- 주제: 기울어 가는 고려 왕조에 대한 안타까움

- 시적 상황 해 질 무렵 □□이 험한 골짜기에서, 흰 눈은 녹아 없어지고 매화는 피어 있지 않은 현실에 홀로 고뇌하고 있음.
- 정서와 태도 고려 왕조를 구할 우국지사의 출현을 기대하면서, 기울어 가는 고려 왕조에 대한 □□□□을 드러냄.

정답: 구름, 안타까움

2 내용 확인

1 맞는 내용이면 ○표, 틀린 내용이면 ×표 하시오.

① 조선을 건국하려는 신흥 세력을 '구름'에 빗대어 표현하고 있다. ( )
② 화자는 고려 왕조가 기울어 가는 상황에 대해 안타까움을 느끼고 있다. ( )

내용 확인 도우미

1 ① '백설'은 고려의 유신을, '구름'은 조선을 건국하려는 신흥 세력을 상징한다.
② 화자는 종장에서 '석양', 즉 기울어 가는 고려 왕조를 보며 안타까워 한다.

정답 1 ① ○ ② ○

3 실전 Test

• 정답 15쪽

01 윗글과 [보기]를 비교하여 감상한 내용으로 적절하지 않은 것은?

보기
가마귀 싸호ᄂᆞᆫ 골에 백로(白鷺) ㅣ야 가지 마라. 셩낸 가마귀 흰빗ᄎᆞᆯ 새오나니 청강(淸江)에 조히 시슨 몸을 더러일까 ᄒᆞ노라. – 정몽주의 어머니

① 윗글은 [보기]와 달리 구체적인 청자를 설정하지 않고 시상을 전개하고 있다.
② 윗글은 [보기]와 달리 의미상 대조되는 시어를 활용하여 주제를 드러내고 있다.
③ 윗글은 [보기]와 달리 계절감이 드러나는 시어를 활용하여 시상을 전개하고 있다.
④ 윗글과 [보기]는 자연물을 활용한 우의적 표현으로 주제를 드러내고 있다.
⑤ 윗글과 [보기]는 색채 이미지가 드러나는 시어를 사용하여 내용을 전개하고 있다.

실전 Test Guide

01 두 작품의 표현상의 특징을 비교하면서 감상할 수 있는지 확인하는 문제이다. 표현상의 특징을 중심으로 공통점과 차이점이 무엇인지 살펴보도록 한다.

시조

031 구름이 무심ᄒᆞᆫ 말이~_이존오

간신, 소인배, 신돈
구름이 무심(無心)ᄐᆞᆫ 말이 아마도 허랑(虛浪)ᄒᆞ다.
욕심 없음. / 허무맹랑하다. 믿기 어렵다.
중천(中天)에 ᄯᅥ 이셔 임의(任意)로 ᄃᆞᆫ니면셔
조정, 높은 직책, 권력의 핵심 / 마음대로 다님. 횡포를 부림.
구ᄐᆡ야 광명(光明)ᄒᆞᆫ 날빗츨 ᄯᅡ라가며 덥ᄂᆞ니.
구태여, 굳이 / 밝은 햇빛, 임금의 총명 / 임금의 선정을 방해함.

▶ 초장: 구름이 무심히 다니지 않음.
(간신에 대한 비판)
▶ 중장: 구름이 마음대로 떠다님.
(간신의 횡포)
▶ 종장: 구름이 햇빛을 따라다니며 덮음.
(간신이 임금의 총명을 가림.)

현대어 풀이 구름이 욕심 없다는 말이 아마도 허무맹랑하다.
하늘에 떠 있어 마음대로 다니면서
구태여 밝은 햇빛을 따라가며 덮는구나.

작품 한눈에 보기

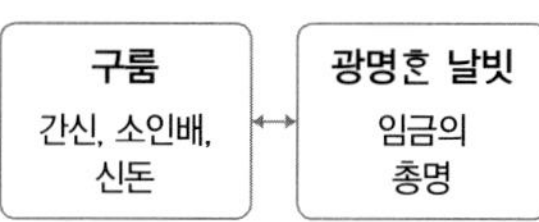

출제 포인트

■ 표현상의 특징
① 의인법과 상징법을 활용하여 대상을 풍자함.
② '구름', '날빗'을 통해 주제를 우의적으로 제시함.

1 작품 이해

이 작품은 임금의 총명함을 가리고 횡포를 일삼는 간신을 광명한 햇빛을 따라가며 덮는 '구름'에 비유하여 풍자한 시조이다. 고려 공민왕 때 이존오가 신돈을 탄핵하는 상소를 올렸다가 좌천되었을 때 쓴 것이라고 전해진다.

• 갈래: 평시조 • 성격: 비판적, 풍자적, 우의적, 우국적
• 주제: 간신(신돈)의 횡포 풍자

• 시적 상황 □□이 중천에 떠서 마음대로 다니면서 밝은 햇빛을 덮음(간신이 임금의 총명을 가림.).
• 정서와 태도 밝은 햇빛을 덮는 구름을 원망함(임금의 총명을 가리는 간신을 □□함.).

정답: 구름, 원망(비판, 풍자)

2 내용 확인

1 맞는 내용이면 ○표, 틀린 내용이면 ×표 하시오.
① 화자는 특정한 대상에 대한 원망을 드러내고 있다. ( )
② 속세와 대조되는 공간으로서의 자연을 표현하고 있다. ( )

내용 확인 도우미

1 ① 화자는 햇빛을 가리는 '구름'을 원망하고 있다.
② '구름'과 '날빗'은 '간신'과 '임금'을 상징적으로 표현한 것이다.

정답 1 ① ○ ② ×

3 실전 Test

• 정답 15쪽

01 윗글과 [보기]의 공통점으로 가장 적절한 것은?

보기

> 백설(白雪)이 ᄌᆞ자진 골에 구루미 머흐레라.
> 반가온 매화(梅花)ᄂᆞᆫ 어ᄂᆡ 곳에 픠엿ᄂᆞᆫ고.
> 석양(夕陽)에 홀로 셔 이셔 갈 곳 몰라 ᄒᆞ노라. – 이색

① 자연 현상에 빗대어 시적 상황을 드러내고 있다.
② 일반적인 관념을 부정하면서 시상을 전개하고 있다.
③ 시간적 배경을 활용하여 화자의 고뇌를 드러내고 있다.
④ 부정적 현실을 벗어나려는 화자의 의지를 드러내고 있다.
⑤ 의문형 어미를 활용하여 화자의 안타까움을 드러내고 있다.

실전 Test Guide

01 제시문과 [보기]의 공통점을 파악하는 문제이다. 표현상의 특징을 중심으로 두 작품의 공통점을 살펴보도록 한다.

한시
032 동명왕편(東明王篇)_이규보

천제의 아들, 북부여의 시조

王知慕漱妃 (왕 지 모 수 비) 왕이 해모수의 왕비인 것을 알고

동부여의 금와왕 / 유화, 하백(물의 신)의 딸

仍以別室寘 (잉 이 별 실 치) 이에 별궁에 두었다.

懷日生朱蒙 (회 일 생 주 몽) 해를 품고 주몽을 낳았으니

신이한 탄생, 태양 숭배 사상이 드러남, 주몽이 천상에서 내려온 신적 존재임을 암시함.

是歲歲在癸 (시 세 세 재 계) 이 해가 계해년이었다. ▶ 고귀한 혈통

얼굴의 생김새

骨表諒最奇 (골 표 량 최 기) 골상이 참으로 기이하고

비범한 용무 – 영웅적 인물의 전형적 특성

啼聲亦甚偉 (제 성 역 심 위) 우는 소리가 또한 심히 컸다.

初生卵如升 (초 생 란 여 승) 처음에 되만한 알을 낳으니

난생 설화, 비정상적 출생

觀者皆驚悸 (관 자 개 경 계) 보는 사람들이 깜짝 놀랐다. ▶ 비정상적 출생

王以爲不祥 (왕 이 위 불 상) 왕이 "상서롭지 못하다.

불길하다.

此豈人之類 (차 기 인 지 류) 이것이 어찌 사람의 종류인가." 하고

置之馬牧中 (치 지 마 목 중) 「마구간 속에 두었더니

群馬皆不履 (군 마 개 불 리) 여러 말들이 모두 밟지 않고

棄之深山中 (기 지 심 산 중) 깊은 산 속에 버렸더니 「」: 어려서 시련을 당함. → 조력자로 인해 위기에서 벗어남.

천지신명이 보호함. → 신성한 존재임을 상징함.

百獸皆擁衛 (백 수 개 옹 위) 온갖 짐승이 모두 옹위하였다.」 ▶ 어려서 버려짐.

좌우에서 부축하며 지키고 보호함.

母姑擧而養 (모 고 거 이 양) 어미가 우선 받아서 기르니,

經月言語始 (경 월 언 어 시) 한 달이 되면서 말하기 시작하였다.

비범한 능력

自言蠅噆目 (자 언 승 참 목) 스스로 말하되, "파리가 눈을 빨아서

臥不能安睡 (와 불 능 안 수) 누워도 편안히 잘 수 없다." 하였다.

母爲作弓矢 (모 위 작 궁 시) 어머니가 활과 화살을 만들어 주니,

其弓不虛掎 (기 궁 불 허 기) 그 활이 빗나가는 법이 없었다. 〈중략〉 ▶ 비범한 능력

비범한 능력. 활을 잘 쏘아 '주몽'이라 불림. – 무예를 숭상하는 당대 사회상을 반영함.

天孫河伯甥 (천 손 하 백 생) "천제의 손자 하백의 외손이

고귀한 혈통 – 하늘의 신과 물의 신의 손자

避難至於此 (피 난 지 어 차) 난을 피하여 이곳에 이르렀소.

哀哀孤子心 (애 애 고 자 심) 불쌍한 고자(孤子)의 마음을

외로운 사람

天地其忍棄 (천 지 기 인 기) 황천 후토가 차마 버리시리까?"

하늘의 신과 땅의 신

操弓打河水 (조 궁 타 하 수) 활을 잡아 하수(河水)를 치니

魚鼈騈首尾 (어 별 병 수 미) 「고기와 자라가 머리와 꼬리를 나란히 하여

조력자

屹然成橋梯 (흘 연 성 교 제) 높직이 다리를 이루어

始乃得渡矣 (시 내 득 도 의) 비로소 건널 수 있었다.」 「」: 천우신조(天佑神祖) – 하늘이 돕고 신령이 도움.

俄爾追兵至 (아 이 추 병 지) 조금 뒤에 쫓는 군사 이르러

부여왕 태자의 무리

上橋橋旋圮 (상 교 교 선 비) 다리에 오르니 다리가 곧 무너졌다. ▶ 조력자의 도움으로 위기에서 벗어남.

雙鳩含麥飛 (쌍 구 함 맥 비) 한 쌍의 비둘기 보리 물고 날아

당대가 농경 사회임이 드러남.

來作神母使 (내 작 신 모 사) 신모의 사자가 되어 왔다.

심부름하는 사람

形勝開王都 (형 승 개 왕 도) 형세 좋은 땅에 왕도를 개설하니

도읍을 정함.

작품 한눈에 보기

영웅 서사 구조	「동명왕편」의 서사 구조
고귀한 혈통	천제의 손자, 하백의 외손
기이한 탄생	유화가 해를 품고 주몽을 낳음, 알에서 태어남.
어려서 버림받음.	알이 버려짐.
탁월한 능력	활이 빗나가는 법이 없음.
자라서 시련과 위기를 겪음.	부여왕의 맏아들인 태자 대소의 시기와 질투로 죽을 위기에 처함.(〈중략〉 부분)
조력자의 도움	고기와 자라의 도움으로 위기를 극복함.
위업 성취	고구려를 건국함.

출제 포인트

■ 시어와 시구의 상징적 의미

해	하늘(해모수)과의 연관성을 드러내며 숭배의 대상임.
알	'난생(알에서 태어남.)'은 기존의 세계를 깨고 새로운 질서를 창조하는 것을 의미함.
활, 화살	제왕의 상징이자 천상과 지상을 연결하는 매개체. 활을 잘 쏜다는 것은 해를 거느리고 제압하는 존재, 즉 왕을 상징함.

■ 화자의 태도

인물의 고귀한 혈통과 비범한 능력을 부각하고 영웅적인 면모를 드러내는 데 초점을 두어 대상에 대한 예찬적인 태도가 나타남.

수능 필수 개념 플러스

"「동명왕편」에 반영된 신화적 구조"

'하늘의 자손이 지상의 세계로 내려온다'는 북방 신화 특유의 '천손 하강(天孫下降) 모티프'가 활용되고 있다. 또 하늘의 존재인 해모수가 지상의 존재인 유화와 결합하여 주몽을 낳는다는 점에서 '천부지모형(天父地母型)' 구조를 보이고 있다.

山川鬱㞕巋 산천이 울창하고 높고 컸다.
산 천 울 죄 규

自坐茀蕝上 스스로 띠자리 위에 앉아
자 좌 불 절 상 독자적으로 나라(고구려)를 세움(건국 신화의 성격).

略定君臣位 대강 군신의 위치를 정하였다.
약 정 군 신 위

▶ 왕도의 개설, 위업의 달성

1 작품 이해

이 작품은 고구려 시조인 동명왕의 영웅적인 일생을 찬양함으로써 고구려를 계승한 고려인의 긍지를 드러내고 있는 한시이다. 동명왕 신화를 총 5언 282구로 재창조한 작품으로, 서장(동명왕 탄생 이전의 계보), 본장(동명왕의 출생~건국 성업), 종장(후계자 유리왕의 성업과 경력, 작가 소감)으로 이루어져 있다. 영웅 서사 구조의 전형적인 모습을 보여 주며, 민족적 자부심이 잘 드러나 있다.

- 갈래: 한시(장편 영웅 서사시)
- 성격: 서사적, 신화적, 진취적, 교훈적
- 주제: 동명왕의 탄생과 고구려 건국
- 시적 상황 □□□의 신이한 탄생과 비범한 능력, 시련 극복을 통한 국가 건설 과정이 드러남.
- 정서와 태도 동명왕의 출생과 고구려 건국 과정을 통해 우리 민족이 천제의 후손이라는 □□□을 드러냄.

정답: 동명왕, 자부심(자긍심)

2 내용 확인

1 맞는 내용이면 ○표, 틀린 내용이면 ×표 하시오.

① 서사적 흐름에 따라 시상이 전개되고 있다. ( )
② 다양한 표현 방법을 활용하여 화자의 정서를 효과적으로 드러내고 있다. ( )

내용 확인 도우미

1 ① 동명왕의 탄생부터 고구려 건국까지의 시간적 흐름에 따라 전개되고 있다.
② 제시문은 영웅 서사시로, 화자의 정서를 드러내고자 다양한 표현 방법을 사용하지는 않았다.

정답 1 ① ○ ② ×

3 실전 Test

• 정답 15쪽

01 [보기]를 참고할 때, 윗글의 작가가 창작 과정에서 고려했을 내용으로 적절한 것은?

보기

처음에는 믿지 못하고 귀(鬼)나 환(幻)으로만 생각하였는데, 세 번 되풀이하여 읽어 점점 그 근원에 들어가니, 환이 아니고 성(聖)이며 귀가 아니고 신(神)이었다. 하물며 국사는 사실 그대로 쓰는 글이니 어찌 허탄한 것을 전하랴. 〈중략〉 하물며 동명왕의 일은 변화의 신이함으로 여러 사람의 눈을 현혹한 것이 아니고 나라를 창시한 신성한 사적이니, 이를 기술하지 않으면 후인들이 장차 어떻게 보겠는가? 이에 시로써 기록하여 우리나라가 본래 성인의 나라임을 천하에 알리고자 한다.

– 이규보, 「동명왕편」 서(序)

① 황당하고 기괴한 이야기는 현실성 있게 보완해야겠군.
② 우리 조상들의 건국과 관련된 이야기를 후세에 전해야겠군.
③ 사람들의 관심을 끌 수 있는 내용을 중심으로 기록해야겠군.
④ 국사는 사실 그대로 쓰는 것이니 이상한 이야기는 생략해야겠군.
⑤ 믿을 수 없을 만큼 기괴한 이야기도 우리의 것이니 기록해야겠군.

실전 Test Guide

01 [보기]를 참고하여 작가의 창작 동기를 추측해 보는 문제이다. [보기]에 드러난 작가의 의도가 제시문에 어떻게 구현되어 있는지를 살펴보도록 한다.

한시 033

송인(送人)_정지상

雨歇長提草色多 우 헐 장 제 초 색 다	「비 갠 긴 둑에 풀빛이 고운데, 아름다운 자연, 시각적 이미지 「」: 대조법(자연 ↔ 인간)	▶ 기: 비 온 뒤의 아름다운 풍경
送君南浦動悲歌 송 군 남 포 동 비 가	남포에서 임 보내며 슬픈 노래 부르네.」 이별의 공간, 구체적 지명 청각적 이미지	▶ 승: 임을 보내는 슬픔
大洞江水何時盡 대 동 강 수 하 시 진	「대동강 물이야 언제나 마르려나, 마를 리 없음(설의법). 「」: 도치법, 과장법	▶ 전: 마를 리 없는 대동강 물
別淚年年添綠波 별 루 년 년 첨 록 파	이별 눈물 해마다 푸른 물결 보태나니.」 화자의 눈물, 이별하는 사람들의 눈물 이별의 슬픔을 극대화함.	▶ 결: 눈물이 강에 더해짐.

작품 한눈에 보기

고운 풀빛 (자연의 아름다움) ↔ 대조 ↔ 슬픈 노래 (인간의 이별)
↓
이별의 슬픔

출제 포인트

■ 표현상의 특징
① 인간사와 자연을 대조함(기, 승).
② 도치법, 설의법, 과장법 등을 사용하여 이별의 슬픔을 드러냄.

1 작품 이해

이 작품은 대표적인 이별 노래라고 평가받고 있는 한시이다. 비에 씻긴 풀들의 고운 빛을 이별의 슬픔과 대비하고, 이별의 눈물 때문에 대동강 물이 마르지 않을 것이라고 표현하여 이별의 슬픔을 강조하고 있다.

• 갈래: 한시(칠언 절구)
• 성격: 서정적, 애상적
• 주제: 이별의 슬픔
• 시적 상황 비 갠 뒤 대동강의 □□에서 임을 보내며 슬퍼하고 있음.
• 정서와 태도 임과 이별하면서 □□을 느끼고 있음.

정답: 남포, 슬픔

2 내용 확인

1 맞는 내용이면 ○표, 틀린 내용이면 ×표 하시오.
① '비', '대동강 물', '푸른 물결'은 눈물의 이미지와 연결되어 이별의 슬픔을 고조시키고 있다. ( )
② 시각적 이미지와 청각적 이미지를 활용하여 시상을 전개하고 있다. ( )

내용 확인 도우미

1 ① 제시문은 '물'의 이미지를 활용하여 이별의 슬픔을 표현하고 있다.
② 기구와 결구에 시각적 이미지가, 승구에 청각적 이미지가 나타난다.

정답 1 ① ○ ② ○

3 실전 Test

• 정답 16쪽

01 윗글과 [보기]의 공통점으로 적절한 것은?

보기

이 비 그치면 / 내 마음 강나루 긴 언덕에 / 서러운 풀빛이 짙어 오것다. //
푸르른 보리밭 길 / 맑은 하늘에 / 종달새만 무에라고 지껄이것다. //
이 비 그치면 / 시새워 벙글어질 고운 꽃밭 속 / 처녀애들 짝하여 새로이 서고 //
임 앞에 타오르는 / 향연(香煙)과 같이 / 땅에선 또 아지랑이 타오르것다.

– 이수복, 「봄비」

① 설의법을 활용하여 화자의 감정을 절제하고 있다.
② 자연물을 통해 화자의 애상적 정서를 부각하고 있다.
③ 사물에 감정을 이입하여 화자의 슬픔을 드러내고 있다.
④ 임이 부재한 상황에서 재회에 대한 기대를 드러내고 있다.
⑤ 시각적 심상을 활용하여 슬픔을 극복하려는 의지를 드러내고 있다.

실전 Test Guide

01 제시문과 [보기]를 비교하여 감상하는 문제이다. 표현상 특징을 중심으로 두 작품의 공통점을 파악하도록 한다.

한시

034 부벽루(浮碧樓)_이색

昨過永明寺 (작 과 영 명 사) 어제 영명사를 지나다가
평양 근교 금수산에 있는 절

暫登浮碧樓 (잠 등 부 벽 루) 잠시 부벽루에 올랐네. ◯: 변함없는 자연의 모습 ▶ 수: 부벽루에 오름.
마치 물 위에 떠 있는 것 같은 느낌의 평양에 있는 누각

城空月一片 (성 공 월 일 편) 「텅 빈 성엔 조각달 떠 있고,」 「」: 적막감 고조, 애상적 분위기 조성
고구려의 멸망으로 황폐해진 고구려의 성

石老雲千秋 (석 로 운 천 추) 천 년 구름 아래 돌은 늙었네. ▶ 함: 부벽루 주변의 쓸쓸한 풍경을 바라봄.
인간 역사의 무상함, 시간의 흐름을 시각적으로 표현함.

麟馬去不返 (인 마 거 불 반) 기린마는 떠나간 뒤 돌아오지 않으니
동명왕이 타고 하늘로 올라갔다는 말 / 역사의 단절

天孫何處遊 (천 손 하 처 유) 「천손은 지금 어느 곳에 노니는가?」 ▶ 경: 지난 역사(동명왕)를 회고함.
고구려 동명왕 / 「」: 동명왕 같은 영웅의 등장을 소망함, 우국지정(憂國之情)

長嘯倚風磴 (장 소 의 풍 등) 돌계단에 기대어 길게 휘파람 부노라니
쓸쓸함, 무상감

山靑江自流 (산 청 강 자 류) 산은 오늘도 푸르고 강은 절로 흐르네. ▶ 미: 변함없는 자연의 모습을 봄.
유한한 인간사와 대조적인 변함없는 자연의 모습

작품 한눈에 보기

조각달, 구름, 산, 강 자연의 영원함.	↔	텅 빈 성 인간의 유한함.

출제 포인트

■ 표현상의 특징
① 자연의 영원함과 인간의 유한함을 대조적으로 표현함.
② 4구에서 시간의 흐름을 시각적으로 표현함.

1 작품 이해

이 작품은 부벽루에 올라 지난 역사를 회고하며 느낀 무상감을 노래한 한시이다. 화자는 고구려의 옛 모습을 찾을 수 없게 퇴색해 버린 부벽루에 올라 인간 역사의 유한함과 자연의 영원함을 대조적으로 느끼고 있다.

- 갈래: 한시(오언 율시)
- 성격: 회고적, 애상적
- 주제: 인생무상, 지난 역사의 회고와 고려 국운 회복의 소망

- 시적 상황 □□□에 올라 주변 경치를 바라보며 쓸쓸히 휘파람을 불고 있음.
- 정서와 태도 인간 역사의 유한함에 대해 □□□을 느끼고 역사의 단절에서 안타까움을 느끼고 있음.

정답: 부벽루, 무상감

2 내용 확인

1 맞는 내용이면 ○표, 틀린 내용이면 ×표 하시오.

① 화자는 변함없는 자연의 모습에서 마음의 위안을 얻고 있다. (　　)
② '기린마'와 '천손'은 동명왕 신화와 관련된 소재로, 화자는 이를 통해 고구려의 멸망으로 인한 무상감을 표현하고 있다. (　　)

2 화려했던 과거와 달리 쇠락해진 현실을 환기하는 대상을 찾아 쓰시오.

➡ (　　　　　　　　　　　　)

내용 확인 도우미

1 ① 화자는 유한한 인간의 역사와는 달리 변함없는 자연을 보며 무상감을 느끼고 있다.
② '기린마'와 '천손'은 동명왕과 관련된 소재로, 동명왕은 고구려의 시조인 고주몽을 일컫는다.

2 3구에서 화자는 화려했던 고구려의 성이 텅 비어 있는 모습을 언급함으로써 인간 역사의 유한함을 드러내고 있다.

정답 1 ① × ② ○ 2 텅 빈 성

3 실전 Test

• 정답 16쪽

01 윗글에 대한 설명으로 적절하지 않은 것은? 기출 문제

① 선경후정의 방식으로 시상을 전개하고 있다.
② 초월적 존재에 기대어 소망을 이루려 하고 있다.
③ 공간적 배경이 시작(詩作)의 모티프가 되고 있다.
④ 세월의 흐름을 시각적 이미지로 형상화하고 있다.
⑤ 인간사와 자연을 대비하여 주제를 부각시키고 있다.

실전 Test Guide

01 표현상의 특징과 화자의 태도 등을 종합적으로 파악할 수 있는지 확인하는 문제이다. 시적 상황이나 시상의 흐름 등을 고려하여 선택지의 적절성을 판단하도록 한다.

한시 035

사리화(沙里花)_이제현

黃雀何方來去飛 황 작 하 방 래 거 비	참새야 어디서 오가며 나느냐, 농민을 수탈하는 권력층, 탐관오리	▶ 기: 탐관오리의 횡포
一年農事不曾知 일 년 농 사 부 증 지	일 년 농사는 아랑곳하지 않고, 농민의 마음을 생각하지 않는 탐관오리를 비판함.	▶ 승: 백성을 고려하지 않는 탐관오리
鰥翁獨自耕耘了 환 옹 독 자 경 운 료	늙은 홀아비 홀로 갈고 맸는데, 힘없는 농민	▶ 전: 고통받는 농민
耗盡田中禾黍爲 모 진 전 중 화 서 위	「밭의 벼며 기장을 다 없애다니.」 농민들의 땀의 결실 「」: 탐관오리의 횡포(가렴주구)를 비판하고 풍자함.	▶ 결: 탐관오리의 횡포 풍자

작품 한눈에 보기

참새: 수탈을 일삼는 권력층 ↔ 늙은 홀아비: 힘없는 농민

출제 포인트

■ 표현상의 특징
'참새'와 '늙은 홀아비'를 대립적으로 제시하여 부정적인 현실을 풍자함.

1 작품 이해

이 작품은 참새가 곡식을 쪼아 먹는 것에 빗대어, 권력자들의 농민 수탈과 횡포가 만연했던 당대 현실을 풍자한 한시이다. 본래 고려 시대에 지어진 작자 미상의 민요로, 원래의 가사는 전하지 않고 한역시만 전한다.

- 갈래: 한시(칠언 절구), 한역시
- 성격: 풍자적, 상징적, 현실 비판적
- 주제: 권력자들의 농민 수탈에 대한 비판
- 시적 상황 □□가 밭의 벼와 기장을 다 없애고 있음.
- 정서와 태도 애써 지은 농사를 망치는 참새를 □□함(가엾은 농민들을 수탈하는 관리들을 비판함.).

정답: 참새, 원망

2 내용 확인

1 맞는 내용이면 ○표, 틀린 내용이면 ×표 하시오.

① '참새'는 수탈을 일삼는 탐관오리를 상징한다. ( )

② 대립적인 시어를 활용하여 부정적 현실을 풍자하고 있다. ( )

내용 확인 도우미

1 ① '참새'는 농민을 수탈하는 권력층을 상징한다.
② 탐관오리를 상징하는 '참새'와 힘없는 농민을 상징하는 '늙은 홀아비'를 대립적으로 제시하여 농민을 수탈하는 탐관오리들을 비판하고 있다.

정답 1 ① ○ ② ○

3 실전 Test

• 정답 16쪽

01 윗글과 [보기]를 비교하여 감상한 내용으로 적절하지 않은 것은?

보기

새로 짜낸 무명이 눈결같이 고왔는데,
이방 줄 돈이라고 황두가 뺏어 가네.
누전 세금 독촉이 성화같이 급하구나,
삼월 중순 세곡선(稅穀船)이 서울로 떠난다고.
— 정약용, 「탐진촌요(耽津村謠)」

① 윗글의 '참새'는 [보기]의 '이방', '황두'에 해당하겠군.
② 윗글의 '벼'와 '기장'은 [보기]의 '새로 짜낸 무명'에 해당하겠군.
③ [보기]는 윗글과 달리 도치법을 활용하고 있군.
④ 윗글은 [보기]와 달리 대립적인 시어를 활용하고 있군.
⑤ 윗글과 [보기] 모두 현실 상황을 우회적으로 풍자하고 있군.

실전 Test Guide

01 작품 간 공통점과 차이점을 비교하여 감상할 수 있는지 확인하는 문제이다. 시어의 의미와 표현상의 특징을 중심으로 두 작품의 공통점과 차이점을 파악하도록 한다.

한시
036 춘흥(春興)_정몽주

『』: 가늘게 내리던 봄비가 밤이 되어 빗방울이 굵어짐을 감각적으로 묘사함.

春雨細不滴 춘 우 세 부 적
『봄비가 가늘어 방울도 듣지 않더니 ▶ 기: 봄비가 가늘게 내림.
계절의 변화와 생명력을 불러일으키는 소재, 시각적 이미지

夜中微有聲 야 중 미 유 성
밤중에 약간 소리가 나는 듯했네.』 ▶ 승: 밤이 되니 빗소리가 남.
청각적 이미지

雪盡南溪漲 설 진 남 계 창
눈 녹아 남쪽 개울에 물이 불었거니, ▶ 전: 눈이 녹아 개울물이 불어남.
봄비가 내린 후의 계절적 변화, 시각적 이미지

草芽多少生 초 아 다 소 생
풀싹은 이미 얼마나 돋았는고. ▶ 결: 돋아날 풀싹을 상상함.
생명력, 설렘, 기대감, 시각적 이미지

작품 한눈에 보기

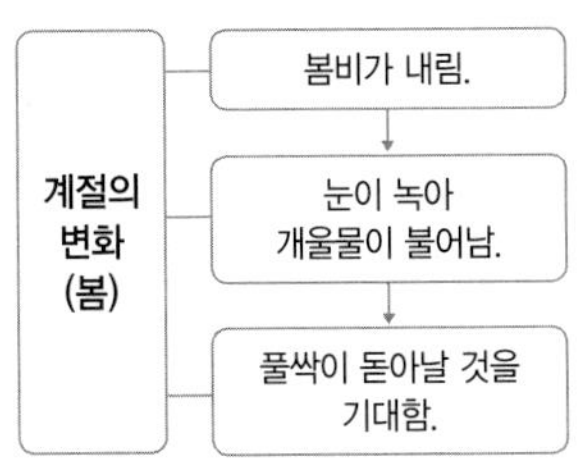

계절의 변화 (봄)
봄비가 내림.
눈이 녹아 개울물이 불어남.
풀싹이 돋아날 것을 기대함.

출제 포인트

■ 표현상의 특징
시각적 이미지와 청각적 이미지를 활용하여 봄이 오는 모습을 형상화함.

1 작품 이해

이 작품은 봄의 생명력을 노래한 한시이다. 감각적 이미지를 가진 시어를 통해 봄이 오는 모습을 형상화하고 있다. 화자는 봄비 소리를 듣고 싹이 돋기를 기대하며 봄날의 감흥에 빠져 있다.

• 갈래: 한시(오언 절구) • 성격: 서정적, 감각적

• 주제: 봄날의 흥취와 기대감
• 시적 상황 □□ 소리를 듣고 돋아날 새싹을 상상하고 있음.
• 정서와 태도 봄의 새싹이 돋아날 것을 □□하며 흥취를 느낌.

정답: 봄비, 기대(상상)

2 내용 확인

1 맞는 내용이면 ○표, 틀린 내용이면 ×표 하시오.

① '눈'은 시련과 고난을 의미하는 소재이다. ( )
② '봄비'는 화자의 애상적 정서를 부각하는 소재이다. ( )

내용 확인 도우미

1 ① '눈'은 계절적 배경을 의미할 뿐, 시련이나 고난을 의미하지는 않는다.
② '봄비'는 화자에게 설렘, 기대감을 불러일으키는 소재이다.

정답 1 ① × ② ×

3 실전 Test

• 정답 17쪽

01 윗글과 [보기]를 비교하여 이해한 내용으로 적절하지 않은 것은?

보기

문 열자 선뜻! / 먼 산이 이마에 차라. // 우수절(雨水節) 들어 / 바로 초하루 아침, //
새삼스레 눈이 덮인 멧부리와 / 서늘옵고 빛난 이마받이하다. //
얼음 금 가고 바람 새로 따르거니 / 흰 옷고름 절로 향기로워라. //
옹숭거리고 살아난 양이 / 아아 꿈 같기에 설워라. //
미나리 파릇한 새순 돋고 / 옴짓 아니 하던 고기 입이 오물거리는, //
꽃 피기 전 철 아닌 눈에 / 핫옷 벗고 도로 춥고 싶어라. – 정지용, 「춘설(春雪)」

① 윗글의 화자는 '비'에서, [보기]의 화자는 '눈'에서 '봄'을 느끼고 있다.
② 윗글과 달리 [보기]는 감탄사를 활용하여 화자의 정서를 드러내고 있다.
③ 윗글과 [보기] 모두 이른 봄의 생명력과 소생의 이미지를 표현하고 있다.
④ 윗글과 [보기] 모두 공감각적 이미지를 활용하여 대상을 구체화하고 있다.
⑤ 윗글과 [보기] 모두 구체적인 시간적 배경을 알 수 있는 시어를 사용하고 있다.

실전 Test Guide

01 유사한 내용의 작품과 비교하여 감상하는 문제이다. 표현상의 특징을 중심으로 두 작품의 공통점과 차이점을 파악하도록 한다.

제 Ⅲ 부 조선 전기

악장

• 조선 초기에 궁중의 제전(祭典, 제사 의식)이나 연례(宴禮, 나라 잔치)와 같은 공식 행사에서 불렸던 송축가(頌祝歌)를 가리킴.
• 조선 개국을 정당화하기 위해 창작된 것으로, 국가 체제가 확립된 후에는 소멸됨.

언해

• 훈민정음의 창제와 보급 이후 그 전까지 한문으로만 전해지던 두시(杜詩, 중국 당나라 시인 두보의 시)를 번역한 『두시언해(杜詩諺解)』라는 국문학사상 최초의 번역 시집이 만들어짐.
• 『두시언해』에 수록된 두보의 시는 유교적, 교훈적, 우국(憂國)적 내용을 비롯하여 고향이나 가족에 대한 그리움, 인생무상(人生無常) 등을 노래한 작품이 많음.

시조

• 고려 말엽에 형식이 완성된 시조는 조선 시대에 이르러 훈민정음의 창제 이후 우리 문학의 대표적인 시가 양식으로 자리매김하게 됨.
• 조선 사대부들의 검소하고 소박한 정서를 표현하는 데에 시조의 간결한 형식이 적합하다고 인식되면서 조선 시대에 시조가 더욱 발달함.
• 유교적 충의 사상을 노래한 절의가(絕義歌), 자연 속에서의 한가로운 삶을 노래한 강호 한정가(江湖閑情歌), 사랑과 고독, 이별의 한(恨) 등 솔직한 감정을 노래한 시조 등이 다양하게 창작됨.
• 한 수로 이루어진 기존의 단시조 외에 두 수 이상으로 구성된 연시조가 등장함.

가사

- 조선 초기 이후 경기체가가 쇠퇴하면서 나타난 4음보(3 · 4조, 4 · 4조) 연속체의 시가 양식을 가리킴.
- 양반 사대부의 유교적 이념과 삶을 표현하는 데 적합하다는 인식이 퍼지며 시조와 더불어 조선의 시가 문학을 대표하는 양식으로 발전함.
- 자연 속에서 안빈낙도(安貧樂道)하는 삶을 노래한 은일(隱逸) 가사, 유배 생활의 심정을 노래한 유배 가사, 여행의 견문과 감상을 읊은 기행 가사, 연군(戀君)의 정을 노래한 충신연주지사(忠臣戀主之詞) 등 양반 사대부들의 작품이 주류를 이룸.
- 가사는 '정격(政格) 가사(마지막 행이 시조의 종장처럼 3 · 5 · 4 · 3의 음수율을 가진 것)'와 '변격(變格) 가사(형식이 자유로운 가사)'로 나뉘는데, 조선 전기에는 정격 가사가 주로 창작됨.

한시

- 조선의 학문 체계가 성리학 중심으로 바뀌면서 이황, 이이, 서경덕 등의 유학자들이 한시의 주된 작자층이 됨.
- 당시(唐詩, 중국 당나라의 시)의 자연스러운 감정 표출을 지향하여 백광훈, 최경창, 이달을 '삼당(三唐) 시인'이라고 부르기도 함.
- 허난설헌 등의 여류 시인들은 임을 향한 그리움과 고독, 우수(憂愁, 마음이나 분위기가 시름에 싸인 상태) 등의 정서를 섬세하게 다룬 한시를 창작함.

악장

037 용비어천가(龍飛御天歌) _ 정인지, 권제 등

〈제1장〉

㉠해동(海東) 육룡(六龍)*이 ᄂᆞᄅᆞ샤 일마다 천복(天福)이시니.
㉡고성(古聖)이 동부(同符)ᄒᆞ시니.

(풀이: 해동 – 조선 / 육룡 – 태종 이전의 6대조(은유법) / 고성 – 중국의 옛 성군)

▶ 제1장: 조선 건국의 정당성

현대어 풀이 우리나라에 여섯 용(임금)이 나시어, (하시는) 일마다 모두 하늘이 내린 복이시니. (이것은) 중국 고대의 여러 성군이 하신 일과 부절을 맞춘 것처럼 일치하시니.

〈제2장〉

『불휘 기픈 남ᄀᆞᆫ ᄇᆞᄅᆞ매 아니 뮐ᄊᆡ, ㉢곶 됴코 여름 하ᄂᆞ니.
ᄉᆡ미 기픈 므른 ᄀᆞᄆᆞ래 아니 그츨ᄊᆡ, 내히 이러 바ᄅᆞ래 가ᄂᆞ니.』

(풀이: 불휘 기픈 남ᄀᆞᆫ – 기초가 튼튼한 나라 / ᄇᆞᄅᆞ매 – 시련, 내우외환 / 뮐ᄊᆡ – 흔들리므로 / 곶 됴코 여름 하ᄂᆞ니 – 문화의 융성 / ᄉᆡ미 기픈 므른 – 역사가 깊은 나라 / ᄀᆞᄆᆞ래 – 시련, 내우외환 / 내히 이러 바ᄅᆞ래 가ᄂᆞ니 – 왕조의 번성)

『』: 순 우리말 사용. 대구법, 은유법

▶ 제2장: 조선의 무궁한 발전 기원

현대어 풀이 뿌리가 깊은 나무는 바람에 흔들리지 아니하므로, 꽃이 좋고 열매가 많으니. 샘이 깊은 물은 가뭄에도 그치지 아니하므로, 내를 이루어 바다에 이르니.

〈제4장〉

적인(狄人)ㅅ 서리예 가샤 적인이 ᄀᆞᆯ외어늘, 기산(岐山) 올ᄆᆞ샴도 하ᄂᆞᇙ ᄠᅳ디시니.
야인(野人)ㅅ 서리예 가샤 야인이 ᄀᆞᆯ외어늘, 덕원(德源) 올ᄆᆞ샴도 하ᄂᆞᇙ ᄠᅳ디시니.

(풀이: 적인 – 중국의 오랑캐 / 서리 – 사이 / ᄀᆞᆯ외어늘 – 침범하거늘 / 하ᄂᆞᇙ ᄠᅳ디시니 – 천명(天命) / 야인 – 여진족)

▶ 제4장: 익조에게 내린 하늘의 뜻

현대어 풀이 (주나라 태왕 고공단보가) 북쪽 오랑캐 사이에 사시는데, 오랑캐가 침범하거늘 기산으로 옮기심도 하늘의 뜻이시니. / (익조가) 여진족 사이에 사시는데, 여진족이 침범하거늘 덕원으로 옮기심도 하늘의 뜻이시니.

〈제7장〉

블근 새 그를 므러 침실(寢室) 이페 안ᄌᆞ니 성자 혁명(聖子革命)에 제호(帝祜)ᄅᆞᆯ 뵈ᅀᆞᄫᆞ니.
ᄇᆞ야ᄆᆡ 가칠 므러 즘겟 가재 연ᄌᆞ니 ㉣성손 장흥(聖孫將興)에 가상(嘉祥)이 몬졔시니.

(풀이: 블근 새 – 길조 / 그를 – 글을 / 성자 혁명 – 무왕이 주나라를 건국한 일 / 제호 – 하늘이 내리신 복 / 가칠 – 까치를 / 즘겟 가재 – 큰 나뭇가지 / 성손 장흥 – 이성계가 조선을 건국하는 일 / 가상 – 상서로운 징조-천명)

▶ 제7장: 이성계가 임금이 될 상서로운 징조

현대어 풀이 붉은 새가 글을 물고 (문왕의) 침실 문 앞에 앉으니 거룩한 임금의 아들(무왕)이 혁명을 일으키려 하매 하늘이 주신 복을 미리 보이신 것이니. / 뱀이 (도조가 쏜) 까치를 물어다가 큰 나뭇가지에 얹으니 거룩한 임금의 성손(태조)이 장차 일어나려 하매 상서로운 징조를 먼저 보이신 것이니.

〈제125장〉

천 세(千世) 우희 미리 정(定)ᄒᆞ샨 한수(漢水) 북(北)에, 누인 개국(累仁開國)ᄒᆞ샤 복년(卜年)이 ᄀᆞᇫ업스시니,
성신(聖神)이 니ᅀᆞ샤도 경천 근민(敬天勤民)ᄒᆞ샤ᅀᅡ, 더욱 구드시리이다.
㉤님금하, 아ᄅᆞ쇼셔. 낙수(洛水)예 산행(山行) 가 이셔 하나빌 미드니ᅌᅵᆺ가.

(풀이: 우희 – 전에 / 누인 개국 – 어진 덕을 쌓아 나라를 엶. / 복년 – 왕조의 운수 / ᄀᆞᇫ업스시니 – 끝없으시니 / 성신 – 훌륭한 왕손 / 니ᅀᆞ샤도 – 이으셔도 / 경천 근민 – 하늘을 섬기고 백성을 부지런히 보살핌. / 낙수예 산행 가 이셔 하나빌 미드니ᅌᅵᆺ가 – 후대왕에게 타산지석(他山之石)으로 삼을 것을 강조함.)

▶ 제125장: 후대 왕에 대한 권계

현대어 풀이 천 년 전에 (하늘이) 미리 정하신 한강의 북쪽 땅(한양)에 (육조께서) 어진 덕을 쌓아 나라를 여시어 나라의 운명이 끝이 없으시니. / 성스러운 후대 임금이 대를 이으셔도 하늘을 공경하고 백성을 부지런히 돌보셔야 (나라가) 더욱 굳건할 것입니다. / (후대) 임금이시여, 아소서. (하나라 태강왕이) 낙수에 사냥 가 (백 일이 되어도 돌아오지 않아 폐위당하였으니, 그 태강왕은) 할아버지(하나라 우왕의 공덕)만 믿었던 것입니까.

작품 한눈에 보기(생략된 부분 포함)

서사 (제1장, 제2장)	개국송(開國頌, 개국을 칭송하다) 조선 건국의 정당성과 조선 왕조의 무궁함을 송축함.
본사 (제3장~제109장)	사적찬(事績讚, 사적을 찬양하다) 육조들의 공적을 찬양함.
결사 (제110장~제125장)	계왕훈(戒王訓, 임금에게 권계하다) 후대 왕들에게 충고함.

⬇

조선 건국의 정당성과 후대왕에 대한 권계

출제 포인트

■ 각 장의 구조

전절	대응	후절
중국 역대 제왕의 행적	= 유사	조선 육조의 행적과 업적

■ 시어의 상징적 의미

① 육룡: 조선의 여섯 임금
② 불휘 기픈 나모: 근본이 튼튼한 왕조
③ 곶, 여름: 왕조와 문화의 융성
④ ᄉᆡ미 기픈 믈: 유서 깊은 왕조

수능 필수 개념

"송축가(頌祝歌)"
기쁜 일을 기리고 축하하는 뜻을 담은 노래를 의미한다. 주로 조선 왕조 창업의 정당성과 창업 이후 나라가 태평해졌음을 기리는 내용으로, 조선 초기의 시가에서 많이 나타난다.

어휘 풀이

* 육룡: 세종의 직계 선조 여섯 명을 지칭함. 조선 건국의 주역인 이성계(태조), 이방원(태종)과 조선 건국 후 왕으로 추존된 이성계의 4대 선조(목조, 익조, 도조, 환조)를 일컫는 말로, 흔히 '육조'라고 불림.

1 작품 이해

이 작품은 조선을 건국한 육조의 사적을 찬양하고 후대 왕에게 성실한 통치를 권계*하는 내용을 담은 악장이다. 훈민정음으로 쓴 최초의 문학 작품으로, 전체 125장 중 〈제1장〉, 〈제2장〉, 〈제125장〉을 제외한 모든 장은 전절(중국의 고사)과 후절(조선 육조의 행적)로 구성되어 있다.

- 갈래: 악장(왕의 행차나 국가 행사에 사용하던 음악의 가사)
- 성격: 송축적, 서사적, 예찬적, 설득적

- 주제: 조선 건국의 정당성과 후대 왕에 대한 권계
- 시적 상황 조선 건국의 □□□과 당위성을 언급하고 왕조의 번영을 송축하고 있음.
- 정서와 태도 조건 건국의 정당성을 드러내고 후대 왕들에게 올바른 정치를 해야 한다고 □□함. 정답: 정당성, 권계

* 권계: 잘못함이 없도록 타일러 주의시킴.

2 내용 확인

1 맞는 내용이면 ○표, 틀린 내용이면 ×표 하시오.

① 연속적인 사건이 아니라 단편적인 사건을 나열하며 시상을 전개하고 있다. ( )

② 〈제125장〉에서는 고사를 인용하여 후대 왕에게 올바른 정치를 해야 한다고 권계하고 있다. ( )

2 '□□'은 영웅적 면모가 드러나는 여섯 명의 왕들을 상징적으로 일컫는 말이다.

내용 확인 도우미

1 ① 제시문은 영웅 서사적 성격을 가지고 있지만, 각 장에는 단편적인 사건이 나열되어 있다.
② 〈제125장〉은 중국의 고사를 인용하여 후대 왕들이 이를 교훈 삼아 올바른 정치를 해야 한다고 당부하고 있다.

2 〈제1장〉에서는 여섯 명의 왕들을 하늘을 날아오르는 용에 빗대어 표현하고 있다.

정답 1 ① ○ ② ○ 2 육룡

3 실전 Test

• 정답 18쪽

01 [보기]를 참고하여 ㉠~㉤을 이해한 것으로 적절하지 않은 것은? 기출 문제

보기

「용비어천가」는 훈민정음으로 지어진 최초의 시가 작품으로, 조선을 건국한 육조의 뛰어난 사적을 찬양하고, 조선 왕조의 영원한 발전을 송축함과 동시에 후대 왕에게 성실한 통치를 권계하는 내용을 담고 있는 악장의 대표작이다.

① ㉠을 통해 조선의 왕조가 하늘의 복을 받고 있음을 드러내고 있군.
② ㉡을 통해 옛 성군에 빗대어 육조의 능력을 찬양하려는 의도를 확인할 수 있군.
③ ㉢을 통해 조선 왕조의 발전에 대한 송축의 의도가 드러나고 있군.
④ ㉣을 통해 조선 왕들의 성실한 통치의 모습을 드러내고 있군.
⑤ ㉤을 통해 후대 왕에 대한 권계의 의도를 드러내고 있군.

02 〈제2장〉과 〈제125장〉에 대한 설명으로 적절하지 않은 것은? 기출 문제

① 〈제2장〉에서는 유사한 자연의 이치가 내포된 두 사례를 나란히 배열하고 있다.
② 〈제125장〉에서는 행에 따라 종결 어미를 달리하고 있다.
③ 〈제2장〉과 달리, 〈제125장〉은 전언의 수신자를 명시하고 있다.
④ 〈제125장〉과 달리, 〈제2장〉은 한자어를 배제하고 순우리말의 어감을 살리고 있다.
⑤ 〈제2장〉과 〈제125장〉은 모두 자연 현상과 인간의 삶을 대조적으로 보여 주고 있다.

실전 Test Guide

01 각 구절의 의미와 기능을 파악하는 문제이다. [보기]를 참고하여 창작 의도나 전체 내용에 비추어 각 구절에 담긴 화자의 의도가 무엇인지 생각해 보도록 한다.

02 제시문의 표현상 특징을 파악하는 문제이다. 〈제2장〉, 〈제125장〉의 특징과 내용, 작가의 의도를 중심으로 공통점과 차이점을 살펴보도록 한다.

언해

038 춘망(春望)_두보

國破山河在 국 파 산 하 재	「나라히 파망(破亡)ᄒᆞ니 뫼콰 ᄀᆞᄅᆞᆷ쁜 잇고 안녹산의 난을 배경으로 함.	
城春草木深 성 춘 초 목 심	잣 앉 보ᄆᆡ 플와 나모쁜 기펫도다.」 성 / 맥수지탄(麥秀之歎) 「」: 대구법, 대조법	▶ 수: 전란으로 인해 폐허가 된 나라
感時花濺淚 감 시 화 천 루	「시절(時節)을 감탄(感歎)호니 고지 눉믈를 ᄲᅳ리게코 애통하게 여기니	
恨別鳥驚心 한 별 조 경 심	여희여슈믈 슬호니 새 ᄆᆞᅀᆞᄆᆞᆯ 놀래노라.」 이별하였음을 / 「」: 주객전도, 대구법	▶ 함: 전란으로 인한 상심
烽火連三月 봉 화 연 삼 월	봉화(烽火)ㅣ 석ᄃᆞᆯ롤 니어시니 대유법－전쟁을 의미함.	
家書抵萬金 가 서 저 만 금	㉠「지븻 음서(音書)ᄂᆞᆫ 만금(萬金)이 ᄉᆞ도다.」 편지(가족의 소식을 담고 있음.) 「」: 집의 소식을 듣지 못함.	▶ 경: 가족에 대한 그리움
白頭搔更短 백 두 소 갱 단	셴 머리ᄅᆞᆯ 글구니 또 뎌르니 흰 머리 / 짧아지니	
渾欲不勝簪 혼 욕 불 승 잠	다 빈혀ᄅᆞᆯ 이긔디 몯ᄒᆞᆯ ᄃᆞᆺᄒᆞ도다. 과장법－머리카락을 다 모아도 비녀를 꽂을 수 없을 정도임.	▶ 미: 늙어 가는 자신에 대한 한탄

현대어 풀이 나라가 망하니 산과 강만 남아 있고
성 안의 봄에는 풀과 나무만 우거졌도다.
시국을 한탄하니 꽃마저 눈물을 뿌리게 하고
(가족과) 이별하였음을 슬퍼하니 새소리마저 마음을 놀라게 한다.
전쟁이 석 달이나 이어졌으니
집에서 온 편지는 만금보다 값지다.
하얗게 센 머리를 긁으니 또 짧아져서
(남은 머리카락을) 다 모아도 비녀를 이기지 못할 것 같구나.

작품 한눈에 보기

전란으로 황폐해진 현실 — 가족에 대한 그리움을 느끼며 신세를 한탄함.
↓
나라를 걱정하는 마음(우국지정), 가족에 대한 그리움

출제 포인트

■ 화자의 심리
① 전반부(선경)에는 화자가 처한 상황이, 후반부(후정)에는 화자의 심리가 드러나 있음.
② 꽃이 피고 새가 우는 아름다운 일상에서마저 슬픔과 놀라움을 느낄 만큼 전란으로 인해 상심한 화자의 정서가 드러남.
③ 가족을 그리워하면서 늙어 가는 자신의 신세를 한탄함.

1 작품 이해

이 작품은 두보가 오랜 전란(안녹산의 난)으로 함락된 수도 장안에 머물면서 지은 한시를 우리말로 번역한 언해이다. 전쟁으로 인해 피폐해진 현실의 모습과 이러한 상황에서 느끼는 무상감, 가족에 대한 그리움을 진솔하게 드러내고 있다.

• 갈래: 한시(오언 율시), 언해 • 성격: 애상적, 영탄적

• 주제: 전란으로 인한 슬픔과 가족에 대한 그리움
• 시적 상황 □□으로 인해 피폐해진 현실에서 가족과 떨어져서 살아가고 있음.
• 정서와 태도 가족을 그리워하며 자신의 늙음을 □□하고 있음.

정답: 전란, 한탄

2 내용 확인

1 맞는 내용이면 ○표, 틀린 내용이면 ×표 하시오.
① 화자는 자연을 통해 현실에서 받은 상처를 치유하고 있다. ( )
② 대구의 방법으로 화자가 처한 상황을 효과적으로 드러내고 있다. ( )

2 늙어 가는 화자의 처지를 과장된 표현을 활용하여 한탄하고 있는 시행을 찾아 쓰시오.
➡ ( )

내용 확인 도우미

1 ① 화자는 전란 때문에 황폐해진 나라의 모습과 달리, 성 안의 자연은 예전 그대로인 것에서 무상감을 느끼고 있다.
② 1구와 2구가 대구를 이루면서 전란 때문에 피폐해진 상황을 드러내고 있다.

2 '다 빈혀ᄅᆞᆯ 이긔디 몯ᄒᆞᆯ ᄃᆞᆺᄒᆞ도다.'에서 과장법을 통해 자신의 늙음을 한탄하고 있다.

정답 1 ① × ② ○ 2 다 빈혀ᄅᆞᆯ 이긔디 몯ᄒᆞᆯ ᄃᆞᆺᄒᆞ도다.

3 실전 Test

• 정답 18쪽

01 윗글에 대한 설명으로 적절하지 않은 것은?

① 전란으로 인한 깊은 상실감이 나타나 있다.
② 현실을 극복하려는 화자의 의지가 나타나 있다.
③ 무력한 자신에 대한 화자의 한탄이 나타나 있다.
④ 가족에 대한 염려와 그리움의 정서가 나타나 있다.
⑤ 나라의 안위를 걱정하는 선비의 마음이 나타나 있다.

02 ㉠에 담긴 시적 화자의 상황과 정서가 가장 유사한 것은? 기출 문제

① 다락엔 달이 밝고 날씨는 쌀쌀코야 / 향수는 가을인 제 구름 끝 쉽게 도니 / 소식은 들을 길 없어 혼자 밤을 새나니.
② 풍설(風說)이 돌고 보니 말썽은 더욱이요 / 뜬 시름 갖는 원한 풀 길은 바이 없어 / 문 닫고 드러누우니 병들었다 하더라.
③ 임의 글을 반갑게 받아 보니 / 곳마다 눈물 흔적 글자가 흐렸고야 / 달 밝고 고요한 밤엔 생각 더욱 설워라.
④ 이별이 설워라고 맞잡고 우는 눈물 / 다음날 만날 때엔 차라리 비가 되어 / 알뜰한 님의 옷에다 뿌려 뿌려 보오리.
⑤ 시집 갈 제 꽂았던 이 금비녀 / 오늘 그대에게 맘 고이 드리노니 / 먼먼 천 리 타향에 잊지 말아 주소서.

03 윗글을 [보기]와 비교하며 감상한 내용으로 적절하지 않은 것은? 기출 문제

보기

이 나라 나라는 부서졌는데
이 산천 여태 산천은 남어 있드냐
봄은 왔다 하건만
풀과 나무에뿐이어

오! 서럽다. 이를 두고 봄이냐.
치어라. 꽃잎에도 눈물뿐 흩으며
새 무리는 지저귀며 울지만
쉬어라. 이 두근거리는 가슴아.

– 김소월, 「봄」

① 윗글과 [보기] 모두 자연과 인간사를 대조하여 표현하고 있어.
② 윗글과 달리 [보기]는 시어를 반복하여 화자의 정서를 강조하고 있어.
③ 윗글과 달리 [보기]에는 시적 화자가 눈물을 흘리는 이유가 드러나 있어.
④ 윗글과 [보기] 모두 시적 화자가 느끼는 인간사에 대한 무상함이 담겨 있어.
⑤ [보기]는 윗글과 같은 소재를 활용하여 시적 화자의 정서를 드러내고 있어.

실전 Test Guide

01 제시문에 나타난 화자의 정서와 태도를 파악하는 문제이다. 화자가 처한 상황을 이해하고, 이를 대하는 화자의 정서와 태도는 어떠한지 생각해 보도록 한다.

02 시적 상황과 화자의 정서를 파악할 수 있는지 확인하는 문제이다. 제시문에 드러난 화자의 정서와 선택지에 나타난 화자의 정서를 비교해 보고 공통된 정서를 보이고 있는 선택지를 찾아보도록 한다.

03 제시문과 [보기]를 비교하여 이해하는 문제이다. 표현 방식과 소재의 기능, 화자의 정서 등 비교의 기준이 되는 요소가 무엇인지 판단하여 두 작품을 비교해 보도록 한다.

언해 039 강촌(江村)_두보

清江一曲抱村流 (청 강 일 곡 포 촌 류)　ᄆᆞᆯᄀᆞᆫ ᄀᆞᄅᆞᇝ ᄒᆞᆫ 고ᄇᆡ ᄆᆞᅀᆞᆯᄒᆞᆯ 아나 흐르ᄂᆞ니
長夏江村事事幽 (장 하 강 촌 사 사 유)　긴 녀ᄅᆞᇝ 강촌(江村)애 일마다 유심(幽深)ᄒᆞ도다.
自去自來堂上燕 (자 거 자 래 당 상 연)　「절로 가며 절로 오ᄂᆞ닌 집 우흿 져비오
相親相近水中鷗 (상 친 상 근 수 중 구)　서르 친(親)ᄒᆞ며 서르 갓갑ᄂᆞ닌 믈 가온ᄃᆡᆺ ᄀᆞᆯ며기로다.」
老妻畫紙爲碁局 (노 처 화 지 위 기 국)　「늘근 겨지븐 죠ᄒᆡ롤 그려 쟝긔파ᄂᆞᆯ ᄆᆡᆼᄀᆞᆯ어ᄂᆞᆯ
稚子敲針作釣鉤 (치 자 고 침 작 조 구)　져믄 아ᄃᆞᄅᆞᆫ 바ᄂᆞᄅᆞᆯ 두드려 고기 낫ᄀᆞᆯ 낙ᄉᆞᆯ ᄆᆡᆼᄀᆞᄂᆞ다.」
多病所須唯藥物 (다 병 소 수 유 약 물)　한 병(病)에 얻고져 ᄒᆞ논 바ᄂᆞᆫ 오직 약물(藥物)이니
微軀此外更何求 (미 구 차 외 갱 하 구)　㉠져구맛 모미 이 밧긔 다시 므스글 구(求)ᄒᆞ리오.

- ᄀᆞᄅᆞᇝ: 강의 / ᄆᆞᅀᆞᆯᄒᆞᆯ: 마을을
- 유심(幽深): 그윽하고 깊숙함. ▶ 수: 여름 강촌의 한가로운 모습
- ◯: 화자의 삶과 동일시되는 자연물
- 「 」: 대구법
- ▶ 함: 한가로운 제비와 갈매기의 모습
- 겨지븐: 아내는 / 죠ᄒᆡ롤: 종이
- 낙ᄉᆞᆯ: 낚시 도구를 ▶ 경: 한가로운 집안의 모습
- 오직 약물(藥物): 소박한 소망
- 이 밧긔 다시 므스글 구(求)ᄒᆞ리오: 안분지족, 달관의 태도, 설의법
- ▶ 미: 소박한 꿈과 자족하는 삶의 추구

현대어 풀이　맑은 강 한 굽이가 마을을 안고 흐르니
긴 여름날 강가 마을에 일마다 한가하구나.
저절로 가며 저절로 오는 것은 집 위의 제비요,
서로 친하며 서로 가까이 노니는 것은 물 가운데 갈매기로다.
늙은 아내는 종이에 그려 장기판을 만들고
어린 아들은 바늘을 두드려 고기 낚을 낚시를 만드는구나.
많은 병에 구하고자 하는 것은 오직 약물이니
미천한 몸이 이 밖에 다시 무엇을 구하리오.

작품 한눈에 보기

선경	후정
한가로운 자연의 모습	한가로운 인간의 모습

↓ 안분지족(安分知足)

출제 포인트

■ 표현상의 특징
① 선경후정(先景後情)의 방식으로 자연의 모습과 인간의 모습을 보여 줌.
② 원근법을 사용하여 시선이 먼 곳에서 가까운 곳으로 이동함.
③ 대구법을 활용하여 리듬감을 형성함(함련, 경련).

수능 필수 개념 플러스

"『두시 언해』"
중국 당나라 시인 두보의 한시를 언해한 책이다. 두보의 시에는 충군 사상과 애민 사상이 잘 반영되어 있기 때문에 훈민정음 창제 이후 국민 교화의 목적으로 두보의 한시를 번역하여 간행하였다.

1 작품 이해

이 작품은 한가로운 강촌에서의 삶에 만족감을 드러낸 한시를 우리말로 번역한 언해이다. 강촌의 한가로운 풍경 속에서 누리는 가족들과의 한가로운 삶에 대한 만족과 지금의 평화로운 삶이 오래 지속되기를 바라는 마음이 드러나 있다.
- 갈래: 한시(칠언 율시), 언해
- 성격: 묘사적, 회화적
- 주제: 한가로운 강촌에서 느끼는 안분지족
- 시적 상황　□□의 한적한 여름 풍경과 어우러지는 가족의 평화로운 모습을 바라보며 소박한 삶을 추구하고 있음.
- 정서와 태도　평화로운 강촌의 삶에 대해 □□□을 느끼고 있음.

정답: 강촌, 만족감

2 내용 확인

1 맞는 내용이면 ○표, 틀린 내용이면 ×표 하시오.
① 먼 곳에서 가까운 곳으로 시선을 이동하는 원근법을 활용하고 있다. (　　)
② 시적 화자는 소박한 현실에 대해 만족하고 있다. (　　)

2 평화로운 강촌의 삶 외에는 더 이상 바랄 것이 없다면서 화자가 안분지족의 태도를 드러내는 부분을 미련에서 찾아 쓰시오.
➡ (　　　　　　　　　　　　　　　　　　　　)

내용 확인 도우미

1 ① 수련과 함련의 한가로운 여름 강촌의 모습에서 경련과 미련의 집안의 인물들로 시선이 이동하고 있다.
② 화자는 미련에서 자신이 원하는 것은 '오직 약물'이라고 하였다.

2 화자는 '이 밧긔 ~ 구ᄒᆞ리오.'에서 설의법을 통해 소박한 삶에 만족하는 태도를 드러내고 있다.

정답　1 ① ○ ② ○　2 이 밧긔 다시 므스글 구ᄒᆞ리오.

• 정답 19쪽

01 윗글의 표현상의 특징으로 적절하지 않은 것은?

① 대구를 사용하여 음악적 효과를 거두고 있다.
② 자연사와 인간사를 대비시켜 시적 의미를 강조하고 있다.
③ 일상적 사물을 통해 화자의 유유자적한 삶을 드러내고 있다.
④ 먼 곳에서 가까운 곳으로 시선을 이동하며 시상이 전개되고 있다.
⑤ 선경후정의 기법을 활용하여 자연에 대한 예찬적 태도를 드러내고 있다.

02 [보기]를 참조할 때 ㉠의 생활 모습과 내면 세계에 가장 가까운 것은? 기출 문제

보기

두보는 처자를 데리고 난리를 피해 굶주림 속에 곡강(油江)에 이르렀다. 거기서 그는 집을 짓고 살았는데 그때의 심경을 그린 작품이 바로 「강촌(江村)」이다. 세상은 그에게 다시는 기회를 주지 않았고 그는 거기서 너무도 가난한 생활을 했다. 그러나 그의 뜻과 시는 끝까지 임금에게 충성을 다했고 백성을 아꼈다.

① 바람 맑고 달 밝은 밤에 거문고를 곁에 놓고
사계절 흥취를 많은 꽃에 부쳤으니
이 몸도 태평시절 성은(聖恩)에 젖었는가 하노라.

– 송타

② 가노라 삼각산아 다시 보자 한강수야.
고국산천(故國山川)을 떠나고자 하랴마는
시절이 하 수상하니 올동 말동 하여라.

– 김상헌

③ 수양산 바라보며 이제(夷齋)를 한하노라.
주려 죽을진들 채미(採薇)도 하는 것가.
아무리 푸새엣것인들 긔 뉘 땅에 났더니.

– 성삼문

④ 이 몸이 쓸 데 없어 세상이 버리오매
서호(西湖) 옛집을 다시 쓸고 누웠으니
일신(一身)이 한가할지나 님 못 뵈어 하노라

– 이총

⑤ 무릉도원(武陵桃源)이 있다 하여도 예 듣고 못 봤더니
붉은 노을 가득하니 이 진정 거기로다.
이 몸이 또 어떠하뇨 무릉인(武陵人)인가 하노라.

– 김득연

실전 Test Guide

01 제시문의 표현상 특징을 파악하는 문제이다. 제시문에 사용된 표현 방식을 확인하고, 그 효과에 대해 생각해 보도록 한다.

02 제시문과 다양한 작품을 비교하여 내용을 이해할 수 있는지 확인하는 문제이다. 화자의 태도를 중심으로 작품 간의 공통점과 차이점을 생각해 보도록 한다.

언해 040 강남봉이구년(江南逢李龜年)_두보

작품 한눈에 보기

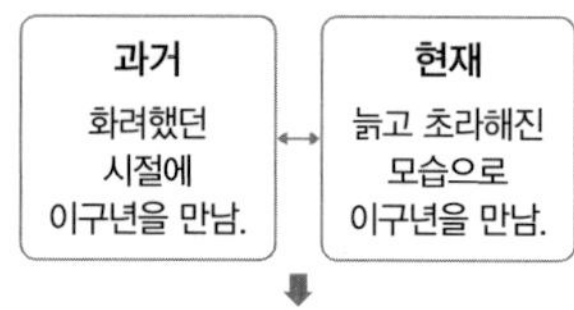

과거
화려했던 시절에 이구년을 만남.
현재
늙고 초라해진 모습으로 이구년을 만남.

인생무상(人生無常)

岐王宅裏尋常見　「기왕(岐王)ㅅ 집 안해 상녜 보다니,
기 왕 택 리 심 상 견　(기왕: 당나라 현종의 아우 / 상녜: 늘)

崔九堂前幾度聞　최구(崔九)의 집 알ᄑᆡ 몃 디윌 드러뇨.」 「」: 대구법
최 구 당 전 기 도 문　(최구: 현종의 총애를 받던 인물 / 몃 디윌: 몇 번을 / 드러뇨: 설의법) ▶ 기, 승: 화려했던 시절을 회상함(과거).

正是江南好風景　정(正)히 이 강남(江南)애 풍경(風景)이 됴ᄒᆞ니,
정 시 강 남 호 풍 경　(정히: 참으로 / 강남애 풍경이 됴ᄒᆞ니: 화자의 처지와 대조(자연 ↔ 인간)) ▶ 전: 강남의 봄날 풍경이 좋음(현재).

落花時節又逢君　곳 디ᄂᆞᆫ 시절(時節)에 ᄯᅩ 너ᄅᆞᆯ 맛보과라.
낙 화 시 절 우 봉 군　(곳 디ᄂᆞᆫ 시절: ① 꽃 지는 계절 ② 늙고 초라해진 인생 / 너: 명창 이구년) ▶ 결: 노년에 이구년을 만남(현재).

현대어 풀이 기왕의 집 안에서 (명창 이구년을) 늘 보더니
최구의 집 앞에서 (이구년의 노래를) 몇 번이나 들었던가?
참으로 이 강남의 풍경이 좋으니
꽃 지는 시절에 또 너를 만나 보는구나.

출제 포인트

■ 표현상의 특징
① 기구와 승구가 대구를 이루어 상황을 요약적으로 제시하고 있음.
② 중의적 표현을 사용하여 현실적 배경과 늙고 초라해진 인생을 표현하고 있음.

1 작품 이해

이 작품은 두보가 당대의 명창이었던 이구년을 피난처에서 오랜만에 다시 만난 감회를 읊은 한시를 우리말로 번역한 언해이다. 화려했던 과거와 달리 늙고 초라해진 현재 자신의 처지에 대한 슬픔과 무상감이 드러나 있다.

- **갈래:** 한시(칠언 절구), 언해
- **성격:** 애상적, 회고적
- **주제:** 인생무상

- **시적 상황** 과거와는 달리 늙고 초라해진 □□□을 강남에서 다시 만남.
- **정서와 태도** 화려했던 과거와 달라진 현재의 이구년과 자신의 모습에서 □□□□을 느낌.

정답: 이구년, 인생무상

2 내용 확인

1 맞는 내용이면 ○표, 틀린 내용이면 ×표 하시오.

① 아름다운 자연의 모습과 쓸쓸한 인간의 모습이 대조적으로 드러나 있다. (　　)
② 공간의 이동에 따라 시상을 전개하고 있다. (　　)

내용 확인 도우미

1 ① 아름다운 봄 풍경과 쇠락한 노년이 대조되고 있다.
② 제시문은 과거와 현재를 대조하면서 시상을 전개하고 있다.

정답 1 ① ○ ② ×

3 실전 Test

• 정답 19쪽

01 [보기]를 참고할 때, 윗글을 이해한 것으로 가장 적절한 것은?

보기
「강남봉이구년」에서 두보는 좋은 시절이 지나 비통하다거나, 이구년의 모습이 처량하다는 말을 직설적으로 하지는 않는다. 그러나 과거와 현재, 자연의 아름다움과 늙고 초라해진 인간을 대조하여 인생에 대한 허무함과 비통한 심정을 드러내고 있다.

① 기구와 승구에는 과거와 현재 모습의 대비가 나타나는군.
② 기구에 나타난 이구년의 모습과 승구에 나타난 화자의 모습이 대비되는군.
③ 전구에서 아름다운 봄 풍경은 화자와 이구년의 화려한 시절을 드러내는군.
④ 결구의 '곳 디ᄂᆞᆫ 시절'은 이구년과 화자의 늙고 초라해진 모습을 암시하는군.
⑤ 결구의 'ᄯᅩ 너ᄅᆞᆯ 맛보과라.'는 재회의 기쁨을 통한 비통함의 극복을 나타내는군.

실전 Test Guide

01 [보기]를 참고하여 적절히 감상할 수 있는지를 평가하는 문제이다. 먼저 [보기]의 내용을 숙지한 후, 제시문의 각 구절에 이를 적용하여 시적 맥락에 맞게 감상해 보도록 한다.

절구(絕句)_두보

江碧鳥逾白 (강 벽 조 유 백) 「ᄀᆞᄅᆞ미 프ᄅᆞ니 새 더욱 ᄒᆡ오, ◯: 색채 대비(푸른색–흰색)
山青花欲然 (산 청 화 욕 연) 뫼히 퍼러ᄒᆞ니 곳 비치 블 븐ᄂᆞᆫ ᄃᆞᆺ도다.」 「」: 대구법 ▶ 기, 승: 봄날의 풍경
□: 색채 대비(푸른색–붉은색)
今春看又過 (금 춘 간 우 과) 옰보미 본ᄃᆞᆫ ᄯᅩ 디나가ᄂᆞ니, ▶ 전: 속절없이 지나가는 세월
고향을 떠난 후 여러 해가 지났음.
何日是歸年 (하 일 시 귀 년) 어느 나리 이 도라갈 ᄒᆡ오. ▶ 결: 고향에 돌아가고 싶은 마음
고향에 돌아가고 싶으나 가지 못하는 안타까움

현대어 풀이 강이 푸르니 새는 더욱 희고,
산이 푸르니 꽃 빛이 불붙는 듯하다.
올봄이 보건대 또 지나가니,
어느 날이 돌아갈 해인가?

작품 한눈에 보기

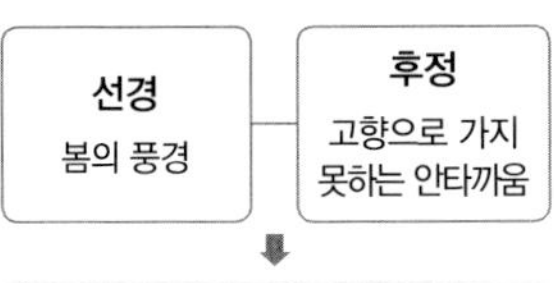

출제 포인트

■ 표현상의 특징
① 색채 대비(푸른색 ↔ 흰색, 푸른색 ↔ 붉은 색)를 통해 봄의 풍경을 제시함.
② 선경후정의 방식으로 시상을 전개함.

1 작품 이해

이 작품은 고향에 돌아가지 못하는 안타까운 심정을 읊은 한시를 우리말로 번역한 언해이다. 두보가 안녹산의 난을 피해 성도에 머물며 기약 없이 세월만 보낼 때 지어진 것으로, 두보가 이 작품의 제목을 남기지 않아 한시의 형식인 '절구'로 불린다. 색채의 대비, 봄 경치와 화자의 처지 대비를 통해 고향에 대한 그리움을 드러내고 있다.

- **갈래:** 한시(오언 절구), 언해
- **성격:** 애상적
- **주제:** 고향에 돌아가고 싶은 마음
- **시적 상황** 봄 풍경을 바라보며 □□에 돌아가지 못함을 한탄하고 있음.
- **정서와 태도** 봄은 왔지만 고향에 돌아가지 못해 □□□□을 느끼며 고향을 그리워하고 있음.

정답: 고향, 안타까움

2 내용 확인

1 맞는 내용이면 ○표, 틀린 내용이면 ×표 하시오.

① 고향에 돌아가고 싶은 화자의 마음이 드러나 있다. (   )
② 아름다운 봄의 풍경을 통해 화자의 감정을 고조시키고 있다. (   )

2 화자가 고향을 떠난 지 오래 되었음을 나타내는 구절을 찾아 쓰시오.

➡ (   )

내용 확인 도우미

1 ① 결구에 고향으로 돌아가고 싶은 화자의 심정이 드러나 있다.
② 기구와 승구의 색채 대비를 통해 묘사된 봄의 풍경은 화자의 초라한 모습과 대비되어 화자의 그리움을 심화시킨다.

2 '옰보미 ~ 디나가ᄂᆞ니'에서 화자가 고향을 떠난 지가 오래되었음을 알 수 있다.

정답 1 ① ○ ② ○ 2 옰보미 본ᄃᆞᆫ ᄯᅩ 디나가ᄂᆞ니

3 실전 Test

• 정답 19쪽

01 윗글에 대한 설명으로 적절하지 않은 것은?

① 기구의 '새'는 고향과 화자를 연결해 주는 매개체이다.
② 기구와 승구에서는 'ᄀᆞᄅᆞᆷ(강)'과 '뫼(산)', '새'와 '곳(꽃)'이 대구를 이룬다.
③ 승구에서는 '뫼(산)'와 '곳(꽃)'이 푸른색과 붉은색의 대비를 이룬다.
④ 전구의 'ᄯᅩ'는 화자의 좌절이 여러 해 반복되고 있음을 나타낸다.
⑤ 결구의 '어느 나리'는 화자의 초조한 심정을 절실하게 드러낸다.

실전 Test Guide

01 제시문의 내용과 표현상의 특징을 정확하게 파악할 수 있는지 확인하는 문제이다. 제시문에 사용된 시어의 의미를 맥락을 고려하여 파악하고, 그것을 표현하는 방식을 이해하도록 한다.

언해 042 등고(登高)_두보

「 」: 대구법　◯: 객관적 상관물(화자의 외로움을 고조시킴.)　□: 화자의 정서를 직접 제시함.

風急天高猿嘯哀 풍 급 천 고 원 소 애	「ᄇᆞᄅᆞ미 ᄲᆞᄅᆞ며 하ᄂᆞᆯ히 놉고 (나ᄇᆡ) 됫프라미 [슬프니],
渚淸沙白鳥飛廻 저 청 사 백 조 비 회	ᇝᄀᆞ시 ᄆᆞᆰᄀᆞ며 몰애 힌 ᄃᆡ (새) ᄂᆞ라 도라오놋다.」
無邊落木蕭蕭下 무 변 락 목 소 소 하	「ᄀᆞᆺ 업슨 디ᄂᆞᆫ (나못니ᄑᆞᆫ) 소소(蕭蕭)히 ᄂᆞ리고,
不盡長江滾滾來 부 진 장 강 곤 곤 래	다ᄋᆞᇝ 업슨 긴 (ᄀᆞᄅᆞᄆᆞᆫ) 니ᅀᅥᆷ니ᅀᅥ 오놋다.」
萬里悲秋常作客 만 리 비 추 상 작 객	「만 리(萬里)예 ᄀᆞᅀᆞᆯᄒᆞᆯ [슬허셔] 샹녜 나그내 ᄃᆞ외요니,
百年多病獨登臺 백 년 다 병 독 등 대	백 년(百年)ㅅ 한 병(病)에 ᄒᆞ올로 대(臺)예 올오라.」
艱難苦恨繁霜鬢 간 난 고 한 번 상 빈	[A] 「간난(艱難)애 서리 ᄀᆞᆮᄒᆞᆫ 귀민터리 어즈러우믈 심히 [슬허ᄒᆞ노니],
潦倒新停濁酒杯 요 도 신 정 탁 주 배	늙고 사오나오매 흐린 술 잔(盞)ᄋᆞᆯ 새려 머믈웻노라.」

- 몰애: 모래
- 나ᄇᆡ 됫프라미 슬프니: 원숭이의 울음소리가 슬픈 휘파람처럼 들리니(감정 이입)
- ▶ 수: 가을의 적막한 풍경
- 나못니ᄑᆞᆫ: 늙고 병든 화자의 처지
- ᄀᆞᄅᆞᄆᆞᆫ: 끝없이 긴 강 ↔ 유한한 인간
- ▶ 함: 가을 강가의 쓸쓸한 모습
- 만 리(萬里): 정서적 거리감
- 샹녜: 늘
- 나그내: 화자의 처지
- ▶ 경: 외로운 나그네의 슬픔
- 한 병(病): 육체적 병+정신적 고뇌
- 대(臺)예 올오라: 중양절에 높은 곳에 오르던 풍습
- 간난(艱難): 몹시 힘들고 고통스러움.
- 서리 ᄀᆞᆮᄒᆞᆫ 귀민터리: 순탄하지 않은 삶을 보낸 노인
- 「 」: 늙고 병든 처지를 직설적으로 탄식함.
- ▶ 미: 늙고 초췌한 자신에 대한 탄식

현대어 풀이　바람이 빠르며 하늘이 높고 원숭이의 휘파람이 슬프니, / 물가가 맑으며 모래 흰 곳에 새가 날아 돌아오는구나. / 끝없이 지는 나뭇잎은 쓸쓸히 떨어지고, / 다함이 없는 긴 강은 잇달아 흘러오는구나. / 만 리에 가을을 슬퍼하여 늘 나그네가 되니, / 한평생 많은 병에 홀로 대에 오르네. / 온갖 고통에 서리 같은 귀밑머리가 많음을 심히 슬퍼하니, / 늙고 초췌함에 흐린 술잔을 새로 멈추었노라.

작품 한눈에 보기

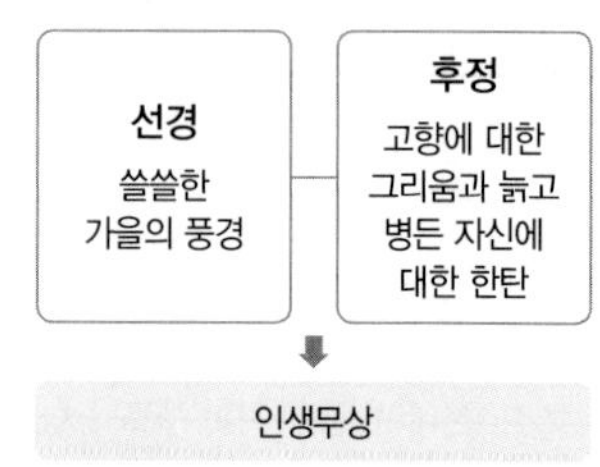

출제 포인트

■ 표현상의 특징
① 선경후정의 방식으로 시상을 전개함.
② '나비', '새' 등 객관적 상관물을 통해 화자의 쓸쓸한 심정을 고조함.
③ 자연의 유구함과 인생의 유한함을 대비하여 주제를 강조함.

1 작품 이해

이 작품은 두보가 중양절을 맞이하여 늙고 병든 몸을 이끌고 대에 올라 느낀 심정을 읊은 한시를 우리말로 번역한 언해이다. 타향에서의 외로움과 병에 시달리는 자신의 처지를 탄식하며 한탄하는 마음이 드러나 있다.

- 갈래: 한시(칠언 율시), 언해　• 성격: 애상적
- 주제: 인생무상
- 시적 상황　높은 대에 올라서 자신의 □□한 심정을 읊음.
- 정서와 태도　고향을 그리워하며 늙어 가는 자신에 대해 □□함.

정답: 쓸쓸, 한탄

2 내용 확인

1 맞는 내용이면 ○표, 틀린 내용이면 ×표 하시오.

① 자연과 인간을 대비하여 인생이 덧없음을 표현하고 있다. (　)
② 화자는 자신의 늙음을 담담하게 받아들이고 있다. (　)

내용 확인 도우미

1 ① 함련에서 무한한 자연과 유한한 인간을 대비하고 있다.
② 미련에서 탁주마저 실컷 마실 수 없는 자신의 늙음을 한탄하고 있다.

정답　1 ① ○ ② ×

3 실전 Test

• 정답 20쪽

01 윗글의 [A]와 [보기]를 비교한 것으로 적절하지 않은 것은?

보기

ᄒᆞᆫ 손에 막ᄃᆡ 잡고 ᄯᅩ ᄒᆞᆫ 손에 가싀 쥐고,
늙ᄂᆞᆫ 길 가싀로 막고, 오ᄂᆞᆫ 백발(白髮) 막ᄃᆡ로 치려터니,
백발(白髮)이 제 몬져 알고 즈럼길노 오더라.　– 우탁, 「탄로가」

① [A]에는 화자의 체념적 태도가, [보기]에는 화자의 달관적 태도가 드러난다.
② [A]는 [보기]와 달리 화자의 정서가 직접적으로 드러난다.
③ [A]는 [보기]와 달리 시대 상황이 화자의 처지와 연관되어 나타난다.
④ [A]와 [보기] 모두 화자의 현실 개선 의지가 드러나고 있다.
⑤ [A]와 [보기] 모두 속절없이 늙어 가는 화자의 처지가 나타난다.

실전 Test Guide

01 제시문과 [보기]를 비교하여 이해하는 문제이다. 비슷한 내용을 담고 있는 두 작품에 나타난 화자의 태도와 정서, 상황 등을 파악하여 그 차이점과 공통점을 추론해 보도록 한다.

언해 043

귀안(歸雁)_두보

春來萬里客 춘 래 만 리 객	보믹 왯는 만 리(萬里)옛 나그내는 (정서적 거리감 / 화자의 처지)	▶ 기: 객지에서 나그네가 봄을 맞고 있음.
亂定幾年歸 난 정 기 년 귀	난(亂)이 긋거든 어느 희예 도라가려뇨. (긋거든: 그치거든)	▶ 승: 고향을 그리워함.
腸斷江城鴈 장 단 강 성 안	강성(江城)에 그려기 (그려기: 기러기, 객관적 상관물(화자와 대비))	▶ 전, 결: 고향으로 날아가는 기러기를 부러워함.
高高正北飛 고 고 정 북 비	노피 정(正)히 북(北)으로 누라가매 애를 긋노라. (북(北): 고향이 있는 곳 / 애를 긋노라: 고향에 대한 애타는 그리움)	

현대어 풀이 봄에 온 만 리 밖 나그네는
난리 그쳐 돌아갈 해 언제일까?
강성의 기러기가
높이 똑바로 (고향이 있는) 북쪽으로 날아가니 애를 끊는구나.

작품 한눈에 보기

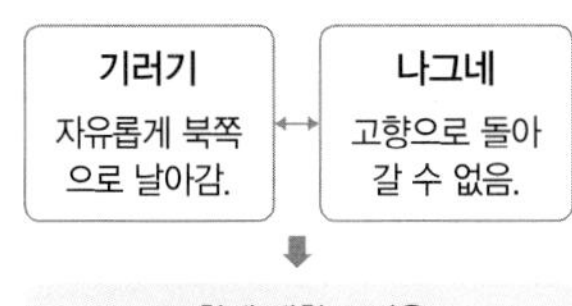

출제 포인트

■ 표현상의 특징
화자의 처지와 대비되는 객관적 상관물(그려기)을 통해 고향을 그리워하는 마음을 드러냄.

1 작품 이해

이 작품은 두보가 전란으로 인해 고향으로 돌아가지 못하는 마음을 노래한 한시를 우리말로 번역한 언해이다. 고향인 북쪽으로 날아가는 기러기의 모습과 나그네의 모습을 대비하여 고향에 대한 그리움을 드러내고 있다.

- 갈래: 한시(오언 절구), 언해
- 성격: 애상적
- 주제: 고향으로 돌아가고 싶은 마음
- 시적 상황 북으로 가는 □□□를 바라보고 있음.
- 정서와 태도 봄이 왔는데도 고향에 가지 못하는 나그네와 기러기를 대비하며 고향에 대한 □□□을 느끼고 있음.

정답: 기러기, 그리움

2 내용 확인

1 맞는 내용이면 ○표, 틀린 내용이면 ×표 하시오.

① 화자는 '그려기(기러기)'에게 동병상련의 심정을 느끼고 있다. ( )

② 화자는 전란이 끝났지만 고향에 돌아갈 수 없는 자신의 처지를 한탄하고 있다. ( )

2 화자의 정서가 직접적으로 제시된 부분을 찾아 2어절로 쓰시오.

➡ ( )

내용 확인 도우미

1 ① 화자는 자신의 처지와 대비되는 '그려기(기러기)'를 부러워하고 있다.
② 화자는 승구에서 난이 그쳐 고향에 돌아가기를 바라고 있음을 알 수 있다.

2 결구의 '애를 긋노라.'에 고향에 대한 화자의 애타는 그리움이 제시되어 있다.

정답 1 ① × ② × 2 애를 긋노라.

3 실전 Test

• 정답 20쪽

01 [보기]를 참고하여 윗글의 화자의 정서를 파악한 것으로 가장 적절한 것은?

보기

「귀안」은 두보가 안녹산의 난으로 유랑 생활을 하던 53세 때 지은 작품으로, 피란지에서 북쪽으로 날아가는 기러기를 바라보며 느낀 향수를 담았다고 알려져 있다.

① 고향에서의 순수했던 어린 시절을 회상하며 그리워하고 있다.
② 고향에서 온 나그네로부터 고향 소식을 듣고 슬픔에 잠겨 있다.
③ 고향을 그리워하지만 고향으로 돌아갈 수 없는 한(恨)을 드러내고 있다.
④ 난으로 인해 고향에 돌아갈 수 없는 현실을 개선하겠다고 다짐하고 있다.
⑤ 난으로 인해 피폐해진 고향의 모습을 안타까워하는 마음을 표출하고 있다.

실전 Test Guide

01 창작 배경을 고려하여 화자의 정서를 파악할 수 있는지 확인하는 문제이다. 창작 배경과 시적 상황을 바탕으로 화자의 정서나 태도를 파악하도록 한다.

시조 044 가마귀 검다 ᄒᆞ고~_이직

부정적 존재, 고려의 유신
가마귀 검다 ᄒᆞ고 백로(白鷺)야 웃지 마라. ▶ 초장: 백로에 대한 충고
긍정적 존재, 조선의 개국 공신
것치 거믄들 속조차 거믈소냐. ▶ 중장: 가마귀에 대한 긍정적 인식
고려 유신의 위선적 태도 비판, 설의법
아마도 것 희고 속 거믈손 너ᄲᅮᆫ인가 ᄒᆞ노라. ▶ 종장: 표리부동한 백로에 대한 비판
표리부동(表裏不同)

현대어 풀이 까마귀 겉모습이 검다고 해서 백로야 비웃지 마라.
겉이 검다고 해서 속까지 검겠느냐?
아마도 겉이 희고 속 검은 것은 너밖에 없을 것이다.

작품 한눈에 보기

가마귀	↔	백로
겉은 검지만 속은 검지 않은 존재		겉은 희지만 속이 검은 존재

⬇

표리부동을 경계함.

출제 포인트

■ 표현상의 특징
대조되는 소재(가마귀 ↔ 백로)와 의인법을 활용하여 주제를 강조함.

1 작품 이해

이 작품은 '가마귀'와 '백로'를 대비하여 표리부동*을 경계하라는 의미의 시조이다. 조선 개국에 참여한 신흥 세력이 자신들의 행위를 정당화하기 위해 지은 것으로, 검은 까마귀와 흰 백로의 외형적인 대비보다는 군자로서의 도량과 양심의 유무라는 내면적인 성향의 대비에 초점을 맞추고 있다.

- 갈래: 평시조
- 성격: 풍자적, 비판적
- 주제: 표리부동에 대한 경계
- 시적 상황 겉은 검지만 속마음은 흰 까마귀와 달리, □□는 겉이 희지만 속마음은 그렇지 않음.
- 정서와 태도 백로의 표리부동함을 □□하고 있음.

정답: 백로, 비판

* 표리부동(表裏不同): 겉으로 드러나는 언행과 속으로 가지는 생각이 다름.

2 내용 확인

1 맞는 내용이면 ○표, 틀린 내용이면 ×표 하시오.

① '가마귀'와 '백로'를 통해 주제를 우의적으로 제시하고 있다. ( )
② 소재의 외형적인 모습에만 주목하여 시상을 전개하고 있다. ( )

내용 확인 도우미

1 ① '가마귀'와 '백로'에 빗대어 표리부동을 경계하라는 주제를 전달하고 있다.
② 까마귀와 백로의 내면적인 성향을 대비하여 시상을 전개하고 있다.

정답 1 ① ○ ② ×

3 실전 Test

• 정답 20쪽

01 윗글과 [보기]에 나타난 시적 대상에 대한 설명으로 가장 적절한 것은?

> **보기**
>
> 가마귀 싸호ᄂᆞᆫ 골에 백로(白鷺) ㅣ 야 가지 마라.
> 셩낸 가마귀 흰빗ᄎᆞᆯ 새오나니
> 청강(淸江)에 좋이 시슨 몸을 더러일까 ᄒᆞ노라. – 정몽주의 어머니

① 윗글과 [보기]의 화자는 모두 '백로'와 자신을 동일시하고 있다.
② 윗글과 [보기]의 화자는 모두 '백로'가 처한 상황을 부러워하고 있다.
③ [보기]의 화자는 윗글과 달리 '백로'를 부정적인 대상으로 인식하고 있다.
④ 윗글과 [보기]의 '가마귀'와 '백로'는 서로 대조되는 이미지로 형상화되고 있다.
⑤ 윗글과 [보기]는 '백로'에 대한 '가마귀'의 태도를 중심으로 시상을 전개하고 있다.

실전 Test Guide

01 작품에 나타난 소재의 특징을 파악하는 문제이다. 윗글과 [보기]가 대조적인 소재를 활용하여 주제 의식을 전달하고 있음을 염두에 두고 각 소재의 특징과 의미에 대해 생각해 보도록 한다.

시조

045 흥망이 유수ᄒᆞ니~_원천석

「흥망(興亡)이 유수(有數)ᄒᆞ니 만월대(滿月臺)도 추초(秋草)ㅣ로다.」 「」: 시각적 이미지
하늘의 뜻에 달려 있으니 / 고려 왕조의 궁궐터 / 쇠락한 고려 왕조 ▶ 초장: 쇠락한 고려 왕조의 궁궐터

「오백 년(五百年) 왕업(王業)이 목적(牧笛)에 부쳐시니,」 「」: 청각적 이미지, 인생무상(人生無常)
고려 왕조의 업적 / 목동의 피리 소리 ▶ 중장: 목동의 피리 소리로 느끼는 인생무상

석양(夕陽)에 지나ᄂᆞᆫ 객(客)이 눈물계워 ᄒᆞ노라.
중의법 – 저무는 해, 고려 왕조의 멸망 / 망국의 슬픔, 맥수지탄 ▶ 종장: 망국의 슬픔

현대어 풀이 흥하고 망함이 하늘의 뜻에 달려 있으니 만월대도 시든 가을 풀만이 우거져 있을 뿐이다.
오백 년 고려의 왕업이 목동의 피리 소리에나 담겨 불리고 있으니
석양에 지나는 나그네가 눈물겨워 하는구나.

작품 한눈에 보기

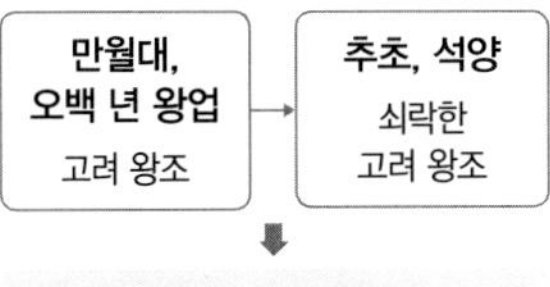

인생무상, 맥수지탄

출제 포인트

■ 표현상의 특징
① 시각적, 청각적 이미지를 활용하여 무상감을 표현함.
② 화자 자신을 '객'이라고 표현함으로써 주관적인 정서를 객관화함.

1 작품 이해

이 작품은 고려의 충신이었던 작가가 고려의 옛 도읍지였던 개성의 궁궐터를 돌아보면서, 지난날을 회고하며 세월의 덧없음을 노래한 시조이다. 나라의 멸망을 읊은 뒤에, 그로 인해 느끼게 되는 슬픔을 표현하는 방법으로 시상이 전개되고 있다.

- 갈래: 평시조
- 성격: 회고적, 비유적, 상징적, 감상적
- 주제: 망국의 슬픔과 무상감
- 시적 상황 고려 왕조의 □□□에서 고려 왕조를 회고하면서 슬퍼하고 있음.
- 정서와 태도 고려 왕조의 업적이 목동의 피리 소리에나 담겨 있음을 생각하며 인생무상과 망국의 □□을 느낌.

정답: 궁궐터(만월대), 슬픔

2 내용 확인

1 맞는 내용이면 ○표, 틀린 내용이면 ×표 하시오.

① 감각의 전이를 활용하여 화자가 처한 상황을 드러내고 있다. ( )
② 화자를 '객'으로 제시하여 주관적 정서를 객관화하고 있다. ( )

내용 확인 도우미

1 ① 청각적, 시각적 이미지를 통해 무상감을 드러내고 있을 뿐, 감각의 전이는 나타나지 않는다.
② 화자는 종장에서 자신을 '객'이라고 표현하여 망국의 슬픔을 객관화하여 드러내고 있다.

정답 1 ① × ② ○

3 실전 Test

• 정답 20쪽

01 윗글의 표현상의 특징으로 적절하지 않은 것은?

① 감각적 이미지를 활용하여 고려의 멸망을 표현하고 있다.
② 비유적 시어를 통해 망국의 한과 무상감을 드러내고 있다.
③ 의인화된 대상에 대한 풍자를 통해 세태를 비판하고 있다.
④ 영탄법을 활용하여 고려의 멸망에 따른 슬픔을 표출하고 있다.
⑤ 중의성을 가지는 시어를 통해 화자가 처한 현실을 나타내고 있다.

실전 Test Guide

01 표현상의 특징 및 효과를 파악하는 문제이다. 제시문에 사용된 표현 방법과 효과에 대해 생각해 보도록 한다.

시조

046 눈 마ᄌᆞ 휘여진 ᄃᆡ를~ _원천석

역경을 견디는 고충

눈 마ᄌᆞ 휘여진 ᄃᆡ를 뉘라셔 굽다턴고. (□: 설의법) ▶ 초장: 눈 맞아 휘어진 대나무에 대한 의문 (이성계 세력으로 인한 시련)

시련, 이성계 세력 / 충신(화자 자신)

구블 절(節)이면 눈 속에 프를소냐. ▶ 중장: 휘어진 대나무의 푸르름(절개를 지키는 고려 유신)

굽힐 절개

아마도 세한 고절(歲寒孤節)은 너ᄲᅮᆫ인가 ᄒᆞ노라. ▶ 종장: 추위에 굴하지 않는 대나무 예찬 (두 왕조를 섬길 수 없다는 곧은 충절)

대나무의 절개를 예찬함.→ 자신의 충절을 다짐함. └ 대나무(의인법)

현대어 풀이 눈을 맞아 휘어진 대나무를 누가 굽었다고 하던가?
굽힐 절개라면 눈 속에서도 푸를 것인가?
아마도 한겨울의 추위를 이기는 높은 절개는 너뿐인가 하노라.

작품 한눈에 보기

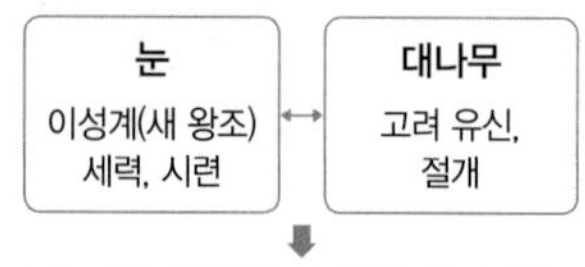

출제 포인트

■ 표현상의 특징
① 설의법과 의인법을 활용하여 화자의 의지를 드러냄.
② 대조적 의미를 가진 시어(눈 ↔ 대나무)를 통해 주제를 강조함.

1 작품 이해

이 작품은 조선을 건국하려는 세력에 협력하라는 압력을 받으면서도 충절을 지키고자 하는 고려 말 유신의 절개를 드러낸 시조이다. 눈 속에서도 푸르름을 잃지 않는 대나무를 통해 화자의 굳은 절개를 형상화하고 있다.

- 갈래: 평시조
- 성격: 절의적, 의지적, 회고적
- 주제: 고려 왕조에 대한 굳은 지조와 충절의 다짐

- 시적 상황 눈을 맞고 휘어져 있지만, 눈 속에서도 푸르름을 간직한 □□□를 바라보고 있음.
- 정서와 태도 대나무의 절개를 □□함(고려 왕조에 대한 변함없는 충절을 다짐함).

정답: 대나무, 예찬

2 내용 확인

1 맞는 내용이면 ○표, 틀린 내용이면 ×표 하시오.

① 설의법을 활용하여 화자의 충절을 강조하고 있다. (　　)
② 자연물에 화자의 감정을 이입하여 임에 대한 원망을 표현하고 있다. (　　)

2 고려에서 조선으로 왕조가 바뀌는 과정에서 쓰인 작품이라는 것을 고려하여 '조선 건국에 협력하기를 강요하는 세력'을 의미하는 시어를 찾아 쓰시오.

➡ (　　　　　　　　)

내용 확인 도우미

1 ① 초장과 중장에서 설의법을 활용하여 충절을 강조하고 있다.
② 화자는 종장에서 한겨울의 추위도 이겨 내는 대나무의 절개를 예찬하고 있다.

2 초장의 '눈'은 시련이나 고난을 의미한다. 역사적 배경을 고려하면 조선 건국에 협력하기를 강요하는 세력으로 볼 수 있다.

정답 1 ① ○ ② × 2 눈

3 실전 Test

• 정답 21쪽

01 윗글의 표현상의 특징에 대한 설명으로 가장 적절한 것은?

① 감각적인 언어로 대상을 생동감 있게 그려 내고 있다.
② 의성어와 의태어를 구사하여 화자의 상황을 구체화하고 있다.
③ 기존의 시가와 달리 자연물의 속성을 새롭게 해석하여 형상화하고 있다.
④ 반어적 어법을 활용하여 부정적 상황에 대한 비판적 심리를 강조하고 있다.
⑤ 상징적인 의미를 가진 시어를 사용하여 화자의 굳은 의지를 드러내고 있다.

실전 Test Guide

01 제시문에 사용된 표현 방법의 특징 및 효과를 파악하는 문제이다. 시어와 표현 방식이 화자의 정서를 어떻게 드러내는지 살펴보도록 한다.

시조

047 오백 년 도읍지를~ _길재

오백 년(五百年) 도읍지(都邑地)를 필마(匹馬)로 도라드니, ▶ 초장: 옛 도읍지를 말을 타고 돌아봄.

고려의 옛 수도인 송도(개성) / 한 필의 말(외로운 신세) – 화자의 처지 반영

「산천(山川)은 의구(依舊)ᄒᆞ되 인걸(人傑)은 간 ᄃᆡ 업다. ▶ 중장: 자연은 영원한데 인간은 유한함.

자연과 인간의 대조 – 인생무상(영원성↔유한성)

어즈버, 태평연월(太平烟月)이 ᄭᅮᆷ이런가 ᄒᆞ노라.」 「」: 맥수지탄 ▶ 종장: 고려 왕업의 허무함을 느낌.

감탄사, 영탄법 / 고려의 융성했던 시절 / 주제 집약

현대어 풀이 오백 년이나 이어 온 고려의 옛 수도에 한 필의 말을 타고 들어가니
산천의 모습은 예나 다름없으나, 인재는 간 데 없다.
아, (슬프다) 고려의 태평한 시절이 한낱 꿈처럼 허무하도다.

작품 한눈에 보기

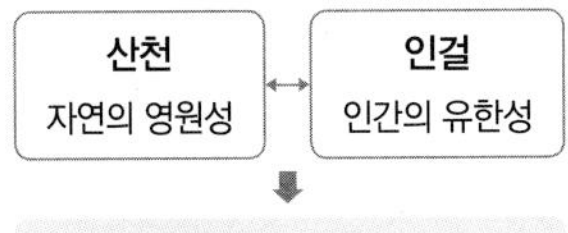

인생무상, 맥수지탄

출제 포인트

■ 화자의 정서
화자는 멸망한 고려의 도읍지를 돌아보며 인생무상과 맥수지탄을 느낌.

1 작품 이해

이 작품은 멸망한 고려의 도읍지를 바라보면서 느끼는 안타까움과 무상감을 노래한 시조이다. 자연의 영원성과 인간의 유한성을 대비하여 인생무상의 정서를 드러내고 있다.

- 갈래: 평시조
- 성격: 회고적, 감상적
- 주제: 망국의 한과 인생무상

- 시적 상황 고려의 옛 도읍지를 돌아보며, □□은 변함이 없으나 인걸은 다 사라졌다고 한탄하고 있음.
- 정서와 태도 망해 버린 고려의 도읍지를 바라보면서 □□□을 느끼고 있음.

정답: 산천, 무상감

2 내용 확인

1 맞는 내용이면 ○표, 틀린 내용이면 ×표 하시오.

① 화자는 고려의 옛 도읍지를 돌아보며 새로운 나라를 세우려는 의지를 드러내고 있다. ( )
② 역설적 표현을 사용하여 화자의 태도를 강조하고 있다. ( )

내용 확인 도우미

1 ① 화자는 고려의 옛 도읍지를 돌아보며 망국의 한과 안타까움을 드러내고 있다.
② 자연과 인간을 대비하였을 뿐, 역설적인 표현을 사용하지는 않았다.

정답 1 ① × ② ×

3 실전 Test

• 정답 21쪽

01 윗글과 [보기]의 공통점으로 가장 적절한 것은?

보기
산(山)은 녯 산(山)이로되 물은 녯 물이 안이로다. 주야(晝夜)에 흘은이 녯 물이 이실쏜야. 인걸(人傑)도 물과 ᄀᆞᆺᄒᆞ야 가고 안이 오노ᄆᆡ라. – 황진이

① 삶에 대한 무상감을 드러내고 있다.
② 이상 세계에 대한 동경을 나타내고 있다.
③ 삶의 태도를 반성하면서 개선하려 하고 있다.
④ 현실과의 단절로 인한 안타까움을 표현하고 있다.
⑤ 현실에서 벗어나고자 하는 심리를 보여 주고 있다.

실전 Test Guide

01 제시문과 [보기]를 비교하여 공통점을 찾아보는 문제이다. 두 화자가 처한 현실과 현실 인식 태도에 대해 생각해 보도록 한다.

시조 048 선인교 나린 물이~_정도전

◯: 융성했던 고려 왕조

선인교(仙人橋) 나린 물이 자하동(紫霞洞)에 흘너 드러, ▶ 초장: 고려 왕조를 회상함.
(선인교: 개성에 있는 다리 / 자하동: 개성에 있는 고을)

반천 년(半千年) 왕업(王業)이 물소릐뿐이로다. ▶ 중장: 고려 왕조에 대해 무상감을 느낌.
(영탄법–청각적 이미지, 고려 왕조에 대한 무상감)

아희야, 고국 흥망(故國興亡)을 무러 무엇ᄒᆞ리오. ▶ 종장: 과거를 잊고 현실에 충실하고자 함.
(고국 흥망: 고려 왕조의 흥함과 망함 / 설의법–과거보다는 현실에 충실해야 함.)

현대어 풀이 선인교에서 내려오는 물이 자하동으로 흘러드니,
오백 년이나 이어 내려온 왕업도 남은 것은 이 물소리뿐이로다.
아이야, 옛 고려 왕조의 흥망을 따져 본들 무엇하리오.

작품 한눈에 보기

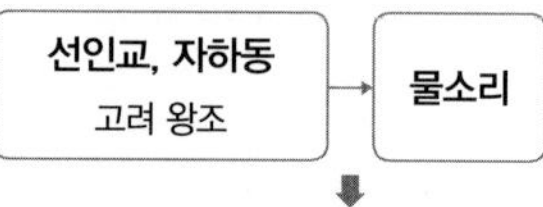

무상감+현실에의 충실

출제 포인트

■ 화자의 태도
화자는 고려 왕조의 왕업에 대해 무상감을 느끼면서 과거보다는 현실에 충실하고자 함.

1 작품 이해

이 작품은 선인교와 자하동을 돌아보면서 고려의 흥망과 그로 인한 무상감에 대해 노래하고 있는 시조이다. '선인교'와 '자하동'을 통해 고려 왕조를 회상하고, 물소리라는 청각적 이미지를 활용하여 고려 왕조에 대한 무상감을 드러내고 있다.

• 갈래: 평시조 • 성격: 회고적, 감상적

• 주제: 고려 왕조에 대한 회고와 무상감
• 시적 상황 번성했던 고려의 옛 도읍지에 □□□만 남아 있음.
• 정서와 태도 고려 왕조에 대해 □□□을 느끼면서, 이에 연연하지 않고 현실에 충실하고자 함.

정답: 물소리, 무상감

2 내용 확인

1 맞는 내용이면 ○표, 틀린 내용이면 ×표 하시오.

① '선인교', '자하동'은 흥성했던 고려 왕조를 상징하는 시어이다. ( )
② '물소릐'는 고려 왕조의 왕업에 대한 무상감을 청각적인 이미지로 나타낸 시어이다. ( )

내용 확인 도우미

1 ① '선인교'와 '자하동'은 융성했던 고려 왕조를 의미한다.
② '물소릐'는 고려 멸망의 상황과 고려의 왕업에 대한 무상감을 드러낸 표현이다.

정답 1 ① ○ ② ○

3 실전 Test

• 정답 21쪽

01 [보기]를 바탕으로 윗글을 감상한 내용으로 적절하지 않은 것은?

보기

조선의 개국 공신인 정도전은 이 작품을 통해 융성했던 고려 왕조의 멸망에 대한 무상감을 드러내면서도, 시세에 따라야 함을 은근히 드러내고 있다. 이를 통해 새 왕조에 대해 비협조적인 고려 유신들을 달래려고 한 것이다.

① '선인교', '자하동'은 융성했던 고려 왕조의 모습을 함축하고 있군.
② 화자는 고려의 '반천 년 왕업'을 떠올리며 무상감에 빠져들고 있군.
③ '물소릐'의 이미지는 '반천 년 왕업'의 이미지와 대비된다고 할 수 있군.
④ '고국 흥망'을 통해 조선의 흥망과 고려의 흥망이 다르지 않음을 나타내고 있군.
⑤ '무러 무엇ᄒᆞ리오.'에는 새 왕조에 대해 비협조적인 고려 유신에 대한 화자의 태도가 나타나 있군.

실전 Test Guide

01 작가에 대한 설명을 바탕으로 화자의 태도와 시어가 의미하는 바를 파악하는 문제이다. 각각의 시어와 시구의 의미를 생각해 보도록 한다.

시조

049 이 몸이 주거 가셔~ _성삼문

이 몸이 주거 가셔 무어시 될고 하니, ▶ 초장: 죽음 이후의 모습에 대해 자문함.
(극한적 상황 설정)
봉래산(蓬萊山) 제일봉(第一峯)에 낙락장송(落落長松) 되야 이셔,
(봉래산: 신선의 땅. 한양의 남산을 지칭함. / 낙락장송: 화자의 지조와 절개를 형상화함.)
백설(白雪)이 만건곤(萬乾坤)홀 제 독야청청(獨也靑靑)ᄒᆞ리라. ▶ 중장, 종장: 소나무가 되어 독야청청하겠다고 다짐함.
(백설: 왕위를 찬탈한 수양 대군과 그 일파 / 만건곤: 하늘과 땅에 가득 참. / 독야청청: 끝까지 지조와 절개를 지키겠다는 다짐)

현대어 풀이 이 몸이 죽어서 무엇이 될 것인가 하니,
봉래산 가장 높은 봉우리에 우뚝 솟은 소나무가 되어서,
흰 눈이 온 누리에 가득 찼을 때 홀로 푸르고 푸르리라.

작품 한눈에 보기

자문(自問)	자답(自答)
죽어서 무엇이 될 것인가.	낙락장송이 되어 독야청청 하겠음.

→ 지조와 절개에 대한 의지

출제 포인트

■ 표현상의 특징
① 자문자답의 형식으로 시상을 전개함.
② 비유와 상징을 통해 주제를 표현함.

1 작품 이해

이 작품은 단종을 향한 굳은 절개와 충성심을 읊은 시조이다. 온 세상이 세조를 섬기더라도 자신만은 남산 위에 우뚝 솟은 소나무처럼 단종만을 받들어 절개를 지키겠다는 심정을 토로하고 있다.

- 갈래: 평시조
- 성격: 의지적, 지사적, 절의적
- 주제: 임(단종)에 대한 굳은 절개와 충절
- 시적 상황 죽어서 □□□□이 되겠다며 자문자답하고 있음.
- 정서와 태도 죽어서도 지조와 절개를 지키겠다며 □□하고 있음.

정답: 낙락장송, 다짐

2 내용 확인

1 맞는 내용이면 ○표, 틀린 내용이면 ×표 하시오.

① 화자는 '낙락장송'을 통해 자신의 정서를 표현하고 있다. ( )
② 화자는 '봉래산'을 부정적으로 인식하고 이를 비난하고 있다. ( )

내용 확인 도우미

1 ① 화자는 자신의 지조와 절개를 '낙락장송'에 빗대어 표현하고 있다.
② '백설'은 단종의 왕위를 찬탈한 수양 대군과 그 일파를 의미하며, 화자가 부정적으로 인식하는 대상이다.

정답 1 ① ○ ② ×

3 실전 Test

• 정답 22쪽

01 [보기]를 바탕으로 윗글을 이해한 내용으로 적절하지 않은 것은?

보기
「이몸이 주거~」는 수양 대군이 단종의 왕위를 찬탈한 이후 성삼문이 단종의 복위를 꾀하려다가 실패하여 처형을 당할 때 읊은 시조이다. 단종에 대한 절개를 지키겠다는 심정을 자문자답(自問自答) 및 상징적 시어를 통해 토로하고 있다.

① '이 몸이 주거 가셔'는 주제 의식을 드러내기 위해 극단적 상황을 설정한 거겠군.
② '봉래산 제일봉'은 왕위를 찬탈한 수양 대군을 상징하는 시어이겠군.
③ '낙락장송'은 초장에서의 자문(自問)에 대한 자답(自答)이라고 할 수 있겠군.
④ '백설이 만건곤'할 때는 수양 대군 일파가 득세하는 상황을 가정한 것이겠군.
⑤ '독야청청ᄒᆞ리라.'는 단종에 대한 절개를 지키겠다는 다짐을 나타낸 것이겠군.

실전 Test Guide

01 [보기]를 바탕으로 시어의 상징적 의미를 파악하는 문제이다. 수양 대군의 왕위 찬탈이라는 역사적 사실을 고려하여 시어가 의미하는 바를 추측해 보도록 한다.

시조

050 수양산 바라보며~ _성삼문

백이와 숙제(주나라 무왕에게 반발하여 주나라 곡식을 먹지 않고 수양산에서 고사리를 캐 먹다 죽음.)

수양산(首陽山) 바라보며 ㉠이제(夷齊)를 한(恨)ᄒᆞ노라.

중의법 ① 백이와 숙제가 숨어 살던 산 ② 수양 대군 / 백이와 숙제를 비판함으로써 그들보다 더욱 굳은 자신의 절의를 강조함.

주려 주글진들 채미(採薇)도 ᄒᆞᄂᆞᆫ것가. ▶ 초장, 중장: 고사리를 캐어 먹었던 백이와 숙제를 한탄함.

굶주려 죽을지언정 / 중의법 ① 고사리를 캐 먹는 것 ② 수양 대군이 주는 녹봉

비록애 푸새엣 거신들 그 뉘 ᄯᅡ헤 낫ᄃᆞ니. ▶ 종장: 지조를 지키겠다고 다짐함.

푸성귀, 풀 / 수양 대군

현대어 풀이 수양산을 바라보며 백이와 숙제를 한탄한다.
(차라리) 굶주려 죽을지언정 고사리를 뜯어 먹어서야 되겠는가?
비록 산에 자라는 풀이라 하더라도 그것이 누구의 땅에서 났는가?

작품 한눈에 보기

고사리

백이와 숙제는 먹음. | 화자는 먹지 않음.

⬇

백이, 숙제보다 화자의 절개가 더 굳음.

출제 포인트

■ 화자의 태도
① '이제'가 고사리를 먹은 것을 한탄함.
② 단종에 대한 굳은 지조를 드러냄.

1 작품 이해

이 작품은 세조의 단종 폐위에 항거하고 지조와 절개를 지키려는 의지를 드러낸 시조이다. 주(周)나라의 충신인 백이, 숙제와 화자 자신을 비교하면서 화자의 굳은 의지를 강조하고 있다.

- 갈래: 평시조
- 성격: 지사적, 비판적
- 주제: 임(단종)에 대한 지조와 절개
- 시적 상황 □□가 고사리를 먹은 것을 한탄하며 자신은 먹지 않겠다고 하고 있음.
- 정서와 태도 주려 죽을지라도 □□를 지키겠다고 다짐함.

정답: 이제, 지조(절개)

2 내용 확인

1 맞는 내용이면 ○표, 틀린 내용이면 ×표 하시오.

① 화자는 자신의 정서를 자연물에 이입하여 주제를 드러내고 있다. ( )

② 초장의 '수양산'은 수양 대군을 상징하며, 화자는 수양 대군을 비판하고 있다. ( )

내용 확인 도우미

1 ① 화자는 자신의 절개를 백이, 숙제의 절개와 비교하여 단종에 대한 자신의 절개와 지조를 강조하고 있다.
② '수양산'은 중의성을 지닌 소재로, 백이와 숙제가 숨어 살던 산이나 수양 대군을 의미한다.

정답 1 ① × ② ○

3 실전 Test

• 정답 22쪽

01 윗글의 ㉠과 [보기]의 ㉡에 대한 설명으로 가장 적절한 것은?

보기

ᄇᆞ람이 눈을 모라 산창(山窓)에 부딋치니,
찬 기운(氣運) ᄉᆡ여 드러 ᄌᆞᆷ든 ㉡매화를 침노(侵擄)ᄒᆞ니.
아무리 얼우려 ᄒᆞ인들 봄 ᄯᅳᆺ이야 아슬소냐.

– 안민영, 「매화사」

① 윗글의 화자는 ㉠을, [보기]의 화자는 ㉡을 비판하고 있다.
② 윗글과 [보기]의 화자는 각각 ㉠과 ㉡을 통해 주제를 드러내고 있다.
③ 윗글의 화자는 ㉠을 통해 회한의 정서를, [보기]의 화자는 ㉡에 대해 애상의 정서를 표출하고 있다.
④ 윗글의 화자는 ㉠을 통해 자신을 성찰하고, [보기]의 화자는 ㉡을 통해 당시 사회상을 돌아보고 있다.
⑤ 윗글의 화자는 ㉠에 대해 연민의 태도를 보이고, [보기]의 화자는 ㉡에 대해 예찬의 태도를 보이고 있다.

실전 Test Guide

01 대상에 대한 화자의 정서와 태도를 파악하는 문제이다. 시상의 흐름과 맥락을 중심으로 대상에 대한 화자의 정서와 태도를 살펴보도록 한다.

시조 051

방 안에 혓는 촉불~_이개

방(房) 안에 혓는 ㉠촉(燭)불 눌과 이별(離別)ᄒᆞ엿관ᄃᆡ,
(혓는: 켜 있는 / 촉(燭)불: 감정 이입의 대상 / 이별(離別)ᄒᆞ엿관ᄃᆡ: 실제로 이별한 것은 화자임.)
것츠로 눈물 디고 속 타ᄂᆞᆫ 쥴 모로ᄂᆞᆫ고.
(눈물: 촛농 / 속 타ᄂᆞᆫ: 타 들어가는 심지, 화자의 애타는 마음)
뎌 촉(燭)불 날과 갓트여 속 타는 쥴 모로도다.
(날과 갓트여: 촛불과 화자의 동일시 / 속 타는 쥴: 이별의 한(恨)과 슬픔)

▶ 초장: 방 안에 촛불이 켜져 있음.
▶ 중장: 초가 타면서 촛농이 떨어짐.
▶ 종장: 촛불이 나(화자)와 같음.

현대어 풀이 방 안에 켜 있는 촛불은 누구와 이별을 하였기에
겉으로 눈물 흘리면서 속이 타 들어가는 줄을 모르는가.
저 촛불도 나와 같아서 속이 타는 줄을 모르는구나.

작품 한눈에 보기

촉불		화자
촛농을 떨어트림.	=	눈물을 흘림.

↓

임과 이별한 슬픔

출제 포인트

■ 표현상의 특징
① 의인법을 활용하여 촛불에서 떨어지는 '촛농'을 흐르는 '눈물'에 비유함.
② 대상(촉불)에 감정을 이입하여 화자의 정서를 표현함.

1 작품 이해

이 작품은 단종과 이별한 후의 애타는 심정을 노래한 시조이다. 촛불에 감정을 이입하여, 초가 타는 모습을 임(단종)과 이별한 슬픔 때문에 눈물을 흘리는 화자의 모습과 동일시하고 있다. 또한 겉으로 보이는 것은 눈물 뿐이지만, 이면에는 충정이 타고 있음을 여성적 어조를 활용하여 완곡하게 표현하고 있다.

• 갈래: 평시조 • 성격: 감상적, 여성적, 은유적
• 주제: 임(단종)과 이별한 슬픔
• 시적 상황 방 안에 켜 있는 □□을 바라보고 있음.
• 정서와 태도 임과의 이별로 인한 □□과 안타까움을 느끼고 있음.

정답: 촛불, 슬픔

2 내용 확인

1 맞는 내용이면 ○표, 틀린 내용이면 ×표 하시오.
① 화자는 남성적인 어조를 사용하여 자신의 정서를 드러내고 있다. ( )
② 대상에 인격을 부여하여 임과 이별한 화자의 정서를 드러내고 있다. ( )

내용 확인 도우미

1 ① 화자는 여성적 어조를 사용하여 임과 이별한 슬픔을 드러내고 있다.
② 초장과 중장에서 '촉불'에 인격을 부여하여 사람처럼 이별을 하고 눈물을 흘린다고 표현하고 있다.

정답 1 ① × ② ○

3 실전 Test

• 정답 22쪽

01 ⓐ~ⓔ 중 ㉠과 시적 기능이 가장 유사한 것은?

보기

ⓐ천만 리(千萬里) 머나먼 길히 ⓑ고은 님 여희ᄋᆞᆸ고
ⓒᄂᆡ ᄆᆞᄋᆞᆷ 둘 ᄃᆡ 업서 ⓓ냇ᄀᆞ에 안쟈시니
져 ⓔ믈도 내 ᄋᆞᆫ ᄀᆞᆺᄒᆞ여 우러 밤길 녜놋다.

– 왕방연

① ⓐ ② ⓑ ③ ⓒ ④ ⓓ ⑤ ⓔ

실전 Test Guide

01 시어의 기능을 파악할 수 있는지 평가하는 문제이다. 화자의 상황을 고려하여 시어의 함축적 의미를 파악하고, 어떤 역할을 하고 있는지 생각해 보도록 한다.

시조

052 천만 리 머나먼 길ᄒᆡ~_왕방연

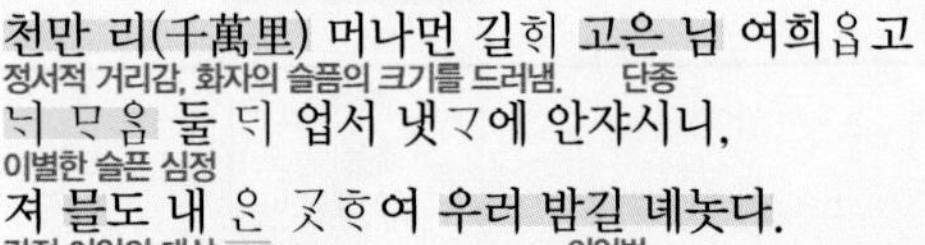

천만 리(千萬里) 머나먼 길ᄒᆡ 고은 님 여희ᄋᆞᆸ고
정서적 거리감, 화자의 슬픔의 크기를 드러냄. / 단종

ᄂᆡ ᄆᆞ음 둘 ᄃᆡ 업서 냇ᄀᆞ에 안쟈시니,
이별한 슬픈 심정

져 믈도 내 ᄋᆞᆫ ᄀᆞᆺᄒᆞ여 우러 밤길 녜놋다.
감정 이입의 대상 마음 / 의인법

▶ 초장: 임과 이별함.
▶ 중장: 슬픈 마음으로 냇가에 앉음.
▶ 종장: 냇물이 내 마음처럼 울며 흘러감.

현대어 풀이 천만 리 머나먼 곳에서 고운 임을 이별하고 (돌아와)
나의 슬픈 마음을 둘 데가 없어 냇가에 앉았더니
(흘러가는) 저 시냇물도 내 마음 같아서 울며 밤길을 흐르는구나.

작품 한눈에 보기

내 ᄆᆞ음	감정 이입 →	믈
임과 이별한 후 슬퍼함.		울면서 밤길을 흘러감.

출제 포인트

■ 화자의 정서
화자는 자신의 슬픔을 냇물에 감정을 이입하여 드러내고 있음.

1 작품 이해

이 작품은 세조 때 유배지인 영월로 단종을 호송하는 책임을 맡았던 작가가 단종을 이별하고 돌아오는 길에 느낀 비통한 심정을 읊은 시조이다. 단종에 대한 비통하고 애절한 심정을 냇물에 이입하여 표현하고 있다.

- **갈래:** 평시조
- **성격:** 감상적, 연군적, 애상적, 절의적
- **주제:** 임(단종)과 이별한 비통한 심정

- **시적 상황** 임과 이별한 후 돌아오는 길에 흐르는 □□□을 바라보고 있음.
- **정서와 태도** 흐르는 시냇물에 감정을 이입하면서 □□을 느끼고 있음.

정답: 시냇물, 슬픔

2 내용 확인

1 맞는 내용이면 ○표, 틀린 내용이면 ×표 하시오.

① 시선의 이동에 따라 시상을 전개하고 있다. (　　)
② '천만 리'는 화자가 느끼고 있는 슬픔의 크기를 드러낸다. (　　)

2 화자가 임과 이별한 자신의 슬픈 심정을 이입한 대상을 찾아 쓰시오.

➡ (　　　　　　　　)

내용 확인 도우미

1 ① 화자는 자연물에 감정을 이입하여 시상을 전개하고 있다.
② '천만 리'는 수량화된 표현으로 화자의 슬픔의 크기를 드러낸 것이다.

2 화자는 '믈'에 감정을 이입하여 임과 이별한 슬픈 심정을 표출하고 있다.

정답 1 ① × ② ○ 2 믈

3 실전 Test

• 정답 22쪽

01 윗글과 [보기]의 공통점에 대한 설명으로 가장 적절한 것은?

보기

> 청초(靑草) 우거진 골에 자느냐 누웠느냐
> 홍안(紅顔)을 어듸 두고 백골(白骨)만 묻혔느냐
> 잔(盞) 잡아 권(勸)할 이 업으니 그를 슬허 ᄒᆞ노라.
> – 임제

① 대상의 부재에서 느끼는 안타까움이 드러나 있다.
② 자신의 궁핍한 처지로 인한 좌절감이 표출되어 있다.
③ 예기치 않은 이별로 인한 서러운 심정이 나타나 있다.
④ 거스를 수 없는 자연의 섭리에 대한 경외감이 드러나 있다.
⑤ 자신의 이념과 배치되는 현실에서 느끼는 실망감이 표출되어 있다.

실전 Test Guide

01 제시문과 [보기]를 비교하여 감상하는 문제이다. 화자의 처지와 정서를 중심으로 두 작품의 공통점과 차이점을 파악해 보도록 한다.

시조

053 추강에 밤이 드니~ _월산 대군

시간적 배경을 드러내는 소재

추강(秋江)에 밤이 드니 물결이 [ᄎᆞ노매라].
계절적 배경을 드러내는 소재

낙시 드리치니 고기 아니 [무노ᄆᆡ라]. [ ]: 영탄적 어조
풍류의 수단, 자연 속에서의 한가로운 삶.

무심(無心)ᄒᆞᆫ (ᄃᆞᆯ)빗만 싯고 (뷘 ᄇᆡ) 저어 [오노ᄆᆡ라].
( ): 유유자적한 삶의 모습을 형상화함. 무욕의 심리

▶ 초장: 가을 강의 물결이 참.

▶ 중장: 물고기도 낚시를 물지 않음.

▶ 종장: 달빛을 받으며 빈 배를 저음.

현대어 풀이 가을 강에 밤이 찾아오니 물결이 차갑구나.
낚시를 드리우니 고기가 물지 않는구나.
욕심이 없는 달빛만 싣고 빈 배를 저어 오는구나.

작품 한눈에 보기

추강, 낙시	돌빗, 뷘 ᄇᆡ
가을날의 한가로움	유유자적한 삶

출제 포인트

■ 화자의 태도
가을 달밤을 배경으로 욕심을 버리고 자연 속에서 유유자적한 삶을 살고자 함.

1 작품 이해

이 작품은 가을 밤에 배를 띄워 풍류를 즐기는 모습을 통해 욕심을 버리고 자연 속에서 한가롭게 지내는 삶을 노래한 시조이다. 자연을 즐기는 무욕의 심정을 가을 강 달빛 아래에서의 한가롭고 유유자적한 모습으로 드러내고 있다.

- 갈래: 평시조
- 성격: 낭만적, 탈속적, 풍류적

- 주제: 자연 속에서의 유유자적한 삶
- 시적 상황 가을밤에 □□를 하다가 달빛만 싣고 빈 배로 돌아오고 있음.
- 정서와 태도 속세의 물욕을 초월하여 □□□□하는 삶을 살아가고자 함.

정답: 낚시, 유유자적

2 내용 확인

1 맞는 내용이면 ○표, 틀린 내용이면 ×표 하시오.

① 계절과 시간을 드러내는 소재를 활용하여 배경을 제시하고 있다. (　　)

② '돌빗'과 '뷘 ᄇᆡ'는 인생의 무상함을 드러내는 소재이다. (　　)

내용 확인 도우미

1 ① 초장의 '추강'은 가을이라는 계절적 배경을, '밤'은 시간적 배경을 드러내는 소재이다.
② '돌빗'과 '뷘 ᄇᆡ'는 세속과 물욕을 초월한 유유자적한 삶의 모습을 형상화한 소재이다.

정답 1 ① ○ ② ×

3 실전 Test

• 정답 23쪽

01 윗글의 화자(Ⓐ)와 [보기]의 화자(Ⓑ)에 대한 설명으로 가장 적절한 것은?

보기

ᄂᆡ 빈천(貧賤) 슬히 너겨 손을 헤다 물너가며,
남의 부귀(富貴) 불리 너겨 손을 치다 나아오랴.
인간(人間) 어ᄂᆡ 일이 명(命) 밧긔 삼겨시리.
빈이 무원(貧而無怨)을 어렵다 ᄒᆞ건마ᄂᆞᆫ
ᄂᆡ 생애(生涯) 이러호ᄃᆡ 설온 뜻은 업노왜라.
단사표음(簞食瓢飮)을 이도 족(足)히 너기로라.

– 박인로, 「누항사」

① Ⓐ는 Ⓑ와 달리 공동체를 위한 헌신적 삶을 강조하고 있다.
② Ⓐ는 Ⓑ와 달리 사회적 규범을 적극적으로 따르려 하고 있다.
③ Ⓑ는 Ⓐ와 달리 세속과 자연을 분리하려는 의지를 보이고 있다.
④ Ⓐ와 Ⓑ는 모두 과거에 경험한 바를 반성적으로 성찰하고 있다.
⑤ Ⓐ와 Ⓑ는 모두 욕심 없이 살아가는 것을 가치 있게 인식하고 있다.

실전 Test Guide

01 글에 나타난 화자의 태도를 파악할 수 있는지 확인하는 문제이다. 제시문의 중장과 종장의 내용을 바탕으로 화자의 태도와 정서를 파악한 후, [보기]의 화자가 지닌 인생관과 파악하여 비교해 보도록 한다.

시조

054 말 업슨 청산이요~_성혼

○: 꾸밈이 없고 마음껏 즐길 수 있는 자연(탈속적)

「말 업슨 청산(靑山)이요, 태(態) 업슨 유수(流水)ㅣ로다.」 ▶ 초장: 의연하고 꾸밈이 없는 자연
의인법 「」: 대구법

「갑 업슨 청풍(淸風)이요, 님ᄌᆞ 업슨 명월(明月)이라.」 ▶ 중장: 마음껏 즐길 수 있는 자연
「」: 대구법

이 중(中)에 병(病) 업슨 이 몸이 분별(分別) 업시 늙으리라. ▶ 종장: 물아일체의 삶 추구
물아일체(物我一體), 달관 세속적 근심이나 걱정 없이

현대어 풀이 말이 없는 청산이요, 모양 없는 유수(흐르는 물)로다.
값 없는 맑은 바람이요, 주인 없는 밝은 달이로다.
이 중(자연)에서 병 없는 이 몸은 걱정 없이 늙으리라.

작품 한눈에 보기

말, 태, 갑, 님ᄌᆞ 인위적 가치 (유한성)	↔	청산, 유수, 청풍, 명월 자연적 가치 (무한성)

⬇

속세를 떠나 자연과 더불어 살고자 함.

출제 포인트

■ 표현상의 특징
① 초장과 중장에서 대구법을 사용하여 있는 그대로의 자연의 모습을 강조함.
② 자연물에 가치를 부여하여 주제를 강조함.

1 작품 이해

이 작품은 자연 속에 묻혀서 어디에도 얽매이지 않고 유유자적하게 살고 싶은 마음을 읊고 있는 시조이다. 화자는 세속적 가치를 벗어난 자연과 더불어 아무 걱정 없이 안빈낙도(安貧樂道)의 삶을 살겠다는 의지를 드러내고 있다.

• 갈래: 평시조
• 성격: 탈속적, 풍류적, 달관적
• 주제: 자연과 더불어 사는 삶
• 시적 상황 □□과 더불어 유유자적하게 살고자 함.
• 정서와 태도 □□□□의 경지를 보여 주며, 자연과 더불어 살면서 세속적 근심이나 걱정 없이 살고자 하는 의지를 드러냄.

정답: 자연, 안빈낙도

2 내용 확인

1 맞는 내용이면 ○표, 틀린 내용이면 ×표 하시오.
① 대구법을 활용하여 시상을 전개하고 있다. (　)
② 초장의 '청산'과 '유수'는 중장의 '청풍', '명월'과 의미상 대립되는 소재이다. (　)

2 종장의 '□□□□'는 세속적 근심을 초월하여 살아가고자 하는 화자의 의지를 강조한 표현이다.

내용 확인 도우미

1 ① 초장과 중장에서는 대구법을 활용하여 시상을 선개하고 있다.
② '청산', '유수', '청풍', '명월'은 모두 세속적 가치와 대비되는 소재로, 무한성을 가지고 있다.

2 '늙으리라'의 '–리라'는 마음 속으로 다짐하는 뜻을 나타내는 종결 어미이다.

정답 1 ① ○ ② × 2 늙으리라

3 실전 Test

• 정답 23쪽

01 윗글의 표현상의 특징으로 적절하지 않은 것은?
① 동일한 시어를 반복하여 리듬감을 형성하고 있다.
② 자연물을 의인화하여 자연 친화적인 태도를 드러내고 있다.
③ 설의법을 활용하여 대상에 대한 화자의 감정을 전달하고 있다.
④ 대구법을 활용하여 대상의 있는 그대로의 모습을 강조하고 있다.
⑤ 세속과 대비되는 자연물의 속성을 제시하면서 시상을 전개하고 있다.

실전 Test Guide

01 제시문의 표현상의 특징을 파악하는 문제이다. 시구에 나타난 표현 기법과 화자의 상황과 태도, 정서를 중심으로 선택지의 적절성을 판단하도록 한다.

시조 055 십 년을 경영ᄒᆞ여~ _송순

안분지족(安分知足), 안빈낙도(安貧樂道)의 자세

십 년(十年)을 경영(經營)ᄒᆞ여 초려 삼간(草廬三間) 지여 내니, ▶ 초장: 십 년 동안 초가 삼간을 지음.
(경영ᄒᆞ여: 계획하여 / 초려 삼간: 세 칸밖에 안 되는 작은 초가)

「나 ᄒᆞᆫ 간 ᄃᆞᆯ ᄒᆞᆫ 간에 청풍(淸風) ᄒᆞᆫ 간 맛져 두고, ▶ 중장: 초가 삼간에 화자, 달, 청풍이 같이 지냄.
(의인법)

강산(江山)은 들일 듸 업스니 둘러 두고 보리라.」 ▶ 종장: 자연을 감상하고자 함.
(「」: 물아일체의 경지)

현대어 풀이 십 년을 경영하여 초가삼간 지어 냈으니,
(그 초가삼간에) 나 한 칸, 달 한 칸, 맑은 바람 한 칸 맡겨 두고,
강산은 들일 곳이 없으니 이대로 둘러 두고 보리라.

작품 한눈에 보기

초려 삼간
나(화자), 달, 청풍이 각 한 칸씩 지냄.
⬇
안분지족, 물아일체

출제 포인트

■ 표현상의 특징
① 중장은 근경(近景)을, 종장은 원경(遠景)을 묘사하여 시상을 전개함.
② 의인법과 과장법을 사용하여 주제를 드러냄.

1 작품 이해

이 작품은 자연 속에서 자기 분수를 지키며 풍류를 즐기는 생활을 노래한 시조이다. 자연에 살면서 안분지족과 안빈낙도의 자세로 자연 친화적인 태도를 드러내고 있다.

• 갈래: 평시조 • 성격: 전원적, 관조적, 풍류적, 낭만적

• 주제: 자연과 더불어 살아가는 즐거움, 안빈낙도
• 시적 상황 십 년을 계획하여 □□ □□을 지음.
• 정서와 태도 자연 속에서 살아가면서 □□□□의 삶을 살고자 함.

정답: 초려 삼간, 안빈낙도(안분지족)

2 내용 확인

1 맞는 내용이면 ○표, 틀린 내용이면 ×표 하시오.

① 화자는 자연 속에서 살아가면서 물아일체의 경지를 드러내고 있다. ( )
② 화자는 'ᄃᆞᆯ'과 '청풍'을 사람처럼 인식하고 있다. ( )

내용 확인 도우미

1 ① 화자는 중장에서 달과 청풍과 함께 어우러지고 있다.
② 화자는 중장에서 초려 삼간을 달과 청풍에 한 칸씩 맡겨 두었다고 하였다.

정답 1 ① ○ ② ○

3 실전 Test

• 정답 24쪽

01 [보기]를 참고하여 윗글의 '초려'를 이해한 것으로 적절하지 않은 것은?

보기

윗글의 중장에서는 '초려'를 중심으로 '나'와 시적 대상인 '달', '청풍'이 '초려' 속에서 한데 어우러지는 물아일체의 경지를 보여 준다. 그리고 종장에서는 이것이 확장되어 '강산'을 방에 친 병풍처럼 인식하는 데까지 나아간다.

① 화자가 '십 년을 경영ᄒᆞ여' 자연 속에 만들어 낸 공간이군.
② 화자가 자연에 은거하게 된 궁극적인 원인이 되는 공간이군.
③ 자연과 인간의 관계에 대한 화자의 기발한 발상이 담긴 공간이군.
④ 'ᄃᆞᆯ', '청풍'과 함께 지내고자 하는 화자의 바람이 나타난 공간이군.
⑤ 병풍처럼 펼쳐진 '강산'과 더불어 물아일체의 경지를 표현한 공간이군.

실전 Test Guide

01 시에 나타난 공간의 의미를 파악할 수 있는지 확인하는 문제이다. 화자의 상황 및 태도, 정서를 바탕으로 공간의 의미를 추론해 보도록 한다.

시조 056

동지ㅅ 돌 기나긴 밤을~ _황진이

「」: 추상적 개념의 구체화

㉠「동지(冬至)ㅅ 돌 기나긴 밤을 한 허리를 버혀 내여, ▶ 초장: 동짓달의 긴 밤을 베어 냄.

춘풍(春風) 니불 아레 서리서리 너헛다가, ▶ 중장: 베어 낸 시간을 보관함.
봄바람처럼 따스한 이불

어론 님 오신 날 밤이여든 구뷔구뷔 펴리라.」 □: 의태어, 운율을 형성하고 우리말의 묘미를 살림.
사랑하는 임 ▶ 종장: 보관했던 시간을 펴서 임과 함께 있는 시간을 연장함.

현대어 풀이 동짓달 기나긴 밤의 한가운데를 베어 내어
봄바람처럼 따스한 이불 속에 서리서리 넣어 두었다가
사랑하는 임이 오신 날 밤이면 굽이굽이 펴리라.

작품 한눈에 보기

동짓달의 긴 밤 시간을 베어 냄. (부정적 시간의 단축)
↓
임이 오면 베어 놓은 시간을 펼침. (긍정적 시간의 연장)

출제 포인트

■ 표현상의 특징
① 추상적 개념을 구체적으로 형상화함.
② 의태어의 사용으로 운율을 형성함.

1 작품 이해

이 작품은 임을 기다리는 여성의 애타는 마음을 표현한 시조이다. 추상적인 시간을 구체적인 사물로 형상화하여 임에 대한 애틋한 사랑과 그리움을 드러내고 있다.

• 갈래: 평시조 • 성격: 감상적, 낭만적, 연정적, 서정적

• 주제: 임을 그리워하며 기다리는 마음
• 시적 상황 사랑하는 □과 헤어져 있음.
• 정서와 태도 임과 함께하고 싶은 □□을 드러냄.

정답: 임, 소망

2 내용 확인

1 맞는 내용이면 ○표, 틀린 내용이면 ×표 하시오.
① 의태어를 사용하여 우리말의 묘미를 살리고 운율을 형성하고 있다. (   )
② 화자는 임과 함께하는 시간을 연장하고 싶어 한다. (   )

내용 확인 도우미

1 ① '서리서리'와 '구뷔구뷔' 등의 의태어를 통해 우리말의 묘미와 운율을 살리고 있다.
② 화자는 동짓달 밤의 긴 시간을 잘라서 임이 오신 밤에 펴겠다고 하였다.

정답 1 ① ○ ② ○

3 실전 Test

• 정답 24쪽

01 윗글의 ㉠과 [보기]의 ㉡에 공통적으로 나타난 표현상의 특징 및 효과로 가장 적절한 것은?

보기

㉡전원(田園)에 나믄 흥(興)을 전나귀에 모도 싯고
계산(溪山) 니근 길로 흥치며 도라와셔
아희 금서(琴書)를 다스려라 나믄 희를 보내리라. – 김천택

① 설의적 표현을 통해 화자의 삶의 태도를 강조하고 있다.
② 대구를 사용하여 유사한 상황을 병렬적으로 제시하고 있다.
③ 색채 이미지를 활용하여 공간이 갖는 상징적 의미를 드러내고 있다.
④ 추상적인 대상을 구체적으로 표현하여 화자의 정서를 표출하고 있다.
⑤ 앞말을 바로 뒤에 이어받아 제시함으로써 시어의 의미를 강조하고 있다.

실전 Test Guide

01 제시문과 [보기]를 비교하여 표현상의 특징 및 효과를 파악할 수 있는지 확인하는 문제이다. 시구에 나타난 표현 기법이 화자의 태도나 정서, 시적 상황, 시적 의미 등에 미치는 영향에 대해 생각해 보도록 한다.

시조 057

어져 내 일이야~ _황진이

어져 내 일이야 그릴 줄을 모로ᄃᆞ냐.
감탄사 – 그리움을 집약적으로 표현함.
이시라 ᄒᆞ더면 가랴마ᄂᆞᆫ 제 구ᄐᆞ여
중의성
보내고 그리ᄂᆞᆫ 정(情)은 나도 몰라 ᄒᆞ노라.
회한(뉘우치고 한탄함.)의 정서

▶ 초장: 임을 보내고 탄식함.
▶ 중장: 만류하지 않고 임을 보냄.
▶ 종장: 보낸 임을 그리워 함.

① 주체: 임 → 임이 구태여 가셨겠냐마는
② 주체: 화자 → 내가 구태여 보내고

현대어 풀이 아아, 내가 한 일이여, 그리워할 줄을 몰랐던가? 있으라고 했더라면 (임이 굳이) 가셨겠느냐마는 제 구태여 보내고 (이제 와 새삼) 그리워하는 마음은 나도 모르겠구나.

작품 한눈에 보기

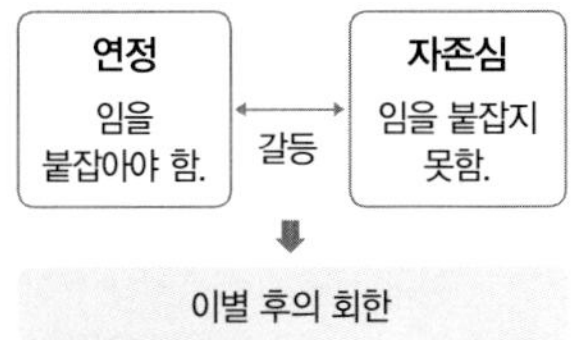

이별 후의 회한

출제 포인트

■ 표현상의 특징
중의적 의미의 시구를 통해 화자의 심리를 드러냄.

1 작품 이해

이 작품은 연정과 자존심 사이에서 겪는 오묘한 심리적 갈등과 임을 떠나보낸 후의 회한을 드러낸 시조이다. 우리말을 절묘하게 구사하여 여인의 애틋한 심리를 섬세하고 진솔하게 전달하고 있다.

- 갈래: 평시조
- 성격: 감상적, 애상적, 여성적
- 주제: 이별의 회한과 그리움
- 시적 상황 떠나는 임을 잡지 않아 임과 □□하였음.
- 정서와 태도 임을 굳이 보내 놓고 그리워하면서 그러한 자신의 행동에 대한 □□을 느끼고 있음.

정답: 이별, 회한

2 내용 확인

1 맞는 내용이면 ○표, 틀린 내용이면 ×표 하시오.

① 감탄사를 활용하여 화자가 느끼는 회한의 정을 표현하고 있다. ( )
② 화자는 자신이 만류하는데도 자신을 버리고 떠난 임을 원망하고 있다. ( )

내용 확인 도우미

1 ① 초장에서 '어져'라는 감탄사를 사용하여 임을 보낸 후의 회한의 정을 표현하고 있다.
② 화자는 만류하지 않고 임을 보낸 후 회한의 감정을 느끼고 있다.

정답 1 ① ○ ② ×

3 실전 Test

• 정답 24쪽

01 [보기]를 참고하여 윗글을 감상한 것으로 적절하지 않은 것은?

보기
이 작품은 이별 상황에서 나타날 수 있는 화자의 심리적 갈등을 효과적으로 표현하였다고 평가되고 있다. 특히 '제 구ᄐᆞ여'를 도치하여 중장의 끝으로 위치시킨 것은 '제 구ᄐᆞ여'가 종장에도 이어지게 표현한 것으로, 화자가 붙잡으면 임이 굳이 가지는 않았을 것이라는 추측과 자신이 굳이 보내 놓고 후회하는 심리를 절묘하게 드러낸 것이라고 볼 수 있다.

① '제 구ᄐᆞ여'가 도치되지 않았다면 '제'의 주체는 임이 되겠군.
② '제 구ᄐᆞ여'가 종장의 내용에 이어지는 것이라면 '제'는 화자를 가리키겠군.
③ '제 구ᄐᆞ여'를 종장에 이어지게 하여 임을 떠나보낸 화자의 회한이 잘 드러나는군.
④ '제 구ᄐᆞ여'가 중장의 첫부분에 있었다면 작가의 의도가 제대로 드러나지 않았겠군.
⑤ '제 구ᄐᆞ여'를 도치하여 자신을 버리고 간 임에 대한 화자의 원망을 강조하고 있군.

실전 Test Guide

01 표현상의 특징 및 효과를 파악할 수 있는지 평가하는 문제이다. [보기]를 바탕으로 시 속에 나타난 표현 방법을 이해하고, 작가가 의도한 바가 무엇인지 파악하도록 한다.

시조

058 청산은 내 뜻이오~_황진이

「청산(靑山)은 내 뜻이오 녹수(綠水)는 님의 정(情)이,」
(청산: 불변성, 화자 / 녹수: 가변성, 임 / 「」: 대구법, 은유법)
녹수(綠水) 흘러간들 청산(靑山)이야 변(變)홀손가.
(대조법, 설의법)
녹수(綠水)도 청산(靑山)을 못 니져 우러 예어 가는고.
(의인법 - 임의 감정을 이입함.)

▶ 초장: 변함없는 나와 변하는 임
▶ 중장: 임을 향한 변함없는 사랑
▶ 종장: 나를 잊지 않는 임

현대어 풀이 청산은 내 뜻이요, 녹수는 임의 정이니
녹수는 흘러가더라도 청산이야 변하겠는가.
녹수도 청산을 잊지 못하여 울면서 흘러가는구나.

작품 한눈에 보기

청산(불변성) 화자의 변함 없는 사랑	↔	녹수(가변성) 변하는 임의 마음

↓

임에 대한 변함없는 사랑

출제 포인트

■ 표현상의 특징
① 대조적 의미의 시어(청산 ↔ 녹수)를 활용함.
② 시어(녹수)에 감정을 이입하여 정서를 드러냄.

1 작품 이해

이 작품은 임에 대한 애틋한 그리움을 나타내고 있는 시조이다. 즉, 변치 않는 마음의 화자는 '청산'에, 쉽게 변하는 마음의 임은 '녹수'에 빗대어 표현함으로써 임의 마음이 변하여도 자신의 마음은 청산처럼 변함없을 것이라고 다짐하고 있다.

• 갈래: 평시조
• 성격: 감상적, 상징적
• 주제: 임을 향한 변함없는 사랑
• 시적 상황 떠나간 □을 그리워하고 있음.
• 정서와 태도 임의 마음이 변하더라도 임을 사랑하는 자신의 마음은 변하지 않을 것이라고 □□하고 있음.

정답: 임, 다짐

2 내용 확인

1 맞는 내용이면 ○표, 틀린 내용이면 ×표 하시오.
① 반어법을 통해 화자에게서 멀어져 버린 임의 마음을 드러내고 있다. ( )
② 변하지 않는 '청산'과 변하는 '녹수'를 대조하여 주제 의식을 드러내고 있다. ( )

내용 확인 도우미

1 ① 제시문은 대구법, 은유법, 대조법 등을 활용하여 임에 대한 변함없는 사랑을 노래하고 있다.
② '청산'과 '녹수'를 대조하여 임에 대한 변함없는 사랑을 드러내고 있디.

정답 1 ① × ② ○

3 실전 Test

• 정답 24쪽

01 [보기]를 참고하여 윗글을 감상한 내용으로 적절하지 않은 것은?

보기

일반 사대부들의 작품에서는 '녹수'를 '끊임없이 흐르는' 성질의 불변적인 소재로 사용하였다. 이와 달리 황진이는 '녹수'의 '흘러가 버림'이라는 특성을 바탕으로 사대부들의 당위론적인 자연 인식과는 다른 이미지를 창출해 냈다. 황진이의 시조가 가진 독창성은 이와 같은 기존 사물에 대한 재해석에서 엿볼 수 있다.

① 윗글은 '녹수'의 '흘러가 버림'에 주목하여 시상을 전개하고 있어.
② 윗글에서 '녹수'는 '불변성'에 대비되는 '가변성'을 상징하는 시어로 사용되었군.
③ '청산'도 '녹수'와 마찬가지로 기존의 자연 인식과는 다른 이미지로 사용되었겠네.
④ '녹수'를 '내 뜻'이라고 표현했다면, 사대부의 당위론적 자연 인식을 바탕으로 했겠군.
⑤ '님의 정(情)'을 '녹수'에 비유한 것은 기존 사물을 재해석했기 때문에 가능했군.

실전 Test Guide

01 [보기]를 바탕으로 제시문의 내용을 파악하는 문제이다. [보기]에서 설명하고 있는 소재의 의미를 바탕으로 선택지의 적절성을 판단해 보도록 한다.

시조 **059** ᄆᆞ음이 어린 후ㅣ니~ _서경덕

ᄆᆞ음이 어린 후(後)ㅣ니 ᄒᆞᄂᆞᆫ 일이 다 어리다.
만중 운산(萬重雲山)에 어ᄂᆡ 님 오리마ᄂᆞᆫ (어리석은)
지ᄂᆞᆫ 닙 부ᄂᆞᆫ ᄇᆞ람에 행여 권가 ᄒᆞ노라. (그(임)인가)

과장법 – 임과 화자를 가로막는 장애물
착각을 유발하는 대상.
도치법 – 시조 종장(3 · 5자)의 운을 맞춤.

▶ 초장: 자신의 행동이 어리석다고 느낌.
▶ 중장: 임이 올 수 없는 상황에 처해 있음.
▶ 종장: 바람에 지는 잎을 임으로 착각함.

현대어 풀이 마음이 어리석으니 하는 일마다 모두 어리석다.
겹겹이 구름 낀 산중이니 어찌 임이 오겠냐마는
떨어지는 잎과 부는 바람 소리에도 행여나 임인가 하노라.

작품 한눈에 보기

만중 운산	지ᄂᆞᆫ 닙 부ᄂᆞᆫ ᄇᆞ람
임이 올 수 없는 상황	임으로 착각함.

⬇

임을 절실하게 기다림.

출제 포인트

■ 화자의 정서 및 태도
떨어지는 잎과 바람 소리마저 임으로 착각할 만큼 임을 간절히 그리워하고 있음.

1 작품 이해

이 작품은 서경덕이 황진이를 생각하며 지은 것이라고 알려져 있으며, 임과 헤어져 있는 상황에서 임에 대한 그리움을 드러낸 시조이다. 화자는 스스로 마음이 어리석다고 자신을 낮추고 있는데, 이는 그만큼 임에 대한 그리움이 크다는 것을 의미한다.

• 갈래: 평시조 • 성격: 감상적, 낭만적

• 주제: 임을 기다리는 마음
• 시적 상황 □□ □□에서 임을 기다리고 있음.
• 정서와 태도 떨어지는 잎과 바람 소리를 임이 오는 소리로 착각할 정도로 임에 대한 □□□을 느끼고 있음.

정답: 만중 운산, 그리움

2 내용 확인

1 맞는 내용이면 ○표, 틀린 내용이면 ×표 하시오.

① '만중 운산'은 임과 화자를 연결해 주는 매개체이다. ( )
② 화자는 시어를 도치하여 운율을 맞추고 자신의 정서를 강조하고 있다. ( )

내용 확인 도우미

1 ① '만중 운산'은 임과 화자의 사랑을 방해하는 장애물을 의미한다.
② 종장의 '지ᄂᆞᆫ 닙 부ᄂᆞᆫ 바람에'에 도치법이 사용되었다.

정답 1 ① × ② ○

3 실전 Test

• 정답 25쪽

01 윗글의 화자와 [보기]의 화자의 공통점으로 가장 적절한 것은?

보기

님이 오마 ᄒᆞ거ᄂᆞᆯ 져녁 밥을 일 지어 먹고
중문(中門) 나서 대문(大門) 나가 지방(地方) 우희 치ᄃᆞ라 안자 이수(以手)로 가액(加額)ᄒᆞ고 오ᄂᆞᆫ가 가ᄂᆞᆫ가 건넌 산(山) ᄇᆞ라보니 거머흿들 셔 잇거ᄂᆞᆯ 져야 님이로다 보션 버서 품에 품고 신 버서 손에 쥐고 곰븨 님븨 님븨 곰븨 쳔방 지방 지방 쳔방 즌 듸 ᄆᆞ른 듸 ᄀᆞᆯ희지 말고 워렁충창 건너가셔 정(情)엣말 ᄒᆞ려 ᄒᆞ고 겻눈을 흘긧 보니 상년(上年) 칠월(七月) 사흔날 ᄀᆞᆯ가 벅긴 주추리 삼대 ᄉᆞᆯ드리도 날 소겨거다.
모쳐라 밤일싀망정 ᄒᆡᆼ혀 낫이런들 ᄂᆞᆷ 우일 번ᄒᆞ괘라. – 작자 미상

① 자신을 버리고 돌아오지 않는 임을 원망하고 있다.
② 임의 상황이 현재보다 더 나아지기를 소망하고 있다.
③ 함께 있지 않은 임에 대한 간절한 그리움을 드러내고 있다.
④ 임과의 이별을 수용한 것에 대해 회한의 감정을 나타내고 있다.
⑤ 재회에 대한 믿음으로 임과의 이별로 인한 슬픔을 극복하고 있다.

실전 Test Guide

01 제시문과 [보기]를 비교하여 이해할 수 있는지를 확인하는 문제이다. 화자의 상황과 사용된 시어를 중심으로 화자의 정서 및 태도를 파악해 보도록 한다.

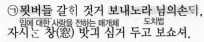

시조 060

묏버들 갈히 것거~_홍랑

㉠묏버들 갈ᄒᆡ 것거 보내노라 님의손ᄃᆡ,
(임에 대한 사랑을 전하는 매개체 / 도치법)
자시는 창(窓) 밧긔 심거 두고 보쇼셔.
밤비예 새닙곳 나거든 날인가도 너기쇼셔.
(화자의 분신 / 자신을 잊지 말아 달라고 당부함.)

▶ 초장: 산에 있는 버들을 임에게 보냄.
▶ 중장: 임과 함께 하고 싶어함.
▶ 종장: 자신을 잊지 말아 달라고 당부함.

현대어 풀이 산에 있는 버들을 골라 꺾어 보내노라 임에게,
주무시는 (방의) 창가에 심어 두고 보시옵소서.
밤비에 새잎이라도 나면 나를 본 것처럼 여기시옵소서.

작품 한눈에 보기

묏버들(사랑의 징표)을 임에게 보냄.
⬇
자신을 잊지 말라고 당부함.

출제 포인트

■ 표현상의 특징
① 자연물(묏버들)을 통해 임에 대한 화자의 순수한 사랑을 드러냄.
② 초장에서 도치법을 활용하여 임에 대한 화자의 태도를 강조함.

1 작품 이해

이 작품은 기생 홍랑이 한양으로 떠나는 임을 배웅하면서 지은 시조이다. 임과 이별한 화자는 임에게 사랑의 징표인 '묏버들'을 보내면서 자신을 보듯 여겨 달라며 당부하고 있다. 이를 통해 자기를 잊지 말아 달라는 호소와 임에 대한 그리움을 표현하고 있다.

• 갈래: 평시조 • 성격: 감상적, 애상적

• 주제: 임에 대한 그리움과 순수한 사랑
• 시적 상황 임과 □□한 후 임에게 묏버들을 보냄.
• 정서와 태도 묏버들을 자신처럼 여겨달라면서 임에 대한 □□□과 언제나 함께하고 싶다는 간절한 소망을 드러냄.

정답: 이별, 그리움

2 내용 확인

1 맞는 내용이면 ○표, 틀린 내용이면 ×표 하시오.

① '새닙'은 화자가 그리워하는 임을 가리키는 시어이다. ( )
② 화자는 임을 향한 자신의 마음을 자연물에 담아 표현하고 있다. ( )
③ 대화의 형식을 활용하여 임에 대한 그리움을 드러내고 있다. ( )

내용 확인 도우미

1 ① '새닙'은 화자의 분신, 즉 화자 자신을 가리키는 시어이다.
② 화자는 '묏버들'을 통해 임에 대한 사랑을 드러내고 있다.
③ 임에 대한 그리움을 드러내고 있으나, 대화의 형식을 활용하고 있지는 않다.

정답 1 ① × ② ○ ③ ×

3 실전 Test

• 정답 25쪽

01 [보기]의 ⓐ~ⓔ 중, 윗글의 ㉠과 의미와 기능이 가장 유사한 것은?

보기

오ᄅᆞ며 ᄂᆞ리며 헤ᄯᅳ며 바니니 / 져근덧 녁진(力盡)ᄒᆞ야 풋ᄌᆞᆷ을 잠간 드니 / 정셩(精誠)이 지극ᄒᆞ야 ⓐ꿈의 님을 보니 / 옥(玉) ᄀᆞᄐᆞᆫ 얼굴이 반(半)이나마 늘거셰라. / ᄆᆞᄋᆞᆷ의 머근 말ᄉᆞᆷ 슬ᄏᆞ장 ᄉᆞᆲ쟈 ᄒᆞ니 / 눈믈이 바라 나니 말인들 어이ᄒᆞ며 / 졍(情)을 못다ᄒᆞ야 목이조차 몌여ᄒᆞ니 / 오뎐된 ⓑ계셩(鷄聲)의 ᄌᆞᆷ은 엇디 ᄭᆡ돗던고.

어와, 허ᄉᆞ(虛事)로다. 이 님이 어ᄃᆡ 간고. / 결의 니러 안자 ⓒ창(窓)을 열고 ᄇᆞ라보니 / 어엿븐 ⓓ그림재 날 조ᄎᆞᆯ ᄲᅮᆫ이로다. / ᄎᆞᆯ하리 ᄉᆡ여디여 ⓔ낙월(落月)이나 되야이셔 / 님 겨신 창(窓) 안히 번드시 비최리라.

각시님 ᄃᆞᆯ이야ᄏᆞ니와 구즌 비나 되쇼셔.

– 정철, 「속미인곡」

① ⓐ ② ⓑ ③ ⓒ ④ ⓓ ⑤ ⓔ

실전 Test Guide

01 시어의 의미를 파악할 수 있는지 확인하는 문제이다. 화자의 상황 및 태도와 정서, 시상의 전개 방식을 중심으로 시어의 의미와 기능을 파악하도록 한다.

시조 061

이화우 흣뿌릴 제~_계랑

□: 계절감, 하강의 이미지

이화우(梨花雨) 흣뿌릴 제 울며 잡고 이별(離別)ᄒᆞᆫ 님, ▶ 초장: 배꽃이 떨어지는 봄에 임과 이별함.

(봄 → 가을)

추풍 낙엽(秋風落葉)에 저도 날 ᄉᆡᆼ각ᄂᆞᆫ가. ▶ 중장: 낙엽 지는 가을에 임이 날 잊지 않기를 바람.

(화자처럼 임도 화자를 잊지 않기를 바람.)

천 리(千里)에 외로온 ᄭᅮᆷ만 오락가락 ᄒᆞ노매. ▶ 종장: 멀리 떨어진 임을 그리워함.

(천 리: 정서적 거리감 / ᄭᅮᆷ: 임을 향한 그리움)

현대어 풀이 배꽃이 비 내리듯 흩날릴 때 울면서 (손을) 잡고 이별한 임,
가을바람에 낙엽이 질 때 임도 날 생각하실까?
천 리 길 머나먼 곳에 외로운 꿈만 오락가락하는구나.

작품 한눈에 보기

이화우 (봄) 이별	시간의 흐름 →	추풍 낙엽 (가을) 그리움

출제 포인트

■ 표현상의 특징

① 하강의 이미지와 계절감이 드러나는 시어(이화우, 추풍 낙엽)를 통해 시간의 흐름과 화자의 정서를 드러냄.

② 시간의 흐름(봄 → 가을)과 공간적 거리감(천 리)이 임에 대한 그리움을 심화함.

1 작품 이해

이 작품은 배꽃이 떨어지는 봄에 헤어진 임을 낙엽이 지는 가을까지 기다리며, 임을 그리워하는 마음을 노래한 시조이다. 임과 헤어진 뒤의 시간적 거리감과 임과 멀리 떨어져 있다는 공간적 거리감을 통해 임에 대한 그리움을 제시하고 있다.

• 갈래: 평시조 • 성격: 감상적, 애상적, 여성적

• 주제: 임에 대한 그리움

• 시적 상황 봄에 임과 □□한 후, 가을바람에 낙엽이 떨어지는 모습을 보고 있음.

• 정서와 태도 멀리 떨어져 있는 임에 대한 □□□을 느끼고 있음.

정답: 이별, 그리움

2 내용 확인

1 맞는 내용이면 ○표, 틀린 내용이면 ×표 하시오.

① '이화우'와 '추풍 낙엽'은 화자와 임이 이별한 지 여러 달이 지났음을 드러낸다. (　　)

② 화자는 중장에서 임도 자신을 잊지 않고 있다고 확신하고 있다. (　　)

내용 확인 도우미

1 ① '이화우'와 '추풍 낙엽'은 봄에서 가을이라는 계절의 변화를 통해 이별 후 시간이 흘렀음을 보여 준다.

② 화자는 중장에서 임도 날 생각하고 있느냐면서 자신을 잊지 않았다면 하는 바람을 드러내고 있다.

정답 1 ① ○ ② ×

3 실전 Test

• 정답 25쪽

01 윗글에 나타난 표현상의 특징으로 적절하지 않은 것은?

① 하강의 이미지를 통해 이별의 정서를 심화하고 있다.

② 자연물에 화자의 감정을 이입하여 이별의 한(恨)을 드러내고 있다.

③ 의문형 어미를 사용하여 화자와 임의 마음이 일치하기를 소망하고 있다.

④ 계절감을 드러내는 시어를 활용하여 이별 후의 시간 경과를 표현하고 있다.

⑤ 거리를 나타내는 시어를 사용하여 임과 화자 사이의 정서적 거리감을 나타내고 있다.

실전 Test Guide

01 표현상의 특징 및 효과를 파악하는 문제이다. 화자의 상황과 정서를 중심으로 시의 표현 방법과 그 효과에 대해 생각해 보도록 한다.

시조

062 대쵸 볼 불근 골에~ _황희

○: 향토적 소재, 풍요로운 농촌의 모습을 생생하게 표현함.

「대쵸 볼 불근 골에 밤은 어이 뜯드르며,
(의인화 / 시각적 이미지 / 청각적 이미지)
벼 뷘 그르헤 게는 어이 ᄂᆞ리ᄂᆞᆫ고.」
(그루터기에 / 「」: 대구법-풍요로운 가을 농촌의 모습)
「술 닉쟈 체쟝ᄉᆞ 도라가니 아니 먹고 어이리.」
(후각적 이미지 / 「」: 금상첨화(錦上添花))

▶ 초장: 대추와 밤이 익어감.
▶ 중장: 벼 벤 그루터기에 게가 기어감.
▶ 종장: 술을 마시며 흥겨움을 느낌.

현대어 풀이 대추가 발갛게 익은 골짜기에 밤은 어찌 (익어) 뚝뚝 떨어지며
벼를 벤 그루터기에 게는 어찌 나와 다니는가?
술이 익자마자 체 장수가 (체를 팔고) 돌아가니 (새 체로 술을 걸러서) 먹지 않고 어찌하리.

작품 한눈에 보기

선경	후정
가을 농촌의 풍요로운 모습	금상첨화의 흥겨움

출제 포인트

■ 표현상의 특징
① 향토적 소재를 나열하여 농촌의 풍성한 가을 정경을 표현함.
② 시선의 이동(대추 → 밤 → 벼 → 게)을 통해 시상을 전개함.

1 작품 이해

이 작품은 향토적인 소재들을 나열하여 농촌의 풍요로운 모습과 이를 즐기는 화자의 모습을 형상화하고 있는 시조이다. 질문을 던지는 방식과 초장과 중장의 대구적 표현을 통해 깊어가는 가을의 흥취를 표현하고 있다.

- 갈래: 평시조
- 성격: 풍류적, 낭만적
- 주제: 가을 농촌의 풍요로움과 풍류
- 시적 상황 풍성한 가을을 맞이한 □□에서 술을 즐기고 있음.
- 정서와 태도 늦가을을 맞은 풍성한 농촌에서 유유자적하게 □□를 즐기고 있음.

정답: 농촌, 풍류

2 내용 확인

1 맞는 내용이면 ○표, 틀린 내용이면 ×표 하시오.
① 대구법을 활용하여 풍요로운 가을 농촌의 모습을 묘사하고 있다. ( )
② 종장의 '술 닉쟈 체쟝ᄉᆞ 도라가니'를 표현할 수 있는 한자성어로는 '설상가상(雪上加霜)'이 있다. ( )

내용 확인 도우미

1 ① 초장과 중장은 대구를 통해 가을 농촌의 풍성함을 묘사하고 있다.
② 종장은 좋은 일에 좋은 일이 더해진다는 의미인 '금상첨화'의 상황이다.

정답 1 ① ○ ② ×

3 실전 Test

• 정답 26쪽

01 윗글과 [보기]를 비교하여 이해한 내용으로 가장 적절한 것은?

보기

> 이화(梨花)에 월백(月白)ᄒᆞ고 은한(銀漢)이 삼경(三更)인제
> 일지 춘심(一枝春心)을 자규(子規) ㅣ 야 아랴마ᄂᆞᆫ,
> 다정(多情)도 병(病)인 냥ᄒᆞ여 ᄌᆞᆷ 못 드러 ᄒᆞ노라. – 이조년

① 윗글의 붉은색 이미지와 [보기]의 흰색 이미지는 화자의 외로움을 부각한다.
② 윗글의 '밤'과 [보기]의 '이화'는 화자의 감성을 심화하는 역할을 한다.
③ 윗글과 [보기]에 나타난 자연은 실제가 아닌 화자가 이상향으로 여기는 곳이다.
④ 윗글의 '게'와 [보기]의 '자규'는 화자와 비슷한 감정을 갖는 의인화된 자연물이다.
⑤ 윗글의 화자가 '술' 먹는 것과 [보기]의 화자가 'ᄌᆞᆷ 못 드'는 것은 화자의 정서가 고조됨을 나타낸다.

실전 Test Guide

01 제시문과 [보기]를 비교하여 이해할 수 있는지 확인하는 문제이다. 화자의 상황과 태도, 정서, 시구의 이미지를 중심으로 선택지의 적절성을 판단해 보도록 한다.

시조 063

재 너머 성권롱 집에~_정철

지방 관아에서 농사를 장려하던 직책

재 너머 성권롱(成勸農) 집에 술 익닷 말 어제 듣고 ▶ 초장: 성혼의 집에 술이 익었다는 말을 들음.

'성혼'을 가리킴.

「누운 소 발로 박차 언치 놓아 지즐 타고 ▶ 중장: 신명이 나 소 위에 올라탐.

안장 밑에 까는 털 헝겊 / 눌러 / └ 해학적(신명이 난 화자의 마음을 표현함.)

아이야 네 권롱(勸農) 계시냐 정좌수 왔다 하여라.」 ▶ 종장: 성혼의 집에 도착했음을 알림.

화자(정철) 「」: 중장과 종장 사이에 시간과 공간의 비약(생략)이 나타남. → 생동감과 경쾌한 분위기를 형성함.

현대어 풀이 고개 너머 사는 성 권농 집의 술이 익었다는 말을 어제 듣고
누워 있는 소를 발로 차 일으켜 언치만 얹어서 눌러 타고
아이야, 네 권농 어른 계시냐? 정 좌수 왔다고 여쭈어라.

작품 한눈에 보기

친구의 집에 술이 익었다는 말에 신이 나 소 위에 올라탐.
↓ – 시간과 공간의 비약
친구의 집 앞에 도착함.

출제 포인트

■ 표현상의 특징
① 중장과 종장 사이의 시공간적 비약을 통해 친구와 빨리 술을 마시고 싶은 마음을 드러냄.
② 중장에서 화자의 모습을 해학적으로 표현하여 웃음을 유발함.

1) 작품 이해

이 작품은 친구와 빨리 만나 술을 마시고 싶은 마음을 해학적으로 표현한 시조이다. 시적 화자인 정좌수가 술이 익었다는 성권롱의 집에 도달하기까지의 과정을 과감한 생략을 통해 경쾌하고 발랄하게 그려냈다. 전원생활의 풍류와 흥취가 토속적인 농촌의 정취와 조화를 이루고 있다.

• 갈래: 평시조 • 성격: 풍류적, 전원적, 해학적

• 주제: 친구와 만나 술잔을 기울이고 싶음, 전원생활의 풍류
• 시적 상황 친구의 집에 □이 익었다는 말을 듣고 친구를 찾아감.
• 정서와 태도 술이 익었다는 소리를 듣고 친구를 찾아가는 것에서 □□과 전원생활의 즐거움을 느낌.

정답: 술, 기쁨

2) 내용 확인

1 맞는 내용이면 ○표, 틀린 내용이면 ×표 하시오.

① 중장에서는 술친구를 찾아가는 화자의 모습이 해학적으로 드러나 있다. (　　)
② 술과 벗을 좋아하는 화자의 모습에서 전원생활의 한가로움과 흥취를 엿볼 수 있다. (　　)

내용 확인 도우미

1 ① 중장에는 신명이 나 소 위에 올라 타는 화자의 모습이 묘사되어 있다.
② 친구의 집에 술이 익었다는 말을 듣고 신명 나게 친구를 찾아가는 화자의 모습에서 전원생활의 한가로움과 흥취가 드러난다.

정답 1 ① ○ ② ○

3) 실전 Test

• 정답 26쪽

01 윗글에 대한 설명으로 가장 적절한 것은?

① 설의적 표현을 통해 화자의 만족감을 표출하고 있다.
② 인간과 자연의 대비를 통해 주제 의식을 드러내고 있다.
③ 계절적 이미지를 활용하여 전체적인 분위기를 형성하고 있다.
④ 화자의 모습을 해학적으로 제시하여 연민의 감정을 환기하고 있다.
⑤ 시간과 공간의 과감한 생략을 통해 경쾌한 분위기를 형성하고 있다.

실전 Test Guide

01 제시문에 나타난 표현상의 특징을 파악할 수 있는지 확인하는 문제이다. 중장과 종장의 시상 전개 방식을 고려하도록 한다.

시조 064

두류산 양단수를~ _조식

두류산(頭流山) 양단수(兩端水)를 녜 듯고 이제 보니,
도화(桃花) 쁜 묽은 물에 산영(山影)조추 잠겻셰라.
「아희야, 무릉(武陵)이 어듸오, 나는 옌가 ᄒᆞ노라.」

(공간적 배경 / 지리산의 별칭 / 두 갈래로 흐르는 물줄기 / 복숭아꽃, 무릉도원을 연상시키는 소재 / 산 그림자 / 무릉도원(이상향) / 「」: 문답법-주제를 강하게 표출함.)

▶ 초장: 말로만 듣던 두류산 양단수를 보게 됨.
▶ 중장: 맑은 물에 산 그림자가 잠김.
▶ 종장: 무릉도원처럼 아름다움.

현대어 풀이 지리산의 두 갈래로 흐르는 물줄기를 옛날에 듣고 이제 와서 보니,
복숭아꽃이 떠내려가는 맑은 물에 산 그림자까지 잠겨 있구나.
아이야, 무릉도원이 어디냐? 나는 여기인가 하노라.

작품 한눈에 보기

두류산 양단수 아름다운 경치 ≒ 무릉도원
⬇
아름다운 풍경을 감탄하고 예찬함.

출제 포인트

■ 표현상의 특징
문답법과 영탄법을 활용하여 대상(두류산 양단수)의 아름다운 풍경을 예찬함.

1 작품 이해

이 작품은 지리산의 뛰어난 경치를 무릉도원에 비유하면서, 자연 속에 은거하는 즐거움을 노래한 시조이다. 자문자답을 통해 지리산 양단수의 경치를 예찬하고 있다.

- 갈래: 평시조
- 성격: 예찬적, 자연 친화적
- 주제: 두류산 양단수의 절경 예찬
- 시적 상황 말로만 듣던 □□□ 양단수를 보고 있음.
- 정서와 태도 두류산 양단수가 무릉도원인 것 같다면서 아름다운 경치를 □□하고 있음.

정답: 두류산, 예찬

2 내용 확인

1 맞는 내용이면 ○표, 틀린 내용이면 ×표 하시오.
① 화자는 자연을 예찬하면서도 속세를 그리워하고 있다. ( )
② 화자는 종장에서 '무릉'이라고 하면서 이상향을 동경하고 있음을 드러내고 있다. ( )

내용 확인 도우미

1 ① 화자는 두류산 양단수의 절경을 예찬하고 있을 뿐, 속세를 그리워하는 마음을 드러내고 있지는 않다.
② 종장의 '무릉'은 두류산 양단수의 모습을 빗대어 표현한 것이다.

정답 1 ① × ② ×

3 실전 Test

• 정답 26쪽

01 윗글의 화자와 [보기]의 화자의 공통점으로 가장 적절한 것은?

보기

> 집 방석(方席) 내지 마라. 낙엽(落葉)엔들 못 안즈랴.
> 솔불 혀지 마라 어제 진 ᄃᆞᆯ 도다온다.
> 아ᄒᆡ야 박주산채(薄酒山菜)ㄹ망정 업다 말고 내여라. – 한호

① 자연 친화적인 삶을 추구하고 있다.
② 이상적인 세계의 도래를 열망하고 있다.
③ 유교 이념에 충실한 삶을 동경하고 있다.
④ 과거와 달라진 현재의 삶에 만족하고 있다.
⑤ 자연 속에서 은거하면서도 속세에 미련을 두고 있다.

실전 Test Guide

01 제시문과 [보기]를 비교하여 화자의 삶의 태도를 파악할 수 있는지를 평가하는 문제이다. 각 작품 속 화자가 처한 상황을 바탕으로 화자의 삶의 태도가 어떠한지 생각해 보도록 한다.

시조

065 청초 우거진 골에~_임제

청초(靑草) 우거진 골에 자ᄂᆞᆫ다 누엇ᄂᆞᆫ다.
푸른 풀(무덤의 풀) / 설의법 – 의문의 형식으로 황진이의 죽음을 애도함.
「홍안(紅顔)을 어듸 두고 백골(白骨)만 무쳣ᄂᆞᆫ이.」
젊고 아름다운 얼굴 / 황진이의 죽음 / 「」: 인생무상(人生無常)
잔(盞) 자바 권(勸)ᄒᆞ리 업스니 그를 슬허ᄒᆞ노라.
색채대비 / 화자의 아쉬움이 드러남.

▶ 초장: 임의 죽음을 애도함.
▶ 중장: 죽음 앞에서 인생무상을 느낌.
▶ 종장: 죽은 임을 그리워함.

현대어 풀이 푸른 풀이 우거진 골짜기에서 (그대는) 자고 있느냐, 누워 있느냐.
그 곱고 아름답던 얼굴은 어디 두고 백골만 여기에 묻혀 있단 말이냐.
잔을 잡아 술 한 잔 권해 줄 사람이 없으니 그것을 슬퍼하노라.

작품 한눈에 보기

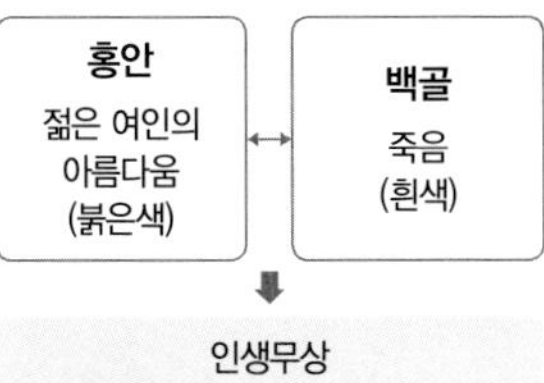

출제 포인트

■ 표현상의 특징
① 푸른색(청초)과 붉은색(홍안), 붉은색(홍안)과 흰색(백골)의 색채 대비를 통해 무상감을 드러냄.
② 의문의 형식을 반복하여 대상의 죽음을 애도함.

1) 작품 이해

이 작품은 작가가 황진이의 무덤을 찾아가서 황진이의 죽음을 슬퍼하는 마음을 읊은 시조이다. 황진이의 무덤가에서 아쉬움과 그리움, 인생무상을 느끼며 황진이의 죽음에 대한 슬픔을 진솔하게 드러내고 있다.

- 갈래: 평시조
- 성격: 애상적, 회고적, 추모적
- 주제: 죽은 이에 대한 그리움과 애도, 인생무상
- 시적 상황 □□ 우거진 골짜기에서 죽은 이를 생각함.
- 정서와 태도 무덤 앞에서 임의 죽음을 애도하며 인생무상과 □□을 느낌.

정답: 청초, 슬픔

2) 내용 확인

1 맞는 내용이면 ○표, 틀린 내용이면 ×표 하시오.

① 화자는 슬픔을 간접적으로 표출하면서 임의 죽음을 애도하고 있다. (　　)
② 화자는 '홍안'과 '백골'을 대비하여 대상에 대한 그리움을 드러내고 있다. (　　)

내용 확인 도우미

1 ① 화자는 종장에서 '슬허ᄒᆞ노라'라고 하면서 직접적으로 슬픔을 드러내고 있다.
② '홍안'은 황진이의 살아생전의 모습을, '백골'은 황진이의 죽음을 의미하며, 색채적으로 대비를 이룬다.

정답 1 ① × ② ○

3) 실전 Test

• 정답 27쪽

01 윗글에 대한 설명으로 가장 적절한 것은? 기출 문제

① 대상의 부재에서 느끼는 안타까움이 드러나 있다.
② 자신의 궁핍한 처지로 인한 좌절감이 표출되어 있다.
③ 예기치 않은 이별로 인한 서러운 심정이 나타나 있다.
④ 거스를 수 없는 자연의 섭리에 대한 경외감이 드러나 있다.
⑤ 자신의 이념과 배치되는 현실에서 느끼는 실망감이 표출되어 있다.

실전 Test Guide

01 화자의 정서에 대해 파악할 수 있는지 확인하는 문제이다. 시적 상황과 시적 대상을 확인한 후, 화자가 그에 대해 어떠한 심리와 감정을 표현하고 있는지 생각해 보도록 한다.

시조 066

강호사시가(江湖四時歌)_맹사성

〈춘사(春詞)〉

강호(江湖)에 봄이 드니 미친 흥(興)이 절로 난다.
(자연(대유법) / 자연을 즐기는 흥취)
탁료계변(濁醪溪邊)에 금린어(錦鱗魚) ㅣ 안주로다.
(막걸리를 마시며 노는 시냇가 / 전원생활의 여유와 멋이 드러남 – 안분지족, 안빈낙도)
이 몸이 한가(閒暇)ᄒᆡ옴도 역군은(亦君恩)이샷다.
(유교적 충의 사상)

▶ 춘사: 강호에서 느끼는 봄의 흥취

현대어 풀이 강호에 봄이 찾아오니 깊은 흥이 절로 일어난다.
막걸리를 마시며 노는 시냇가에 싱싱한 물고기가 안주로다.
이 몸이 한가하게 노니는 것도 역시 임금님의 은덕이시도다.

〈하사(夏詞)〉

강호(江湖)에 녀름이 드니 초당(草堂)에 일이 업다.
(초가집 – 소박한 전원생활)
유신(有信)ᄒᆞᆫ 강파(江波)ᄂᆞᆫ 보내ᄂᆞ니 ᄇᆞ람이다.
(신의가 있는 강 물결(의인법) – 자연과 어우러진 생활)
이 몸이 서ᄂᆞᆯᄒᆡ옴도 역군은(亦君恩)이샷다.

▶ 하사: 초당에서 느낀 여름의 한가로움

현대어 풀이 강호에 여름이 찾아오니 초당에 할 일이 없다.
신의가 있는 강 물결은 보내는 것이 바람이다.
이 몸이 시원하게 지내는 것도 역시 임금님의 은덕이시도다.

〈추사(秋詞)〉

강호(江湖)에 ᄀᆞᄋᆞᆯ이 드니 고기마다 ᄉᆞᆯ져 잇다.
(가을의 풍요로움.)
소정(小艇)에 그물 시러 흘리 ᄣᅴ여 더뎌 두고,
(작은 배 / 고기를 잡는 것이 목적이 아니라 유유자적하는 삶이 목적임.)
이 몸이 소일(消日)ᄒᆡ옴도 역군은(亦君恩)이샷다.

▶ 추사: 고기를 잡으며 즐기는 가을의 여유로움

현대어 풀이 강호에 가을이 찾아오니 물고기마다 살이 올라 있다.
작은 배에 그물을 싣고 가 물결 따라 흐르게 던져 놓고,
이 몸이 소일하며 지내는 것도 임금님의 은덕이시도다.

〈동사(冬詞)〉

강호(江湖)에 겨월이 드니 눈 기픠 자히 남다.
(도롱이 / 한 자가 남는다.)
삿갓 빗기 ᄡᅳ고 누역으로 오슬 삼아,
(소박한 생활 – 안분지족, 안빈낙도)
이 몸이 칩지 아니ᄒᆡ옴도 역군은(亦君恩)이샷다.

▶ 동사: 소박하게 입고도 춥지 않게 지내는 겨울의 흥

현대어 풀이 강호에 겨울이 찾아오니 쌓인 눈의 깊이가 한 자가 넘는다.
삿갓을 비스듬히 쓰고 도롱이를 둘러 덧옷을 삼으니,
이 몸이 춥지 않게 지내는 것도 임금님의 은덕이시도다.

작품 한눈에 보기

강호	봄	흥이 절로 남.	한가함.
	여름	초당에 일이 없음.	서늘함.
	가을	물고기마다 살쪄 있음.	소일함.
	겨울	눈 깊이가 한 자가 넘음.	춥지 아니함.

⬇

임금의 은덕(유교적 충의 사상)

출제 포인트

■ 문학사적 의의
① 우리나라 최초의 연시조
② 강호가도(江湖歌道, 속세에서 벗어나 자연을 벗 삼아 지내는 삶을 노래한 시가 창작의 한 경향)의 선구적 작품

■ 표현상의 특징
① 대유법, 의인법 등을 통해 사계절의 모습과 유교적 가치관을 드러냄.

대유법	강호 → 자연을 의미함.
의인법	유신한 강파 → 강 물결이 신의가 있다고 표현함.

② 각 수의 초장과 중장의 형식을 통일함으로써 시적 의미와 주제 의식을 강조함.

■ 구조적 특징
① 계절별로 한 수씩 노래하며, 각 수는 '강호에 ~이 드니'로 시작하여 '역군은이샷다.'로 끝을 맺고 있음.
② 각 수의 초장에는 계절에 따른 흥취나 자연의 모습이, 각 수의 중장에는 화자의 구체적인 생활 모습이, 각 수의 종장 둘째 음보에는 각 계절별 생활을 집약하여 언급함.

수능 필수 개념 플러스

"「강호사시가」와 「어부가」"

「강호사시가」와 이현보의 「어부가」는 안분지족의 삶과 물아일체의 경지를 추구한다는 공통점이 있으나 다음과 같은 차이점을 보인다. 「강호사시가」는 자연에서의 유유자적한 삶을 즐기면서 이를 임금의 은혜로 귀결시키는데, 표면적으로는 현실 세계에 대한 언급이 없다. 반면 이현보의 「어부가」는 자연에 몰입하여 물아일체의 삶을 추구하지만 현실 세계에 대한 미련을 완전히 버리지 못하는 태도를 보인다.

1 작품 이해

이 작품은 작가가 벼슬을 내놓고 고향에 돌아가 전원생활을 누리면서 지은 것으로, 이렇게 자연을 즐기면서 사는 것이 임금의 은혜라는 내용을 계절에 따라 한 수씩 노래한 최초의 연시조이다. 특히 각 수의 구조적 통일성은 자연과의 조화로운 생활과 임금의 끝없는 은혜에 대한 감사라는 주제 의식을 효과적으로 드러내고 있다.

• 갈래: 연시조

• 성격: 풍류적, 낭만적, 전원적
• 주제: 강호에서의 한가로운 삶과 임금의 은혜에 대한 감사
• 시적 상황 사시사철 □□을 벗 삼아 유유자적한 삶을 살고 있음.
• 정서와 태도 자연 속에서 유유자적하며 사는 삶이 모두 임금의 □□라고 느끼고 있음(유교적 충의를 드러내고 있음.).

정답: 자연, 은혜

2 내용 확인

1 맞는 내용이면 ○표, 틀린 내용이면 ×표 하시오.

① 〈하사〉에서는 '강파'와 'ᄇᆞ람'을 통해 여름의 한가로움을 드러내고 있다. (　　)
② 각 수의 종장 둘째 음보에는 화자의 구체적인 생활 모습이 집약적으로 나타난다. (　　)

2 화자의 소박한 삶이 드러나는 시어 2가지를 〈동사〉에서 찾아 쓰시오.

➡ (　　　　　　　　,　　　　　　　　)

3 윗글은 □□의 흐름에 따라 시상을 전개하고 있으며 이에 따른 화자의 흥취를 자연스럽게 드러내고 있다.

내용 확인 도우미

1 ① 〈하사〉의 화자는 초당에서 강 물결이 보내는 바람을 맞으며 한가롭게 여름을 보내고 있다.
② 각 수 종장의 '한가ᄒᆡ옴', '서놀ᄒᆡ옴', '소일ᄒᆡ옴', '칩지 아니ᄒᆡ옴'은 계절마다 영위하는 화자의 생활을 집약하여 나타낸 표현이다.

2 화자는 '삿갓'을 쓰고 '누역'을 입는다고 하면서 안분지족의 태도를 드러내고 있다.

3 제시문은 봄부터 겨울까지 계절의 흐름에 따라 화자의 흥취를 드러내고 있다.

정답 1 ① ○ ② ○　2 삿갓, 누역　3 계절

3 실전 Test

• 정답 27쪽

01 [보기]를 참고하여, 윗글에 대해 학생들이 이해한 내용으로 적절하지 않은 것은?

기출 문제

보기

「강호사시가」는 유교적 이상이 현실화된 시기에 지어진 것으로, 여기에는 화자의 공적인 삶과 사적인 삶의 조화와 함께 개인의 평안한 삶을 가능하게 한 임금의 치적(治積)에 대한 감사가 나타나 있다.

① 각 수의 초장과 중장은 주로 화자의 사적인 삶의 모습을 그리고 있는 것이군.
② 각 수 종장의 '이 몸이 ~ᄒᆡ옴도'는 사적인 삶의 모습을 압축하여 제시한 것이라 할 수 있군.
③ 각 수 종장의 '역군은이샷다.'는 신하라는 공적인 삶과 관련지어 한 말이라 할 수 있군.
④ 화자는 걱정이나 탈 없이 만족스럽게 살아가는 삶을 가능하게 한 임금의 은혜에 대해 감사해 하고 있군.
⑤ 화자의 공적인 삶이 사적인 삶과 조화를 이루게 된 이유는 유교적 이상을 현실화하기 위한 화자의 노력 때문이군.

실전 Test Guide

01 작품의 구조적 특징과 주제 의식을 파악해 보는 문제이다. 제시문이 구조적인 통일성을 바탕으로 주제를 드러내고 있음을 염두에 두고 선택지의 적절성을 판단해 보도록 한다.

시조

067 어부가(漁父歌)_이현보

〈제1수〉

이 듕에 시름 업스니 어부(漁父)의 생애이로다.
인간 생활　세상일에 대한 근심과 걱정
일엽편주(一葉扁舟)를 만경파(萬頃波)에 띄워 두고　□: 화자의 시선 이동
한 척의 조그마한 배　한없이 넓은 바다　자연 속에서 풍류를 즐기는 모습
인세(人世)를 다 니젯거니 날 가는 줄를 안가.　▶ 제1수: 어부의 한가로운 생활
△: 속세를 나타내는 시어　설의법

현대어 풀이 이 인간 세상 속에 근심 걱정 할 것 없으니 어부의 생활이로다.
한 척의 조그마한 배를 끝없이 넓은 바다 위에 띄워 놓고
인간 세상의 일을 다 잊었으니 세월 가는 줄을 알겠는가?

〈제2수〉

「구버는 천심 녹수(千尋綠水) ⓐ도라보니 만첩청산(萬疊靑山)」「」: 대구법
천 길이나 되는 푸른 물　겹겹이 둘러싸인 푸른 산
십장 홍진(十丈紅塵)이 언매나 ᄀ렛는고.
열 길이나 되는 붉은 티끌
강호(江湖)애 월백(月白)ᄒ거든 더옥 무심(無心)하얘라.　▶ 제2수: 욕심 없이 사는 유유자적한 삶
자연(대유법)　세속적인 욕심에 관심이 없는 화자의 모습

현대어 풀이 굽어보니 천 길이나 되는 푸른 물, 돌아보니 겹겹이 둘러싸인 푸른 산
열 길이나 되는 붉은 먼지가 얼마나 가려졌는가? / 강호에 달이 밝게 비치니 더욱 무심하구나.

〈제3수〉

청하(靑荷)애 바블 ᄡ고 녹류(綠柳)에 고기 뻬여
푸른 연잎　푸른 버드나무
노적 화총(蘆荻花叢)에 비 ᄆ야 두고
갈대와 억새풀이 가득한 곳
일반 청의미(一般淸意味)를 어ᄂ 부니 아ᄅ실고.　▶ 제3수: 자연을 벗 삼아 사는 삶의 만족감
자연이 주는 참된 의미　설의법

현대어 풀이 푸른 연잎에 밥을 싸고 푸른 버드나무 가지에 물고기 꿰어
갈대와 억새풀이 가득한 곳에 배 매어 두고 / 자연이 주는 참된 의미를 어느 누가 아시겠는가?

〈제4수〉

「산두(山頭)에 한운(閑雲)이 기(起)ᄒ고 수중(水中)에 백구(白鷗)ㅣ 비(飛)이라.」「」: 대구법
한가로운 구름
무심(無心)코 다정(多情)ᄒ니 이 두 거시로다.
「일생(一生)애 시르믈 닛고 너를 조차 노로리라.」「」: 물아일체의 경지　▶ 제4수: 자연과 동화된 즐거움
의인법 – '한운'과 '백구'

현대어 풀이 산봉우리에는 한가로운 구름이 일어나고 물 위에는 흰 갈매기가 날고 있네.
욕심 없이 다정한 것은 이 두 가지뿐이로다. / 한평생의 걱정을 잊고 너희들과 더불어 놀겠노라.

〈제5수〉

장안(長安)을 ⓑ도라보니 북궐(北闕)이 천 리(千里)로다.
한양　임금이 계신 궁궐　정서적 거리감
「어주(漁舟)에 누어신돌 니즌 스치 이시랴.」「」: 우국충정, 연군지정
고기잡이배 – 현재 화자가 있는 곳　설의법
두어라 내 시름 아니라 제세현(濟世賢)이 업스랴.　▶ 제5수: 자연에 은거하면서도 잊지 못하는 우국충정
세상을 구제할 만한 어진 인물　설의법

현대어 풀이 서울을 돌아보니 궁궐이 천 리로구나. / 고깃배에 누워 있은들 (나랏일을) 잊은 적이 있으랴.
두어라 내 걱정 아니라도 세상을 구제할 만한 어진 인물이 없겠는가?

작품 한눈에 보기

일엽편주 녹수, 청산, 산두, 수중 – 자연 속에서의 유유자적한 삶
→ 화자의 시선 →
장안, 북궐 – 임금과 나랏일을 걱정함.
↓
화자는 자연 속에 있으면서도 내면은 현실에 관심을 갖고 있음.

출제 포인트

■ 표현상의 특징
① 한자어를 많이 사용하여 자연을 추상적이고 관념적으로 묘사함.
② 화자 자신을 어부로 설정하여 자연 속에서의 한가로운 삶을 묘사함.

■ 속세에 대한 화자의 태도
제1수 : 속세에 대한 부정적 인식
제2수 : 속세를 떠난 유유자적한 삶
↕
제5수 : 속세를 잊지 않음.

수능 필수 개념 플러스

"어부가(漁父歌)"
고려 시대의 「어부가」는 12장으로 된 장가와 10장으로 된 단가로 『악장가사』에 실려 전해져 왔다. 이현보는 이를 개작하여 9장의 장가, 5장의 단가로 만들었다. 이후 이것은 윤선도의 「어부사시사」에 영향을 주었다.

고려 시대	조선 시대	조선 시대
작자 미상	이현보	윤선도(어부사시사)
장가 12장(한문) 단가 10장(전하지 않음.)	장가 9장, 단가 5장	춘하추동 각 10수 총 40수

1 작품 이해

이 작품은 자연 속에서 느끼는 흥취와 나라에 대한 걱정을 읊은 연시조이다. 고려 때부터 전해 오는 「어부가」를 개작한 것으로 「어부단가(漁父短歌)」라고도 불린다. 자연 속에 있으면서도 현실 세계에서 완전히 벗어나지 못하고 있는 화자의 모습이 드러나 있다.

- 갈래: 연시조
- 성격: 풍류적, 낭만적, 우국적
- 주제: 자연을 벗하며 사는 어부의 한가로움
- 시적 상황 □□에 은거하여 한가로운 삶을 살고 있음.
- 정서와 태도 자연에 동화되어 한가로운 삶의 즐거움을 노래하면서도, 임금과 나라에 대한 □□을 잊지 않고 있음.

정답: 자연, 걱정

2 내용 확인

1 맞는 내용이면 ○표, 틀린 내용이면 ×표 하시오.

① 상투적인 한자어를 사용하지 않고 우리말의 묘미를 살리며 시상을 전개하고 있다. (　　)

② 시선의 이동에 따라 계절의 변화를 묘사하고 있다. (　　)

2 〈제1수〉의 '인세'와 같은 의미를 가진 시어를 〈제2수〉에서 찾아 쓰시오.

➡ (　　　　　　　　　　)

내용 확인 도우미

1 ① '천심 녹수', '만첩청산' 등은 상투적인 한자어이다.
② 제시문은 시선의 이동에 따라 전개되고 있으나, 계절의 변화를 묘사하고 있지는 않다.

2 〈제1수〉의 '인세'와 〈제2수〉의 '십장 홍진'은 속세(인세)를 의미한다.

정답 1 ① × ② × 2 십장 홍진

3 실전 Test

• 정답 27쪽

01 윗글과 [보기]의 작가가 만나 다음과 같은 대화를 나누었다고 가정할 때, 그 내용으로 적절하지 않은 것은? 기출 문제

보기
어와 저물어 간다 연식(宴息)*이 마땅토다 배 붙여라 배 붙여라 가는 눈 뿌린 길 붉은 꽃 흩어진 데 흥(興)치며 걸어가서 지국총(至匊悤) 지국총(至匊悤) 어사와(於思臥) 설월(雪月)이 서봉(西峰)에 넘도록 송창(松窓)을 비껴 있자. * 연식: 편안하게 쉼.　　– 윤선도, 「어부사시사」

① 윤선도: 이 선생님, 안녕하십니까? 선생님 시를 보면 푸른색, 흰색 등의 시각적 이미지가 강렬한 인상을 줍니다.

② 이현보: 윤 선생님의 시에도 흰색과 붉은색의 색채 대비가 분명하던데, 제가 잘못 읽었나요?

③ 윤선도: 저는 이 선생님처럼 어부를 등장시키고, 대조를 통해 이상과 현실을 나누어 보려 했지요.

④ 이현보: 윤 선생님은 흥(興)이라는 정서를 끌어냈는데, 저는 아직도 무심(無心)을 추구하고 있습니다.

⑤ 윤선도: 이 선생님의 시에 나타나는 '업스니', '니젯거니', '더옥', '업스랴' 등의 시어에서 그런 마음을 엿볼 수 있군요.

실전 Test Guide

01 제시문과 [보기]를 비교하여 감상할 수 있는지 확인하는 문제이다. 각 작품의 내용과 표현상의 특징을 파악하여 선택지의 적절성을 판단해 보도록 한다.

시조

068 도산십이곡(陶山十二曲)_이황

〈제1곡: 언지(言志) 1〉

이런들 엇더ᄒᆞ며 뎌런들 엇더ᄒᆞ료.
대구법, 설의법 – 달관적 삶의 태도
초야 우생(草野愚生)이 이러타 엇더ᄒᆞ료.
자연에 묻혀 사는 어리석은 선비 – 자신을 낮추어 표현함.
ᄒᆞ믈며 천석고황(泉石膏肓)을 고텨 므슴ᄒᆞ료.
자연에 대한 지극한 사랑, 연하고질(煙霞痼疾)

▶ 제1곡: 자연에 대한 지극한 사랑

현대어 풀이 이런들 어떠하며 저런들 어떠하랴?
시골에 묻혀 사는 어리석은 사람이 이렇게 산다고 해서 어떠하랴?
더구나 자연을 버리고는 살 수 없는 마음을 고쳐 무엇하랴?

〈제2곡: 언지(言志) 2〉

연하(煙霞)로 지블 삼고 풍월(風月)로 버들 사마,
자연(대유법) 자연(대유법)
태평성대(太平聖代)에 병(病)으로 늘거 가뇌.
중의법 ① 노병 ② 자연을 사랑하는 병
이 듕에 ᄇᆞ라ᄂᆞᆫ 이른 허므리나 업고쟈.

▶ 제2곡: 자연과 더불어 허물 없이 살고 싶은 소망

현대어 풀이 안개와 노을로 집을 삼고 바람과 달을 벗 삼아 / 태평성대에 병으로 늙어 가네.
이렇게 살아가는 중에 바라는 일은 허물이나 없었으면 하네.

〈제9곡: 언학(言學) 3〉

고인(古人)도 날 못 보고 나도 고인(古人) 못 뵈.
옛 사람, 성현
고인(古人)을 못 뵈아도 녀던 길 알ᄑᆡ 잇ᄂᆡ
학문 수양의 길
녀던 길 알ᄑᆡ 잇거든 아니 녀고 어뎔교.
설의법 – 의지를 강조함.

(1~3행: 연쇄법)

▶ 제9곡: 옛 성현의 가르침을 따르려는 의지

현대어 풀이 옛 성현도 나를 못 보았고 나도 그분들을 뵙지 못하네.
성현들을 못 뵈었어도 (그분들이) 가던 길이 앞에 있네.
(그분들이) 가던 길이 앞에 있는데 가지 않고 어찌할 것인가?

〈제10곡: 언학(言學) 4〉

당시(當時)에 녀던 길흘 몃 ᄒᆡ를 ᄇᆞ려 두고,
학문 수양에 힘쓰던 시절
어듸 가 ᄃᆞ니다가 이제야 도라온고.
벼슬길
이제야 도라오나니 년 듸 ᄆᆞᄋᆞᆷ 마로리.
화자의 의지를 강조함.

▶ 제10곡: 학문 수양에 대한 다짐

현대어 풀이 당시 학문 수양에 힘쓰던 길을 몇 해씩이나 버려 두고,
어디(벼슬길)를 헤매다가 이제야 돌아왔는가? / 이제 돌아왔으니 딴 마음을 먹지 않으리.

〈제11곡: 언학(言學) 5〉

「청산(靑山)은 엇뎨ᄒᆞ야 만고(萬古)애 프르르며,
불변성, 화자에게 교훈을 주는 대상 변함없이
유수(流水)ᄂᆞᆫ 엇뎨ᄒᆞ야 주야(晝夜)애 긋디 아니ᄂᆞᆫ고.」 「」: 대구법
영원성, 화자에게 교훈을 주는 대상
우리도 그치디 마라 만고상청(萬古常靑) 호리라.
끊임없이 학문을 수양하는 삶을 살겠다는 다짐

▶ 제11곡: 학문 수양에 대한 변함없는 의지

현대어 풀이 푸른 산은 어찌하여 영원히 푸르며, / 흐르는 물은 또 어찌하여 밤낮으로 그치지 않는가?
우리도 그치는 말고 언제나 푸르게 살리라.

작품 한눈에 보기

언지(言志)	언학(言學)
자연에서 느끼는 감흥	학문 수양에 임하는 심정

↓

자연 친화적 삶을 추구하며 학문 수양에 대한 의지를 드러냄.

출제 포인트

■ 문학사적 의의
① 한자어가 많아 생소한 감을 주지만, 강호가도의 대표적인 작품임.
② 성리학의 대가가 시조를 즐겨 지었다는 것은 시조의 출발과 발전이 유가에 의해 이룩되었음을 알려줌.

■ 표현상의 특징
① 자연 친화적 삶을 노래한 전반부(언지)와 학문 수양의 삶을 노래한 후반부(언학)로 나뉘어 시상이 전개됨.
② 대구법, 설의법, 연쇄법 등을 활용하여 전달하고자 하는 바를 부각함.
③ 화자와 대조되는 자연물을 통해 학문에 힘쓰겠다는 의지를 드러냄.

청산, 유수	대조	화자
불변하는 존재	↔	변화하는 존재

수능 필수 개념

"자연과의 합일"

자연에 몰입하여 자연과 하나 되는 경지를 추구하는 것으로, 인간과 자연의 만물이 완전한 조화를 이루는 '물아일체(物我一體)'의 경지에 해당한다. 「도산십이곡」의 화자는 자연과 동화되는 합일의 경지에만 머무는 것이 아니라, 자연과의 합일을 통해 학문 수양에 힘쓰겠다는 의지를 드러내고 있다.

1 작품 이해

이 작품은 자연에 동화된 삶에 만족하면서 학문에 정진하려는 자세를 노래한 12수의 연시조이다. 조선 전기 사대부의 전형적인 작품으로, 이황이 벼슬을 사직하고 향리로 돌아와서 도산 서원에서 후진을 양성할 때 지은 것이다. 앞부분에서는 자연 경관을 보고 일어나는 감흥과 자연에 묻혀 살고 싶은 소망을, 뒷부분에서는 학문 수양에 대한 의지를 노래하고 있다.

- 갈래: 연시조
- 성격: 교훈적, 자연 친화적
- 주제: 자연 친화적 삶과 학문 수양에의 다짐
- 시적 상황 도산 서원 주변의 □□을/를 즐기며 학문 수양에 힘쓰겠다고 하고 있음.
- 정서와 태도 자연에서의 삶에 만족하면서 학문 수양에 대한 □□를 드러내고 있음.

정답: 경치(자연), 의지

2 내용 확인

1 맞는 내용이면 ○표, 틀린 내용이면 ×표 하시오.

① 화자는 자연의 흥취를 느끼며 자연과 함께하는 삶을 소망하고 있다. ( )

② 순우리말 표현을 활용하여 학문 수양에의 의지를 드러내고 있다. ( )

2 〈제11곡〉의 '□□'과 '□□'는 불변성과 영원성을 상징하며, 화자에게 끊임없이 학문을 수양하라는 교훈을 주는 존재이다.

내용 확인 도우미

1 ① 화자는 〈제1곡〉과 〈제2곡〉에서 자연 속에서 생활하며 느끼는 감흥과 자연과 더불어 살고 싶은 소망을 노래하고 있다.

② 제시문에는 '초야 우생', '천석고황' 등 낯설고 어려운 한자어가 많이 사용되었다.

2 화자는 변치 않는 자연물인 '청산'과 '유수'에게 교훈을 얻어 끊임없이 학문을 수양하겠다는 의지를 다지고 있다.

정답 1 ① ○ ② × 2 청산, 유수

3 실전 Test

• 정답 28쪽

01 윗글과 [보기]를 비교하여 감상한 내용으로 가장 적절한 것은? 기출 문제

| 보기 |

그곳(부친에게 물려받은 별장)에는 씨 뿌려 식량을 마련할 만한 밭이 있고, 누에를 쳐서 옷을 마련할 만한 뽕나무가 있고, 먹을 물이 충분한 샘이 있고, 땔감을 마련할 수 있는 나무들이 있다. 이 네 가지는 모두 내 뜻에 흡족하기 때문에 그 집을 '사가(四可)'라고 이름을 지은 것이다. 〈중략〉

내가 이 집에 살면서 만일 전원의 즐거움을 얻게 되면, 세상일 다 팽개치고 고향으로 돌아가 태평성세의 농사짓는 늙은이가 되리라. 그리고 밭을 갈고 배[腹]를 두드리며 성군(聖君)의 가르침을 노래하리라. 그 노래를 음악에 맞춰 부르며 세상을 산다면 무엇을 더 바랄 게 있으랴.

– 이규보, 「사가재기(四可齋記)」

① 윗글과 [보기]는 모두 지배층의 핍박으로부터 도피하기 위해 선택한 자연 은둔의 삶을 제시하고 있다.

② 윗글과 [보기]는 모두 불우한 처지에서 점진적으로 벗어날 수 있으리라는 낙관적 태도를 보여 주고 있다.

③ 윗글과 [보기]는 모두 유교적 가치를 존중하면서 한 개인으로서의 소망을 이루려는 모습을 드러내고 있다.

④ 윗글은 [보기]와 달리 삶의 물질적 여건이 마련된 후에야 자연의 즐거움을 누릴 수 있음을 강조하고 있다.

⑤ 윗글은 속세에 있으면서 자연을 동경하는 인간을, [보기]는 자연에 있으면서 속세를 그리워하는 인간을 형상화하고 있다.

실전 Test Guide

01 제시문과 [보기]를 비교하여 감상할 수 있는지 확인하는 문제이다. 화자의 태도를 중심으로 두 작품의 공통점과 차이점을 찾아보도록 한다.

시조 069

고산구곡가(高山九曲歌)_이이

〈서사〉

고산 구곡담(高山九曲潭)을 살ᄅᆞᆷ이 몰으든이,
주모복거(誅茅卜居)ᄒᆞ니 벗님네 다 오신다.
어즙어, 무이(武夷)를 상상(想像)ᄒᆞ고 학주자(學朱子)를 ᄒᆞ리라. ▶ 서사: 고산 구곡에서의 주자학 연구에 대한 열의

(고산 구곡담: 중의법 ① 아름다운 경치 ② 학문의 길 / 주모복거: 풀을 베어 내고 집 지어 살 곳을 정함. / 벗님네: 공부에 뜻이 있는 사람(제자, 후학) / 어즙어: 감탄사 / 무이: 중국 복건성에 있는 산으로 주자가 이곳에서 후학을 가르쳤음. / 학주자: 주자학을 배움.)

현대어 풀이 고산의 아홉 굽이 도는 계곡의 아름다움을 사람들이 모르더니,
(내가) 풀을 베고 터를 삽아 집을 짓고 사니 벗님네 다 찾아오는구나.
아, 무이산에서 후학을 가르친 주자를 생각하고 주자학을 배우리라.

〈제1곡〉

「일곡(一曲)은 어드ᄆᆡ고 冠巖(관암)에 ᄒᆡ 빗친다.」
평무(平蕪)에 ᄂᆡ 거든이 원근(遠近)이 글림이로다.
송간(松間)에 녹준(綠樽)을 녹코 벗 온 양 보노라. ▶ 제1곡: 관암의 아름다운 아침 경치

(□: 공간적 배경 / 「」: 자문자답 / 冠巖: 중의법 ① 지명 ② 바위 / ᄒᆡ 빗친다: 시간적 배경-아침 / 평무: 잡초가 무성한 들판 / ᄂᆡ: 안개 / 녹준: 좋은 술동이 / 벗 온 양: 운치와 풍류)

현대어 풀이 일곡은 어디인가? 관암에 해가 비친다.
잡초가 무성한 들판에 안개가 걷히니 원근의 경치가 그림같이 아름답구나.
소나무 사이에 술통을 놓고 벗이 찾아온 것처럼 바라보노라.

〈제2곡〉

이곡(二曲)은 어드ᄆᆡ고 화암(花巖)에 춘만(春晩)커다.
벽파(碧波)에 곳츨 ᄯᅴ워 야외(野外)에 보내노라.
「살ᄅᆞᆷ이 승지(勝地)를 몰온이 알게 ᄒᆞᆫ들 엇더리.」 ▶ 제2곡: 화암의 아름다운 늦봄 경치

(화암: 중의법 ① 지명 ② 꽃과 바위 / 춘만: 시간적 배경-늦봄 / 야외: 속세 / 살ᄅᆞᆷ: 속세 / 승지: 중의법 ① 아름다운 곳 ② 학문의 진리 / 「」: 아름다운 경치(학문의 진리)를 세상 사람과 공유하고 싶음.)

현대어 풀이 이곡은 어디인가, 화암에 봄이 늦었구나.
푸른 물에 꽃을 띄워 멀리 들판 밖으로 보내노라.
사람들이 이 경치 좋은 곳을 모르니 알게 하여 찾아오게 한들 어떠리.

〈제3곡〉

삼곡(三曲)은 어드ᄆᆡ고 취병(翠屛)에 닙 퍼졋다.
녹수(綠樹)에 산조(山鳥)는 하상기음(下上其音)ᄒᆞ는 적의
반송(盤松)이 수청풍(受淸風)ᄒᆞᆫ이 녀름 경(景)이 업세라. ▶ 제3곡: 취병의 아름다운 여름 풍경

(닙 퍼졋다: 시간적 배경-여름 / 취병: 이끼가 끼어 푸른 병풍 같은 절벽 / 하상기음: 오르락내리락하면서 지저귐. / 녀름 경이 업세라: 무더위를 느끼지 않을 정도로 시원함.)

현대어 풀이 삼곡은 어디인가? 푸른 병풍 같은 절벽에 녹음이 짙어졌도다.
푸른 숲 속에서 산새는 높고 낮은 소리로 노래를 부르는 때에
넓게 퍼진 소나무가 바람에 흔들리는 것을 보니 여름 풍경이 아니구나.

〈제8곡〉

팔곡(八曲)은 어디메오 금탄에 달이 밝다.
옥진금휘로 수삼곡(數三曲)을 연주하니
고조(古調)를 알 이 없으니 혼자 즐겨 하노라. ▶ 제8수: 자연의 소리에 빠져 혼자 즐김.

(달: 운치를 돋우는 배경 / 금탄: 지명, 악기를 연주하는 시내 / 옥진금휘: 좋은 거문고 / 고조: 옛 가락 / 혼자 즐겨 하노라: 자연 친화적 태도)

작품 한눈에 보기

고산 구곡(자연)의 아름다움 예찬 + 학문 수양의 즐거움
↓
자연의 경치를 보며 학문을 수양함.

출제 포인트

■ 표현상의 특징
① 자문자답을 반복하여 형식적 통일을 이룸.

물음	→	대답
~은 어드ᄆᆡ고		~에 ~다

② 중의법을 통해 자연을 즐기는 풍류와 학문 수양의 즐거움을 드러냄.
③ 한자어 사용이 두드러지고, 절제된 감정 속에 자연 풍경을 구체적으로 묘사함.

수능 필수 개념 플러스

"고산구곡가의 짜임"
고산구곡가는 서사 1수와 본사 9수, 총 10수로 구성되어 있다.

서사	주자학 연구에 대한 열의
제1곡	관암의 아름다운 아침 경치
제2곡	화암의 아름다운 늦봄 경치
제3곡	취병의 아름다운 여름 풍경
제4곡	송애의 황혼녘 모습
제5곡	수변 정사에서의 강학과 영월음풍의 즐거움
제6곡	조협의 야경
제7곡	단풍으로 덮인 풍암에서의 흥취
제8곡	금탄의 아름다운 물소리
제9곡	문산의 눈 덮인 경치

현대어 풀이 팔곡은 어디인가? 악기를 연주하는 시냇가에 달이 밝다.
좋은 거문고로 몇 곡을 연주하였지만(좋은 거문고로 타는 노래처럼 흐르는 물소리가 아름답지만)
옛 가락을 알 사람이 없어 혼자만 즐기노라.

1 작품 이해

이 작품은 고산 구곡의 아름다운 풍경과 학문 연구의 즐거움을 읊은 총 10수의 연시조이다. 이이가 관직에서 물러나 황해도 해주에 위치한 고산에 '은병정사(隱屛精舍)'라는 집을 짓고 제자들을 모아 가르칠 때 지은 것이다. 〈서사〉에서 송나라 주자(朱子)의 「무이구곡가(武夷九曲歌)」에 영향을 받았음을 암시하고 있으며, 서사를 제외한 제1곡부터는 고산의 아홉 풍경에 관해 한 수씩 노래하고 있다. 자연의 아름다움에 흠뻑 빠져 자연에서 풍류를 즐기는 여유로운 모습과 학문 수양에 대한 다짐을 드러내고 있다.

- 갈래: 연시조
- 성격: 교훈적, 유교적, 풍류적, 예찬적
- 주제: 학문의 즐거움과 자연의 아름다움 예찬
- 시적 상황 □□ □□의 아름다운 경치를 보며 학문을 수양함.
- 정서와 태도 고산 구곡의 아름다움을 □□하며 학문의 즐거움을 노래하고 있음.

정답: 고산 구곡, 예찬

2 내용 확인

1 맞는 내용이면 ○표, 틀린 내용이면 ×표 하시오.

① 〈제1곡〉의 '녹준'은 자연의 풍류를 즐기는 화자의 모습을 드러낸 소재이다. (　　)
② 화자는 학문을 수양하여 입신양명을 하고자 하는 의지를 드러내고 있다. (　　)

2 윗글은 □□□□의 방식으로 소개할 경치에 대해 먼저 이야기를 한 후 아름다운 경치에 대해 예찬하고 있다.

내용 확인 도우미

1 ① '녹준'은 좋은 술동이를 의미하며, 술은 풍류를 즐기는 화자의 흥취를 강조하는 역할을 한다.
② 화자는 학문 수양의 즐거움에 대해 언급하며 열심히 학문을 하겠다는 다짐을 드러내고 있을 뿐, 입신양명에 대해서는 언급하지 않았다.

2 제시문은 매 곡마다 '~은 어드믜고'와 '~에 ~다.'를 반복하며 자문자답의 방식으로 내용을 전개하고 있다.

정답 1 ① ○ ② ×　2 자문자답

3 실전 Test

• 정답 28쪽

01 [보기]의 관점에 따라 윗글을 해석한 내용으로 보기 어려운 것은? 기출 문제

보기

우리는 흔히 어떤 아름다운 풍경을 보고 '그림 같다'고 감탄한다. 이러한 감탄은 우리가 은연중에 풍경을 우리 머릿속에 있는 어떤 이미지나 관념과 비교하고 있음을 알게 한다. 조선조 시가의 작가들은 실제 풍경뿐 아니라, 실제 풍경을 볼 때 동원되었거나 실제 풍경으로부터 촉발된 '마음 안의 풍경'까지 표현하고자 하였다. 이러한 '마음 안의 풍경'은 당대 그림이나 다른 문학 작품 등에서 추출되고 재구성된 것으로, 작가의 주관에 따라 이상화된 관념적인 풍경이다. 이러한 마음 안의 풍경을 그려 내고자 했다는 점, 작가 자신마저도 그 풍경의 일부이고자 했다는 점은, 자연을 대상으로 하는 고전 시가를 이해할 때 중요하게 고려할 사항이다.

① '원근이 글림이로다.'의 '글림'은 마음 안의 풍경을 의미하겠군.
② '녹준'을 놓고 '벗'을 기다리는 화자도 풍경의 일부라고 볼 수 있겠군.
③ '야외'는 화자의 마음 안 풍경을 떠올려 주는 실제 풍경이겠군.
④ '승지'는 작가가 꿈꾸는 이상적인 자연의 모습을 의미하겠군.
⑤ 당대 다른 작품에도 '취병', '녹수', '반송' 등의 시어가 등장할 수 있겠군.

실전 Test Guide

01 시어의 의미를 파악할 수 있는지 확인하는 문제이다. 조선조 시가 속의 '풍경'과 관련된 설명을 바탕으로 제시문의 여러 소재와 시어들이 어떤 의미를 갖고 있는지 생각해 보도록 한다.

시조 070

한거십팔곡(閑居十八曲)_권호문

〈제1수〉

평생에 원하는 것이 다만 충효뿐이로다.
이 두 일 말면 금수(禽獸)나 다를쏘냐.
마음에 하고자 하여 십 년을 허둥대노라.

유교적인 깨달음 / 충효 / 짐승 / 설의법 / 급한 마음

▶ 제1수: 충효를 다하고자 함.

현대어 풀이 평생에 원하는 것이 다만 충효뿐이로다. / 이 두 일을 하지 않으면 짐승과 다르겠느냐. / 마음(충효)에 하고자 하여 십 년을 허둥대노라.

〈제2수〉

계교(計較)* 이렇더니 공명이 늦었어라.
부급동남(負芨東南)해도 이루지 못할까 하는 뜻을
세월이 물 흐르듯 하니 못 이룰까 하여라.

공을 세워서 자기의 이름을 널리 드러냄. / 이리저리 공부하러 감. / 직유법 / 이루지 못할까 걱정이 됨.

▶ 제2수: 벼슬을 하지 못하는 안타까움

현대어 풀이 (글 재주를) 서로 견주어 살펴보다가 공명이 늦었구나. / 이리저리 공부하러 가도 이루지 못할까 하는 뜻을 / 세월이 물 흐르듯 흘러가니 못 이룰까 걱정이 된다.

〈제4수〉

「강호(江湖)애 노쟈 ᄒᆞ니 성주(聖主)를 ᄇᆞ리례고
성주(聖主)를 셤기쟈 ᄒᆞ니 소락(所樂)애 어긔예라.」
호온자 기로(岐路)애 셔셔 갈 ᄃᆡ 몰라 ᄒᆞ노라.

자연(대유법) / 임금 / 「」: 대구법 / 즐기는 바 / 벼슬에 대한 욕망과 자연과 더불어 사는 삶 사이에서의 갈등

▶ 제4수: 자연과 벼슬 사이에서 갈등함.

현대어 풀이 강호에 놀자 하니 임금를 저버려야 하고 / (벼슬에 나아가) 임금을 섬기자 하니 즐기고 싶은 바에 어긋나네. / 혼자 갈림길에 서서 갈 데 몰라 하노라.

〈제8수〉

출(出)ᄒᆞ면 치군택민(致君澤民) 처(處)ᄒᆞ면 조월 경운(釣月耕雲)
명철 군자(明哲君子)는 이ᄅᆞᆯ사 즐기ᄂᆞ니
ᄒᆞᄆᆞ며 부귀 위기(富貴危機) ㅣ라 빈천거(貧賤居)를 ᄒᆞ오리라.

달빛 아래서 낚시하고, 구름 속에서 밭을 갊. – 한가로운 전원생활, 은둔 / 임금에게는 몸을 바쳐 충성하고 백성에게는 혜택을 베풂. – 사회적인 책무 / 현명하고 사리 밝은 군자 / 사회적 책무를 다하고 자연에 은둔하는 삶 / 가난한 삶을 누리겠다는 의지

▶ 제8수: 안빈낙도하는 삶을 추구함.

현대어 풀이 (벼슬길에) 나아가면 임금을 섬기며 백성에게 은덕이 미치게 하고, 들어오면 달빛 아래 고기 낚고 구름 속에서 밭을 간다네. / 현명하고 사리 밝은 군자는 이를 즐기나니 / 하물며 부귀는 위태하니 가난한 삶을 살아가리라.

〈제12수〉

제월(霽月)*이 구룸 ᄯᅳᆯ고 솔 ᄭᅳᆺ테 ᄂᆞᆯ아올라
십분청광(十分淸光)이 벽계(碧溪) 중(中)에 빗쪄거ᄂᆞᆯ,
어ᄃᆡ 인ᄂᆞᆫ 물 일ᄒᆞᆫ ᄀᆞᆯ머기 나ᄅᆞᆯ 조차 노ᄂᆞᆫ다.

가득한 밝은 달빛 / 시냇물 / 무리 잃은 갈매기 / 비 갠 밤에 자연을 즐기는 물아일체의 경지

▶ 제12수: 달밤에 물아일체의 경지를 느낌.

현대어 풀이 비 갠 후 밝은 달이 구름을 뚫고 소나무 끝에 날아올라 / 가득한 밝은 달빛이 시냇물 중에 비치거늘, / 어디선가 무리 잃은 갈매기 나를 좇아오는가?

〈제19수〉

강간(江干)애 누어셔 강수(江水) 보ᄂᆞᆫ ᄠᅳ든
서자 여사(逝者如斯)ᄒᆞ니 백세(百歲)*인ᄃᆞᆯ 멷근이료.

강가 / 강물 / 가는 세월이 물과 같음.

작품 한눈에 보기

지향하는 삶	갈등	벼슬길에 대한 미련
전원생활, 안빈낙도의 삶	↔	임금을 섬기고, 백성의 생활을 윤택하게 하고 싶음.

↓

자연 속 즐거움을 누리며 갈등을 해소함.

출제 포인트

■ 시상 전개 과정

시상이 전개되면서 화자가 느끼는 갈등이 해소됨.

유교적 이념인 충효를 다하고자 함.
↓
벼슬을 하지 못해 안타까워함.
↓
자연과 벼슬 사이에서 갈등함.
↓
안빈낙도하는 삶을 선택함.
↓
물아일체를 느낌.
↓
세속에 대한 집착에서 벗어남.

■ 표현상의 특징

① 대구법, 대유법, 직유법 등을 활용하여 주제 의식을 부각하고 있음.
② 설의법을 통해 화자의 의지를 드러냄.

■ 화자의 태도

화자는 자연 속에서 풍류를 즐기고 안빈낙도하는 삶을 지향하면서도, 현실 세계(벼슬)에 참여하고 싶은 미련은 버리지 못하고 있음.

어휘 풀이
* 계교: 서로 견주어 살펴봄.
* 제월: 비가 갠 하늘의 밝은 달
* 백세: 긴 세월

십 년 전(十年前) 진세 일념(塵世一念)이 어ᄅᆞᆷ 녹듯ᄒᆞ다.
세속에 집착했던 마음 / 속세의 집착에서 벗어남. ▶ 제19수: 속세에 대한 집착에서 벗어남.

현대어 풀이 강가에 누워 저 강물 보는 뜻은 / 가는 것이 물과 같으니 백 년인들 길겠느냐? / 십 년 전 세속에 집착했던 마음이 얼음 녹듯 하는구나.

1 작품 이해

이 작품은 현실 세계에 참여하고 싶은 미련은 버리지 못했지만, 자연의 풍류를 즐기며 안빈낙도하는 삶을 읊은 총 19수의 연시조이다. 자연 친화적 삶을 추구하겠다고 하면서도 벼슬길에 대한 화자의 미련이 나타나므로, 속세에 초연한 삶을 노래한 강호 한정가와는 차이가 있다.

- 갈래: 연시조
- 성격: 유교적, 교훈적, 은일적
- 주제: 자연에 은거하는 삶의 즐거움과 벼슬에 대한 미련
- 시적 상황 벼슬을 포기하고 □□ 속에 은거하고자 함.
- 정서와 태도 자연에 묻혀 은거하는 삶을 지향하면서도 입신양명에 대한 □□을 가지고 있음.

정답: 자연, 미련

2 내용 확인

1 맞는 내용이면 ○표, 틀린 내용이면 ×표 하시오.

① 〈제1수〉에서는 설의법을 통해 화자의 의지를 강조하고 있다. (　　)

② 〈제2수〉에서 화자는 자연에 살지 못할까봐 안타까워하고 있다. (　　)

③ 〈제12수〉의 'ᄀᆞᆯ며기'는 화자가 느끼는 물아일체의 경지를 보여 주는 소재이다. (　　)

2 유학자로서의 사회적인 책무를 이행하고 싶은 화자의 미련이 담긴 시어를 〈제8수〉에서 찾아 쓰시오. ➡ (　　　　　　　　　　)

내용 확인 도우미

1 ① 〈제1수〉의 '금수나 다를 쏘냐.'에서 설의법을 통해 충효를 다하겠다는 화자의 의지를 드러내고 있다.
② 〈제2수〉의 종장에서 화자는 세월이 물 흐르듯하여 공명을 이루지 못할까 걱정이 된다고 하였다.
③ 〈제12수〉에서는 'ᄀᆞᆯ며기'가 화자를 좇아 온다며 물아일체의 경지를 노래하고 있다.

2 '치군택민'은 임금에게 몸을 바쳐 충성하고 백성에게는 혜택을 베풀고자 하는 것이다.

정답 1 ① ○ ② × ③ ○ 2 치군택민(致君澤民)

3 실전 Test

• 정답 28쪽

01 [보기]를 참고하여 윗글을 감상한 내용으로 적절하지 않은 것은? 기출 문제

보기

이 작품은 유교적인 가치를 추구하던 작가가 자연에 은거하면서 갖게 된 심적 갈등을 보여 주고 있다. 속세를 떠나 자연에 은거하고자 하면서도 때때로 정치에의 참여 욕구로 인해 번민하는 작가의 모습이 그려져 있다. 그러나 그는 자연에서의 삶에 대한 진정한 즐거움을 느끼게 되면서 갈등으로부터 벗어나고 있다.

① 〈제4수〉에서 '강호'에서 노는 것은 자연에 은거한 화자의 모습을, '성주'를 섬기는 것은 유교적인 가치를 추구하는 화자의 모습을 보여 주는군.

② 〈제4수〉에서 '기로'에 서 있는 것은 자연과 현실 참여 사이에서 고민하는 화자의 모습을 보여 주는군.

③ 〈제8수〉에서 '치군택민'한다는 것은 유교적인 가치를 중시하는 사대부로서의 모습을 보여 주는군.

④ 〈제12수〉에서 '나ᄅᆞᆯ 조차 노'는 '물 일ᄒᆞᆫ ᄀᆞᆯ며기'는 자연에 은거하는 것을 망설이는 화자의 모습을 보여 주는군.

⑤ 〈제19수〉에서 '강수'를 보며 '어ᄅᆞᆷ 녹듯' 속세에 대한 미련을 떨치는 모습은 번민에서 벗어난 화자의 모습을 보여 주는군.

실전 Test Guide

01 화자의 정서와 태도를 중심으로 시어의 의미와 기능을 파악해 보는 문제이다. 화자의 소망과 현실적 욕구, 내적 갈등에 주목하여 선택지의 적절성을 판단해 보도록 한다.

시조 071 훈민가(訓民歌)_정철

〈제3수〉

형아 아ᄋᆡ야 네 ᄉᆞᆯ흘 ᄆᆞᆫ져 보아.
뉘손ᄃᆡ 타 나관ᄃᆡ 양ᄌᆡ조차 ᄀᆞᄐᆞ순다
ᄒᆞᆫ 젓 먹고 길러나 이셔 ᄃᆞᆺ ᄆᆞᄋᆞᆷ을 먹디 마라.

(아ᄋᆡ: 아우 / 양ᄌᆡ: 모습, 모양 / ᄀᆞᄐᆞ순다: 설의법 / ᄃᆞᆺ ᄆᆞᄋᆞᆷ: 우애를 해치는 생각 / □: 명령형 – 실천을 강조함.)

▶ 제3수: 형제간의 우애를 강조함.

현대어 풀이 형아 아우야 네 살을 만져 보아라.
누구에게서 태어났기에 모습까지 같은 것인가? / 같은 젖을 먹고 자라났으니 딴 마음을 먹지 마라.

〈제4수〉

㉠어버이 사라신 제 셤길 일란 다ᄒᆞ여라.
디나간 후(後)ㅣ면 애ᄃᆞᆲ다 엇디ᄒᆞ리.
평ᄉᆡᆼ애 고텨 못ᄒᆞᆯ 이리 이ᄲᅮᆫ인가 ᄒᆞ노라.

(셤길 일: 효도 / 애ᄃᆞᆲ다 엇디ᄒᆞ리: 설의법–부모님이 돌아가신 후에 후회함, 풍수지탄(風樹之歎) / 이: 효도)

▶ 제4수: 효행의 실천 강조

현대어 풀이 어버이 살아 계실 때 섬기는 일을 다하여라.
돌아가신 뒤에 아무리 애닯다고 한들 어찌하겠는가? / 평생에 다시 할 수 없는 일이 이것뿐인가 하노라.

〈제13수〉

오ᄂᆞᆯ도 다 새거다, 호ᄆᆡ 메고 가쟈ᄉᆞ라.
내 논 다 ᄆᆡ여든 네 논 졈 ᄆᆡ여 주마.
올 길헤 뽕 ᄯᅡ다가 누에 머겨 보쟈ᄉᆞ라.

(○: 청유형 – 실천을 강조함. / 새거다: 날이 밝았다 / 내 논 다 ᄆᆡ여든 네 논 졈 ᄆᆡ여 주마: 상부상조(相扶相助)의 정신)

▶ 제13수: 근면한 농사일과 상부상조의 강조

현대어 풀이 오늘도 날이 밝았다. 호미 메고 들로 나가자.
내 논을 다 매거든 네 논도 좀 매어 주마. / 일을 끝내고 돌아오는 길에 뽕을 따다가 누에도 먹여 보자.

〈제14수〉

「비록 못 니버도 ᄂᆞᄆᆡ 오ᄉᆞᆯ 앗디 마라.
비록 못 먹어도 ᄂᆞᄆᆡ 밥을 비디 마라.」
ᄒᆞᆫ적곳 ᄣᅵ 시ᄅᆞᆫ 후(後)ㅣ면 고텨 씻기 어려우리.

(「 」: 대구법 / ᄣᅵ: 도둑질, 구걸)

▶ 제14수: 도둑질과 동냥질에 대한 경계

현대어 풀이 비록 못 입어도 남의 옷을 빼앗지 마라.
비록 못 먹어도 남의 밥을 얻어 먹지 마라. / 한 번이라도 때가 묻으면 다시 씻기가 어려우리.

〈제16수〉

이고 진 뎌 늘그니 짐 프러 나ᄅᆞᆯ 주오.
나ᄂᆞᆫ 졈엇ᄭᅥ니 돌ᄒᆞ라 므거울가.
늘거도 셜웨라커든 짐을 조차 지실가.

(셜웨라커든: 서럽다고 하거늘 / 조차 지실가: 설의법 / 짐을 조차 지실가: 노인에 대한 연민)

▶ 제16수: 노인에 대한 공경

현대어 풀이 (짐을 머리에) 이고 (등에) 진 저 늙은이 짐 풀어 나를 주오.
나는 젊었으니 돌이라 무거울까? / 늙는 것도 서럽다고 하는데 짐조차 지실까?

작품 한눈에 보기

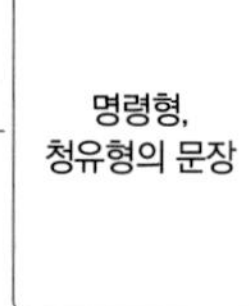

형제간의 우애, 효행의 실천, 근면 성실, 상부상조, 도둑질과 동냥질의 경계, 노인 공경 + 명령형, 청유형의 문장
↓
유교적인 삶의 도리를 강조하고 실천할 것을 권함.

출제 포인트

■ 표현상의 특징
① 명령형과 청유형의 문장으로 유교적 도리와 덕목의 실천을 강조함.
② 주로 순우리말을 사용하여 백성들이 쉽게 이해할 수 있게 함.
③ 설의법을 사용하여 유교적인 삶을 강조함.

수능 필수 개념 플러스

"「훈민가」의 짜임"

제1수	부모의 은혜
제2수	임금과 백성의 관계
제3수	형제 사이에 우애 있게 지내야 함.
제4수	부모에게 효도해야 함.
제5수	부부 사이에 서로 존중해야 함.
제6수	남녀 간에 올바르게 처신해야 함.
제7수	학문을 권장함.
제8수	올바른 행동을 권유함.
제9수	어른을 공경해야 함.
제10수	벗과는 신의가 있어야 함.
제11수	어려운 사람, 친척을 도와야 함.
제12수	애경사(슬픈 일과 기쁜 일을 아울러 이르는 말)를 서로 도와야 함.
제13수	농사일에 근면하고 상부상조해야 함.
제14수	도둑질과 동냥질을 하지 말아야 함.
제15수	도박과 소송을 하지 말아야 함.
제16수	노인을 공경해야 함.

1 작품 이해

이 작품은 강원도 관찰사로 부임한 정철이 백성들을 교화하고자 지은 총 16수의 연시조이다. 유교적 윤리 덕목을 실천하라고 권하고 있다는 점에서 계몽적 성격이 강하다. 당위적 표현과 명령형, 청유형 문장을 적절히 사용하여 백성들에게 유교 윤리의 실천을 권하고 있다.

• 갈래: 연시조

• 성격: 교훈적, 유교적, 설득적, 계몽적
• 주제: 유교적인 삶의 도리 강조
• 시적 상황 백성들이 지켜야 할 □□□ 도리와 덕목을 말하고 있음.
• 정서와 태도 백성들을 교화하고자 유교적 □□와 덕목을 소개하면서 이를 지킬 것을 강조하고 있음.

정답: 유교적, 도리

2 내용 확인

1 맞는 내용이면 ○표, 틀린 내용이면 ×표 하시오.

① 화자는 청자인 게으른 백성들을 비판하고 있다. (   )
② 말을 건네는 방식을 활용하여 친밀감을 형성하고 있다. (   )

내용 확인 도우미

1 ① 화자는 백성들에게 유교적 도리를 일깨우고 이를 실천할 것을 권유하고 있다.
② 제시문은 청자에게 말을 건네는 방식을 활용하여 유교적인 삶의 도리를 전달하고 있다.

정답 1 ① × ② ○

3 실전 Test

• 정답 29쪽

01 윗글의 표현상의 특징으로 가장 적절한 것은?

① 의인화된 대상을 통해 세태를 비판하고 있다.
② 감각적인 언어로 대상을 생동감 있게 묘사하고 있다.
③ 의문형 어구를 반복하여 심리적 갈등을 드러내고 있다.
④ 계절적 이미지를 활용하여 시의 분위기를 형성하고 있다.
⑤ 명령형 어미와 청유형 어미를 활용하여 주제 의식을 강조하고 있다.

02 윗글의 ㉠과 [보기]의 ㉡에 대한 이해로 적절한 것은? 기출 문제

보기

명탯국을 생각하면 언뜻 늦가을 텃밭의 황토 흙에 하반신을 묻고 상반신을 햇살에 파랗게 드러낸 채 서 있던 청정한 조선무가 떠오른다. 그 순박무구하고 건강하기가 과년한 산골 큰애기 같은 조선무가 없으면 명태의 담백한 맛을 살려 내기 힘들었을지 모른다. 산골 동네 텃밭에서 그 청정한 무가 가을 내내 담백한 맛의 진수를 보여 주려고 명태를 기다렸다. 순박한 조선무와 담백한 명태의 만남, 그야말로 산해(山海)가 진미로 만나는 것이다.

문득 ㉡아버지의 호기가 그립다. 아침 햇살 가득 차오르던 산골 초가집 부엌 기둥에 걸려 있던 순박한 명태 한 코가 집안 대주의 권위로 보이던 그 시절이 그립다.

– 목성균, 「명태에 관한 추억」

	㉠	㉡
①	연민의 대상	존경의 대상
②	기쁨을 주는 존재	슬픔을 주는 존재
③	미래를 지향하는 존재	과거에 집착하는 존재
④	관념 속의 일반화된 존재	체험 속의 구체적 인물
⑤	회한에 젖어 들게 하는 존재	가르침을 전해 주는 인물

실전 Test Guide

01 표현상의 특징 및 효과를 파악할 수 있는지 평가하는 문제이다. 화자가 주제 의식이나 태도를 효과적으로 드러내기 위해 어떤 표현 방식을 사용하고 있는지 생각해 보도록 한다.

02 대상의 기능과 성격을 파악해 보는 문제이다. 각 작품의 화자와 서술자가 '어버이'와 '아버지'를 어떻게 대하고, 형상화하고 있는지를 파악해 보도록 한다.

시조 072 장진주사(將進酒辭)_정철

「ᄒᆞᆫ 잔(盞) 먹새 그려. 또 ᄒᆞᆫ 잔(盞) 먹새 그려. 곳 것거 산(算)(수를 세며) 노코 무진무진(無盡無盡)(한없이) 먹새 그려.」「」: 반복적 표현(a-a-b-a 구조)-술을 먹자는 권유를 강조하여 드러냄. ▶ 초장: 술을 권함.

이 몸 주근 후면(가정) 지게 우ᄒᆡ(위에) 거적 더퍼 주리혀 ᄆᆡ여(졸라 매어) 가나, 유소 보장(流蘇寶帳)(술이 달린 비단 장막(주로 상여에 사용))의 만인이 우러 녜나, 「어욱새(억새) 속새 덥가나무(떡갈나무) 백양(白楊) 수페 가기곳 가면, 누른 ᄒᆡ 흰 ᄃᆞᆯ ᄀᆞᄂᆞᆫ 비 굴근 눈 쇼쇼리ᄇᆞ람(회오리바람) 불 제,」뉘 ᄒᆞᆫ 잔 먹쟈 ᄒᆞᆯ고. 「」: 열거법-쓸쓸하고 삭막한 분위기(죽음을 묘사함.) ▶ 중장: 죽은 후를 가정함.

㉠ ᄒᆞ믈며 무덤 우ᄒᆡ 진나비 ᄑᆞ람 불 제 뉘우ᄎᆞᆫ ᄃᆞᆯ 엇더리.(무덤 주위의 쓸쓸한 분위기-인생무상) ▶ 종장: 살아 있을 때 즐겁게 살자고 술을 권함.

현대어 풀이 한 잔 먹세그려. 또 한 잔 먹세그려. 꽃을 꺾어 술잔 수를 세면서 한없이 먹세그려. 이 몸이 죽은 후에는 지게 위에 거적을 덮어 졸라 매어 가거나, 곱게 꾸민 상여를 타고 수많은 사람들이 울며 따라가거나, 억새풀, 속새풀, 떡갈나무, 백양나무가 우거진 숲에 가기만 하면 누런 해와 흰 달이 뜨고, 가랑비와 함박눈이 내리며, 회오리바람이 불 때 그 누가 한 잔 먹자고 하겠는가? 하물며 무덤 위에서 원숭이가 휘파람을 불 때 (아무리 지난날을) 뉘우친들 무슨 소용이 있겠는가?

작품 한눈에 보기

술을 권하는 화자의 모습	무덤 위에서 원숭이가 휘파람을 부는 모습
풍류적 태도	쓸쓸한 분위기, 인생무상

↓

술로써 인생무상을 해소하고자 함.

출제 포인트

■ 표현상의 특징

① 반복법과 열거법을 통해 화자의 정서를 드러냄.

② 평시조의 4음보 운율에서 벗어났지만 3장 구성 체계라는 시조의 구조적 질서는 유지함.

③ 술을 권하는 풍류적이고 낭만적인 분위기와 무덤 주위의 쓸쓸한 분위기를 대조하여 주제를 드러냄.

1 작품 이해

이 작품은 살아 있을 때 풍류를 즐기며 살아야 한다는 내용을 담은 우리나라 최초의 사설시조이다. 초장의 꽃을 꺾어서 술잔 수를 셈하는 낭만적인 분위기와 중장과 종장의 무덤 주변의 삭막한 분위기가 대비되어 인생무상을 보여 준다. 죽음에 대한 불안과 두려움, 무상감 등을 술을 마시며 해소하고자 하는 작가의 호방한 성품과 태도가 드러난다.

• 갈래: 사설시조 • 성격: 낭만적, 향락적, 풍류적

• 주제: 술로써 인생의 무상감을 해소함.

• 시적 상황 인간은 한번 죽으면 그만이니 살아 있을 때 즐겁게 살자며 □을 권하고 있음.

• 정서와 태도 술을 권하고 즐기는 풍류적 태도를 드러내고, 술로써 □□□□을 해소하려 함.

정답: 술, 인생무상

2 내용 확인

1 맞는 내용이면 ○표, 틀린 내용이면 ×표 하시오.

① 무덤 주위의 쓸쓸한 분위기를 통해 인생무상을 강조하고 있다. ( )

② 반복과 열거를 통해 평시조의 율격에서 벗어난 사설시조의 형태를 보인다. ( )

2 초장의 '□ □□ □ □□'에는 술을 마시면서 풍류를 즐기는 낭만적인 모습이 드러난다.

내용 확인 도우미

1 ① 종장의 '무덤 우ᄒᆡ 진나비 ᄑᆞ람 불 제'는 무덤 주위의 쓸쓸한 분위기를 드러내고 인생무상을 강조하고 있다.

② 제시문은 초장과 중장에서 반복법과 열거법을 사용함으로써 평시조의 4음보 율격에서 벗어나 있다.

2 초장의 '곳 것거 산 노코'에는 꽃으로 술잔을 세는 낭만적이고 풍류적인 모습이 나타나 있다.

정답 1 ① ○ ② ○ 2 곳 것거 산 노코

3 실전 Test

• 정답 29쪽

01 윗글에 대한 설명으로 적절하지 않은 것은?

① 초장에서는 풍류를 즐기는 낭만적인 분위기를 조성하고 있다.
② 중장에서는 죽음 이후를 가정하여 쓸쓸한 분위기를 유발하고 있다.
③ 중장에서는 초라한 장례와 화려한 장례를 대조적으로 제시하여 죽음을 초월한 가치를 드러내고 있다.
④ 종장에서는 술로 인생에 대한 무상감을 달래려는 태도를 표출하고 있다.
⑤ 종장에서는 '뉘우ᄎᆞᆫ ᄃᆞᆯ 엇더리'라고 하면서 술을 즐기는 태도를 합리화하고 있다.

02 윗글과 [보기]의 공통점으로 가장 적절한 것은?

보기

나모도 바히돌도 업슨 뫼헤 매게 ᄶᅩ친 가토릐 안과
대천(大川) 바다 한가온대 일천 석 시른 ᄇᆡ에 노도 일코 닷도 일코 뇽총도 근코 돗대도 것고 치도 ᄡᅡ지고 ᄇᆞ람 부러 물결치고 안개 뒤섯계 ᄌᆞ자진 날에 갈 길은 천리만리 나믄듸 사면이 거머어득 천지(天地) 적막(寂寞) 가치노을 ᄯᅥᆺᄂᆞᆫ듸 수적(水賊) 만난 도사공(都沙工)의 안과
엊그제 님 여흰 내 안히야 엇다가 ᄀᆞ을ᄒᆞ리오. – 작자 미상

① 대구법을 활용하여 리듬감을 살리고 있다.
② 열거법을 사용하여 시상을 전개하고 있다.
③ 인생에 대한 무상감을 드러내며 이를 달래고 있다.
④ 아름다운 자연 속에 살아가는 즐거운 심정을 표출하고 있다.
⑤ 특정 대상에 감정을 이입하여 화자의 감정을 드러내고 있다.

03 [보기]는 ㉠에 대한 비평이다. 이에 대한 반론으로 적절하지 않은 것은? 기출 문제

보기

원숭이는 당시에는 보기 어려웠던 동물이니, '하물며 무덤 위에 이슬 내릴 때야 뉘우친들 어찌하리.'로 바꾸자.

① 그렇게 바꾸면 무덤 주변의 스산한 이미지를 청각적으로 표현하지 못해.
② 자연과 인간의 일체감을 나타내기 위해서는 인간을 닮은 소재로 표현해야 해.
③ 당시에는 보기 어려웠던 동물을 통해 죽음의 쓸쓸함을 신비롭게 표현한 것을 놓치게 돼.
④ 원숭이가 어떤 정서를 환기하느냐가 중요하지, 그것을 볼 수 있느냐의 여부는 중요하지 않아.
⑤ 실제로 보기는 어려웠어도 여러 글을 통해 원숭이에 대한 관념을 가지고 있었다고 생각해야 해.

실전 Test Guide

01 제시문의 내용을 이해하고 있는지를 평가하는 문제이다. 화자가 처해 있는 상황을 바탕으로 화자의 정서를 이해하고, 각 장의 내용을 살펴보도록 한다.

02 제시문과 [보기]를 비교하여 감상할 수 있는지 확인하는 문제이다. 각 작품의 내용과 표현상의 특징을 중심으로 선택지의 적절성을 판단해 보도록 한다.

03 소재의 의미와 기능을 파악할 수 있는지 평가하는 문제이다. 시적 상황과 주제 의식, 작가의 의도 등을 고려하여 제시문에서 소재가 어떤 의미와 기능을 하고 있는지 생각해 보도록 한다.

가사

073 상춘곡(賞春曲)_정극인

붉은 먼지(속세, 진세)
㉠홍진(紅塵)에 뭇친 분네 이내 생애(生涯) 엇더ᄒᆞᆫ고.
설의법-자신의 생활에 대한 자부심
녯 사ᄅᆞᆷ 풍류(風流)ᄅᆞᆯ 미ᄎᆞᆯ가 못 미ᄎᆞᆯ가.
설의법-옛 사람의 풍류에 충분히 미칠 만하다는 자부심이 드러남.
천지간(天地間) 남자(男子) 몸이 날만ᄒᆞᆫ 이 하건마ᄂᆞᆫ
세상에 많지마는
산림(山林)에 뭇쳐 이셔 지락(至樂)을 ᄆᆞᄅᆞᆯ 것가.
지극한 즐거움, 자연 속에서 사는 즐거움
수간모옥(數間茅屋)을 벽계수(碧溪水) 앏픠 두고, □: 화자의 시선(공간) 이동
몇 칸 안 되는 작은 초가집, 소박한 삶 푸른 시냇물
송죽(松竹) 울울리(鬱鬱裏)에 풍월주인(風月主人) 되여셔라. ▶ 서사: 자연에 묻혀 사는 즐거움
자연을 즐기는 사람

현대어 풀이 속세에 묻혀 사는 사람들아, 이 나의 생활이 어떠한가? 옛 사람의 풍류에 내가 미치겠는가, 못 미치겠는가? 세상에 남자로 태어나 나와 같은 사람이 많지마는 (어찌하여 그들은) 자연에 묻혀 사는 지극한 즐거움을 모른단 말인가? 몇 칸 안 되는 초가집을 푸른 시냇물 앞에 두고, 소나무와 대나무가 울창한 속에서 자연의 주인이 되었구나.

엇그제 겨을 지나 새봄이 도라오니,
계절적 배경
[A] 「도화 행화(桃花杏花)ᄂᆞᆫ 석양리(夕陽裏)예 퓌여 잇고,
복숭아꽃과 살구꽃-계절감을 드러냄.
녹양방초(綠楊芳草)ᄂᆞᆫ 세우 중(細雨中)에 프르도다.」 「」: 대구법-봄의 아름다운 경치
푸른 버들과 향기로운 풀-계절감을 드러냄. 가랑비 속에
칼로 ᄆᆞᆯ아 낸가, 붓으로 그려 낸가,
봄날의 아름다운 경치에 감탄함.
조화 신공(造化神功)이 물물(物物)마다 헌ᄉᆞᄅᆞᆸ다.
조물주의 신기한 재주 야단스럽다, 영탄법
㉡수풀에 우ᄂᆞᆫ 새ᄂᆞᆫ 춘기(春氣)ᄅᆞᆯ 못내 계워 소ᄅᆡ마다 교태(嬌態)로다.
감정 이입의 대상
물아일체(物我一體)어니, 흥(興)이ᄋᆡ 다ᄅᆞᆯ소냐.
자연과 인간이 하나 됨, 물심일여(物心一如) 설의법
시비(柴扉)에 거러 보고, 정자(亭子)애 안자 보니,
사립문
소요음영(逍遙吟詠)ᄒᆞ야, 산일(山日)이 적적(寂寂)ᄒᆞᆫᄃᆡ
천천히 거닐며 시를 읊조림. 산속 하루
한중진미(閑中眞味)ᄅᆞᆯ 알 니 업시 호재로다. ▶ 본사 1: 봄의 경치와 흥취
한가로움 속에서 느끼는 참다운 맛

현대어 풀이 엊그제 겨울 지나 새봄이 돌아오니, 복숭아꽃과 살구꽃은 석양 속에 피어 있고, 푸른 버드나무와 향기로운 풀은 가랑비 속에 푸르도다. (조물주가) 칼로 재단해 내었는가, 붓으로 그려 내었는가? 조물주의 신기한 재주가 사물마다 야단스럽구나. 수풀에 우는 새는 봄기운을 끝내 이기지 못하여, 소리마다 아양을 부리는 모습이로다. 자연과 내가 한 몸이니 흥이야 다르겠는가? 사립문 주변을 걸어 보고, 정자에도 앉아 보니, 천천히 거닐며 시를 읊조려 산속의 하루가 고요한데, 한가로움 속에서 느끼는 참다운 맛을 알 사람이 없이 나 혼자로구나.

㉢이바 니웃드라 산수(山水) 구경 가쟈스라.
[B] 「답청(踏靑)으란 오ᄂᆞᆯ ᄒᆞ고, 욕기(浴沂)란 내일(來日) ᄒᆞ새.
봄에 풀을 밟고 산책하는 일 시냇물에서 목욕하고 노는 일
아ᄎᆞᆷ에 채산(採山)ᄒᆞ고, 나조ᄒᆡ 조수(釣水)ᄒᆞ새.」 「」: 대구법
산나물을 캐는 일 낚시, 물고기 잡는 일
[C] ᄀᆞᆺ 괴여 닉은 술을 갈건(葛巾)으로 밧타 노코,
체가 아닌 두건으로 걸러 마시겠다-소탈한 성품
곳나모 가지 것거, 수 노코 먹으리라.
[D] 화풍(和風)이 건ᄃᆞᆺ 부러 녹수(綠水)ᄅᆞᆯ 건너오니,
문득
청향(淸香)은 잔에 지고, 낙홍(落紅)은 옷새 진다.
대구법-자연에의 몰입, 후각과 시각을 활용함(감각적 표현).
준중(樽中)이 뷔엿거ᄃᆞᆫ 날ᄃᆞ려 알외여라.
술동이 속 아뢰어라

작품 한눈에 보기(서사)

홍진(속세)	↔	산림(자연)
세속적 가치를 추구함.		한가로움 속에서 참된 즐거움을 추구함.

↓ 자연 속에서 살아가고자 함.

작품 한눈에 보기(본사 1)

봄		감정 이입
도화 행화, 녹양방초		수풀에 우ᄂᆞᆫ 새

↓ '물아일체'와 '한중진미'를 느낌.

출제 포인트

■ 표현상의 특징

① 설의법, 대구법, 직유법 등 다양한 표현 방법과 감정 이입(수풀에 우ᄂᆞᆫ 새)을 통해 봄의 경치를 즐기는 화자의 정서를 드러냄.
② 감각적이고 색채감을 드러내는 시어(홍진, 벽계수, 청향, 낙홍 등)를 사용하여 봄의 정취를 생생하게 표현함.
③ 4음보의 율격을 활용하여 운율감을 형성함.

작품 한눈에 보기(본사 2)

산수 구경		풍류
답청, 욕기, 채산, 조수		술, 도화, 무릉, 두견화, 연하일휘, 봄빗

↓ 봄의 흥취를 만끽함.

소동(小童) 아희ᄃᆞ려 주가(酒家)에 술을 믈어,
얼운은 막대 집고, 아희ᄂᆞᆫ 술을 메고,
(어른)
미음완보(微吟緩步)ᄒᆞ야 시냇ᄀᆞ의 호자 안자,
(작은 소리로 읊으며 천천히 거닒, 소요음영(逍遙吟詠))
명사(明沙) 조ᄒᆞᆫ 믈에 잔 시어 부어 들고,
(고운 모래)
청류(淸流)ᄅᆞᆯ 굽어보니, ᄯᅥ오ᄂᆞ니 도화(桃花)ㅣ로다.
(복숭아꽃, 무릉도원을 연상하게 함.)
㉣ 무릉(武陵)이 갓갑도다, 져 ᄆᆡ이 긘 거이고.
(동양적 이상향)
송간 세로(松間細路)에 두견화(杜鵑花)ᄅᆞᆯ 부치 들고,
(좁은 길 / 진달래꽃 – 계절감을 드러냄.)
봉두(峰頭)에 급피 올나 구름 소긔 안자 보니,
(산봉우리)
천촌만락(千村萬落)이 곳곳이 버러 잇ᄂᆡ.
(수많은 마을)
[E] 연하일휘(煙霞日輝)ᄂᆞᆫ 금수(錦繡)ᄅᆞᆯ 재폇ᄂᆞᆫ ᄃᆞᆺ.
(안개와 노을과 빛나는 햇살, 아름다운 자연 / 수놓은 비단)
엇그제 검은 들이 봄빗도 유여(有餘)ᄒᆞᆯ샤.
(넉넉하다)

▶ 본사 2: 봄의 경치와 풍류

현대어 풀이 여보게 이웃 사람들아, 산수 구경 가자꾸나. 풀 밟기는 오늘 하고, 시냇가에서 하는 목욕은 내일 하세. 아침에는 산나물 캐고, 저녁에는 고기를 낚세. 막 익은 술을 갈건으로 걸러 놓고, 꽃나무 가지를 꺾어, 잔 수를 세면서 먹으리라. 화창한 봄바람이 잠깐 불어 푸른 물을 건너오니, 맑은 향기는 술잔에 스미고, 붉은 꽃잎은 옷에 떨어진다. 술동이가 비었거든 나에게 알려라. 심부름하는 아이에게 술집에 술이 있는지를 물어, 어른은 지팡이 짚고, 아이는 술동이를 메고, 시를 나직이 읊조리며 천천히 걸어가 시냇가에 혼자 앉아, 고운 모래 (바닥을 흐르는) 맑은 물에 잔을 씻어 들고, 맑은 물을 굽어보니 떠오는 것이 복숭아꽃이로구나. 무릉도원이 가깝도다. 저 들이 무릉도원인가? 소나무 숲 사이의 좁은 길에 진달래꽃을 붙들고, 산봉우리에 급히 올라 구름 속에 앉아 보니, 수많은 마을이 곳곳에 벌여 있네. 안개와 노을과 빛나는 햇살은 수놓은 비단을 펼쳐 놓은 듯하구나. 엇그제까지 검던 들판에 봄빛이 넘치는구나.

㉤ 공명(功名)도 날 ᄭᅴ우고, 부귀(富貴)도 날 ᄭᅴ우니,
(주객전도(主客顚倒) – 세속적 욕망을 멀리하려는 화자의 의지를 드러냄.)
청풍명월(淸風明月) 외(外)예 엇던 벗이 잇ᄉᆞ올고.
(맑은 바람과 밝은 달, 자연 / 헛된 생각, 세속적 삶에 대한 미련)
「단표누항(簞瓢陋巷)에 ᄒᆞᆺ튼 혜음 아니 ᄒᆞᄂᆡ.
(누추한 곳에서 먹는 한 그릇 밥과 한 바가지의 물, 가난하고 소박한 삶 / 「」: 안빈낙도)
아모타 백년행락(百年行樂)이 이만ᄒᆞᆫᄃᆞᆯ 엇지ᄒᆞ리.」
(한평생 살아가는 즐거움 / 설의법 – 자연 속에서 사는 삶에 대한 자부심)

▶ 결사: 자연 속에서 안빈낙도하는 삶을 추구함.

현대어 풀이 공명도 나를 꺼리고, 부귀도 나를 꺼리니, 맑은 바람과 밝은 달 외에 어떤 벗이 있을까? 누추한 곳에서 가난하게 생활해도 헛된 생각 아니하네. 아무튼 한평생 살아가는 즐거움이 이만하면 어떠하리?

출제 포인트

■ 시상 전개 방식
① 화자의 시선(공간) 이동(수간모옥→정자→시냇ᄀᆞ→봉두)에 따라 시상을 전개함.
② 좁은 공간(속세의 세계)에서 점차 넓은 공간(탈속의 세계)으로 공간이 확장됨.

작품 한눈에 보기(결사)

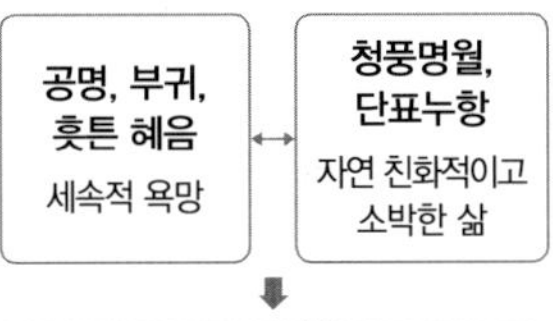

안빈낙도하는 삶을 추구함.

수능 필수 개념

"안빈낙도(安貧樂道)"
'가난한 생활을 하면서도 편안한 마음으로 도를 즐겨 지킨다'는 의미로, 속세의 부귀공명을 멀리하고자 했던 조선 시대 사대부들의 가치관을 보여 준다. '안분지족(安分知足, 편안한 마음으로 제 분수를 지키며 만족할 줄을 앎.)', '빈이무원(貧而無怨, 가난해도 세상에 대한 원망이 없음.)'의 자세와도 유사하다.

1 작품 이해

이 작품은 속세를 떠나 자연을 벗 삼아 안빈낙도하는 삶을 즐기겠다는 생활 철학과 물아일체의 가치관이 드러난 가사이다. 자연에서 한가하게 지내는 마음으로 노래한 강호 한정가로, 설의법, 대구법, 직유법 등 다양한 표현 기법을 활용하여 봄을 즐기는 흥취와 풍류를 노래하고 있다. 조선조 사대부 가사의 효시이자 강호 가사*, 은일 가사*의 출발점으로, 자연에서 풍류를 즐기려는 사대부들의 가치관을 잘 보여 주는 작품으로 평가받고 있다.

- 갈래: 가사(양반 가사, 서정 가사, 은일 가사, 강호 한정가)
- 성격: 자연 친화적, 서정적, 예찬적, 묘사적
- 주제: 봄 경치의 완상(玩賞)과 안빈낙도
- 시적 상황 속세를 벗어난 □□에서 봄의 흥취를 즐기고 있음.
- 정서와 태도 아름다운 봄날의 경치를 즐기면서 □□□□하는 삶을 추구하고 있음.

정답: 자연, 안빈낙도

* 강호 가사: 자연 속에 묻혀 사는 내용의 가사
* 은일 가사: 자연 속에 숨어 유유자적하는 심정을 읊은 가사

2 내용 확인

1 맞는 내용이면 ○표, 틀린 내용이면 ×표 하시오.

① 화자는 옛 사람들의 풍류에 미치지 못하는 자신의 생활을 한탄하고 있다. (　　)

② 본사 2의 '술'은 화자가 속세에서 쌓인 시름을 달래기 위해 선택한 소재이다. (　　)

내용 확인 도우미

1 ① 화자는 서사에서 '녯 사롬~못 미출가.'라는 설의적 표현을 통해 자부심을 드러내고 있다.

② 화자는 본사 2에서 술잔을 세어 가며 술을 마시려고 한다. 이는 자연 속에서 풍류를 즐기는 모습을 나타낸다.

정답 1 ① × ② ×

3 실전 Test

• 정답 30쪽

01 윗글에 대한 설명으로 적절하지 않은 것은? 기출 문제

① 관념적인 주제에서 벗어나 생활과 밀착된 주제를 다룬다.

② 자연에서 사는 삶을 노래하여 강호 가사에 영향을 끼쳤다.

③ 연속된 4음보의 율격으로 안정된 리듬감을 형성한다.

④ 양반 사대부에 의해 창작되어 한자어의 사용이 많다.

⑤ 마지막 행의 형식이 시조의 종장 형식과 유사하다.

02 ㉠~㉤에 대한 이해로 적절하지 않은 것은? 기출 문제

① ㉠: 청자에게 묻는 방식을 통해 화자 자신의 생활에 대한 자부심을 드러내고 있다.

② ㉡: 화자의 정서와 조응하는 자연물을 통해 화자의 흥취를 환기하고 있다.

③ ㉢: 명령형 어미를 활용하여 탈속적 삶에 동참할 것을 촉구하고 있다.

④ ㉣: 관용적인 연상을 통해 화자가 있는 곳을 이상적인 공간으로 드러내고 있다.

⑤ ㉤: 주체와 객체를 바꾸어 표현함으로써 화자의 가치관을 나타내고 있다.

03 [보기]를 바탕으로 윗글을 감상한 내용으로 적절하지 않은 것은? 기출 문제

보기

가사 문학은 조선 전기 사대부들이 지녔던 삶의 양식이나 그들의 사유 체계를 잘 담고 있다. 「상춘곡」에는 '절제와 균형'이라는 유교적 세계관에 입각한 조선조 사대부들의 사고가 중요한 요소로 작용하고 있다.

① [A]: '석양'과 '세우'의 하강 이미지 속에 피어나는 '꽃'과 파랗게 돋는 '풀'의 상승 이미지는 조화를 이루고 있군.

② [B]: '오늘'과 '내일'로, '아츰'과 '나조'로 봄놀이를 적절히 조절하여 안배하는 모습이 인상적이군.

③ [C]: 술을 과하게 마시지 않으려고 '곳나모 가지'로 술잔을 세는 모습에서 사대부의 절제된 풍류가 느껴지는군.

④ [D]: 술과 더불어 '청향'과 '낙홍'에 취해 고조되는 감정을 '진다'는 표현을 통해 다스리는군.

⑤ [E]: '검은 들이 봄빗도 유여홀샤.'라고 한 것은 인간과 자연이 조화로운 합일을 이루어 감을 의미하는군.

실전 Test Guide

01 제시문의 갈래적 특징을 파악하는 문제이다. 제시문을 통해 가사 문학의 형식적 · 내용적 특징을 알 수 있어야 한다.

02 시구에 드러난 표현상의 특징을 파악할 수 있는지 확인하는 문제이다. 시구의 표현 방식과 화자의 태도를 중심으로 선택지의 적절성을 판단하도록 한다.

03 [보기]의 정보를 바탕으로 제시문을 적절히 감상할 수 있는지 평가하는 문제이다. [보기]에서 제시하고 있는 가사 문학의 특징을 이해하고, 이를 바탕으로 각 구절의 의미를 생각해 보도록 한다.

가사 074

만분가(萬憤歌)_조위

□: 임금이 계신 곳

천상 백옥경(白玉京) 십이루(十二樓) 어듸매오
옥황상제가 사는 궁궐
오색운 깁픈 곳의 자청전(紫淸殿)이 ᄀᆞ려시니
신선이 사는 집
천문(天門) 구만 리(九萬里)를 ᄭᅮᆷ이라도 갈동말동
유배지와 궁궐 사이의 심리적 거리감
[A] ᄎᆞ라리 ᄉᆡ여지여 억만(億萬) 번 변화ᄒᆞ여
죽어서
남산(南山) 늦즌 봄의 두견(杜鵑)의 넉시 되여
화자의 분신
이화(梨花) 가디 우희 밤낫즐 못 울거든
삼청 동리(三淸洞裏)의 졈은 한널 구름 되여
신선이 사는 곳 / 화자의 분신
ᄇᆞ람의 흘리 ᄂᆞ라 자미궁(紫微宮)의 ᄂᆞ라 올라
북두칠성 동북쪽에 있는 별, 여기에서는 임금이 있는 궁궐
옥황(玉皇) 향안전(香案前)의 지쳑(咫尺)*의 나아 안자
향로나 향합을 올려놓는 상 앞
[B] 흉중(胸中)*의 싸힌 말ᄉᆞᆷ 쓸커시 ᄉᆞ로리라
글을 쓴 동기 / 실컷 / 아뢰리라

▶ 서사: 임금에게 억울함을 하소연하고 싶은 마음

현대어 풀이 천상의 백옥경 십이루가 어디인가? 오색구름 깊은 곳에 자청전이 가렸으니 구만 리 먼 하늘을 꿈에라도 갈 듯 말 듯하구나. 차라리 죽어서 억만 번 변화하여 남산 늦은 봄에 두견새의 넋이 되어 배꽃 가지 위에서 밤낮으로 못 울거든 삼청동 안에 저문 하늘 구름 되어 바람의 흐름을 따라 날아 자미궁에 날아올라 옥황상제의 향안 앞에 가까이 나가 앉아 가슴속에 쌓인 말씀 실컷 사뢰리라.

어와, 이내 몸이 천지간(天地間)의 느저 나니
○: 화자 자신을 비유한 표현
황하수(黃河水) ᄆᆞᆯ다만ᄂᆞᆫ 초객(楚客)의 후신(後身)인가
초나라 시인 굴원, 누명을 쓰고 귀양을 가서 멱라수에 투신함.
상심(傷心)도 ᄀᆞ이 업고 가태부(賈太傅)의 넉시런가
끝 / 한나라 가의, 고관들의 시기로 벼슬에서 좌천됨.
한숨은 무스 일고 형강(荊江)은 고향이라
중국의 강 이름, 작가 조위의 유배지
십 년을 유락(流落)ᄒᆞ니 백구(白鷗)와 버디 되어
유배 생활로 떠돌아다니니
ᄒᆞᆷᄭᅴ 놀자 ᄒᆞ엿더니 어루ᄂᆞᆫ ᄃᆞᆺ 괴ᄂᆞᆫ ᄃᆞᆺ
사랑하는 듯
ᄂᆞᆷ의 업슨 님을 만나 금화성(金華省) 백옥당(白玉堂)의 ᄭᅮᆷ이조차 향긔롭다
임금(성종) / 인간이었다가 신선이 된 적송자가 득도한 곳
「오색(五色)실 니음 졀너 님의 옷슬 못 ᄒᆞ야도
이음이 짧아
바다 ᄀᆞᄐᆞᆫ 님의 은(恩)을 추호(秋毫)나 갑프리라」 「」: 임금에 대한 충성심
은혜 / 조금이나마
[C] 백옥 ᄀᆞᄐᆞᆫ 이내 ᄆᆞ음 님 위ᄒᆞ여 직희더니
장안(長安) 어제 밤의 무서리 섯거치니
한양 / 조정의 혼란, 무오사화를 비유함.
[D] 일모수죽(日暮脩竹)의 취수(翠袖)도 냉박(冷薄)*ᄒᆞᆯ샤
해 질 무렵 긴 대나무에 의지하여 섬, 푸른 옷소매
[E] 유란(幽蘭)을 것거 쥐고 님 겨신 ᄃᆡ ᄇᆞ라보니
난초
약수(弱水) ᄀᆞ리진 ᄃᆡ 구름 길이 머흐러라
임과 화자 사이의 장애물, 간신배나 정적 / 험하구나
다 서근 ᄃᆞᆰ긔 얼굴 첫 맛도 채 몰나셔
초췌(憔悴)ᄒᆞᆫ 이 얼굴이 님 그려 이러컨쟈
천층랑(千層浪) ᄒᆞᆫ가온대 백척간(百尺竿)의 올나더니
천 층 높이의 험한 물결 / 백척간두(높은 장대 위에 오른 몹시 어렵고 위태로운 지경)
무단ᄒᆞᆫ 양각풍(羊角風)이 환해중(宦海中)의 나리나니
까닭 없는 / 회오리바람, 무오사화 / 관리의 사회
억만 장 소희 ᄲᅡ져 하ᄂᆞᆯ ᄯᅡ흘 모롤노다
땅을

▶ 본사 1: 유배 생활과 임금을 향한 그리움

작품 한눈에 보기(서사, 본사 1)

화자가 있는 곳
형강(유배지)

두견, 구름 (화자의 분신) ↓ 하소연, 그리움

임금이 계신 곳
백옥경, 자청전, 삼청 동리, 자미궁(천상의 공간)

출제 포인트

■ 문학사적 의의
① 조선조 유배 가사의 효시로 평가됨.
② 정철의 「사미인곡」, 「속미인곡」 등으로 대표되는 조선 후기 유배 가사의 형성에 영향을 끼침.
③ 고려 가요인 「정과정」 이후 전형화된 충신연주지사(忠臣戀主之詞, 임금에 대한 충성심과 그리워하는 마음을 노래한 시)의 전통을 가사 형식으로 재현함.

수능 필수 개념 플러스

"무오사화(戊午士禍)"
1498년(연산군 4년) 김일손 등 신진 사류가 유자광 중심의 훈구파(勳舊派)에게 화를 입은 사건이다. 4대 사화 가운데 첫 번째 사화이다. 유자광은 『성종실록』에 실린 김종직의 「조의제문(弔義帝文)」이 세조의 왕위 찬탈을 비판한 것이라고 연산군에게 고하였다. 이에 연산군은 이미 죽은 김종직의 관을 파헤쳐 그 목을 베고, 김일손을 비롯한 사림 세력들을 죽이거나 귀양을 보냈다.

어휘 풀이
* 지척: 아주 가까운 거리
* 흉중: 마음속에 품고 있는 생각
* 냉박: 찬 기운이 돌 만큼 얇음.

현대어 풀이 아아, 이내 몸이 천지간에 늦게 나니 황하수 맑다마는 굴원의 후신인가? 상심도 끝이 없고 가태부의 넋이던가? 한숨은 무슨 일인고? 형강은 고향이라, 십 년을 유배 생활로 떠돌아다니니 흰 갈매기와 벗이 되어 함께 놀자 하였더니 아양을 부리는 듯 사랑하는 듯, 남 없는 임을 만나 금화성 백옥당의 꿈조차 향기롭다. 오색실 이음이 짧아 임의 옷을 못 지어도 바다 같은 임의 은혜 조금이나마 갚으리라. 백옥 같은 이내 마음 임 위하여 지키고 있었더니, 장안 어젯밤에 무서리 섞어 치니 해 질 무렵 긴 대나무에 의지하여 서 있으니 푸른 옷소매도 찬 기운이 돌 만큼 얇구나. 난초를 꺾어 쥐고 임 계신 데 바라보니, 약수 가로놓인 데 구름 길이 험하구나. 다 썩은 닭의 얼굴 첫맛도 채 몰라서 초췌한 이 얼굴이 임 그리워 이리 되었구나. 험한 물결 한가운데 긴 장대 위에 올랐더니 끝이 없는 회오리바람이 벼슬길 풍파 속에 내리니, 억만 장의 못에 빠져 하늘땅을 모르겠도다.

「노(魯)나라 흐린 술희 한단(邯鄲)이 무슴 죄며
중국 조나라의 수도
진인(秦人)이 취(醉)ᄒᆞᆫ 잔의 월인(越人)이 무음 탓고」 「」: 화자 자신이 무오사화와 관련이 없음을 강조함.
진나라 사람 / 월나라 사람
성문(城門) 보딘 불의 옥석(玉石)이 ᄒᆞᆷᄭᅴ ᄐᆞ니
무오사화를 비유함. / 충신이 간신과 함께 화를 당함.
ᄯᅳᆯ 압희 심은 난(蘭)이 반(半)이나 이우레라
지조 있는 선비 / 시들었구나.
오동(梧桐) 졈은 비의 외기럭이 우러 녤 제
감정 이입의 대상
관산(關山) 만 리(萬里) 길이 눈의 암암 ᄇᆞᆯ피ᄂᆞᆫ 듯
고향의 산, 여기에서는 궁궐을 의미함.
청련시(靑蓮詩) 고쳐 ᄉᆞᆼ고 팔도 한을 숫쳐 보니
이태백의 시
화산(華山)의 우ᄂᆞᆫ 새야 이별도 괴로왜라
중국의 산 / 감정 이입의 대상
망부산전(望夫山前)의 석양(夕陽)이 거의로다
기도로고 ᄇᆞ라다가 안력(眼力)이 진(盡)톳던가
기다리고 / 시력
낙화(落花) 말이 업고 벽창(碧窓)이 어두으니
입 노른 삿기 새들 어이도 그리 건쟈
새끼 / 어미를 그리워하는구나.
「팔월 추풍(八月秋風)이 ᄯᅴ집을 거두으니
띠로 지붕을 이은 집
ᄇᆡᆫ 긴의 ᄡᅡ인 알히 수화(水火)ᄅᆞᆯ 못 면토다」 〈중략〉 ▶ 본사 2: 억울하게 유배를 오게 된 사연
「」: 무오사화를 피하지 못하고 유배를 온 화자의 처지를 비유함.

현대어 풀이 노나라 흐린 술에 한단이 무슨 죄며, 진나라 사람들이 취한 잔에 월나라 사람들이 웃은 탓인가? 성문 모진 불에 옥석이 함께 타니 뜰 앞에 심은 난이 반이나 시들었구나. 저물녘 오동에 내리는 비에 외기러기 울며 갈 때 관산 만 리 길이 눈에 암암히 밟히는 듯, 이태백의 시를 고쳐 읊고 팔도 한을 스쳐 보니, 화산에 우는 새야 이별도 괴로워라. 망부산 앞에 석양이 다 되었구나. 기다리고 바라다가 시력이 다했던가? 낙화는 말이 없고 푸른 창이 어두우니, 입 노란 새끼 새들이 어미를 그리는구나. 팔월 가을바람이 띠집을 거두니 빈 새집에 쌓인 알이 물과 불을 못 면하도다.

북풍(北風)의 혼자 셔셔 ᄀᆞ 업시 우ᄂᆞᆫ ᄠᅳᆺ을
하ᄂᆞᆯ ᄀᆞ튼 우리 님이 전혀 아니 ᄉᆞᆯ피시니
임금(성종)
목란추국(木蘭秋菊)에 향기(鄕妓)로운 타시런가
목련과 가을 국화
쳡여(婕妤) 소군(昭君)이 박명(薄命)ᄒᆞᆫ 몸이런가
한나라 반첩여와 왕소군, 화자가 자신의 처지를 빗대어 표현함.
군은(君恩)이 믈이 되여 흘너가도 자최 업고
임금의 은혜 / 자취
옥안(玉顔)이 ᄭᅩᆺ이로되 눈믈 ᄀᆞ려 못 볼로다
임금의 얼굴
「이 몸이 녹아져도 옥황상제(玉皇上帝) 처분(處分)이요
절대적 의미를 지닌 존재, 임금
이 몸이 싀여져도 옥황상제(玉皇上帝) 처분(處分)이라」 「」: 대구법 – 체념적 정서
죽어도
노가디고 싀어지여 혼백(魂魄)조차 흣터지고
굴러다니다가
공산(空山) 촉루(髑髏)ᄀᆞ치 님자 업시 구니다가
해골, 버림받은 화자의 외로운 처지를 비유함.
곤륜산(崑崙山) 제일봉(第一峯)의 만장송(萬丈松)이 되어 이셔
큰 소나무, 화자의 분신

작품 한눈에 보기(본사 2, 본사 3)

억울함 호소
노나라와 진나라를 언급하며 자신은 무오사화와 관련이 없음을 강조함.
↓
체념
유배 생활을 하는 자신의 운명에 체념하면서 임금의 처분만 바라고 있음.

출제 포인트

■ **표현상의 특징**
① 중국의 여러 인물들(초객, 가태부 등)의 행적과 고사(故事)를 언급하여 화자의 억울함을 호소함.
② 자연물(두견, 구름, 외기럭이 등)에 의탁하여 화자의 정서를 드러냄.
③ 임금이 계신 곳을 도가적 천상 세계로 설정하고, 화자 자신을 천상에서 유배되어 지상으로 하강한 인물로 묘사함.
④ 대구법, 반복법 등을 사용하여 화자의 정서를 강조함.
⑤ 3(4) · 4조의 음수율, 4음보의 율격을 활용함.

■ **사상적 배경**
① 도교 사상: 백옥경, 자청전, 천문, 삼청동, 자미궁, 옥황, 약수 등은 옥황상제 또는 신선과 관계가 있음. 이것들은 음양오행, 신선 사상, 불로장생 등을 추구하는 도교와 깊은 관계가 있음.
② 유교 사상: 본사 1에서 오색실로 임의 옷을 못 지어도 바다 같은 임의 은혜를 갚으려 한다는 부분과 백옥 같은 마음을 임을 위하여 지켰다는 부분에서 임금을 향한 충성심이 드러남. 임금을 향한 충성심은 유교에서 추구하는 중요한 가치임.
③ 불교 사상: 본사 3에서 오랜 세월 윤회하여 금강산의 학이 되겠다며 임금에게 자신의 마음을 전달하고자 함. 윤회 사상은 중생이 번뇌와 업 때문에 생사 세계를 계속해서 돈다고 생각하는 불교 사상 중 하나임.

■ **시어의 의미**

외기러기, 새
감정 이입의 대상
↓
화자의 억울함과 슬픈 마음을 드러냄.

ᄇᆞ람 비 ᄲᅳ린 소ᄅᆡ 님의 귀예 들니기나
임금에게 전하고 싶은 화자의 마음
윤회 만겁(輪回萬怯)ᄒᆞ여 금강산(金剛山) 학(鶴)이 되여
화자의 분신
일만(一萬) 이천봉(二千峯)의 ᄆᆞ음ᄭᆞᆺ 소사 올나

ᄀᆞ을 ᄃᆞᆯ ᄇᆞᆰ근 밤의 두어 소ᄅᆡ 슬피 우러
계절적 · 시간적 배경 – 서글픈 분위기
님의 귀의 들리기도 옥황상제(玉皇上帝) 처분(處分)일다
체념, 순종적 태도

▶ 본사 3: 유배 생활의 처지와 운명에 대한 체념

현대어 풀이 북풍에 혼자 서서 끝없이 우는 뜻을 하늘 같은 우리 임이 전혀 아니 살피시니, 목련과 국화가 향기로운 탓이런가? (내가) 첩여와 소군처럼 복이 없고 팔자가 사나운 몸이던가? 임금의 은혜가 물이 되어 흘러가도 자취 없고 임금의 얼굴이 꽃이로되 눈물에 가려 못 보겠구나. 이 몸이 녹아져도 옥황상제의 처분이요, 이 몸이 죽어져도 옥황상제의 처분이라. 녹아지고 죽어져서 혼백조차 흩어지고 빈 산의 해골같이 임자 없이 굴러다니다가, 곤륜산 제일봉에 큰 소나무가 되어서 바람비 뿌린 소리를 임의 귀에 들리게 하거나, 오랜 세월 윤회하여 금강산 학이 되어 일만 이천 봉에 마음껏 솟아올라 가을 달 밝은 밤에 두어 소리 슬피 울어 임의 귀에 들리게 하는 것도 옥황상제의 처분이겠구나.

뿌리
ᄒᆞᆫ이 ᄲᅮᆯ희 되고 눈물로 가디 삼아
억울하고 분한 심정
님의 집 창 밧긔 외나모 매화(梅花) 되여
화자의 분신
설중(雪中)의 혼자 ᄑᆡ여 침변(枕邊)의 이위ᄂᆞᆫ 듯
계절적 배경, 고난을 상징함. 베갯머리 시드는 듯
「월중 소영(月中疎影)이 님의 옷의 빗취어든」 「」: 임의 곁에 있고 싶은 화자의 소망
달빛에 언뜻언뜻 비치는 그림자, 화자의 분신
어엿븐 이 얼굴을 네로다 반기실가

동풍(東風)이 유정(有情)ᄒᆞ여 암향(暗香)을 블어 올려
그윽하게 풍기는 매화 향기, 임금에 대한 충정
고결(高潔)ᄒᆞᆫ 이내 ᄉᆡᆼ계 죽림(竹林)의나 부치고져
고상하고 순결한 대유법 – 대나무 숲, 속세와 단절된 곳
빈 낙대 빗기 들고 뷘 ᄇᆡ를 혼자 ᄯᅴ워
비스듬하게 천자의 궁궐, 한양의 궁궐을 지칭함.
백구(白溝) 건네 저어 건덕궁(乾德宮)의 가고 지고
송나라와 요나라의 경계를 이루던 강, 한강을 지칭함. 가고 싶다
그려도 ᄒᆞᆫ ᄆᆞ음은 위궐(魏闕)의 ᄃᆞᆯ녀 이셔
높고 큰 문, 대궐과 조정을 의미함.
ᄂᆡ 무든 누역 속의 님 향ᄒᆞᆫ ᄭᅮᆷ을 ᄭᆡ여
연기 묻은 도롱이(비옷) → 화자의 처지를 빗대어 표현함.
일편 장안(一片長安)을 일하(日下)의 ᄇᆞ라보고
그릇되게 한양 옳게
외오 ᄀᆞᆺ겨 올히 ᄀᆞᆺ겨 이 몸의 타실넌가
머뭇거림 – 임금에 대한 그리움

▶ 결사 1: 임금에 대한 그리움과 충성심

현대어 풀이 한이 뿌리 되고 눈물로 가지 삼아 임의 집 창 밖에 외나무 매화 되어 눈 속에 혼자 피어 베갯머리에 시드는 듯, 달빛에 비치는 그림자가 임의 옷에 비치거든 불쌍한 이 얼굴을 너로구나 하며 반겨 주실까? 동풍이 뜻이 있어 매화 향기를 불어 올려 고결한 이내 생애를 대나무 숲에나 부치고 싶구나. 빈 낚싯대 비껴들고 빈 배를 혼자 띄워 한강을 건너 저어 궁궐에 가고 싶구나. 그래도 한 마음은 궁궐에 달려 있어 연기 묻은 도롱이 속에 임 향한 꿈을 깨어, 한 점 한양을 눈 아래로 바라보고 그릇되게 머뭇거리며 옳게 머뭇거리며 이 몸의 탓이던가?

「이 몸이 전혀 몰라 천도(天道) 막막(漠漠)ᄒᆞ니 물을 길이 뎐혀 업다
하늘의 이치
복희씨(伏羲氏) 육십사괘(六十四卦) 천지 만물(天地萬物) 상긴 ᄯᅳᆺ을
중국 전설상의 제왕으로 팔괘를 처음 만듦.
주공(周公)을 ᄭᅮᆷ의 뵈와 ᄌᆞ시이 뭇ᄌᆞᆸ고져」 「」: 화자의 억울함 호소
주나라 문왕의 아들
하ᄂᆞᆯ이 놉고 놉하 말 업시 놉흔 ᄯᅳᆺ을

구룸 우희 ᄂᆞᄂᆞᆫ 새야 네 아니 아돗더냐
화자의 억울함을 이해할 객관적 상관물
「어와 이 내 가ᄉᆞᆷ 산(山)이 되고 돌이 되여 어ᄃᆡ 어ᄃᆡ 사혀시며
비 되고 믈이 되여 어ᄃᆡ 어ᄃᆡ 우러 녤고」 「」: 대구법, 반복법, 과장법 – 자연물(산, 돌, 비, 물)에 빗대어 화자의 억울한 심정을 강조함.

아모나 이 내 ᄯᅳᆺ 알니 곳 이시면
자신의 뜻을 알아줄 이를 원함.

출제 포인트

■ 시어의 의미

만장송, 학, 매화, 월중 소영	화자의 분신으로, 화자의 마음을 임금에게 전하고 싶은 소망을 드러냄.
설중	화자가 겪는 시련과 고난을 상징함.
암향	임금에 대한 화자의 충정을 나타냄.

작품 한눈에 보기(결사 1, 2)

억울함과 분함
- 한이 뿌리가 되고 눈물로 가지 삼아 매화가 되고자 함.
- 자신의 뜻을 아는 사람과 영원토록 공감하고 싶음.

+

임금에 대한 그리움
빈 배를 타고 임금이 계신 곳에 가고자 하며, 그곳을 보며 머뭇거림.

⬇

임금이 자신의 심정을 알아주기를 바람.

수능 필수 개념 플러스

"유배 가사"
귀양지에서 지었거나 귀양지를 소재로 한 가사를 의미한다. 유배는 죄인을 귀양 보내던 형벌의 일종으로, 죄의 가볍고 무거움에 따라 원근(遠近)의 등급이 있었다. 고려 시대나 조선 시대에 관료 생활을 하던 정치인들에게 많이 내려진 형벌이었기 때문에, 조선 시대에는 귀양살이를 소재로 한 작품이나 귀양지에서 지은 작품이 많이 나오게 되었다.
우리나라 시가 문학 사상 최초의 유배 가사는 고려 의종 때 정서(鄭敍)가 지은 「정과정」을 들 수 있으나, 조선 시대의 가사 문학에 있어서는 조위가 무오사화 때 전라도 순천에 유배가서 지은 「만분가」를 그 효시로 본다.

백세 교유(百歲交遊) 만세 상감(萬世相感) ᄒᆞ리라.
영원토록 사귐. 영원토록 공감함. ▶ 결사 2: 자신의 마음을 알아줄 사람을 간절히 원함.

현대어 풀이 이 몸이 전혀 몰라 하늘의 이치가 아득하여 알 수 없으니 물을 길이 전혀 없다. 복희씨 육십사괘 천지 만물 생긴 뜻을, 주공을 꿈에 뵈어 자세히 여쭙고 싶구나. 하늘이 높고 높아 말없이 높은 뜻을 구름 위에 나는 새야, 네 아니 알겠더냐? 아아, 이내 가슴 산이 되고 돌이 되어 어디 어디 쌓였으며 비가 되고 물이 되어 어디 어디 울며 갈까? 아무나 이내 뜻 알 사람이 있으면 영원토록 사귀어서 영원토록 공감하리라.

1 작품 이해

이 작품은 귀양살이하는 원통함을 옥황상제로 비유된 성종에게 하소연하는 내용의 가사이다. 작가가 연산군 때 무오사화에 연루되어 의주로 유배되었다가 전라남도 순천으로 유배지를 옮겨 갔을 때 지은 것으로, 유배 가사 가운데 가장 오래된 작품으로 알려져 있다. 화자는 유배지에서 온갖 고초를 겪으며 자신의 신세를 한탄하면서도 임금이 자신의 억울한 처지를 알아주기를 바라면서 임금을 그리워하는 심정(연군지정)을 절절히 노래하고 있다.

- 갈래: 가사(양반 가사, 유배 가사)
- 성격: 원망적, 한탄적, 감상적
- 주제: 유배 생활의 억울함과 연군의 정
- 시적 상황 무오사화에 연루되어 귀양살이하는 □□한 심정을 선왕(先王)인 옥황(성종)에게 하소연하고 있음.
- 정서와 태도 억울하게 유배되어 임금과 떨어져 있는 원통함과 □□을 느끼며 임금을 그리워하고 있음.

정답: 억울(원통), 슬픔

2 내용 확인

1 맞는 내용이면 ○표, 틀린 내용이면 ×표 하시오.

① 화자는 본사 1에서 '초객'과 '가태부'에 자신을 빗대어 억울함을 토로하고 있다. ( )

② 본사 2에서 '성문 모딘 불' 때문에 '옥석'이 함께 타고, '난'이 반이나 시들었다는 것은 세월이 흘렀다는 것을 암시한다. ( )

③ 화자는 현재 자신의 처지를 긍정적으로 인식하고 있다. ( )

2 서사의 '□□'과 '□□'은 화자의 분신으로, 임금에게 가까이 다가가고 싶은 화자의 소망이 투영된 소재이다.

내용 확인 도우미

1 ① '초객'과 '가태부'는 각각 초나라 굴원과 한나라 가의를 지칭하며, 굴원과 가의는 둘 다 억울한 누명을 썼던 인물이다.
② '성문 모딘 불'은 무오사화를 상징하며, '옥석'이 함께 타고 '난초'가 반이나 시들었다는 것은 무오사화 때 간신들과 같이 당한 충신인 자신의 처지를 빗대어 표현한 것이다.
③ 화자는 임과 떨어져 있는 처지를 한탄하고 있다.

2 서사의 '두견'과 '구름'은 임에게 가고 싶은 화자의 소망이 투영된 자연물이다.

정답 1 ① ○ ② × ③ × 2 두견, 구름

3 실전 Test

• 정답 31쪽

01 윗글에 대한 설명으로 가장 적절한 것은? 기출 문제

① 자연물을 활용하여 화자의 심정을 드러내고 있다.
② 반어적 표현을 반복하여 상대방을 희화화하고 있다.
③ 의성어와 의태어를 사용하여 생동감을 높이고 있다.
④ 풍자적 기법을 활용하여 교훈의 효과를 높이고 있다.
⑤ 구체적인 묘사를 통해 경물의 변화를 보여 주고 있다.

실전 Test Guide

01 제시문의 표현상의 특징과 그로 인한 효과를 파악할 수 있는지 확인하는 화자의 심리나 태도, 표현 효과 등을 중심으로 선택지의 적절성을 판단하도록 한다.

02 [보기 1]을 참고하여 윗글과 [보기 2]를 감상한 내용으로 적절하지 않은 것은?

기출 문제

보기 1

「만분가」는 유배를 간 작가가 천상의 옥황에게 호소하는 형식으로 연군(戀君)의 마음을 표현한 유배 가사의 효시이며 이후 여러 작품에 영향을 주었다. 가사 문학의 대표작인 「속미인곡」 역시 탄핵을 받아 조정에서 물러나게 된 작가가 임금에 대한 그리움을 「만분가」의 형식을 계승하여 표현한 작품이다.

보기 2

모첨(茅簷) 찬 자리에 밤중만 돌아오니 ··· [가]
반벽청등(半壁青燈)은 눌 위하여 밝았는고
오르며 내리며 헤매며 바장이니
저근덧 역진(力盡)하여 풋잠이 잠깐 드니
정성이 지극하여 꿈에 임을 보니
옥(玉) 같은 얼굴이 반(半)이 넘게 늙으셨네 ··· [나]
마음에 먹은 말씀 슬카장 숣자 하니 ··· [다]
눈물이 바라 나니 말씀인들 어이 하며
정(情)을 못 다하여 목이조차 메었으니
방정맞은 계성(鷄聲)에 잠은 어찌 깨었는고
어와 허사(虛事)로다 이 임이 어디 간고
결에 일어나 앉아 창(窓)을 열고 바라보니 ··· [라]
어여쁜 그림자 날 좇을 뿐이로다
차라리 싀어지어 낙월(落月)이나 되어 있어 ··· [마]
임 계신 창(窓) 안에 번듯이 비추리라

– 정철, 「속미인곡」

① [A]와 [마]에는 죽어서 다른 존재가 되어서라도 자신의 소망을 이루고자 하는 의지가 담겨 있다.
② [B]와 [다]에는 마음에 담아 둔 말을 실컷 전하고 싶어 하는 화자의 바람이 담겨 있다.
③ [C]와 [나]에는 임금에 대한 자신의 마음이 옥처럼 순수하다는 뜻이 담겨 있다.
④ [D]와 [가]에는 임금과 떨어져 있는 고독한 시 · 공간에서 느끼는 화자의 쓸쓸함이 담겨 있다.
⑤ [E]와 [라]에는 먼 곳에 있는 임금을 향한 화자의 그리움이 담겨 있다.

02 제시문과 [보기]를 비교하여 감상할 수 있는지 평가하는 문제이다. 윗글과 [보기 2]에 대한 설명인 [보기 1]을 고려하여, 화자의 심리를 중심으로 두 작품의 공통점과 차이점을 확인하도록 한다.

가사 075 면앙정가(俛仰亭歌)_송순

무등산(无等山) ᄒᆞᆫ 활기 뫼희 동다히로 버더 이셔 (활기: 줄기 / 동다히로: 동쪽으로)
「멀리 ᄯᅦ쳐 와 ⓐ제월봉(霽月峯)의 되어거ᄂᆞᆯ
무변대야(無邊大野)의 므ᄉᆞᆷ 짐쟉 ᄒᆞ노라」 「」: 의인법 (무변대야: 끝없이 넓은 들판)
「일곱 구ᄇᆡ ᄒᆞᆯ머움쳐 므득므득 버려ᄂᆞᆫ ᄃᆞᆺ.」 「」: 직유법 (ᄒᆞᆯ머움쳐: 한데 움츠려 / 므득므득: 우뚝우뚝 / 버려ᄂᆞᆫ ᄃᆞᆺ: 펼쳐져 있는 듯)
가온대 구ᄇᆡᄂᆞᆫ 굼긔 든 ⓑ늘근 뇽이 (굼긔: 구멍에 / 늘근 뇽: 제월봉)
선ᄌᆞᆷ을 ᄀᆞᆺ ᄭᆡ야 머리ᄅᆞᆯ 안쳐시니.
너ᄅᆞ바회 우ᄒᆡ 송죽(松竹)*을 헤혀고 ⓒ정자(亭子)ᄅᆞᆯ 안쳐시니 (너ᄅᆞ바회: 너럭바위 / 우ᄒᆡ: 위에 / 헤혀고: 헤치고 / 정자: 면앙정)
구름 ᄐᆞᆫ 청학(靑鶴)이 천 리(千里)를 가리라 (청학: 푸른 학, 면앙정을 의미함.)
두 ᄂᆞ릐 버렷ᄂᆞᆫ ᄃᆞᆺ. (ᄂᆞ릐: 날개, 면앙정의 지붕을 의미함.)
▶ 서사: 제월봉의 형세와 면앙정의 모습

현대어 풀이 무등산의 한 줄기 산이 동쪽으로 뻗어 있어 (무등산을) 멀리 떼어 버리고 나와 제월봉이 되었거늘, 끝없이 넓은 들판에서 무슨 생각을 하느라고 일곱 굽이가 한데 움츠려 무더기무더기 벌여 놓은 듯하다. 가운데 굽이는 구멍에 든 늙은 용이 선잠을 갓 깨어 머리를 얹어 놓은 듯하니, 너럭바위 위에 소나무와 대나무를 헤치고 정자를 앉혔으니, 구름 탄 푸른 학이 천 리를 가려고 두 날개를 벌린 듯하다.

옥천산(玉泉山) 용천산(龍泉山) ᄂᆞ린 ⓓ믈히 (ᄂᆞ린: 흘러내린)
정자(亭子) 압 너븐 들ᄒᆡ 올올(兀兀)히 펴진 드시 (올올히: 끊임없이)
넙거든 기노라 프료거든 희지마니 (대구법, 대조법 – 시냇물의 모습, 「관동별곡」에 영향을 준 표현)
쌍룡(雙龍)이 뒤트ᄂᆞᆫ ᄃᆞᆺ 긴 깁을 ᄎᆡ 폇ᄂᆞᆫ ᄃᆞᆺ (쌍룡: 시냇물 / 깁: 비단, 시냇물을 비유함.)
어드러로 가노라 므ᄉᆞᆷ 일 ᄇᆡ얏바 (ᄇᆡ얏바: 바빠서)
닷ᄂᆞᆫ ᄃᆞᆺ ᄯᆞ로ᄂᆞᆫ ᄃᆞᆺ 밤ᄂᆞᆺ즈로 흐르ᄂᆞᆫ ᄃᆞᆺ.
므소친 사정(沙汀)*은 눈ᄀᆞᆺ치 펴졋거든 (므소친: 물을 따라 / 눈ᄀᆞᆺ치: 눈같이, 직유법)
이즈러온 기럭기ᄂᆞᆫ 므스거슬 어로노라 (어로노라: 사랑하느라)
안즈락 ᄂᆞ리락 모드락 흐트락 (기러기들의 모습을 리듬감을 살려 생동감 있게 묘사함.)
노화(蘆花)을 ᄉᆞ이 두고 우러곰 좃니ᄂᆞᆫ고. (노화: 갈대꽃 / 우러곰: 울면서)
너븐 길 밧기요 긴 하ᄂᆞᆯ 아ᄅᆡ
두로고 ᄭᅩᄌᆞᆫ 거슨 뫼힌가 병풍(屛風)인가 그림가 아닌가.
「노픈 ᄃᆞᆺ ᄂᆞ즌 ᄃᆞᆺ 긋ᄂᆞᆫ ᄃᆞᆺ 닛ᄂᆞᆫ ᄃᆞᆺ (긋ᄂᆞᆫ ᄃᆞᆺ 닛ᄂᆞᆫ ᄃᆞᆺ: 끊어지는 듯 이어지는 듯)
숨거니 뵈거니 가거니 머믈거니」 「」: 산봉우리들의 다양한 모습
이츠러온 가온ᄃᆡ 일흠 ᄂᆞᆫ 양ᄒᆞ야 하ᄂᆞᆯ도 젓치 아녀 (이츠러온: 어지러운 / 일흠 ᄂᆞᆫ: 이름난, 유명한 / 젓치: 두려워)
웃득이 셧ᄂᆞᆫ 거시 ⓔ추월산(秋月山) 머리 짓고
용귀산(龍歸山) 봉선산(鳳旋山) 불대산(佛臺山) 어등산(漁燈山)
용진산(涌珍山) 금성산(錦城山)이 허공(虛空)의 버러거든 (버러거든: 벌여져 있거든)
원근(遠近) 창애(蒼崖)*의 머믄 것도 하도 할샤. (하도 할샤: 영탄법 – 많기도 많구나)
▶ 본사 1: 면앙정에서 본 풍경(시냇물, 기러기, 산)

작품 한눈에 보기(서사, 본사 1)

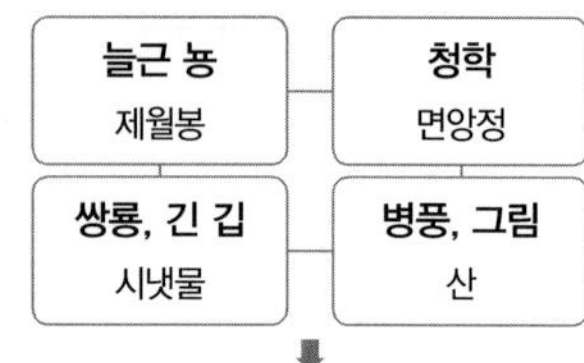

면앙정과 그 주변의 모습을 비유적 표현을 통해 생생하게 묘사함.

출제 포인트

■ 문학사적 의의
① 강호가도(江湖歌道)를 확립한 작품임.
② 정극인의 「상춘곡」과 정철의 「성산별곡」을 이어 주는 교량 역할을 함.

■ 화자의 정서와 상황
① 속세를 떠나 자연에 묻혀 살아가면서 자신을 둘러싸고 있는 자연의 아름다운 경치를 예찬하고 있음.
② 자신의 삶을 신선의 삶과 동일시하며 만족감을 드러내고, 모두 임금의 은혜라고 생각하고 있음.

수능 필수 개념

"강호가도(江湖歌道)"
조선 시대의 시가 문학에 많이 나타나는 자연 예찬의 풍조(세상의 추세나 시대의 경향에 따른 흐름)이다. 혼란스러운 속세를 벗어나 고향이나 자연에 귀의하여 한가하게 지내는 생활을 소재로 삼고 있다. 자연을 즐기면서도 임금의 은혜에 감사하는 마음을 표현한 것이 특징이다.

어휘 풀이
* 송죽: 소나무와 대나무를 아울러 이르는 말
* 사정: 바닷가의 모래사장
* 창애: 아주 높은 절벽

현대어 풀이 옥천산, 용천산에서 흘러내린 물이 정자 앞 넓은 들에 끊임없이 퍼져 있으니 (시냇물이) 넓으면서도 길고 푸르면서도 희다. 쌍룡이 (몸을) 뒤트는 듯, 긴 비단을 가득 펼쳐 놓은 듯, 어디로 가느라고 무슨 일이 바빠서 달리는 듯 따르는 듯 밤낮으로 흐르는 듯하다. 물 따라 펼쳐진 모래밭은 눈같이 펼쳐져 있는데, 어지러운 기러기는 무엇을 사랑하느라고 앉았다 내려갔다 모였다 흩어졌다 하며 갈대꽃을 사이에 두고 울면서 (서로) 쫓아다니는가? 넓은 길 밖이요, 긴 하늘 아래 두르고 꽂은 것은 산인가, 병풍인가, 그림인가 아닌가. 높은 듯 낮은 듯 끊어지는 듯 이어지는 듯 숨기도 하고 보이기도 하며 가기도 하고 머물기도 하며, 어지러운 가운데 유명한 체하여 하늘도 두려워 않고 우뚝 선 것이 추월산을 머리로 삼고, 용귀산, 봉선산, 불대산, 어등산, 용진산, 금성산이 허공에 늘어서 있는데, 멀고도 가까운 아주 높은 절벽에 머문 것도 많기도 많구나.

□: 계절적 배경을 드러내는 소재

흰구름 브흰 연하(煙霞)(안개와 노을) 프로니는 산람(山嵐)(산 아지랑이)이라.
천암(千巖) 만학(萬壑)(수많은 바위와 여러 골짜기)을 제 집으로 사마 두고
나명셩 들명셩('나며 들며'를 음악성을 고려하여 표현함.) 일히도(아양도) 구는지고.
오르거니 └리거니 장공(長空)의 써나거니
광야(廣野)로 거너거니 프르락 블그락 여트락 지트락
사양(斜陽)(석양)과 섯거디어 세우(細雨)(가랑비)조츠 쁘리는다. ▶ 본사 2-①: 면앙정의 봄 경치

현대어 풀이 흰 구름, 뿌연 안개와 노을, 푸른 것은 산 아지랑이로구나. 수많은 바위와 골짜기를 제 집으로 삼고, 나며 들며 아양도 떠는구나. 오르기도 하고 내리기도 하고, 먼 하늘로 떠나갔다가 넓은 들판으로 건너갔다가, 푸르락 붉으락 옅으락 짙으락 석양과 섞여 가랑비조차 뿌리는구나.

남여(藍輿)(뚜껑이 없는 가마, 화자의 신분을 암시함.)를 비야(재촉하여) 트고 솔 아릐 구븐 길로 오며 가며 흐는 적의
녹양(綠陽)(푸른 버드나무)의 우는 황앵(黃鶯)(꾀꼬리) 교태(嬌態) 겨워 흐는괴야.(의인법)
나모 새 즈즈지어 수음(樹陰)(나무의 그늘)이 얼린(어우러진) 적의
「백 척(百尺) 난간(欄干)의 긴 조으름 내여 펴니
水面(수면) 양풍(凉風)(서늘한 바람)이야 긋칠 줄 모르는가.」 ▶ 본사 2-②: 면앙정의 여름 경치

「」: 여름날의 한가로운 풍경

현대어 풀이 가마를 재촉하여 타고 소나무 아래 굽은 길로 오며 가며 하는 때에, 푸른 버드나무에서 지저귀는 꾀꼬리는 교태를 못 이겨 하는구나. 나무 사이가 우거져 녹음이 울창한 때에, 높은 난간에서 긴 졸음을 내어 펴니, 물 위의 서늘한 바람이야 그칠 줄을 모르는구나.

즌 서리(된서리) 싸진 후의 산 빗치 금수(錦繡)(수놓은 비단, 단풍이 든 산을 의미함.)로다.
황운(黃雲)(누렇게 익은 곡식)은 또 엇지 만경(萬頃)(아주 많은 이랑, 넓은 들판)에 편거긔요.
어적(漁笛)(어부가 고기잡이하며 부는 피리)도 흥을 계워 둘를 ᄯᆞ라 브니는다. ▶ 본사 2-③: 면앙정의 가을 경치

현대어 풀이 된서리 걷힌 후에 산 빛이 수놓은 비단이로다. 누렇게 익은 곡식은 또 어찌 넓은 들판에 펼쳐져 있는가? 어부의 피리도 흥에 겨워 달을 따라 부는 것인가?

초목(草木) 다 진 후의 강산(江山)이 미몰커늘
조물(造物)이 헌ᄉᆞᄒᆞ야(야단스러워) 빙설(氷雪)(얼음)로 ᄭᅮ며 내니
경궁요대(瓊宮瑤臺)(아름다운 구슬로 꾸민 궁궐과 대)와 옥해은산(玉海銀山)(옥으로 된 바다와 은으로 된 산)이 안저(眼底)에 버러셰라.(펼쳐져 있구나.)
건곤(乾坤)(천지)도 가ᄋᆞᆷ열샤(풍성하구나) 간 대마다 경이로다. ▶ 본사 2-④: 면앙정의 겨울 경치

현대어 풀이 초목이 다 떨어진 후에 강산이 묻혔거늘, 조물주가 야단스러워 얼음과 눈으로 꾸며 내니, 경궁요대와 옥해은산이 눈 아래에 펼쳐져 있구나. 천지가 풍성하구나, 가는 곳마다 경이롭다.

작품 한눈에 보기(본사 2)

봄	산람, 세우
여름	녹양, 황앵, 수음, 양풍
가을	즌 서리, 금슈, 황운
겨울	빙설, 경궁요대, 옥해은산

⬇

사계절에 따라 달라지는 면앙정 주변의 아름다운 경치를 묘사함.

출제 포인트

■ 표현상의 특징

① 대구법, 의인법, 직유법 등 다양한 표현 방식을 활용하여 화자의 정서를 표현함.
② 본사 1에서는 근경(면앙정 앞의 시냇물)에서 원경(면앙정 주변의 산봉우리)으로 시선을 이동하며 면앙정 주위의 정경을 묘사함.
③ 4 · 4(3 · 4)조, 4음보의 연속체 형식을 통해 규칙적인 운율을 형성함.

■ 사계절의 모습

면앙정에서 느끼는 자연의 경치를 사계절의 변화에 따라 묘사함.

봄	산 아지랑이가 아양을 떨고 가랑비가 내림.
여름	나무가 우거지고 물 위에는 시원한 바람이 불어오는 면앙정의 한가로움
가을	단풍이 우거진 산과 황금 물결을 이룬 넓은 들판에서의 흥취
겨울	초목이 다 진 후 눈으로 뒤덮인 설경

수능 필수 개념 플러스

"「성산별곡」과의 비교"

「면앙정가」는 「성산별곡」에 영향을 주었다.

① 형식적인 면: 주위의 아름다운 경치 → 사계절의 경물(景物) → 풍류 생활 → 결사
② 내용적인 면: 사계절을 통한 자연미의 발견, 풍류의 극치를 그려내는 유사점이 많음.
③ 표현적인 면: ~거니, ~거든, ~마나 등의 문체들을 사용함.

인간(人間)을 ᄯᅥ나와도 내 몸이 겨를 업다.
인간 세상, 속세 / 자연을 즐기기에 바빠 여유가 없다

「니것도 보려 ᄒᆞ고 져것도 드르려코 ᄇᆞ람도 혀려 ᄒᆞ고 ᄃᆞᆯ도 마즈려코
쐬려

ᄇᆞᆷ으란 언제 줍고 고기란 언제 낙고 시비(柴扉)란 뉘 다드며 딘 곳즈란 뉘 쓸려뇨.」
사립문 / 「」: 대구법

아ᄎᆞᆷ이 낫브거니 나조ᄒᆡ라 슬흘소냐.
바쁘거니 / 저녁

오ᄂᆞᆯ리 부족(不足)커니 내일(來日)리라 유여(有餘)ᄒᆞ랴.
넉넉하다

이 뫼ᄒᆡ 안자 보고 져 뫼ᄒᆡ 거러 보니 번로(煩勞)ᄒᆞᆫ ᄆᆞᄋᆞᆷ의 ᄇᆞ릴 일리 아조 업다.
자연을 감상하기에 바쁜 마음 / 전혀

쉴 사이 업거든 길히나 젼ᄒᆞ리야.
자연을 즐기기 위해 찾아오는 길

다만 ᄒᆞᆫ 청려장(靑藜杖)이 다 므듸여 가노ᄆᆡ라.
명아줏대로 만든 지팡이

술리 닉엇거니 벗지라 업슬소냐.

「블니며 ᄐᆞ이며 혀이며 이아며,」 「」: 열거법-풍류를 즐김.
(노래를) 부르게 하며, (가야금을) 타게 하며, (해금을) 켜게 하며, (방울을) 흔들며

온가지 소리로 취흥(醉興)을 ᄇᆡ야거니 근심이라 이시며 시ᄅᆞᆷ이라 브터시랴.
술에 취해 일어나는 흥취

누으락 안즈락 구브락 져즈락 을프락 ᄑᆞ람ᄒᆞ락 노혜로 소긔니
열거법-취흥에 젖어 풍류를 즐기는 모습을 생동감 있게 표현함.

천지(天地)도 넙고넙고 日月(일월) ᄒᆞᆫ가ᄒᆞ다.
세월

「희황(羲皇)을 모ᄅᆞᆯ러니 이 적이야 긔로고야
태평성대를 이루었던 중국의 복희 황제 / 지금이

신선(神仙)이 엇더턴지 이 몸이야 긔로고야.」 「」: 대구법-취흥과 태평성대를 누리는 느낌

강산풍월(江山風月) 거ᄂᆞᆯ리고 내 백 년(百年)을 다 누리면
자연 친화적 태도

악양루상(岳陽樓上)의 이태백(李太白)이 사라 오다.
중국의 누각

호탕정회(浩蕩情懷)야 이에서 더ᄒᆞᆯ소냐.
넓고 끝없는 정다운 회포 / 설의법

이 몸이 이렁 굼도 역군은(亦君恩)이샷다. ▶ 결사: 자연에서 즐기는 풍류와 임금의 은혜에 대한 감사
강호가도, 유교적 충의 사상을 드러냄.

현대어 풀이 인간 세상을 떠나와도 내 몸이 여유가 없다. 이것도 보려 하고, 저것도 들으려 하고, 바람도 쐬려 하고 달도 맞으려 하니, 밤은 언제 줍고 고기는 언제 낚고, 사립문은 누가 닫으며 떨어진 꽃은 누가 쓸려는가? 아침이 (자연을 완상하느라고) 부족하니 저녁이라고 싫겠는가? 오늘도 (완상할 시간이) 부족하니 내일이라고 여유가 있겠는가? 이 산에 앉아 보고 저 산을 걸어 보니 번거로운 마음에 버릴 일이 전혀 없다. 쉴 사이가 없는데 (자연을 즐기러 오는) 길이나 전하겠는가? 다만 하나의 지팡이가 다 무디어 가는구나. 술이 익었으니 벗이라고 없겠는가? (노래를) 부르게 하며 (가야금을) 타게 하며 (해금을) 켜게 하며 (방울을) 흔들며 온갖 소리로 취흥을 재촉하니, 근심이라고 있으며 시름이라고 붙어 있겠는가? 누웠다가 앉았다가 (몸을) 굽혔다가 젖혔다가 (시를) 읊었다가 휘파람을 불었다가 하며 마음대로 노니, 천지가 넓고 넓으며 세월도 한가하다. 복희 황제의 태평성대를 몰랐더니 지금이야말로 그것이로구나. 신선이 어떤지 (몰랐더니) 이 몸이야말로 그것이로구나. 강산풍월을 거느리고 내 평생을 다 누리면 악양루 위의 이태백이 살아온다고 한들 호탕한 정회야 이보다 더하겠는가? 이 몸이 이렇게 지내는 것도 역시 임금님의 은혜이시구나.

작품 한눈에 보기(결사)

자연 친화	+	유교적 충의 사상
자연 속에서 풍류를 즐기고 자신을 신선과 동일시함.		임금의 은혜 덕분에 자연의 즐거움을 누릴 수 있다고 생각함.

⬇ 강호가도

출제 포인트

■ 면앙정가의 음악적 효과

① 4음보 연속체: 시구 전체가 대구를 이루어 규칙적인 운율을 형성함.

② '~ᄂᆞᆫ 듯'의 반복과 울림소리('ㄴ'과 모음)의 사용: 운율감과 역동감, 경쾌한 느낌을 주고 풍류를 즐기는 화자의 호방함을 드러냄.

수능 필수 개념

"역군은(亦君恩)이샷다."

자연에 몰입하여 풍류를 즐기면서도 임금의 은혜를 잊지 않는 조선조 유학자들의 자세를 드러내는 표현이다. 송순의 「면앙정가」 외에도, 맹사성의 「강호사시가」, 신흠, 조존성의 시조 등 자연 친화의 태도와 유교적 충의 사상을 결합한 강호가도를 다룬 작품에 자주 등장한다.

1 작품 이해

이 작품은 자연에서 얻어지는 흥취를 사계절의 변화에 따라 읊은 가사이다. 작가는 41세 때 귀향하여 전남 담양의 제월봉 아래에 면앙정이라는 정자를 지었다고 한다. 자연 친화 사상과 유교적 충의 사상을 결합한 강호가도의 노래로, 화자는 면앙정과 그 주변 자연의 아름다움을 묘사하면서 세속의 일을 잊고 자연 속에서 지내는 풍류의 즐거움을 노래하고 있다.

• 갈래: 가사(양반 가사, 은일 가사) • 성격: 서정적, 묘사적

• 주제: 자연 속의 풍류와 임금의 은혜에 대한 고마움

• 시적 상황 □□□ 주변의 아름다운 경치를 사계절의 변화에 따라 노래하고, 자연 속에서 즐기는 풍류를 드러내고 있음.

• 정서와 태도 자연 속에서 느끼는 흥취를 드러내면서 □□의 은혜에 감사하고 있음.

정답: 면앙정, 임금

2 내용 확인

1 맞는 내용이면 ○표, 틀린 내용이면 ×표 하시오.

① 서사의 '늘근 뇽'과 '청학'은 각각 무등산의 시냇물과 푸른 숲을 의미한다. (　　)

② 화자는 자연 속에서 지내는 자신의 삶에 만족하면서 자부심을 드러내고 있다. (　　)

2 '자연을 즐기느라고 바쁜 화자의 심리'를 의미하는 시구를 결사에서 찾아 쓰시오.

➡ (　　　　　　　　　　　　　　　　　　　　)

내용 확인 도우미

1 ① 서사의 '늘근 뇽'은 '제월봉'을, '청학'은 '면앙정'을 의미한다.
② 화자는 결사에서 자신의 삶을 '신선'과 '이태백'의 삶과 비교하고 있다. 이는 자신의 삶에 대한 자부심과 만족감을 드러낸 것이다.

2 화자는 결사에서 자연을 즐기느라고 번거로운 자신의 마음을 '번로ᄒᆞᆫ ᄆᆞᄋᆞᆷ'이라고 표현하였다.

정답 1 ① × ② ○　2 번로ᄒᆞᆫ ᄆᆞᄋᆞᆷ

3 실전 Test

• 정답 31쪽

01 [보기]에서 윗글의 표현상 특징으로 적절한 것만을 묶은 것은? 기출 문제

보기

ㄱ. 직유를 통해 화자의 시각적 인상을 구체화하고 있다.
ㄴ. 과거와 현재를 대비하여 그리움의 정서를 고조하고 있다.
ㄷ. 감각적 이미지를 통해 시적 대상의 운동감을 나타내고 있다.
ㄹ. 역설적 표현을 통해 대상의 의미를 긴장감 있게 제시하고 있다.

① ㄱ, ㄴ　② ㄱ, ㄷ　③ ㄴ, ㄷ　④ ㄴ, ㄹ　⑤ ㄷ, ㄹ

02 [보기]를 참고하여 윗글을 감상한 내용으로 적절하지 않은 것은? 기출 문제

보기

송순이 「면앙정가」에서 펼쳐 보인 세계는 흔히 '면앙우주'라고 일컬어진다. 면앙우주는 작가에게 천지 만물의 이치를 심성의 수양으로 내면화하는 공간이었다. 작가는 자연 세계를 통해 인간 세계의 이치를 읽어 내는 가운데 조화와 합일을 추구했다. 그는 객관적 자연물에 인간적 생명력과 의지를 부여하는 방식으로 자신의 이상과 세계관을 표출했다.

① ⓐ의 '제월봉'이 '무변대야의 므ᄉᆞᆷ 짐쟉'을 한다는 표현에는 높은 이상을 향한 작가의 의지가 자연물에 투영되어 있군.

② ⓑ의 '늘근 뇽'이 '선ᄌᆞᆷ을 ᄀᆞᆺ ᄭᆡ야'라는 표현에는 이상을 펼치기에 이미 늦었다고 여기는 작가의 조바심이 담겨 있어.

③ ⓒ의 '정자'가 '청학'처럼 '두 ᄂᆞ릐 버렷ᄂᆞᆫ 듯'하다는 표현에서 면앙정이 비상(飛上)을 위한 심성 수양의 장소임을 알 수 있군.

④ ⓓ의 '믈'이 '밤ᄂᆞᆽ으로 흐르ᄂᆞᆫ' 모습을 통해 작가도 자신이 추구하는 바를 쉼 없이 행해야 함을 드러내고 있어.

⑤ ⓔ의 '추월산'을 비롯한 여러 산들이 '노픈 듯 ᄂᆞ즌 듯 긋ᄂᆞᆫ 듯 닛ᄂᆞᆫ 듯' 서 있다는 표현에서 조화와 합일을 추구하는 삶의 태도를 볼 수 있군.

실전 Test Guide

01 표현상의 특징과 그로 인한 효과를 파악할 수 있는지 평가하는 문제이다. 화자가 시적 대상에 관한 생각과 정서를 드러내기 위해서 어떤 표현 방법을 사용하고 있는지 살펴보도록 한다.

02 작품에 대한 설명을 바탕으로 제시문을 적절히 감상할 수 있는지를 평가하는 문제이다. [보기]의 설명을 근거로 각 시어와 시구의 의미를 파악하고 화자의 인식과 태도가 어떻게 드러나는지 생각해 보도록 한다.

076 관동별곡(關東別曲)_정철

자연을 사랑하는 마음이 병처럼 깊음. – 천석고황, 연하고질

강호(江湖)애 병(病)이 깁펴 듁님(竹林)의 누엇더니, □: 여정

관동(關東) 팔빅(八百) 니(里)에 방면(方面)을 맛디시니,

어와 셩은(聖恩)이야 가디록 망극(罔極)ᄒᆞ다.

「연츄문(延秋門) 드리ᄃᆞ라 경회 남문(慶會南門) ᄇᆞ라보며,

하직(下直)고 믈너나니 옥졀(玉節)이 알픽 셧다.」 「」: 과감한 생략을 통해 내용을 속도감 있게 전개함.

평구역(平丘驛) ᄆᆞᆯ을 ᄀᆞ라 흑슈(黑水)로 도라드니,

셤강(蟾江)은 어ᄃᆡ메오 티악(雉岳)이 여긔로다. ▶ 서사 1: 관찰사에 임명되어 부임 여정을 시작함.

(주석: 강호 – 자연 / 듁님 – 대숲, 전남 창평 / 방면 – 관찰사의 소임 / 연츄문 – 경복궁 서쪽 문 / 옥졀 – 관찰사의 시표 / 평구역 – 경기도 양주 / 흑슈 – 경기도 여주의 강 / 셤강 – 강원도 원주의 강 / 티악 – 치악산)

현대어 풀이 자연을 사랑하는 마음이 병처럼 깊어 대숲(창평)에서 지내고 있었는데, (임금님께서) 관동 8백 리 강원도 관찰사의 직분을 맡기시니, 아아, 임금님의 은혜야말로 갈수록 끝이 없다. 연추문으로 달려 들어가 경회루 남쪽 문을 바라보며, (임금님께) 하직하고 물러나니 옥절이 앞에 있다. 평구역에서 말을 갈아 타고 흑수로 돌아드니, 섬강은 어디인가? 치악산이 여기로다.

소양강이 임금이 있는 한양으로 흘러갈 것을 떠올림. 연군지정

쇼양강(昭陽江) ᄂᆞ린 믈이 어드러로 든단 말고.

고신(孤臣)* 거국(去國)*에 빅발(白髮)도 하도 할샤.

동쥐(東州) 밤 계오 새와 븍관뎡(北寬亭)의 올나ᄒᆞ니,

「삼각산(三角山) 뎨일봉(第一峰)이 ᄒᆞ마면 뵈리로다.」 「」: 연군지정

「궁왕(弓王) 대궐(大闕) 터희 오쟉(烏鵲)이 지지괴니,

천고(千古) 흥망(興亡)을 아ᄂᆞᆫ다 몰ᄋᆞᄂᆞᆫ다.」 「」: 청각적 이미지를 통해 인생무상을 드러냄.

회양(淮陽) 녜 일홈이 마초아 ᄀᆞᄐᆞᆯ시고.

급댱유(汲長孺) 풍치(風彩)를 고텨 아니 볼 게이고. ▶ 서사 2: 관내를 순시하고 선정의 포부를 밝힘.

(주석: 쇼양강 – 강원도 춘천의 강 / 빅발 – 나라에 대한 근심과 걱정, 우국지정 / 동쥐 – 강원도 철원 / 삼각산 – 북한산, 임금이 있는 곳 / 오쟉 – 까마귀와 까치 / 회양 – 회양이라는 강원도의 한 지명이 중국 한나라의 어느 지명과 같음. / 급댱유 – 중국 한 무제 때 선정을 베푼 회양의 태수, 급장유처럼 선정을 베풀겠다는 포부를 드러냄.)

현대어 풀이 소양강의 흘러내리는 물이 어디로 흘러든단 말인가? 서울을 떠난 외로운 신하가 걱정이 많기도 많구나. 동주에서 밤을 겨우 새워 북관정에 오르니, (임금 계신) 북한산의 가장 높은 봉우리가 웬만하면 보일 것 같구나. 궁예 왕의 대궐 터였던 곳에 까마귀와 까치가 지저귀니, 먼 옛날의 흥망을 아는가 모르는가? 회양의 옛 이름이 마침 같구나. 급장유의 풍채를 (나에게서) 다시 볼 것이 아닌가?

영듕(營中)이 무ᄉᆞ(無事)ᄒᆞ고 시졀(時節)이 삼월(三月)인 제,

화쳔(花川) 시내길히 풍악(楓岳)으로 버더 잇다.

힝장(行裝)을 다 ᄯᅥᆯ티고 셕경(石逕)*의 막대 디퍼,

빅쳔동(百川洞) 겨ᄐᆡ 두고 만폭동(萬瀑洞) 드러가니,

「은(銀) ᄀᆞᄐᆞᆫ 무지게 옥(玉) ᄀᆞᄐᆞᆫ 룡(龍)의 초리, ◯: 폭포의 보조 관념

섯돌며 ᄲᅮᆷᄂᆞᆫ 소릭 십(十) 리(里)의 ᄌᆞ자시니,

들을 제ᄂᆞᆫ 우레러니 보니ᄂᆞᆫ 눈이로다.」 「」: 대구법, 직유법, 은유법 – 폭포의 역동적인 모습

금강ᄃᆡ(金剛臺) ᄆᆡᆫ 우(層)층의 션학(仙鶴)이 삿기 치니,

츈풍(春風) 옥뎍셩(玉笛聲)의 첫ᄌᆞᆷ을 ᄭᆡ돗던디,

호의현샹(縞衣玄裳)이 반공(半空)의 소소 ᄯᅳ니,

(주석: 영듕 – 감영 안 / 무ᄉᆞ – 자신의 선정을 과시함. / 삼월 – 시간적 배경 / 풍악 – 금강산, 3월이므로 '금강'이라고 해야 하지만, 흥취를 돋우기 위해 '풍악(금강산의 가을 이름)'이라고 표현함. / 힝장을 다 ᄯᅥᆯ티고 – 간소한 차림으로 / 우레 – 원경(청각적 이미지) / 눈 – 근경(시각적 이미지) / ᄆᆡᆫ 우층 – 꼭대기 / 션학 – 신선이 타는 학 / 옥뎍셩 – 옥피리 소리 / 호의현샹 – 흰 저고리와 검은 치마 – 학의 흰 몸과 검은 날개를 빗대어 표현함.)

작품 한눈에 보기(서사)

죽림(창평)	자연에 묻혀 은둔함.
연추문(한양)	임금의 부름을 받고 감.
평구 ~ 회양	강원도 관찰사로 부임하여 여정을 떠남.

출제 포인트

■ 시구의 함축적 의미

시구	의미
• 서사 2: 쇼양강 ᄂᆞ린 믈이 어드러로 든단 말고. • 서사 2: 삼각산 뎨일봉이 ᄒᆞ마면 뵈리로다.	임금에 대한 그리움과 충정
• 서사 2: 급댱유 풍치를 고텨 아니 볼 게이고. • 본사 1-③: 음애예 이온 플을 다 살와 내여ᄉᆞ라.	관찰사로서 선정을 베풀어 백성들을 풍요롭고 평안하게 만들고 싶은 마음

수능 필수 개념 플러스

"금강산"

금강산은 높이 1638미터의 산으로, 기암괴석이 많고 곳곳에 폭포와 못이 있어 경치가 매우 아름답다. 그래서 다양한 명칭으로 불리는데, 가장 널리 알려진 것은 사계절에 따라 부르는 방식이다. 봄에는 '금강산(金剛山)', 여름에는 '봉래산(蓬萊山)', 가을에는 '풍악산(楓嶽山)', 겨울에는 '개골산(皆骨山)'으로 불린다. 또 내륙의 서쪽은 '내금강', 동쪽은 '외금강', 바다에 솟아 있는 섬들은 '해금강'이라고 불린다.

어휘 풀이
* 고신: 임금의 곁을 떠난 외로운 신하
* 거국: 온 나라. 또는 국민 전체
* 석경: 돌이 많은 좁은 길

셔호(西湖) 녯 쥬인(主人)을 반겨셔 넘노는 듯. 〈중략〉

화자 자신을 임포(송나라 때 서호에 은거했던 사람)에 비유함.

▶ 본사 1-①: 만폭동 폭포의 아름다운 모습

현대어 풀이 감영 안이 무사하고 시절이 3월인 때, 화천의 시내 길이 금강산으로 뻗어 있다. 여행 채비를 간편히 하고 돌길에 지팡이 짚어, 백천동을 곁에 두고 만폭동 계곡으로 들어가니, 은 같은 무지개, 옥 같은 용의 꼬리, (폭포가) 섞여 돌며 내뿜는 소리가 십 리 밖까지 퍼졌으니 (멀리서) 들을 때는 우렛소리 같더니, (가까이서) 바라보니 눈이 날리는 것 같구나. 금강대 맨 위에 신선의 학이 새끼를 치니, 봄바람에 들려오는 옥피리 소리에 선잠을 깨었던지, 몸은 희고 날개 끝이 검은 학이 공중으로 솟아 뜨니, 서호의 옛 주인을 반겨서 넘나들며 노는 듯하구나.

비로봉(毘盧峰) 샹샹두(上上頭)의 올라 보니 긔 뉘신고.
맨 꼭대기 / 오른 사람이 없을 것이다.

「동산(東山) 태산(泰山)이 어느야 놉돗던고.
중국의 산 이름

노국(魯國) 조븐 줄도 우리는 모르거든,
노나라

넙거나 넙은 텬하(天下) 엇씨ᄒᆞ야 젹닷 말고.

어와 뎌 디위를 어이ᄒᆞ면 알 거이고.」
공자의 호연지기(浩然之氣, 거침없이 넓고 큰 기개)

「」: 동산에 올라 노나라를 좁다 하고, 태산에 올라 천하를 작다고 느꼈던 공자의 호연지기를 흠모함. → 비로봉에 올라갈 수 없는 스스로의 처지를 정당화함.

오르디 못ᄒᆞ거니 ᄂᆞ려가미 고이ᄒᆞᆯ가.
공자의 정신적 경지에 이르지 못하는 자신의 한계 인식 / 괴이할까

▶ 본사 1-②: 비로봉의 모습

현대어 풀이 비로봉 꼭대기에 올라 본 사람이 그 누구인가? 동산과 태산 중 어느 것이 비로봉보다 높던가? 노나라가 좁은 줄도 우리는 모르거늘, 넓고도 넓은 천하를 어찌하여 (공자는) 작다고 했는가? 아아, (공자의) 저 경지를 어찌하면 알 것인가? 오르지 못하거니 내려감이 이상할까?

원통(圓通)골 ᄀᆞᄂᆞᆫ 길로 ᄉᆞᄌᆞ봉(獅子峰)을 ᄎᆞ자가니,

그 알픠 너러바회 화룡(化龍)쇠 되여셰라.
넓은 바위 / 화룡소+'ㅣ'→화룡소가

천년(千年) 노룡(老龍)이 구비구비 서려 이셔,
중의적 표현 ① 화룡소의 모습 ② 화자 자신

듀야(晝夜)의 흘녀 내여 창히(滄海)예 니어시니,
밤낮 / 넓고 큰 바다

「풍운(風雲)을 언제 어더 삼일우(三日雨)를 디련ᄂᆞᆫ다.
사흘 동안 내리는 비 - 임금이 백성에게 베푸는 선정

음애(陰崖)예 이온 플을 다 살와 내여ᄉᆞ라.」
그늘진 벼랑에 시든 풀, 고통받는 백성 / 살리어 내라.

「」: 선정의 포부 ▶ 본사 1-③: 화룡소에서 선정을 다짐함.

현대어 풀이 원통골 좁은 길로 사자봉을 찾아가니, 그 앞의 넓은 바위가 화룡소가 되었구나. 천 년 묵은 늙은 용이 굽이굽이 서려 있어 밤낮으로 흘러내려 넓은 바다까지 이어 있으니, 바람과 구름을 언제 얻어 흡족한 비를 내리려 하느냐? 그늘진 벼랑에 시든 풀을 다 살려 내려무나.

마하연(磨訶衍) 묘길상(妙吉祥)* 안문(雁門)재 너머 디여,
만폭동 상류 가장 깊은 골짜기

[A]
외나모 뻐근 ᄃᆞ리 블뎡ᄃᆡ(佛頂臺) 올라ᄒᆞ니,
천심절벽(千尋絶壁)을 반공(半空)애 셰여 두고,
천 길이나 되는 높은 절벽
은하슈(銀河水) 한 구비를 촌촌이 버혀 내여,
많은 구비
실ᄀᆞ티 플텨이셔 뵈ᄀᆞ티 거러시니,
풀어서

○: 십이 폭포를 비유한 표현

도경(圖經)* 열두 구비 내 보매ᄂᆞᆫ 여러히라.
여러 개라

니뎍션(李謫仙) 이제 이셔 고텨 의논ᄒᆞ게 되면,
당나라 시인 이태백

녀산(廬山)이 여긔도곤 낫단 말 못 ᄒᆞ려니.
이태백이 폭포의 장관을 노래한 산 / 여산 폭포보다 이 폭포가 나음.

▶ 본사 1-④: 십이 폭포의 모습

현대어 풀이 마하연, 묘길상, 안문재를 넘어 내려가 외나무 썩은 다리를 건너 불정대에 오르니, 천 길이나 되는 절벽을 공중에 세워 두고 은하수 큰 굽이를 마디마디 잘라 내어, 실같이 풀어서 베같이 걸었으니, 도경에는 열두 굽이라 하였으나, 내가 보기에는 그보다 더 많아 보이는구나. 만약 이태백이 지금 있어 다시 의논하게 되면, 여산 폭포가 여기보다 낫다는 말 못할 것이다.

작품 한눈에 보기(본사 1, 2)

여정	견문과 감상
본사 1-① (만폭동 폭포)	만폭동 폭포의 아름다운 모습을 바라보며 풍류를 즐김.
본사 1-② (개심대)	비로봉을 보며 공자의 호연지기를 떠올림.
본사 1-③ (화룡소)	화룡소를 바라보며 백성들에게 선정을 베풀겠다고 다짐함.
본사 1-④ (불정대 십이 폭포)	십이 폭포의 아름다운 모습을 보면서 이태백의 시를 떠올림.
본사 2 (산영루)	금강산을 떠나는 아쉬움을 느끼며 동해로 이동함.

출제 포인트

■ 표현상의 특징

① 여정에 따른 견문과 이에 따른 심리 변화를 드러냄.

② 3(4)·4조, 4음보의 율격을 바탕으로 운율감을 형성함.

③ 서사에서는 '연추문', '경회남문', '옥절' 등 상징적인 사물만 언급하고 생략과 비약을 통해 관찰사 부임 과정을 속도감 있게 전개함.

④ 본사 1에서 폭포를 은 같은 무지개, 옥 같은 용의 꼬리라고 표현하는 등 비유적인 표현을 통해 폭포의 역동적인 모습을 생생하게 묘사함.

⑤ 비로봉, 화룡소 등의 자연물을 인간의 삶에 적용시켜 주관적으로 변용함.

■ 화자의 심리 변화

금강산에서 동해로 장소가 변하면서 화자의 심리 변화: 금강산(본사 1)에서는 연군, 우국, 애민, 선정에의 포부 등 유교적 충의 사상을 드러내며 관찰사, 위정자로서의 책임감을 드러내고 있다. 하지만 화자가 동해로 이동(본사 2 이후)한 후에는 도교적 신선 사상을 추구하며 인간 본연의 욕구를 갈망하는 모습을 표출하고 있다.

어휘 풀이

* 묘길상: 돌벽에 새긴 커다란 불상
* 도경: 산수(山水)의 지형을 그림으로 설명한 책

산듕(山中)을 ᄆᆡ양 보랴 동ᄒᆡ(東海)로 가쟈ᄉᆞ라.
금강산
남녀(籃輿) 완보(緩步)ᄒᆞ야 산영누(山映樓)의 올나ᄒᆞ니,
뚜껑이 없는 가마 / 원망하는 듯
녕농(玲瓏) 벽계(碧溪)와 수셩(數聲) 뎨됴(啼鳥)ᄂᆞᆫ 니별(離別)을 원(怨)ᄒᆞᄂᆞᆫ ᄃᆞᆺ,
금강산을 떠나는 아쉬움을 '시냇물'과 '새'에 이입하여 표현함, 주객전도
『졍긔(旌旗)를 ᄯᅥᆯ티니 오ᄉᆡᆨ(五色)이 넘노ᄂᆞᆫ ᄃᆞᆺ,
관찰사의 행렬을 상징하는 깃발 / 깃발이 뒤섞여 나부끼는 모습
고각(鼓角)을 섯부니 ᄒᆡ운(海雲)이 다 것ᄂᆞᆫ ᄃᆞᆺ.』 『』: 대구법－관찰사의 화려한 행렬을 시각과 청각을 동원하여 감각적으로 표현함.
북과 나발
명사(鳴沙)길 니근 ᄆᆞᆯ이 취션(醉仙)을 빗기 시러,
익숙한 / 취한 신선, 화자 자신을 의미함.
바다ᄒᆞᆯ 겻ᄐᆡ 두고 ᄒᆡ당화(海棠花)로 드러가니,
해당화가 핀 길
ᄇᆡᆨ구(白鷗)야 ᄂᆞ디 마라 네 버딘 줄 엇디 아ᄂᆞᆫ. 〈중략〉 ▶ 본사 2: 동해로 가는 감회
흰 갈매기 / 물아일체 / 어찌 아느냐

현대어 풀이 금강산의 경치만 항상 보겠는가? 동해로 가자꾸나. 남여를 타고 천천히 걸어서 산영루에 오르니, 반짝이는 푸른 시냇물과 여러 소리로 우짖는 새는 (나와의) 이별을 원망하는 듯하다. 깃발을 휘날리니 갖가지 색이 넘실거리는 듯하고, 북과 나발을 섞어 부니 바다의 구름이 다 걷히는 듯하다. 모랫길에 익숙한 말이 취한 신선을 비스듬히 태우고, 바다를 곁에 두고 해당화가 핀 꽃밭으로 들어가니, 갈매기야 날지 마라, 네 벗인 줄 어찌 아느냐?

숑근(松根)을 볘여 누어 픗ᄌᆞᆷ을 얼픗 드니,
소나무 뿌리 / 선잠
ᄭᅮᆷ애 ᄒᆞᆫ 사ᄅᆞᆷ이 날ᄃᆞ려 닐온 말이,
신선 / 나에게
그ᄃᆡ를 내 모ᄅᆞ랴 상계(上界)예 진션(眞仙)이라.
하늘나라, 선계 / 도를 성취한 신선, 화자를 의미함.
『황뎡경(黃庭經) 일ᄌᆞ(一字)를 엇디 그ᄅᆞᆺ 닐거 두고,
도가의 경전
인간(人間)의 내려와셔 우리를 ᄯᆞᆯ오ᄂᆞᆫ다.
인간 세상
져근덧 가디 마오 이 술 ᄒᆞᆫ 잔 머거 보오.』 『』: 신선의 말－꿈속의 신선이 화자가 선계에서 잘못을 저질러 인간 세상에 내려온 신선이라고 알려 줌.
잠시 동안
븍두셩(北斗星) 기우려 창ᄒᆡ슈(滄海水) 부어 내여,
북두칠성을 국자에 비유함. / 푸른 바닷물을 술에 비유함.
저 먹고 날 머겨ᄂᆞᆯ 서너 잔 거후로니,
기울이니
화풍(和風)이 습습(習習)ᄒᆞ야 냥ᄋᆡᆨ(兩腋)을 추혀 드니,
온화한 봄바람이 산들산들 불어 / 양쪽 겨드랑이
구만 리(九萬里) 댱공(長空)애 져기면 ᄂᆞᆯ리로다.
아득히 넓고 먼 하늘 / 날 것 같구나.
『이 술 가져다가 ᄉᆞᄒᆡ(四海)예 고로 ᄂᆞᆫ화,
온 세상 / 나누어
억만 창ᄉᆡᆼ(億萬蒼生)을 다 취(醉)케 ᄆᆡᆼ근 후(後)의,
수많은 백성 / 만든
그제야 고텨 맛나 ᄯᅩ ᄒᆞᆫ 잔 ᄒᆞ쟛고야.』 『』: 화자의 말－세상 사람들을 모두 행복하게 한 다음 즐거움을 누리고자 함. 선우후락(先憂後樂)
말 디쟈 학(鶴)을 ᄐᆞ고 구공(九空)의 올나가니,
끝나자 / '구만 리 장공'의 준말
공듕(空中) 옥쇼(玉簫) 소ᄅᆡ 어제런가 그제런가.
옥으로 만든 퉁소 / 꿈에서 현실로 돌아옴.－잠에서 깨어나 어렴풋한 상태
나도 ᄌᆞᆷ을 ᄭᅵ여 바다ᄒᆞᆯ 구버보니,
인간으로서 느끼는 한계
기픠를 모ᄅᆞ거니 ᄀᆞ인들 엇디 알리.
수없이 많은 산과 마을, 온 세상 / 『』: 밝은 달빛을 통해 임금의 은혜가 온 세상을 물들임. 연군지정
『명월(明月)이 쳔산 만낙(千山萬落)의 아니 비쵠 ᄃᆡ 업다.』 ▶ 결사: 꿈속에서 신선을 만나 갈등을 해소함.
중의적 표현 ① 밝은 달 ② 임금의 은혜

현대어 풀이 소나무 뿌리를 베고 누워 풋잠을 얼핏 드니, 꿈에 한 사람이 나에게 이르는 말이, "그대를 내가 모르랴? (그대는) 하늘나라의 신선이라. 황정경 한 글자를 어찌 잘못 읽고 인간 세상에 내려와서 우리를 따르는가? 잠시 가지 말고 이 술 한 잔 먹어 보오." 북두칠성을 기울여 푸른 바닷물을 술로 삼아 부어 내어 저 먹고 날 먹이거늘 서너 잔 기울이니, 온화한 봄바람이 산들산들 불어 양쪽 겨드랑이를 추켜드니, 아득히 넓고 먼 하늘도 웬만하면 날 것 같다. "이 술 가져다가 온 세상에 고루 나눠 온 백성을 다 취하게 만든 후에, 그때에야 다시 만나 또 한 잔 하자꾸나." 말이 끝나자 (신선은) 학을 타고 높은 하늘에 올라가니, 공중에 옥피리 소리가 어제던가 그제던가. 나도 잠을 깨어 바다를 굽어보니, 깊이를 모르는데 끝인들 어찌 알겠는가. 밝은 달이 온 세상에 아니 비친 곳이 없다.

작품 한눈에 보기(결사)

관찰사로서의 책임감 ↔ 갈등 ↔ 개인적인 욕망(풍류를 즐기고 싶음.)
⬇
'이 술 가져다가~ᄒᆞᆫ 잔 ᄒᆞ쟛고야.'
⬇
갈등의 해소와 애민 정신, 선정에의 포부가 드러남.

출제 포인트

■ 결사의 신선 사상

'그ᄃᆡ를 내 모ᄅᆞ랴 ~ 이 술 ᄒᆞᆫ 잔 머거 보오.'	『황정경』은 도가의 경전으로, 옥황상제 앞에서 한 글자만 잘못 읽어도 인간세상으로 내쳐진다고 함. 신선은 화자를 가리켜 『황정경』을 잘못 읽어 상계에서 인간 세상으로 유배 온 신선이라고 말하면서 술을 권하고 있음.
'화풍이 습습ᄒᆞ야 ~ 져기면 ᄂᆞᆯ리로다.'	소동파의 『적벽부(赤壁賦)』에 나오는 '우화등선(羽化登仙)'을 인용한 부분으로, 신선이 된 듯한 화자의 기분을 드러내고 있음.

■ 시상의 마무리 방식

'명월이 쳔산 만낙의 아니 비쵠 ᄃᆡ 업다.'	
형식	정격 가사: 시조의 종장과 같이 3·5·4·3의 음수율을 보임.
내용	임금의 은혜를 백성들에게 배풀어야 하는 자신의 책임을 깨닫고, 충의와 연군을 드러내며 시상을 마무리함.

수능 필수 개념 플러스

"「관동별곡」의 짜임"

부임과 관내 순회 (서사)	전라도 창평→한양→평구→흑수→섬강·치악→소양강→동주→회양
금강산 유람 (본사 1)	만폭동→금강대→진헐대→개심대→화룡소→불정대
관동 팔경 유람 (본사 2)	산영루→총석정→삼일포→의상대→경포→죽서루→망양정

⬇
추보식 구성: 시간의 흐름과 여정에 따라 시상을 전개함.

1 작품 이해

이 작품은 작가가 45세 되던 해에 강원도 관찰사로 부임하여 금강산과 관동 팔경을 두루 유람한 후 지은 것으로, 금강산과 관동 팔경의 뛰어난 경치와 그에 따른 감흥을 담은 가사이다. 우리말의 묘미를 잘 살린 작품으로, 자연에의 몰입과 추구뿐만 아니라, 도교적 신선 사상, 우국, 애민, 선정에의 포부 등 유교적 충의 사상도 드러나 있다.

- 갈래: 가사(기행 가사, 양반 가사, 정격 가사)
- 성격: 유교적, 도교적, 상징적
- 주제: 관동 지방의 절경 유람과 연군, 애민 정신
- 시적 상황 금강산과 □□ □□을 유람하면서 아름다운 풍경을 묘사하고 느낀 바를 전달하고 있음.
- 정서와 태도 유교적 충의 사상(사회적 책임감)과 도교적 □□ 사상(개인적 욕망) 사이에서 갈등하고 있음.

정답: 관동 팔경, 신선

2 내용 확인

1 맞는 내용이면 ○표, 틀린 내용이면 ×표 하시오.

① 서사에서 '평구역 → 흑슈 → 셤강 → 티악'으로 여정이 진행됨에 따라 화자의 정서도 변화하고 있다. (　　)

② 본사 1-①의 '무지게'와 '룡의 초리', '우레'와 '눈'은 만폭동 폭포의 모습을 비유적으로 표현한 시어이다. (　　)

내용 확인 도우미

1 ① '평구역', '흑슈', '셤강', '티악'은 화자의 여정으로, 화자의 감정은 드러나 있지 않다.

② '우레'는 폭포의 소리를, '무지게'와 '룡의 초리', '눈'은 폭포의 모습을 비유적으로 표현한 것이다.

정답 1 ① × ② ○

3 실전 Test

• 정답 32쪽

01 윗글의 표현상 특징으로 적절하지 <u>않은</u> 것은? 기출 문제

① 대구의 방식을 활용하여 리듬감을 부여하고 있다.
② 대상을 점층적으로 강조하여 시적 긴장감을 높이고 있다.
③ 감각적 심상을 활용하여 대상을 생동감 있게 묘사하고 있다.
④ 비유의 방식을 사용하여 대상이 지닌 속성을 부각하고 있다.
⑤ 영탄법을 사용하여 화자의 감정을 직접적으로 표출하고 있다.

02 [보기]는 윗글의 생략된 부분이다. [보기]와 [A]를 비교한 내용으로 가장 적절한 것은?

보기

텬근(天根)을 못내 보와 망양뎡(望洋亭)의 올은말이,
바다 밧근 하늘이니 하늘 밧근 므서신고,
굿득 노흔 고래 뉘라셔 놀내관듸,
블거니 씀거니 어즈러이 구는디고.
은산(銀山)을 것거 내여 뉵합(六合)의 느리는 듯,
오월(五月) 댱텬(長天)의 빅셜(白雪)은 므스 일고.

① [A]와 [보기]는 모두 자연이 시간의 흐름에 따라 변화하는 모습을 표현하고 있다.
② [A]와 [보기]는 모두 인간의 접근을 허용하지 않는 자연의 냉혹함을 드러내고 있다.
③ [A]는 자연의 모습을 관조하고 있고, [보기]는 자연을 통해 자신을 반성하고 있다.
④ [A]는 자연물을 의인화하여 제시하고, [보기]는 자연물의 움직임을 비유적으로 표현하고 있다.
⑤ [A]는 지상의 자연물을 천문 현상에 비유하고, [보기]는 시적 대상을 지상의 자연물에 비유하고 있다.

실전 Test Guide

01 글의 표현상 특징과 그로 인한 효과를 파악할 수 있는지 확인하는 문제이다. 시적 대상이 제시되고 있는 방식과 화자의 정서를 표현하는 방식을 중심으로 선택지의 적절성을 판단하도록 한다.

02 제시문의 전반적인 흐름을 이해하고 각 부분의 표현 방식과 그 효과를 파악할 수 있는지 평가하는 문제이다. 화자의 태도와 표현법을 중심으로 공통점과 차이점을 파악해 보도록 한다.

가사

077 사미인곡(思美人曲)_정철

이 몸 삼기실 제 님을 조차 삼기시니,
(생겨날, 태어날 / 임금(선조))
ᄒᆞᆫ ᄉᆡᆼ 연분(緣分)이며 하ᄂᆞᆯ 모ᄅᆞᆯ 일이런가.
(한평생 함께 살아갈 인연 / 천생연분, 운명적인 인연)
나 ᄒᆞ나 졈어 잇고 님 ᄒᆞ나 날 괴시니,
(오직 / 젊어 / 사랑하시니)
이 ᄆᆞ음 이 ᄉᆞ랑 견졸 ᄃᆡ 노여 업다.
(전혀)
「평ᄉᆡᆼ(平生)애 원(願)ᄒᆞ요ᄃᆡ ᄒᆞᆫᄃᆡ 녜쟈 ᄒᆞ얏더니,
(함께 살아가고자)
늙거야 므ᄉᆞ 일로 외오 두고 글이ᄂᆞᆫ고.」 「」: 임과 떨어져 혼자 있음.
(홀로, 외따로 / 그리워하는가)
「엇그제 님을 뫼셔 광한뎐(廣寒殿)의 올낫더니,
(달에 있다는 궁전, 임금 계신 궁궐)
그 더ᄃᆡ 엇디ᄒᆞ야 하계(下界)예 ᄂᆞ려오니,」 「」: 적강 모티프
(동안에 / 인간 세상, 전남 창평)
올 적의 비슨 머리 얼킈연 디 삼년(三年)이라.
(임과 이별한 지 3년이 됨.)
연지분(臙脂粉) 잇ᄂᆡ마ᄂᆞᆫ 눌 위ᄒᆞ야 고이 ᄒᆞᆯ고.
(화장품 → 화자가 여성임을 암시함.)
ᄆᆞ음의 ᄆᆡ친 실음 텹텹(疊疊)이 ᄡᅡ혀 이셔,
(시름이 쌓여 있음. – 추상적 관념의 구체화)
「짓ᄂᆞ니 한숨이오 디ᄂᆞ니 눈믈이라.」 「」: 대구법
(떨어지는 것이)
「인ᄉᆡᆼ(人生)은 유ᄒᆞᆫ(有限)ᄒᆞᆫᄃᆡ 시롬도 그지업다.」 「」: 대구법
무심(無心)ᄒᆞᆫ 셰월(歲月)은 믈 흐르ᄃᆞᆺ ᄒᆞᄂᆞᆫ고야.
(임의 소식 없이 덧없이 흘러가는 세월에 대한 안타까움)
염냥(炎凉)이 ᄯᅢ를 아라 가ᄂᆞᆫ ᄃᆞᆺ 고텨 오니,
(대유법 – 더위와 서늘함, 세월)
듯거니 보거니 늣길 일도 하도 할샤.

▶ 서사: 임과의 인연과 이별로 인한 그리움

현대어 풀이 이 몸이 태어날 때 임을 따라 태어나니, 한평생 함께 살아갈 인연임을 (어찌) 하늘이 모를 일이던가? 나는 오직 젊어 있고 임은 오직 나를 사랑하시니, 이 마음 이 사랑을 비교할 곳이 전혀 없다. 평생에 원하기를 임과 함께 살아가고자 하였더니, 늙어서 무슨 일로 외따로 두고 그리워하는가. 엇그제 임을 모시고 광한전에 올라 있었는데, 그 동안에 어찌하여 속세에 내려왔는가. 내려올 때 빗은 머리 헝클어진 지도 삼 년이구나. 연지분 있지마는 누구를 위해 곱게 할까? 마음에 맺힌 시름이 겹겹이 쌓여 있어, 짓는 것은 한숨이오, 떨어지는 것은 눈물이라. 인생은 유한한데 근심은 끝이 없다. 무심한 세월은 물 흐르듯 흘러가는구나. 더위와 추위가 때를 알아 가는 듯 다시 오니, 듣고 보고 하는 중에 느낄 일도 많기도 많구나.

□: 계절적 배경을 드러냄.

동풍(東風)이 건듯 부러 젹셜(積雪)을 헤텨 내니,
(봄바람 / 쌓인 눈)
창(窓) 밧긔 심근 ᄆᆡ화(梅花) 두세 가지 픠여셰라.
(객관적 상관물, 화자의 충정)
ᄀᆞ득 ᄂᆡᆼ담(冷淡)ᄒᆞᆫᄃᆡ 암향(暗香)은 므ᄉᆞ 일고.
(매화의 그윽한 향기, 임에 대한 그리움과 충정)
황혼(黃昏)의 ㉠ᄃᆞᆯ이 조차 벼마틔 빗최니,
(임(임금) / 베갯머리에)
늣기ᄂᆞᆫ ᄃᆞᆺ 반기ᄂᆞᆫ ᄃᆞᆺ 님이신가 아니신가.
(흐느끼는 듯)
뎌 ㉡ᄆᆡ화(梅花) 것거 내여 님 겨신 ᄃᆡ 보내오져.
(매화)
님이 너를 보고 엇더타 너기실고.
(의인법 – 임이 화자의 마음을 몰라줄까 봐 염려함.)

▶ 본사 1(봄): 임에게 매화를 보내고 싶음.

현대어 풀이 봄바람이 문득 불어 쌓인 눈을 헤쳐 내니, 창밖에 심은 매화 두세 가지 피었구나. 가뜩이나 쌀쌀한데 그윽한 향기는 무슨 일인가? 황혼에 달이 따라와 베갯머리에 비치니, 흐느껴 우는 듯도 하고 반가워하는 듯도 하니 임이신가 아니신가? 저 매화를 꺾어 내어 임 계신 곳에 보내고 싶구나. 임이 너를 보고 어떻게 생각하실까?

작품 한눈에 보기(서사)

광한뎐	↔	하계
천상의 공간, 임과 이별하기 전(과거)에 있던 곳.		지상의 공간, 임과 이별한 후(현재) 있는 곳.

↓

임에 대한 그리움

출제 포인트

■ 표현상의 특징

① 계절의 변화(시간의 흐름)에 따라 시상이 전개됨.
② 자연물(ᄆᆡ화, ᄃᆞᆯ 등)에 상징적 의미를 부여하여 화자의 정서를 드러냄.
③ 화자를 여성으로 설정(연지분, 홍상, 취슈)하여 임을 향한 간절한 마음을 나타냄.
④ 3(4) · 4조, 4음보의 율격을 통해 리듬감을 형성함.

■ 문학사적 의의

① 『정과정』을 잇는 충신연주지사(忠臣戀主之詞)의 대표적인 작품
② 다양한 표현 기법을 활용하고 절묘하게 우리말을 구사함.
③ 「속미인곡」과 더불어 가사 문학의 백미로 평가됨.

수능 필수 개념

"적강(謫降) 모티프"

'적강(謫降)'은 신선이 인간 세상에 내려오거나 사람으로 태어남을 의미한다. 보통 문학 작품에서는 천상적 존재가 천상에서 지은 죄로 인해 지상으로 유배 오는 것으로 구현된다. 「사미인곡」에서 시적 화자는 천상계에서 임의 사랑을 받다가 지상계에 쫓겨 와 임을 그리워하는 존재로 설정되어 있다. '광한뎐'은 천상계로, 화자가 과거에 머물렀던 공간이자 충족의 공간으로 나타난다. 현재 살고 있는 공간인 지상계(하계)는 임이 없는 곳이므로 결핍의 공간으로 나타난다. 『유충렬전』, 『숙향전』 등의 고전 소설에서도 이러한 적강 모티프가 구현된 부분을 찾아볼 수 있다.

ᄭᅩᆺ 디고 새 닙 나니 녹음(綠陰)이 ᄭᆞᆯ렷ᄂᆞᆫᄃᆡ,
푸른 잎이 우거진 나무나 수풀. 또는 그 나무의 그늘

「나위(羅幃) 젹막(寂寞)ᄒᆞ고 슈막(繡幕)이 뷔여 잇다.」 「」: 임의 부재로 인한 적막감과 외로움
얇은 비단 휘장 / 수 놓은 장막

부용(芙蓉)*을 거더 노코 공쟉(孔雀)을 둘러 두니,
공작을 수놓은 병풍

ᄀᆞ득 시ᄅᆞᆷ 한ᄃᆡ 날은 엇디 기돗던고.
임과의 이별에 대한 안타까움과 시름 / 길던가.

원앙금(鴛鴦錦)* 버혀 노코 오ᄉᆡᆨ션(五色線) 플텨 내여,
베어 / 오색실

금자ᄒᆡ 견화이셔 님의 옷 지어 내니,
재어서, 재단해서 / 화자의 정성(충정)

「슈품(手品)은 ᄏᆞ니와 제도(制度)도 ᄀᆞᄌᆞᆯ시고.」 「」: 자신의 능력에 대한 자부심
솜씨 / 물론이거니와 / 갖추었다.

산호슈(珊瑚樹) 지게 우ᄒᆡ ᄇᆡᆨ옥함(白玉函)의 다마 두고,
미화법 – 임에 대한 화자의 지극한 정성

님의게 보내오려 님 겨신 ᄃᆡ ᄇᆞ라보니,

산(山)인가 구롬인가 머흐도 머흘시고. △: 화자와 임을 가로막는 장애물, 간신

쳔리 만리(千里萬里) 길흘 뉘라셔 ᄎᆞ자갈고.
화자와 임 사이의 심리적 거리감

니거든 여러 두고 날인가 반기실가. ▶ 본사 2(여름): 임에게 옷을 지어 보내고 싶음.
가거든, 이르거든 / 걱정과 염려, 의구심

현대어 풀이 꽃이 지고 새 잎이 나니 녹음이 우거졌는데, 비단 휘장은 적막하고 수놓은 장막은 비어 있다. 연꽃을 수놓은 장막을 걷어 놓고, 공작을 수놓은 병풍을 둘러 두니, 가뜩이나 근심이 많은데 날은 어찌 그리 길던가. 원앙을 수놓은 비단을 베어 놓고 오색실을 풀어 내어, 금으로 만든 자로 재어서 임의 옷을 지어 내니, 솜씨는 물론이거니와 격식도 갖추었구나. 산호로 만든 지게 위에 백옥함에 (옷을) 담아 두고, 임에게 보내려고 임 계신 곳을 바라보니, 산인지 구름인지 험하기도 험하구나. 천만 리나 되는 길을 누가 찾아갈까. 가거든 (백옥함을) 열어 두고 나를 보신 듯 반기실까?

ᄒᆞᄅᆞ밤 서리김의 기러기 우러 녤 제,
화자의 외로움

위루(危樓)에 혼자 올나 슈졍념(水晶簾)을 거든말이,
높은 누각 / 수정으로 만든 발 / 걷으니

동산(東山)의 ᄃᆞᆯ이 나고, 븍극(北極)의 별이 뵈니,
임(임금)

님이신가 반기니 눈믈이 절로 난다.
맑은 달빛, 화자의 충정 – 임금의 선정에 대한 소망

「청광(淸光)을 쥐여 내여 봉황누(鳳凰樓)의 븟티고져.」 「」: 연군지정
임(임금)이 계신 곳

누(樓) 우ᄒᆡ 거러 두고 팔황(八荒)의 다 비최여,
온 세상

심산 궁곡(深山窮谷) 졈낫ᄀᆞᆺ티 ᄆᆡᆼ그쇼셔. ▶ 본사 3(가을): 임이 온 세상을 환하게 비추기를 바람.
깊은 산속의 험한 골짜기, ① 어지러운 조정 ② 임금의 선정이 미치지 못하는 곳

현대어 풀이 하룻밤의 서리 기운에 기러기 울며 날아갈 때, 높은 누각에 혼자 올라 수정으로 만든 발을 걷으니, 동산에 달이 떠오르고 북극성이 보이니, 임이신가 하여 반기니 눈물이 절로 난다. 맑은 달빛을 일으켜 내어 임이 계신 궁궐에 보내 드리고 싶구나. (그러면 임이 그것을) 누각 위에 걸어 두고 온 세상에 다 비추어 깊은 산골짜기도 대낮같이 (환하게) 만드소서.

건곤(乾坤)이 폐ᄉᆡᆨ(閉塞)*ᄒᆞ야 ᄇᆡᆨ셜(白雪)이 ᄒᆞᆫ 빗친 제,
천지, 세상 / 온통 덮여 있을 때

사ᄅᆞᆷ은ᄏᆞ니와 ᄂᆞᆯ새도 긋쳐 잇다.

쇼샹 남반(瀟湘南畔)도 치오미 이러커든,
중국의 남쪽 지방으로 따뜻한 곳, 화자가 있는 전남 창평

옥누(玉樓) 고쳐(高處)야 더옥 닐너 므슴ᄒᆞ리.
옥황상제가 있는 궁궐, 임금이 계신 한양 / 설의법

양춘(陽春)을 부쳐 내여 님 겨신 ᄃᆡ 쏘이고져.
화자의 충정 – 임금에 대한 염려

모쳠(茅簷) 비쵠 ᄒᆡ를 옥누(玉樓)의 올리고져.
초가집 처마, 화자가 사는 집 / 화자의 충정 / 임금 계신 대궐, 광한전, 백옥루

홍샹(紅裳)을 니믜ᄎᆞ고 취슈(翠袖)를 반(半)만 거더
붉은 치마 / 화자가 여성임을 알려 줌. / 푸른 소매

일모슈듁(日暮脩竹)의 혬가림도 하도 할샤.
해 질 녘 대나무에 기대어 섬. / 여러 생각 / 많기도 많다.

댜ᄅᆞᆫ ᄒᆡ 수이 디여 긴 밤을 고초 안자,
짧은 / 꼿꼿이

작품 한눈에 보기(본사)

	계절감을 나타내는 소재	임을 향한 충정을 상징하는 소재
봄	동풍	매화
여름	녹음	님의 옷
가을	서리, 기러기	청광(맑은 달빛)
겨울	ᄇᆡᆨ셜(흰 눈)	양춘(봄볕), 해

⬇

임에 대한 사랑과 충정

출제 포인트

■ 연군지정(戀君之情): 임금에 대한 그리움과 변함없는 사랑

본사 3	동산의 ᄃᆞᆯ, 븍극의 별	자연물을 통해 임금을 상징적으로 표현함.
	청광을 쥐여 내여 봉황누의 븟티고져	임금이 선정을 베풀어주기를 바라는 마음을 드러냄.
본사 4	모쳠 비쵠 ᄒᆡ를 옥누의 올리고져	임금의 안위를 걱정하는 마음을 드러냄.

■ 임금에 대한 염려와 걱정

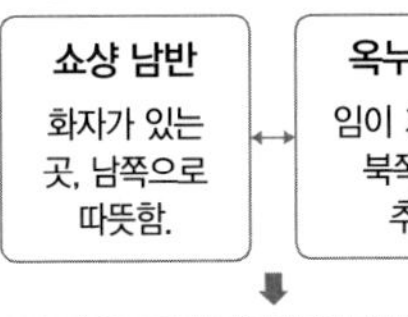
쇼샹 남반
화자가 있는 곳, 남쪽으로 따뜻함.
옥누 고쳐
임이 계신 곳, 북쪽으로 추움.

⬇

임에게 양춘을 보내고 싶음.

수능 필수 개념 플러스

"북극성"

북극성은 위치가 거의 변하지 않아 방위나 위도의 지침이 되며 밤하늘에서 밝게 빛난다. 이러한 특성을 활용하여 고전 시가에서 '북극성'은 흔히 '임금'을 상징하는 시어로 사용된다.

어휘 풀이

* 부용: 연꽃을 수놓은 휘장
* 원앙금: 원앙을 수놓은 비단
* 폐ᄉᆡᆨ: 겨울에 천지가 얼어붙어 생기가 막힘.

청등(靑燈) 거른 겻틔 뎐공후(鈿箜篌) 노하 두고,
임을 기다리는 화자의 모습 / 자개로 장식한 공후
ᄭᅮᆷ의나 님을 보려 ᄐᆡᆨ 밧고 비겨시니,
원앙새를 수놓은 이불 / 턱을 받치고
앙금(鴦衾)도 ᄎᆞ도 ᄎᆞᆯ샤 이 밤은 언제 샐고. ▶ 본사 4(겨울): 임에 대한 염려와 그리움으로 밤을 새움.
화자의 외로운 처지를 드러냄.

현대어 풀이 천지가 추위로 생기가 막히고 흰 눈으로 덮여 있을 때, 사람은 물론이거니와 새들도 날지 않고 있다. 소상강 남쪽 지방처럼 따뜻한 이곳도 추위가 이러한데, 임 계신 옥루의 높은 곳이야 더욱 말해 무엇하리. 따뜻한 봄기운을 부쳐 내어 임 계신 곳에 쐬게 하고 싶구나. 초가집 처마에 비친 해를 임 계신 궁궐에 올리고 싶구나. 붉은 치마를 여미어 입고 푸른 소매를 반만 걷어, 해 질 녘 대나무에 기대어 서서 이런저런 생각도 많기도 많구나. 짧은 (겨울) 해가 이내 넘어가고 긴 밤을 꼿꼿하게 앉아, 푸른 등을 걸어 둔 옆에 수놓은 공후를 놓아 두고, 꿈에서나 임을 보려고 턱을 괴고 기대어 있으니 원앙을 수놓은 이불이 차기도 차구나. (외로운) 이 밤은 언제나 샐까?

ᄒᆞᄅᆞ도 열두 ᄣᅢ ᄒᆞᆫ ᄃᆞᆯ도 셜흔 날,
져근덧 ᄉᆡᆼ각 마라 이 시ᄅᆞᆷ 닛쟈 ᄒᆞ니,
잠시
ᄆᆞᄋᆞᆷ의 ᄆᆡ쳐 이셔 골슈(骨髓)의 ᄢᅦ텨시니,
뼛속 / 사무쳐 있으니
편쟉(扁鵲)이 열히 오나 이 병을 엇디ᄒᆞ리.
중국 춘추 시대의 명의(名醫)
어와, 내 병이야 이 님의 타시로다.
탓이로다
ᄎᆞᆯ하리 ᄉᆡ어디여 범나븨 되오리라. – 죽어서라도 임을 따르고 싶은 마음, 일편단심
죽어서 / 화자의 분신
곳나모 가지마다 간 ᄃᆡ 죡죡 안니다가, 향 므든 ᄂᆞᆯ애로 님의 오ᄉᆡ 올므리라.
앉아 다니다가 / 임을 향한 충정 / 날개
「님이야 날인 줄 모ᄅᆞ셔도 내 님 조ᄎᆞ려 ᄒᆞ노라.」 ▶ 결사: 임에 대한 변함없는 사랑(충정)
임을 향한 변함없는 사랑을 직설적으로 표현함. 「」: 서사 첫 구절과 의미상 호응함.

현대어 풀이 하루도 열두 때 한 달도 서른 날, 잠시라도 임 생각을 말고 이 시름을 잊고자 해도 (시름이) 마음에 맺혀 있어 뼛속까지 사무쳤으니, 편작과 같은 명의가 열 명이 오더라도 이 병을 어찌하리? 아, 내 병이야 임의 탓이로다. 차라리 죽어서 범나비가 되리라. 꽃나무 가지 간 데마다 앉아 다니다가, 향기 묻은 날개로 임의 옷에 옮으리라. 임이야 나인 줄 모르셔도 나는 임을 따르려 하노라.

작품 한눈에 보기(결사)

범나븨 (화자의 분신) **향**(화자의 충정) → **임**(임금), **임의 옷**

↓

임금에 대한 변함없는 사랑

출제 포인트

■ '범나븨'의 의미
'범나븨'는 화자의 분신으로, 임이 어디를 가든지 끝까지 따르는 존재임. 따라서 화자의 정성과 사랑이 함축되어 있는 시어라고 볼 수 있음.

수능 필수 개념 플러스

"미인(美人)"
정철의 가사에 등장하는 미인은 사랑하는 임이자 덕을 갖춘 임금으로 볼 수도 있고, 사랑하는 연인으로 볼 수도 있다. 정철은 남녀간의 관계와 정을 임금과 신하의 관계에 끌어들여 보편적인 공감을 유도하였다.

1 작품 이해

이 작품은 한 여인이 임을 그리워하는 심정에 빗대어 임금을 향한 충정(忠情)을 표현한 가사이다. 작가가 당쟁으로 벼슬에서 물러나 고향인 전남 창평에 내려가 있을 때 지었는데, 다양한 표현 기법을 활용하였으며 치밀한 구조와 세련된 언어 표현이 돋보인다. 서포 김만중으로부터 「관동별곡」, 「속미인곡」과 더불어 우리 문장의 극치라는 찬사를 받았으며, 중국의 고사를 쓰지 않고 우리말의 묘미를 잘 살렸다는 평가를 받고 있다.

• 갈래: 가사(서정 가사, 양반 가사, 정격 가사)
• 성격: 서정적, 여성적, 연모적
• 주제: 임을 향한 그리움, 연군의 정
• 시적 상황 임을 모시고 지내던 □□□(궁궐)에서 하계로 내려와 임을 그리워함.
• 정서와 태도 사계절의 변화에 따라 매화, 옷, 청광, 양춘을 임에게 보내고자 하며, 임에 대한 □□□을 느끼고 있음.

정답: 광한전(광한뎐), 그리움

2 내용 확인

1 맞는 내용이면 ○표, 틀린 내용이면 ×표 하시오.

① 본사 3의 '심산 궁곡 졈낫ᄀᆞ티 ᄆᆡᆼ그쇼셔.'에는 하루빨리 임과 재회하기를 바라는 화자의 심정이 드러나 있다. ( )

② 결사의 '향 므든 ᄂᆞᆯ애로 님의 오ᄉᆡ 올므리라.'에서의 '향'은 '임금을 향한 충정'을 의미한다. ( )

③ 계절의 변화를 중심으로 시상을 전개하고 있으며 인간과 자연을 대비하여 주제를 강조하고 있다. ( )

내용 확인 도우미

1 ① 깊은 산속까지 환하게 만들라는 것은 임금의 선정이 온 세상에 미치기를 바란다는 의미이다.
② 화자는 향(충정) 묻은 날개를 가진 '범나븨'가 되어 임의 옷에 옮아가려고 한다.
③ 계절의 변화에 따라 시상을 전개하고 있지만, 인간과 자연을 대비하고 있지는 않다.

정답 1 ① × ② ○ ③ ×

3 실전 Test

• 정답 33쪽

01 윗글의 표현상 특징으로 가장 적절한 것은? 기출 문제

① 고사를 활용하여 풍자의 효과를 높이고 있다.
② 색채의 대비를 활용하여 시적 긴장감을 고조시키고 있다.
③ 사물을 다양한 관점에서 묘사하여 생동감을 자아내고 있다.
④ 설의적 표현을 사용하여 정서를 효과적으로 드러내고 있다.
⑤ 상승과 하강의 심상을 반복하여 대상을 구체적으로 표현하고 있다.

02 ㉠과 ㉡에 대한 설명으로 가장 적절한 것은? 기출 문제

① ㉠은 대상과의 단절에 대한 두려움을, ㉡은 대상과의 관계 형성에 대한 화자의 소망을 반영한다.
② ㉠은 화자가 도달하고자 하는 목표를 상징하는 소재, ㉡은 화자의 심리적 방황을 유발하는 소재이다.
③ ㉠은 화자에게 부재하는 대상을 떠오르게 하는 자연물, ㉡은 대상에 대한 화자의 마음을 전달하는 자연물이다.
④ ㉠과 ㉡은 모두 현실에서 겪어야 할 외부적 시련을 상징한다.
⑤ ㉠과 ㉡은 모두 부정적 상황에 대해 체념하는 화자의 현재 모습을 나타낸다.

03 [보기]를 바탕으로 윗글을 이해할 때, 적절하지 <u>않은</u> 것은? 기출 문제

> 보기
>
> 남성 작가가 자신의 분신으로 여성 화자를 내세우는 방식은 우리 시가의 한 전통이다. 궁궐을 떠난 신하가 임금을 그리워하면서 지은 「사미인곡」도 이 전통을 잇고 있다.

① '옷'을 지어 '빅옥함'에 담아 임에게 보내려 하는 것은 임금에 대한 신하의 정성과 그리움을 드러내는 행위이다.
② 지상의 화자가 천상의 'ᄃᆞᆯ'과 '별'을 매개로 임을 떠올린 것은 군신 사이의 수직적 관계를 반영한 것으로 볼 수 있다.
③ '청광'을 보내고자 염원하는 이유에서 시적 화자와 청자가 실제로는 신하와 임금의 관계임을 감지할 수 있다.
④ 추운 날씨에 '모쳠'에 비친 해는 임금의 자애로운 은혜가 신하가 머물고 있는 곳까지 미치고 있음을 암시한 것이다.
⑤ 긴긴 겨울밤을 배경으로 차가운 '앙금'을 통해 외로운 처지를 표현한 것은 군신 관계를 남녀 관계로 치환한 결과이다.

실전 Test Guide

01 제시문의 표현상 특징을 파악할 수 있는지 확인하는 문제이다. 화자가 전달하고자 하는 바를 효과적으로 전달하기 위해 사용한 표현 방법과 그 효과를 파악해 보도록 한다.

02 시어의 의미와 기능을 파악해 보는 문제이다. 화자가 처해 있는 상황과 화자의 정서를 고려하여 해당 시어의 의미와 기능을 생각해 보도록 한다.

03 [보기]의 정보를 근거로 작품을 적절하게 감상할 수 있는지를 평가하는 문제이다. [보기]에서 제시하고 있는 '우리 시가의 전통 방식'을 이해하고, 이를 바탕으로 작품의 의미를 해석해 보도록 한다.

가사 078

속미인곡(續美人曲)_정철

뎨 가ᄂᆞᆫ 뎌 각시 본 듯도 ᄒᆞᆫ뎌이고.

저기 / 을녀(작품의 중심 인물)

「텬샹(天上) ᄇᆡᆨ옥경(白玉京)을 엇디ᄒᆞ야 니별(離別)ᄒᆞ고,」 「」: 천상계에서 지상계로 내려오는 적강의 모티프를 활용함.

옥황상제가 사는 곳, 한양 / 을녀의 상황

ᄒᆡ 다 뎌 져믄 날의 눌을 보라 가시ᄂᆞᆫ고. ▶ 서사 1: 백옥경을 떠난 이유에 대한 갑녀의 질문

현대어 풀이 저기 가는 저 각시, 본 듯도 하구나. 임금 계신 궁궐을 어찌하여 이별하고, 해가 다 져서 저문 날에 누구를 보려고 가시는가?

어와 네여이고 내 ᄉᆞ셜 드러 보오.

갑녀 / 을녀 / 이야기, 사연

㉠내 얼굴 이 거동이 님 괴얌즉 ᄒᆞᆫ가마ᄂᆞᆫ

사랑받음직

엇딘디 날 보시고 네로다 녀기실ᄉᆡ

여기시므로

㉡나도 님을 미더 군ᄠᅳ디 전혀 업서

다른 생각이

이ᄅᆡ야 교ᄐᆡ야 어ᄌᆞ러이 구돗쩐디

화자가 생각하는 이별의 원인

㉢반기시ᄂᆞᆫ ᄂᆞᆺ비치 녜와 엇디 다ᄅᆞ신고.

누어 ᄉᆡᆼ각ᄒᆞ고 니러 안자 혜여ᄒᆞ니

생각하니, 헤아리니

㉣내 몸의 지은 죄 뫼ᄀᆞ티 ᄡᅡ혀시니

이별의 원인을 자신의 탓으로 돌리고 체념함.

하ᄂᆞᆯ히라 원망ᄒᆞ며 사ᄅᆞᆷ이라 허믈ᄒᆞ랴.

㉤셜워 플텨 혜니 조믈(造物)의 타시로다. ▶ 서사 2: 이별의 원인에 대한 을녀의 대답

운명론적 인생관–표면적: 조물주의 탓, 이면적: 자책

현대어 풀이 아, 너로구나. 내 사연 들어 보오. 내 모습과 행동이 임께서 사랑함직한가마는, 어쩐지 나를 보시고 너로구나 (하며 특별히) 여기시기에, 나도 임을 믿어 다른 생각이 전혀 없어, 아양이며 교태며 지나치게 굴었던지, (임께서) 반기시는 얼굴빛이 옛날과 어찌 다르신가? 누워 생각하고 일어나 앉아 헤아려 보니 내 몸의 지은 죄가 산같이 쌓였으니 하늘을 원망하며 사람을 탓하겠는가. 서러워서 풀어 생각해 보니 조물주의 탓이로다.

글란 ᄉᆡᆼ각 마오. ▶ 본사 1: 갑녀의 위로

자책

현대어 풀이 그렇게는 생각하지 마오.

ᄆᆡ친 일이 이셔이다.

님을 뫼셔 이셔 님의 일을 내 알거니 믈 ᄀᆞᄐᆞᆫ 얼굴이 편ᄒᆞ실 적 몃 날일고.

임금(선조) / 연약한, 허약한

츈한고열(春寒苦熱)은 엇디ᄒᆞ야 디내시며 츄일동텬(秋日冬天)은 뉘라셔 뫼셧ᄂᆞᆫ고.

봄의 추위와 여름의 괴로운 더위 / 가을과 겨울의 날씨

쥭조반(粥早飯) 죠셕(朝夕) 뫼 녜와 ᄀᆞᆺ티 셰시ᄂᆞᆫ가. 기나긴 밤의 ᄌᆞᆷ은 엇디 자시ᄂᆞᆫ고.

아침 먹기 전에 일찍 먹는 죽 / 아침과 저녁 / 진지, 수라 / 잡수시는가. ▶ 본사 2: 임을 염려하는 을녀

현대어 풀이 (내 마음속에) 맺힌 일이 있습니다. (예전에) 임을 모신 적이 있어 임의 일을 내가 잘 알거니, 물같이 연약한 몸이 편하실 때가 몇 날일까? 봄의 추위와 여름의 괴로운 더위는 어떻게 지내시며, 가을과 겨울은 누가 모셨는가? 아침 죽과 아침저녁 진지는 옛날과 같이 잡수시는가? 기나긴 밤에 잠은 어찌 주무시는가?

님다히 쇼식(消息)을 아므려나 아쟈 ᄒᆞ니

임 계신 곳, 한양 / 어떻게든

오ᄂᆞᆯ도 거의로다. ᄂᆡ일이나 사ᄅᆞᆷ 올가.

거의 다 지났다 / 임의 소식을 전해 줄 사람

내 ᄆᆞᄋᆞᆷ 둘 ᄃᆡ 업다. 어드러로 가쟈 말고.

잡거니 밀거니 놉픈 뫼히 올라가니

임과의 거리를 좁히려고 노력함.

작품 한눈에 보기(전체)

갑녀(보조적 화자)	을녀(중심 화자)
• 이별의 이유를 질문함. • 을녀를 위로함. • 작품의 결말을 유도함.	• 이별의 사연을 토로함. • 작품의 분위기를 주도함. • 작품의 주제를 구현함.

⬇

임을 향한 그리움과 일편단심

작품 한눈에 보기(서사)

임과 이별함.
백옥경을 떠나 옴.

↓

임에게 실수했던 과거를 떠올림.
임과 자신의 이별을 자신과 조물주의 탓으로 여김.

작품 한눈에 보기(본사)

구롬, 안개, ᄇᆞ람, 믈결	계셩
현실에서 화사와 임 사이를 가로막고 있음.	꿈속에서 임과 만나는 화자를 방해함.

⬇

화자의 외로움과 그리움이 심화됨.

출제 포인트

■ 표현상의 특징

① 대화 형식으로 내용을 전개하여 화자의 정서를 드러냄.

② 고사(故事)나 한시를 인용하지 않고 우리말의 묘미를 살림.

③ 자연물에 상징적 의미를 부여하여 화자의 심정을 간접적으로 드러냄.

④ '서사–본사–결사'의 3단 구성이며, 3(4) · 4조의 음수율, 4음보의 율격을 활용함.

구롬은ᄏᆞ니와 안개ᄂᆞᆫ 므ᄉᆞ 일고. □: 임과 화자 사이를 가로막는 장애물, 간신

물론이거니와

산쳔(山川)이 어둡거니 일월(日月)을 엇디 보며

임(임금)

지쳑(咫尺)을 모ᄅᆞ거든 쳔리(千里)ᄅᆞᆯ ᄇᆞ라보랴.

아주 가까운 거리

ᄎᆞᆯ하리 믈ᄀᆞ의 가 ᄇᆡ 길히나 보쟈 ᄒᆞ니

소망을 성취하는 공간

ᄇᆞ람이야 믈결이야 어둥졍 된뎌이고.

어수선하게 되었다.

샤공은 어ᄃᆡ 가고 빈 ᄇᆡ만 걸렷ᄂᆞ니.

화자의 외로운 심정을 드러내는 객관적 상관물

강텬(江天)의 혼자 셔셔 디ᄂᆞᆫ ᄒᆡᄅᆞᆯ 구버보니

님다히 쇼식(消息)이 더옥 아득ᄒᆞᆫ뎌이고. ▶ 본사 3: 임의 소식을 알 수 없어 탄식하는 을녀

현대어 풀이 임 계신 곳의 소식을 어떻게 해서든지 알고자 하니, 오늘도 거의 지나갔구나. 내일이나 (임의 소식 전해 줄) 사람이 올까? 내 마음 둘 곳 없다. 어디로 가자는 말인가? (나무와 바위 등을) 잡거니 밀거니 하면서 높은 산에 올라가니, 구름은 물론이거니와 안개는 무슨 일로 끼어 있는가? 산천이 어두운데 해와 달은 어떻게 보며, 가까운 거리도 모르는데 천 리를 바라보겠는가? 차라리 물가에 가서 뱃길이나 보려고 했더니, 바람과 물결로 어수선하게 되었구나. 사공은 어디 가고 빈 배만 걸려 있는가? 강가에 혼자 서서 지는 해를 굽어보니 임 계신 곳 소식이 더욱 아득하구나.

ⓐ모쳠(茅簷) ᄎᆞᆫ 자리의 밤듕만 도라오니 반벽쳥등(半壁靑燈)은 눌 위ᄒᆞ야 ᄇᆞᆯ갓ᄂᆞᆫ고.

초가집 처마(화자의 집) 벽 가운데 걸려 있는 등불, 화자의 외로움을 부각하는 객관적 상관물

오ᄅᆞ며 ᄂᆞ리며 헤ᄯᅳ며 바니니 져근덧 녁진(力盡)ᄒᆞ야 풋ᄌᆞᆷ을 잠간 드니

본사 3의 내용을 요약하여 제시함. 방황하니 기운이 다하여

졍셩(精誠)이 지극ᄒᆞ야 ᄭᅮᆷ의 님을 보니 옥(玉) ᄀᆞᄐᆞᆫ 얼굴이 반(半)이나마 늘거셰라.

임과의 재회가 가능한 공간, 화자의 소망이 일시적으로 이루어지는 공간

ᄆᆞᄋᆞᆷ의 머근 말ᄉᆞᆷ 슬ᄏᆞ장 ᄉᆞᆲ쟈 ᄒᆞ니 눈믈이 바라 나니 말인들 어이ᄒᆞ며

실컷 아뢰려 연달아 닭의 울음소리

졍(情)을 못다ᄒᆞ야 목이조차 몌여ᄒᆞ니 오뎐된 계셩(鷄聲)의 ᄌᆞᆷ은 엇디 ᄭᆡ돗던고.

방정맞은 ▶ 본사 4: 독수공방을 슬퍼하다 꿈에서 임을 만난 을녀

현대어 풀이 초가집 찬 잠자리에 한밤중이 돌아오니, 벽 가운데 걸린 등불은 누구를 위하여 밝았는가? (산을) 오르며 내리며 (강가를) 헤매며 방황하니, 잠깐 사이에 힘이 다해서 풋잠을 잠깐 드니, 정성이 지극하여 꿈에 임을 보니, 옥 같은 모습이 반 넘게 늙었구나. 마음속의 품은 말씀 실컷 아뢰려 하니, 눈물이 계속해서 나니 말인들 어찌하며, 정을 못다 풀어 목조차 메니, 방정맞은 닭 소리에 잠은 어찌 깨었던가?

어와, 허ᄉᆞ(虛事)로다. 이 님이 어ᄃᆡ 간고.

가엾은

결의 니러 안자 창(窓)을 열고 ᄇᆞ라보니 어엿븐 그림재 날 조ᄎᆞᆯ ᄲᅮᆫ이로다.

화자의 외로움을 강조함.

「ᄎᆞᆯ하리 ᄉᆡ여디여 낙월(落月)이나 되야이셔 님 겨신 창(窓) 안ᄒᆡ 번드시 비최리라.」

죽어서 화자의 분신, 소극적인 애정관을 반영함. 「」: 죽어서라도 임을 따르겠다는 화자의 의지

▶ 결사 1: 죽어서라도 임을 따르고 싶다는 을녀

현대어 풀이 아아, 헛된 일이로다. 이 임이 어디로 갔는가? 꿈결에 일어나 앉아 창을 열고 바라보니, 가엾은 그림자가 나를 따를 뿐이로다. 차라리 죽어서 지는 달이나 되어 임 계신 창 안에 환하게 비치리라.

각시님 ᄃᆞᆯ이야ᄏᆞ니와 구ᄌᆞᆫ 비나 되쇼셔. ▶ 결사 2: 을녀를 위로하는 갑녀

화자의 분신, 적극적인 애정관을 반영함.

현대어 풀이 각시님, 달은커녕 궂은비나 되십시오.

작품 한눈에 보기(결사)

낙월	구ᄌᆞᆫ 비
• 멀리서 임을 잠깐 보다 사라짐. • 소극적, 일시적 • 공간적 거리가 멂.	• 오래 내리며 임에게 가까이 갈 수 있음. • 적극적, 지속적 • 공간적 거리가 가까움.

⬇

화자의 분신으로 애정관이 반영됨.

수능 필수 개념

"정격 가사와 변격 가사"

가사는 시가와 산문의 중간 형태의 문학 갈래로, 연의 구분이 없고, 행수의 제한도 없다. 주로 4음보의 연속체로 3·4조 혹은 4·4조로 된 것이 특징이다. 마지막 행이 평시조의 종장과 같이 3·5·4·3의 음수율을 보이는 가사를 정격 가사(正格歌辭)라 하고, 그렇지 않은 가사는 변격 가사(變格歌辭)라고 한다.

수능 필수 개념 플러스

"「사미인곡」과 「속미인곡」의 비교"

	사미인곡	속미인곡
공통점	① 화자: 천상에서 지상으로 내려온 여성임. ② 화자의 심리: 임을 그리워하며 죽어서라도 임을 따르고자 함.	
차이점	독백체	대화체
	다소 과장된 표현, 한자성어와 고사 사용	소박하고 진솔한 표현, 우리말의 묘미를 살림.
	죽어서 '범나비'가 되어 임이 자신을 몰라주어도 임을 따르려 함(소극적 태도).	죽어서 '낙월', '구ᄌᆞᆫ 비'가 되어 자신의 마음을 표현하면서 임을 따르려 함(적극적 태도).

1 작품 이해

이 작품은 임금을 향한 충정의 마음을 임과 이별한 여인의 목소리로 노래한 가사이다. 두 여인의 대화를 통해 임(임금)을 향한 화자의 간절한 그리움을 형상화하고 있으며, 우리말을 절묘하게 구사하여 가사 문학 중 가장 문학성이 뛰어난 작품으로 평가받고 있다.

• 갈래: 가사(양반 가사, 서정 가사, 정격 가사)

• 성격: 서정적, 여성적 • 주제: 임을 향한 그리움, 연군의 정

• 시적 상황 두 여인이 □□를 하고 있음.

• 정서와 태도 임을 향한 그리움을 느끼며 □□□□을 다짐함.

정답: 대화, 일편단심

2 내용 확인

1 맞는 내용이면 ○표, 틀린 내용이면 ×표 하시오.

① 본사에서 '뫼 → 믈ᄀ → 모쳠'으로 공간이 이동함에 따라 화자의 정서도 변화하고 있다. (　　)

② 본사 3에서 화자는 '놉픈 뫼'에 올라 그리운 임과의 거리를 좁혀서라도 임의 소식을 듣고자 하고 있다. (　　)

내용 확인 도우미

1 ① 화자가 있는 공간은 변하고 있지만, 화자의 외로움과 임을 향한 그리움은 지속되고 있다.

② 화자는 본사 3에서 임의 소식을 알기 위해 높은 산에도 올라가고, 뱃길도 알아보고자 애쓰고 있다.

정답 1 ① × ② ○

3 실전 Test

• 정답 33쪽

01 윗글의 화자에 대한 설명으로 적절하지 않은 것은?

① 대화의 형식으로 정서를 표현하고 있다.
② 현재와 대비되는 과거의 상황을 잊지 못하고 있다.
③ 있고자 하는 공간에 있지 못해 안타까움을 느끼고 있다.
④ 자신의 문제와 관련하여 세상을 원망하는 마음을 드러내고 있다.
⑤ 자연물에 상징적 의미를 부여하여 자신의 의지를 표출하고 있다.

02 윗글을 상소문이라고 가정할 때, ㉠~㉤ 중에서 [보기]의 밑줄 친 부분이 가장 잘 드러나 있는 것은? 기출 문제

보기

상소문은 여러 경우에 쓰는데, 그중에는 개인의 억울함을 하소연하는 것도 있다. 이 경우 사건의 전말을 밝혀 자신의 잘못이 아님을 해명하거나 겸손하게 자신의 허물을 탓하기도 한다. 이렇게 함으로써 임금의 신뢰가 회복되기를 기대하였다.

① ㉠　　② ㉡　　③ ㉢　　④ ㉣　　⑤ ㉤

03 윗글의 ⓐ와 [보기 1]의 ⓑ를 활용하여 시행을 창작하는 학습 활동을 하였다. [보기 2]의 조건을 가장 잘 충족하고 있는 것은? 기출 문제

보기 1

ⓑ 전원(田園)에 나믄 흥(興)을 전나귀에 모도 싯고
계산(溪山) 니근 길로 흥치며 도라와셔
아ᄒᆡ 금서(琴書)를 다스려라 나믄 ᄒᆡ를 보내리라.
– 김천택

보기 2

ⓐ에 드러난 화자의 처지를 명확히 밝힐 것.
ⓑ에 담긴 발상 및 표현을 사용할 것.

① 침실의 환한 등불 아래에서 어두운 표정을 지었다.
② 괴롭지만 행복한 침실에서 등불을 보며 밤을 지새웠다.
③ 한밤중에 혼자만 있는 쓸쓸한 침실에서 슬픔을 포개어 쌓았다.
④ 차가운 잠자리와 침실 벽의 등불 사이가 하늘과 땅의 거리였다.
⑤ 아늑한 침실 바닥에 누워 즐겁게 추억의 보따리를 풀어 헤쳤다.

실전 Test Guide

01 제시문에 드러난 화자의 정서와 태도를 파악할 수 있는지 확인하는 문제이다. 시적 상황이나 시적 대상과 관련하여 화자의 정서와 태도가 어떤 방식으로 나타나는지를 살펴보도록 한다.

02 [보기]를 참고하여 시구의 의미를 판단할 수 있는지 확인하는 문제이다. 제시문을 상소문이라고 가정할 때, 시구의 의미가 어떻게 변화하는지 생각해 보도록 한다.

03 두 작품을 비교하여 이해하고 재구성해 보는 문제이다. 제시문에 나타난 화자의 처지와 [보기 1]에 나타난 발상 및 표현을 파악하고, 이를 작품의 재구성에 활용해 보도록 한다.

가사 079 성산별곡(星山別曲)_정철

엇던 디날 손이 성산(星山)의 머믈며셔
지나가는 손님, 화자(정철)
서하당(棲霞堂) 식영뎡(息影亭) 쥬인(主人)아 내 말 듯소.
김성원이 지은 정자 김성원(작가의 처 외재당숙)
인생 셰간(人生世間)의 됴흔 일 하건마는
속세 부귀영화
엇디 흔 강산(江山)을 가디록 나이 녀겨
자연 갈수록 낫게
젹막(寂寞) 산중(山中)의 들고 아니 나시는고.
나오시는가
송근(松根)을 다시 쓸고 죽상(竹床)의 자리 보와
소나무 뿌리 대나무로 만든 평상
져근덧 올라안자 엇던고 다시 보니
잠시 상서로운 돌, 식영정 근처의 서석대를 의미함.
천변(天邊)의 쩟는 구름 서셕(瑞石)을 집을 사마
하늘가에 떠 있는 구름, 주인을 비유함.
나는 둣 드는 양이 쥬인(主人)과 엇더훈고.
① 나가는 듯 ② 나는 듯 다르지 않다.
창계(滄溪) 흰 믈결이 정자(亭子) 알핀 둘러시니
푸른 시내, 식영정 앞 시내
천손 운금(天孫雲錦)을 뉘라셔 버혀 내여
미화법 – 직녀가 짜 놓은 구름 같은 비단, 은하수
닛는 둣 펴티는 둣 헌스토 헌스훌샤.
야단스럽기도 야단스럽구나
산중(山中)의 책력(冊曆) 업서 스시(四時)를 모르더니
달력 사계절
눈 아래 헤틴 경(景)이 쳘쳘이 절로 나니
헤친, 펼쳐진 철철이 ◯: 성산을 미화한 표현
듯거니 보거니 일마다 선간(仙間)이라 ▶ 서사: 식영정 주인의 풍류와 식영정 주변의 경관
신선의 세계, 식영정 주변 경관을 신선의 세계에 비유함.

현대어 풀이 어떤 지나는 나그네가 성산에 머물면서, 서하당 식영정의 주인아 내 말을 들으시오. 인간 세상에 좋은 일이 많은데, 어찌 한 강산을 갈수록 낫게 여겨 적막한 산중(성산)에 들어가서 아니 나오시는가? 소나무 뿌리를 다시 쓸고 대나무 침상에 자리를 보아 잠시 올라앉아 어떤가 하고 (주변 경관을) 다시 보니, 하늘가에 떠 있는 구름이 서석을 집으로 삼고 나갔다가 들어가는 모양이 (식영정) 주인과 (비교해 볼 때) 어떠한가? 시내의 흰 물결이 정자 앞에 둘렀으니, 하늘의 은하수를 누가 베어 내어 잇는 듯 펼쳐 놓은 듯 야단스럽기도 야단스럽구나. 산속에 달력이 없어 사계절을 모르더니 눈 아래에 펼쳐진 경치가 철을 따라 저절로 나타나니, 듣고 보는 것이 모두 신선이 사는 세상이로다.

▭: 계절적 배경을 나타내는 시어

매창(梅窓) 아젹 벼틱 향기(香氣)에 줌을 씨니
매화가 피어 있는 창 └ 아침 햇볕에
산옹(山翁)의 히욜 일이 곳 업도 아니훈다.
산속 늙은이, 주인(김성원) 없지 아니하다
울 밋 양디(陽地)편의 외씨를 쎄혀 두고
울타리 밑 오이씨 뿌려
[A] 미거니 도도거니 빗김의 달화 내니
돋우거니 다루어
청문고사(靑門故事)를 이제도 잇다 훌다.
한나라 때 소평이 장안성의 청문 밖에 오이를 심었다는 고사
망혜(芒鞋)를 뵈야 신고 듁댱(竹杖)을 흣더디니
짚신, 미투리 대나무 지팡이
도화(桃花) 핀 시내 길히 방초쥬(芳草洲)예 니어셰라.
향기로운 풀이 우거진 물가의 작은 섬
[B] 닷봇근 명경중(明鏡中) 절로 그린 셕병풍(石屛風)
거울(시냇물의 보조 관념) 속 절벽이 병풍처럼 빙 둘러 있는 모습
그림재 버들 사마 서하(西河)로 홈쯰 가니
의인법
도원(桃源)은 어드매오 무릉(武陵)이 여긔로다. ▶ 본사 1: 성산의 봄 풍경
무릉도원, 이상향

현대어 풀이 매화가 피어 있는 창에 비치는 아침 볕과 향기에 잠을 깨니, 산늙은이의 할 일이 아주 없지도 않다. 울타리 밑 양지 편에 오이씨를 뿌려 두고, (김을) 매고 (흙을) 돋우면서 비 온 김에 가꿔 내

작품 한눈에 보기(서사)

식영정 주인(김성원)의 풍류

⬇

• 천변에 떠 있는 구름같이 생활함.
• 선계 같은 성산에서 생활함.

출제 포인트

■ 표현상의 특징

① 한자어와 고사(故事)를 인용함.
② 사계절의 변화에 따라 시상을 전개함.
③ 3(4) · 4조 4음보의 연속체로 운율을 형성함.
④ 비유법과 미화법을 통해 성산의 경치를 아름답게 표현함.

■ 작가의 신선 사상

신선이란 도를 닦아서 현실의 인간 세계를 떠나 자연과 벗하며 산다는 사람으로, 세속적인 상식에 구애받지 않고 고통이나 질병도 없으며 죽지 않는다고 함. 신선 사상(神仙思想)은 신선을 믿고 신선처럼 죽음을 초월해 영원히 살고자 하는 사상을 말함. 서사에서 계절마다 아름다운 경치가 펼쳐지는 '성산'을 '선간(仙間)'에 비유하고, 결사에서 '장공(長空)의 쩟는 학(鶴)이 이 골의 진선(眞仙)이라.'라고 언급한 부분에서 정철의 신선 사상을 엿볼 수 있음.

수능 필수 개념 플러스

"청문 고사"

『사기』에 따르면 중국 진나라 때 제후였던 소평이라는 사람이 진나라가 망하고 한나라가 세워지자, 서민이 되어 장안성 동남쪽의 청문 부근에서 오이를 심고 지냈다고 한다. 이 오이는 맛이 좋아 동릉과 또는 청문과라고 불렸다고 한다.

니, 청문 고사가 이제도 있다 하겠다. 짚신을 단단히 신고 대나무 지팡이를 흩어 짚으니, 복숭아꽃 핀 시내 길이 향기로운 풀이 우거진 물가에 이어졌구나. 잘 닦은 거울같이 맑은 물속에 저절로 그린 병풍처럼, (드리워진 절벽) 그림자를 벗 삼아 서하로 함께 가니 도원은 어디인가, 여기가 바로 무릉이로다.

남풍(南風)이 건듯 부러 녹음(綠陰)을 헤텨 내니
(푸른 숲이 우거진 나무나 수풀)
절(節) 아ᄂᆞᆫ 괴ᄭᅩ리ᄂᆞᆫ 어드러셔 오돗던고.
(계절)
[C] 희황(羲皇) 벼개 우ᄒᆡ 픗ᄌᆞᆷ을 얼픗 ᄭᆡ니
(태평성대를 상징하는 베개)
공중(空中) 저즌 난간(欄干) 믈 우ᄒᆡ ᄯᅥ 잇고야.
마의(麻衣)ᄅᆞᆯ 니믜 ᄎᆞ고 갈건(葛巾)을 기우 쓰고
(삼베옷 / 칡으로 만든 두건 / 기울여)
구부락 비기락 보ᄂᆞᆫ 거시 고기로다.
(구부렸다가 기댔다가)
[D] ᄒᆞᄅᆞ밤 비 ᄭᅴ운의 홍백련(紅白蓮)이 섯거 ᄑᆡ니
(붉은 연꽃과 흰 연꽃 / 시각적 이미지)
ᄇᆞ람ᄭᅴ 업서셔 만산(萬山)이 향긔로다.
(바람이 불지 않아서)
염계(濂溪)ᄅᆞᆯ 마조 보와 태극(太極)*을 뭇ᄌᆞᆸᄂᆞᆫ ᄃᆞᆺ
(송나라 학자 주돈이의 호)
태을진인(太乙眞人)이 옥자(玉字)*ᄅᆞᆯ 헤혓ᄂᆞᆫ ᄃᆞᆺ.
(하늘에 있는 진선)
노자암(鸕鶿巖) ᄇᆞ라보며 자미탄(紫微灘) 겨ᄐᆡ 두고
(식영정 아래에 있는 바위 이름 / 식영정 아래에 있는 여울 이름)
장송(長松)을 차일(遮日) 사마 셕경(石逕)의 안자ᄒᆞ니
(햇볕 가리개 / 돌이 많은 좁은 길)
인간(人間) 유월(六月)이 여긔ᄂᆞᆫ 삼츄(三秋)*로다.
(인간 세상은 유월이라 덥겠지만 여기는 가을처럼 시원하다는 의미)
[E] 청강(淸江)의 ᄯᅥᆺᄂᆞᆫ 올히 ᄇᆡᆨ사(白沙)의 올마 안자,
(오리 / 옮겨)
백구(白鷗)ᄅᆞᆯ 벗을 삼고 ᄌᆞᆷ ᄭᆡᆯ 줄 모ᄅᆞ나니
(갈매기)
무심(無心)*코 한가(閑暇)ᄒᆞ미 주인(主人)과 엇디ᄒᆞᆫ고. 〈중략〉
(한가하게 잠을 자는 오리와 주인(김성원)을 비교함.)

▶ 본사 2: 성산의 여름 풍경

현대어 풀이 남풍이 문득 불어 녹음을 헤쳐 내니, 계절을 아는 꾀꼬리는 어디에서 오는가? 복희씨를 새긴 베개 위에서 풋잠을 얼핏 깨니, 공중의 젖은 난간이 물 위에 떠 있구나. 삼베옷을 여며 입고 갈건을 기울여 쓰고, (몸을) 구부렸다 기대었다 하면서 보는 것이 물고기로다. 하룻밤 비 온 뒤에 붉은 연꽃과 흰 연꽃이 섞여 피니, 바람기 없는데도 온 산이 향기로다. 염계(주돈이)를 마주하여 태극의 이치를 묻는 듯, 태을진인이 황제가 남긴 비결서를 헤쳐 놓은 듯, 노자암을 바라보며 자미탄을 곁에 두고, 큰 소나무를 햇볕 가리개로 삼아 돌길에 앉으니, 인간 세상은 유월이지만 여기는 가을이로다. 맑은 강에 떠 있는 오리가 흰 모래에 옮겨 앉아, 흰 갈매기를 벗을 삼고 잠을 깰 줄 모르니, 무심하고 한가함이 주인(김성원)과 비교하여 어떠한가?

공산(空山)의 싸힌 닙흘 삭풍(朔風)이 거두 부러
(겨울의 산 / 겨울바람, 북풍 / 휩쓸어)
ᄯᅦ구름 거ᄂᆞ리고 눈조차 모라오니
천공(天公)이 호ᄉᆡ로와 옥(玉)으로 고ᄌᆞᆯ 지어
(조물주 / 일 꾸며 내기를 좋아하여 / 눈의 보조 관념)
만수 천림(萬樹千林)을 ᄭᅮ며곰 낼셰이고.
(수많은 나무와 수풀)
압 여흘 ᄀᆞ리 어러 독목교(獨木橋) 빗겻ᄂᆞᆫᄃᆡ
(덮어 / 외나무다리)
막대 멘 늘근 즁이 어ᄂᆡ 뎔로 간닷 말고.
산옹(山翁)의 이 부귀(富貴)ᄅᆞᆯ ᄂᆞᆷ ᄃᆞ려 헌ᄉᆞ 마오.
(김성원 / 자연과 벗하며 즐기는 마음 / 자랑마오)
경요굴(瓊瑤窟) 은세계(隱世界)ᄅᆞᆯ ᄎᆞᄌᆞ리 이실셰라.
(아름다운 구슬로 된 굴 / 은거지)

▶ 본사 4: 성산의 겨울 풍경

현대어 풀이 아무도 없는 산에 쌓인 잎을 삭풍이 거두듯 불어, 떼구름을 거느리고 눈까지 몰아오니, 조물주가 일 꾸며 내기를 좋아하여 옥으로 꽃을 만들어 수많은 나무와 수풀을 잘도 꾸며 내었구나. 앞 여울은 가려 얼고 외나무다리는 비스듬히 놓여 있는데, 지팡이를 멘 늙은 중은 어느 절로 간다는 말인가? 산옹의 이 부귀를 남에게 소문내지 마오. 경요굴의 숨은 세계를 찾을 사람이 있을까 두렵구나.

작품 한눈에 보기(본사, 생략 부분 포함)

성산의 풍경을 계절의 변화에 따라 표현함.

⬇

봄 풍경	매화 향기가 풍기고 복숭아꽃이 핀 시내 길이 이어짐.
여름 풍경	연꽃들이 섞여 피고, 오리와 갈매기가 한가롭게 노님.
가을 풍경	[중략 부분] 물가에 붉은 여뀌꽃과 흰마름꽃이 피고, 달이 소나무 위로 솟아오름.
겨울 풍경	수많은 나무와 수풀이 눈에 덮임.

출제 포인트

■ 시어의 기능

봄	매창, 외씨, 도화
여름	남풍, 녹음, 괴ᄭᅩ리, 홍백련
겨울	공산, 삭풍, 눈

⬇

계절적 배경을 나타냄.

■ 화자의 태도

서사	천변의 ᄯᅥᆺᄂᆞᆫ 구름 ~ 쥬인과 엇더ᄒᆞ고
본사 2	무심코 한가ᄒᆞ미 주인과 엇더ᄒᆞ고

⬇

식영정 주인의 풍류를 예찬함.

■ 시어의 의미

경요굴
달나라에 있다고 하는 아름다운 구슬로 된 굴

⬇

성산을 미화하여 표현함.

어휘 풀이

* 태극: 우주의 근본 원리
* 옥자: 황제가 남긴 비결서인 '금간옥자'를 말함.
* 삼츄: 가을 석달을 말함.
* 무심: 마음을 두거나 걱정함이 없음.

산중(山中)의 벗이 업서 한기(漢紀)를 싸하 두고
「만고 인물(萬古人物)을 거스리 혜여ᄒᆞ니
성현(聖賢)도 만커니와 호걸(豪傑)도 하도 할샤.
하ᄂᆞᆯ 삼기실 제 곳 무심(無心)ᄒᆞᆯ가마ᄂᆞᆫ
엇디ᄒᆞᆫ 시운(時運)이 일락배락 ᄒᆞ얏ᄂᆞᆫ고.」
모ᄅᆞᆯ 일도 하거니와 애ᄃᆞᆯ옴도 그지업다.
「기산(箕山)의 늘근 고불 귀ᄂᆞᆫ 엇디 싯돗던고.」
박소ᄅᆡ 핀계ᄒᆞ고 조장이 ᄀᆞ장 놉다.
인심(人心)이 ᄂᆞᆺ ᄀᆞᄐᆞ야 보도록 새롭거ᄂᆞᆯ
세사(世事)ᄂᆞᆫ 구롬이라 머흐도 머흘시고.
엊그제 비ᄌᆞᆫ 술이 어도록 니건ᄂᆞ니
잡거니 밀거니 슬ᄏᆞ장 거후로니
ᄆᆞᄋᆞᆷ의 ᄆᆡ친 시ᄅᆞᆷ 져그나 ᄒᆞ리ᄂᆞ다.
거믄고 시욹 언저 풍입송(風入松) 이야고야.
손인동 주인(主人)인동 다 니저 ᄇᆞ려셔라.
장공(長空)의 ᄯᅧᆺᄂᆞᆫ 학(鶴)이 이 골의 진선(眞仙)이라.
요대 월하(瑤臺月下)의 ᄒᆡᆼ혀 아니 만나산가.
손이셔 주인(主人)ᄃᆞ려 닐오ᄃᆡ 그ᄃᆡ 긘가 ᄒᆞ노라.

(주석) 한기: 서책 / 싸하: 쌓아 / 만고 인물: 책 속의 인물, 책을 보고 떠오르는 인물 / 혜여ᄒᆞ니: 헤아려 보니 / 만커니와: 물론이거니와 / 하도 할샤: 많기도 많다 / 삼기실 제: 만드실 때 / 시운: 시절의 운수 / 일락배락: 흥했다가 망했다가 / 기산: 중국 요임금 때 허유와 소부가 숨어 살았던 산 / 늘근: 나이가 많은 사람. '허유'를 가리킴. / 조장: 기개 있는 품행 / 박소ᄅᆡ 핀계ᄒᆞ고: 허유가 표주박 하나도 성가시다고 핑계를 대며 버린 일 / ᄂᆞᆺ: 얼굴 / 세사: 세상 일 / 머흐도 머흘시고: 험하기도 험하구나 / 술: 시름 해소의 매개체 / 어도록: 얼마나 / 슬ᄏᆞ장: 실컷 / 거후로니: 기울이니 / 시욹: 줄 / 져그나: 적게나마 / ᄒᆞ리ᄂᆞ다: 낫구나 / 거믄고: 시름 해소의 매개체 / 풍입송: 악곡 이름. 태평성대를 기원하며 임금의 덕을 찬양하는 노래 / 손인동 주인인동 다 니저: 손님과 주인의 구별까지 잊음. / 장공: 끝없이 높고 먼 공중 / 진선: 진정한 신선, 학을 의미함. / 요대 월하: 신선이 사는 달 아래 / 손: 정철 / 주인: 김성원 / 닐오ᄃᆡ: 말하기를

「」: 책을 보고 역사 속 인물과 인간 세상의 흥망성쇠를 생각함.
「」: 허유가 귀를 씻은 고사를 인용함.

▶ 결사: 전원생활의 풍류

현대어 풀이 산중에 벗이 없어 책을 쌓아 두고, 만고 인물을 거슬러 헤아리니 성현은 물론이거니와 호걸도 많고 많다. 하늘이 (사람을) 만들 때, 아무 생각이 없었겠는가마는, 어찌 된 시운이 흥했다 망했다 하는가? 모를 일도 많거니와 애달픔도 끝이 없다. 기산의 늙은이가 귀는 어찌 씻었던가? 표주박을 던져 버린 허유의 기개가 가장 높다. 인심이 얼굴 같아서 볼수록 새롭거늘, 세상일은 구름이라 험하기도 험하구나. 엊그제 빚은 술이 얼마나 익었느냐? (술잔을) 잡거니 밀거니 실컷 기울이니, 마음에 맺힌 시름 조금이나마 낫는구나. 거문고 줄을 얹어 풍입송을 타자꾸나. 손님인지 주인인지 다 잊어버렸구나. 끝없이 높고 먼 공중에 뜬 학이 이 골의 진선이라. 신선이 사는 달 아래에서 행여 아니 만났는가? 손이 주인에게 말하기를 그대가 그 진선인가 하노라.

작품 한눈에 보기(결사)

속세	↔	성산
쉽게 변하는 인심, 구름처럼 험한 세상 일		책을 벗삼고, 술과 거문고로 풍류를 즐기는 생활

⬇ 전원생활의 풍류를 예찬함.

출제 포인트

■ 화자의 태도

- 책을 읽고 역사 속 인물과 세상의 흥망성쇠를 생각함.
- 마음속 근심을 술로 달램.

⬇ 식영정 주인과 풍류를 즐기며 신선 같은 삶을 예찬함.

수능 필수 개념 플러스

"소부와 허유"

허유는 요 임금이 자신에게 왕위를 물려주려 하자, 귀가 더럽혀졌다며 영천에서 귀를 씻은 후, 기산에 들어가서 은거하였다고 한다. 소부는 허유가 귀를 씻은 영천의 물이 더럽혀졌다며 몰고 온 소에게도 마시지 못하게 하였다고 한다.

1 작품 이해

이 작품은 성산의 사계절 풍경과 식영정 주인의 풍류를 예찬한 가사이다. 작가가 25세 되던 해에 그의 처 외재당숙인 김성원이 지은 '식영정'에 머물면서 지었다. 자연 속에서 신선과 같은 풍모로 생활하고 있는 '주인(김성원)'의 삶을 예찬하고 있지만, 사실은 작가 자신의 풍류를 드러내고 있다.

- 갈래: 가사(양반 가사, 서정 가사)
- 성격: 전원적, 풍류적

- 주제: 성산의 사계절 장관과 식영정 주인의 풍류 예찬
- 시적 상황 성산의 아름다운 □□과 식영정 주인의 풍류에 대해 노래하고 있음.
- 정서와 태도 성산의 사계절 풍경과 식영정 주인 김성원의 풍류를 □□함.

정답: 자연(풍경), 예찬

2 내용 확인

1 맞는 내용이면 ○표, 틀린 내용이면 ×표 하시오.

① 화자는 자연 속에서 살아가는 현실적 어려움을 사실적으로 그려 내고 있다. ( )
② '손'과 '주인'이 이야기를 주고받는 대화 형식을 활용하여 시상을 전개하고 있다. ( )

내용 확인 도우미

1 ① 화자는 성산의 아름다움과 식영정 주인의 풍류를 예찬하고 있다.
② '손(화자)'이 '주인'에게 이야기를 건네고 있지만 '주인'의 말은 나타나 있지 않다.

정답 1 ① × ② ×

3 실전 Test

• 정답 34쪽

01 윗글에 대한 설명으로 가장 적절한 것은? 기출 문제

① 음성 상징을 활용하여 생동감을 자아내고 있다.
② 애상적 어조를 통해 시적 분위기를 조성하고 있다.
③ 과거와 미래를 대비하여 주제 의식을 부각하고 있다.
④ 계절의 변화 양상과 관련지어 시상을 전개하고 있다.
⑤ 동일한 시구를 주기적으로 반복하여 운율을 형성하고 있다.

02 [보기]와 [자료]를 참고하여 윗글을 감상한 내용으로 적절하지 않은 것은? 기출 문제

보기

선생님: 고전 시가에서는 고사(古事) 속에 등장하는 '인물'이나 '소재'를 활용한 표현이 자주 등장하는데, 이러한 표현들은 고사와 시적 상황의 유사성을 바탕으로 한 연상의 과정을 통해 이루어지는 경우가 많아요. 이 작품에서는 다음의 [자료]와 같이 고사에 나오는 소재들이 활용되고 있습니다.

자료

- **외씨**: 중국 진나라 때 '소평'이 나라가 망하자 벼슬을 버리고 청문 부근에서 농사를 지으며 심었다는 오이씨.
- **도화(桃花)**: 중국 진나라 때 한 어부가 별천지인 무릉도원에 가게 되었다는 고사에 나오는 복숭아꽃. '무릉도원'에는 복숭아꽃이 만발하였다고 함.
- **희황(羲皇) 벼개**: '희황'은 태평성대를 이룬 중국 전설에 나오는 '복희씨'의 다른 이름으로, '희황 벼개'는 '태평한 세상'을 상징함.
- **홍백련(紅白蓮)**: '염계(濂溪)'가 지은 '애련설(愛蓮說)'에 나오는 '연꽃'. 이 '연꽃'은 '군자'의 풍모를 빗대었음.
- **백구(白鷗)**: 인간의 '무심(無心)'을 알아보는 갈매기. 어부가 갈매기를 잡으려는 마음을 갖고 바다로 나서자 평소에는 그를 따르던 갈매기들이 멀리 도망가 버렸다는 고사에서 나옴.

① [A]에서 '외씨'를 활용한 것은, '외씨'를 뿌리며 사는 '산옹'의 소박한 삶에서 '소평'의 삶이 연상되었기 때문이겠군.
② [B]에서 '도화'를 활용한 것은, '시내 길'에서 본 '도화'의 모습에서 '복숭아꽃'이 만발한 '무릉도원'이 연상되었기 때문이겠군.
③ [C]에서 '희황 벼개'를 활용한 것은, '픗잠'을 자다 깨며 느낀 평안함에서 '희황'의 태평한 시대가 연상되었기 때문이겠군.
④ [D]에서 '홍백련'을 활용한 것은, '만산'의 연꽃 '향긔'를 맡으면서 '염계'가 말한 '군자'의 덕이 연상되었기 때문이겠군.
⑤ [E]에서 '백구'를 활용한 것은, '무심코 한가'한 '주인'의 모습과 갈매기를 잡으려던 '어부'의 모습이 같은 것으로 연상되었기 때문이겠군.

실전 Test Guide

01 표현상의 특징과 그로 인한 효과를 파악할 수 있는지 확인하는 문제이다. 시어와 시구의 활용 방법, 어조의 유형, 시상 전개 방식 등을 고려하여 글의 표현상의 특징을 파악해 보도록 한다.

02 고사 속 소재의 의미와 성격을 이해하고, 이를 바탕으로 작품을 감상할 수 있는지 평가하는 문제이다. [보기]의 고사와 작품의 시적 상황이 어떻게 유사한지를 파악하며 작품을 감상해 보도록 한다.

가사

080 규원가(閨怨歌)_허난설헌

엇그제 저멋더니 ᄒᆞ마 어이 다 늘거니.
(젊었더니 / 늙었는가)
소년 행락(少年行樂) 생각ᄒᆞ니 일러도 속절업다.
(어린 시절을 즐겁게 지냄. / 소용없다.)
늘거야 서른 말ᄉᆞᆷ ᄒᆞ자니 목이 멘다.
(이어질 내용 암시)
부생모육(父生母育) 신고(辛苦)ᄒᆞ야 이내 몸 길러 낼 제
(부모가 낳아 기름. / 몹시 고생하여)
공후 배필(公侯配匹)은 못 바라도 군자 호구(君子好逑) 원(願)ᄒᆞ더니,
(높은 벼슬아치의 아내 / 군자의 좋은 아내)
삼생(三生)의 원업(怨業)이오 월하(月下)의 연분(緣分)으로,
(전생, 현생, 내생. 여기서는 전생을 의미함. / 월하노인(부부의 인연을 맺어 주는 전설상의 노인))
장안 유협(長安遊俠) 경박자(輕薄子)를 ᄭᅮᆷᄀᆞᆺ치 만나 잇서,
(놀기 좋아하는 경박한 사람, 남편에 대한 부정적 인식)
당시(當時)의 용심(用心)ᄒᆞ기 살어름 디듸는 듯,
(마음 쓰기를 / 조심스럽게 살아가는 모습을 비유함.)
삼오 이팔(三五二八) 겨오 지나 천연 여질(天然麗質) 절로 이니,
(열대여섯 살 / 타고난 아름다운 모습)
이 얼골 이 태도(態度)로 백년 기약(百年期約) ᄒᆞ얏더니,
(모습)
연광(年光) 훌훌ᄒᆞ고 조물(造物)이 다시(多猜)ᄒᆞ야,
(대유법 – 세월 / 시기심이 많아)
봄바람 가을 믈이 뵈오리 북 지나듯
(대유법 – 세월 / 베틀의 베올 사이에 북이 지나듯 세월이 빨리 지나감.)
설빈 화안(雪鬢花顔) 어ᄃᆡ 두고 면목가증(面目可憎) 되거고나.
(고운 머리와 아름다운 얼굴(과거) ↔ 얼굴 생김새가 밉살스러움(현재).)
「내 얼골 내 보거니 어느 님이 날 괼소냐.
(사랑할 것인가)
스스로 참괴(慚愧)ᄒᆞ니 누구를 원망(怨望)ᄒᆞ리.」▶ 기: 과거를 회상하며 자신의 늙은 모습을 한탄함.
(매우 부끄러워하니 / 「」: 설의법 – 현재 모습에 대한 자괴감과 체념)

현대어 풀이 엊그제 젊었더니 벌써 어찌 다 늙었는가? 어린 시절 즐겁게 지내던 일을 생각하니 말해 봐야 소용없다. 늙어서 서러운 말을 하자니 목이 멘다. 부모님이 낳아 기르며 몹시 고생하여 이내 몸을 길러 낼 때, 높은 벼슬아치의 아내는 바라지 않아도 군자의 좋은 배필이 되길 원했더니, 전생의 원망스러운 업보요, 월하노인이 정해 준 부부의 인연으로, 서울의 호탕한 풍류객이자 경박한 사람을 꿈같이 만나서, (결혼할) 당시에 마음 쓰기를 살얼음 디디는 듯하였다. 열대여섯 살이 겨우 지나 타고난 아름다움이 절로 나타나니, 이 모습 이 태도로 평생을 약속하였더니, 세월이 빨리 지나가고 조물주가 시기심이 많아, 봄바람 가을 물(세월)이 베틀의 올에 북 지나듯 빨리 지나가고, 젊고 아름다운 얼굴은 어디 가고 밉살스러운 모습이 되었구나. 내 모습 내가 보거니 어느 임이 나를 사랑할 것인가? 스스로 부끄러워하니 누구를 원망하리?

삼삼오오(三三五五) 야유원(冶遊園)의 새 사람이 나단 말가.
(술집 / 새로운 기생)
곳 피고 날 저물 제 정처(定處) 업시 나가 잇어,
(꽃)
백마 금편(白馬金鞭)으로 어ᄃᆡ어ᄃᆡ 머무는고.
(흰 말과 황금 채찍, 호사스러운 차림)
원근(遠近)을 모르거니 소식(消息)이야 더욱 알랴.
(멀고 가까움 / 임 소식)
인연(因緣)을 긋쳐신들 ᄉᆡᆼ각이야 업슬소냐.
(설의법 – 임에 대한 그리움)
얼골을 못 보거든 그립기나 마르려믄,
「열두 ᄯᅢ 김도 길샤 설흔 날 지리(支離)ᄒᆞ다.」「」: 외로움과 시름의 깊이를 수량으로 표현함.
(길기도 길다 / 지루하다)
옥창(玉窓)에 심근 매화(梅花) 몃 번이나 픠여 진고.
(규방의 창 / 세월의 흐름, 남편이 떠난 지가 오래됨.)
「겨울밤 차고 찬 제 자최눈 섯거 치고,
(○: 화자의 쓸쓸함을 부각하는 객관적 상관물 / 겨우 발자국이 날 만큼 적게 내린 눈)
여름날 길고 길 제 구ᄌᆞᆫ 비는 므스 일고.」「」: 대구법
삼춘 화류(三春花柳) 호시절(好時節)의 경물(景物)이 시름업다.
(봄날 온갖 꽃이 피고 버들잎이 돋는 좋은 시절 / 봄의 경치를 보아도 감흥이 없음.)

작품 한눈에 보기(기)

과거		현재
• 부모가 군자 호구를 원함. • 설빈 화안의 모습임.	↔	• 장안 유협 경박자를 남편으로 맞음. • 면목가증이 됨.

↓

과거를 회상하며 신세를 한탄함.

출제 포인트

■ 문학사적 의의

① 현재까지 전해지는 가장 오래된 규방 가사임.

② 남성의 전유물이었던 가사의 작자층을 여성에게까지 확대시킨 작품임.

■ 시어의 의미

매화(봄), 자최눈(겨울), 구ᄌᆞᆫ 비(여름)	시간의 흐름과 계절적 배경을 보여 줌.

↓

화자의 쓸쓸함을 부각하는 객관적 상관물

작품 한눈에 보기(승)

계절	계절을 드러내는 시어
봄	매화, 삼춘 화류
여름	구ᄌᆞᆫ 비
가을	가을 ᄃᆞᆯ, 실솔
겨울	자최눈

↓

화자의 외로움을 심화함.

수능 필수 개념

"규방 가사"

조선 시대에 부녀자가 짓거나 읊은 가사를 통틀어 이르는 말이다. 조선의 양반 부녀자들이 주로 향유했으며, 여성 생활의 고민과 정서를 호소하는 내용을 다루고 있다. 조선 후기에 많이 창작되었고 '내방 가사'라고도 불린다.

가을 ᄃᆞᆯ 방에 들고 실솔(蟋蟀)이 상(床)에 울 제,
귀뚜라미, 감정 이입의 대상 / 침상
「긴 한숨 디ᄂᆞᆫ 눈물 속절업시 혬만 만타.
떨어지는 / 생각
아마도 모진 목숨 죽기도 어려울사.」 ▶ 승: 임을 원망하며 서글픔을 느낌.
「」: 버림받은 여인의 심정을 직설적으로 표현함.

현대어 풀이 삼삼오오 다니는 기생집에 새로운 기생이 나타났단 말인가? 꽃 피고 날 저물 때 정처 없이 나가서 호사스러운 차림으로 어디어디 머무는가? (나는) 멀고 가까움을 모르는데 임 소식이야 더욱 알겠는가? (임과) 인연을 끊으려고 한들 (임에 대한) 생각이야 없겠는가? 모습을 못 보거든 그립지나 말았으면, (하루) 열두 때가 길고 (한 달) 삼십 일이 지루하다. 창밖에 심은 매화는 몇 번이나 피고 졌는가? 겨울밤 차고 찬 때 자국눈이 섞어 내리고, 여름날 길고 길 때 궂은비는 무슨 일인가? 봄날 꽃 피고 버들잎 돋는 좋은 시절에 아름다운 경치를 보아도 아무 생각이 없다. 가을 달이 방에 비치고 귀뚜라미가 침상에서 울 때, 긴 한숨 떨어지는 눈물에 헛되이 생각만 많다. 아마도 모진 목숨 죽기도 어렵구나.

도로혀 플쳐 혜니 이리ᄒᆞ여 어이ᄒᆞ리.
돌이켜 / 설의법 – 이렇게 살아서는 안 되겠다.
청등(靑燈)을 돌라 노코 녹기금(綠綺琴) 빗기 안아,
푸른 빛깔의 거문고
벽련화(碧蓮花) 한 곡조를 시름 조ᄎᆞ 섯거 타니,
거문고 곡조 이름, 매우 슬픈 곡조 / 시름 섞어
「소상 야우(瀟湘夜雨)의 댓소리 섯도ᄂᆞᆫ 듯,
중국 소상강의 밤비 / 댓잎 소리가 섞여 들리는 듯
화표(華表) 천 년(千年)의 별학(別鶴)이 우니ᄂᆞᆫ 듯,」 「」: 대구법 – 거문고 소리를 묘사하여 화자의 심리를 표현함.
무덤 앞에 세우는 망주석 / 특별한 학
옥수(玉手)의 타는 수단(手段) 녯 소래 잇다마ᄂᆞᆫ,
여성의 젊고 아름다운 손
부용장(芙蓉帳) 적막(寂寞)ᄒᆞ니 뉘 귀에 들리소니.
연꽃이 그려진 휘장 / 화자가 독수공방을 하고 있음.
간장(肝腸)이 구곡(九曲) 되야 구뷔구뷔 근쳐서라. ▶ 전: 거문고를 연주하며 외로움과 한(恨)을 달램.
과장법 – 시름이 쌓인 화자의 마음속을 빗대어 표현함.

현대어 풀이 돌이켜 풀어 생각하니 이렇게 살아 어찌하겠는가? 푸른 등불을 돌려 놓고 거문고를 비스듬히 안아, 벽련화 한 곡조를 시름 따라 섞어 타니, 소상강 밤비에 댓잎 소리가 섞여 들리는 듯, 망주석 위에 천 년 만에 돌아온 특별한 학이 우는 듯, 고운 손으로 타는 솜씨가 옛 소리 그대로 있다마는 연꽃 휘장을 친 방이 적막하니 누구의 귀에 들릴 것인가? 마음속이 뒤틀려서 끊어지는 것 같구나.

ᄎᆞᆯ하리 잠을 드러 ᄭᅮᆷ의나 보려 ᄒᆞ니, → 화자의 원망스러운 마음을 표현하는 객관적 상관물
임과의 만남을 가능하게 하는 소재
바람의 디ᄂᆞᆫ 닢과 풀 속에 우는 즘생,
'닢'과 '즘생' 때문에 잠이 들지 못함.
므스 일 원수로서 잠조차 ᄭᆡ오ᄂᆞᆫ다. □: 임과의 만남을 방해하는 장애물
「천상(天上)의 견우 직녀(牽牛織女) 은하수(銀河水) 막혀서도,
칠월 칠석(七月七夕) 일년 일도(一年一度) 실기(失期)치 아니거든,
때를 놓침.
우리 님 가신 후는 무슨 약수(弱水) 가렷관ᄃᆡ,
신선이 살았다는 중국의 전설 속 건널 수 없는 강
오거나 가거나 소식(消息)조차 그쳣는고.」 「」: 견우와 직녀의 처지와 대비하여 오지 않는 임을 원망함.
난간(欄干)의 비겨 셔서 님 가신 ᄃᆡ 바라보니,
→ 화자의 쓸쓸함을 부각하는 객관적 상관물
초로(草露)ᄂᆞᆫ 맷쳐 잇고 모운(暮雲)이 디나갈 제,
풀에 맺힌 이슬, 화자의 눈물 / 날이 저물 무렵의 구름
죽림(竹林) 푸른 고ᄃᆡ 새 소리 더욱 설다. 세상의 서룬 사람 수업다 ᄒᆞ려니와,
감정 이입의 대상, 화자의 서글픔
박명(薄命)ᄒᆞᆫ 홍안(紅顔)이야 날 가ᄐᆞ니 또 이실가. 설의법 – 화자의 기구한 운명을 한탄함.
기구한 운명의 / 젊고 아름다운 여인의 얼굴
아마도 이 님의 지위로 살동말동 ᄒᆞ여라. ▶ 결: 임을 기다리며 자신의 운명을 한탄함.
임에 대한 원망 / 탓, 까닭

현대어 풀이 차라리 잠이 들어 꿈에서나 (임을) 보려 하니, 바람에 지는 잎과 풀 속에서 우는 벌레, 무슨 일로 원수가 되어 잠조차 깨우는가? 하늘의 견우와 직녀는 은하수가 막혔어도 칠월 칠석 일 년에 한 번 때를 놓치지 않고 만나는데, 우리 임 가신 후에는 무슨 약수가 가렸기에, 오거나 가거나 소식조차 끊겼는가? 난간에 기대어 서서 임 가신 곳을 바라보니, 풀잎에 이슬은 맺혀 있고 저녁 구름이 지나갈 때, 대나무 숲 푸른 곳에 새 소리가 더욱 서럽다. 세상에 서러운 사람 수없이 많다고 하지만, 기구한 운명의 여자야 나 같은 사람이 또 있을까? 아마도 이 임의 탓으로 살 듯 말 듯 하여라.

출제 포인트

■ 표현상의 특징
① 대구법, 설의법, 의인법, 직유법 등 다양한 표현 기법을 활용함.
② 객관적 상관물(자최눈, 구즌 비 등)을 사용하여 화자의 정서를 드러냄.
③ 자연물(실솔, 새 소리)에 화자의 감정을 이입함.
④ 3(4) · 4조의 음수율, 4음보의 율격을 활용하여 운율을 형성함.

작품 한눈에 보기(전)

녹기금으로 벽련화 한 곡조를 연주함.	• 소상 야우의 댓소리 섯도ᄂᆞᆫ 듯 • 화표 천 년의 별학이 우니ᄂᆞᆫ 듯

⬇

화자의 구슬프고 처량한 심정을 드러냄.

작품 한눈에 보기(결)

견우 직녀		임과 화자
일 년에 한 번씩 때를 놓치지 않고 만남.	↔	오거나 가거나 소식조차 끊어짐.

⬇

임에 대한 원망을 표출하고 기구한 운명을 한탄함.

수능 필수 개념 플러스

"약수(弱水)"
신선이 살았다는 중국 서쪽의 전설의 강으로 길이가 3000리가 된다고 한다. 부력이 약해 새의 깃털도 가라앉고, 용 이외의 다른 존재들이 건너려고 하면 빠져 죽는다고 한다. 인간이 건널 수 없는 강이라는 속성 때문에 우리 문학에서는 '장애물'의 의미로 자주 차용되어 사용되었다.

1 작품 이해

이 작품은 남편을 기다리는 여인의 고독한 심정을 노래한 규방 가사이다. 화자는 남편의 뜻을 공경하고 따라야 했던 당대의 유교적 가치관에서 벗어나, 오지 않는 남편을 원망하면서 자신의 기구한 운명을 한탄하고 있다. 다양한 표현 기법을 활용하여 여성의 심리를 섬세하게 형상화하였고, 문학적 완성도가 높다고 평가받고 있다.

- 갈래: 가사(규방 가사)
- 성격: 원망적, 체념적, 한탄적
- 주제: 봉건 사회에서 독수공방하는 여인의 한(恨)
- 시적 상황 가부장적인 유교 사회에서 □□을 기다리고 있음.
- 정서와 태도 세월이 흐르고 계절이 바뀌어도 화자를 찾지 않는 남편을 그리워하며 □□함.

정답: 남편, 원망

2 내용 확인

1 맞는 내용이면 ○표, 틀린 내용이면 ×표 하시오.

① 화자는 임과의 인연을 끊으려고 하면서도 임을 그리워하고 있다. (   )

② 결사의 '약수'는 '견우 직녀'의 만남을 가로막는 '은하수'와 대응되는 대상으로, 화자와 임의 만남을 방해하는 장애물을 의미한다. (   )

내용 확인 도우미

1 ① 승구의 '인연을 긋쳐신들 싱각이야 업슬소냐. 얼골을 못 보거든 그립기나 마르려믄'에 임에 대한 화자의 이중적인 심리가 드러나 있다.

② 화자는 무슨 '약수'가 가렸기에 임이 오지 않는가 하고 있다.

정답 1 ① ○ ② ○

3 실전 Test

• 정답 34쪽

01 윗글에 대한 설명으로 적절하지 않은 것은? 기출 문제

① 자연물에 감정을 이입하여 화자의 슬픔을 심화하고 있다.

② 화자는 과거를 회상하며 현재의 처지에 대해 탄식하고 있다.

③ 대구법을 사용하여 운명에 맞서려는 화자의 의지를 드러내고 있다.

④ 계절감이 드러나는 소재를 통해 화자의 외로운 처지를 부각하고 있다.

⑤ 과장법을 사용하여 임을 기다리는 화자의 안타까운 마음을 강조하고 있다.

02 [보기]를 참고하여 윗글을 감상한 내용으로 적절하지 않은 것은? 기출 문제

보기

「규원가」는 자신을 사랑해 주지 않는 남편을 원망하면서도 그 원인이 자신에게도 있음을 한탄하는 규방 가사이다. 이 작품은 여성들이 남성들에게 예속되었던 조선 시대의 봉건적 윤리 속에서 작가 자신이 여성으로서 겪어야 했던 외로움과 한을 다양한 비유적 기법을 사용하여 품격 높은 시적 감각으로 드러내고 있다.

① '서른 말숨'에는 남편으로부터 버림받은 화자의 운명과 처지에 대한 한이 담겨 있겠군.

② '스스로 참괴ᄒᆞ니'를 통해 화자는 남편이 돌아오지 않는 상황에 대해 자신을 책망하고 있군.

③ '천상의 견우 직녀'는 임과 영원히 만날 수 없는 화자의 처지와 동일하다는 점에서 화자의 슬픔을 대변하고 있군.

④ '날 가ᄐᆞ니 또 이실가.'를 통해 화자는 홀로 지내는 자신의 외로움을 강조하고 있군.

⑤ '아마도 이 님의 지위로 살동말동 ᄒᆞ여라.'에는 남편을 원망하는 화자의 정서가 드러나 있군.

실전 Test Guide

01 표현상의 특징과 그로 인한 효과를 파악할 수 있는지 확인하는 문제이다. 제시문에 사용된 표현 방법과 그것이 가져오는 효과에 대해 생각해 보도록 한다.

02 제시문에 대한 설명을 바탕으로 작품을 적절히 감상할 수 있는지 평가하는 문제이다. [보기]를 참고하여 봉건 사회에서 원치 않은 이별 상황을 겪고 있는 화자가 드러내고 있는 정서와 태도에 대해 생각해 보도록 한다.

가사 081

봉선화가(鳳仙花歌)_작자 미상

향규(香閨)의 일이 업셔 백화보(百花譜)를 혀쳐 보니,
봉선화 이 일홈을 뉘라서 지어낸고.
「진유(眞游)의 옥소(玉簫) 소릭 자연(紫煙)으로 힝훈 후에,」
규중(閨中)의 나믄 인연(因緣) 일지화(一枝花)의 머므르니,
「유약(柔弱)훈 푸른 닙은 봉의 꼬리 넘노는 듯.
자약(自若)히 붉은 꼿은 자하군(紫霞裙)을 헤쳣는 듯.」 ▶ 서사: 백화보에 실린 봉선화의 모습

(펼쳐 / 향기로운 규방, 부녀자가 거처하는 방 / 온갖 꽃에 대한 설명을 쓴 책 / 신선의 이름 / 자줏빛 연기 / 「」: 피리를 잘 불던 소사의 아내 농옥이 신선이 되어 하늘로 올라갔다는 고사를 인용함. / 한 가지 꽃(봉선화) → 농옥이 지상에서의 인연을 하나의 꽃에 머물게 하였다는 의미임. / 「」: 봉황과 신선이라는 의미를 담은 봉선화의 이름을 봉선화의 외양과 연결함. / 신선의 옷)

현대어 풀이 규방에 할 일이 없어 백화보를 펼쳐 보니, 봉선화 이 이름을 누가 지어냈는가? 신선의 옥피리 소리가 자줏빛 연기로 사라진 후에, 규방에 남은 인연이 한 가지 꽃에 머물렀으니, 연약한 푸른 잎은 봉의 꼬리가 넘노는 듯하고, 침착하게 붉은 꽃은 신선의 옷을 펼쳐 놓은 듯하다.

「백옥(白玉)셤 조흔 흙게 종종이 심어\u3131니,」 「」: 봉선화에 쏟는 정성스러운 마음
춘삼월(春三月)이 지난 후의 향기(香氣) 업다 웃지 마소.
「취(醉)훈 나븨 미친 벌이 뜻로올가 저허훈네.」 「」: 봉선화가 향기가 없는 이유
정정(貞靜)훈 져 기상(氣像)을 녀자 밧긔 뉘 벗훌고. ▶ 본사 1: 봉선화의 정숙하고 조용한 기상

(희고 고운 섬돌 / 깨끗한 / 촘촘히 / 경박한 남자를 비유함. / 두려워하네 / 정숙하고 조용한 / 봉선화가 지닌 덕성)

현대어 풀이 희고 고운 섬돌 깨끗한 흙에 촘촘히 심어 내니, 봄 삼월이 지난 후에 향기가 없다고 비웃지 마소. 취한 나비와 미친 벌들이 따라올까 두려워하네. 정숙하고 조용한 저 기상을 여자 외에 누가 벗하겠는가?

옥난간(玉欄干) 긴긴 날의 보아도 다 못 보아,
사창(紗窓)을 반개(半開)후고 차환(叉鬟)을 불너\u3131여,
다 핀 꼿을 킈여다가 수상자(繡箱子)에 다마노코,
여공(女工)을 긋친 후의 중당(中堂)에 밤이 깁고,
납촉(蠟燭)이 발갓을 제, 나옴나옴 고초 안즈,
[A] 흰 구슬을 가르마아 빙옥(氷玉) 굿훈 손 가온딕 난만(爛漫)이 개여 닉여,
파사국(波斯國) 저 제후(諸侯)의 홍산궁(紅珊宮)을 혀쳣는 듯,
심궁 풍류(深宮風流) 절고의 홍수궁(紅守宮)을 마아는 듯,
섬섬(纖纖)한 십지상(十指上)에 수실로 가마닉니,
[B] 「조희 우희 불근 물이 미미(微微)히 숨의는 양,
가인(佳人)의 얏흔 뺨의 홍로(紅露)를 끼쳣는 듯,
[C] 단단히 봉훈 모양 춘라옥자(春羅玉字)
일봉서(一封書)를 왕모(王母)에게 부쳣는 듯.」 ▶ 본사 2: 손톱에 봉선화 물을 들이는 모습

(봉선화를 아무리 보아도 질리지 않음. / 여인이 거처하는 방의 창 / 주인 가까이에서 심부름하는 여자 종 / 봉선화 / 수놓는 도구들을 넣어 두는 상자 / 여자가 하는 일, 바느질 / 집 안채 / 밀랍으로 만든 초, 촛불 / 차츰차츰 / 꼿꼿이 / 봉선화를 찧는 모습 / 페르시아 / 붉은 산호 궁궐, 봉선화를 비유함. / 붉은 도마뱀, 봉선화를 비유함. / 열 손가락 위 / 수놓을 때 쓰는 실 / 종이 / 붉은 이슬 / 스며드는 / 봉선화 물을 미인 뺨 위의 홍조에 비유함. / 비단에 옥으로 쓴 글씨 / 한 통의 편지 / 서왕모(곤륜산에 사는 선녀) / 「」: 봉선화 물을 들이는 모습을 미화하여 표현함.)

현대어 풀이 (봉선화를) 옥난간에서 긴긴 날에 보아도 다 못 보아, 사창을 반쯤 열고 계집종을 불러내어, 다 핀 꽃을 캐어다가 수상자에 담아 놓고, 바느질을 끝낸 후에 안채에 밤이 깊고 촛불이 밝았을 때, 차츰차츰 꼿꼿이 앉아, 흰 백반을 갈아 부수어 옥같이 고운 손 가운데 화려하게 개어 내니, 페르시아 저 제후의 붉은 산호 궁궐을 헤쳐 놓은 듯, 깊은 궁궐에서 절구에 붉은 도마뱀을 빻아 놓은 듯, 가늘고

작품 한눈에 보기(서사)

푸른 닙	붉은 꼿
봉황의 꼬리	신선의 옷

봉선화라는 이름의 뜻을 풀어 봉선화의 외양을 묘사함.

작품 한눈에 보기(본사 1)

봉선화	나비, 벌
향기 없음, 정숙하고 조용한 기상	취하고 미친 존재, 경박한 남자

정숙한 봉선화를 예찬함.

출제 포인트

■ 구조적 특징
서사에서 '봉선화 이 일홈을 뉘라서 지어낸고.'라고 묻고, 결사에서 '일로 후야 지어서라.'라고 답하는 자문자답의 형식으로 전개되고 있음.

작품 한눈에 보기(본사 2)

① 봉선화 꽃을 따서 수상자에 담아 놓음.
② 흰 구슬(백반)을 갈아 넣고 손톱 위에 붙임.
③ 조희(종이)와 수실로 손톱에 감음.

봉산화 물을 들이는 과정을 구체적이고 섬세하게 묘사함.

수능 필수 개념 플러스

"봉선화와 관련된 고사(故事)"
중국 춘추 시대 때 피리를 잘 불던 소사라는 사람의 아내 농옥이 신선이 되어 하늘로 올라갔다. 그녀는 하늘로 올라가면서 지상에서의 인연을 하나의 꽃에 머물게 하였는데, 그 꽃은 잎이 봉의 꼬리 같고, 꽃은 신선의 치마를 펼친 듯하였다. 그래서 '봉'과 '선'의 두 글자를 활용하여 그 꽃의 이름을 '봉선화'라고 지었다고 한다.

고운 열 손가락에 수실로 감아 내니, 종이 위에 붉은 물이 희미하게 스며드는 듯, 미인의 뺨 위에 홍조가 어리는 듯, 단단히 묶은 모양은 비단에 옥으로 쓴 편지를 서왕모에게 부치는 듯하다.

춘면(春眠)을 늦초 깨여 차례로 푸러 노코,
옥경대(玉鏡臺)를 딕ᄒᆞ여서 팔자미(八字眉)를 그리랴니,
[D] 난데업ᄂᆞᆫ 불근 ᄭᅩᆺ이 가지에 부텃ᄂᆞᆫ 둧
손ᄋᆞ로 우희랴니 분분(紛紛)이 흣터지고,
입으로 불랴 ᄒᆞ니 셧긴 안개 가리왓다.
여반(女伴)을 셔로 불너 낭랑(朗朗)이 자랑ᄒᆞ고,
[E] ᄭᅩᆺ 압희 나아가서 두 빗출 비교(比較)ᄒᆞ니,
쪽닙희 푸른 물이 쪽의여서 푸르단 말이 아니 오ᄅᆞᆯ손가.

(주석: 봄잠 / 늦게 / 손톱에 감아 둔 종이와 실을 풀어냄. / 옥 거울이 있는 화장대 / 팔자 모양의 눈썹 / 손톱에 물든 봉선화 물을 비유함. - 손톱에 든 봉선화 물의 아름다움을 예찬함. / 움켜 잡으려 하니 / 어지럽게 / 거울에 서린 입김 / 여자 친구 / 즐겁게 / 청출어람(青出於藍), 진짜 봉선화보다 손톱에 물든 봉선화 빛깔이 더 예쁘다는 것을 의미함.)

▶ 본사 3: 손톱에 물들인 봉선화의 아름다움

현대어 풀이 봄잠을 늦게 깨어 (열 손가락을) 차례로 풀어 놓고, 화장대 앞에서 눈썹을 그리려고 하니, 난데없이 붉은 꽃이 가지에 붙어 있는 듯, 손으로 잡으려 하니 어지럽게 흩어지고, 입으로 불려 하니 안개(입김)가 섞여 (거울을) 가리는구나. 여자 친구를 불러 즐겁게 자랑하고, 꽃 앞에 가서 (봉선화와 손톱의) 두 빛을 비교하니, 쪽에서 나온 푸른 물이 쪽빛보다 푸르단 말, 이것이 아니 옳겠는가?

은근이 풀을 매고 도라와 누엇더니,
녹의홍상(綠衣紅裳) 일녀자(一女子)가 표연(飄然)이* 압희 와서,
웃ᄂᆞᆫ 둧 찡기ᄂᆞᆫ 둧 사례(謝禮)*ᄂᆞᆫ 둧 하직(下直)ᄂᆞᆫ 둧,
몽롱(朦朧)이 잠을 ᄭᆡ여 정녕(丁寧)이 ᄉᆡᆼ각ᄒᆞ니,
아마도 ᄭᅩᆺ귀신이 내게 와 하직(下直)ᄒᆞᆫ다.
수호(繡戶)를 급히 열고 ᄭᅩᆺ슈풀을 경검ᄒᆞ니
ᄯᅡ우희 불근 ᄭᅩᆺ이 가득히 수(繡)노핫다.
암암(黯黯)이 슬허ᄒᆞ고 낫낫티 주어다마
ᄭᅩᆺ다려 말 부치ᄃᆡ 그ᄃᆡᄂᆞᆫ 한(恨)티 마소.
세세 년년(歲歲年年)의 ᄭᅩᆺ빗츤 의구(依舊)ᄒᆞ니,
허믈며 그ᄃᆡ 자최 내 손에 머믈럿지.
동원(東園)의 도리화(桃李花)ᄂᆞᆫ 편시춘(片時春)*을 자랑 마소.
이십 번(二十番) ᄭᅩᆺ바람의 적막(寂寞)히 ᄯᅥ러진들 뉘라서 슬허ᄒᆞᆯ고.
규중(閨中)에 남은 인연(因緣) 그ᄃᆡ ᄒᆞᆫ몸 ᄲᅮᆫ이로세.
봉션화(鳳仙花) 이 일홈을 뉘라서 지어낸고 일로 ᄒᆞ야 지어서라.

(주석: 의인법 - 푸른 저고리와 붉은 치마를 입은 한 여자, 봉선화 / 곰곰이 / 봉선화가 시들었음을 암시함. / 수놓은 휘장으로 가린 문 / 땅 / 봉선화가 시들어 땅에 떨어짐. / 속이 상하여 시무룩하게 / 꽃에게 / 의인화 - 봉선화 / 해마다 / 옛날과 같으니 / 동산 / 복숭아꽃과 오얏꽃(↔ 봉선화) / 설의법 - 누가 슬퍼할까? / 부녀자가 거처하는 곳 / 이렇게 하여 / 수미상관, 봉선화라는 이름의 유래를 물은 서사의 내용과 호응함.)

▶ 결사: 규중 여인과 봉선화의 인연

현대어 풀이 은근히 풀을 매고 돌아와서 누웠더니, 푸른 저고리와 붉은 치마를 입은 한 여자가 홀연히 앞에 와서, 웃는 듯, 찡그리는 듯, 사례하는 듯, 하직하는 듯하다. 어렴풋이 잠을 깨어 곰곰이 생각하니, 아마도 꽃 귀신이 내게 와서 하직을 고한 것이다. 문을 급히 열고 꽃 수풀을 살펴보니, 땅 위에 붉은 꽃이 (떨어져서) 가득히 수를 놓았다. 마음이 상해 슬퍼하고 낱낱이 주워 담으며 꽃에게 말하기를 그대는 한스러워 마소. 해마다 꽃 빛은 옛날과 같으며, 더구나 그대(봉선화)의 자취가 내 손에 머물러 있지 않은가. 동산의 도리화는 잠깐 지나가는 봄을 자랑하지 마소. 이십 번 꽃바람에 적막하게 떨어진들 누가 슬퍼하겠는가? 규방에 남은 인연이 그대 한 몸뿐일세. 봉선화 이 이름을 누가 지었는가? 이리하여 지었구나.

작품 한눈에 보기(본사 3)

불근 ᄭᅩᆺ	봉선화 물이 든 손톱
가지	손가락
안개	거울에 서린 입김

⬇

화자의 봉선화 물이 든 손의 아름다움을 묘사함.

출제 포인트

■ 문학사적 의의
① 봉선화 꽃잎으로 손톱에 물을 들이던 고유의 풍속을 소재로 여인들의 정서를 드러냄.
② 직유법 등을 통해 봉선화 물을 들이는 풍속을 생생히 묘사하였음.

■ 표현상의 특징
① 시간의 흐름에 따라 시상을 전개함.
② 봉선화를 푸른 저고리와 붉은 치마를 입은 여인(녹의홍상 일녀자)으로 의인화하여 표현함.
③ 설의적 표현과 색채적 이미지를 통해 봉선화를 대하는 정감을 드러냄.

작품 한눈에 보기(결사)

봉선화	↔	도리화
• 해마다 꽃 빛이 변함이 없음. • 화자의 손에 자취를 남김.		꽃바람에 적막히 떨어져도 슬퍼하는 사람이 없음.

⬇

규중 여인(화자)과 봉선화의 인연이 계속될 것임을 강조함.

어휘 풀이
* 표연이: 표연히. 훌쩍 나타나거나 떠나는 모양이 거침없이
* 사례: 말이나 행동, 물품 따위로 상대에게 고마움을 나타냄. 또는 그 인사
* 편시춘 : 잠깐 지나는 봄

1 작품 이해

이 작품은 봉선화라는 이름의 유래와 손톱에 봉선화 물을 들이던 풍습 등을 소재로 여인의 섬세한 정서를 드러낸 규방 가사이다. 대부분의 규방 가사가 여성으로서 지켜야 할 윤리나 규방에서의 한(恨) 등을 읊은 것과는 달리, 이 작품은 밝은 분위기로 여성 고유의 섬세하고 아름다운 정서를 노래하고 있다.

• 갈래: 가사(규방 가사) • 성격: 서정적, 예찬적

• 주제: 봉선화에 대한 규중 여인의 정회*
• 시적 상황 봉선화를 보며 그 이름의 유래를 궁금해하고 손톱에 □□□ 물을 들이고 있음.
• 정서와 태도 손톱에 든 봉선화 물의 아름다움을 □□함.

정답: 봉선화, 예찬

* 정회: 생각하는 마음. 또는 정과 회포를 아울러 이르는 말

2 내용 확인

1 맞는 내용이면 ○표, 틀린 내용이면 ×표 하시오.

① 화자는 인간과 자연을 대비하여 자연 속에서 살아가는 즐거움을 드러내고 있다. (　　)
② 서사의 '봉선화'와 본사 1의 '취ᄒᆞᆫ 나ᄇᆡ 미친 벌'은 화자가 각별한 애정을 느끼는 소재이다. (　　)

내용 확인 도우미

1 ① 화자는 봉선화를 바라보며 그 아름다움을 예찬하고 있다.
② '취ᄒᆞᆫ 나ᄇᆡ 미친 벌'은 경박한 남자들을 빗대어 표현한 것으로, 봉선화가 향기가 없는 이유로 제시되어 있다.

정답 1 ① × ② ×

3 실전 Test

• 정답 35쪽

01 윗글에 대한 설명으로 가장 적절한 것은? 기출 문제

① 일상적 소재를 활용하여 삶에 대한 반성을 이끌어 내고 있다.
② 과거와의 대비를 통해 상황에 대한 회의적 인식을 드러내고 있다.
③ 시간의 흐름에 따라 시상을 전개하며 화자의 정서를 드러내고 있다.
④ 감정을 절제한 표현을 활용하여 화자의 객관적 태도를 부각하고 있다.
⑤ 근경에서 원경으로 시선을 확대해 가며 대상의 변화 과정을 표현하고 있다.

02 [A]~[E]에 대한 이해로 적절하지 <u>않은</u> 것은? 기출 문제

① [A]: 과정을 제시하여 손톱에 봉선화 물을 들이는 모습을 구체화하고 있다.
② [B]: 비유적 표현을 반복하여 붉은 빛이 스며드는 모습을 나타내고 있다.
③ [C]: 미화된 표현을 통해 봉선화 물 들이기에 기울인 화자의 정성을 드러내고 있다.
④ [D]: 역동적인 묘사를 통해 봉선화의 속성을 파악하기 어려움을 구체화하고 있다.
⑤ [E]: 관용적 표현을 사용하여 손톱에 물든 봉선화 물의 붉은 빛을 강조하고 있다.

03 윗글에 대한 감상으로 적절하지 <u>않은</u> 것은? 기출 문제

① 시적 화자는 세상 사람들과는 달리 봉선화의 '향기 업'는 속성을 긍정적으로 평가하고 있군.
② 시적 화자는 '녹의홍상 일녀자'가 등장하는 꿈을 통해 봉선화의 낙화를 예감하고 있군.
③ 시적 화자는 '그ᄃᆡ 자최 내 손에 머믈럿'음을 근거로 '그ᄃᆡᄂᆞᆫ 한티 마소.'라고 하며 봉선화를 위로하고 있군.
④ 시적 화자는 바람을 이기지 못하고 쉽게 떨어지는 '동원의 도리화'에서 무상감을 느끼고 이를 슬퍼하고 있군.
⑤ 시적 화자는 '규중에 남은 인연 그ᄃᆡ ᄒᆞᆫ몸 ᄲᅮᆫ이로세.'라고 말함으로써 봉선화에 대한 각별한 정을 드러내고 있군.

실전 Test Guide

01 표현상의 특징과 시상 전개 방식을 파악할 수 있는지 확인하는 문제이다. 제시문에 드러난 화자의 정서와 대상에 대한 태도 등을 중심으로 선택지의 적절성을 판단해 보도록 한다.

02 시구에 활용된 표현 방법을 파악해 보는 문제이다. 화자의 의도를 고려하여 해당 시구의 특징에 대해 생각해 보도록 한다.

03 화자의 심리와 정서, 태도 등을 고려하여 제시문을 적절하게 감상할 수 있는지를 평가하는 문제이다. 내용의 흐름과 시적 상황을 고려하여 시구의 의미를 생각한 후, 그 시구에 나타나는 화자의 정서와 태도를 파악해 보도록 한다.

한시 082

어옹(漁翁)_설장수

不爲浮名役役忙 불 위 부 명 역 역 망	헛된 이름 따라 허덕허덕 바삐 다니지 않고, 부귀공명, 세속적 가치
生涯追逐水雲鄕 생 애 추 축 수 운 향	평생 물과 구름 가득한 마을을 찾아다녔네. ▶ 수: 자연 친화적 삶 추구 자연 친화적인 삶의 공간
平湖春暖煙千里 평 호 춘 난 연 천 리	「따스한 봄 잔잔한 호수엔 안개가 천 리에 끼었고, 「」: 대구법 이상적 공간
古岸秋高月一航 고 안 추 고 월 일 항	맑은 가을날 옛 기슭엔 달이 배 한 척 비추네.」 ▶ 함: 봄과 가을의 흥취
紫陌紅塵無蒙寐 자 맥 홍 진 무 몽 매	「서울 길의 붉은 먼지 꿈에서도 바라지 않고, 세속적 가치 / 색채 대비 / 속세에 연연하지 않음.
綠簑靑笠共行藏 녹 사 청 립 공 행 장	초록 도롱이 푸른 삿갓과 함께 살아간다네.」 「」: 대구법 뱃사람의 차림새 ▶ 경: 욕심이 없는 소박한 삶
一聲欸乃舟中趣 일 성 애 내 주 중 취	어기여차 노랫소리는 뱃사람의 흥취이니 청각적 이미지 / 자연 친화적 삶을 사는 사람, 어옹
那羨人間有玉堂 나 선 인 간 유 옥 당	세상에 옥당(玉堂) 있다고 어찌 부러워하리오. ▶ 미: 현재의 삶에 대한 만족감 문장과 관련된 업무를 하는 관청의 별칭 / 설의법-부럽지 않다. → 자족감

작품 한눈에 보기

자연 친화적 삶	↔	세속적 가치
물과 구름 가득한 마을, 호수, 배, 뱃사람의 흥취	↔	헛된 이름, 서울 길의 붉은 먼지, 옥당

⬇

자연에서의 소박한 삶에 만족감을 느낌.

출제 포인트

■ 표현상의 특징

시각적 이미지와 청각적 이미지를 활용하고 대립적 의미의 시어를 사용함.

1 작품 이해

이 작품은 자연을 벗 삼아 한가로운 삶을 영위하는 흥취를 노래한 한시이다. 시각적, 청각적 이미지와 대조적인 소재를 활용하여 자연의 아름다움과 자연 친화적인 삶을 나타내고 있다.

- 갈래: 한시(칠언 율시)
- 성격: 풍류적, 자연 친화적
- 주제: 자연을 벗 삼아 살아가는 흥취
- 시적 상황 □□ 속에서 욕심 없이 살며, 흥취를 만끽하고 있음.
- 정서와 태도 자연에 은거하는 소박한 삶에 □□□을 느끼고 있음.

정답: 자연, 만족감

2 내용 확인

1 맞는 내용이면 ○표, 틀린 내용이면 ×표 하시오.

① 화자는 속세에서 벗어나 자연 속에서 생활하면서 만족감을 느끼고 있다. (　　)

② 화자는 자연물에 감정을 이입하여 자연 친화적인 정서를 드러내고 있다. (　　)

내용 확인 도우미

1 ① 화자는 미련에서 자연 친화적인 삶에 대해 만족감을 드러내고 있다.

② 화자는 자연 친화적 모습을 드러내지만 자연물에 감정을 이입하지 않았다.

정답 1 ① ○ ② ×

3 실전 Test

• 정답 36쪽

01 윗글의 화자가 [보기]의 ㉠이라고 할 때, 윗글에 대한 감상으로 적절하지 않은 것은?

기출 문제

보기

강호(江湖)의 어부를 소재로 한 작품에서 '어부'는 고기잡이가 직업인 실제 어부, ㉠이상적인 생활 공간에서 자신의 삶에 만족하며 살아가는 은자(隱者) 등으로 나타난다.

① 화자는 자연을 교감과 소통의 대상으로 인식하고 있기 때문에 '달'에 인격을 부여하여 자연과의 합일을 추구하는군.

② 화자는 고기잡이로 생계를 유지하는 어부가 아니기에 '배 한 척'은 한가롭고 평화로운 생활을 나타내는 소재라고 볼 수 있겠지.

③ 화자는 자신이 긍정하는 삶을 '도롱이' 입고 '삿갓' 쓴 어부로 표상하고 있군.

④ 화자는 자신이 원하는 공간에 존재하고 있기 때문에 즐거운 마음으로 '뱃사람의 흥취'를 느낄 수 있는 것이겠지.

⑤ 화자는 '옥당'과 거리를 둠으로써 자신이 추구하는 삶의 가치를 역설하고 있군.

실전 Test Guide

01 시어에 대한 설명을 참고하여 제시문을 적절하게 감상할 수 있는지 확인하는 문제이다. [보기]의 관점에 따라 화자를 은자로 해석하는 경우 작품의 의미를 어떻게 해석하는 것이 적절한지 생각해 보도록 한다.

한시 083

만보(晩步)_이황

苦忘亂抽書 (고 망 란 추 서)	「잊음 많아 어지러이 책을 뽑아 놓았다가, (책: 화자가 회한에 잠기는 이유를 드러내는 소재 / 잊음 많아: 나이가 들어 기억력이 쇠퇴함.)
散漫還復整 (산 만 환 부 정)	이리저리 흩어진 책을 다시 정리하네.」 「」: 화자의 학문 탐구에의 열정
曜靈忽西頹 (요 령 홀 서 퇴)	해는 문득 서쪽으로 기울어지는데, (시간적 배경 – 해가 저물 무렵(성찰의 시간))
江光搖林影 (강 광 요 림 영)	강 빛에는 숲 그림자 흔들리누나. ▶ 1~4행: 책을 정리하는 저녁 무렵
扶筇下中庭 (부 공 하 중 정)	막대 짚고 뜨락으로 내려가 (뜨락: 화자가 마을의 풍경을 감상하며 자신의 삶을 되돌아보는 공간)
矯首望雲嶺 (교 수 망 운 령)	고개 들고 구름 재를 바라다보네. (구름 재: 구름이 낀 고개)
漠漠炊烟生 (막 막 취 연 생)	아득하게 밥 짓는 연기가 일고, (민가의 저녁 모습)
蕭蕭原野冷 (소 소 원 야 랭)	으스스 산과 벌은 싸늘하구나. (가을의 자연 모습) ▶ 5~8행: 가을 저녁 무렵의 풍경
田家近秋穫 (전 가 근 추 확)	「농삿집 가을걷이 가까워지니, (가을걷이: 계절적 배경 – 가을(결실과 수확의 계절)) 「」: 화자의 처지와 대비되는 주변 모습
喜色動臼井 (희 색 동 구 정)	방앗간 우물터에 기쁜 빛 돌아. (수확에 대한 기대로 기뻐하는 모습 – 화자의 모습과 대비됨.)
鴉還天機熟 (아 환 천 기 숙)	갈까마귀 날아드니 절기 익었고,
鷺立風標逈 (노 립 풍 표 동)	해오라기 우뚝 서니 모습 훤칠해.」 (의인법 – 고고하고 의젓하게 우뚝 선 모습. 현재 화자의 모습과 대비됨.) ▶ 9~12행: 수확을 앞둔 농촌의 풍요로운 모습
我生獨何爲 (아 생 독 하 위)	내 인생은 홀로 무얼 하는 건가? (설의법 – 수확의 계절에 자신만이 이룬 것이 없다는 자책과 안타까움)
宿願久相梗 (숙 원 구 상 경)	숙원이 오래도록 풀리질 않네. (숙원: 학문적 성취를 이루겠다는 소망)
無人語此懷 (무 인 어 차 회)	이 회포를 뉘에게 얘기할거나. (회포: 학문적 성취를 이루지 못한 회한, 안타까움, 공허함)
搖琴彈夜靜 (요 금 탄 야 정)	거문고만 둥둥 탄다, 고요한 밤에. (거문고: 답답하고 괴로운 화자의 심리 상태) ▶ 13~16행: 숙원을 이루지 못한 자신의 삶에 대한 회한

작품 한눈에 보기

수확을 앞둔 농촌의 모습	↔	숙원을 이루지 못한 화자의 모습
수확과 결실에 대한 기쁨 (풍요로움)		학문적 성취가 미흡함(답답함).

⬇

학문적으로 아무것도 이루지 못한 자신의 상황을 안타까워하며 탄식함.

출제 포인트

■ 표현상의 특징

① 농촌의 정경과 화자의 처지를 대비하여 주제 의식을 강조하고 있음.

② 선경(1~12행)후정(13~16행)의 시상 전개 방식을 사용하고 있음.

■ 배경의 역할

시간적 배경	저녁: 하루의 끝 즈음 → 반성과 성찰의 시간
공간적 배경	가을: 한 해의 끝 즈음 → 수확과 결실의 시간

1 작품 이해

이 작품은 가을날 저녁 농촌의 풍경을 바라보며 인생을 성찰하고 있는 한시이다. 화자는 수확을 앞둔 가을의 풍요로운 모습과 오랜 숙원인 학문적 성취를 이루지 못한 자신의 처지를 대비하며 회한의 정서를 드러내고 있다.

- 갈래: 한시(오언 배율*)
- 성격: 사색적, 성찰적
- 주제: 숙원을 이루지 못한 회한과 성찰

- 시적 상황 가을 저녁에 뜨락을 거닐며 □□□□를 앞둔 마을 경치를 감상하고, 자신의 인생을 되돌아보고 있음.
- 정서와 태도 오랜 숙원을 이루지 못한 것을 반성하며 □□을 느끼고 있음.

정답: 가을걷이, 회한

* 오언 배율: 한 구(句)가 다섯 글자로 구성되고 열 구 이상의 짝수로 배열된 한시

2 내용 확인

1 맞는 내용이면 ○표, 틀린 내용이면 ×표 하시오.

① 화자는 독백적인 어조로 자신의 삶을 되돌아보고 반성하고 있다. (   )

② 윗글은 계절의 흐름에 따라 변화하는 풍경을 묘사하며 시상을 전개하고 있다. (   )

2 '□□□'는 화자의 마음을 달래주는 도구로, 화자의 안타까운 심리 상태를 드러내고 있는 소재이다.

내용 확인 도우미

1 ① 화자는 13행에서 자신의 인생은 무얼 하는 것이냐고 독백하면서 자신의 삶에 대해 성찰하고 있다.

② 9행에서 '가을걷이'라고 언급하면서 계절적 배경을 드러내고 있지만, 계절의 흐름에 따라 시상을 전개하고 있지는 않다.

2 '거문고'를 통해 화자의 안타까운 내면을 드러내고 있다.

정답 1 ① ○ ② × 2 거문고

3 실전 Test

• 정답 36쪽

01 윗글에 대한 설명으로 가장 적절한 것은?

① 역순행적으로 시상을 전개하여 화자가 처한 상황을 강조하고 있다.
② 시어를 점층적으로 반복하여 고조되는 화자의 감정을 제시하고 있다.
③ 자유로운 연상을 통해 화자의 심정을 확산시키는 방식을 사용하고 있다.
④ 처음과 마지막이 상응하는 방식을 사용하여 형태적 안정감을 부여하고 있다.
⑤ 먼저 경치를 묘사하고 나중에 정서를 드러내는 방식으로 시상을 전개하고 있다.

02 [보기]와 윗글의 공통점에 대한 설명으로 가장 적절한 것은? 기출 문제

보기

아이 적 늙은이 보고 백발을 비웃더니 / 그동안에 아이들이 나 웃을 줄 어이 알리
아이야 웃지 마라 나도 웃던 아이로다. 〈제1수〉

사람이 늙은 후에 거울이 원수로다. / 마음이 젊었더니 옛 얼굴만 여겼더니
센 머리 찡건 양자* 보니 다 죽어야 하이야. 〈제2수〉

늙고 병이 드니 백발을 어이 하리 / 소년행락이 어제론 듯 하다마는
어디가 이 얼굴 가지고 옛 내로다 하리오. 〈제3수〉 – 신계영, 「탄로가(嘆老歌)」

*찡건 양자: '찡그린 얼굴'이라는 의미로 추측됨.

① 자신을 돌아보는 글쓴이의 태도를 담고 있다.
② 자연에서 발견한 삶의 가치를 전달하고 있다.
③ 욕심 없는 삶에 대한 다짐을 형상화하고 있다.
④ 시련을 극복하고자 하는 의지를 표현하고 있다.
⑤ 이상적인 삶을 살아가려는 욕구를 형상화하고 있다.

03 [보기]를 참고하여 윗글의 '회포'를 이해한 것으로 가장 적절한 것은? 기출 문제

보기

이황은 자연을 벗하면서 끊임없이 학문 수양에 전념하려고 노력했다. 벼슬을 사직하고 향리로 돌아와 도산 서원을 세운 뒤 자신의 꿈을 담은 「도산십이곡」을 지었다.

고인(古人)도 날 못 보고 나도 고인(古人) 못 뵈.
고인(古人)을 못 뵈도 가던 길 앞에 있네.
가던 길 앞에 있거든 아니 가고 어쩔꼬.

여기에서 '고인'은 이황이 본받고자 했던 '옛 성현'이나 '학문적 이상'을 의미하고, '가던 길'은 이황 자신이 추구하는 '학문 수양의 길'을 의미한다.

① 학문의 길을 포기한 것에서 오는 회한을 의미한다.
② 학문적 목표에 도달하지 못한 데에서 오는 아쉬움을 의미한다.
③ 학문을 통해 높은 벼슬에 오르지 못한 것에 대한 안타까움을 의미한다.
④ 학문을 통해 옛 성현을 만나는 것이 불가능하다는 깨달음을 의미한다.
⑤ 학문을 추구하다 자연을 벗하는 즐거움을 누리지 못한 애석함을 의미한다.

실전 Test Guide

01 제시문에 나타난 시상 전개 방식을 파악할 수 있는지 확인하는 문제이다. 작품 전체의 흐름과 내용에 주목하여 선택지의 적절성을 판단하도록 한다.

02 제시문과 [보기]를 비교하여 감상하는 문제이다. 화자의 태도를 중심으로 두 작품의 공통점을 파악해 보도록 한다.

03 [보기]의 자료를 활용하여 시어의 의미와 화자의 정서를 파악할 수 있는지 확인하는 문제이다. 시어인 '회포'에만 주목하여 선택지의 적절성을 판단하기보다는 작품 전체의 흐름을 통해 '회포'의 의미를 추측해 보도록 한다.

한시 084 무어별(無語別)_임제

十五越溪女 십 오 월 계 녀	열다섯 아리따운 아가씨 시적 대상(화자가 관찰하는 대상)	▶ 기: 15세의 아가씨
羞人無語別 수 인 무 어 별	남 부끄러워 말 못하고 헤어졌어라. 소극적인 태도 → 이별의 안타까움을 고조시킴.	▶ 승: 아가씨의 말없는 이별
歸來掩重門 귀 래 엄 중 문	돌아와 중문을 닫고서는 자신의 감정(슬픔, 부끄러움, 아쉬움 등)을 들키지 않기 위해 문을 닫음.	▶ 전: 돌아와 중문을 닫음.
泣向梨花月 읍 향 이 화 월	배꽃 사이 달을 보며 눈물 흘리네. 시 · 공간적 배경－애상적 정감을 심화함. └ 슬픔과 서러움의 정서	▶ 결: 이별의 눈물을 흘림.

작품 한눈에 보기

15세 아가씨	인물 제시
말 못하고 이별함.	상황 제시
중문을 닫음.	행동 제시
배꽃 사이 달을 보며 눈물 지음.	배경 제시

↓

이별의 슬픔과 애상적 정서 고조

출제 포인트

■ 표현상의 특징

① 화자는 관찰자의 입장에서 아가씨의 이별을 객관적으로 표현함.

② '배꽃 사이 달'은 애상적 분위기를 조성하고, '아가씨'의 슬픔을 심화함.

1 작품 이해

이 작품은 이별로 인해 남몰래 눈물을 흘리는 '아가씨'의 모습을 통해 이별한 여인의 애틋한 심정을 노래한 한시이다. 객관적인 입장에서 이별의 순간을 포착하여 절제된 언어로 섬세하게 표현하고 있다.

- 갈래: 한시(오언 절구)
- 성격: 애상적, 서정적, 낭만적
- 주제: 이별한 여인의 애틋한 마음

- 시적 상황 아가씨가 임과 말도 제대로 못하고 헤어진 후, □□을 흘리고 있는 모습을 관찰하고 있음.
- 정서와 태도 아가씨는 이별하면서 아무 말도 못하는 □□□인 태도를 보이고 있음.

정답: 눈물, 소극적

2 내용 확인

1 맞는 내용이면 ○표, 틀린 내용이면 ×표 하시오.

① 화자는 시적 대상인 '아가씨'를 보고 연민을 느끼고 있다. ( )

② 결구의 '배꽃'과 '달'은 백색의 이미지로, 이별의 안타까움을 더해 준다. ( )

내용 확인 도우미

1 ① 화자는 이별한 '아가씨'의 모습을 객관적으로 관찰하여 전달하고 있다.

② '배꽃'과 '달'은 시 · 공간적 배경으로, 애상적 정감을 심화하고 있다.

정답 1 ① × ② ○

3 실전 Test

• 정답 37쪽

01 윗글에 대한 설명으로 적절하지 않은 것은?

① 자연물을 활용하여 시적 대상의 정서를 심화하고 있다.

② 영탄적 표현을 통해 시적 대상의 심정을 부각하고 있다.

③ 유사한 시구를 반복하여 시적 대상의 처지를 강조하고 있다.

④ 시각적인 이미지의 시어를 활용하여 시적 분위기를 조성하고 있다.

⑤ 표면에 드러나지 않는 화자가 시적 상황을 객관적으로 전달하고 있다.

실전 Test Guide

01 표현상의 특징과 그 효과를 파악하는 문제이다. 각 구에 나타난 표현상의 특징과 효과를 파악하여 선택지의 적절성을 판단해 보도록 한다.

한시

085 봄비_허난설헌

□: 객관적 상관물(화자의 외롭고 쓸쓸한 정서를 심화시키는 기능을 함.)

春雨暗西池 (춘 우 암 서 지)
보슬보슬 봄비는 못에 내리고 ▶ 기: 연못에 봄비가 내리는 정경

輕寒襲羅幕 (경 한 습 라 막)
찬 바람이 장막 속 스며들 제 ▶ 승: 장막 속에 스며드는 찬 바람 — 선경

장막: 규방

愁依小屛風 (수 의 소 병 풍)
뜬시름 못내 이겨 병풍 기대니 ▶ 전: 시름에 잠긴 화자의 모습

규방 여인의 한-고독하게 젊은 날을 보내는 아쉬움

墻頭杏花落 (장 두 행 화 락)
송이송이 살구꽃 담 위에 지네. ▶ 결: 담 위에 떨어지는 살구꽃 — 후정

낙화 → 봄날이 감. → 젊은 날이 지나감(허망함, 아쉬움).

작품 한눈에 보기

선경	후정
시·공간적 배경	고독한 정서

⬇

규중 여인의 고독

출제 포인트

■ 표현상의 특징

① 객관적 상관물을 통해 정서를 드러냄.

② 선경후정의 방식으로 시상을 전개함.

1) 작품 이해

이 작품은 봄비가 내릴 때 규방에서 홀로 외롭게 지내는 여인의 심정을 노래한 한시이다. 허난설헌의 「최국보의 체를 본받아(效崔國輔體)」* 3수 가운데 세 번째 작품으로, 절제된 언어와 선경후정의 시상 전개 방식을 통해 고독 속에서 젊은 날을 보내는 쓸쓸하고 허망한 정서를 표현하고 있다.

• 갈래: 한시(오언 절구)

• 성격: 서정적, 애상적, 독백적

• 주제: 규중 여인의 고독과 우수

• 시적 상황 봄비 내리는 날에 □□□이 지는 모습을 바라봄.

• 정서와 태도 젊은 날을 그냥 보내는 것에 대해 □□을 느끼고 있음.

정답: 살구꽃, 시름

*「최국보의 체를 본받아」: 중국 당나라 현종 때의 시인인 최국보의 한시에 나타난 일정한 방식이나 격식을 본받아서 허난설헌이 창작한 총 3수의 한시를 가리킴.

2) 내용 확인

1 맞는 내용이면 ○표, 틀린 내용이면 ×표 하시오.

① 이 작품은 선경후정의 시상 전개 방식을 통해 화자의 정서를 강조하고 있다. (   )

② '봄비', '찬 바람', '살구꽃'은 봄을 맞은 화자의 활기찬 마음을 드러내는 시어이다. (   )

내용 확인 도우미

1 ① 윗글은 봄비 내리고 찬 바람 부는 풍경을 묘사한 후, 뜬시름을 느끼는 화자의 심정을 드러내고 있다.

② '봄비', '찬바람', '살구꽃'은 화자의 외롭고 쓸쓸한 정서를 심화시키고 있다.

정답 1 ① ○ ② ×

3) 실전 Test

• 정답 37쪽

01 [보기]를 읽고, 윗글에 대해 보인 독자의 반응으로 적절하지 않은 것은?

보기

허난설헌의 결혼 생활은 불우했던 것으로 알려져 있다. 남편 김성립은 기생집 등 노류장화(路柳墻花)*의 풍류에 빠져 살았고, 시어머니는 허난설헌을 학대하고 질시하였다. 이처럼 규방에서 독수공방(獨守空房)하던 허난설헌은 외로움과 쓸쓸함, 고독하게 젊은 시절을 보내는 아쉬움과 한(恨) 등을 담은 한시와 가사를 창작하였다.

* 노류장화: 길가의 버들과 담 밑의 꽃이라는 뜻으로, 기생 등을 비유적으로 이르는 말

① '봄비' 내리는 '못'은 작가의 쓸쓸한 심정을 심화하는 배경이라고 할 수 있군.

② '찬 바람'은 작가의 외로운 처지를 암시하는 시어라고 할 수 있군.

③ '장막'은 작가가 독수공방하는 규방을 의미한다고 할 수 있군.

④ '뜬시름'은 고독하게 규방을 지키는 작가의 한(恨)을 의미한다고 할 수 있군.

⑤ '살구꽃'은 작가의 남편과 새롭게 인연을 맺은 다른 여인을 의미한다고 할 수 있군.

실전 Test Guide

01 작가의 삶에 대한 [보기] 자료를 바탕으로 제시문을 감상할 수 있는지 평가하는 문제이다. [보기]의 내용을 바탕으로 시어의 의미가 적절한지 생각해 보도록 한다.

한시

086 사시사(四時詞)_허난설헌

〈춘사(春詞)〉

원문	음	풀이	주석
院落深沈杏花雨	원 락 심 침 행 화 우	「고요하고 깊은 정원에 살구꽃은 봄비에 지고	찾는 사람이 없음. / 쓸쓸함을 느끼게 하는 정경
流鶯啼在辛夷塢	유 앵 제 재 신 이 오	목련꽃 핀 언덕에서 꾀꼬리는 지저귀네.	청각적 이미지
流蘇羅幕襲春寒	유 소 라 막 습 춘 한	수실 달린 비단 휘장 안으로 찬 봄기운이 스며들고	홀로 지내는 여인의 외로움을 시각적 · 촉각적으로 형상화함.
博山輕飄香一縷	박 산 경 표 향 일 루	박산향로*에선 한 가닥 향 연기가 하늘거리누나.」	「」: 외로움 봄밤의 풍경
美人睡罷理新粧	미 인 수 파 리 신 장	「잠에서 깨어난 미인은 곱게 단장하고	
香羅寶帶蟠鴛鴦	향 라 보 대 반 원 앙	고운 비단옷에 원앙새 수놓은 허리띠를 찼어라.」	「」: 임을 기다리며 치장한 모습 / 화자의 고독한 처지 심화
斜捲重簾帖翡翠	사 권 중 렴 첩 비 취	겹발*을 비스듬히 걷어 올리고 비취 이불을 갠 뒤	
懶把銀箏彈鳳凰	나 파 은 쟁 탄 봉 황	은 거문고 잡고 하염없이 봉황음을 타는구나.	남녀의 금실을 소재로 한 노래 – 임이 오기를 바라는 마음
金勒雕鞍去何處	금 륵 조 안 거 하 처	황금 굴레*가 박힌 안장 얹고 임께선 어디로 가셨나요.	화자의 외로운 처지를 암시함.
多情鸚鵡當窓語	다 정 앵 무 당 창 어	[정다운 앵무새]는 이 창가에서 지저귀는데	□: 객관적 상관물 / 화자의 처지와 대조됨.
草粘戲蝶庭畔迷	초 점 희 접 정 반 미	「풀숲에서 놀던 나비는 뜨락으로 사라지더니	풀숲: 화자 / 나비: 임
花罥遊絲闌外舞	화 견 유 사 란 외 무	난간 밖 아지랑이 피어나는 꽃밭에서 춤추고 있구나.」	꽃밭: 다른 여인 / 「」: 봄날의 자유롭고 한가로운 모습
誰家池館咽笙歌	수 가 지 관 열 생 가	뉘 집 연못가에서 들려오는 생황 노랫가락에 목이 메는데	청각적 이미지 – 화자의 외로움을 심화함.
月照美酒金叵羅	월 조 미 주 금 파 라	밝은 달은 금빛 술잔 속의 향긋한 술을 비추고 있구나.	후각적 이미지
愁人獨夜不成寐	수 인 독 야 불 성 매	시름 많은 사람만 밤새 홀로 잠을 못 이루었으니	화자 자신, 임으로 인해 근심이 많음. / 외로움과 임에 대한 그리움 때문에 잠을 이루지 못함.
曉起鮫綃紅淚多	효 기 교 초 홍 루 다	먼동이 트면 명주 수건에 눈물 자국만 가득하리라.	임에 대한 간절한 그리움

▶ 춘사: 봄밤의 정경과 잠 못 이루는 외로움

〈하사(夏詞)〉

◯: 계절적 배경(여름)을 드러내는 소재

원문	음	풀이	주석
槐陰滿地花陰薄	괴 음 만 지 화 음 박	「느티나무 그늘이 뜰에 깔리고 꽃 그림자도 엷게 드리우는데	
玉簟銀床敞珠閣	옥 점 은 상 창 주 각	평상에 (대자리) 깔고 앉으니 고운 누각이 시원하게 보이네.	
白苧衣裳汗凝珠	백 저 의 상 한 응 주	새하얀 (모시 적삼)에는 구슬 같은 땀방울이 맺히고	
呼風羅扇搖羅幕	호 풍 라 선 요 라 막	(비단 부채)의 바람이 비단 휘장을 흔드는구나.	
瑤階開盡石榴花	요 계 개 진 석 류 화	돌층계엔 (석류꽃)이 피었다가 모두 지고	
日轉華簷簾影斜	일 전 화 첨 렴 영 사	처마 밑의 햇빛을 받아 발엔 비스듬히 그늘이 지네.	
雕梁晝永燕引鶵	조 량 주 영 연 인 추	수리한 들보에선 하루 종일 제비가 새끼를 돌보고	들보: 두 기둥을 건너지르는 나무
藥欄無人蜂報衙	약 란 무 인 봉 보 아	약초밭 울타리엔 사람은 없고 벌만이 윙윙대는구나.」	「」: 여름 낮의 풍경
刺繡慵來午眠重	자 수 용 래 오 면 중	수놓다가 나른해서 그만 졸다 보니	
錦茵敲落釵頭鳳	금 인 고 락 채 두 봉	비단 방석에 쓰러져 봉황을 새긴 비녀를 떨구었어라.	낮잠이 듦.
額上鵝黃膩睡痕	액 상 아 황 이 수 흔	이마 위 노란 거위 자국은 한잠 잔 흔적이로고	
流鶯喚起江南夢	유 앵 환 기 강 남 몽	꾀꼬리 울음소리가 강남 꿈을 깨웠어라.	강남 꿈: 임을 만나는 꿈 / 잠에서 깨어난 계기 – 화자와 임의 만남을 방해함.
南塘女伴木蘭舟	남 당 여 반 목 란 주	남쪽 연못에서 아가씨는 목란배를 타고	임을 그리워하는 화자를 대변하는 역할
采采荷花歸渡頭	채 채 하 화 귀 도 두	한아름 연꽃을 꺾어 나룻가로 저어 오네.	임에 대한 사랑의 정표

작품 한눈에 보기

임의 부재	〈춘사〉	봄밤의 정경과 잠을 이루지 못하고 외로움을 느낌.
	〈하사〉	여름 낮의 정경과 꿈에서 임을 볼 정도로 임을 그리워함.
	〈추사〉	가을밤의 정경과 임에 대한 그리움으로 옷을 만들고 편지를 씀.
	〈동사〉	겨울밤의 정경과 그리워하는 임을 생각함.

⬇

계절의 변화에 따라 느끼는 화자의 그리움

출제 포인트

■ 표현상의 특징

① 선경후정의 방식으로 시상을 전개함.

② 객관적 상관물을 통해 화자의 심정을 드러냄.

③ 다양한 감각적 이미지를 활용함.

시각	〈추사〉 텅 빈 뜨락, 시드는 연꽃, 떨어지는 오동잎
청각	〈춘사〉 꾀꼬리가 지저귐, 봉황음을 탐, 앵무새가 지저귐, 생황 노랫가락, 〈하사〉 벌이 윙윙댐, 꾀꼬리 울음소리, 채릉곡을 부름, 〈추사〉 물시계 소리, 시끄러운 밤벌레 〈동사〉 두레박 소리, 봉황의 피리 소리
촉각	〈춘사〉 찬 봄기운이 스며듦, 〈추사〉 장막으로 찬 기운이 스며듦, 구슬 병풍이 차가움, 금침이 차가움, 〈동사〉 비단 이불이 차가움, 시린 손을 호호 붊
후각	〈춘사〉 향긋한 술 〈동사〉 연지 냄새의 향기로움

⬇

화자의 외롭고 쓸쓸한 정서를 드러냄.

어휘 풀이

* 박산향로: 중국 산동 성(山東省)에 있는 박산(博山)의 모양을 본떠 만든 향을 피우는 자그마한 화로
* 겹발: 가늘고 긴 대를 줄로 엮거나, 줄 따위를 여러 개 나란히 늘어뜨려 만든 물건이 두 개 이상이 포개진 것.
* 굴레: 말이나 소 따위를 부리기 위해 머리와 목에서 고삐에 걸쳐 얽어매는 줄

輕橈齊唱采菱曲
경 뇨 제 창 채 릉 곡

천천히 노를 저으며 채릉곡을 부르는데
남녀 간의 사랑과 이별을 소재로 한 노래

驚起波間雙白鷗
경 기 파 간 쌍 백 구

물결 사이로 한 쌍의 갈매기가 놀라서 날아가는구나.
외로운 처지의 화자와 대비됨. ▶ 하사: 여름 낮의 정경과 임에 대한 그리움

〈추사(秋詞)〉

紗幮寒逼殘宵永
사 주 한 핍 잔 소 영

㉠「비단 장막으로 찬 기운 스며들고 새벽은 멀었지만
촉각적 이미지-계절이 가을로 접어듦.

露下虛庭玉屛冷
노 하 허 정 옥 병 랭

텅 빈 뜨락에 이슬 내려 구슬 병풍은 더욱 차갑다.
임의 부재를 암시함. 촉각적 이미지를 활용하여 화자의 외로움을 표현함.

池荷粉褪夜有香
지 하 분 퇴 야 유 향

못 위의 연꽃은 시들어도 밤까지 향기 여전하고
임이 없어도 여인의 향기를 지니고 있는 화자 후각적 이미지

井梧葉下秋無影
정 오 엽 하 추 무 영

우물가의 오동잎은 떨어져 그림자 없는 가을.
하강의 이미지-가을의 계절감을 드러냄.

丁東玉漏響西風
정 동 옥 루 향 서 풍

물시계 소리만 똑딱똑딱 서풍 타고 울리는데

簾外霜多啼夕虫
렴 외 상 다 제 석 충

발(簾) 밖에는 서리 내려 밤벌레만 시끄럽구나.」「」: 가을밤의 쓸쓸한 풍경
임이 오는 기척은 없고 밤벌레 소리만 들림(청각적 이미지).

金刀剪下機中素
금 도 전 하 기 중 소

베틀에 감긴 옷감 가위로 잘라낸 뒤

玉關夢斷羅帷空
옥 관 몽 단 라 유 공

옥관 임의 꿈을 깨니 비단 장막은 허전하다.
옥문관, 국경을 지키러 간 임이 있는 공간 임의 부재로 외로움이 심화됨.

裁作衣裳寄遠客
재 작 의 상 기 원 객

먼 길 나그네에게 부치려고 임의 옷을 재단하니
임에 대한 화자의 사랑을 상징함, 임에게 화자의 마음을 전달할 매개체

悄悄蘭燈明暗壁
초 초 란 등 명 암 벽

쓸쓸한 등불이 어두운 벽을 밝힐 뿐.
감정 이입의 대상

含啼寫得一封書
함 제 사 득 일 봉 서

울음을 삼키며 편지 한 장 써 놓았는데
임에 대한 화자의 마음을 전달할 매개체

驛使明朝發南陌
역 사 명 조 발 남 맥

역사 내일 아침 남쪽 동네로 전해 준다네.
편지를 전하는 사람

裁封已就步中庭
재 봉 이 취 보 중 정

옷과 편지 봉하고 뜨락에 나서니

耿耿銀河明曉星
경 경 은 하 명 효 성

반짝이는 은하수에 새벽별만 밝네.
쓸쓸하고 어두운 화자의 심리와 대비되는 대상

寒衾轉輾不成寐
한 금 전 전 불 성 매

차디찬 금침*에서 뒤척이며 잠 못 이룰 때
임의 부재로 느끼는 외로움을 촉각적 이미지로 표현함. 전전반측(輾轉反側), 오매불망(寤寐不忘)

落月多情窺畵屛
낙 월 다 정 규 화 병

지는 달이 정답게 내 방을 엿보네.
의인법-화자의 외로움을 위로하는 존재 ▶ 추사: 가을밤의 정경과 임에 대한 그리움

〈동사(冬詞)〉

「」: 겨울밤에 임금(임)을 기다리는 궁중 여인의 모습을 묘사함.

銅壺滴漏寒宵永
동 호 적 루 한 소 영

「구리병 물시계 소리에 추운 밤은 깊어 가는데
계절적 배경-겨울

月照紗幃錦衾冷
월 조 사 위 금 금 랭

휘장엔 달빛 비치고 비단 이불은 차갑기만 하여라.
임의 부재로 느끼는 외로움을 촉각적 이미지로 표현함.

宮鴉驚散轆轤聲
궁 아 경 산 녹 로 성

궁궐 안의 까마귀들이 두레박 소리에 놀라 흩어지고
공간적 배경-화자의 신분이 궁중 여인임을 암시함.

曉色侵樓窓有影
효 색 침 루 창 유 영

새벽 먼동이 터 오자 다락 창가엔 그림자가 어른거리네.

簾前侍婢瀉金甁
렴 전 시 비 사 금 병

발 앞에서 시녀가 금병의 물을 쏟으니
금으로 만들거나 도금한 병

玉盆手澁臙脂香
옥 분 수 삽 연 지 향

대야의 찬물에 손 담그기는 껄끄러워도 연지* 냄새는 향기로워라.

春山描就手屢呵
춘 산 묘 취 수 루 가

봄의 산 경치를 그리면서 시린 손 호호 불고
봄을 기다리는 마음

鸚鵡金籠嫌曉霜
앵 무 금 롱 혐 효 상

새장의 앵무새 새벽 서릿발 싫다 하겠지.」 새벽은 임이 오지 않음을 확인하는 시간이기 때문임.
궁중 여인인 화자를 비유함.

南隣女伴笑相語
남 린 여 반 소 상 어

「남쪽 이웃집 여자가 미소 지으며 하는 말이

玉容半爲相思瘦
옥 용 반 위 상 사 수

임 그리는 마음에 예쁜 내 얼굴 반쪽이 됐다고 하네.
화자의 주된 정서

金爐獸炭暖鳳笙
금 로 수 탄 난 봉 생

숯불 지핀 화로는 따뜻해서 봉황의 피리 소리가 흐르고

帳底羔兒薦春酒
장 저 고 아 천 춘 주

장막 밑에 둔 고아주*를 봄에 마실 술로 바치리라.
봄에 마실 술을 겨울에 준비함. → 봄이 올 때까지 임을 기다리겠다.

憑闌忽憶塞北人
빙 란 홀 억 새 북 인

난간에 기대어 문득 변방의 임을 생각하니
사랑하는 임이 가 계신 곳

鐵馬金戈靑海濱
철 마 금 과 청 해 빈

말 타고 창 들며 청해* 물가를 달리시겠지.
화자가 상상하는 임의 모습 화자와 임이 헤어진 지 오래되었음을 암시함.

驚沙吹雪黑貂弊
경 사 취 설 흑 초 폐

휘몰아치는 모래바람과 눈보라에 검은 담비 갖옷*은 닳았을 테고
임도 자신을 그리워할 것이라고 생각하며 스스로를 위로함.

應念香閨淚滿巾
응 념 향 규 루 만 건

향기 나는 아내 방을 그리워하며 수건에 눈물을 적시시겠지.」
▶ 동사: 궁중 여인과 변방에 임을 보낸 여인의 그리움

출제 포인트

■ 화자의 상황과 정서

임이 없어 외로움을 느낌.
↓
임의 꿈을 꾸고 잠에서 깸.
↓
임의 옷을 짓고 편지를 씀.

■ 시어의 의미

	시어	의미
춘사	앵무새	화자의 처지와 대비되는 소재로 화자의 외로움을 부각함.
	풀숲	화자
	나비	임
	꽃밭	다른 여인
하사	꾀꼬리	임과 화자의 만남을 방해하는 존재
	아가씨	화자를 대변하는 인물
	갈매기	화자의 처지와 대비되는 소재로 화자의 외로움을 부각함.
추사	연꽃	화자
	임의 옷	임에 대한 화자의 사랑
	은하수, 새벽별	화자의 어두운 심리와 대비되는 대상
	달	화자의 외로움을 위로하는 존재
동사	새장의 앵무새	화자(궁중의 여인)
	고아주	봄이 올 때까지 임을 기다리겠다는 마음이 담김.

■ 시구의 의미

춘사	밤새 홀로 잠을 못 이루었으니
하사	강남 꿈을 깨웠어라
추사	잠 못 이룰 때

⬇

화자가 임을 그리워하면서 잠을 이루지 못하고 있으며, 꿈속에서라도 임과 만나고 싶다는 소망을 갖고 있음을 알 수 있음.

어휘 풀이

* 금침: 이부자리와 베개를 아울러 이르는 말
* 연지: 여자가 화장할 때에 입술이나 뺨에 찍는 붉은 빛깔의 염료
* 고아주: 새끼 양이나 염소를 잡아 고아서 만든 물로 빚은 술
* 청해: 중국 청해성의 큰 호수
* 갖옷: 짐승의 털가죽으로 안을 댄 옷

1 작품 이해

이 작품은 사계절의 변화에 따른 정경과 그에 따라 달라지는 정서를 노래한 한시이다. 규방에서의 고독과 임의 부재로 인한 외로움과 그리움, 이별의 정한(情恨) 등을 자연물에 빗대어 간접적으로 드러내고 있으며 각 계절의 풍경을 섬세하고 우아하게 묘사하고 있다.

- 갈래: 한시(칠언 고시)
- 성격: 서정적, 애상적
- 주제: 임을 그리워하는 여인의 마음
- 시적 상황 임과 □□한 화자가 사계절의 풍경을 바라보며 임을 생각하고 있음.
- 정서와 태도 임과 헤어져 쓸쓸해하며, 임에 대한 □□□을 느끼고 있음.

정답: 이별, 그리움

2 내용 확인

1 맞는 내용이면 ○표, 틀린 내용이면 ×표 하시오.

① 사계절에 따라 변화하는 화자의 정서에 초점을 맞추어 시상을 전개하고 있다. (　　)

② 공감각적 이미지를 사용하여 화자의 외로움을 드러내고 있다. (　　)

2 춘사의 □□□는 화자의 처지와 대비되는 소재로 화자의 외로움을 드러내는 객관적 상관물이다.

내용 확인 도우미

1 ① 제시문은 사계절의 변화와 그에 따라 화자가 느끼는 외로움과 임에 대한 그리움을 중심으로 전개되고 있다.
② 윗글은 다양한 감각적 이미지를 활용하고 있으나, 공감각적 이미지를 활용한 부분은 찾을 수 없다.

2 춘사의 '앵무새'는 정다운 존재로, 화자가 있는 규방의 창가에서 지저귀고 있다. 이는 화자의 외로움을 고조시키고 있다.

정답 1 ① ○ ② × 2 앵무새

3 실전 Test

• 정답 38쪽

01 윗글을 이해한 내용으로 적절하지 않은 것은? 기출 문제

① '구슬 병풍은 더욱 차갑다'라는 표현에는 화자의 외로운 마음이 투영되어 있다.

② '오동잎은 떨어져'라는 표현은 하강의 이미지로 쓸쓸한 분위기를 조성하고 있다.

③ '임의 옷을 재단하니'와 '편지 한 장 써 놓았는데'라는 표현에는 임을 걱정하고 그리워하는 화자의 마음이 드러나 있다.

④ '반짝이는 은하수'와 '새벽별만 밝네'라는 표현에는 임과 지내던 시절을 회상하는 화자의 모습이 드러나 있다.

⑤ '지는 달이 정답게 내 방을 엿보네'라는 표현에서, '지는 달'은 잠 못 이루는 화자에게 위안이 되고 있다.

02 [보기]는 윗글에 대한 수업 장면의 일부이다. 선생님의 질문에 대한 학생의 대답으로 적절하지 않은 것은?

보기

선생님: 「사시사」는 여인의 목소리로 임의 부재로 인한 외로움과 그리움, 이별의 슬픔 등을 노래한 한시입니다. 이 작품은 계절의 변화에 따른 화자의 정서를 섬세한 시어와 다양한 표현법을 사용하여 표현하고 있습니다. 자! 아래의 표를 참고하여 이 작품을 감상하고, 그 내용을 발표해 볼까요?

[A]	➡	[B]	➡	[C]	➡	[D]
〈춘사〉		〈하사〉		〈추사〉		〈동사〉

학생: ______________________________

실전 Test Guide

01 해당 시구의 의미를 파악할 수 있는지 확인하는 문제이다. 문맥을 고려하여 시구의 의미를 생각해 보고, 선택지의 적절성을 판단해 보도록 한다.

02 제시문에 대한 설명을 고려하여 표현상의 특징을 파악해 보는 문제이다. 각 부분의 표현상의 특징을 비교 · 대조한 선택지의 설명이 적절한지 생각해 보도록 한다.

① [A]는 [B], [C], [D]와 달리, 비유적인 표현을 통해 화자와 연적(戀敵)의 모습을 제시하고 있습니다.
② [A], [B]는 [C], [D]와 달리, 선경후정의 시상 전개 방식을 통해 주제 의식을 강조하고 있습니다.
③ [A], [C]는 [B], [D]와 달리, 계절적 배경을 직접적으로 드러내는 시어를 사용하고 있습니다.
④ [A], [B], [C]는 [D]와 달리, 화자의 처지나 심리와 대비되는 객관적 상관물을 통해 화자의 정서를 부각하고 있습니다.
⑤ [A], [C], [D]는 [B]와 달리, 촉각적 이미지를 통해 임의 부재로 인한 화자의 외로움을 드러내고 있습니다.

03 윗글의 ㉠과 [보기]의 ㉡에 대한 설명으로 적절한 것은? 기출 문제

보기

어제 우리가 함께 사랑하던 자리에
오늘 가을비가 내립니다.

우리가 서로 사랑하는 동안
함께 서서 바라보던 ㉡숲에
잎들이 지고 있습니다.

어제 우리 사랑하고
오늘 낙엽지는 자리에 남아 그리워하다
내일 이 자리를 뜨고 나면
바람만이 불겠지요.

바람이 부는 동안
또 많은 사람들이
서로 사랑하고 헤어져 그리워하며
한세상을 살다가 가겠지요.

어제 우리가 함께 사랑하던 자리에
피었던 꽃들이 오늘 이울고 있습니다.

– 도종환, 「가을비」

① ㉠은 심리적 갈등을 해소하는 공간이다.
② ㉡은 자책감을 느끼는 공간이다.
③ ㉠은 ㉡과 달리, 충족감을 느낄 수 있는 공간이다.
④ ㉡은 ㉠과 달리, 현실 도피의 공간이다.
⑤ ㉠과 ㉡은 모두 그리움의 정서를 환기하는 공간이다.

03 제시문과 [보기]를 비교하여 시어의 의미를 파악할 수 있는지 확인하는 문제이다. 문맥을 고려하여 각 시어의 의미를 생각해 보고, 선택지의 적절성을 판단해 보도록 한다.

제 Ⅳ 부 조선 후기

시조

- 시조의 향유 계층이 양반 사대부에서 평민층으로 확대되었으며, 그 내용도 유교적 · 관념적 내용에서 현실적 내용으로 다양화됨.
- 유교 사상을 바탕으로 자연 친화적 삶을 노래한 조선 전기 시조의 경향이 이어지는 한편, 임진왜란과 병자호란 직후에는 전란 후의 현실과 우국충정(憂國衷情) 등을 노래한 작품이 다수 창작됨.
- 평민 의식과 산문 정신의 영향으로 평시조의 형식을 벗어난 사설시조가 등장하였으며, 현실에 대한 풍자나 비판, 평민들의 진솔한 생활 감정을 다룸.
- 18세기 무렵에는 전문 가객이 등장하여 시조를 창작하고 곡조에 맞춰 부르기도 하였으며, 가단(歌壇)을 형성하고 시조집을 편찬하는 등 시조의 부흥에 기여하기도 하였음.

가사

• 유배 가사, 기행 가사 등 조선 전기 양반 가사의 전통이 이어지는 한편, 내방 가사(부녀자가 지은 가사)와 평민 가사, 월령체의 가사 등이 등장하여 일상적이면서도 현실적인 삶의 모습을 다양하게 표현함.
• 형식 면에서 장편화, 산문화되는 경향이 두드러지며, 조선 전기의 정격 가사에 비해 형식적으로 자유로워진 변격 가사가 등장함.
• 가사가 민요와 결합된 형태인 잡가가 등장함.

한시

• 실학사상이 대두되면서 선비로서의 사회적 책임을 자각하고 사회의 모순을 비판하는 내용의 한시를 정약용, 김창협 등이 창작함.
• 조선 전기 여류 시인의 한시 경향이 이어져, 여인의 섬세한 감정을 노래한 작품이 창작됨.

민요

• 예로부터 민중들이 불러 오던 구전 가요를 가리키며, 민중들의 일상적인 삶과 애환, 솔직한 감정 등을 직접적으로 표현하는 경우가 많음.
• 기능에 따라 일의 능률을 높이기 위해 부르는 노동요, 놀이의 흥취를 돋우기 위해 부르는 유희요, 어떤 의식을 거행하면서 부르는 의식요 등으로 나뉨.
• 형식상으로는 3음보 또는 4음보의 연속체로 후렴이 있는 경우가 대부분임.

시조 087 가노라 삼각산아 다시~ _김상헌

□: 대유법, 의인법-고국을 의미함.

「가노라 삼각산(三角山)아 다시 보자 한강수(漢江水)야.」「」: 대구법 ▶ 초장: 고국에 대한 사랑
(삼각산: 북한산의 옛 이름)

고국 산천(故國山川)을 떠나고쟈 하랴마는 ▶ 중장: 고국과의 이별

시절(時節)이 하 수상(殊常)하니 올동 말동 ᄒᆞ여라. ▶ 종장: 고국을 떠나는 불안감
(하: 매우 / 수상하니: 뒤숭숭하니 / 올동 말동 ᄒᆞ여라: 영탄법-화자의 불안감)

현대어 풀이 가노라 삼각산아 (언제가 될지 모르지만) 다시 보자 한강물아.
(할 수 없이 이 몸은) 고국 산천을 떠나가려고 하지만
시절이 하도 뒤숭숭하니 다시 돌아올지 어떨지는 모르겠구나.

작품 한눈에 보기

삼각산, 한강수와의 이별
⬇
고국을 떠나는 안타까움

출제 포인트

■ 표현상의 특징
① 대구법, 대유법, 의인법을 사용하여 고국에 대한 애정을 표현함.
② 영탄법을 사용하여 고국을 떠나는 불안감을 표현함.

1 작품 이해

이 작품은 고국을 떠나는 안타까움과 불안감을 표현한 시조이다. 병자호란 때 청나라에 대항해 끝까지 싸울 것을 주장하였던 김상헌이 병자호란 패전 후 소현 세자, 봉림 대군 등과 청나라에 인질로 잡혀가면서 지었다. 대유법, 의인법, 대구법, 영탄법 등을 통해 고국에 대한 뜨거운 사랑과 비분강개(悲憤慷慨)*한 심정을 드러내고 있다.

• 갈래: 평시조

• 성격: 절의가, 비분가, 우국가
• 주제: 고국을 떠나는 안타까움과 불안함
• 시적 상황 □□을 떠나면서 산천에 이별을 고하고 있음.
• 정서와 태도 고국을 떠나면서 □□□□과 불안함을 느끼고 있음.

정답: 고국, 안타까움

* 비분강개: 슬프고 분하여 의분이 북받침.

2 내용 확인

1 맞는 내용이면 ○표, 틀린 내용이면 ×표 하시오.
① 자연물에 감정을 이입하여 화자의 정서를 드러내고 있다. ( )
② 화자는 자신의 미래에 대해 낙관적으로 생각하며 즐거운 마음으로 고국 산천을 떠나고 있다. ( )

2 윗글에서 고국을 의미하는 시어를 모두 찾아 쓰시오.
➡ ( )

내용 확인 도우미

1 ① 초장에서 의인법을 통해 고국에 대한 사랑을 드러내고 있을 뿐, 감정 이입이 된 시어는 찾을 수 없다.
② 종장의 '올동 말동 ᄒᆞ여라.'에서 화자가 미래에 대한 불안감을 가지고 있음을 알 수 있다.

2 초장의 '삼각산'과 '한강수'는 고국을 빗대어 표현한 것이다.

정답 1 ① × ② × 2 삼각산, 한강수

3 실전 Test

• 정답 39쪽

01 윗글에 대한 설명으로 적절하지 않은 것은?

① 대구법을 활용하여 운율을 형성하고 있다.
② 대상을 의인화하여 친근감을 드러내고 있다.
③ 영탄적 어조를 통해 화자의 정서를 드러내고 있다.
④ 대유법을 통해 고국에 대한 사랑을 표현하고 있다.
⑤ 화자와 대비되는 대상을 통해 정서를 심화하고 있다.

실전 Test Guide

01 표현상의 특징 및 효과를 파악할 수 있는지 확인하는 문제이다. 제시문에 활용된 표현 방법과 그 효과를 파악한 후 선택지의 적절성에 대해 생각해 보도록 한다.

시조

088 국화야, 너난 어이~ _이정보

국화야, 너난 어이 삼월 동풍(三月東風) 다 지내고 ▶ 초장: 봄을 다 지내도 피지 않는 국화
(의인법 / 국화: 지조와 절개를 가진 존재 / 삼월 동풍: 평온한 시절)

낙목한천(落木寒天)에 네 홀로 피었나니. ▶ 중장: 추위 속에서도 홀로 피어 있는 국화
(낙목한천: 나뭇잎이 다 떨어진 겨울의 춥고 쓸쓸한 풍경, 또는 그런 계절)

아마도 오상고절(傲霜孤節)은 너뿐인가 하노라. ▶ 종장: 국화의 절개에 대한 예찬
(아마도: 예찬적 태도 / 오상고절: 서리도 이겨 내는 꿋꿋한 절개)

현대어 풀이 국화야 너는 어찌 봄바람 부는 따뜻한 계절 다 지내고
나뭇잎이 지고 추워진 계절에 홀로 피었느냐.
아무리 생각해 보아도 찬 서리를 이겨내는 높은 절개를 지닌 것은 너밖에 없는 것 같구나.

작품 한눈에 보기

삼월 동풍	↔	낙목한천
평온하지만 국화가 피지 않는 시절		시련 속에서 국화가 피는 시절

↓

국화의 절개를 예찬함.

출제 포인트

■ 표현상의 특징
① 의인법을 통해 대상에 대한 친근감을 드러냄.
② 계절의 대비(봄-늦가을 혹은 겨울)를 통해 국화의 절개를 표현함.

1 작품 이해

이 작품은 봄이 지나고 찬 서리가 내릴 때 홀로 피어 향기를 흩뿌리는 국화의 절개를 노래한 시조이다. 역경 속에서 꿋꿋이 피어난 국화를 통해 지조를 지키는 선비를 예찬하고 있다.

• 갈래: 평시조 • 성격: 예찬적, 교훈적, 의지적

• 주제: 국화(선비)의 높은 절개 예찬
• 시적 상황 추운 겨울에 피어 있는 □□를 바라보고 있음.
• 정서와 태도 국화의 지조와 절개를 □□하고 있음.

정답: 국화, 예찬

2 내용 확인

1 맞는 내용이면 ○표, 틀린 내용이면 ×표 하시오.
① 초장의 '너'는 '국화'를 의인화하여 표현한 것이다. ( )
② 초장의 '삼월 동풍'과 중장의 '낙목한천'은 따뜻하고 좋은 시절을 의미한다. ( )

내용 확인 도우미

1 ① 초장에서 '국화'는 의인화되어 '너'라고 표현되었으며, 이는 국화에 대한 화자의 친근감을 드러낸다.
② '삼월 동풍'은 따뜻하고 평온한 시절을, '낙목한천'은 시련과 고난을 의미한다.

정답 1 ① ○ ② ×

3 실전 Test

• 정답 39쪽

01 [보기]를 참고하여 윗글을 이해한 내용으로 가장 적절한 것은?

보기

시조에 등장하는 자연물과 자연은 다양한 의미로 사용된다. 화자와 하나가 되는 친화의 대상으로 드러나기도 하며, 당시의 정치 현실과 대비하여 때 묻지 않은 순수한 세계로 나타나기도 한다. 또한 유학자들에게 자연은 시련과 고난이 있더라도 추구해 나가야 할 윤리적 덕목의 상징이자 예찬의 대상으로 구현되기도 하였다.

① '국화'는 화자가 추구하는 윤리적 덕목을 가진 자연물이다.
② '삼월'은 당시의 어지러운 정치 현실을 드러내는 소재이다.
③ '낙목'은 화자가 하나 되고자 하는 친화의 대상이다.
④ '한천'은 시련과 고난의 극복에 대한 예찬의 의미를 담고 있는 소재이다.
⑤ '오상고절'은 때 묻지 않은 자연을 상징하는 소재이다.

실전 Test Guide

01 시조 속 자연물에 대한 설명을 바탕으로 제시문을 적절히 이해할 수 있는지 확인하는 문제이다. [보기]에 언급된 시조 속에 등장하는 자연물과 자연의 특성을 고려하여 시어의 의미를 추측해 보도록 한다.

시조 089

노래 삼긴 사ᄅᆞᆷ~_신흠

만든 / 많기도 많다.

노래 삼긴 사ᄅᆞᆷ 시름도 하도할샤. ▶ 초장: 노래를 만든 사람을 추측함.

시름을 풀어 주는 소재

닐러 다 못 닐러 불러나 [푸돗ᄃᆞᆫ가]. ▶ 중장: 노래의 효용을 추측함.

□: 연쇄법-노래의 효용성을 드러냄.

진실(眞實)로 [풀릴 거시면은] 나도 불러 보리라. ▶ 종장: 노래를 통해 시름을 해소하고 싶음.

화자의 바람-시름을 풀고 싶음.

현대어 풀이 노래를 만든 사람 근심과 걱정이 많기도 많았겠구나.
말로 하려 하나 다 못 하여 (노래로) 풀었던가.
진실로 풀릴 것이면 나도 불러 보리라.

작품 한눈에 보기

전제	결론
노래를 만든 사람은 시름이 많았을 것이다.	나도 시름이 많으니 노래로 시름을 풀고 싶다.

⬇

시름을 해소하기를 바람.

출제 포인트

■ 화자의 정서와 태도
의지적인 태도로 시름을 노래로 해소하고 싶은 심정을 드러내고 있음.

1) 작품 이해

이 작품은 가슴 속에 있는 근심과 걱정을 노래를 통해 풀어 보고자 하는 소망을 형상화한 시조이다. 노래를 만든 사람의 심정을 추측하면서 화자 자신도 노래를 불러 시름을 잊고 마음의 평정을 얻고 싶어 한다.

• 갈래: 평시조 • 성격: 의지적, 영탄적

• 주제: 삶의 시름을 노래로 해소해 보고자 하는 마음
• 시적 상황 말로 다 표현하지 못하는 시름을 □□로 풀어 보려 함.
• 정서와 태도 노래를 불러서라도 □□이 해소되기를 바람.

정답: 노래, 시름

2) 내용 확인

1 맞는 내용이면 ○표, 틀린 내용이면 ×표 하시오.

① 화자는 노래를 만든 사람은 시름이 없었을 것이라고 추측하고 있다. (　　)
② 윗글은 연쇄적 표현을 통해 화자의 소망을 드러내고 있다. (　　)

내용 확인 도우미

1 ① 화자는 초장에서 노래를 만든 사람이 시름이 많았을 것이라고 여기고 있다.
② 중장의 '푸돗ᄃᆞᆫ가'와 종장의 '풀릴 거시면은'에서 앞 구절의 끝 어구를 다음 구절에서 이어받는 연쇄법이 나타난다.

정답 1 ① × ② ○

3) 실전 Test

• 정답 39쪽

01 윗글과 [보기]를 비교하여 이해한 내용으로 적절하지 않은 것은?

보기

> 구인산(九仞山) 긴 솔 베어 제세주(濟世舟)*를 만들어 내,
> 길 잃은 행인을 다 건네려 하였더니
> 사공이 변변치 못해 모강두(暮江頭)에 버렸도다. – 박인로, 「자경(自警)」
>
> * 제세주: 세상을 구할 배

① 윗글과 달리 [보기]에는 화자가 고민하는 이유가 드러나 있다.
② 윗글과 달리 [보기]에는 문제가 해결된 후의 상황이 제시되어 있다.
③ [보기]와 달리 윗글은 의지적인 태도로 시상이 마무리되고 있다.
④ [보기]와 달리 윗글에는 화자의 확인되지 않은 추측이 드러나 있다.
⑤ 윗글의 화자는 '노래'를, [보기]의 화자는 '제세주'를 문제 해결 방법으로 여기고 있다.

실전 Test Guide

01 제시문과 [보기]를 비교하여 감상해 보는 문제이다. 시적 대상과 시적 상황, 화자의 정서와 태도 등에 주목하여 두 작품의 공통점과 차이점을 파악해 보도록 한다.

시조 090

헛가레 기나 쟈르나~ _신흠

「헛가레 기나 쟈르나 기동이 기우나 트나」 ▶ 초장: 서까래의 길이나 기둥 모양은 중요하지 않음.
수간모옥(數間茅屋)을 쟈근 줄 웃지 마라. ▶ 중장: 물질적 가치에 주목하는 세태를 경계함.
「어즈버 만산나월(滿山蘿月)이 다 내 거신가 ᄒᆞ노라.」 ▶ 종장: 자연을 누리며 안분지족함.

(대조법: 기나 쟈르나 / 기우나 트나, 「」: 대구법 / 헛가레: 서까래(지붕을 받치는 나무) / 기동: 기둥 / 수간모옥: 몇 칸 안 되는 작은 초가-소박한 삶 / 어즈버: 감탄사 / 만산나월: 온 산 가득한 덩굴에 걸린 달 / 「」: 자연을 누리는 만족감, 안분지족)

현대어 풀이 서까래가 길거나 짧거나 기둥이 기울거나 갈라지거나
서너 칸 짜리 초가집이 작다고 비웃지 마라.
아아, 온 산에 가득한 덩굴에 걸린 달이 다 내 것인가 하노라.

작품 한눈에 보기

수간모옥, 만산나월
⬇
소박한 삶에 만족하고 자연을 즐김.

출제 포인트

■ 화자의 정서와 태도
명령적 어조와 영탄적인 표현을 통해 소박한 삶에 만족하고 안분지족하며 자연을 즐기고 있음.

1 작품 이해

이 작품은 자연 속에서 안분지족하며 사는 삶에서 느끼는 만족감을 드러낸 시조이다. 화자는 몇 칸 안 되는 작은 초가에서 살면서도 자연을 즐기며 안빈낙도하고 있다. 또한 '수간모옥', '만산나월'과 같은 표현에서 시각적 이미지를 드러내어 소박하면서도 자연 친화적인 분위기를 드러낸다.

• 갈래: 평시조 • 성격: 전원적, 풍류적

• 주제: 자연 속의 소박한 삶에 대한 만족감
• 시적 상황 작은 초가집에서 □□을 즐기며 살아가고 있음.
• 정서와 태도 가난한 형편에 연연하지 않고 자연을 즐기면서 □□□□하고 있음.

정답: 자연, 안빈낙도(안분지족)

2 내용 확인

1 맞는 내용이면 ○표, 틀린 내용이면 ×표 하시오.

① 화자는 중장에서 가난한 형편을 부끄러워하고 있다. ( )
② 전원에서 땀 흘려 일하는 즐거움을 구체적으로 형상화하며, 자연에서의 삶을 예찬하고 있다. ( )

2 화자의 가난한 형편을 드러내는 시어를 찾아 쓰시오.

➡ ( )

내용 확인 도우미

1 ① 중장에서 화자는 소박한 삶을 비웃지 말라고 하였다.
② 종장에 자연을 즐기며 사는 삶에 대한 만족감이 드러날 뿐, 제시문에서 땀 흘려 일하는 모습은 언급되어 있지 않다.

2 중장의 '수간모옥'은 몇 칸 안 되는 작은 초가를 의미하며, 이는 화자의 가난한 형편을 암시한다.

정답 1 ① × ② × 2 수간모옥

3 실전 Test

• 정답 40쪽

01 윗글의 시어 및 시구를 이해한 내용으로 가장 적절한 것은?

① '헛가레'나 '기동'은 화자의 삶을 지탱하는 중요한 요소이다.
② '기동'이 '기우나 트'는 문제는 화자가 삶을 반성적으로 돌아보는 계기가 된다.
③ '수간모옥'은 화자가 자연을 즐기면서 살고 있는 소박한 삶의 공간이다.
④ '어즈버'는 가난한 자신의 처지에 대한 화자의 탄식이다.
⑤ '만산나월'은 세속에 대한 화자의 욕망을 상징한다.

실전 Test Guide

01 시어와 시구의 의미를 파악해 보는 문제이다. 화자의 처지나 정서의 관련성을 중심으로 각 시어와 시구의 의미를 추측해 보도록 한다.

시조

091 집 방석 내지 마라~_한호

□: 인위적 ◯: 자연적

집 방석(方席) 내지 마라, 낙엽(落葉)엔들 못 안즈랴. ▶ 초장: 낙엽에 그냥 앉고자 함.

솔불 혀지 마라, 어제 진 ᄃᆞᆯ 도다온다. ▶ 중장: 달빛을 즐기고자 함.

「」: 대구법, 대조법

아ᄒᆡ야 박주산채(薄酒山菜)ㄹ망졍 업다 말고 내여라. ▶ 종장: 소박한 삶에 만족함.

(아ᄒᆡ: 청자 / 박주산채: 맛이 변변하지 못한 술과 산나물 / 안빈낙도)

현대어 풀이 짚으로 만든 방석을 내오지 마라, 낙엽엔들 못 앉으랴.
솔불 켜지 마라, 어제 진 달 돌아 온다.
아이야, 맛이 변변하지 못한 술과 산나물이라도 없다 말고 내어 오너라.

작품 한눈에 보기

낙엽, 달 (자연적)	↔	집 방석, 솔불 (인위적)

↓

자연친화적인 삶, 안빈낙도

출제 포인트

■ 화자의 태도
인위적인 것을 거부하고, 자연 속에서의 소박한 삶을 추구하고 있음.

1 작품 이해

이 작품은 안빈낙도의 삶을 추구하는 사대부의 모습을 담은 시조이다. 낙엽 위에 앉아 달빛을 받으며 소박하게 술을 마시는 장면을 통해 안빈낙도하는 삶을 형상화하고 있다.

- 갈래: 평시조
- 성격: 자연 친화적, 풍류적, 전원적
- 주제: 자연 속에서 느끼는 안빈낙도

- 시적 상황 달빛 아래 □□ 위에 앉아 소박한 술과 나물을 먹고자 함.
- 정서와 태도 인위적인 것을 거부하고 자연을 즐기며 소박한 삶을 사는 □□□□를 추구함.

정답: 낙엽, 안빈낙도

2 내용 확인

1 맞는 내용이면 ○표, 틀린 내용이면 ×표 하시오.

① 윗글의 초장과 중장은 대구를 이루고 있으며, 대립적인 시어를 사용하고 있다. (   )

② 화자는 사대부로서 지켜야 하는 도리에 대해 언급하면서 충효를 추구하려는 의지를 드러내고 있다. (   )

내용 확인 도우미

1 ① 초장과 중장은 대구를 이루고 있으며, 집 방석과 낙엽, 솔불과 달을 대비하고 있다.
② 화자는 자연친화적이고 안빈낙도하는 삶에 만족하고 있다.

정답 1 ① ○ ② ×

3 실전 Test

• 정답 40쪽

01 [A]~[E] 중, 윗글에 나타난 화자의 태도와 가장 유사한 부분은? 기출 문제

보기

[A] 명사(明沙) 조ᄒᆞᆫ 믈에 잔 시어 부어 들고,
청류(淸流)를 굽어보니, ᄯᅥ오ᄂᆞ니 도화(桃花)ㅣ로다.
[B] 무릉(武陵)이 갓갑도다, 져 ᄆᆡ이 긘 거이고.
[C] 송간 세로(松間細路)에 두견화(杜鵑花)를 부치 들고,
봉두(峰頭)에 급피 올나 구름 소긔 안자 보니,
[D] 천촌만락(千村萬落)이 곳곳이 버러 잇ᄂᆡ.
연하일휘(煙霞日輝)는 금수(錦繡)를 재폇ᄂᆞᆫ ᄃᆞᆺ. 〈중략〉
[E] 단표누항(簞瓢陋巷)에 흣튼 혜음 아니 ᄒᆞᄂᆡ.
아모타 백년행락(百年行樂)이 이만ᄒᆞᆫᄃᆞᆯ 엇지ᄒᆞ리.

– 정극인, 「상춘곡」

① [A] ② [B] ③ [C] ④ [D] ⑤ [E]

실전 Test Guide

01 제시문과 [보기]를 비교하여 감상할 수 있는지를 평가하는 문제이다. 자연 속의 삶에 대해서 두 화자가 유사한 태도를 보이는 부분을 찾아보도록 한다.

시조 092

청산도 절로절로 녹수도 ~ _송시열

「청산(靑山)도 절로절로 녹수(綠水)도 절로절로 『』: 대구법
푸른 산 / 순리에 따르는 모습, 'ㄹ'의 반복 – 리듬감을 형성함.
산(山) 절로 물 절로 산수(山水) 간(間)에 나도 절로」
물아일체 – 자연에 순응하는 자세 / 자연 속
그중에 절로 자란 몸이 늙기도 절로절로.
자연의 순리에 따라 자란 몸

현대어 풀이 푸른 산도 저절로(자연 그대로) 푸른 물도 저절로
산도 물도 저절로이니 그 자연 속에 나도 저절로
자연 속에서 저절로 자란 몸이니, 늙는 것도 저절로.

▶ 초장: 순리를 따르는 자연의 모습
▶ 중장: 자연의 순리를 따르는 화자
▶ 종장: 자연의 질서에 순응하는 삶

작품 한눈에 보기

청산, 녹수 절로절로 (자연 그대로임.)	=	나 절로 자라고 늙음.

⬇ 자연의 순리에 순응함.

출제 포인트

■ 표현상의 특징
① 'ㄹ'을 반복하여 리듬감을 형성함.
② 각 장이 종결 어미가 아닌 '절로절로'나 '절로'로 끝나면서 여운을 남기고, 경쾌한 리듬감을 형성함.

1) 작품 이해

이 작품은 자연의 섭리대로 순응하며 살고 싶은 마음을 드러낸 시조이다. 대구와 반복을 통해 시상을 드러내고 있으며, 각 장에 '절로'를 반복하여 저절로 이루어지는 자연의 순리를 강조하고 있다.

- 갈래: 평시조
- 성격: 달관적, 순응적, 관조적
- 주제: 자연의 섭리에 순응하는 삶
- 시적 상황 저절로 만들어진 청산과 □□의 모습을 바라보며 저절로 늙어 가고 있음.
- 정서와 태도 자연의 섭리에 □□하며 살아가고자 하고 있음.

정답: 녹수, 순응

2) 내용 확인

1 맞는 내용이면 ○표, 틀린 내용이면 ×표 하시오.

① 대유적인 표현을 사용하여 자연의 모습을 드러내고 있다. ( )
② 각 장에서는 '절로'를 반복하여 물질적 가치를 강조하고 있다. ( )

내용 확인 도우미

1 ① '청산', '녹수'는 자연의 일부로, 자연 전체를 대신하여 자연을 의미한다.
② '절로'는 순리대로 사는 모습을 의미하므로 물질적 가치와는 거리가 멀다.

정답 1 ① ○ ② ×

3) 실전 Test

• 정답 40쪽

01 윗글에 대한 설명으로 적절하지 않은 것은?

① 대구법과 직유법을 통해 주제를 강조하고 있다.
② 물아일체의 경지에 다다른 모습이 나타나 있다.
③ 유음을 반복하여 경쾌한 리듬감을 형성하고 있다.
④ 자연에 순응하는 삶을 살고자 하는 태도가 드러나 있다.
⑤ '청산'과 '녹수'는 시적 화자와 유사한 특성을 가지고 있다.

실전 Test Guide

01 표현상의 특징과 시어의 의미 등 제시문을 종합적으로 이해할 수 있는지를 평가하는 문제이다. 형식적 특징과 표현상의 특징, 시어의 의미 등을 바탕으로 선택지의 적절성을 판단해 보도록 한다.

시조 093

님이 헤오시매 나는~ _송시열

㉠님이 헤오시매 ㉡나는 전혀 믿었더니
(임(임금), 헤아리시기에(총애하시기에))
날 사랑하던 정을 뉘손대 옮기신고.
(누구에게)
처음에 믜시던 것이면 이대도록 설오랴.
(미워하시던, 설의법)

▶ 초장: 님에 대한 믿음
▶ 중장: 믿음을 저버린 임
▶ 종장: 임에게 버림받은 슬픔

현대어 풀이 임이 나를 헤아리시기에 나는 전적으로 믿고 있었더니
나를 사랑하던 정을 누구에게 옮기셨는가?
처음부터 나를 미워하시던 것이면 이토록 서럽겠는가?

작품 한눈에 보기

표면	이면
임의 총애를 잃어버린 여인의 안타까운 마음	임금에게 버림받은 신하의 변치 않는 충성

출제 포인트

■ 표현상의 특징
임금에 대한 신하의 충성의 마음을 임을 사랑하는 여인의 마음에 빗대어 표현함.

1 작품 이해

이 작품은 임금의 총애를 잃은 신하의 슬픔을 다른 이에게 임의 사랑을 빼앗긴 여인의 심정에 빗대어 노래한 시조이다. 임의 사랑이 식음을 탄식하며 서로운 마음을 직설적으로 드러내고 있다.

• 갈래: 평시조 • 성격: 연군적

• 주제: 임의 사랑을 잃은 슬픔
• 시적 상황 □의 총애가 화자가 아닌 다른 이에게 옮겨 감.
• 정서와 태도 임의 총애를 받다가 내침을 당해 □□□□을 느낌.

정답: 임, 안타까움

2 내용 확인

1 맞는 내용이면 ○표, 틀린 내용이면 ×표 하시오.

① 화자는 자신을 대하는 임의 태도가 변하여 슬픔을 느끼고 있다. (　　)
② 설의적인 표현을 활용하여 화자의 심정을 강조하고 있다. (　　)

내용 확인 도우미

1 ① 화자는 '님'이 예전에는 자신을 사랑하였으나, 지금은 그렇지 않다면서 서러워하고 있다.
② 종장에서는 설의법을 통해 임금의 총애를 잃은 화자의 서러움을 표현하고 있다.

정답 1 ① ○ ② ○

3 실전 Test

• 정답 41쪽

01 윗글과 [보기]를 비교하여 이해한 내용으로 적절하지 않은 것은?

보기

ⓐ내 일 망녕된 줄 내라 하여 모랄 손가.
이 마음 어리기도 ⓑ님 위한 탓이로세.
아뫼 아무리 일러도 임이 혜여 보소서.

– 윤선도, 「견회요」

① ㉠과 ㉡의 관계는 ⓑ와 ⓐ의 관계와 유사하다.
② ㉡은 서러움의 정서가, ⓐ는 억울함의 정서가 나타난다.
③ ㉡과 ⓐ는 ㉠과 ⓑ를 잊고자 노력하고 있다.
④ ㉡과 ⓐ는 ㉠과 ⓑ와의 관계에서 어려움을 겪고 있다.
⑤ ㉡과 ⓐ는 ㉠과 ⓑ에 비해 관계에서 수동적인 역할이다.

실전 Test Guide

01 제시문과 [보기]를 비교하여 감상할 수 있는지 평가하는 문제이다. 연인의 관계를 임금과 신하의 관계로 바꾸어 선택지의 적절성을 판단해 보도록 한다.

시조

094 강산 죠흔 경을~ _김천택

「」: 가정법–약육강식의 세태와 속세를 비꼼. / 다툼 / □↔○ 대비 / 대유법–자연 / 분수 / 세속적 권력자 / 권력도 부귀도 없는 화자 / 설의법–얻겠는가 / 금할 사람 / 자연에서 유유자적하는 삶

「강산(江山) 죠흔 경(景)을 힘센 이 닷톨 양이면,」 ▶ 초장: 자연을 가지려고 다툼.

ᄂᆡ 힘과 ᄂᆡ 분(分)으로 어이ᄒᆞ여 엇들쏜이. ▶ 중장: 화자는 자연을 얻을 수 있음.

진실(眞實)로 금(禁)ᄒᆞ리 업쓸씩 나도 두고 논이노라. ▶ 종장: 자연을 마음껏 즐김.

현대어 풀이 강산의 아름다운 경치를 차지하기 위해 힘센 사람들이 다툴 것이라면
내 힘과 내 분수로 어떻게 (자연을) 얻을 수 있겠는가?
진실로 (자연을 사랑하고 즐기는 것을) 금할 사람이 없으므로 나 같은 사람도 두고 즐기노라.

작품 한눈에 보기

힘 있는 자들이 자연을 가지려고 다툼(가정).
↓
화자는 권력도 부귀도 없음(판단).
↓
아무도 금지하지 않으므로 화자는 자연을 누릴 수 있음(결론).

출제 포인트

■ 표현상의 특징
① 상황을 가정하여 주제를 드러냄.
② 설의법을 통해 자연에 대한 화자의 태도를 강조함.

1) 작품 이해

이 작품은 자연에 대한 애정을 노래한 시조이다. 조선 초기 양반 시조와는 달리 솔직한 사고 방식이 반영되었으며, 누구라도 자연의 아름다움을 만끽하면서 살 수 있음을 다행스럽게 여기는 화자의 정서가 드러나 있다.

- 갈래: 평시조
- 성격: 자연 친화적
- 주제: 누구나 즐길 수 있는 자연
- 시적 상황 아름다운 경치를 바라보며 □□은 누구나 누릴 수 있다고 말하고 있음.
- 정서와 태도 □과 권력이 없어도 자연을 즐길 수 있음을 다행스럽게 여기고 있음.

정답: 자연(강산), 힘

2) 내용 확인

1 맞는 내용이면 ○표, 틀린 내용이면 ×표 하시오.

① 화자는 자신이 힘이 있는 존재라고 여기며 우쭐거리고 있다. ( )
② 초장에서는 대유법을, 중장에서는 설의법을 사용하여 주제를 전달하고 있다. ( )

내용 확인 도우미

1 ① 화자는 중장에서 자신이 권력도 부귀도 없는 존재임을 드러내고 있다.
② 초장에서 대유법을 사용하여 자연을 '강산'으로 표현하였고, 중장에서 설의법을 사용하였다.

정답 1 ① × ② ○

3) 실전 Test

• 정답 41쪽

01 윗글의 구조를 [보기]와 같이 이해했을 때, (A)~(C)를 이해한 내용으로 적절하지 않은 것은?

보기
(A) 가정 ⇨ (B) 판단 ⇨ (C) 결론

① (A)에서는 자연의 경치와 세속적 권력의 관계에 대한 가정이 나타나는군.
② (B)에서는 (A)의 가정을 화자의 처지에 적용하려고 하는군.
③ (B)에서는 (A)의 가정을 바탕으로 새로운 대안을 찾고 있군.
④ (C)에서는 (A)의 가정을 완전히 부정하고 있군.
⑤ (C)에서는 (A)와 (B)의 과정을 통해 도출한 결론이 나타나는군.

실전 Test Guide

01 제시문의 기본적인 구조를 이해하고 의미를 숙지하고 있는지를 평가하는 문제이다. [보기]에 제시된 구조에 따라 제시문을 이해하고, 각 구절의 의미를 생각해 보도록 한다.

시조

095 백구 ㅣ야 말 무러보쟈~ _김천택

백구(白鷗) ㅣ 야 말 무러보쟈 놀라지 마라스라 (말아라)
㉠명구승지(名區勝地)를 어듸어듸 ᄇᆞ렷ᄃᆞ니 (갈매기 / 돈호법, 의인법, 대화체 / 경치가 좋기로 이름난 곳 / 버렸더냐)
날ᄃᆞ려 자세(仔細)히 닐러든 네와 게 가 놀리라 (일러주거든 / 자연과의 합일을 추구함.)

현대어 풀이 갈매기야 말 물어보자, 놀라지 말아라.
경치가 좋기로 이름난 곳이 어디어디 벌려있더냐?
나에게 자세히 일러주면 너와 거기 가서 놀리라.

▶ 초장: 백구에게 말을 건넴.
▶ 중장: 갈매기에게 명승지를 물어봄.
▶ 종장: 백구와 자연 속에서 지내고자 함.

작품 한눈에 보기

백구 = 자연
함께 즐기고자 함.
⬇
자연과의 합일, 물아일체

출제 포인트

■ 화자의 태도
자연 속에서 풍류를 즐기고자 하는 자연 친화적 태도를 갖고 있음.

1 작품 이해

이 작품은 자연과 하나되고 싶은 마음을 표현하기 위해 갈매기에게 말을 거는 대화체로 내용을 전개한 시조이다. 갈매기에게 경치 좋은 곳을 얼마나 다녀 보았냐며 말을 걸고, 그곳에 함께 가 놀자고 말하면서 자연을 즐기고자 하는 마음을 드러내고 있다.
- **갈래:** 평시조

- **성격:** 자연 친화적, 풍류적
- **주제:** 자연과의 합일을 추구하는 마음
- **시적 상황** □□에게 말을 걸고 있음.
- **정서와 태도** 자연 속에서 □□를 즐기고 싶어 함.

정답: 백구, 풍류

2 내용 확인

1 맞는 내용이면 ○표, 틀린 내용이면 ×표 하시오.
① 화자는 자연을 즐기면서도 속세에 대한 미련을 드러내고 있다. (　　)
② 대화체를 활용하여 대상에 대한 친근감을 드러내면서 내용을 전개하고 있다. (　　)

내용 확인 도우미

1 ① 윗글의 화자는 자연과의 합일을 추구하고 있을 뿐, 속세에 대한 미련은 보이고 있지 않다.
② 갈매기에게 말을 건네는 대화체를 통해 친근감을 드러내고 있다.

정답 1 ① × ② ○

3 실전 Test

• 정답 41쪽

01 [보기]를 참고하여 ㉠을 이해한 내용으로 가장 적절한 것은?

| 보기 |

시조에서의 자연은 단순한 자연이 아니다. 주로 즐김과 노닒의 대상으로 나타나지만, 때로는 정치적 실의를 당한 사람의 도피처나 그 정치적 실의의 보상물로 그려지기도 한다. 그리고 흥취의 대상보다는 삶의 터전으로 그려지기도 한다.

① 속세를 벗어난 현실 도피처이다.
② 삶에 대한 반성과 성찰의 공간이다.
③ 일상적이고 현실적인 삶의 터전이다.
④ 그 속에서 노닐며 삶을 즐기는 공간이다.
⑤ 잃어버린 속세의 삶에 대한 보상적 공간이다.

실전 Test Guide

01 [보기] 자료를 바탕으로 제시문 속 자연의 의미를 파악할 수 있는지 확인하는 문제이다. [보기]에 제시된 자연의 의미를 바탕으로 선택지의 적절성을 평가해 보도록 한다.

시조 096

동기로 세 몸 되어~_박인로

동기(同氣)로 세 몸 되어 한 몸같이 지내다가
한 부모에게서 세 형제로 태어나 / 우애 좋게
두 아운 어디 가서 돌아올 줄 모르는고.
설의법 – 두 아우의 현재 상황(임진왜란 중에 소식이 두절됨.)
날마다 석양(夕陽) 문외(門外)에 한숨 겨워 하노라.
시간적 배경 / 문 밖 – 공간적 배경 / 영탄법 – 동생들에 대한 그리움

현대어 풀이 형제로서 세 사람의 몸이지만 한 몸처럼 지내다가
두 아우는 어디 가서 돌아올 줄 모르는가?
날마다 해 지는 문 밖에 서서 한숨을 못 이겨 하노라.

▶ 초장: 한 몸처럼 지낸 형제들
▶ 중장: 돌아오지 않는 아우들
▶ 종장: 아우들에 대한 그리움

작품 한눈에 보기

우애가 좋았던 두 아우의 소식을 알 수 없음.
⬇
동생들에 대한 그리움

출제 포인트

■ 표현상의 특징
설의법과 장면의 묘사를 통해 동생들에 대한 그리움을 드러냄.

1 작품 이해

이 작품은 임진왜란과 병자호란 등 전란*을 겪으면서 이별하게 된 동생들에 대한 그리움과 기다림을 표현한 시조이다. 날마다 문 밖에서 동생들을 기다리는 화자의 모습을 통해 형제 간 우애와 헤어진 혈육에 대한 그리움을 드러내고 있다.

• 갈래: 평시조 • 성격: 애상적

• 주제: 헤어진 아우들에 대한 그리움
• 시적 상황 해 질 무렵 문 밖에서 헤어진 □□들을 날마다 기다림.
• 정서와 태도 헤어진 아우들에 대해 □□□을 느끼고 있음.

정답: 아우, 그리움

* 전란: 전쟁으로 인한 난리

2 내용 확인

1 맞는 내용이면 ○표, 틀린 내용이면 ×표 하시오.

① 전쟁 중 헤어진 동생들에 대한 화자의 기다림과 그리움이 드러나 있다. (　　)
② 종장의 '한숨'은 화자의 안타까운 심정을 직접적으로 드러낸 표현이다. (　　)

내용 확인 도우미

1 ① 화자는 헤어진 동생들을 기다리며 그리워하고 있다.
② '한숨'은 화자가 동생들을 기다리며 안타까워하는 마음을 드러낸 시어이다.

정답 1 ① ○ ② ○

3 실전 Test

• 정답 41쪽

01 윗글과 [보기]를 비교하여 이해한 내용으로 적절하지 않은 것은?

보기

ᄆᆞ음이 어린 후(後)ㅣ니 ᄒᆞᄂᆞᆫ 일이 다 어리다.
만중 운산(萬重雲山)에 어ᄂᆡ 님 오리마ᄂᆞᆫ
지ᄂᆞᆫ 닙 부ᄂᆞᆫ ᄇᆞ람에 힝여 귄가 ᄒᆞ노라. – 서경덕

① 윗글의 '아우'와 [보기]의 '님'은 모두 화자가 기다리는 대상이다.
② 윗글의 '돌아올 줄 모르는고.'와 [보기]의 '어ᄂᆡ 님 오리마ᄂᆞᆫ'에는 지속되는 이별 상황에 대한 안타까움이 나타난다.
③ 윗글의 '석양'과 [보기]의 '지ᄂᆞᆫ 닙'은 시각적 심상을 활용한 것이다.
④ 윗글의 '문외'와 [보기]의 '만중 운산'은 화자와 대상이 이별한 장소이자, 화자가 대상을 기다리는 공간이다.
⑤ 윗글의 '한숨 겨워'와 [보기]의 'ᄆᆞ음이 어린'은 화자의 정서를 드러낸 것이다.

실전 Test Guide

01 제시문과 [보기]를 비교하여 이해할 수 있는지 평가하는 문제이다. 화자의 정서와 행동, 시적 대상 등을 비교하되, 이별 상황이라는 점을 염두에 두고 선택지의 적절성을 판단해 보도록 한다.

시조
097 공명을 즐겨 마라~_김삼현

□: 세속적 가치

공명(功名)을 즐겨 마라 영욕(榮辱)이 반(半)이로다. ▶ 초장: 영욕이 반인 공명을 즐기는 삶
공을 세워서 자기의 이름을 널리 드러냄. / 영예와 치욕

부귀(富貴)를 탐(貪)치 마라 위기(危機)를 봅ᄂᆞ니라.」 ▶ 중장: 위기를 불러오는 부귀를 탐하는 삶
「」: 대구법

우리ᄂᆞᆫ 일신(一身)이 한가(閑暇)커니 두려온 일 업세라. ▶ 종장: 두려운 일이 없는 한가한 삶
한 몸 / 세속적 가치와 대비됨. / 영욕과 위기

현대어 풀이 공을 세워 이름을 널리 드러내는 것을 좋아하지 마라. 영예와 치욕이 반이로다. 부귀를 탐하지 마라. 위기를 맞게 되느니라. 우리는 (부귀와 공명을 멀리하고) 한가하게 지내니 조금도 두려울 일이 없도다.

작품 한눈에 보기

공명, 부귀	↔	한가
세속적 가치를 중시하는 삶		세속적 가치를 멀리하는 삶

출제 포인트

■ 화자의 태도
공명과 부귀를 추구하는 사람들을 비판하고 한가하게 사는 삶을 지향하고 있음.

1 작품 이해

이 작품은 부귀와 공명을 멀리하고 자연 속에서 유유자적하는 삶을 추구하는 마음을 드러낸 시조이다. 화자는 영예와 치욕이 반반인 벼슬길이나 위기가 뒤따르는 부귀를 택하기보다는 한가로운 삶을 추구하고 있다.

- 갈래: 평시조
- 성격: 교훈적, 경세적*
- 주제: 속세를 벗어나 한가롭게 사는 삶

- 시적 상황 □□과 부귀를 버리고 한가롭게 지내고 있음.
- 정서와 태도 공명을 추구하고 부귀를 탐하는 사람들을 □□하고 있음.

정답: 공명, 비판

* 경세적: 세상 사람들을 깨우침.

2 내용 확인

1 맞는 내용이면 ○표, 틀린 내용이면 ×표 하시오.

① 초장의 '공명'이 '영욕'을 부른다는 표현과 중장의 '부귀'가 '위기'를 부른다는 표현이 대구를 이루고 있다. (   )

② 초장의 '공명'과 중장의 '부귀'는 모두 세속적 가치를 의미하며, 화자는 이를 추구하고 있다. (   )

내용 확인 도우미

1 ① 초장과 중장은 비슷한 문장 구조를 반복하여 대구를 이루고 있다.
② '공명'과 '부귀'는 모두 세속적 가치로, 화자가 추구하는 한가롭게 사는 삶과 대비된다.

정답 1 ① ○ ② ×

3 실전 Test

• 정답 42쪽

01 윗글과 [보기]에 대한 설명으로 가장 적절한 것은?

| 보기 |

강산(江山) 됴흔 경(景)을 힘센 이 닷톨 양이면,
ᄂᆡ 힘과 ᄂᆡ 분(分)으로 어이ᄒᆞ여 엇들쏜이.
진실(眞實)로 금(禁)ᄒᆞ리 업쓸씌 나도 두고 논이노라. – 김천택

① [보기]의 '닷톨 양'의 목적은 윗글의 '영욕'이라고 볼 수 있다.
② [보기]의 '강산'은 윗글의 '위기'를 맞는 사람이 가지려던 대상이라고 할 수 있다.
③ [보기]의 '금ᄒᆞ리'는 윗글의 '우리'와 유사한 존재라고 할 수 있다.
④ [보기]의 'ᄂᆡ 분'에 맞는 삶은 윗글의 '한가커니' 사는 삶과 유사하고 할 수 있다.
⑤ [보기]의 '힘센 이'는 윗글의 '두려온 일'이 없는 사람이라고 볼 수 있다.

실전 Test Guide

01 제시문과 [보기]를 비교하여 이해할 수 있는지를 확인하는 문제이다. 속세와 자연을 바라보는 화자와 세상 사람들의 태도에 주목하여 두 작품 사이의 유사점을 찾아보도록 한다.

시조

098 꿈에나 님을 볼려~_호석균

꿈에나 님을 볼려 잠 일울가 누엇드니
현실과 달리 임을 만날 수 있는 공간
식벽달 지식도록 ㉠자규성(子規聲)을 어이하리
두견새 울음소리, 잠을 깨우는 방해물–감정 이입의 대상
두어라 단장춘심(斷腸春心)은 너나 닋나 달으리.
몹시 슬퍼 창자가 끊어지는 듯한 봄날의 심회 / 설의법–동병상련

▶ 초장: 꿈에서나 볼 수 있는 임
▶ 중장: 잠을 깨우는 두견새
▶ 종장: 두견새에게서 느끼는 동병상련

현대어 풀이 꿈에서나마 임을 보려고 잠 이룰까 하고 누웠더니
새벽달이 지새도록 우는 두견새 소리를 어이하리.
두어라, 애끓는 마음은 너나 나나 다르겠느냐.

작품 한눈에 보기

자규
⬇ 감정 이입
단장춘심, 임에 대한 그리움

출제 포인트

■ 표현상의 특징
임에 대한 화자의 그리움을 '자규'에 이입하여 드러냄.

1 작품 이해

이 작품은 꿈에서라도 임을 보고자 하는 화자의 간절한 마음을 드러낸 시조이다. 임을 그리워하며 밤새도록 잠을 이루지 못하는 자신의 마음을 두견새의 울음소리에 이입하여 드러내고 있다.

• 갈래: 평시조 • 성격: 서정적, 애상적

• 주제: 임에 대한 그리움
• 시적 상황 □에서라도 임을 보고자 하지만 잠을 이루지 못함.
• 정서와 태도 임에 대한 □□□을 느끼고 있음.

정답: 꿈(꿈), 그리움

2 내용 확인

1 맞는 내용이면 ○표, 틀린 내용이면 ×표 하시오.

① 중장의 '자규성'은 화자가 그리워하는 임을 상징하는 소재이다. ( )
② 종장의 '단장춘심'은 화자의 심정을 직접적으로 드러내는 시어이다. ( )

내용 확인 도우미

1 ① '자규'는 화자가 감정을 이입하고 있는 대상으로, 자규성은 화자의 잠을 깨우는 방해물이다.
② 화자는 임을 그리워하는 자신의 마음을 '단장춘심'이라고 표현하였다.

정답 1 ① × ② ○

3 실전 Test

• 정답 42쪽

01 윗글의 ㉠과 [보기]의 ㉡에 대한 설명으로 가장 적절한 것은?

보기

출하리 잠을 드러 꿈의나 보려 ᄒᆞ니,
바람의 디ᄂᆞᆫ 닢과 ㉡풀 속에 우는 즘생,
므스 일 원수로서 잠조차 깨오ᄂᆞᆫ다.
천상(天上)의 견우 직녀(牽牛織女) 은하수(銀河水) 막혀서도,
칠월 칠석(七月七夕) 일년 일도(一年一度) 실기(失期)치 아니거든,
우리 님 가신 후는 무슨 약수(弱水) 가렷관ᄃᆡ,
오거나 가거나 소식(消息)조차 ᄭᅳ쳤는고.
– 허난설헌, 「규원가」

① ㉠과 ㉡은 모두 화자의 감정이 이입된 대상이다.
② ㉠과 ㉡은 모두 화자와 임의 만남을 방해하는 대상이다.
③ ㉠은 실재하는 소리이지만, ㉡은 상상 속의 소리이다.
④ ㉠은 계절적 배경을, ㉡은 공간적 배경을 드러낸다.
⑤ ㉠은 화자에게 미움받는 대상이고, ㉡은 화자에게 사랑받는 대상이다.

실전 Test Guide

01 제시문과 [보기]를 비교하여 시어의 의미를 파악할 수 있는지 확인하는 문제이다. 소재의 의미와 기능, 화자와의 관계 등을 중심으로 시어의 의미를 생각해 보도록 한다.

시조 099

뉘라셔 가마귀를 검고~ _박효관

뉘라셔 가마귀를 검고 흉(凶)타 ᄒᆞ돗던고.
(가마귀: 긍정적인 대상-효를 실천하는 동물 / 설의법)
반포 보은(反哺報恩)이 긔 아니 아름다온가.
(어버이의 은혜를 잊지 않고 보답하는 효심-까마귀를 효의 상징으로 봄.)
ᄉᆞ롬이 져 ᄉᆡ만 못ᄒᆞ믈 못ᄂᆡ 슬허ᄒᆞ노라.
(영탄법-효를 실천하지 않는 인간들을 비판함.)

▶ 초장: 까마귀가 검다고 흉조로 여기는 통념

▶ 중장: 반포 보은을 하는 까마귀

▶ 종장: 까마귀보다 못한 사람들에 대한 한탄

현대어 풀이 누가 까마귀를 검고 흉하다고 하였던가.
반포 보은이 그 아니 아름다운가.
사람이 저 새만 못함을 못내 슬퍼하노라.

작품 한눈에 보기

가마귀(자연물)		ᄉᆞ롬(인간)
'반포 보은'을 실천하는 긍정적인 대상	↔	효를 실천하지 않는 비판의 대상

출제 포인트

■ 표현상의 특징
효를 실천하는 까마귀를 통해 효를 행하지 않는 인간을 비판함.

1 작품 이해

이 작품은 '반포 보은'의 고사를 통해 까마귀를 '효'의 상징으로 묘사하여 효를 실천하지 않는 인간 세태를 비판하고 있는 시조이다. 우의적 표현을 통해 인간과 자연물을 대비하여 인간의 행태에 대해 탄식하고 있다.

- 갈래: 평시조
- 성격: 비판적, 우의적, 교훈적
- 주제: 효에 대한 강조
- 시적 상황 효심이 있는 □□□와 그렇지 않은 인간을 대비하고 있음.
- 정서와 태도 효를 실천하지 않는 사람들을 □□함.

정답: 까마귀(가마귀), 비판

2 내용 확인

1 맞는 내용이면 ○표, 틀린 내용이면 ×표 하시오.

① 화자는 '가마귀'를 부정적인 대상으로 인식하며 비판하고 있다. (　　)

② '가마귀'와 'ᄉᆞ롬'은 서로 대비되는 소재로, 화자는 '가마귀'와 '사롬'을 대비하여 주제를 강조하고 있다. (　　)

내용 확인 도우미

1 ① 화자는 '가마귀'를 효를 실천하는 동물이라고 여기며 긍정적으로 바라보고 있다.
② '가마귀'와 'ᄉᆞ롬'을 대비하여 효를 실천하지 않는 사람을 비판하고 있다.

정답 1 ① × ② ○

3 실전 Test

• 정답 43쪽

01 [보기]를 참고하여 윗글을 감상한 내용으로 적절하지 않은 것은?

보기
까마귀는 우리 민족의 보편적 관념 속에서 흉조로 인식되는 경향이 두드러졌다. 이는 문학 작품에도 영향을 미쳐 까마귀는 비도덕적인 무리를 상징하는 소재로 자주 사용되었다. 이러한 보편적 인식과는 반대로 까마귀 새끼가 자라면 늙은 어미 새에게 먹을 것을 물어다 준다는 데에서 유래한 '반포 보은(反哺報恩)'의 새로 알려져, 효 사상을 드러내는 소재로 문학 작품 속에 등장하기도 하였다.

① 화자는 '가마귀'를 흉조로 보는 통념에 일부 동의하며 청자의 공감을 유도하고 있다.
② '검고 흉(凶)타'는 것은 '가마귀'에 대한 일반적인 인식을 드러낸 것이다.
③ '반포 보은(反哺報恩)'은 효를 중시하던 당시의 윤리관을 드러낸 것이다.
④ 'ᄉᆞ롬'은 '가마귀'의 긍정적 모습과 대비되어 주제를 강조하고 있다.
⑤ '못ᄂᆡ 슬허하노라.'에는 윤리적 가치와 관련된 당대 'ᄉᆞ롬'에 대한 한탄이 담겨 있다.

실전 Test Guide

01 시어에 대한 설명을 고려하여 제시문을 감상할 수 있는지 평가하는 문제이다. 주요 소재의 특징을 고려하여 그것이 시조 속에서 주제 의식을 드러낼 때 어떻게 활용되고 있는지 살펴보도록 한다.

시조
100 님 그린 상사몽이~_박효관

님 그린 상사몽(相思夢)이 ㉠실솔(蟋蟀)이 넉시 되여
추야장(秋夜長) 깁픈 밤에 님의 방(房)에 드럿다가
날 닛고 깁피 든 잠을 씨와 볼가 ᄒᆞ노라.

(남녀 사이에 서로 그리워하여 꾸는 꿈 / 귀뚜라미, 감정 이입의 대상 / 길고 긴 가을밤 / 무심한 임 / 깨워 볼까)

현대어 풀이 임을 그리워하는 상사몽이 귀뚜라미의 넋이 되어
기나긴 가을밤 임의 방에 들었다가
나를 잊고 깊이 든 잠을 깨워 볼까 하노라.

▶ 초장: 임을 향한 그리움을 실솔에게 이입함.
▶ 중장: 가을밤 임의 방에 들어감.
▶ 종장: 임의 잠을 깨우려 함.

작품 한눈에 보기

임을 향한 상사몽에 빠진 '나'
⬇ 실솔(감정 이입)
날 잊고 잠든 임을 깨움.

출제 포인트

■ 표현상의 특징
'실솔'에 감정을 이입하여 임을 향한 연모의 정을 드러냄.

1 작품 이해

이 작품은 가을밤에 깊어지는 임을 향한 간절한 그리움을 노래한 시조이다. 자신의 감정을 귀뚜라미에 이입하여 자신에 대한 임의 사랑을 일깨워 임과 함께하고 싶다는 심정을 드러내고 있다.

• 갈래: 평시조 • 성격: 연정가

• 주제: 임에 대한 그리움
• 시적 상황 □을 다시 만날 것을 간절히 바라고 있음.
• 정서와 태도 임에 대한 □□□을 느끼며 임을 원망하고 있음.

정답: 임, 그리움

2 내용 확인

1 맞는 내용이면 ○표, 틀린 내용이면 ×표 하시오.

① 화자와 임은 서로를 애타게 그리워하고 있지만 만날 수 없는 상황에 처해 있다. ( )
② 화자는 자연물에 감정을 이입하여 임에게 자신의 사랑을 전달하고자 한다. ( )

내용 확인 도우미

1 ① 종장에서 임은 화자를 잊고 잠이 들었다고 하였다.
② 화자는 임에 대한 그리움을 '실솔'에 이입하여 드러내고 있다.

정답 1 ① × ② ○

3 실전 Test

• 정답 43쪽

01 윗글의 ㉠과 [보기]의 ㉡을 비교한 것으로 적절한 것은?

보기
얼골을 못 보거든 그립기나 마르려믄, 열두 쌔 김도 길샤 설흔 날 지리(支離)ᄒᆞ다. 옥창(玉窓)에 심근 매화(梅花) 몃 번이나 픠여 진고. 겨울밤 차고 찬 제 자최눈 섯거 치고, 여름날 길고 길 제 구즌 비ᄂᆞᆫ 므스 일고. 삼춘 화류(三春花柳) 호시절(好時節)의 경물(景物)이 시름업다. 가을 ᄃᆞᆯ 방에 들고 ㉡실솔(蟋蟀)이 상(床)에 울 제, 긴 한숨 디ᄂᆞᆫ 눈물 속절업시 헴만 만타. 아마도 모진 목숨 죽기도 어려울사. – 허난설헌, 「규원가」

① ㉠은 수동적인 존재이고, ㉡은 능동적인 존재이다.
② ㉠은 지조와 관련이 있고, ㉡은 변절과 관련이 있다.
③ ㉠은 회상의 매개체이고, ㉡은 회상의 대상이다.
④ ㉠은 일상적 의미로, ㉡은 비유적 의미로 사용되고 있다.
⑤ ㉠은 임에 대한 화자의 그리움을, ㉡은 화자의 슬픔을 담고 있다.

실전 Test Guide

01 제시문과 [보기]를 비교하여 시어의 의미와 기능을 파악해 보는 문제이다. 각 작품의 시적 상황, 화자의 정서와 태도 등을 고려하여 소재의 의미와 기능을 비교해 보도록 한다.

시조

101 금강 일만 이천 봉이~_안민영

금강(金剛) 일만 이천 봉이 눈 아니면 옥(玉)이로다. ▶ 초장: 금강산의 아름다운 겨울 풍경

헐성루(歇醒樓) 올라가니 천상인(天上人) 되었어라. ▶ 중장: 금강산 헐성루에서의 감회

(천상인: 하늘에 사는 사람, 신선 / 금강산의 경치가 아름다워 천상 세계에 사는 천상인이 된 것 같다.)

아마도 서부진 화부득(書不盡 畫不得)은 금강인가 하노라. ▶ 종장: 글과 그림으로 다 표현할 수 없는 금강산의 경치

(금강산 누각 / 서부진 화부득: 글로 다 써 낼 수 없고 그림으로 다 그려 낼 수 없음.)

현대어 풀이 금강산 일만 이천 봉이 눈 아니면 옥이로다.
헐성루에 올라가니 천상인이 되었구나.
아마도 글로도 그림으로도 다 표현할 수 없는 경지는 금강인가 하노라.

작품 한눈에 보기

옥 같은 눈, 천상인이 된 것 같은 곳, 서부진 화부득
⬇
금강산의 아름다움

출제 포인트

■ 표현상의 특징
흰 색의 이미지를 통해 눈이 내린 금강산의 아름다움을 표현함.

1 작품 이해

이 작품은 눈 덮인 금강산의 절경을 노래한 시조이다. 겨울 금강산의 아름다운 모습을 '서부진 화부득'이라고 표현하며 예찬하고 있다.

- 갈래: 평시조
- 성격: 예찬적, 영탄적
- 주제: 금강산의 겨울 절경 예찬
- 시적 상황 □□□에 올라 겨울 풍경을 감상하고 있음.
- 정서와 태도 겨울 금강산의 풍경을 □□하고 있음.

정답: 금강산, 예찬

2 내용 확인

1 맞는 내용이면 ○표, 틀린 내용이면 ×표 하시오.

① 화자는 속세를 떠나 금강산에서 안빈낙도하고자 하는 심정을 드러내고 있다. ( )
② 종장은 다른 시조와 달리 '3-7-4-3'의 형태로 파격을 보이며, 음악성을 드러낸다. ( )

내용 확인 도우미

1 ① 화자는 금강산의 절경을 예찬할 뿐, 안빈낙도의 태도는 드러나지 않는다.
② 시조의 종장은 대부분 '3-5-4-3'의 형식이다.

정답 1 ① × ② ○

3 실전 Test

• 정답 43쪽

01 윗글을 [보기 2]와 같이 읽는다고 할 때, [보기 1]의 ⓐ와 같은 속성이 가장 잘 드러나는 곳은? 기출 문제

보기 1

기차를 타고 가다 보면 전봇대가 일정한 간격으로 지나가는 것을 보게 된다. 이러한 반복에 익숙해지면 우리는 거기에서 리듬감을 느끼고, 그 리듬의 틀이 계속되기를 기대한다. 그래서 간혹 전봇대 하나가 안 보이기라도 하면 허전한 느낌이 드는 것이다. 또 전봇대가 촘촘히 나타나면 급한 느낌이 든다. 그러다가 다시 ⓐ원래의 간격을 회복하면 기대감이 충족되어 편안함을 느낀다.

보기 2

‖ 금 | 강 | 일 | 만 ‖ 이 | 천 | 봉 | 이 ‖ 눈 | 아 | 니 | 면 ‖ 옥 | 이 | 로 | 다 ‖ (옥이로다: ①)

‖ 헐 | 성 | 루 | ‖ 올 | 라 | 가 | 니 ‖ 천 | 상 | 인 | ‖ 되 | 었 | 어 | 라 ‖ (헐성루: ②, 되었어라: ③)

‖ 아 | 마 | 도 | ‖ 서|부|진|화|부|득|은 ‖ 금 | 강 | 인 | 가 ‖ 하 | 노 | 라 | ‖ (서부진화부득은: ④, 금강인가: ⑤)

* ‖   ‖ : 한 음보의 길이

실전 Test Guide

01 시조의 형식적 특징을 파악할 수 있는지 평가하는 문제이다. 종장에 나타난 호흡의 변화를 중심으로 [보기 1]에서 언급한 조건을 갖춘 부분을 찾아보도록 한다.

시조

102 조홍시가(早紅柹歌)_박인로

〈제1수〉

반중(盤中) 조홍(早紅)감이 고와도 보이ᄂᆞ다.
유자(柚子) 아니라도 품엄 즉도 ᄒᆞ다마ᄂᆞᆫ
품어 가 반기리 없슬ᄉᆡ 글노 설워ᄒᆞᄂᆞ이다.

일찍 익은 감 / 돌아가신 부모님을 떠올리게 하는 매개체, 시 창작의 계기 / 육적의 회귤 고사와 관련 / 부모님이 돌아가심. / 풍수지탄 - 정서를 직접적으로 표출함.

▶ 제1수: 홍시를 보고 돌아가신 부모님을 떠올림.

현대어 풀이 소반 가운데 놓인 일찍 익은 감이 곱게도 보이는구나.
유자가 아니라도 품어 갈 만하다마는
품어 가도 반길 사람 없으니 그것을 서러워하노라.

〈제2수〉

왕상(王祥)의 리어(鯉魚) 잡고 맹종(孟宗)의 죽순(竹筍) 것거
검던 머리 희도록 노래자(老萊子)의 오ᄉᆞᆯ 닙고
일생(一生)애 양지성효(養志誠孝)를 증자(曾子)ᄀᆞᆺ티 ᄒᆞ리이다.

잉어 / 한겨울에 얼음을 깨고 잉어를 잡아 어머니께 대접한 효자 / 겨울에 죽순을 구해 어머니께 대접한 효자 / 나이 일흔에 어린아이 옷을 입고 어버이를 기쁘게 해 드린 효자 / 부모의 뜻을 받들어 효도를 다함. / 공자의 제자로 효성이 지극한 인물

▶ 제2수: 부모님께 효도할 것을 다짐함.

현대어 풀이 왕상의 잉어를 잡고 맹종의 죽순을 꺾어
검었던 머리가 희어지도록 노래자의 옷을 입고
내 평생에 정성껏 효도함을 증자같이 하리라.

〈제3수〉

「만균(萬鈞)을 느려 내야 길게 길게 노를 ᄭᅩ와
구만리 장천(九萬里長天)에 가는 ᄒᆡ를 자바 ᄆᆡ여,」
북당(北堂)의 학발쌍친(鶴髮雙親)을 더듸 늙게 ᄒᆞ리이다.

큰 쇳덩어리 / 「」: 과장법 - 불가능한 상황을 설정함. / 아득히 높고 먼 하늘 / 안방 / 학의 깃털처럼 머리가 희어진 부모님

▶ 제3수: 부모님이 더디 늙으시기를 소망함.

현대어 풀이 만균의 쇠를 늘여 내서 길게 길게 끈을 꼬아
아득히 높고 먼 하늘에 떨어지는 해를 잡아매어
북당에 거처하시는 머리가 희어진 부모님을 더디 늙게 하리라.

〈제4수〉

군봉(群鳳) 모ᄃᆞ신 ᄃᆡ 외가마기 드러오니
백옥(白玉) 싸힌 곳의 돌 ᄒᆞ나 ᄀᆞᆺ다마ᄂᆞᆫ
두어라 봉황(鳳凰)도 비조(飛鳥)와 유(類)이시니 뫼셔 논ᄃᆞᆯ 엇더ᄒᆞ리.

봉황(성인군자들) / 화자 / = 군봉 / = 외가마기 / 설의법 / = 군봉 / 날아다니는 새

▶ 제4수: 성인군자들과 교유하는 것에 대한 자부심

현대어 풀이 여러 봉황이 모여 있는 곳에 한 마리 까마귀가 들어오니
백옥이 쌓인 곳에 돌 하나 있는 것 같다마는
두어라 봉황도 날아다니는 새 종류의 하나이니 모시고 논들 어떠하겠는가?

작품 한눈에 보기

홍시를 보고 돌아가신 부모님을 생각함.
부모님께 효도하겠다고 다짐함.
부모님이 더디 늙으시길 바람.
성인군자들과 교우하는 것에 자부심을 느낌.
⬇
부모님께 효도하고자 하는 마음과 유학자로서의 자긍심을 드러냄.

출제 포인트

■ 표현상의 특징
① 육적(제1수), 왕상, 맹종, 노래자, 증자(제2수) 등 효자들과 관련된 고사를 인용하여 주제를 강조함.
② 과장법, 직유법, 설의법 등을 활용하여 화자의 정서를 드러냄.
③ 대조적인 시어를 활용함(제4수).

⬇
성인군자들을 본받고 싶은 마음
+
유학자로서의 자긍심

수능 필수 개념 플러스

"회귤 고사"
중국 오나라 사람 육적이 여섯 살 때에 원술을 찾아갔는데, 원술이 귤 세 개를 먹으라고 주었다. 그런데 육적이 그것을 품속에 품었다가 일어설 때에 품었던 귤이 방바닥에 떨어졌다. 원술이 그 연유를 물으니, 어머님께 드리려 품었다고 대답하였다. 이 회귤 고사는 부모에 대한 지극한 효성을 비유하는 말로 사용되고 있다.

1 작품 이해

이 작품은 부모님에 대한 그리움과 부모님께 효도하고자 하는 마음, 유학자로서의 자긍심을 드러낸 총 4수의 연시조이다. 여러 고사를 인용하여 부모님께 효도하고자 하는 마음을 강조하였다.

- 갈래: 연시조
- 성격: 교훈적, 유교적
- 주제: 부모님에 대한 지극한 효심과 유학자로서의 자부심

- 시적 상황 □□□을 떠올리며 효도할 것을 다짐하고 있으며, 성인군자들과의 교유를 즐기고 있음.
- 정서와 태도 부모님께 효도하고자 하며 유학자로서 □□□을 느끼고 있음.

정답: 부모님, 자긍심(자부심)

2 내용 확인

1 맞는 내용이면 ○표, 틀린 내용이면 ×표 하시오.

① 윗글은 질문하고 답을 하는 형식을 활용하여 시상을 전개하고 있다. (　　)
② 〈제1수〉에서는 유자와 관련된 고사를 인용하여 화자의 생각을 드러내고 있다. (　　)
③ 〈제3수〉에서는 불가능한 상황을 설정하여 학문적 성취를 이루고야 말겠다는 화자의 다짐을 드러내고 있다. (　　)

2 화자를 상징하는 시어 두 개를 제4수에서 찾아 쓰시오.

➡ (　　　　　　　　,　　　　　　　　)

내용 확인 도우미

1 ① 제시문에는 과장법, 설의법 등을 활용하고 있지만, 문답법은 활용하지 않았다.
② 〈제1수〉에서는 '회귤 고사'를 인용하여 돌아가신 부모님에 대한 그리움과 안타까움을 드러내고 있다.
③ 〈제3수〉에서는 불가능한 상황을 설정하여 부모님이 더디 늙으셨으면 하는 화자의 바람을 드러내고 있다.

2 제4수의 '외가마기'와 '돌 ᄒᆞ나'는 성인군자들과 교우하는 화자를 상징한다.

정답 1 × ② ○ ③ × 2 외가마귀, 돌 ᄒᆞ나

3 실전 Test

• 정답 44쪽

01 윗글에 대한 설명으로 가장 적절한 것은? 기출 문제

① 〈제1수〉에서는 계절적 배경을 묘사하여 생동감을 주고 있다.
② 〈제2수〉에서는 선경후정의 방식으로 시상을 전개하고 있다.
③ 〈제3수〉에서는 불가능한 상황을 설정하여 화자의 소망을 드러내고 있다.
④ 〈제4수〉에서는 점층적 표현을 통해 대상의 특성을 부각하고 있다.
⑤ 〈제1수〉와 〈제3수〉에서는 자연물을 활용하여 삶의 무상함을 제시하고 있다.

02 [보기]는 윗글과 관련된 고사이다. [보기]를 참고하여 윗글을 이해한 내용으로 적절하지 않은 것은? 기출 문제

보기

• 육적이 원술을 찾아갔다가 대접받은 유자(귤)를 품고 나오다 떨어뜨리자 원술이 그 이유를 물으니 어머니께 드리려 했다고 한다.
• 왕상은 계모가 잉어를 먹고 싶어 하자 겨울에 옷을 벗고 얼음을 깨려 하니 잉어가 뛰어나왔다.
• 맹종은 어머니가 겨울에 죽순을 먹고 싶다고 하자 겨울 대숲에 들어가 탄식하니 눈물이 떨어진 곳에서 죽순이 나왔다.
• 노래자는 70세의 나이에도 색동옷을 입고 어린애 장난을 하면서 늙은 부모를 즐겁게 해 주었다.

① '조홍감'을 보고 화자는 육적의 '유자'를 떠올렸다고 할 수 있다.
② '왕상의 리어'는 어려움을 감수하면서까지 효를 실천하려는 화자의 의지를 보여 준다.
③ '맹종'이 대숲에서 눈물을 흘리는 것과 화자가 '조홍감'을 보고 서러워하는 것은 모두 부모님이 원하는 것을 얻지 못했기 때문이다.
④ '노래자'의 옷을 입는다는 것은 부모님을 위해서라면 화자가 나이에 맞지 않는 일도 할 수 있다는 것을 의미한다.
⑤ 화자는 '왕상'과 '노래자'가 효를 실천한 방법은 다르지만 '양지성효'라는 점에서는 공통성이 있다고 본다.

실전 Test Guide

01 표현상의 특징과 그로 인한 효과를 파악할 수 있는지 확인하는 문제이다. 각 수에 드러난 표현상의 특징을 파악하여, 그것이 화자의 정서나 작품의 분위기 등을 표현할 때에 어떤 영향을 미치는지 살펴보도록 한다.

02 [보기]를 참고하여 제시문을 적절히 이해할 수 있는지 확인하는 문제이다. [보기]에 언급된 고사의 내용과 제시문에 나타난 양상을 비교하여 시어나 시구의 의미를 추측해 보도록 한다.

시조 103

견회요(遣懷謠)_윤선도

〈제1수〉

슬프나 즐거오나 옳다 하나 외다 하나
열거법, 대조법 / 그르다

내 몸의 해올 일만 닦고 닦을 뿐이언정
임금에 대한 충성

그 밧긔 여남은 일이야 분별(分別)할 줄 이시랴. ▶ 제1수: 신념에 충실한 강직한 삶
세속적 관심이나 이익 / 근심, 걱정

현대어 풀이 슬프나 즐거우나 (남들이) 옳다고 하거나 그르다고 하거나
내가 할 일만 닦고 닦을 뿐이로다. / 그 밖에 다른 일이야 근심할 필요가 있겠는가?

〈제2수〉

말이나 행동이 정상을 벗어난

내 일 망녕된 줄 내라 하여 모랄 손가.
이이첨의 횡포를 고발하는 상소문을 올린 일 / 설의법

이 마음 어리기도 님 위한 탓이로세.
어리석기도 / 임금을 위한 충성심 때문임.

아뫼 아무리 일러도 임이 혜여 보소서. ▶ 제2수: 결백의 호소
모함하고 헐뜯어도 / 헤아려

현대어 풀이 내 일이 잘못된 줄을 나라고 하여 모르겠는가?
이 마음이 어리석은 것도 모두 임(임금)을 위하기 때문일세.
아무개가 아무리 헐뜯어도 임(임금)께서 헤아려 주십시오.

〈제3수〉

추성(秋城) 진호루(鎭胡樓) 밧긔 울어 예는 저 시내야. ◯: 감정 이입의 대상
함경북도 경원의 옛 이름 / 밖에 / 흐르는

무음 호리라 주야(晝夜)에 흐르는다.
무엇 하느라 / 설의법

님 향한 내 뜻을 조차 그칠 뉘를 모르나다. ▶ 제3수: 임금을 향한 변함없는 마음
설의법 – 변하지 않는 충성심 / 줄을

현대어 풀이 추성의 진호루 밖에 울며 흐르는 저 시냇물아. / 무엇을 하려고 밤낮으로 (쉬지 않고) 흐르느냐?
(너도) 임 향한 내 뜻을 따라 그칠 줄을 모르는구나.

〈제4수〉

□: 장애물

뫼흔 길고 길고 물은 멀고 멀고.
대구법 – 자연물을 통해 멀리 귀양가는 화자의 감정의 깊이와 거리를 표현함.

어버이 그린 뜻은 많고 많고 하고 하고.
그리워하는

어디서 외기러기는 울고 울고 가느니. 「」: 반복법 ▶ 제4수: 부모님에 대한 그리움

현대어 풀이 산은 길고 길고 물은 멀고 멀고 / 부모님을 그리는 내 마음은 많기도 한데
어디서 짝 잃은 기러기는 울며 가는가?

〈제5수〉

어버이 그릴 줄을 처엄부터 알아마는
처음부터

님군 향한 뜻도 하날이 삼겨시니
임금을 위하는 마음 / 만들어 준 것이니

진실로 님군을 잊으면 긔 불효(不孝)인가 여기노라. ▶ 제5수: 연군지정의 당위성
충과 효의 일치 – 연군지정(戀君之情)의 당위성

현대어 풀이 어버이를 그리워할 줄을 처음부터 알았지마는
임금을 향한 마음도 하늘이 만들어 준 것이니
진실로 임금을 잊으면 그것이 불효인가 생각하노라.

작품 한눈에 보기

제1수	강직한 삶에 대한 의지	충
제2수	자신의 결백함 호소	
제3수	임금을 향한 변함없는 충심	
	↓	
제4수	부모에 대한 그리움	효
	↓	
제5수	충 = 효(연군지정의 당위성)	

출제 포인트

■ 표현상의 특징

① 감정 이입(제3수의 시내, 제4수의 외기러기)을 통해 화자의 정서를 드러냄.
② 대조(제1수)와 반복(제5수)을 통해 운율을 형성하고 주제를 강조함.

■ 자연물에 반영된 화자의 정서

	화자의 상황	의미
시내(제3수)	임금이 자신의 충심을 알아주지 않음.	• '울어 예는': 자신의 마음을 몰라주는 임금에 대한 안타까움 • '주야에 흐르는': 임금에 대한 변하지 않는 충정
외기러기(제4수)	어버이를 가까이에서 모실 수 없음.	• '울고 울고 가': 어버이를 그리워하며 가까이서 모시지 못하는 안타까움

■ 시구의 의미

제1수	내 몸의 해올 일만 닦고 닦을 뿐이언정
제2수	님 위한 탓
제3수	님 향한 내 뜻

↓

유배를 간 것은 자신의 강직한 신념과 임금을 향한 충성심 때문임을 드러냄.

제4수	어버이 그린 뜻

↓

사친(思親), 부모님에 대한 그리움

제5수	님군을 잊으면 긔 불효인가 여기노라.

↓

부모님에 대한 '효'와 임금에 대한 '충'을 동일시함.

1 작품 이해

이 작품은 유배지에서 느끼는 부모님에 대한 그리움과 임금에 대한 변함없는 충성심을 노래한 총 5수의 연시조이다. 윤선도가 이이첨의 횡포를 탄핵하는 상소를 올렸다가 함경도 경원으로 유배되었을 때 지었다. 임금에게 자신의 결백을 호소하고 있으며, 감정 이입과 반복을 통해 유배지에서 갇혀 지내며 느끼는 정서를 드러내고 있다.

- 갈래: 연시조
- 성격: 우국적, 의지적

- 주제: 사친(思親)*과 우국충정(憂國衷情)*
- 시적 상황 유배지에서 □□과 부모를 생각하고 있음.
- 정서와 태도 임금을 향한 변함없는 충성심을 드러내며 부모에 대한 □□□을 느끼고 있음.

정답: 임금, 그리움

* 사친: 어버이를 그리워하며 생각함.
* 우국충정: 나랏일을 근심하고 염려하는 참된 마음

2 내용 확인

1 맞는 내용이면 ○표, 틀린 내용이면 ×표 하시오.

① 화자는 자신을 시기하고 질투하는 세력이 있음을 모른 채 임금에게 자신이 결백함을 알아달라고 호소하고 있다. (　　)

② 화자는 자신의 정서를 효과적으로 전달하기 위해 〈제3수〉의 '시내'와 〈제4수〉의 '외기러기'에 자신의 정서를 이입하여 표현하였다. (　　)

내용 확인 도우미

1 ① 〈제2수〉의 종장 '아뫼 아무리 일러노'는 '다른 사람이 아무리 헐뜯어도'라는 의미이므로, 화자가 자신을 음해하는 세력을 인식하고 있음을 알 수 있다.
② 〈제3수〉의 '시내'를 통해 임금을 향한 변함없는 충성심을, 〈제4수〉의 '외기러기'를 통해 부모님에 대한 그리움을 드러내고 있다.

정답 1 ① × ② ○

3 실전 Test

• 정답 44쪽

01 윗글에 대한 설명으로 적절하지 않은 것은? 기출 문제

① 불가능한 상황을 설정하여 현실을 도피하고 있다.
② 대구적 표현을 사용하여 운율감을 형성하고 있다.
③ 음보를 규칙적으로 사용하여 리듬감을 부여하고 있다.
④ 의문의 형식을 사용하여 화자의 생각을 강조하고 있다.
⑤ 동일한 시어를 반복함으로써 화자의 심화된 정서를 나타내고 있다.

02 [보기]는 윗글의 창작 배경과 관련된 글이다. 이를 통해 작품을 이해한 내용으로 적절하지 않은 것은? 기출 문제

보기

윤선도는 권신 이이첨의 횡포에 대해 탄핵 상소를 올린 일로 유배를 가게 되고, 윤선도의 아버지마저 관직에서 쫓겨나게 된다. 사실 윤선도의 부모는 이이첨의 세도로 보아 화가 미칠 것이 자명했기 때문에 윤선도가 상소를 올리는 것을 만류하였다. 하지만 윤선도는 화를 당할 것이 두려워 불의를 외면한다면 불충을 저지르게 되는 것이라 생각하여 상소를 올린다. 그로 인해 부모의 곁을 떠나 유배를 가게 된다.

① 〈제1수〉의 '해올 일'이란 불의를 외면하지 않은 것이겠군.
② 〈제2수〉의 '아뫼'는 화자와 그 가족에게 화가 미치게 한 사람들이겠군.
③ 〈제3수〉의 '님 향한 내 뜻'은 아버지의 관직 복귀를 염원하는 마음에서 비롯되었겠군.
④ 〈제4수〉의 '어버이 그린 뜻'은 유배지에서 느끼는 부모님에 대한 그리움을 의미하겠군.
⑤ 〈제5수〉의 '님군을 잊으면'은 화를 당할 것이 두려워 상소를 올리지 않는 것이 해당될 수 있겠군.

실전 Test Guide

01 표현상의 특징과 그로 인한 효과를 파악할 수 있는지 평가하는 문제이다. 화자가 시적 대상에 관한 자신의 생각과 정서를 드러내기 위해 어떤 표현 방법을 사용하고 있는지 살펴보도록 한다.

02 [보기]의 자료를 참고하여 제시문을 이해할 수 있는지 평가하는 문제이다. [보기]에 언급된 제시문의 창작 배경을 바탕으로 제시문 속 시어나 시구의 의미를 추측해 보도록 한다.

시조

104 만흥(漫興)_윤선도

〈제1수〉

산슈간 바회 아래 뛰집을 짓노라 ᄒᆞ니, ◯: 자연 ↔ △: 속세
속세와 대비되는 자연 / 초가집
그 몰론 ᄂᆞᆷ들은 웃ᄂᆞᆫ다 ᄒᆞᆫ다마ᄂᆞᆫ,
세속적 가치를 추구하는 사람들
어리고 하암의 ᄠᅳᆮ디ᄂᆞᆫ 내 분인가 ᄒᆞ노라. ▶ 제1수: 자연에서 안분지족하는 삶
어리석고 / 향암, 시골에서 지내 사리에 어둡고 어리석은 사람

현대어 풀이 산수 간 바위 아래에 초가집을 지으려 하니,
(나의 뜻을) 모르는 사람들은 비웃는다고 한다마는,
세상 물정에 어둡고 어리석은 마음에는 내 분수인가 하노라.

〈제2수〉

보리밥 풋ᄂᆞ믈을 알마초 머근 후(後)에,
소박한 화자의 삶 / 알맞게
바횟긋 믉ᄀᆞ의 슬ᄏᆞ지 노니노라.
자연 속 / 물가 / 실컷
그나믄 녀나믄 일이야 부ᄅᆞᆯ 줄이 이시랴. ▶ 제2수: 안빈낙도하는 즐거움
세속적인 가치, 부귀영화 / 부러워할 / 설의법

현대어 풀이 보리밥에 풋나물을 알맞게 먹은 후에,
바위 끝 물가에서 실컷 놀고 있노라. / 그 밖의 다른 일이야 부러워할 줄이 있으랴?

〈제3수〉

잔 들고 혼자 안자 먼 뫼흘 ᄇᆞ라보니,
술잔
「그리던 님이 오다 반가옴이 이러ᄒᆞ랴.」 「」: 설의법
그리워하던
말ᄉᆞᆷ도 우움도 아녀도 몯내 됴하ᄒᆞ노라. ▶ 제3수: 물아일체의 경지에 다다른 삶
웃음 / 물아일체의 경지

현대어 풀이 술잔을 들고 혼자 앉아서 먼 산을 바라보니,
그리워하던 임이 온들 반가움이 이러하겠는가? / (산이) 말도 웃음도 없지만 못내 좋아하노라.

〈제4수〉

보다
누고셔 삼공(三公)도곤 낫다 ᄒᆞ더니 만승(萬乘)이 이만ᄒᆞ랴.
삼정승 / 만승천자-일만 수레를 가진 천자, 황제 / 설의법
이제로 헤어든 소부 허유(巢父許由)ㅣ 냑돗더라.
중국 요순 시대 때 속세에 나가지 않고 자연에 묻혀서 산 사람 / 약앗더라, 영리했더라
아마도 임천 한흥(林泉閑興)을 비길 곳이 업세라. ▶ 제4수: 임천 한흥하는 삶에 대한 자부심
자연 속에서 느끼는 한가로운 즐거움-주제 의식

현대어 풀이 누군가가 (자연이) 삼정승보다 낫다고 하더니 만승천자가 이만하겠느냐?
이제 생각해 보니 소부와 허유가 영리했더라.
아마도 자연 속에서 느끼는 한가로운 즐거움은 비할 곳이 없구나.

〈제5수〉

내 셩이 게으르더니 하ᄂᆞᆯ히 아ᄅᆞ실샤,
천성, 성격
인간 만사(人間萬事)를 ᄒᆞᆫ 일도 아니 맛뎌,
속세의 일 / 맡겨
다만당 ᄃᆞ토리 업슨 강산(江山)을 딕희라 ᄒᆞ시도다. ▶ 제5수: 자연을 지키는 삶
다툴 사람 / 지키라

현대어 풀이 내 천성이 게으른 것을 하늘이 아셔서, / 세상의 많은 일 가운데 하나도 맡기지 않으시고,
다만 다툴 사람 없는 자연을 지키라고 하셨도다.

작품 한눈에 보기

자연 속의 삶		속세의 삶
화자가 지향하는 긍정적인 삶 (소부 허유, 임천 한흥, 강산 등)	↔	화자가 지양하는 부정적인 삶 (삼공, 만승, 인간 만사 등)

⬇

자연에 묻혀 사는 즐거움을 강조함.

출제 포인트

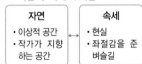

■ 표현상의 특징
① 대비되는 시어(자연↔속세)를 활용하여 주제를 강조함.
② 설의적 표현을 활용하여 화자의 정서를 드러냄.

■ '자연'과 '속세'의 대립

자연		속세
• 이상적 공간 • 작가가 지향하는 공간	↔	• 현실 • 좌절감을 준 벼슬길

■ 시상 전개 방식

초장	자연 ↔ 속세
중장	
종장	자연을 선택함.

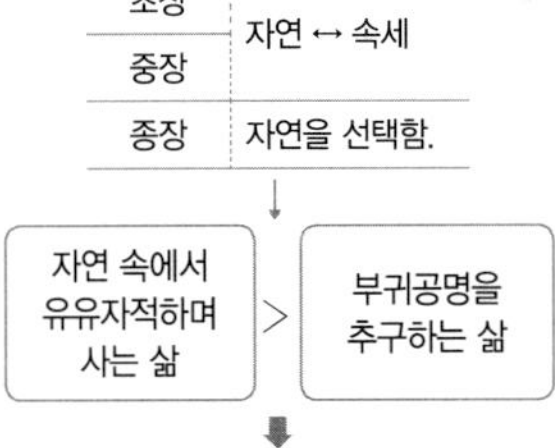

⬇

자연에서의 삶이 낫다는 가치관을 드러냄.

■ 화자의 상황과 정서

• 산수 간 바위 아래 초가집을 지음(제1수).
• 보리밥과 풋나물을 먹고 물가에서 놂(제2수).
• 먼 산을 바라보며 좋아함(제3수).
• 하늘이 강산을 지키라고 함(제5수).

⬇

자연과 하나 되어 살아가고자 함.

〈제6수〉

강산(江山)이 됴타 흔들 내 분(分)으로 누얻느냐.
(좋다 / 분수, 능력 / 설의법－누웠겠느냐)

님군 은혜(恩惠)를 이제 더욱 아노이다.
(유교적 충의 사상－강호가도의 특징이 드러남.)

아므리 갑고쟈 흐야도 히올 일이 업세라.
(갚을 수가 없다)

▶ 제6수: 임금의 은혜에 대한 감사

현대어 풀이 강산이 좋다 한들 나의 분수로 (이렇게 평안히) 누워 있겠는가?
(이 모두가) 임금의 은혜인 것을 이제 더욱 알겠도다.
(이 은혜를) 아무리 갚고자 하여도 (내가) 할 수 있는 일이 없구나.

출제 포인트

■ 작품의 구성

〈제1수〉~〈제5수〉	속세를 벗어나 자연 속에서 유유자적하는 삶을 추구함.
〈제6수〉	임금의 은혜를 찬양하는 유교적 충의 사상을 드러냄.

⬇

맹사성의 「강호사시가」 속 '역군은(亦君恩)이샷다'와 유사한 관습적인 표현으로, 조선 초기 사대부 시조의 전통을 이은 것임.

1 작품 이해

이 작품은 세상을 멀리하고 자연에 묻혀 사는 즐거움을 노래한 총 6수의 연시조이다. '만흥'은 '저절로 일어나는 흥취'를 의미하며, 화자는 자연과 더불어 한가롭게 살아가는 흥겨운 삶을 노래하고 있다. 화자가 자연 속의 삶도 임금의 은혜 덕분이라고 생각한다는 점에서 조선 전기의 강호가도를 계승하여 발전시킨 것이라고 평가 받고 있다. 이는 현실에서 완전히 벗어나 있다기보다는 현실에 어느 정도 미련을 두고 있다고 볼 수 있다.

- 갈래: 연시조
- 성격: 자연 친화적
- 주제: 자연에 묻혀 사는 즐거움
- 시적 상황 □□ 속에서 집을 짓고 한가로이 살아감.
- 정서와 태도 자연에 묻혀 사는 삶에 만족하며, 임금에게 □□하고 있음.

정답: 자연, 감사

2 내용 확인

1 맞는 내용이면 ○표, 틀린 내용이면 ×표 하시오.

① 〈제2수〉의 '보리밥'과 '풋느물'은 화자의 소박한 삶을 보여 주는 소재이다. (　　)

② 화자는 자신이 누리는 자연 속에서의 삶을 임금의 은혜 덕분이라고 생각하고 있다. (　　)

내용 확인 도우미

1 ① '보리밥'과 '풋느물'은 화자가 자연 속에서 얻을 수 있는 음식으로, 화자의 소박한 삶을 보여 준다.
② 화자는 〈제6수〉에서 자연 속의 삶이 자신의 분수가 아닌 임금의 은혜 때문이라고 여기고 있음을 드러내고 있다.

정답 1 ① ○ ② ○

3 실전 Test

• 정답 44쪽

01 [보기]는 윗글의 창작 배경인 금쇄동을 답사하고 쓴 글이다. [보기]와 관련지어 윗글을 감상할 때, 적절하지 않은 것은? 기출 문제

보기

금쇄동 일대는 해남 윤씨 고택(古宅)에서 멀리 떨어진 산속에 있어 아무도 그 위치를 모르다가 최근에서야 흔적이 발견된 곳이다. 윤선도가 여기 은거하기 시작한 때는 반대파의 탄핵을 받아 유배되었다가 돌아온 직후였다. 그는 가문의 일마저 아들에게 맡기고 산속에서 십여 년간 혼자 지냈다. 살 집은 물론 정자와 정원까지 조성해 놓고 날마다 거닐며 놀았다고 한다.

① '산슈간'은 관념적인 표현으로만 생각했는데, 실제 공간일 수도 있겠군.
② '바흿긋 믉ᄀ'는 정원의 바위와 연못을 가리킬 수도 있겠군.
③ '그나믄 녀나믄 일'은 금쇄동에서 산수를 즐기는 일을 가리킬 수 있겠군.
④ '먼 뫼'는 윤선도가 유배 체험에서 입은 상처를 치유해 줄 수 있었겠군.
⑤ 'ᄃ토리 업슨 강산'은 정쟁이 벌어지는 현실과 대비되는 공간이라고 할 수 있겠군.

실전 Test Guide

01 창작 배경을 고려하여 제시문을 적절하게 감상할 수 있는지 평가하는 문제이다. [보기]의 설명을 바탕으로 해당 시구에 담긴 의미에 대해 생각해 보도록 한다.

02 [보기]의 관점에서 윗글을 이해한 것으로 적절하지 않은 것은? 기출 문제

보기

삼가 생각하건대 선비의 처세는 나아감에 있어 떳떳하지 못해도 진정 아니 될 것이며 물러남에 있어 떳떳하지 못해도 진정 아니 될 것입니다. 나아감엔 마땅히 이익을 탐한 것이 아닌가 경계해야 할 것이며 물러남엔 마땅히 세상을 잊은 것이 아닌가 경계해야 할 것입니다.

① '알마초' 먹고 '슬ㅋ지 노니'는 것은, 물러난 '나'가 선택한 삶의 방식으로 볼 수 있겠군.
② '그나믄 여나믄 일'은 이익을 탐하는 것으로 '나'가 경계하고자 하는 것이라 할 수 있겠군.
③ '셩이 게으르'다는 것은 물러남에 있어 떳떳하지 못한 '나'의 모습을 드러낸 것이라 할 수 있겠군.
④ '나'는 물러남으로 인해 'ᄃᆞ토리'와 거리를 두고 있다고 할 수 있겠군.
⑤ '님군 은혜'를 '갑고쟈' 하는 태도는, '나'가 세상을 잊은 것이 아님을 보여 주는 것이라 할 수 있겠군.

02 [보기]를 고려하여 시어의 의미를 파악할 수 있는지 확인하는 문제이다. [보기]에서 언급된 '선비의 처세'에 대해 이해하고, 이를 바탕으로 제시문에 드러난 화자의 인식과 태도를 파악해 보도록 한다.

03 윗글과 [보기]에 대한 설명으로 가장 적절한 것은? 기출 문제

보기

제비는 물을 차고, 기러기 무리져서 거지 중천(居之中天)에 높이 떠서 두 나래 훨씬 펴고, 펄펄펄 백운 간(白雲間)에 높이 떠서 천리 강산 머나먼 길을 어이 갈꼬 슬피 운다.

원산(遠山)은 첩첩(疊疊), 태산(泰山)은 주춤하여, 기암(奇巖)은 층층(層層), 장송(長松)은 낙락(落落), 에이 구부러져 광풍(狂風)에 흥을 겨워 우줄우줄 춤을 춘다.

층암 절벽상(層巖絕壁上)의 폭포수(瀑布水)는 콸콸, 수정렴(水晶簾) 드리운 듯, 이 골 물이 주루루룩, 저 골 물이 쏼쏼, 열에 열 골 물이 한데 합수(合水)하여 천방져 지방져 소쿠라지고 펑퍼져, 넌출지고 방울져, 저 건너 병풍석(屛風石)으로 으르렁 콸콸 흐르는 물결이 은옥(銀玉)같이 흩어지니, 소부 허유(巢父許由) 문답하던 기산 영수(箕山潁水)*가 예 아니냐.

– 작자 미상, 「유산가(遊山歌)」

* 기산 영수(箕山潁水): 중국 요임금 때 소부와 허유가 명리(名利)를 피하여 은거한 곳.

① 윗글은 [보기]와 달리 순차적인 계절의 변화를 드러내고 있다.
② [보기]는 윗글과 달리 자연물을 매개로 자아를 성찰하고 있다.
③ 윗글은 애상적인 분위기를, [보기]는 낭만적인 분위기를 드러내고 있다.
④ 윗글과 [보기]는 모두 자연에서 비롯된 화자의 감흥을 드러내고 있다.
⑤ 윗글과 [보기]는 모두 관조적인 자세로 대상의 의미를 탐구하고 있다.

03 제시문과 [보기]를 비교하여 감상하는 문제이다. 두 작품의 시적 분위기와 시상 전개 방식, 화자의 태도 등을 중심으로 공통점과 차이점을 파악해 보도록 한다.

시조

105 오우가(五友歌)_윤선도

〈제1수〉

□: 다섯 가지 벗

내 버디 몃치나 ᄒᆞ니 수석(水石)과 송죽(松竹)이라.
벗이 / 물과 바위 / 소나무와 대나무

동산(東山)의 ᄃᆞᆯ 오르니 긔 더옥 반갑고야.
동쪽 산

두어라, 이 다ᄉᆺ 밧긔 ᄯᅩ 더ᄒᆞ야 머엇ᄒᆞ리. ▶ 제1수: 다섯 가지 벗 소개
물, 바위, 소나무, 대나무, 달과 벗하는 것에 대한 만족감

현대어 풀이 나의 벗이 몇인가 하니 물과 바위와 소나무와 대나무이다.
동쪽 산에 달이 떠오르니 그 더욱 반갑구나. / 두어라, 이 다섯 밖에 또 더하면 무엇하리.

〈제2수〉

「구룸 비치 조타 ᄒᆞ나 검기를 ᄌᆞ로 ᄒᆞᆫ다. △: 가변성, 순간성 ↔ ○: 불변성, 영원성
깨끗하다 / 자주

ᄇᆞ람 소리 ᄆᆞᆰ다 ᄒᆞ나 그칠 적이 하노매라.」 「」: 대구법
대조 / 많도다.

조코도 그츨 뉘 업기는 믈뿐인가 ᄒᆞ노라. ▶ 제2수: 물의 영원성
때, 적

현대어 풀이 구름 빛이 깨끗하다고 하지만 검기를 자주 한다.
바람 소리가 맑다고 하지만 그칠 때가 많도다. / 깨끗하고도 그칠 때가 없는 것은 물뿐인가 하노라.

〈제3수〉

「고즌 므스 일로 퓌며셔 쉬이 디고,
꽃은

플은 어이ᄒᆞ야 프르는 ᄃᆞᆺ 누르ᄂᆞ니,」 「」: 대구법

아마도 변티 아닐손 바회뿐인가 ᄒᆞ노라. ▶ 제3수: 바위의 불변성
않는 것은

현대어 풀이 꽃은 무슨 일로 피자마자 쉽게 지고, / 풀은 어찌하여 푸르러지자 곧 누렇게 되는가?
아마도 변하지 않는 것은 바위뿐인가 하노라.

〈제4수〉

「더우면 곳 퓌고 치우면 닙 디거ᄂᆞᆯ,」 「」: 대구법
추우면

솔아 너는 얻디 눈서리를 모르ᄂᆞᆫ다.
의인법 / 시련, 역경 / 설의법

구천(九泉)에 불휘 곧은 줄을 글로 ᄒᆞ야 아노라. ▶ 제4수: 소나무의 지조와 절개
깊은 땅속 / 뿌리 / 소나무의 지조와 절개

현대어 풀이 더우면 꽃이 피고 추우면 잎이 떨어지는데, / 소나무야 너는 어찌 눈과 서리를 모르느냐?
깊은 땅속까지 뿌리가 곧은 줄을 그것으로 하여 알겠구나.

〈제5수〉

「나모도 아닌 거시, 플도 아닌 거시,」 「」: 대구법

곳기는 뉘 시기며, 속은 어이 뷔연ᄂᆞᆫ다.
지조와 절개 / 설의법–욕심이 없음.

뎌러코 사시(四時)예 프르니 그를 됴하ᄒᆞ노라. ▶ 제5수: 대나무의 지조와 절개
저렇게 / 대나무 / 좋아하노라

현대어 풀이 나무도 아닌 것이, 풀도 아닌 것이,
곧기는 누가 시켰으며, 속은 어찌하여 비었는가?
저렇게 사계절에 푸르니 (나는) 그것을 좋아하노라.

작품 한눈에 보기

대상	속성
물, 바위	영원성과 불변성
소나무, 대나무	지조와 절개
달	밝음과 과묵함

⬇

자연물의 덕을 예찬하며 인간이 가져야 할 미덕을 이끌어 냄.

출제 포인트

■ 표현상의 특징

① 제1수에서 다섯 벗을 소개하고, 제2수~제6수에서 다섯 벗의 특성을 예찬하며 시상을 전개함.
② 의인법을 활용하여 다섯 가지 자연물의 속성에서 사람(선비)이 가져야 할 덕성을 유추하여 제시함.
③ 대구법과 대조법 등을 활용하여 대비되는 속성의 자연물을 제시한 후 긍정적 속성을 가진 자연물을 예찬함.
④ 각 수마다 대상을 예찬하는 영탄적 어조로 자연물을 예찬하며 시상을 마무리함.

■ 시상 전개 방식

제1수	초·중장	문답(벗이 몇이냐? – 수·석·송·죽·월)
	종장	정리(다섯이면 충분함.)
제2수	초·중장	대구(구름과 바람의 가변성)
	종장	대조(물의 영원성)
제3수	초·중장	대구(꽃과 풀의 순간성)
	종장	대조(바위의 불변성)
제4수	초·중장	대구(더우면 꽃이 피고 추우면 잎이 짐.)
	종장	대조(소나무의 지조와 절개)
제5수	초·중장	대구(나무도 풀도 아닌데 곧고 속이 빔.)
	종장	정리(대나무의 지조와 절개)
제6수	초·중장	의인법(광명의 상징인 달)
	종장	정리(과묵함 → 내 벗임.)

〈제6수〉

「쟈근 거시 노피 떠서 만믈(萬物)을 다 비취니,
밤듕의 광명(光明)이 너만ᄒᆞ니 ᄯᅩ 잇ᄂᆞ냐.」
보고도 말 아니ᄒᆞ니 내 벋인가 ᄒᆞ노라.

(쟈근 거시: 달 / 노피: 높이 / 만믈: 세상에 있는 모든 것 / 밤듕: 밤중 / 광명: 달 / 잇ᄂᆞ냐: 의인법, 설의법 / 말 아니ᄒᆞ니: 과묵함.)

「」: 달은 어둠을 밝혀주는 광명의 존재임.

▶ 제6수: 달의 밝음과 과묵함

현대어 풀이 작은 것이 높이 떠서 온 세상을 다 비추니
한밤중에 밝게 빛나는 것이 너만 한 것이 또 있겠느냐?
(세상의 모든 것을) 보고도 말을 하지 않으니 내 벗인가 하노라.

필수 개념 플러스

■ '달'의 의미
제6수의 달은 높이 떠서 온 세상을 비추며 세상의 모든 것을 다 보고 있지만 침묵하고 있다. 화자는 이러한 '달'의 밝음과 과묵함을 예찬하고 있는데, 이는 작가인 윤선도가 포용과 침묵의 미덕을 지닌 선비의 모습을 지향하고 있음을 드러내는 것이다.

1 작품 이해

이 작품은 다섯 가지 자연물의 속성을 예찬하면서 사람들이 이러한 덕성을 추구하기를 바라는 소망을 드러낸 총 6수의 연시조이다. 작가가 전라도 해남 금쇄동에 은거*할 무렵에 지었다. 당대의 유교적 세계관이 반영되어 있고, 수(水) · 석(石) · 송(松) · 죽(竹) · 월(月)을 다섯 벗으로 삼아 각각의 속성을 인간의 덕성과 관련지어 드러내며 예찬하고 있다.

- 갈래: 연시조
- 성격: 예찬적, 자연 친화적
- 주제: 다섯 가지 자연물의 덕에 대한 예찬
- 시적 상황 자연에 묻혀 다섯 가지 자연물을 □ 삼아 살아감.
- 정서와 태도 인간이 갖춰야 할 덕성과 관련된 다섯 가지 자연물의 속성을 □□하고 있음.

정답: 벗, 예찬

* 은거: 세상을 피하여 숨어서 삶.

2 내용 확인

1 맞는 내용이면 ○표, 틀린 내용이면 ×표 하시오.

① 〈제2수〉의 '구룸'과 'ᄇᆞ람'은 '믈'과 달리 변하기 쉬운 속성을 가진 대상이다. (　　)
② 화자는 자연 친화적인 태도를 보이면서 현실을 직접적으로 비판하고 있다. (　　)

내용 확인 도우미

1 ① 〈제2수〉에서 '구룸'은 검기를 자주 하고, 'ᄇᆞ람'은 맑은 소리를 내다가도 그칠 때가 많다고 하면서 이들의 가변성을 드러내고 있다.
② 윗글의 화자는 자연을 예찬하고는 있지만, 현실을 직접적으로 비판하고 있지는 않다.

정답 1 ① ○ ② ×

3 실전 Test

• 정답 45쪽

01 윗글의 표현상 특징으로 적절한 것은? 기출 문제

① 3음보를 중심으로 리듬감을 형성하고 있다.
② 시간의 흐름에 따라 시상을 전개하고 있다.
③ 어조의 변화를 통해 시상을 전환하고 있다.
④ 어순의 도치를 통해 긴장감을 고조시키고 있다.
⑤ 대조적인 소재로 대상의 속성을 부각하고 있다.

02 윗글을 읽고 난 후의 반응으로 적절하지 않은 것은? 기출 문제

① 맑고도 그치지 않는 물과 같이 순수함을 오래도록 잃지 않는 사람이 되고 싶어.
② 영원히 변함없는 바위와 같이 늘 한결같은 사람이 되고 싶어.
③ 한겨울에도 꿋꿋한 소나무와 같이 온갖 시련에도 굴하지 않는 사람이 되고 싶어.
④ 사철 내내 곧고 푸른 대나무와 같이 굳은 지조와 절개를 가진 사람이 되고 싶어.
⑤ 밤하늘에 높이 떠 있는 달과 같이 많은 사람들을 거느리는 사람이 되고 싶어.

실전 Test Guide

01 표현상의 특징과 그로 인한 효과를 파악할 수 있는지 확인하는 문제이다. 각 수에 사용된 표현 방법을 살펴보도록 한다.

02 제시문의 전체적인 내용을 이해하고 적절히 감상할 수 있는지를 평가하는 문제이다. 제시문에 언급된 다섯 가지 자연물의 속성을 통해 그것으로부터 유추할 수 있는 인간의 덕성이 무엇인지를 생각해 보도록 한다.

시조 106 어부사시사(漁父四時詞)_윤선도

〈춘사(春詞) 4〉

우는 거시 벅구기가 프른 거시 버들숩가. / 이어라 이어라
대구법, 설의법, 청각적 심상과 시각적 심상으로 계절감을 표현함. ☐: 여음-출항에서 귀항까지의 과정을 나타냄.
어촌(漁村) 두어 집이 ᄂᆡᆺ(안개) 속의 나락들락.
지국총(至匊悤) 지국총(至匊悤) 어ᄉᆞ와(於思臥)
여음(후렴구)-노 젓는 소리와 노 저을 때 외치는 소리를 나타냄.
말가ᄒᆞᆫ 기픈 소희 온갇 고기 ᄯᅱ노ᄂᆞ다. ▶ 춘사 4: 어촌에서의 유유자적한 삶
역동적-생기 넘치는 봄의 모습

현대어 풀이 우는 것이 뻐꾸기인가 푸른 것이 버드나무 숲인가? / 노 저어라 노 저어라.
어촌 두어 집이 안개 속에 들락날락하는구나. / 찌그덕 찌그덕 어여차
맑고 깊은 못에 온갖 물고기가 뛰노는구나.

〈하사(夏詞) 2〉

년닙희(연잎) 밥 싸 두고 반찬으란 장만 마라. / 닫 드러라 닫 드러라
소박한 생활-안분지족, 단사표음
청약립(青篛笠)은 써 잇노라 녹사의(綠蓑衣) 가져 오냐. ◯: 계절감을 드러냄.
푸른 갈대로 만든 삿갓 / 풀로 엮은 비옷
지국총(至匊悤) 지국총(至匊悤) 어ᄉᆞ와(於思臥)
무심(無心)ᄒᆞᆫ ᄇᆡᆨ구(白鷗)ᄂᆞᆫ 내 좃ᄂᆞᆫ가 제 좃ᄂᆞᆫ가. ▶ 하사 2: 물아일체의 경지에 다다른 삶
물아일체

현대어 풀이 연잎에 밥을 싸 두고 반찬은 준비하지 마라. / 닻 들어라 닻 들어라.
푸른 삿갓은 쓰고 있노라, 비옷을 가져왔느냐? / 찌그덕 찌그덕 어여차
무심한 갈매기는 내가 저를 쫓아가는가, 제가 나를 쫓아오는가?

〈추사(秋詞) 2〉

슈국(水國)(보길도)의 ᄀᆞ올(가을)히 드니 고기마다 ᄉᆞᆯ져 읻다. / 닫 드러라 닫 드러라
계절감, 풍성함과 여유로움
만경딩파(萬頃澄波)의 슬ᄏᆞ지 용여(容與)ᄒᆞ쟈.
끝없이 넓고 푸른 바다의 물결 / 실컷 / 한가롭고 풍요로워 흥에 겨움.
지국총(至匊悤) 지국총(至匊悤) 어ᄉᆞ와(於思臥)
「인간(人間)을 도라보니 머도록 더옥 됴타.」 「」: 화자의 소망 ▶ 추사 2: 속세를 떠난 자연에서의 삶
속세(↔ 슈국)

현대어 풀이 보길도에 가을이 드니 고기마다 살쪄 있다. / 닻 들어라 닻 들어라.
끝없이 넓고 푸른 바다의 물결에서 실컷 놀아 보자. / 찌그덕 찌그덕 어여차
인간 세상을 돌아보니 멀수록 더욱 좋구나.

〈동사(冬詞) 8〉

믉ᄀᆞ의 외로온 솔 혼자 어이 싁싁ᄒᆞᆫ고. / ᄇᆡ ᄆᆡ여라 ᄇᆡ ᄆᆡ여라
소나무의 지조와 절개
머흔(험한) 구룸 ᄒᆞᆫ(恨)티 마라 셰샹(世上)(속세)을 ᄀᆞ리온다.
지국총(至匊悤) 지국총(至匊悤) 어ᄉᆞ와(於思臥)
파랑셩(波浪聲)을 염(厭)티 마라 딘훤(塵喧)을 막ᄂᆞᆫ또다. ▶ 동사 8: 속세를 떠나 지조를 지키며 살아가는 삶
파도 소리 / 싫어하지 / 속세에서 시비를 가리는 시끄러움

현대어 풀이 물가에 외로운 소나무 혼자 어찌 씩씩한가. / 배 매어라 배 매어라.
험한 구름 원망하지 마라, 인간 세상을 가리는구나. / 찌그덕 찌그덕 어여차
파도 소리 싫어하지 마라, 속세의 시끄러운 소리를 막아준다.

작품 한눈에 보기

계절	주된 상황과 화자의 정서
봄	고기잡이를 떠나는 어부의 모습과 흥겨움
여름	소박하고 욕심 없는 생활과 안분지족
가을	자연에 동화된 생활에서 느끼는 만족감
겨울	속세에 대한 거부감과 자연을 예찬하는 마음

⬇

계절의 흐름에 따라 시상을 전개하면서 어촌의 자연 풍경을 예찬함.

출제 포인트

■ 표현상의 특징
① 초장과 중장, 중장과 종장 사이에 여음(후렴구)가 있음.
② 대구법, 반복법 등 다양한 표현 방법을 활용함.

■ 여음(후렴구)의 기능과 특징

초장과 중장 사이	출항에서 귀항까지의 과정을 보여 줌. → 각 수를 유기적으로 연결함.
중장과 종장 사이	노 젓는 소리와 노 저으며 외치는 소리를 나타내는 의성어 → 사실감을 부여하며, 시조의 단조로운 흐름에 변화를 줌.

⬇

흥을 돋우며 운율감과 통일감을 형성함.

수능 필수 개념 플러스

"어부와 관련된 고전 시가"
우리의 고전 시가 가운데에는 '어부'의 생활과 관련된 작품이 존재하는데, 각 작품의 영향 관계는 다음과 같다.
고려 시대의 작자 미상의 「어부가」 → 조선 전기 이현보의 「어부가」 → 윤선도의 「어부사시사」

1 작품 이해

이 작품은 사계절의 흥취를 춘사, 하사, 추사, 동사 각각 10수씩 총 40수로 노래한 연시조이다. 각 수는 여음(후렴구)을 제외하면 초장 · 중장 · 종장으로 이루어진 평시조의 형태이다. 어부로서의 삶보다는 사계절 어촌의 아름다움에 초점을 맞추어 내용을 전개하고 있다.

- 갈래: 연시조
- 성격: 자연 친화적
- 주제: 계절에 따라 펼쳐지는 자연(어촌)의 모습과 흥취
- 시적 상황 □□를 떠나 자연 속에 머물며 살아감.
- 정서와 태도 속세를 멀리하고 자연 속에서 □□를 느끼고 있음.

정답: 속세, 흥취

2 내용 확인

1 맞는 내용이면 ○표, 틀린 내용이면 ×표 하시오.

① 〈하사 2〉의 '빅구'는 화자가 비판하면서 멀리하고자 하는 대상이다. (　　)

② 화자는 어촌에서 힘들게 노동을 하면서도 여유를 즐기려는 삶의 태도를 드러내고 있다. (　　)

내용 확인 도우미

1 ① '백구'는 화자의 자연 친화적인 성향을 보여 주는 소재로, 화자와 물아일체가 되는 대상이다.
② 제시문의 화자는 실제 어부가 아니라 자연의 흥취를 즐기는 사람이다. 따라서 노동을 하는 모습은 언급되어 있지 않다.

정답 1 ① × ② ×

3 실전 Test

• 정답 46쪽

01 윗글에 대한 설명으로 적절하지 않은 것은? 기출 문제

① 여음을 사용하여 흥취를 북돋우고 있다.
② 과거와 미래를 대비하여 주제를 부각하고 있다.
③ 음보를 규칙적으로 사용하여 리듬감을 형성하고 있다.
④ 시적 배경이 되는 공간을 이상적 세계로 형상화하고 있다.
⑤ 감각적 이미지를 활용하여 대상의 아름다움을 드러내고 있다.

02 윗글의 〈동사 8〉과 [보기]를 비교하여 감상한 내용으로 가장 적절한 것은? 기출 문제

보기

강호 한 꿈을 꾼 지도 오래러니 입과 배가 누가 되어 어즈버 잊었도다 저 물을 바라보니 푸른 대도 하도 할샤 훌륭한 군자들아 낚대 하나 빌려스라 갈대꽃 깊은 곳에 명월 청풍 벗이 되어 임자 없는 풍월 강산에 절로절로 늙으리라 무심한 백구(白鷗)야 오라 하며 말라 하랴 다툴 이 없을 건 다만 이건가 여기노라

– 박인로, 「누항사(陋巷詞)」

① 〈동사 8〉과 달리 [보기]는 현실 개혁에 대한 화자의 의지를 드러내고 있다.
② 〈동사 8〉은 [보기]와 달리 현재의 삶에 순응하려는 자세를 보이고 있다.
③ 〈동사 8〉의 '구룸'은 [보기]의 '명월'과 달리 부정적 현실을 차단하는 자연물로 기능하고 있다.
④ 〈동사 8〉은 '믉ᄀ'와 '셰샹'의 대비를 통해, [보기]는 '강호'와 '풍월 강산'의 대비를 통해 주제를 부각하고 있다.
⑤ 〈동사 8〉과 [보기] 모두 화자 자신의 삶에 대해 반성하는 태도를 보이고 있다.

실전 Test Guide

01 표현상의 특징과 그로 인한 효과를 파악할 수 있는지 확인하는 문제이다. 화자가 시적 대상에 관한 생각과 자신의 정서를 드러내기 위해서 어떤 표현 방법을 사용하고 있는지 살펴보도록 한다.

02 제시문과 [보기]를 비교하여 감상하는 문제이다. 화자의 태도와 시어의 의미 등을 고려하여 두 작품의 공통점과 차이점을 파악해 보도록 한다.

시조 107

율리유곡(栗里遺曲)_김광욱

〈제2수〉

「공명(功名)도 잊었노라 부귀(富貴)도 잊었노라
세상 번우(煩憂)한 일 다 주어 잊었노라
내 몸을 내마저 잊으니 남이 아니 잊으랴.」 「」: 반복법, 점층법

세속적 가치에서 벗어난 삶의 태도 / 번우: 괴롭고 근심스러운 / 설의법-세속적인 것들을 모두 잊은 평온한 삶

▶ 제2수: 탈속적인 삶의 태도

현대어 풀이 공명도 잊었노라, 부귀도 잊었노라.
세상의 괴롭고 근심스러운 일 모두 잊었노라.
내 몸을 나마저 잊어버렸으니 남이 (나를) 아니 잊을 수 있겠는가?

〈제3수〉

[A] 뒷집의 술쌀을 꾸니 거친 보리 한 말 못 찼다
주는 것 마구 찧어 쥐어 빚어 괴어 내니
여러 날 주렸던 입이니 다나 쓰나 어이리.

술쌀: 술을 만들기 위한 쌀 / 괴어: 술 따위가 발효하여 거품이 일다. / 설의법-욕심 없이 만족하는 태도

▶ 제3수: 안빈낙도하는 삶

현대어 풀이 뒷집에서 술쌀을 꾸었는데 거친 보리가 한 말이 되지 않았다.
주는 것 마구 찧어서 (손으로) 쥐어 빚어 발효해 내니
여러 날 굶었던 입이니 달든 쓰든 무슨 상관이겠는가?

〈제8수〉

「삼공(三公)이 귀하다 한들 ⓐ강산과 바꿀쏘냐.」 「」: 설의법
조각배에 달을 싣고 낚싯대를 흩던질 제
「이 몸이 이 청흥(淸興) 가지고 만호후(萬戶侯)인들 부러우랴.」 「」: 설의법-자연에서 느끼는 만족감

삼공: 삼정승(영의정, 좌의정, 우의정) / 강산: 자연('삼공'과 대조되는 시어) / 욕심 없는 삶의 자세 / 청흥: 맑은 흥과 운치 / 만호후: 재력과 권력을 겸비한 제후, 세도가

▶ 제8수: 자연 속에서 유유자적하는 삶

현대어 풀이 삼정승이 귀하다 한들 강산과 바꾸겠는가?
조각배에 달을 싣고 낚싯대를 흩어서 던질 때
이 몸이 맑은 흥과 운치를 가지고 재력과 권력을 겸비한 제후를 부러워하겠는가?

〈제10수〉

헛글고 싯근 문서 다 주어 내던지고
필마(匹馬) 추풍에 채찍을 쳐 돌아오니
아무리 매인 새 놓인다 한들 이토록 시원하랴.

문서: 화자가 관리였음을 의미함. / 헛글고 싯근: 흐트러지고 시끄러운 / 필마: 한 필의 말 / 추풍: 가을 바람 / 매인 새: 자유를 구속당한 존재 / 설의법

▶ 제10수: 세속을 벗어난 자유로움

현대어 풀이 흐트러지고 시끄러운 문서를 다 던지고 / 한 마리의 말을 타고 가을바람에 채찍을 쳐 돌아오니
아무리 매인 새가 놓인다고 한들 이처럼 시원하겠는가?

〈제16수〉

○: 색채적 이미지-계절감(봄)을 드러냄.

동풍이 건듯 불어 (적설(積雪))을 다 녹이니
사면(四面) (청산)이 옛 모습 나노매라 ─ 눈이 녹은 풍경(계절의 변화)
귀밑의 해묵은 서리는 녹을 줄을 모른다. ─ 변치 않는 백발
(대조)

동풍: 봄바람 / 적설: 쌓인 눈 / 서리: 백발

▶ 제16수: 늙음에 대한 탄식

현대어 풀이 봄바람이 잠시 불어 쌓인 눈을 다 녹이니 / 사방의 푸른 산이 옛 모습을 드러내는구나.
귀밑의 해묵은 흰 머리털은 녹을 줄을 모르는구나.

작품 한눈에 보기

공명, 부귀, 번우한 일, 내 몸을 잊음.
보리 한 말을 꾸어 술을 빚어 먹음.
조각배에 달을 싣고 낚시를 함.
한 필의 말에 채찍질을 하여 돌아옴.
늙음을 탄식함.

↓

자연 속에서 소박한 생활을 하는 것에 만족감을 느끼면서 늙음을 한탄함.

출제 포인트

■ 표현상의 특징

① 설의법을 활용하여 화자의 정서를 드러냄.

제1수	남이 아니 잊으랴.
제3수	다나 쓰나 어이리.
제8수	강산과 바꿀쏘냐.
	만호후인들 부러우랴.
제10수	이토록 시원하랴.

↓

전원생활의 흥취

② 선경후정의 방식으로 시상을 전개함(제16수).

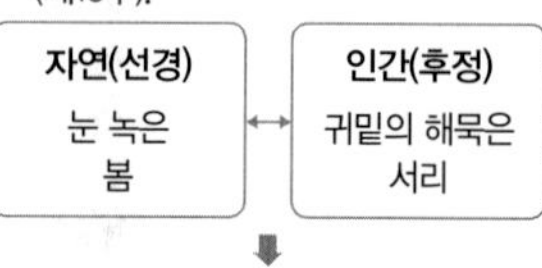

↓

늙어감을 탄식함.

③ 시각적 이미지를 활용하여 계절감을 드러냄(제16수).

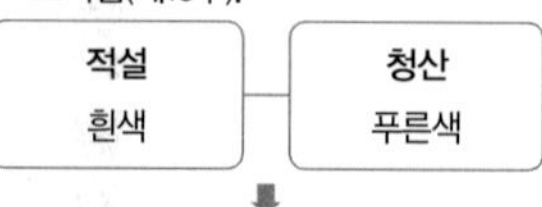

↓

계절의 변화(겨울 → 봄)를 드러냄.

수능 필수 개념 플러스

"청구영언(靑丘永言)"

「율리유곡」이 실려 있는 『청구영언』은 영조 4년(1728년)에 김천택이 고려 말엽부터 편찬할 때까지 전해지던 시조와 가사를 모아 정리한 책이다. 『해동가요』, 『가곡원류』와 아울러 3대 가집으로 불린다.

1 작품 이해

이 작품은 세속의 부귀공명을 잊고 자연 속에서 안빈낙도하는 삶을 노래한 총 17수의 연시조이다. 자신의 영달*을 위해 권력을 탐하는 권력자들을 비판하고 자연 속에서 여유롭게 사는 삶과 인생의 무상함 등을 드러내고 있다.

- 갈래: 연시조
- 성격: 자연 친화적, 풍자적
- 주제: 세속을 벗어난 전원생활의 여유로움

- 시적 상황 속세에서 벗어나 □□ 속에서 살아가고 있음.
- 정서와 태도 자연 속에서 소박하게 생활하면서 권력자들의 세속적 욕망을 □□함.

정답: 자연, 비판

* 영달: 지위가 높고 귀하게 됨.

2 내용 확인

1 맞는 내용이면 ○표, 틀린 내용이면 ×표 하시오.

① 설의적 표현을 통해 자연 속에서 안분지족하며 살아가는 화자의 만족감을 드러내고 있다. (　　)
② 〈제16수〉에서는 색채의 대비를 통해 자연과 인간사를 대조하고 있다. (　　)

내용 확인 도우미

1 ① 〈제8수〉의 초장과 종장에서 설의적 표현을 통해 자연 속에서 유유자적 하는 삶에 대해 노래하고 있다.
② 〈제16수〉의 '적설'과 '청산'은 흰색과 푸른 색의 시각적 이미지를 형상화하여 계절의 변화를 드러내고 있다.

정답 1 ① ○ ② ×

3 실전 Test

• 정답 46쪽

01 [A]를 이해한 내용으로 가장 적절한 것은? 기출 문제

① 조촐하고 소박한 삶의 모습이 나타나 있다.
② 사회적 규범을 따르는 자세가 드러나 있다.
③ 농가와 자연을 분리하려는 의지가 보인다.
④ 공동체를 위한 헌신적 삶이 드러나 있다.
⑤ 숭고한 삶에 대한 지향이 드러나 있다.

02 윗글의 ⓐ와 〈보기〉의 ⓑ를 비교한 내용으로 적절한 것은? 기출 문제

보기

새로 거른 막걸리 젖빛처럼 뿌옇고 / 큰 사발에 보리밥, 높기가 한 자로세.
밥 먹자 도리깨 잡고 마당에 나서니 / 검게 탄 두 어깨 햇볕 받아 번쩍이네.
옹헤야 소리 내며 발맞추어 두드리니 / 삽시간에 보리 낟알 온 ⓑ마당에 가득하네.
주고받는 노랫가락 점점 높아지는데 / 보이느니 지붕 위에 보리 티끌뿐이로다.
그 기색 살펴보니 즐겁기 짝이 없어 / 마음이 몸의 노예 되지 않았네.
낙원이 먼 곳에 있는 게 아닌데 / 무엇하러 벼슬길에 헤매고 있겠는가.

– 정약용, 「보리타작」

① ⓐ는 자연과 벗하며 살아가는 공간이고, ⓑ는 건강한 노동의 즐거움을 깨닫는 공간이다.
② ⓐ는 소박한 삶에 대한 지향이 담긴 공간이고, ⓑ는 빈곤한 삶을 극복하려는 의지가 담긴 공간이다.
③ ⓐ는 궁핍한 처지로 인한 좌절감이 나타난 공간이고, ⓑ는 삶의 애환을 다른 사람과 공유하는 공간이다.
④ ⓐ는 힘겨운 상황에 대한 저항 의지가 담긴 공간이고, ⓑ는 현실과의 타협을 통해 내적 갈등에서 벗어나려는 공간이다.
⑤ ⓐ는 내적 욕구에 대한 자기 절제가 반영된 공간이고, ⓑ는 과거와 달라진 현재의 상황에 대한 안타까움이 표출된 공간이다.

실전 Test Guide

01 화자의 태도에 대해 묻는 문제이다. 문맥을 고려하면서 화자의 태도를 파악하여 선택지의 적절성을 판단하도록 한다.

02 제시문과 [보기]를 비교하여 시어의 의미를 파악할 수 있는지 확인하는 문제이다. 앞뒤 문맥을 고려하여 시적 공간이 화자에게 어떤 의미가 있는지 판단해 보도록 한다.

시조

108 병산육곡(屛山六曲)_권구

〈제1수〉

「부귀(富貴)라 구(求)치 말고 빈천(貧賤)이라 염(厭)치 말아」「」: 대구법, 대조법, 명령형 종결 어미
세속적 가치 / 가난하고 천함. / 싫어하지
인생(人生) 백년(百年)이 한가(閑暇)할사 사니 이내 것이
자연 속에 묻혀 사는 한가로움
「백구(白鷗)야 날지 말아 너와 망기(忘機)*하오리라.」 ▶ 제1수: 속세를 벗어나 한가롭게 사는 삶
의인법 – 갈매기, 자연 친화의 대상 / 「」: 물아일체

현대어 풀이 부귀라고 구하려 하지 말고 빈천이라고 싫어하지 마라.
인생 백 년을 한가하게 살고자 하는 것이 내 마음이니
갈매기야 날지 마라 너와 더불어 속세의 일을 잊으리라.

〈제2수〉

천심절벽(千尋絶壁) 섯난 아래 일대장강(一帶長江) 흘러간다.
천 길이나 되는 낭떠러지 / 한 줄기 긴 강
백구(白鷗)로 벗을 삼아 어조(漁釣) 생애(生涯) 늘어가니
물고기를 잡으며 살아가는 생활
두어라 세간 소식(世間消息) 나는 몰라 하노라. ▶ 제2수: 자연을 벗 삼아 사는 삶
경쟁이 심하던 당시의 혼탁한 세상 소식

현대어 풀이 천 길이나 되는 낭떠러지 솟아 있는 아래에 한 줄기 긴 강이 흘러간다.
갈매기로 벗을 삼아 물고기를 잡으며 늙어 가니 / 두어라 세상 소식을 나는 모르고 지내겠노라.

〈제3수〉

보리밥 파 생채(生菜)를 양(量) 맞춰 먹은 후(後)에
소박한 삶, 안분지족, 안빈낙도
모재(茅齋)를 다시 쓸고 북창하(北窓下)에 누웠으니
띠로 지붕을 이은 집
눈 앞에 태공(太空) 부운(浮雲)이 오락가락 하는구나. ▶ 제3수: 자연 속에서 안분지족하는 삶
넓은 하늘에 떠다니는 구름 / 영탄법 – 자연과 더불어 사는 한가한 모습

현대어 풀이 보리밥에 파 생채를 양에 맞춰 먹은 뒤에
집을 다시 쓸고 북쪽 창 아래 누웠으니 / 눈앞의 넓은 하늘에 떠 있는 구름이 오락가락하는구나.

〈제4수〉

공산리(空山裏) 저 가는 달에 혼자 우는 저 두견(杜鵑)아
사람이 없는 산속 / 감정 이입의 대상 – 의지할 곳이 없음, 슬픔, 외로움
「낙화광풍(落花狂風)*에 어느 가지 의지 하리」「」: 설의법
혼탁한 정치 현실
백조(百鳥)야 한(恨)하지 말아 내곳 설워 하노라. ▶ 제4수: 혼탁한 현실에 대한 탄식
모든 새, 감정 이입의 대상 – 화자, 우국지사 / 내가 / 화자의 탄식

현대어 풀이 아무도 없는 산속에서 지는 달을 보고 홀로 우는 저 두견새야.
꽃잎을 떨어지게 하는 심한 바람이 부니 어느 가지에 의지하겠느냐?
모든 새들아 한탄하지 마라 나도 서러워 하노라.

〈제5수〉

「저 가마귀 짖지 말아 이 가막이 좇지 말아」「」: 대구법 – 부정적인 심리
조정에서 서로 헐뜯는 벼슬아치
야림(野林) 한연(寒烟)에 날은 조차 저물거늘
들판 숲속의 차가운 안개 / 암울한 시대 현실
어엿불사 편편(翩翩) 고봉(孤鳳)이 갈 바 없어 하는구나. ▶ 제5수: 혼탁한 현실에 대한 염려
훨훨 나는 외로운 봉황

현대어 풀이 저 가마귀 울지 마라, 이 가마귀 쫓지 마라.
숲속의 차가운 안개 속에서 날조차 저물어 가니
불쌍하구나, 훨훨 나는 외로운 봉황이 갈 곳이 없어 하는구나.

작품 한눈에 보기

안빈낙도
- 빈천이라 염치 말아(제1수)
- 보리밥 파 생채를 양 맞춰 먹은 후에(제3수)
- 어촌이 무릉인가 하노라(제6수).

속세와의 단절
- 세간 소식을 나는 몰라 하노라(제2수).

혼탁한 현실 염려
- 백조야 한하지 말아 내곧 설워 하노라(제4수).
- 저 가마귀 짖지 말아 이 가막이 좇지 말아(제5수)

⬇

혼탁한 속세를 벗어나 자연 속에서 안빈낙도하는 삶을 추구함.

출제 포인트

■ 표현상의 특징

① 다양한 자연물을 활용하여 주제를 드러냄.

② 감정 이입을 활용하여 화자의 정서를 드러냄.

두견	백조
의지할 곳이 없어 슬픔과 외로움을 느낌.	의지할 곳이 없어 한을 느낌.

⬇

혼탁한 현실을 한탄함.

③ 대구법, 의인법, 영탄법을 활용하여 자연을 벗 삼아 한가롭게 지내는 삶을 표현함.

대구법	제1수	부귀를 구치 말고 빈천이라 염치 말아
	제5수	저 가마귀 짖지 말아 이 가막이 좇지 말아
의인법	제1수	백구야 날지 말아 너와 망기하오리라.
	제4수	백조야 한하지 말아
영탄법	제3수	눈 앞에 태공 부운이 오락가락 하는구나.

어휘 풀이

* 망기: 속세의 일이나 욕심을 잊음.
* 낙화광풍: 꽃잎이 떨어지도록 미친 듯이 부는 바람

〈제6수〉

「서산(西山)에 해 져 간다 고기 빼 떴단 말가」「」: 설의법

죽간(竹竿)*을 둘러 메고 십 리(十里) 장사(長沙) 내려가니
모래밭

연화(烟花) 수삼(數三) 어촌(漁村)이 무릉(武陵)인가 하노라.
작은 어촌, 안빈낙도의 공간 이상향

▶ 제6수: 자연 속에서의 유유자적한 삶

현대어 풀이 서산에 해가 다 저물어 가는데 고기잡이배가 떴단 말인가.
대나무로 만든 낚싯대를 둘러매고 십 리나 되는 긴 모래밭을 내려가니
안개가 피어오르는 어촌이 무릉도원인가 하노라.

어휘 풀이
* 죽간: 대나무 장대, 대나무로 만든 낚싯대

1 작품 이해

이 작품은 자연 속에서 안빈낙도하는 삶의 자세를 드러내고 있는 총 6수의 연시조이다. 화자는 혼탁한 정치 현실에 대한 염려를 표현하는 한편, 자신이 있는 공간을 무릉도원이라고 표현함으로써 안빈낙도하는 삶을 이상적으로 그리고 있다.

• 갈래: 연시조
• 성격: 자연 친화적, 한정적
• 주제: 자연 속에서 안빈낙도하는 삶
• 시적 상황 속세를 떠나 □□ 속에서 소박한 삶을 살고 있음.
• 정서와 태도 자신이 살고 있는 어촌을 □□이라고 여기고 있음.

정답: 자연, 무릉

2 내용 확인

1 맞는 내용이면 ○표, 틀린 내용이면 ×표 하시오.

① 화자는 물질적 가치를 중요시하며 속세의 일에 미련을 버리지 못하고 있다. (   )

② 〈제4수〉의 '두견'은 화자의 감정이 이입된 대상으로, 화자는 두견새와 자신을 유사하다고 여기고 있다. (   )

내용 확인 도우미

1 ① 〈제2수〉에서 화자는 세상의 소식을 모르고 지내겠다고 하였다.
② '두견'은 의지할 곳 없는 화자의 슬픔과 외로움이 이입된 대상이다.

정답 1 ① × ② ○

3 실전 Test

• 정답 47쪽

01 윗글에 대한 설명으로 적절하지 않은 것은? 기출 문제

① 대구의 방식을 활용하여 리듬감을 부여하고 있다.
② 다양한 자연물을 통해 시적 분위기를 조성하고 있다.
③ 과거와 현재를 대비하여 주제 의식을 표출하고 있다.
④ 시적 대상에 감정을 이입하여 정서를 드러내고 있다.
⑤ 설의적인 표현을 사용하여 시적 상황을 강조하고 있다.

02 윗글에 사용된 시어들을 연관 지어 감상하였다. 적절하지 않은 것은? 기출 문제

① 〈제1수〉에 드러난 '망기'에 대한 화자의 바람이 〈제2수〉의 '어조 생애'로 실현되고 있군.
② 〈제2수〉의 '세간 소식'과 단절하려는 화자의 태도는 〈제4수〉의 '낙화광풍'으로 비유된 상황 때문이라고 할 수 있어.
③ 〈제3수〉의 '보리밥 파 생채'를 '양' 맞추어 먹는 모습에서 〈제1수〉의 '부귀'를 구하지 않는 삶의 태도를 확인할 수 있어.
④ 〈제4수〉의 '두견'을 부를 때의 화자의 심리는 〈제5수〉에서 '가마귀'에 대한 화자의 심리와 유사하다고 할 수 있어.
⑤ 〈제6수〉에서 화자가 처한 공간인 '어촌'에서 느끼는 만족감은 〈제1수〉의 '빈천'에 대한 화자의 인식이 바탕이 된 것이겠군.

실전 Test Guide

01 표현상의 특징과 그로 인한 효과를 파악할 수 있는지 평가하는 문제이다. 화자의 정서, 시적 상황 등을 드러내기 위해 사용된 표현 방법이 무엇인지 살펴보도록 한다.

02 시어의 의미와 시어들 간의 관계를 파악할 수 있는지 확인하는 문제이다. 제시문의 전개 과정을 고려하여 인과 관계를 이루는 시어들과 유사성을 보이는 시어들 등 서로 관련성 있는 시어를 연결하여 선택지의 적절성을 판단해 보도록 한다.

시조

109 독자왕유희유오영(獨自往遊戲有五詠)_권섭

〈제1수〉

벗님네 남산에 가세 좋은 기약 잊지 마오
제1수의 청자 = 제2수의 화자 / └ 산수 유람을 권하는 근거
익은 술 점점 쉬고 지진 화전 상해 가네
꽃을 넣어 만든 전
자네가 아니 간다면 내 혼자인들 어떠리
제1수의 화자

▶ 제1수: 벗에게 산수 유람가자고 권유함.

현대어 풀이 벗이여, 남산에 가자던 좋은 약속 잊지 마오.
익은 술은 점점 쉬고 지진 화전은 상해 가네.
자네가 안 간다면 나 혼자인들 어떠하겠는가?

〈제2수〉

어허 이 미친 사람아 날마다 흥동(興動)일까
제1수의 화자 / 흥에 겨워 다님. → 풍류적 태도
어제 곡성 보고 또 어디를 가자는 말인고
우리는 중시(重試) 급제하고 좋은 일 하여 보려네
당하관 이하의 문·무관이 10년마다 보는 과거 시험

▶ 제2수: 중시 급제를 이유로 거절함.

현대어 풀이 어허 이 미친 사람아, 날마다 흥에 겨워 다닐 텐가?
어제 곡성 보고 또 어디를 가자는 말인가? / 우리는 과거 시험에 급제하고 좋은 일 하여 보려네.

〈제3수〉

저 사람 믿을 형세 없다 우리끼리 놀아 보자
제2수의 화자 / 제1수의 화자와 또 다른 벗
복건 망혜(幞巾芒鞋)로 실컷 다니다가
두건을 쓰고 미투리를 신은 편한 차림새
돌아와 승유편(勝遊篇)* 지어 후세 유전(後世流傳)하리라
산수 유람에 대한 의지

▶ 제3수: 또 다른 벗에게 산수 유람을 가자고 권유함.

현대어 풀이 저 사람 믿을 수 없다. 우리끼리 놀아 보자.
두건을 쓰고 미투리를 신은 편안한 차림새로 실컷 다니다가
돌아와 즐겁게 논 일을 글로 지어 후세에 전하리라.

〈제4수〉

「우리도 갈 힘 없다 숨차고 오금* 아파」 「」: 도치법-산수 유람을 거절하는 이유
제3수의 청자 = 제4수의 화자
창 닫고 더운 방에 마음껏 퍼져 있어
배 위에 아기들을 치켜 올리며 사랑해 보려 하노라
어르며

▶ 제4수: 일신상의 고단함을 이유로 산수 유람을 거절함.

현대어 풀이 우리도 갈 힘이 없다, 숨이 차고 오금이 아파.
창 닫고 더운 방에 마음껏 퍼져 있어 / 배 위에 아기들을 어르며 사랑해 보려 하노라.

〈제5수〉

벗이야 있고 없고 남들이 웃거나 말거나
대구법
양신 미경(良辰美景)을 남이 말한다고 아니 보랴
좋은 시절과 아름다운 경치 / 설의법
평생의 이 좋은 회포를 실컷 펼치고 오리라
마음속에 품은 생각이나 정

▶ 제5수: 혼자서라도 산수 유람을 가겠다고 다짐함.

현대어 풀이 벗이 있든 없든 남들이 웃거나 말거나
좋은 시절과 아름다운 경치를 남이 무어라 한다고 안 보겠는가?
평생의 이 좋은 회포를 실컷 펼치고 오리라.

작품 한눈에 보기

제1수	화자 1이 벗에게 산수 유람을 권함.
제2수	화자 2(벗)가 중시 급제를 이유로 거절함.
제3수	화자 1이 또 다른 벗(화자 3)에게 산수 유람을 권함.
제4수	화자 3이 일신상의 고단함을 이유로 거절함.
제5수	화자 1이 혼자서라도 산수 유람을 가겠다고 다짐함.

⬇

벗에게 산수 유람을 가자는 권유를 거절당했지만 혼자서라도 유람을 가겠다고 다짐함.

출제 포인트

■ 표현상의 특징

① 대화 형식으로 시상이 전개됨.
② 도치법(제4수), 대구법, 설의법 등을 활용함.

■ 화자의 정서 및 관계

화자 2	중시 급제를 중시함.
↕	
화자 1	풍류를 즐기는 것을 중시함.
↕	
화자 3	더운 방에서의 편안함을 중시함.

수능 필수 개념

"대화체"

대화하는 형식으로 서술하는 문체를 의미한다. 작품 속에 청자가 설정되어 있지만, 실제로 대화를 진행하는 것이 아니라 대화의 형식을 빌려 작품이 전개된다. 대화체가 사용된 대표적인 작품에는 임금을 그리워하는 마음을 노래한 정철의 「속미인곡」이 있다.

어휘 풀이

* 승유편: 즐겁게 잘 놀았던 일을 적은 글
* 오금: 무릎의 구부러지는 오목한 안쪽 부분

1 작품 이해

이 작품은 벗들에게 산수 유람을 가자고 권하였으나 거절당하자, 혼자서라도 가겠다는 다짐을 드러내고 있는 총 5수의 연시조이다. 봄에 친구들과 남산에 놀러 가기로 약속했지만 결국에는 작가 혼자 봄나들이를 다녀오게 된 일화를 바탕으로 창작된 것이다. 〈제1수〉, 〈제3수〉, 〈제5수〉에서는 화자가 〈제2수〉, 〈제4수〉에서는 화자의 말을 듣고 있던 청자가 다시 화자가 되어 대답을 하는 형식으로 구성되어 있다. 그리고 일상적인 시어의 사용과 생활상을 사실적으로 표현하고 있다.

- 갈래: 연시조
- 성격: 사실적, 풍류적, 자연 친화적
- 주제: 산수 유람에 대한 권유와 다짐
- 시적 상황 벗들에게 □□ □□을 가자고 권유하고 있음.
- 정서와 태도 벗들에게 산수 유람을 권했으나 거절당하자, 산수 유람을 혼자서라도 가겠다며 □□하고 있음.

정답: 산수 유람, 다짐

2 내용 확인

1 맞는 내용이면 ○표, 틀린 내용이면 ×표 하시오.

① 윗글에서 화자는 모두 3명으로, 번갈아 가며 등장한다. (   )

② 〈제2수〉의 화자는 '중시 급제'를 이유로 산수 유람을 거절하고 있는데, 이는 출세를 중시하는 태도를 드러낸 것이다. (   )

③ 산수 유람을 가자고 권하던 화자는 벗들이 모두 거절하자, 결국 산수 유람 가는 것을 포기하였다. (   )

2 화자가 혼자서라도 즐기고자 하는 풍류의 대상을 〈제5수〉에서 찾아 쓰시오.

➡ (   )

내용 확인 도우미

1 ① 제시문은 산수 유람을 권유하는 화자와 이를 거절하는 2명의 화자의 대화 형식으로 전개된다.
② 〈제2수〉의 화자는 풍류를 즐기는 것보다 중시에 급제하여 출세하는 것을 더 중요하게 생각하고 있다.
③ 〈제5수〉에서 화자는 산수 유람을 가겠다는 의지를 드러내고 있다.

2 화자는 〈제5수〉에서 혼자서라도 산수 유람을 가서 '양신 미경'을 보며 회포를 실컷 펼치겠다고 하였다.

정답 1 ① ○ ② ○ ③ × 2 양신 미경

3 실전 Test

• 정답 47쪽

01 [보기]를 참고하여 윗글을 이해한 내용으로 적절하지 않은 것은? 기출 문제

보기

이 작품은 작가가 문관(文官) 등과 남산에 놀이 가기로 약속했으나 그들이 모두 약속을 지키지 않자 결국 혼자 가게 된 경위와 심정을 노래한 것이다. 제1수부터 제5수까지 '작자－문관－작자－또 다른 인물－작자' 순으로 인물이 달리 등장하고 있다. 희곡에서 등장인물들이 대화를 주고받는 것처럼 각각 자신의 생각과 입장을 묻고 답하는 방식을 활용하고 있으며, 일상적 시어를 사용하여 당시의 생활상을 사실적으로 나타내고 있다.

① 〈제1수〉에서 〈제5수〉까지 화자를 바꿔 가며 극적 요소를 가미하여 시상을 전개하고 있다.

② 〈제1수〉의 요청과 〈제2수〉의 불응, 〈제3수〉의 요청과 〈제4수〉의 불응이 반복되어 서로의 입장 차이를 보이고 있다.

③ 〈제1수〉의 화자의 의도를 〈제5수〉에서도 드러내면서 주제를 강조하는 효과를 거두고 있다.

④ 〈제3수〉의 종장과 〈제4수〉의 초장에서는 일상적 관용 어구를 사용하여 엄숙한 분위기를 자아내고 있다.

⑤ 〈제4수〉의 중장과 종장에서는 생활 속 삶의 모습을 사실적으로 표현하고 있다.

실전 Test Guide

01 창작 배경을 고려하여 제시문을 이해할 수 있는지를 평가하는 문제이다. [보기]를 바탕으로 제시문의 구성과 표현상의 특징, 시상 전개 방식 등을 살펴보도록 한다.

시조

110 매화사(梅花詞)_안민영

〈제1수〉

매영(梅影)이 부딪힌 창에 옥인 금차(玉人金釵) 비겼으니
매화 그림자 / 미인의 금비녀

이삼 백발옹(白髮翁)은 거문고와 노래로다.
풍류를 즐기는 주체, 화자

이윽고 잔 잡아 권할 적에 달이 또한 오르더라. ▶ 제1수: 매화 그림자와 풍류
풍류를 즐김.

현대어 풀이 매화 그림자 비친 창에 미인이 비스듬히 앉아 있는데
두이 명의 노인은 거문고 뜯으며 노래하도다.
이윽고 술잔을 들어 서로 권할 때 달이 또한 솟아오르더라.

〈제2수〉

어리고 성긴 매화 너를 믿지 않았더니,
시적 대상 의인법-매화

눈 기약 능히 지켜 두세 송이 피었구나.
눈이 내리면 꽃을 피우겠다는 약속 / 영탄법 / 떠다니더라

촉(燭) 잡고 가까이 사랑할 제 암향(暗香)조차 부동(浮動)터라. ▶ 제2수: 매화의 그윽한 향기
촛불 / 그윽한 매화 향기 / 매화에 대한 예찬, 후각의 시각화

현대어 풀이 연약하고 엉성한 매화 너를 믿지 않았더니,
눈이 내리면 꽃을 피우겠다는 약속을 능히 지켜 두세 송이 피었구나.
촛불 잡고 가까이 바라볼 때 그윽한 향기조차 떠도는구나.

〈제3수〉
얼음같이 맑고 깨끗한 살결과 구슬같이 아름다운 자질

빙자옥질(氷姿玉質)이여 눈 속에 네로구나.
매화에 대한 예찬 / 시련 / 너=매화

가만히 향기 놓아 황혼월(黃昏月)을 기약하니
저녁에 뜨는 달

아마도 아치고절(雅致高節)은 너뿐인가 하노라. ▶ 제3수: 매화의 아름다움과 절개 예찬
우아한 풍치와 높은 절개 → 매화를 예찬함.

현대어 풀이 얼음같이 맑고 깨끗한 모습과 구슬같이 아름다운 바탕이여, 눈 속에 (피어난 매화) 너로구나.
그윽한 향기를 풍기며 저녁달을 기다리니 / 아마도 우아한 운치와 높은 절개를 가진 것은 너뿐인가 하노라.

〈제6수〉

ᄇᆞ람이 눈을 모라 산창(山窓)에 부딋치니,
└ 시련 ┘ / 산에 있는 집의 창

찬 기운(氣運) ᄉᆡ여 드러 ᄌᆞᆷ든 매화를 침노(侵擄)ᄒᆞ다.
시련 / 성가시게 달라붙어 손해를 끼치거나 해치다.

「아무리 얼우려 ᄒᆞ인들 봄 뜻이야 아슬소냐.」 「」: 설의법 ▶ 제6수: 매화의 강인한 의지 예찬
봄이 찾아옴을 알리겠다는 의지, 자연의 이치

현대어 풀이 바람이 눈을 몰아 산에 있는 집의 창문에 부딪치니,
찬 기운이 (방으로) 새어 들어 잠든 매화를 해치려 한다.
아무리 얼게 하려 한들 (매화의) 봄뜻을 빼앗을 수가 있겠는가?

〈제8수〉

동각(東閣)에 숨은 꽃이 [척촉(躑躅)]인가 [두견화(杜鵑花)]인가. [ ]: 매화와 대비되는 대상
철쭉 / 진달래꽃

건곤(乾坤)이 눈이어늘 제 어찌 감히 피리.
하늘과 땅, 온 세상

알괘라 백설 양춘(白雪陽春)은 매화밖에 뉘 있으리. ▶ 제8수: 매화의 의지와 높은 절개
흰 눈이 날리는 이른 봄 / 매화의 절개와 지조 예찬

현대어 풀이 동쪽 누각에 숨은 꽃이 철쭉꽃인가, 진달래꽃인가?
온 세상이 눈이거늘 제 어찌 감히 피리.
알겠구나, 흰 눈이 날리는 이른 봄에 피는 것은 매화밖에 누가 있으랴?

작품 한눈에 보기

매화='너'(의인법)

매화를 즐기는 풍류,
매화의 그윽한 향기와 아름다움,
매화의 의지와 높은 절개

⬇

매화를 완상(玩賞, 즐겨 구경함)하고 예찬함.

출제 포인트

■ 표현상의 특징

① '매화'를 '너'라고 표현하면서(의인법) 매화의 속성을 예찬함.
② 영탄법, 설의법 등의 표현 방법을 통해 매화에 대한 애정을 드러냄.

■ 시어와 시구의 의미

	시어 · 시구	의미
제1수	매영	매화 그림자(풍류의 배경)
제2수	암향조차 부동터라.	매화의 그윽한 향기를 예찬
제3수	빙자옥질	맑고 깨끗한 자질의 매화를 예찬
	아치고절	우아한 풍치와 높은 절개를 지닌 매화를 예찬
제6수	봄 뜻	봄이 찾아옴을 알리겠다는 의지
제8수	백설 양춘	흰 눈이 날리는 이른 봄에 피는 매화의 절개와 지조 예찬

수능 필수 개념 플러스

"매화"

겨울은 꽃이 피기 어려운 계절이지만, 매화는 겨울의 혹독한 추위 속에서도 꽃을 피운다. 이러한 매화의 속성을 활용하여 고전 시가에서는 매화를 고결한 성품을 가진 사람, 선구자, 높은 절개를 지닌 지사를 가리키는 시어로 자주 사용하였다. 정철의 「사미인곡」 속 매화도 이러한 매화의 속성을 활용한 것이다.

1 작품 이해

이 작품은 매화의 속성을 예찬하는 총 8수의 연시조이다. 안민영이 스승인 박효관의 산방(山房)을 찾아 함께 어울리다가 책상에 있는 매화를 보고 지었으며 '영매가(詠梅歌)'라고도 불린다. 매화와 화자를 둘러싼 분위기를 운치 있게 표현하고 있으며, 매화에 인격을 부여하여 친근감을 표현하면서 매화가 가진 우아함과 절개를 예찬하고 있다.

- 갈래: 연시조
- 성격: 예찬적, 영탄적
- 주제: 매화에 대한 예찬
- 시적 상황 겨울 날 □□를 보며 풍류를 즐기고 있음.
- 정서와 태도 매화의 성품과 아름다움을 □□하고 있음.

정답: 매화, 예찬

2 내용 확인

1 맞는 내용이면 ○표, 틀린 내용이면 ×표 하시오.

① 〈제6수〉의 '바람'과 '눈', '찬 기운'은 '매화'에게 닥친 시련을 상징한다. ( )

② 〈제8수〉의 '척촉'과 '두견화'는 매화와 대비되는 대상이다. ( )

내용 확인 도우미

1 ① 〈제6수〉에서는 '바람'이 '눈'을 몰아와 '찬 기운'이 '매화'를 침노한다고 하였다.
② '척촉'과 '두견화'는 '매화'와 달리 추위를 이겨 내지 못하는 대상이다.

정답 1 ① ○ ② ○

3 실전 Test

• 정답 48쪽

01 윗글의 표현상 특징으로 가장 적절한 것은? 기출 문제

① 반어적 표현을 통해 시적 긴장감을 조성하고 있다.
② 대화의 형식을 통해 대상과의 친밀감을 나타내고 있다.
③ 다양한 감각적 심상을 사용하여 대상을 예찬하고 있다.
④ 대상에 감정을 이입하여 화자의 애상감을 심화하고 있다.
⑤ 명령적 어조를 통해 현실에 대한 비판 의식을 드러내고 있다.

02 윗글에 대한 설명으로 적절하지 않은 것은? 기출 문제

① 〈제1수〉는 시적 화자를 둘러싼 상황을 제시하여 시적 분위기를 형성하고 있다.
② 〈제3수〉는 〈제1수〉와 달리 대상을 의인화하여 대상의 면모를 강조하고 있다.
③ 〈제6수〉는 대상이 시련을 겪는 상황을 제시하여 대상의 속성을 부각하고 있다.
④ 〈제8수〉는 다른 자연물과 대상의 비교를 통해 공통된 특성을 부각하고 있다.
⑤ 〈제6수〉와 〈제8수〉는 의문의 형식을 통해 대상의 가치를 강조하고 있다.

03 [보기]를 참고하여 윗글을 이해한 내용으로 적절하지 않은 것은? 기출 문제

보기

안민영의 「매화사」에는 매화를 감상하는 여러 가지 태도가 나타나 있다. 기본적으로 시흥(詩興)을 불러일으키는 자연물로서의 속성에 초점을 맞춰 매화를 감상하는 태도가 바탕이 된다. 여기에 당대의 이념과 관련하여 매화에 규범적 가치를 부여하여 감상하는 태도, 매화에 심미적으로 접근하여 아름다움을 음미하는 태도, 매화의 홍취를 즐기는 풍류적 태도 등이 덧붙여지기도 한다.

① '거문고와 노래'는 매화가 불러일으킨 시흥을 즐기기 위한 풍류적 요소이다.
② '잔 잡아 권할 적에'는 고조된 홍취를 사람들과 함께하고 싶은 마음을 드러낸다.
③ '황혼월'은 매화를 심미적으로 감상할 때 매화의 아름다움을 더욱 돋보이게 한다.
④ '아치고절'은 자연물인 매화에 부여된 심미적이면서도 규범적인 가치이다.
⑤ '봄 뜻'은 매화를 당대 이념에 국한하여 감상해야 의미를 파악할 수 있는 시어이다.

실전 Test Guide

01 제시문에 나타난 표현상의 특징과 그 효과에 대해 파악할 수 있는지 평가하는 문제이다. 제시문 속 표현을 살펴보고, 선택지의 적절성에 대해 생각해 보도록 한다.

02 시상 전개 방식과 표현상의 특징을 파악할 수 있는지 평가하는 문제이다. 시적 대상의 속성이나 주제 의식을 강조하기 위해 제시문에 사용된 다양한 표현 방식과 표현 등을 살펴보도록 한다.

03 [보기] 자료를 고려하여 제시문을 적절히 감상할 수 있는지를 평가하는 문제이다. [보기]에 제시된 자연물을 감상하는 여러 가지 태도를 바탕으로 제시문의 시어와 시구의 의미와 기능을 추론해 보도록 한다.

시조 111

붉가버슨 아해(兒孩)ㅣ 들리~ _이정신

붉가버슨 아해(兒孩)ㅣ 들리 거믜줄 테를 들고 ㄱ천(川)으로 왕래(往來)ᄒᆞ며,
모해(꾀를 써서 남을 해침.)하는 사람 / 거미줄로 만든 잠자리채 ▶ 초장: 발가벗은 아이들이 개천을 왕래함.
「붉가숭아 붉가숭아 져리 가면 죽ᄂᆞ니라. 이리 오면 ᄉᆞᄂᆞ니라.」 부로나니 붉가숭이로다.
중의적 ① 고추잠자리(모해당하는 사람) ② 발가벗은 아이들(모해하는 사람) / 「」: 잠자리를 잡으려고 속이는 말, 감언이설 ▶ 중장: 아이들이 고추잠자리를 속여서 부름.
'붉가숭아'라고 부르는 사람이 '붉가숭이'라는 역설적 상황을 나타냄.
아마도 세상(世上) 일이 다 이러ᄒᆞᆫ가 ᄒᆞ노라. ▶ 종장: 서로 속고 속이는 세태를 비판함.
세상일에 대한 부정적 인식 – 속고 속이는 세태를 풍자함.

현대어 풀이 발가벗은 아이들이 거미줄로 만든 잠자리채를 들고 개천으로 왕래하며,
"발가숭아, 발가숭아, 저리 가면 죽는다. 이리 오면 산다."라고 부르는 것이 빌가숭이로다.
아마도 세상일이 다 이런 것인가 하노라.

작품 한눈에 보기

붉가버슨 아해	고추잠자리
모해하는 사람, 속이는 자	모해당하는 사람, 속는 자

거짓말(감언이설)
→ 속고 속이는 세태 비판

출제 포인트

■ 표현상의 특징
중의적인 표현(붉가숭아)을 사용하여 속고 속이는 세태를 풍자함.

1 작품 이해

이 작품은 개천에서 잠자리를 잡으려는 아이들의 모습을 통해 서로 속고 속이는 세태를 풍자하는 내용의 사설시조이다. 벌거벗은 아이들이 살기 위해서는 이쪽으로 와야 한다며 잠자리를 속이는 모습을 통해 세상일이 속고 속임의 연속임을 풍자하고 있다.

- 갈래: 사설시조
- 성격: 풍자적, 비판적
- 주제: 서로 속고 속이는 세태 풍자
- 시적 상황 벌거벗은 아이들이 □□□□□를 잡으려 하고 있음.
- 정서와 태도 아이들의 모습을 통해 서로 속이는 세태를 □□하고 있음.

정답: 고추잠자리, 풍자

2 내용 확인

1 맞는 내용이면 ○표, 틀린 내용이면 ×표 하시오.

① 잠자리를 잡으려는 아이들의 말을 인용하여 생동감과 현장감을 전달하고 있다. ( )
② 중장의 '붉가숭아'라고 부르는 이가 '붉가숭이'라는 표현은 서로 속고 속이는 현실의 모습을 나타낸 것이다. ( )

내용 확인 도우미

1 ① 중장의 '붉가숭아 ~ ᄉᆞᄂᆞ니라'는 아이들의 말을 인용한 부분이다.
② 중장에서는 속이는 자와 속는 자가 언제든 뒤바뀔 수 있는 현실을 드러내고 있다.

정답 1 ① ○ ② ○

3 실전 Test

• 정답 48쪽

01 윗글의 작가 (가)와 [보기]의 작가 (나)가 대화를 나눈다고 할 때, 적절하지 않은 것은?

| 보기 |

개야미 불개야미 ᄌᆞ등 쪽 부러진 불개야미
앞발에 졍죵 나고 뒷발에 죵긔 난 불개야미 광릉(廣陵) 심재 너머 드러 가람의 허리를 ᄀᆞ로믈어 추혀들고 북해(北海)를 건넌단 말이 이셔이다 님아 님아
온 놈이 온 말을 ᄒᆞ여도 님이 짐쟉ᄒᆞ소셔. – 작자 미상

① (가): 저는 '붉가버슨 아해'를 통해 꾀를 써서 남을 속이는 현실을 풍자하였습니다.
② (나): 저는 허황된 말로 남을 속이는 사람들의 말을 임이 잘 헤아리시기를 당부하였습니다.
③ (가): 그래서 종장에서 현명한 판단을 당부하며 작품을 끝맺은 것이군요.
④ (나): '불개야미'들로 표현된 백성들이 더이상 속지 않기를 바랐기 때문이지요.
⑤ (가): 그렇군요. 저는 당신과 달리 중의적인 표현으로 주제를 드러내었습니다.

실전 Test Guide

01 제시문과 [보기]를 비교하여 감상할 수 있는지를 평가하는 문제이다. 작품의 주제 의식, 화자의 정서와 태도, 시어의 의미, 표현 방법 등을 종합적으로 비교하여 내용을 파악해 보도록 한다.

시조 112

논밭 갈아 기음 매고~ _작자 미상

「논밭 갈아 기음(김, 논밭에 난 잡풀) 매고 뵈잠방이(베로 만든 짧은 홑바지) 다임(대님) 쳐 신들메고(신을 발에 잡아매고),
낫 갈아 허리에 차고 도끼 벼려(갈아) 두러메고 ⓐ무림 산중(茂林山中) 들어가서 삭다리(삭정이) 마른 섶을 뷔거니(베니) 버히거니 지게에 질머 집팡이 바쳐 놓고,」(「」: 농부의 일과를 열거함.) 새암(샘)을 찾아가서 점심(點心) 도슭(도시락) 부시고(깨끗이 씻고) 곰방대를 톡톡 떨어 닙담배(땔나무를 통틀어 이르는 말) 퓌여 물고 콧노래 조오다가,(노동한 뒤의 한가로움)
석양(夕陽)이 재(고개) 넘어갈 제 어깨를 추이르며 긴 소래(노래) 저른(짧은) 소래 하며 어이 갈고 하더라.

▶ 초장: 김을 매고 옷을 추스름.
▶ 중장: 농사일을 하고 여유를 즐김.
▶ 종장: 노래를 부르며 집으로 돌아감.

현대어 풀이 논밭 갈아 김 매고 베잠방이 대님 쳐 신을 발에 잡아매고, / 낫 갈아 허리에 차고 도끼를 갈아 둘러메고 숲이 울창한 산속에 들어가서 삭정이 마른 섶을 베어 지게에 짊어 지팡이 받쳐 놓고 샘을 찾아가서 점심 도시락 깨끗이 씻고 곰방대를 툭툭 털어 잎담배 피워 물고 콧노래를 부르면서 졸다가, / 석양이 고개를 넘어갈 때 어깨를 추스르며 긴 소리 짧은 소리 하며 어이 갈까 하더라.

작품 한눈에 보기

농부의 일과를 시간의 흐름(오전→저녁)에 따라 열거함.
⬇
역동적이고 생동감 넘치는 농부의 삶

출제 포인트

■ 표현상의 특징
① 순우리말과 일상적인 어휘를 사용하여 농민의 생활을 표현함.
② 열거의 방식으로 농부의 일과를 압축하여 표현함.

1 작품 이해

이 작품은 농부의 하루 일과를 사실적이고 생동감 있게 묘사한 사설시조이다. 농부의 일과가 시간의 흐름에 따라 구체적으로 묘사되어 있으며, 힘든 일상 속에서도 여유를 즐기는 농부의 낙천적인 생활 태도가 드러나 있다.

• 갈래: 사설시조 • 성격: 전원적, 사실적, 한정적
• 주제: 힘든 농사일 속에서 누리는 여유로움
• 시적 상황 □□□을 마치고 여유를 즐기며 집으로 돌아가고 있음.
• 정서와 태도 힘든 농사일을 하면서도 □□□□을 느끼고 있음.

정답: 농사일, 한가로움

2 내용 확인

1 맞는 내용이면 ○표, 틀린 내용이면 ×표 하시오.

① 화자는 농사일로 인한 고달픔 때문에 자신의 삶을 비관하고 있다. ( )
② 시간의 흐름에 따라 농부의 하루 일과를 전개하고 있다. ( )

내용 확인 도우미

1 ① 종장에서 화자는 농사일을 마치고 노래를 부르는 낙천적인 태도를 보인다.
② 농부의 하루 일과를 오전부터 저녁까지 시간의 흐름에 따라 제시하였다.

정답 1 ① × ② ○

3 실전 Test

• 정답 49쪽

01 윗글의 ⓐ와 [보기]의 ⓑ에 대한 설명으로 적절하지 않은 것은? 기출 문제

| 보기 |

사방을 둘러봐도 이웃은 없고 / 개와 닭도 산기슭에 의지해 사네.
숲 속에는 사나운 호랑이 많아 / 나물도 마음대로 못 뜯는다네.
슬프다, 외딴 살림 어찌 좋으리. / 험하고 험한 ⓑ산골짜기에서…….
평지에 살면 더없이 좋으련만 / 가고 싶어도 벼슬아치 두렵다네.

– 김창협, 「산민(山民)」

① ⓐ는 자연과의 일체감을 확인하는 공간이다.
② ⓐ는 일상적 삶이 드러나는 공간이다.
③ ⓑ는 외롭고 험난한 삶이 이어지는 공간이다.
④ ⓑ는 부정적 현실에서 도피한 공간이다.
⑤ ⓐ와 ⓑ는 현실적 삶을 영위하는 노동의 공간이다.

실전 Test Guide

01 제시문과 [보기]를 비교하여 시어의 의미를 파악할 수 있는지 평가하는 문제이다. 두 시어가 시적 공간을 가리킨다는 점에 주목하여 공통점과 차이점을 파악해 보아야 한다.

시조

113 님이 오마 ᄒᆞ거늘~_작자 미상

님이 오마 ᄒᆞ거늘 져녁 밥을 일 지어 먹고 ▶ 초장: 임이 온다는 소식을 들음.

중문(中門) 나서 대문(大門) 나가 지방(地方) 우희 치ᄃᆞ라 안자 이수(以手)로 가액(加額)ᄒᆞ고 오ᄂᆞᆫ가 가ᄂᆞᆫ가 건넌 산(山) ᄇᆞ라보니 거머횟들 셔 잇거ᄂᆞᆯ 져야 님이로다 「보션 버서 품에 품고 신 버서 손에 쥐고 곰븨 님븨 님븨 곰븨 쳔방 지방 지방 쳔방 즌 ᄃᆡ ᄆᆞ른 ᄃᆡ ᄀᆞᆯ희지 말고 워렁충창 건너가셔」 정(情)엣말 ᄒᆞ려 ᄒᆞ고 겻눈을 흘긧 보니 상년(上年) 칠월(七月) 사흔날 ᄀᆞᆯ가 벅긴 주추리 삼대 ᄉᆞᆯ드리도 날 소겨거다 ▶ 중장: 주추리 삼대를 임으로 착각하고 달려감.

모쳐라 밤일ᄉᆡ망졍 ᄒᆡᆼ혀 낫이런들 ᄂᆞᆷ 우일 번ᄒᆞ괘라. ▶ 종장: 자신의 실수를 겸연쩍어함.

- 일: 일찍
- 지방(地方): 문지방
- 이수(以手)로 가액(加額)ᄒᆞ고: 이마에 손을 댐. 임이 오는 것을 잘 보고자 한 행동
- 거머횟들: 검은빛과 흰빛이 뒤섞인 모양
- 「 」: 반가운 마음에 달려가는 행동을 과장하여 표현함.
- 곰븨 님븨 님븨 곰븨 쳔방 지방 지방 쳔방: 의태어 – 엎치락뒤치락하고 허둥지둥하는 모양
- 즌 ᄃᆡ: 진 곳
- ᄀᆞᆯ희지: 가리지
- 워렁충창: 의성어 – 급히 달리는 발소리
- 주추리 삼대: 임으로 착각한 소재
- ᄉᆞᆯ드리도 날 소겨거다: 주객전도
- 상년(上年): 작년
- ᄀᆞᆯ가 벅긴: 갉아서 벗긴
- 모쳐라: 마침
- ᄒᆡᆼ혀: 행여
- 모쳐라 밤일ᄉᆡ망졍 ᄒᆡᆼ혀 낫이런들 ᄂᆞᆷ 우일 번ᄒᆞ괘라: 해학적 – 경솔함에 대한 멋쩍음, 화자의 낙천적 성격을 보여줌.

현대어 풀이 임께서 오신다기에 저녁밥을 일찍 지어 먹고 / 중문을 지나 대문을 나가서 문지방 위에 올라앉아 이마에 손을 대고 (임이) 오는가 가는가 건너편 산을 바라보니 검은빛과 흰빛이 뒤섞인 것이 서 있거늘 저것이 임이로구나 버선을 벗어 품에 품고 신은 벗어 손에 쥐고 엎치락뒤치락 허둥지둥하며 진 곳 마른 곳을 가리지 않고 우당탕퉁탕 건너가서 정이 넘치는 말을 하려고 곁눈으로 흘깃 보니, 작년 칠월 사흗날 (껍질을) 갉아서 벗긴 주추리 삼대가 알뜰히도 나를 속였구나 / 마침 밤이었기에 망정이지 낮이었으면 남을 웃길 뻔하였구나.

작품 한눈에 보기

시적 상황	화자의 정서
임이 온다는 소식을 들음.	기대감
주추리 삼대를 임으로 착각함.	반가움 → 실망감
자신의 실수를 깨달음.	겸연쩍음

⬇

임을 기다리는 초조한 마음

출제 포인트

■ 표현상의 특징
의성어와 의태어를 활용하여 행동을 해학적이고 과장되게 표현함으로써 임을 기다리는 화자의 정서를 드러냄.

■ 화자의 정서
임을 애타게 그리워하며, 자신의 경솔한 행동을 겸연쩍게 여기며 낙천성을 보임.

1 작품 이해

이 작품은 임이 오기만을 애타게 기다리는 여인의 마음을 해학적으로 표현한 사설시조이다. 화자는 주추리 삼대를 임으로 착각하였음을 깨닫고 멋쩍어하며 밤이라 남의 웃음거리가 되지 않아 다행이라 여기고 있다. 이러한 화자의 모습에서 해학성과 낙천성이 드러난다.

• 갈래: 사설시조 • 성격: 해학적, 과장적

• 주제: 임에 대한 간절한 그리움
• 시적 상황 임이 온다는 소식을 들은 후 일찍부터 나가 기다리다가 □□□ □□를 임으로 착각함.
• 정서와 태도 자신의 실수를 깨닫고 □□□□을 느낌.

정답: 주추리 삼대, 겸연쩍음

2 내용 확인

1 맞는 내용이면 ○표, 틀린 내용이면 ×표 하시오.

① 화자는 임이 온다는 소식을 들은 후 임을 만날 것이라는 기대감에 부풀어 문밖에 나가 임을 기다리고 있다. ( )

② 화자의 행동을 과장되게 묘사함으로써 임을 향한 화자의 간절한 기다림을 강조하고 있다. ( )

내용 확인 도우미

1 ① 초장과 중장에서 임과의 만남을 기대하며 임을 기다리는 화자의 모습이 드러나 있다.
② 중장의 '보션 버서 품에~워렁충창 건너가셔'에서 임을 기다리는 화자의 행동이 과장되어 나타나 있다.

정답 1 ① ○ ② ○

3 실전 Test

• 정답 49쪽

01 윗글에 대한 설명으로 가장 적절한 것은? 기출 문제

① 대상이 부재하는 상황이 드러나 있다.
② 자신의 처지에 대한 원망이 표출되어 있다.
③ 상대에 대한 연민의 정서가 노출되어 있다.
④ 화자가 처한 참담한 생활상이 나타나 있다.
⑤ 자연에 대한 친화적 태도가 부각되어 있다.

실전 Test Guide

01 제시문의 내용을 정확하게 이해하고 있는지 확인하는 문제이다. 화자가 처해 있는 상황과 태도를 중심으로 선택지의 적절성을 판단해 보도록 한다.

시조 **114**

어이 못 오던다~_작자 미상

어이 못 오던다 무ᄉᆞᆷ 일로 못 오던다. ▶ 초장: 임이 오지 못하는 이유를 물어봄.

[A] 「너 오ᄂᆞᆫ 길 우희(위에) 무쇠로 [성(城)]을 ᄡᆞ고(쌓고) 성(城) 안헤 [담] ᄡᆞ고 담 안헤란 [집]을 짓고 집 안헤란 [두지] 노코 두지 안헤 [궤(櫃)]를 노코 궤(櫃) 안헤 너를 결박(結縛)ᄒᆞ여 노코 쌍(雙)비목(쌍으로 된 문고리를 거는 쇠) [외걸새](빗장으로 쓰는 'ㄱ'자 모양의 쇠)에 용(龍)거북 [ᄌᆞ물쇠]로 수기수기(깊이깊이) ᄌᆞᆷ갓더냐」 네 어이 그리 아니 오던다. ▶ 중장: 임이 오지 못하는 이유를 추측함.

(의문형 어미(-ㄴ다))
「」: 열거법, 연쇄법, 점강법, 과장법
□: 임을 오지 못하게 하는 장애물

ᄒᆞᆫ ᄃᆞᆯ이 셜흔(서른) 날이여니 날 보라 올 ᄒᆞ리(하루) 업스랴. ▶ 종장: 오지 않는 임을 원망함.

(설의법 – 임에 대한 원망)

현대어 풀이 어이 못 오던가 무슨 일로 못 오던가? / 너 오는 길 위에 무쇠로 성을 쌓고 성 안에 담 쌓고 담 안에 집을 짓고 집 안에 뒤주 놓고 뒤주 안에 궤를 놓고 궤 안에 너를 결박하여 넣고 쌍배목 외걸쇠에 용거북 자물쇠로 꼭꼭 잠가 두었더냐. 네 어찌 그리 아니 오던가? / 한 달이 서른 날인데 날 보러 올 하루가 없으랴?

작품 한눈에 보기

성 → 담 → 집 → 두지 → 궤 → 외걸새 → ᄌᆞ물쇠(연쇄적 열거법)

⬇

상황을 과장하여 임이 오지 못하는 상황을 추측함.

출제 포인트

■ 표현상의 특징
① 질문을 반복해 화자의 정서를 강조함.
② 열거법, 과장법, 연쇄법 등을 활용하여 화자의 심리를 드러냄.

1 작품 이해

이 작품은 오지 않는 임에 대한 그리움과 원망을 해학적으로 드러내고 있는 사설시조이다. 질문의 방식과 연쇄법과 과장법 등을 통해 해학적 분위기와 임에 대한 원망의 정서를 강조하고 있다.

• 갈래: 사설시조 • 성격: 과장적, 원망적, 해학적

• 주제: 오지 않는 임에 대한 원망과 그리움
• 시적 상황 오지 않는 □을 기다리고 있음.
• 정서와 태도 오지 않는 임에게 그리움과 □□을 느끼고 있음.

정답: 임, 원망

2 내용 확인

1 맞는 내용이면 ○표, 틀린 내용이면 ×표 하시오.

① 화자는 임이 돌아오지 못하는 이유가 무엇인지 정확하게 인식하고 있다. ( )
② '성', '담', '집', '두지' 등은 임이 화자에게 오지 못하게 하는 장애물이다. ( )

내용 확인 도우미

1 ① 화자는 중장에서 임이 돌아오지 못하는 이유를 추측하고 있다.
② '성', '담', '집', '두지' 등은 임이 오지 못하게 하는 장애물이다.

정답 1 ① × ② ○

3 실전 Test

• 정답 49쪽

01 윗글의 [A]와 [보기]를 비교한 것으로 적절하지 않은 것은? 기출 문제

보기

천상(天上)의 견우 직녀(牽牛織女) 은하수(銀河水) 막혀서도,
칠월 칠석(七月七夕) 일년 일도(一年一度) 실기(失期)치 아니거든,
우리 님 가신 후는 무슨 약수(弱水) 가렷관ᄃᆡ,
오거나 가거나 소식(消息)조차 ᄭᅳ쳣는고. – 허난설헌, 「규원가」

① [A]와 [보기] 모두 화자의 탄식을 의문형 진술로 표현하고 있다.
② [A]와 [보기] 모두 만남을 방해받는 상황을 비유적으로 표현하고 있다.
③ [A]와 [보기] 모두 상대방에 대한 기다림의 괴로움을 표현하고 있다.
④ [A]는 유사한 형식의 어구를, [보기]는 유사한 문장의 반복을 통해 운율감을 얻고 있다.
⑤ [A]는 말을 연쇄적으로 이어가는, [보기]는 다른 이와 자신의 처지를 대비하는 표현을 사용하고 있다.

실전 Test Guide

01 제시문과 [보기]를 비교하여 감상하는 문제이다. 표현상의 특징과 화자의 정서를 중심으로 두 작품의 공통점과 차이점을 파악해 보도록 한다.

시조

115 귀뚜리 져 귀뚜리~_작자 미상

귀ᄯᅩ리 져 귀ᄯᅩ리 어엿부다 져 귀ᄯᅩ리
(감정 이입의 대상 / 어엿부다: 불쌍하다)
어인 귀ᄯᅩ리 지ᄂᆞᆫ ᄃᆞᆯ 새ᄂᆞᆫ 밤의 「긴 소ᄅᆡ 쟈른 소ᄅᆡ 절절(節節)이 슬픈 소ᄅᆡ」 제 혼자 우러 녜어 사창(紗窓) 여왼 ᄌᆞᆷ을 ⓐ슬ᄯᅳ리도 ᄭᆡ오ᄂᆞᆫ고야.
(「」: 대구법, 반복법 / 절절: 마디마디 / 우러: 의인화 / 사창: 비단 창문, 아녀자가 기거하는 방 / 슬ᄯᅳ리도 ᄭᆡ오ᄂᆞᆫ고야: 반어적 표현-원망)
ⓑ두어라, 제 비록 미물(微物)이나 무인 동방(無人洞房)에 내 ᄯᅳᆺ 알리는 너 ᄲᅮᆫ인가 ᄒᆞ노라.
(미물: 인간에 비하여 보잘것없는 것 / 무인 동방: 임이 없는 외로운 여인의 방, 독수공방 / 알리는: 알 이는 / 너 ᄲᅮᆫ인가: 동병상련)

▶ 초장: 귀뚜라미에 대한 연민
▶ 중장: 귀뚜라미에게 서운한 감정을 느낌.
▶ 종장: 귀뚜라미에게 동병상련을 느낌.

현대어 풀이 귀뚜라미, 저 귀뚜라미, 불쌍하다 저 귀뚜라미
어찌 된 귀뚜라미가 지는 달 새는 밤에 긴 소리 짧은 소리 마디마디 슬픈 소리로 저 혼자 울어 비단 창문 안의 얕은 잠을 살뜰하게도 깨우는구나.
두어라, 제가 비록 미물이지만 외로워 잠 못 이루는 내 마음을 아는 이는 너뿐인가 하노라.

작품 한눈에 보기

귀ᄯᅩ리
- 원망의 대상
- 감정(외로움) 이입과 연민의 대상

⬇

화자가 동병상련을 느낌.

출제 포인트

■ 화자의 정서
독수공방하는 화자가 귀뚜라미에 감정을 이입하여 연민하기도 하고 원망하기도 하면서 임에 대한 그리움을 드러냄.

1 작품 이해

이 작품은 사랑하는 임과 이별한 여인의 그리움과 외로움을 표현한 사설시조이다. 화자는 원망의 대상이지만, 동병상련을 느끼게 하는 귀뚜라미에 감정을 이입하고 있다.

- 갈래: 사설시조
- 성격: 연정적, 애상적
- 주제: 임을 그리워하는 마음
- 시적 상황 독수공방하며 □□□□ 소리에 잠이 깸.
- 정서와 태도 임이 없는 외로움과 임에 대한 □□□을 느끼고 있음.

정답: 귀뚜라미, 그리움

2 내용 확인

1 맞는 내용이면 ○표, 틀린 내용이면 ×표 하시오.

① '귀ᄯᅩ리'는 감정 이입의 대상으로, 화자가 동병상련을 느끼는 존재이다. (　　)
② 중장에서는 반어법을 활용하여 화자의 감정을 드러내고 있다. (　　)

내용 확인 도우미

1 ① 화자는 종장에서 자신의 마음을 아는 이는 귀뚜라미 뿐이라고 하였다.
② 중장의 '슬ᄯᅳ리도 ᄭᆡ오ᄂᆞᆫ고야'는 반어적 표현으로, 잠을 깨우는 귀뚜라미에 대한 원망이 드러나 있다.

정답 1 ① ○ ② ○

3 실전 Test

• 정답 50쪽

01 ⓐ와 ⓑ에 함축되어 있는 화자의 심정에 대한 이해로 적절한 것은? 기출 문제

① ⓐ에는 '귀ᄯᅩ리'를 찬미하는 심정이, ⓑ에는 자신의 처지를 한탄하는 심정이 드러나 있다.
② ⓐ에는 '귀ᄯᅩ리'를 연민하는 심정이, ⓑ에는 자신의 과오를 뉘우치는 심정이 드러나 있다.
③ ⓐ에는 '귀ᄯᅩ리'를 야속해하는 심정이, ⓑ에는 자신의 마음을 달래는 심정이 드러나 있다.
④ ⓐ에는 '귀ᄯᅩ리'를 불신하는 심정이, ⓑ에는 자신의 슬픔을 억제하려는 심정이 드러나 있다.
⑤ ⓐ에는 '귀ᄯᅩ리'를 동정하는 심정이, ⓑ에는 자신의 외로움을 이겨내려는 심정이 드러나 있다.

실전 Test Guide

01 시어의 의미를 이해하고 화자의 정서를 파악해 보는 문제이다. 시의 흐름을 고려하여 화자의 정서가 어떻게 변화하고 있는지를 살펴보도록 한다.

116 나모도 바히돌도 업슨~ _작자 미상

나모도 바히돌도 업슨 뫼헤 매게 ᄶᅩ친 가토릐 안과
(나모도 바히돌도 업슨: 숨을 곳이 전혀 없는 상황 / 가토릐: 비교 대상 ① / 안: 마음)

▶ 초장: 까투리가 숨을 곳이 없는 상황에서 매에게 쫓김.

『대천(大川) 바다 한가온대 일천 석 시른 ᄇᆡ에 노도 일코 닻도 일코 뇽총도 근코 돗대도 것고 치도 ᄲᅡ지고 ᄇᆞ람 부러 물결 치고 안개 뒤섯계 ᄌᆞ자진 날에 갈 길은 천리만리 나믄듸 사면이 거머어득 천지(天地) 적막(寂寞) 가치노을 ᄯᅥᆺᄂᆞᆫ듸 수적(水賊) 만난 도사공(都沙工)의 안과』
(대천 바다: 넓은 바다 / 뇽총: 용총, 돛대에 맨 줄 / 치: 키, 배의 방향을 조절하는 기구 / 뒤섯계: 뒤섞여 / 나믄듸: 남았는데 / 가치노을: 사나운 파도 / 수적: 해적 / 도사공: 비교 대상 ② / 『』: 열거법, 점층법－설상가상의 상황)

▶ 중장: 도사공이 배가 망가진 상황에서 해적을 만남.

엇그제 님 여흰 내 안히야 엇다가 ᄀᆞ을ᄒᆞ리오.
(엇다가 ᄀᆞ을ᄒᆞ리오: 비교할 수 없다 → 내가 가장 절망적임.)

▶ 종장: 임과 이별하여 비교할 수 없을 만큼 참담함.

현대어 풀이 나무도 바윗돌도 없는 산에서 매한테 쫓기는 까투리의 마음과 / 넓은 바다 한가운데 일천 석을 실은 배에 노도 잃고 닻도 잃고 용총도 끊어지고 돛대도 꺾이고 키도 빠지고 바람 불어 물결 치고 안개가 뒤섞여 자욱한 날에 갈 길은 천 리 만 리 남았는데 사면은 어둑하게 저물고 천지는 조용하고 사나운 파도 치는데 해적을 만난 도사공의 마음과 / 엊그제 임을 여읜 내 마음이야 어디에다 비교하리오.

작품 한눈에 보기

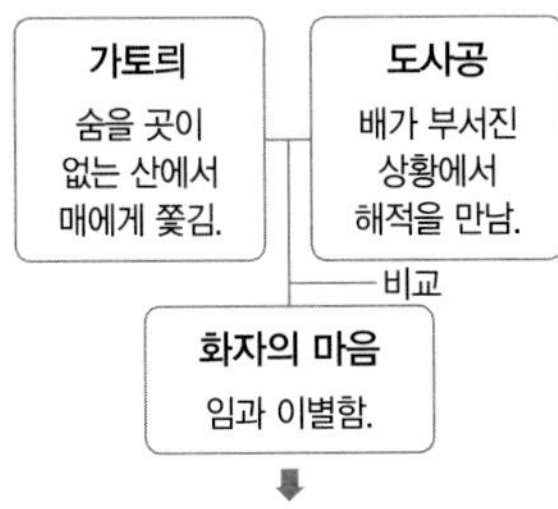
가토리
숨을 곳이 없는 산에서 매에게 쫓김.
도사공
배가 부서진 상황에서 해적을 만남.
비교
화자의 마음
임과 이별함.

이별한 화자의 마음이 가장 절망적임.

출제 포인트

■ 표현상의 특징
열거법, 점층법, 비교법 등 다양한 표현 방법을 활용하여 화자의 정서를 강조함.

1 작품 이해

이 작품은 임과 이별한 후의 절망적인 심정을 드러낸 사설시조이다. '가토리의 안', '도사공의 안', '내 안'을 견주고 있어 '삼안가'로도 불린다. 화자의 참담한 심정을 비교와 과장, 점층적 구성으로 드러내고 있다.

- 갈래: 사설시조
- 성격: 애상적, 절망적
- 주제: 임을 여읜 참담한 심정
- 시적 상황 임과 □□한 후 절망에 빠져 있음.
- 정서와 태도 임과의 이별로 인해 □□을 느끼고 있음.

정답: 이별, 절망

2 내용 확인

1 맞는 내용이면 ○표, 틀린 내용이면 ×표 하시오.

① '가토리'와 '도사공'은 화자와 임을 만나게 해 주는 매개체이다. (　　)

② 중장에서 도사공은 '설상가상'의 상황에 처해 있다. (　　)

내용 확인 도우미

1 ① '가토리'와 '도사공'은 화자의 처지와 비교되는 대상이다.
② 중장의 도사공에게는 불행한 일과 절망적인 상황이 연달아 일어나고 있다.

정답 1 ① × ② ○

3 실전 Test

• 정답 50쪽

01 윗글이 [보기]를 고쳐 쓴 것이라 할 때, 고쳐 쓰는 과정에서 고려한 사항으로 볼 수 <u>없는</u> 것은? 기출 문제

보기

> 나모도 업슨 뫼에 매게 쫒친 가토리,
> 대천 바다 한가온대 수적 만난 도사공,
> 진실로 님 여흰 나와 견줄 거시 업도다.

① 종장은 설의적 표현을 사용하여 화자의 심리를 더 강조해야겠어.
② '가토리'와 '도사공'이 처한 상황을 좀 더 풍자적으로 그려야겠어.
③ '도사공'이 처한 상황을 강조하기 위해서 과장과 열거를 사용해야겠어.
④ 화자의 심정을 더 잘 전달하기 위해 정해진 형식에 얽매이지 않아야겠어.
⑤ 다른 대상과 비교하여 화자의 심정을 드러내는 방식은 그대로 활용해야겠어.

실전 Test Guide

01 제시문의 표현상 특징과 효과를 다른 글과 비교하여 파악할 수 있는지를 확인하는 문제이다. [보기]와 제시문을 비교한 후, 선택지의 적절성을 판단해 보도록 한다.

시조

117 창 내고쟈 창을 내고쟈~ _작자 미상

「창(窓) 내고쟈 창을 내고쟈 이 내 가슴에 창 내고쟈」 「」: 반복법-불가능한 상황 설정
답답함을 해소해 주는 매개체 / 문설주에 박는 돌쩌귀 ▶ 초장: 마음에 창을 내고 싶음.
「고모장지 셰살장지 들장지 열장지 암돌져귀 수돌져귀 빅목걸새」 크나큰 쟝도리로
「」: 열거법-문의 종류와 그 부속품들을 구체적으로 나열함. / 문짝에 박는 돌쩌귀
뚝딱 바가 이 내 가슴에 창 내고쟈 ▶ 중장: 여러 장치로 마음에 창을 내고 싶음.
음성 상징어
잇다감 하 답답ᄒᆞᆯ 제면 여다져 볼가 ᄒᆞ노라. ▶ 종장: 마음의 창을 여닫으며 답답함을 풀고 싶음.
이따금 몹시

현대어 풀이 창 내고 싶다 창을 내고 싶다 이 내 가슴에 창을 내고 싶다
고모장지 세살장지 들장지 열장지 암돌쩌귀 수돌쩌귀 배목걸쇠 그나큰 장도리로 뚝딱 박아 이 내 가슴에 창을 내고 싶다
이따금 몹시 답답할 때면 여닫아 볼까 하노라.

작품 한눈에 보기

일상적 사물
문의 종류(고모장지, 세살장지, 들장지, 열장지), 부속품(암돌져귀, 수돌져귀, 빅목걸새)
↓
답답함을 해소하고 싶은 화자의 마음을 강조함.

출제 포인트

■ 표현상의 특징
시어를 반복(초장의 '창 내고쟈')하여 화자의 정서를 부각함.

1 작품 이해

이 작품은 마음에 창문을 달아 답답할 때마다 여닫아 보겠다면서 답답함을 해소하고 싶은 마음을 담은 사설시조이다. '창'을 내고 싶다는 표현을 반복하며, 문의 종류와 부속품을 열거하여 답답함을 풀고 싶은 심정을 과장되면서도 해학적으로 표현하고 있다. 이는 불가능한 상황을 설정하여 소망을 드러낸 것으로 볼 수 있다.

- 갈래: 사설시조 • 성격: 해학적, 의지적
- 주제: 삶의 답답함에서 벗어나고 싶은 마음
- 시적 상황 괴로운 현실 속에서 마음에 □을 내고 싶어함.
- 정서와 태도 마음에 창을 내어서라도 □□□을 해소하고 싶어함.

정답: 창, 답답함

2 내용 확인

1 맞는 내용이면 ○표, 틀린 내용이면 ×표 하시오.

① 화자는 현실에서 불가능한 상황을 설정하여 현실 도피적인 태도를 보이고 있다. ( )

② 문의 종류와 부속품을 열거하여 답답함을 풀고 싶은 마음을 해학적으로 드러내고 있다. ( )

2 화자가 답답함을 해소하기 위해 만들고 싶다고 언급한 소재를 찾아 쓰시오.

➡ ( )

내용 확인 도우미

1 ① 화자는 초장에서 마음에 창을 내겠다는 불가능한 상황을 설정하였지만, 현실 도피적인 태도는 보이지 않는다.
② 중장에서 사물을 열거하여 마음에 창을 내어 답답함을 해소하고 싶은 심정을 해학적으로 표현하고 있다.

2 화자는 초장에서 가슴에 '창'을 내고 싶다고 하였고, 종장에서는 이를 여닫아 보고 싶다고 하였다.

정답 1 ① × ② ○ 2 창

3 실전 Test

• 정답 50쪽

01 윗글에 대한 설명으로 적절하지 않은 것은?

① 일상적인 소재를 나열하여 화자의 심정을 표현하고 있다.
② 유사한 시구를 반복하여 화자의 절실함을 강조하고 있다.
③ 음성 상징어를 사용하여 상황을 생동감 있게 표현하고 있다.
④ 가슴에 창을 달고 싶다는 발상을 통해 화자의 심정을 나타내고 있다.
⑤ 풍자적인 표현을 통해 낙천적으로 살아가고 싶은 화자의 심정을 표출하고 있다.

실전 Test Guide

01 표현상의 특징과 그로 인한 효과를 파악할 수 있는지 확인하는 문제이다. 전개 과정에서 사용된 표현 방법을 이해하고 그 효과를 살펴보도록 한다.

시조 118 싀어마님 며ᄂᆞ라기 낫바~ _작자 미상

싀어마님 며ᄂᆞ라기 낫바 벽 바흘 구루지 마오. ▶ 초장: 며느리를 미워하는 시어머니

(미워 / 부엌 바닥을)

빗에 바든 며ᄂᆞ린가 갑세 쳐 온 며ᄂᆞ린가. 밤나모 서근 등걸에 [회초리] 나니 ᄀᆞᆺ치

(돈을 주고 사 온 / 썩은 / 줄기를 잘라 낸 나무의 밑동)

(매서우신)

알살ᄑᆡ선 싀아바님, 볃 뵌 [쇳동]ᄀᆞᆺ치 되죵고신 싀어마님, 삼 년(三年) 겨론 망태에

(소똥 / 말라빠진 / 엮은)

새 [송곳 부리]ᄀᆞᆺ치 샢족ᄒᆞ신 싀누으님, 당피 가론 밧틔 돌피 나니ᄀᆞᆺ치 ᄉᆡ노란 [외곳]

(좋은 곡식 / 안 좋은 곡식 / 오이꽃)

ᄀᆞᆺ튼 피ᄯᆞᆼ 누ᄂᆞᆫ 아ᄃᆞᆯ ᄒᆞ나 두고, ▶ 중장: 시댁 식구들에 대한 부정적 인식

(어린 아들, 병든 아들)

건 밧틔 멋곳 ᄀᆞᆺ튼 며ᄂᆞ리를 어듸를 낫바 ᄒᆞ시는고. ▶ 종장: 시댁 식구들에 대한 한탄

(기름진 밭에 / 설의법 – 시댁 식구들에 대한 원망과 한탄)

[ ]: 비유의 대상(보조 관념)

현대어 풀이 시어머님 며느리 미워하여 부엌 바닥을 구르지 마오.
빗에 받은 며느리인가. 값에 쳐 온(돈을 주고 사 온) 며느리인가. 밤나무 썩은 등걸에 회초리 난 것 같이 매서우신 시아버님, 볕 쬔 쇠똥같이 말라빠진 시어머님, 삼 년 엮은 망태에 새 송곳 부리같이 뾰족하신 시누이님, 좋은 곡식 갈아 놓은 밭에 나쁜 곡식 난 것 같이 샛노란 오이꽃 같은 피똥 누는 아들 하나 두고,
기름진 밭에 메꽃 같은 며느리를 어디를 미워하시는고?

작품 한눈에 보기

원관념	보조 관념	속성	의미
시아버님	회초리	알살ᄑᆡ선	매서움
시어머님	쇳동	되죵고신	깐깐함
시누이님	송곳 부리	샢족ᄒᆞ신	날카로움
아들(남편)	욋곳	피ᄯᆞᆼ 누ᄂᆞᆫ	병약함

⬇

해학적으로 시댁 식구들을 비판함.

출제 포인트

■ 표현상의 특징
시집 식구들의 외양과 성격을 일상적 소재에 빗대어 해학적으로 표현함.

1 작품 이해

이 작품은 자신을 못살게 구는 시댁 식구에 대한 며느리의 원망과 한탄을 진솔하게 드러낸 사설시조이다. 며느리를 억압하고 구박하는 시댁 가족들을 일상적인 사물에 빗대어 표현함으로써 해학적인 웃음을 유발하고 화자의 비판적 인식을 드러내고 있다.

• 갈래: 사설시조

• 성격: 비판적, 해학적, 비유적
• 주제: 시집살이의 애환
• 시적 상황 호된 □□□□를 겪고 있음.
• 정서와 태도 시집 식구들을 □□하고, 자신의 신세를 한탄하고 있음.

정답: 시집살이, 비판(원망)

2 내용 확인

1 맞는 내용이면 ○표, 틀린 내용이면 ×표 하시오.

① 시댁 식구들을 일상생활과 밀접한 소재에 빗대어 표현하고 있다. (　　)
② 화자는 며느리의 행동을 구체적으로 나열하며 비판하고 있다. (　　)

내용 확인 도우미

1 ① 중장에서는 시댁 식구들을 '회초리', '쇳동', '송곳 부리', '욋곳' 등에 빗대어 표현하였다.
② 화자는 며느리로, 시집 식구들을 비판하고 있다.

정답 1 ① ○ ② ×

3 실전 Test

• 정답 50쪽

01 윗글을 이해한 내용으로 적절하지 않은 것은?

① 화자는 현실 체념적인 태도를 보이고 있다.
② 직유법을 활용하여 대상의 속성을 표현하고 있다.
③ 고달픈 시집살이에서 느끼는 정서를 드러내고 있다.
④ 일상적인 소재를 통해 대상을 해학적으로 묘사하고 있다.
⑤ 대조적인 시어를 활용하여 대상의 특징을 나타내고 있다.

실전 Test Guide

01 제시문을 적절히 이해하고 감상할 수 있는지 평가하는 문제이다. 표현상의 특징과 화자의 정서 및 태도, 시어의 의미와 성격 등 종합적인 측면에서 제시문을 감상해 보도록 한다.

시조

119 개야미 불개야미 즏등~ _작자 미상

「개야미 불개야미 즏등 똑 부러진 불개야미
반복법(a-a-b-a 구조)
앏발에 졍종 나고 뒷발에 종긔 난 불개야미 광릉(廣陵) 심재 너머 드러 가람의 허리를 ㄱ로믈어 추혀들고 북해(北海)를 건넌단 말」이 이셔이다 님아 님아
온 놈이 온 말을 ㅎ여도 님이 짐작ㅎ소셔.

(주석: 졍종 - 피부병 / 추혀들고 - 추켜들고 / 심재 - 샘 고개 / 가람 - 호랑이 / 「」: 현실에서 불가능한 상황 설정(과장법) / 님 - 임금, 세상 사람들 / 온 - 모든 / 종장: 자신의 결백을 호소하면서 현명한 판단을 부탁함.)

▶ 초장: 몸이 성치 않은 개미가 있음.
▶ 중장: 불개미와 관련된 허무맹랑한 말이 있음.
▶ 종장: 임에게 결백을 호소함.

현대어 풀이 개미, 불개미, 잔등 똑 부러진 불개미 / 앞발에 피부병 나고 뒷발에 종기가 난 불개미가 광릉 샘 고개를 넘어 들어가서 호랑이의 허리를 가로 물어 추켜들고 북해를 건넜다는 말이 있습니다. 임이시여, 임이시여 / 모든 사람이 온갖 말을 하더라도 임께서 짐작하소서.

작품 한눈에 보기

허황된 말, 모함하는 말
'불개야미'의 이야기
↓
임이 현명하게 판단해 주기를 바람.

출제 포인트

■ 표현상의 특징
극단적인 과장을 통해 사람들의 말(참언)의 허무맹랑함을 강조함.

1 작품 이해

이 작품은 참소*하는 말이 만연한 세태를 풍자하면서 임에게 자신을 모함하는 말에 현혹되지 말라고 당부하는 내용의 사설시조이다. 화자는 극단적인 과장을 통해 허황된 말이 유행하고 있다면서 자신의 결백을 호소하고 있다.

• 갈래: 사설시조 • 성격: 풍자적, 해학적, 교훈적
• 주제: 참언*에 대한 경계

• 시적 상황 다른 사람들에게 □□을 받고 있음.
• 정서와 태도 자신의 □□을 호소하고 임의 현명한 판단을 바람.

정답: 모함, 결백

* 참소(讒訴): 남을 헐뜯어서 죄가 있는 것처럼 꾸며 윗사람에게 고하여 바침.
* 참언(讒言): 거짓으로 꾸며서 남을 헐뜯어 윗사람에게 고하여 바침. 또는 그런 말

2 내용 확인

1 맞는 내용이면 ○표, 틀린 내용이면 ×표 하시오.
① 반복법과 과장법을 활용하여 주제를 강조하고 있다. ( )
② 화자는 다른 사람을 모함하는 일이 만연한 세태를 비판하고 있다. ( )

내용 확인 도우미

1 ① 초장에서 반복법을, 중장에서 과장법을 활용하였다.
② 불개미와 관련된 허황된 말을 들어 모함이 만연한 세태를 비판하고 있다.

정답 1 ① ○ ② ○

3 실전 Test

• 정답 50쪽

01 윗글의 작가 (가)와 [보기]의 작가 (나)가 대화를 나눈다고 할 때, 적절하지 않은 것은?

보기

대천(大川) 바다 한가온데 중침(中針) 세침(細針) 빠지거다. / 여남은 사공(沙工)놈이 굿므된 사엇대를 긋치치 두러메여 일시(一時)에 소릐치고 귀쎄여 내단 말이 이셔이다. / 님아 님아 온 놈이 온 말을 ㅎ여도 님이 짐작ㅎ쇼셔. – 작자 미상

① (가): 저는 '불개야미' 이야기를 통해 허무맹랑한 말로 다른 사람을 참소하는 현실을 풍자하려고 하였습니다.
② (나): 저 또한 '중침 세침' 이야기를 통해 임이 다른 사람들의 모함하는 말에 현혹되지 말 것을 당부하고자 했습니다.
③ (가): 저는 '심재', '가람', '북해' 등 '개야미'와 대조되는 시어를 통해 참소하는 이야기의 허황됨을 강조하였습니다.
④ (나): 저는 '대천 바다'라는 구체적인 공간을 제시하고 '사공'을 여러 명 등장시켜서 이야기의 사실성을 강조하였습니다.
⑤ (가): 종장에서 임에게 온갖 사람들이 무슨 이야기를 하든지 잘 분별하시기를 당부하는 것은 저와 비슷하신 것 같아요.

실전 Test Guide

01 제시문과 [보기]를 비교하여 적절하게 감상할 수 있는지를 평가하는 문제이다. 각 작품의 내용을 이해하고 시어의 의미를 파악해 선택지의 적절성을 판단해 보도록 한다.

시조 **120**

댁들에 동난지이 사오~ _작자 미상

▶ 초장: 게젓 장수의 외침과 사람들의 반응

댁(宅)들에 동난지이 사오. 저 장사야 네 황화 그 무엇이라 웨는다 사자.
(구매자 / 동난젓(게젓) / 물건)

「외골내육(外骨內肉) 양목(兩目)이 상천(上天) 전행(前行) 후행(後行) 소(小)아리 팔족(八足) 대(大)아리 이족(二足) 청장(淸醬) 아스슥하는 동난지이 사오.」
(두 눈이 하늘을 향함. / 의태어 – 앞뒤로 기는 모양 / 의성어 – 씹을 때 나는 소리)
「」: 열거법 – 게의 외양과 움직이는 모습을 한자어를 사용하여 현학적으로 표현함.

▶ 중장: 게젓을 소개하며 사기를 권함.

장사야 하 거북이 웨지 말고 게젓이라 하렴은.
(게젓 장수의 현학적 태도를 비판함.)

▶ 종장: 게젓 장수의 태도 비판

현대어 풀이 여러분, 동난젓 사시오. 저 장수야, 네 물건 그 무엇이라 외치느냐? 사자.
밖은 단단하고 안은 물렁하며, 두 눈은 하늘을 향하고, 앞뒤로 기는 작은 발 여덟 개 큰 발 두 개 진하지 않은 간장에 (씹으면) 아스슥하는 동난젓 사시오.
장수야, 그렇게 거북하게 말하지 말고 게젓이라 하려무나.

작품 한눈에 보기

대화	게젓 장수	'게'를 한자어로 장황하게 묘사함. → 현학적인 태도
	구매자	'하 거북이 웨지 말고 게젓이라 하렴은' → 빈정거림과 비판

출제 포인트

■ 표현상의 특징
① 대화체를 사용하여 생동감을 유발함.
② 현학적인 태도를 해학적으로 풍자함.

1 작품 이해

이 작품은 한자어를 써 가며 게젓을 파는 게젓 장수와 구매자의 대화를 해학적인 어조로 익살스럽게 표현한 사설시조이다. 우리말이 있음에도 어려운 한자어를 사용하는 게젓 장수의 현학적*인 태도를 풍자하고 있다.

- 갈래: 사설시조
- 성격: 풍자적, 해학적
- 주제: 현학적 태도에 대한 비판

- 시적 상황 게젓 장수가 □□□를 사용하여 게를 사라고 하자, 구매자가 쉬운 말로 표현하라며 지적하고 있음.
- 정서와 태도 게젓 장수의 □□□인 태도를 비판하고 있음.

정답: 한자어, 현학적

* 현학적: 학식이 있음을 자랑하는 또는 그런 것

2 내용 확인

1 맞는 내용이면 ○표, 틀린 내용이면 ×표 하시오.
① 게젓 장수와 구매자의 대화를 중심으로 시상이 전개되고 있다. ( )
② 중장에서는 과장법을 사용하여 게의 외양을 표현하고 있다. ( )

내용 확인 도우미

1 ① 윗글은 게젓 장수와 구매자의 대화 형식으로 구성되어 있다.
② 중장에서는 게의 외양과 움직이는 모습을 열거하고 있다.

정답 1 ① ○ ② ×

3 실전 Test

• 정답 51쪽

01 윗글과 [보기]에 대한 설명으로 적절하지 않은 것은?

보기
한숨아 셰한숨아 네 어닉 틈으로 드러온다. 고모장즈 셰살장즈 가로다지 여다지에 암돌져귀 수돌져귀 빗목걸새 뚝닥 박고 용(龍) 거북 즈물쇠로 수기수기 츠엿는듸 병풍(屛風)이라 덜걱 져븐 족자(簇子)ㅣ라 딕딕글 문다. 네 어닉 틈으로 드러온다. 어인지 너 온 날 밤이면 줌 못 드러 ᄒ노라. – 작자 미상

① 윗글은 주로 한자어가 사용되고 있지만, [보기]는 주로 순우리말이 사용되고 있다.
② 윗글은 [보기]와 달리 비일상적인 소재에 대해 언급하고 있다.
③ 윗글과 [보기] 모두 해학적인 표현을 통해 주제를 강조하고 있다.
④ 윗글과 [보기] 모두 청자에게 말을 건네는 형식으로 구성되어 있다.
⑤ 윗글과 [보기] 모두 중장에서 열거법을 사용하여 시상을 전개하고 있다.

실전 Test Guide

01 제시문과 [보기]를 비교하여 적절하게 감상할 수 있는지를 평가하는 문제이다. 표현상의 특징과 그 효과를 중심으로 두 작품의 공통점과 차이점을 파악해 보도록 한다.

시조

121 두터비 ᄑᆞ리를 물고~_작자 미상

두터비 ᄑᆞ리를 물고 두험 우희 치ᄃᆞ라 안자 ▶ 초장: 두꺼비가 파리에게 횡포를 부림.
(두터비: 탐관오리, ᄑᆞ리: 백성, 두험: 수탈한 재물)

것넌 산(山) ᄇᆞ라보니 백송골(白松骨)이 ᄯᅥ잇거ᄂᆞᆯ 가슴이 금즉ᄒᆞ여 풀떡 ᄯᅱ여 내ᄃᆞᆺ다가 두험 아래 쟛바지거고, ▶ 중장: 두꺼비가 백송골을 보고 도망가다가 자빠짐.
(백송골: 중앙의 관리, 외세 / 약자에게 강하고 강자에게 약한 대상을 희화화하고 풍자함.)

모쳐라 ᄂᆞᆯ낸 낼싀만졍 에헐질 번 ᄒᆞ괘라. ▶ 종장: 두꺼비가 자화자찬함.
(모쳐라: 마침, 에헐: 피멍 / 자화자찬(自畵自讚), 허장성세(虛張聲勢), 자기 합리화)

현대어 풀이 두꺼비가 파리를 물고 두엄 위에 뛰어올라가 앉아
건너편 산을 바라보니 흰 송골매가 떠 있거늘 가슴이 섬뜩하여 풀썩 뛰어 내닫다가 두엄 아래 자빠졌구나.
마침 날쌘 나였기에 망정이지 (하마터면) 피멍이 들 뻔하였구나.

작품 한눈에 보기

ᄑᆞ리: 핍박받는 백성
↑ 수탈 · 착취
두터비: 탐관오리
↓ 두려움
백송골: 중앙의 관리 또는 외세

출제 포인트

■ 표현상의 특징
① 대상을 우의적으로 풍자하며 희화화함.
② 종장에서 화자를 바꾸어 대상을 더욱 풍자함.

1 작품 이해

이 작품은 약육강식하는 인간 사회의 모습을 두꺼비, 파리, 백송골 등에 빗대어 표현한 사설시조이다. 힘 있는 자에게는 굽실거리면서 힘없는 백성 위에서는 군림하며 잇속을 채우는 탐관오리들의 행태를 희화하하여 풍자하고 있다.

• 갈래: 사설시조 • 성격: 풍자적, 우의적, 희화적, 해학적

• 주제: 탐관오리의 횡포와 허장성세 풍자
• 시적 상황 두꺼비가 □□를 물고 있다가 백송골을 보고 놀라 자빠짐.
• 정서와 태도 두꺼비의 횡포를 □□함.

정답: ᄑᆞ리(파리), 풍자(비판)

2 내용 확인

1 맞는 내용이면 ○표, 틀린 내용이면 ×표 하시오.

① 화자는 부정적 대상을 희화화하여 풍자하고 있다. ( )
② '두터비'는 핍박받는 백성을, 'ᄑᆞ리'는 중앙 관리나 외세를 의미한다. ( )

내용 확인 도우미

1 ① 화자는 '두터비'를 희화화한 우의적 표현으로 탐관오리들을 풍자하고 있다.
② '두터비'는 탐관오리를, 'ᄑᆞ리'는 백성을, '백송골'은 중앙 관리나 외세를 의미한다.

정답 1 ① ○ ② ×

3 실전 Test

• 정답 51쪽

01 밑줄 친 대상 간의 관계가 윗글의 '두터비', 'ᄑᆞ리', '백송골' 간의 관계와 가장 가까운 것은? 기출 문제

① 닭은 때를 알리고 개는 도적을 살피고 / 소 말은 큰 구실 맡겨 다 기름 직하거니와
저 매는 꿩 잡아 절로 바치든가 나는 몰라 하노매라.
② 까마귀 검다 하고 백로야 웃지 마라 / 겉이 검은들 속조차 검을쏘냐
아마도 겉 희고 속 검은 것은 너뿐인가 하노라.
③ 나비야 청산 가자 범나비 너도 가자 / 가다가 저물거든 꽃에 들어 자고 가자
꽃에서 푸대접하거든 잎에서나 자고 가자.
④ 벽오동 심은 뜻은 봉황 올까 하였더니 / 봉황은 아니 오고 오작만 날아든다
동자야 오작 날려라 봉황 오게 하리라.
⑤ 장공에 떴는 솔개 눈 살핌은 무슨 일인가 / 썩은 쥐를 보고 빙빙 돌고 가지 않는구나
만일에 봉황을 만나면 웃음거리 될까 하노라.

실전 Test Guide

01 시어의 의미 관계를 파악해 보는 문제이다. 힘의 우열(강약)을 고려하여 제시문에 나타난 시어들의 관계를 파악해 보고, 선택지에서 시어들 간의 관계를 살펴보도록 한다.

122 개를 여라믄이나 기르되~ _작자 미상

㉠개를 여라믄이나 기르되 요 개 ᄀᆞᆺ치 얄믜오랴 ▶ 초장: 얄미운 개에 대한 원망
「뮈온님 오며ᄂᆞᆫ ᄭᅩ리를 홰홰 치며 치뛰락 나리뛰락 반겨서 내닷고, 고온님 오며ᄂᆞᆫ
뒷발을 바동바동 므로락 나오락 캉캉 즞ᄂᆞᆫ 요 도리암ᄏᆡ」 ▶ 중장: 개의 얄미운 행동
쉰 밥이 그릇그릇 날진들 너 먹일 줄이 이시랴. ▶ 종장: 개에 대한 원망의 구체화

(여라믄이나: 열이 조금 넘게 / 요 개: 원망의 대상 / ◯: 음성 상징어(의성어, 의태어) / 치뛰락 나리뛰락: 뛰어올랐다가 내리뛰었다가 / 므로락 나오락: 물러섰다가 나아갔다가 / 「」: 개의 얄미운 행동을 해학적으로 표현함. / 너 먹일 줄이 이시랴: 설의법 – 개를 원망함.)

현대어 풀이 개를 열 마리 넘게 기르지만 이 개같이 얄미울까
미운 임이 오면 꼬리를 홰홰 치면서 뛰어올랐다가 내리뛰었다가 반겨서 내닫고, 고운 임이 오면 뒷발을 버둥거리면서 물러섰다가 나아갔다가 캉캉 짖는 요 암캐야
쉰 밥이 그릇그릇 아무리 많이 남을지라도 너 먹일 줄 있으랴.

작품 한눈에 보기

뮈온님 올 때	고온님 올 때
꼬리를 홰홰 치며 반김.	뒷발을 바동바동거리며 캉캉 짖음.

↓

임에 대한 원망을 개에게 전가함.

출제 포인트

■ 표현상의 특징
① 음성 상징어를 사용하여 개의 행동을 생동감 있게 표현함.
② 오지 않는 임에 대한 원망을 개에게 전가하여 해학적으로 표현함.

1 작품 이해

이 작품은 오지 않는 임을 기다리는 안타까운 심정을 해학적으로 표현하고 있는 사설시조이다. 미운 임은 반갑게 맞이하고 고운 임은 쫓아 버리는 개의 얄미운 행동을 과장되지만 해학적으로 묘사하고 있다.

• 갈래: 사설시조 • 성격: 연정적, 해학적

• 주제: 임에 대한 원망과 기다림
• 시적 상황 □이 돌아오기를 애타게 기다리고 있음.
• 정서와 태도 기다려도 오지 않는 임을 □□하고 있음.

정답: 임, 원망

2 내용 확인

1 맞는 내용이면 ○표, 틀린 내용이면 ×표 하시오.

① 오지 않는 임에 대한 원망을 '개'에게 전가하고 있다. ( )
② 설의법을 사용하여 대상에 대한 원망을 드러내고 있다. ( )

내용 확인 도우미

1 ① 오지 않는 임에 대한 원망을 개에게 전가하여 해학적이고 익살스럽게 표현하고 있다.
② 종장에서는 '먹일 줄이 이시랴'라고 하면서 개에 대한 원망을 표현하고 있다.

정답 1 ① ○ ② ○

3 실전 Test

• 정답 51쪽

01 윗글의 ㉠과 [보기]의 ㉡에 대한 설명으로 가장 적절한 것은?

보기
방(房) 안에 혓ᄂᆞᆫ ㉡촉(燭)불 눌과 이별(離別)ᄒᆞ엿관ᄃᆡ, 것츠로 눈물 디고 속 타ᄂᆞᆫ 쥴 모로ᄂᆞᆫ고. 뎌 촉(燭)불 날과 갓트여 속 타는 쥴 모로도다. – 이개

① ㉠은 원망의 대상이고, ㉡은 화자와 동일시되는 대상이다.
② ㉠은 깨달음의 대상이고, ㉡은 심리적인 위안을 주는 대상이다.
③ ㉠은 화자가 지향하는 대상이고, ㉡은 화자가 지양하는 대상이다.
④ ㉠과 ㉡은 모두 화자에게 삶의 방식을 바꾸는 계기를 제공하는 대상이다.
⑤ ㉠과 ㉡은 모두 미래에 대한 화자의 인식이 전환되는 계기를 마련하는 대상이다.

실전 Test Guide

01 제시문과 [보기]를 비교하여 이해할 수 있는지를 평가하는 문제이다. 화자와의 관계를 중심으로 시어들의 공통점과 차이점을 파악해 보도록 한다.

시조

123 한숨아 셰한숨아 네~ _작자 미상

추상적 대상(시름, 고뇌)의 구체화

한숨아 셰한숨아 네 어ᄂᆡ 틈으로 드러온다. ▶ 초장: 한숨이 틈으로 들어옴.

(가느다란 한숨 / 의인화)

「고모장ᄌᆞ 세살장ᄌᆞ 가로다지 여다지에 암돌져귀 수돌져귀 ᄇᆡ목걸새 뚝닥 박고 용(龍) 거북 ᄌᆞ물쇠로 수기수기 ᄎᆞ엿ᄂᆞᆫᄃᆡ」 병풍(屛風)이라 덜걱 져븐 족자(簇子) ㅣ라 ᄃᆡᄃᆡ글 문다. 네 어ᄂᆡ 틈으로 드러온다. ▶ 중장: 아무리 막으려 해도 한숨이 들어옴.

(「」: 열거법 – 한숨을 막으려는 노력 / 문고리에 꿰는 쇠 / 깊이깊이 / 눈에 보이지 않는 한숨이 들어오는 모습을 구체적으로 시각화함.)

어인지 너 온 날 밤이면 ᄌᆞᆷ 못 드러 ᄒᆞ노라. ▶ 종장: 한숨을 쉬며 잠을 이루지 못함.

현대어 풀이 한숨아, 가느다란 한숨아, 너는 어느 틈으로 들어오느냐?
고모장지, 세살장지, 가로닫이, 여닫이에 암톨쩌귀, 수톨쩌귀, 배목걸쇠 뚝딱 박고 용거북 장식의 자물쇠로 깊이깊이 채웠는데, 병풍처럼 덜컥 접고 족자처럼 데굴데굴 마느냐? 너는 어느 틈으로 들어오느냐?
어찌 된 일인지 네가 오는 날 밤이면 잠 못 들어 하노라.

작품 한눈에 보기

한숨
삶의 시름을 청각적으로 형상화함.
↓
시름에서 벗어나고 싶음.

출제 포인트

■ 표현상의 특징
① 대상을 의인화하여 말을 건네는 방식으로 시상이 전개됨.
② 반복법과 열거법을 활용하여 운율을 형성함.

1 작품 이해

이 작품은 삶의 시름에서 벗어나고 싶은 심정을 노래한 사설시조이다. 삶의 시름이라는 추상적 대상을 '한숨'으로 형상화하여 아무리 애를 써도 틈을 비집고 들어오는 '한숨'을 해학적으로 표현하고 있다.

• 갈래: 사설시조 • 성격: 해학적

• 주제: 그칠 줄 모르는 삶의 시름
• 시적 상황 삶의 시름으로 인해 □□을 쉬며 잠들지 못하고 있음.
• 정서와 태도 □□ 때문에 괴로움을 느끼고 있음.

정답: 한숨, 시름

2 내용 확인

1 맞는 내용이면 ○표, 틀린 내용이면 ×표 하시오.

① 화자는 이별한 임을 기다리며 잠을 이루지 못하고 있다. ( )
② 화자는 종장에서 고뇌를 해결할 실마리를 찾았다고 언급하고 있다. ( )

내용 확인 도우미

1 ① 화자는 막지 못한 한숨 때문에 잠을 이루지 못하고 있다.
② 화자는 종장에서 한숨이 온 날이면 잠 못 들어 한다고 하였다.

정답 1 ① × ② ×

3 실전 Test

• 정답 52쪽

01 [보기]를 고려하여 윗글을 감상한 내용으로 적절하지 않은 것은?

보기

조선 후기는 급격한 사회적 변화로 인해 백성들의 삶에 많은 변화가 나타나던 시기이다. 임진왜란과 병자호란 이후, 신분제가 흔들리면서 양반 중심의 문학 활동이 평민들에게까지 확대되었다. 그래서 조선 후기의 문학 작품에는 평민들의 삶의 모습과 해학적인 현실 대응 태도가 구체적으로 드러나 있다.

① 동일한 음을 반복하여 운율을 형성하고 있다.
② 의문형의 문장 형식을 반복하여 양반 중심의 사회를 비판하고 있다.
③ '한숨'을 의인화하여 평민들의 고된 삶을 해학적으로 드러내고 있다.
④ 구체적인 사물을 나열하여 당시 평민들의 생활 모습을 드러내고 있다.
⑤ 눈에 보이지 않는 대상을 구체화하여 부정적인 상황을 해학적으로 묘사하고 있다.

실전 Test Guide

01 [보기]를 참고하여 제시문을 적절하게 감상할 수 있는지 평가하는 문제이다. [보기]의 조선 후기 문학 작품에 대한 설명을 바탕으로 제시문에 나타난 표현 방식과 시어의 의미 등을 살펴보도록 한다.

시조

124 일신이 사쟈 ᄒᆞᆫ이~_작자 미상

일신(一身)이 사쟈 ᄒᆞᆫ이 물껏 계워 못 견ᄃᆡᆯ쐬. ▶ 초장: 무는 것이 많아 살기 어려움.
(물껏: 사람을 무는 해충=탐관오리)

「피(皮)ㅅ겨 ᄀᆞᆺ튼 갈랑니 보리알 ᄀᆞᆺ튼 슈통니 줄인니 ᄀᆞᆺ ᄭᆞᆫ니 ᄌᆞᆫ 벼록 굴근 벼록 강벼록 왜(倭)벼록 긔는 놈 ᄢᅱ는 놈에 비파(琵琶) ᄀᆞᆺ튼 빈대 삭기 사령(使令) ᄀᆞᆺ튼 등에아비 ᄀᆞᆨ다귀 샤의약이 센 박희 눌은 박희 바금이 거절이 불이 ᄲᅩ족ᄒᆞᆫ 목의 달리 기다ᄒᆞᆫ 목의 야윈 목의 ᄉᆞᆯ진 목의 글임애 ᄲᅧ록이」 주야(晝夜)로 뷘 ᄯᅵ 업시 물건이 쏘건이 ᄲᆞᆯ건이 ᄯᅳᆺ건이 심(甚)한 당(唐)빌리 예셔 얼여왜라. ▶ 중장: 여러 곤충이 물어 견디기 어려움.

(피(皮)ㅅ겨: 피(풀의 한 종류)의 껍질 / 갈랑니: 작은 이 / 슈통니: 살찐 이 / 줄인니: 굶주린 이 / ᄀᆞᆺ ᄭᆞᆫ니: 알에서 막 깬 이 / 비파(琵琶): 동양 현악기의 하나 / 사령(使令): 조선 시대에, 관아에서 심부름하던 아이 / ᄀᆞᆨ다귀: 각다귀 / 샤의약이: 사마귀 / 센 박희: 흰 바퀴벌레 / 눌은 박희: 누런 바퀴벌레 / 바금이: 바구미 / 거절이: 고자리 / 목의: 모기 / 글임애: 그리마 / 「」: 열거법 - 사람을 무는 해충들을 나열함. / 당(唐)빌리: 피부병)

그 중(中)에 참아 못 견될손 유월(六月) 복(伏) 더위예 쉬ᄑᆞ린가 ᄒᆞ노라. ▶ 종장: 유월의 쉬파리가 가장 견디기 힘듦.
(쉬ᄑᆞ린: 최악의 탐관오리)

현대어 풀이 이 몸이 살아가고자 하니 무는 것이 많아 견디지 못하겠구나.
피의 껍질 같은 작은 이, 보리알 같이 크고 살찐 이, 굶주린 이, 알에서 막 깬 이, 작은 벼룩, 굵은 벼룩, 강벼룩, 왜벼룩, 기어다니는 놈, 뛰는 놈에 비파 같이 넓적한 빈대 새끼, 사령 같은 등에, 각다귀, 사마귀, 하얀 바퀴벌레, 누런 바퀴벌레, 바구미, 고자리, 부리가 뾰족한 모기, 다리가 기다란 모기, 야윈 모기, 살찐 모기, 그리마, 뾰록이, 밤낮으로 쉴 새 없이 물기도 하고 쏘기도 하고 빨기도 하고 뜯기도 하고 심한 피부병이 여기서 (더 견디기) 어렵도다.
그 중에 도저히 견딜 수 없는 것은 오뉴월 복더위의 쉬파리인가 하노라.

작품 한눈에 보기

물쎳
화자를 괴롭히는 여러 해충
⬇
백성을 착취하는 탐관오리가 많아 고통 받는 현실을 비판함.

출제 포인트

■ 표현상의 특징
① 탐관오리를 사람을 무는 해충에 빗대어 표현함.
② 해충을 장황하게 열거함으로써 삶의 고통을 우의적이고 해학적으로 표현함.

1 작품 이해

이 작품은 백성들을 괴롭히는 탐관오리의 횡포를 해충에 빗대어 우의적*으로 풍자하고 있는 사설시조이다. 백성들을 착취하는 탐관오리들이 많아 고통을 견딜 수 없는 부정적 현실을 우의적이고 해학적으로 표현하고 있다.

- 갈래: 사설시조
- 성격: 해학적, 풍자적, 우의적
- 주제: 탐관오리에 대한 비판

- 시적 상황 여러 □□들에게 물려 고통스러워하고 있음.
- 정서와 태도 사람을 무는 해충에 빗대어 백성들을 괴롭히는 탐관오리를 □□하고 있음.

정답: 해충, 풍자(비판)

* 우의적: 말하고자 하는 바를 어떤 대상이나 사물에 빗대어 간접적으로 표현하는 것

2 내용 확인

1 맞는 내용이면 ○표, 틀린 내용이면 ×표 하시오.
① 윗글에서는 백성들을 괴롭히는 탐관오리를 우의적으로 풍자하고 있다. ( )
② 중장에서는 비판의 대상을 열거하여 해학적으로 표현하고 있다. ( )

내용 확인 도우미

1 ① 백성을 수탈하는 탐관오리들을 해충에 빗대어 풍자하고 있다.
② 중장에서는 비판의 대상인 해충(탐관오리)의 종류를 열거하고 있다.

정답 1 ① ○ ② ○

3 실전 Test

• 정답 52쪽

01 윗글을 이해한 내용으로 적절하지 않은 것은?

① '일신'은 탐관오리에게 수탈과 착취를 당하는 사람이라고 할 수 있겠군.
② '물쎳'은 해충을 총칭하는 표현으로, 백성들을 괴롭히는 존재라고 할 수 있겠군.
③ '당빌리'는 해충에 의한 피해로, 백성들의 고통을 표현한 것이라고 할 수 있겠군.
④ '복 더위'는 해충에 의한 피해보다 극심한 탐관오리들의 횡포라고 할 수 있겠군.
⑤ '쉬ᄑᆞ리'는 백성들을 가장 고통스럽게 하는 탐관오리를 의미한다고 할 수 있겠군.

실전 Test Guide

01 시어의 함축적 의미를 파악할 수 있는지 평가하는 문제이다. 제시문이 당대의 현실을 우의적으로 풍자한 작품임을 고려하여 시어가 의미하는 바를 생각해 보도록 한다.

가사

125 고공가(雇工歌)_허전

이 집 저 집 빌어먹는
집의 옷밥을 언고 들먹ᄂᆞᆫ 져 고공(雇工)아,
제쳐 놓고　머슴, 여기서는 조정의 벼슬아치를 의미함. – 훈계의 대상, 청자
우리 집 긔별을 아ᄂᆞᆫ다 모로ᄂᆞᆫ다.
나라의 내력(조선의 역사)을 집안일에 비유함.　말하리라
비오ᄂᆞᆫ ᄂᆞᆯ 일 업ᄉᆞᆯᄌᆡ ᄉᆞᆺ ᄭᅩ면서 니ᄅᆞ리라.
새끼(줄)　주체 – 화자(한 집안의 주인)
처음의 한어버이 사롬ᄉᆞ리 ᄒᆞ려 ᄒᆞᆯ ᄌᆡ,
조부모 – 태조 이성계　살림살이 하려 할 때 – 나라를 처음 세우려 할 때
인심(仁心)을 만히 쓰니 사ᄅᆞᆷ이 졀로 모다,
모여
풀 ᄲᅥᆺ고 터을 닷가 큰 집을 지어 내고,
베고　나라(조선)를 세우고
셔리* 보십* 장기* 쇼로 전답(田畓)을 긔경(起耕)ᄒᆞ니,
땅을 일구어 논밭을 만듦.
오려*논 터밧치 여드레 ᄀᆞ리로다.
올벼를 심은 논　8일 동안 갈 만한 넓은 땅 – 조선 팔도
자손(子孫)에 전계(傳繼)ᄒᆞ야 대대(代代)로 나려오니,
재산을 누구에게 상속한다는 뜻을 문서에 적던 일
논밧도 죠커니와 고공(雇工)도 근검(勤儉)터라.
조선 건국 초기에는 땅이 비옥하고 벼슬아치들은 부지런하고 검소하였음.

▶ 서사: 우리 집안(나라)의 내력

현대어 풀이 제 집 옷과 밥을 제쳐 놓고 이 집 저 집 빌어먹는 저 머슴아, 우리 집 소식을 아느냐, 모르느냐? 비 오는 날 일이 없을 때 새끼 꼬면서 말하리라. 처음에 조부모님께서 살림살이 하려 할 때, 어진 마음을 많이 베푸시니 사람이 저절로 모여, 풀을 베고 터를 닦아 큰 집을 지어 내고, 써레, 보습, 쟁기, 소로 논밭을 갈아 일구니, 올벼를 심은 논과 텃밭이 여드레 동안 갈 만한 큰 땅이 되었도다. 자손에게 물려주어 대대로 내려오니, 논밭도 좋거니와 머슴들도 근검하더라.

「저희마다 여름 지어 가ᄋᆞᆷ여리 사던 것슬,
농사　부유하게
요ᄉᆞ이 고공(雇工)들은 혬이 어이 아조 업서,」 「」: 과거의 머슴과 현재의 머슴을 대조함. → 현재의 머슴 비판
생각, 헤아림
「밥사발 큰나 쟈그나 동옷시 죠코 즈나,
나라에서 주는 녹봉, 벼슬자리　남자가 입는 저고리
ᄆᆞᄋᆞᆷ을 ᄃᆞᆺ호ᄂᆞᆫ ᄃᆞᆺ 호슈을 ᄉᆡ오ᄂᆞᆫ 듯,
다투는　우두머리　시기하는 듯
무ᄉᆞᆷ 일 감드러 흘긧할긧 ᄒᆞᄂᆞᄉᆞᆫ다.」 「」: 서로 시기하고 다투는 모습 → 당쟁을 일삼는 관리들을 비판함.
감겨들어　서로 미워하느냐?
너희ᄂᆡ 일 아니코 시절(時節) 좃ᄎᆞ ᄉᆞ오나와,
아니하고　시절이 사나워 – 흉년조차 들어서
ᄀᆞᆺ득의 ᄂᆡ 셰간이 플러지게 되야ᄂᆞᆫᄃᆡ,
가뜩이나　살림살이　줄어들게
「엇그ᄌᆡ 화강도(火强盜)에 가산(家産)이 탕진(蕩盡)ᄒᆞ니,
임진왜란 때 우리나라를 침략한 왜적
집 ᄒᆞ나 불타 붓고 먹을 썻시 전혀 업다.」 「」: 임진왜란 직후의 피폐해진 나라의 살림을 한탄함.
오직　버리고
큰나큰 셰ᄉᆞ(歲事)*을 엇지ᄒᆞ여 니로려료.
일으키려는가?
김가(金哥) 이가(李哥) 고공(雇工)들아 ᄉᆡ ᄆᆞᄋᆞᆷ 먹어슬라.
머슴(벼슬아치)들의 각성을 촉구함.

▶ 본사 1: 머슴(벼슬아치)들의 반목으로 인한 폐해

현대어 풀이 저희마다 농사지어 부유하게 살던 것을, 요새 머슴들은 생각이 어찌 아주 없어서, 밥그릇이 크나 작으나, 입은 옷이 좋거나 나쁘거나, 마음을 다투는 듯, 우두머리를 시기하는 듯, 무슨 일에 감겨들어 서로 시기하고 미워하는가? 너희들 일 아니하고 시절조차 사나워서, 가뜩이나 내 살림살이가 줄어들게 되었는데, 엊그제 화강도를 만나 재산을 다 잃으니, 집은 오직 불타 버리고 먹을 것이 전혀 없다. 크나큰 세간을 어찌하여 일으키려는가? 김가 이가 머슴들아, 새 마음을 먹으려무나.

너희ᄂᆡ 졀머ᄂᆞᆫ다 혬 혈나 아니ᄉᆞᆫ다.
생각하려고
ᄒᆞᆫ 소ᄐᆡ 밥 먹으며 매양의 회회(恢恢)ᄒᆞ랴.
한 나라에서 벼슬살이를 하며　싸움만 하려느냐?
ᄒᆞᆫ ᄆᆞᄋᆞᆷ ᄒᆞᆫ 뜻으로 녀름을 지어스라.

작품 한눈에 보기

집안의 일 (부정적인 현실)		나라의 일 (임진왜란 후의 조선)
잡초와 풀이 우거진 논밭, 도적이 멀리 가지 않음.	≒	황폐해진 조국의 산천, 왜적의 재침략 위험이 있음.
생각 없고 다투기만 하는 머슴들		나태하고 당파 싸움만 하는 관리들
↓ 타이름, 당부		↓ 각성 촉구
새 머슴의 출현을 기대함.		사려 깊은 충신의 출현을 기대함.

출제 포인트

■ 표현상의 특징

① 나라의 일을 집안의 일에 빗대어 시상을 전개함.
② 화자(집주인)가 청자(머슴들)에게 말을 건네는 형식으로 구성됨.
③ 부정적인 대상(머슴 – 조정의 관리)을 우의적으로 비판함.
④ 청유형('~ 먹어슬라.' 등)과 명령형('~ 지어스라.' 등) 문장을 통해 대상(머슴)에 대한 당부를 드러냄.
⑤ 3 · 4조, 4음보의 율격으로 운율을 형성함.

수능 필수 개념 플러스

"창작 배경"
당파 싸움에만 몰두하고 있는 관리들의 각성을 촉구하여, 임진왜란 이후 황폐화된 나라를 재건하는 것을 독려하기 위해 창작됨.

어휘 풀이

* 셔리: 써레. 갈아 놓은 논의 바닥을 고르는 데 쓰는 농기구
* 보십: 보습. 땅을 갈아 흙덩이를 일으키는 데 쓰는 농기구
* 장기: 쟁기. 논밭을 가는 농기구
* 오려: 올벼. 제철보다 일찍 여무는 벼
* 셰ᄉᆞ: 세사. 일 년 중에 일어나는 일 또는 일 년 중의 일

ᄒᆞᆫ 집이 가ᄋᆞᆷ 열면 옷밥을 분별(分別)ᄒᆞ랴.
부자가 되면 / 설의법 – 인색하게 하겠느냐?
누고ᄂᆞᆫ 장기 잡고 누고ᄂᆞᆫ 쇼을 몰니,
대구법 – 상부상조, 협동하는 모습
밧 갈고 논 살마 벼 셰워 더져 두고,
심어 / 매려무나
ᄂᆞᆯ 됴흔 호ᄆᆡ로 기음을 ᄆᆡ야스라.
날카로운 / 물이 고여 있는 논
「산전(山田)도 것츠럿고 무논도 기워 간다.」 「」: 대구법
(잡초가) 우거지고 / (풀이) 무성하여 간다.
사립피 ᄆᆞᆯ목 나셔 볏 겨ᄐᆡ 세올셰라.
도롱이와 삿갓 / 말뚝에 씌워서 / 허수아비를 세워야 한다고 당부함.
칠석(七夕)의 호ᄆᆡ 씻고 기음을 다 ᄆᆡᆫ 후의,

ᄉᆞᆺ ᄭᅩ기 뉘 잘ᄒᆞ며 셤*으란 뉘 엿그랴.
서로서로
너희 ᄌᆡ조 셰아려 자라자라 맛스라.
각자 일에 충실할 것을 당부함.
ᄀᆞ을 거둔 후면 성조(成造)를 아니ᄒᆞ랴.
집을 짓는 것 / 설의법
「집으란 내 지으게 움*으란 네 무더라.
집안(나라)의 재건을 위해 앞장서는 화자의 모습
너희 ᄌᆡ조을 내 짐작(斟酌)ᄒᆞ엿노라.

너희도 머글 일을 분별(分別)을 ᄒᆞ려므나.」 「」: 화자가 솔선수범을 하며 머슴들을 타이름.
깊이 생각하려무나.
멍셕*의 벼ᄅᆞᆯ 넌들 됴흔 ᄒᆡ 구름 ᄢᅵ여, 볏뉘을 언ᄌᆡ 보랴.
나라의 상황이 좋지 않음. / 볕의 그림자 – 햇볕
「방하을 못 ᄶᅵ거든 거츠나 거츤 오려, 「」: 탁상공론만 일삼는 머슴(조정의 관리)들을 비판함.
나라를 위해 일하지 않으면 / 거칠고 거친 / 올벼
옥 ᄀᆞᆺᄐᆞᆫ 백미(白米) 될 쥴 뉘 아라 오리스니.」 ▶ 본사 2: 머슴(벼슬아치)들의 각성 촉구
가장 좋은 먹을거리, 나라 살림에 도움이 되는 것

현대어 풀이 너희들 젊었다 하여 생각하려고 아니하느냐? 한 솥에 밥을 먹으면서 항상 다투기만 하면 되겠느냐? 한마음 한뜻으로 농사를 짓자꾸나. 한 집이 부자가 되면 옷과 밥을 인색하게 하겠느냐? 누구는 쟁기를 잡고 누구는 소를 모니, 밭 갈고 논 갈아서 벼를 심어 던져 두고, 날카로운 호미로 김을 매려무나. 산에 있는 밭도 잡초가 우거지고, 무논에도 풀이 무성하다. 도롱이와 삿갓을 말뚝에 씌워서 (허수아비를 만들어) 벼 곁에 세워라. 칠월 칠석에 호미를 씻고 김을 다 맨 후에, 새끼 꼬기는 누가 잘하며 섬은 누가 엮겠는가? 너희들의 재주를 헤아려 서로서로 맡아라. 추수를 한 후에는 집 짓는 일을 아니하랴? 집은 내가 지을 것이니 움은 네가 묻어라. 너희 재주를 내가 짐작하였노라. 너희도 먹고 살 일을 깊이 생각하려무나. 멍석에 벼를 널어 말린들 좋은 해에 구름이 끼어 햇볕을 언제 보겠느냐? 방아를 못 찧는데 거칠고 거친 올벼가 옥 같은 흰쌀이 될 줄을 누가 알아보겠는가?

너희ᄂᆡ ᄃᆞ리고 새 ᄉᆞ리 사쟈 ᄒᆞ니,
데리고 / 새 살림
「엇그ᄌᆡ 왓던 도적 아니 멀리 갓다 ᄒᆞᄃᆡ, 「」: 전쟁은 끝났으나 아직 위험이 완전히 사라지지 않음. → 왜적이 근처에 있는데도 경계하지 않는 관리들의 무지를 비판함.
왜적 / 멀리 가지 않았다고 하는데
너희ᄂᆡ 귀눈 업서 져런 줄 모르관ᄃᆡ,」

「화살을 젼혀 언고 옷밥만 닷토ᄂᆞᆫ다.」 「」: 왜적의 침략에 대비하지 않고 당파 싸움만 하는 관리들을 비판함.
대유법 – 무력, 병력 / 이권, 벼슬자리
「너희ᄂᆡ 다리고 텁ᄂᆞᆫ가 주리ᄂᆞᆫ가,
추운가
죽조반(粥早飯) 아ᄎᆞᆷ 져녁 더 ᄒᆞ다 먹엿거든,」 「」: 머슴들을 돌보는 데 최선을 다함.
아침 먹기 전에 일찍 먹는 죽 / 더 해다가
「은혜란 ᄉᆡᆼ각 아녀 제 일만 ᄒᆞ려 ᄒᆞ니,」 「」: 은혜를 모르는 관리들을 비판함.
배은망덕한 모습
「혬 혜ᄂᆞᆫ 새 들이리 어ᄂᆡ 제 어더 이셔,」 「」: 새 머슴(새로운 인재)의 출현을 기다림.
새 머슴, 나랏일에 힘쓸 인재(우국충신)
「집일을 맛치고 시름을 니즈려뇨.」 「」: 집안(나라)의 시름을 잊고자 함.
나랏일 / 맡기고
너희 일 ᄋᆡᄃᆞ라ᄒᆞ며셔 ᄉᆞᆺ ᄒᆞᆫ ᄉᆞ리* 다 ᄭᅩ괘라. ▶ 결사: 사려 깊은 새 머슴의 출현 기대
애달파하면서

현대어 풀이 너희들 데리고 새 살림 살고자 하니, 엊그제 왔던 도적이 멀리 가지 않았다고 하는데, 너희들은 귀와 눈이 없어서 그런 사실을 모르는 것인지, 화살은 전혀 준비하지 않고 옷과 밥만 다투느냐? 너희들을 데리고 (행여) 추운가, 굶주리는가 (염려하며), 죽조반 아침저녁을 더 해다가 먹였는데, 은혜는 생각하지 않고 제 일만 하려 하니, 사려 깊은 새 머슴을 언제 얻어서, 집안일을 맡기고 걱정을 잊을 수 있겠는가? 너희 일을 애달파하면서 새끼 한 사리를 다 꼬았도다.

출제 포인트

■ 시어의 비유적 의미

시어	의미
고공	벼슬아치, 관리
우리 집	우리나라(조선)
처음의 한어버이	태조 이성계
밥사발, 동옷, 옷밥	녹봉, 이권, 벼슬자리
사롬ᄉᆞ리, 셰간, 가산	나라 살림
호슈	임금
화강도, 도적	임진왜란 때 쳐들어온 왜적
ᄒᆞᆫ 솥	한 나라, 한 조정

■ 화자의 태도

구분	시구	태도
본사 1	ᄆᆞᄋᆞᆷ을 ᄃᆞᆺ호ᄂᆞᆫ ~ 흘긧할긧 ᄒᆞᄂᆞᄉᆞᆫ다	당쟁을 일삼는 관리들을 비판함.
결사	엇그ᄌᆡ 왓던~ 져런 줄 모르관ᄃᆡ	왜적이 근처에 있는데도 파악하지 못하고 있는 관리들의 무지를 비판함.
	화살을 젼혀 언고 옷밥만 닷토ᄂᆞᆫ다.	왜적의 침략에 대비하지 않고 이권을 다투는 관리들을 비판함.
	은혜란 ᄉᆡᆼ각 아녀 제 일만 ᄒᆞ려 ᄒᆞ니	은혜를 모르고 잇속을 챙기는 관리들을 비판함.

⬇

현재의 관리들을 비판함.

수능 필수 개념 플러스

"「고공가」와 「고공답주인가」의 관계"

이원익의 「고공답주인가」는 「고공가」에 대한 화답가이다. 이것은 임진왜란 이후 집권층이 정사(政事)보다는 당파 싸움에 힘쓰자, 작가가 '어른 종(영의정)'의 입장에서 '종(신하)'들을 나무라고 '마누라(임금)'을 경계하려는 의도로 지었다.

어휘 풀이

* 셤: 섬. 곡식 따위를 담기 위하여 짚으로 엮어 만든 그릇
* 움: 나무를 베어 낸 뿌리에서 나는 싹
* 멍셕: 멍석. 짚으로 새끼 날을 만들어 네모지게 결어 만든 큰 깔개
* ᄉᆞ리: 사리. 국수, 새끼, 실 따위의 뭉치를 세는 단위

1 작품 이해

이 작품은 임진왜란 이후 정사(政事)에 힘쓰지 않고 사리사욕만 채우며 당쟁만을 일삼는 벼슬아치들의 나태와 게으름, 탐욕과 정치적 무능을 비판하고 있는 가사이다. 나라의 일을 집안의 농사일로, 화자는 주인으로, 청자인 조정의 관리들은 머슴에 비유하여 게으르고 어리석은 머슴(관리)들을 비판하고 있다. 참고로 이원익의 「고공답주인가」는 이 작품에 대한 화답가이다.

• 갈래: 가사 • 성격: 교훈적, 비판적, 우의적

• 주제: 임진왜란 직후 나태한 관리들의 탐욕과 무능 비판
• 시적 상황 나태하고 게으른 □□들이 서로 미워하고 다투며 살림을 돌보지 않고 있음.
• 정서와 태도 게으르고 어리석은 머슴들을 □□하며 집안의 일에 힘쓸 것을 당부하며 각성할 것을 촉구하고 있음.

정답: 머슴, 비판

2 내용 확인

1 맞는 내용이면 ○표, 틀린 내용이면 ×표 하시오.

① 서사의 '고공'은 임금을 의미하며, 청자인 동시에 훈계의 대상이다. (　　)
② 화자는 사려 깊은 새 머슴이 출현하여 집안일을 맡아 주기를 기대하고 있다. (　　)

2 임진왜란 때 우리나라를 침략한 왜적들에게 피해를 입었음을 의미하는 구절을 본사 1에서 찾아 쓰시오.

➡ (　　　　　　　　　　　　　　　　　　　　)

내용 확인 도우미

1 ① 서사의 '고공'은 머슴을 의미하며, 조정의 벼슬아치를 가리킨다.
② 화자는 결사의 '혬 혜ᄂᆞᆫ~니즈려뇨.'에서 사려 깊은 새 머슴에게 집안일을 맡기고 시름을 잊고자 한다.

2 본사 1의 '화강도'는 왜적을 의미하며, '가산이 탕진'하였다는 것은 재산을 잃었음을 의미한다.

정답 1 ① × ② ○ 2 엇그직 화강도에 가산이 탕진ᄒᆞ니

3 실전 Test

• 정답 52쪽

01 윗글의 본사에 대한 설명으로 적절하지 않은 것은?

① 설의적인 표현을 통해 화자의 생각을 강조하고 있다.
② 대상에 감정을 이입하여 화자의 정서를 부각하고 있다.
③ 의태어를 사용하여 대상의 행동을 구체적으로 표현하고 있다.
④ 대구법을 사용하여 대상의 모습을 효과적으로 나타내고 있다.
⑤ 시어를 대조하여 특정한 대상을 비판하려는 의도를 드러내고 있다.

02 [보기]를 참고하여 윗글을 감상한 내용으로 적절하지 않은 것은? 기출 문제

보기

「고공가」는 전란으로 인해 황폐해진 나라를 재건하자는 의도에서 지어진 노래로, 국가 정치를 한 집안의 농사일에 비유하여 관료 사회의 단면을 보여 주고 있다.

① '고공'이 반목과 질시를 일삼는 것으로 보아 조정에는 불화가 있었군.
② '나'가 '고공'의 능력을 인정하지 않는 것으로 보아 관료 사회에는 불신이 팽배했군.
③ '나'는 외적에 대한 경계심을 갖고 있는 것으로 보아 외적의 재침략을 걱정하고 있군.
④ '나'가 집안의 일을 염려하는 것으로 보아 '나'는 성공적인 국가 재건을 바라는 인물이군.
⑤ '고공'이 '옷밥'만 탐했다는 것으로 보아 관료들은 본분을 잊어버리고 사욕만을 채우고자 하였군.

실전 Test Guide

01 제시문에 나타난 표현상의 특징을 파악할 수 있는지 확인하는 문제이다. 화자의 정서나 태도 등을 표현하기 위해 사용된 표현 방법을 살펴보고 선택지의 적절성을 판단해 보도록 한다.

02 창작 배경을 고려하여 제시문을 감상할 수 있는지 평가하는 문제이다. 국가의 정치를 한 집안의 농사일에 비유한 것을 고려하여 제시문을 적절히 감상해 보도록 한다.

가사

126 고공답주인가(雇工答主人歌) _이원익

어와 져 양반아 도라안자 내 말 듯소.
엇지ᄒᆞᆫ 져믄 소니 혬 업시 단니ᄂᆞᆫ다.
마누라 말ᄉᆞᆷ을 아니 드러 보ᄂᆞᆫ다. ▶ 서사: 말을 들어 보라고 권유함.

(청자 / 생각 / 어떠한 / 젊은 손님(신하)이 / 마누라: 상전, 여기서는 임금(선조)을 비유함.)

현대어 풀이 아아 저 양반아, 돌아앉아 내 말 들어 보오. 어찌하여 젊은 손님이 생각 없이 다니는가? 마누라(주인님) 말씀을 아니 들어 보았는가?

나ᄂᆞᆫ 일얼만뎡 외방(外方)의 늙은 툐이
공밧치고 도라갈 직 ᄒᆞᄂᆞᆫ 일 다 보앗ᄂᆡ.
『우리 ᄃᆡᆨ 셰간이야 녜붓터 이러튼가.』 『』: 설의법 – 현재의 나라 형편(궁핍)이 과거(풍요)와 다름을 강조함.
전민(田民)이 만탄 말리 일국(一國)에 소ᄅᆡ나데
먹고 입ᄂᆞᆫ 드난죵이 백여구(百餘口) 나마시니
므ᄉᆞᆷ 일 ᄒᆞ노라 터밧*츨 무겨ᄂᆞᆫ고.
농장(農場)이 업다 ᄒᆞᄂᆞᆫ가 호ᄆᆡ연장 못 갓던가.
『날마다 무ᄉᆞᆷ하려 밥 먹고 단기면서
열나모 정자(亭子) 아ᄅᆡ 낫ᄌᆞᆷ만 자ᄂᆞᆫ다.』 『』: 밥만 먹고 일하지 않는 머슴들(게으른 관리들)을 비판함.
아ᄒᆡ들 타시런가 우리 ᄃᆡᆨ 죵의 버릇 보거든 고이ᄒᆞᆫ데
『쇼 먹이ᄂᆞᆫ ᄋᆞᄒᆡ드리 샹ᄆᆞ름을 능욕ᄒᆞ고』 『』: 하급 관리가 상급 관리를 능욕함(기강의 해이, 위계 질서 붕괴).
진지(進止)*ᄒᆞ난 어린 손ᄂᆡ 한 계대를 긔롱ᄒᆞᆫ다.
ᄡᆡᄡᆡ름 제급(除給)* 못고 에에로 제 일 ᄒᆞ니
ᄒᆞᆫ 집의 수한 일이 뉘라서 심ᄡᆡ ᄒᆞᆯ고.
『곡식고(穀食庫) ᄇᆡ엿거든 고직(庫直)인들 어이 ᄒᆞ며 『』: 곡식이 바닥나고 세간이 흩어진 집안(나라)의 궁핍한 형편
셰간이 ᄒᆞ터지니 될자힌들 어이 ᄒᆞ고』
내 왼 줄 내 몰나도 남 왼 즐 모ᄅᆞᆯ넌가.
플치거니 ᄆᆡᆺ치거니 할거니 돕거니 ᄒᆞ로 열두 ᄣᅵ 어수선 핀거이고. – 당파 싸움으로 조정이 시끄러운 현실 비판
『밧별감* 만하 이ᄉᆞ ㉠외방사음(外方舍音)* 도달화(都達化)*도 『』: 변방을 지키는 무관들마저 제 소임을 다하지 않고 몸만 사림.
제 소임(所任) 다 바리고 몸 ᄉᆞ릴 ᄲᅮᆫ이로다.』 ▶ 본사 1: 게으르고 탐욕스러운 머슴들을 비판함.

(이렬망정 / 화자(어른 종) / 종이 / 조정에 공물을 바치고 / 살림살이(나라의 형편) / 농민 / 말이 / 소문이 났는데 / 드나들며 머슴살이하는 종 / 식구, 사람 / 남았으니 / 머슴들(관리들)의 게으름을 질책하고 비판함. / 일할 여건은 갖추어져 있음. / 무엇 / 아이들이 / 이상한데 / 지방 관청의 이속들, 하급 관리 / 지방 관청의 수령들 / 손님이 / 양반 / 희롱하는가? / 옳지 못하게 / 다른 꾀로 / 사리사욕만 채우는 관리 비판 / 많은 / 힘써 / 곡식 창고 / 관아의 창고를 보살피고 지키던 사람 / 질그릇인들 / 그릇된 / 당파 싸움의 원인 / 풀어헤치거니 / 맺히거니 / 헐뜯거니 / 많이 / □: 변방을 지키는 무관들을 비유함.)

현대어 풀이 나는 이렬망정 외방의 늙은 종이 공물을 바치고 돌아갈 때 하는 일을 다 보았네. 우리 집 살림이야 예부터 이러했던가? 농민이 많다는 말이 온 나라에 소문이 났는데 먹고 입으며 머슴살이하는 종이 백여 사람 남았으니 무슨 일을 하느라 텃밭을 묵혔는가? 농장이 없다 하는가? 호미 연장을 못 갖추었는가? 날마다 무엇을 하려 밥 먹고 다니면서 열 나무 정자 아래 낮잠만 자는가? 아이들 탓이던가? 우리 집 종의 버릇 보노라면 이상한데, 소 먹이는 아이들이 상마름을 능욕하고 왔다 갔다 하는 어리석은 손님이 양반을 희롱하는가? 옳지 못하게 재물을 빼돌리고 다른 꾀로 자기 일만 하니, 큰 집의 많은 일을 누가 힘써 할까? 곡식 창고가 비었거든 창고지기인들 어찌하며 세간이 흩어지니 질그릇인들 어찌할 것인가? 나 그릇된 줄을 나는 몰라도 남 그릇된 줄 모르겠는가? 풀어헤치거니 맺히거니 헐뜯거니 돕거니 하루 열두 때 어수선을 핀 것인가? 바깥 별감이 많이 있어 바깥 마름과 도달화도 제 소임을 다 버리고 몸 꺼릴 뿐이로다.

작품 한눈에 보기

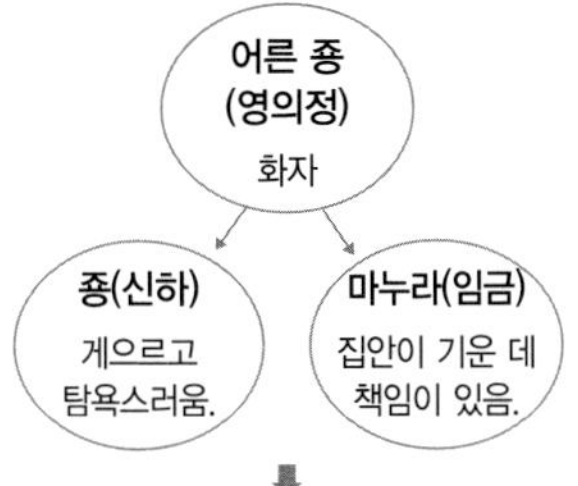

나라의 형편이 어려워진 계기를 관리 · 임금의 측면에서 찾고, 고위 관리들을 믿어야 나라를 일으킬 수 있다고 충고함.

출제 포인트

■ 표현상의 특징
① 임금과 신하의 관계를 농사짓는 주인과 종(머슴)의 관계에 빗대어 시상을 전개함.
② 3 · 4조, 4음보로 운율을 형성함.
③ 연쇄법, 직유법, 설의법 등을 활용하여 주제를 드러냄.

■ 문학사적 의의
나라의 형편이 기울게 된 원인을 「고공가」보다 자세하게 분석한 것으로 평가된다. 또 고위 관리들을 믿는다면 나라의 형편이 저절로 좋아질 것이라는 자부심도 보여 주고 있다.

어휘 풀이
* 터밧: 텃밭. 집터에 딸리거나 집 가까이 있는 밭
* 진지: 나아감과 머무름. 또는 움직임과 움직이지 아니함.
* 제급: 돈이나 물건의 일부를 빼고 줌.
* 밧별감: 바깥 별감
* 외방사음: 바깥 마름
* 도달화: 달화주. 조선 시대에 공노비를 부리지 않는 대신에 그 종에게서 세금 받는 일을 맡아보던 벼슬아치

「비 ᄉᆡ여 셔근 집을 뉘라셔 곳쳐 이며 「」: 집(나라)은 기울어 가고
(새어 / 썩은 / 고쳐 이으며) 직무에 충실한 사람이 없음을 한탄함.

옷 버서 문허진 담 뉘라셔 곳쳐 ᄡᆞ고.

㉡블한당* 구모 도적 아니 멀니 단이거든
(구멍에 든 도적. 여기서는 왜적을 의미함.)

화살 ᄎᆞᆫ 수하상직(誰何上直)* 뉘라셔 심써 ᄒᆞᆯ고.」

「큰나큰 기운 집의 마누라 혼ᄌᆞ 안자 「」: 임금의 명령을 듣지 않고,
(형편이 기울어진 나라 / 상전(임금 – 선조)) 임금이 국사를 의논할 신하가 없는 현실 비판

긔걸을 뉘 드ᄅᆞ며 논의(論議)를 눌하 ᄒᆞᆯ고.」
(명령 / 들으며 / 희고 아름다운 얼굴 = 임금의 얼굴)

낫시름 밤근심 혼자 맛다 계시거니 옥 ᄀᆞᆺ튼 얼굴리 편ᄒᆞ실 적 몃 날이리.
(임금에 대한 충정 어린 걱정)

이 집 이리 되기 뉘 타시라 ᄒᆞᆯ셔이고. 「혬 업는 죵의 일은 뭇도 아니 ᄒᆞ려니와
(나라의 형편이 이렇게 기운 것이 / 나태한 관리) 「」: 나라가 기운 책임은 신하뿐만 아니라 임금에게도 있음.

도로혀 혜여ᄒᆞ니 마누라 타시로다.」 → 임금에게 직언하는 태도

▶ 본사 2: 피폐한 현실에 대한 책임을 물음.

현대어 풀이 비 새어 썩은 집을 누가 고쳐 이으며, 옷 벗어 무너진 담을 누가 고쳐 쌓을 것인가? 불한당 같은 구멍에 든 도적이 멀리 다니지 아니하거든 화살을 찬 상직군은 누가 힘써 할 것인가? 형편이 매우 기운 집에 마누라 혼자 앉아, 명령을 누가 들으며 논의를 누구와 할 것인가? 낮 시름 밤 근심을 혼자 맡아 하시거니 옥 같은 고운 얼굴이 편하실 적이 몇 날이리. 이 집이 이렇게 된 것을 누구의 탓이라 할 것인가? 헤아림 없는 종의 일은 묻지도 아니하려니와 돌이켜 헤아려 보니 주인님 탓이로다.

㉢ᄂᆡ 항것 외다 ᄒᆞ기 죵의 죄 만컨마ᄂᆞᆫ
(주인, 상전(임금))

그러타 뉘을 보려 민망ᄒᆞ야 ᄉᆞᆲᄂᆞ이다.
(└세상 / 사뢰나이다, 여쭈나이다)

㉣ᄉᆞᆺ 소기 마ᄅᆞ시고 내 말ᄉᆞᆷ 드로쇼셔.
(새끼 꼬기 / 문맥상 청자는 「고공가」의 화자임(「고공가」의 화자가 새끼를 꼬고 있음). 여기서는 임금을 의미함.)

「집 일을 곳치거든 죵들을 휘오시고 죵들을 휘오거든 상벌(賞罰)을 ᄇᆞᆯ키시고
(사람을 손아귀에 넣어 부리시고 / 신상필벌(信賞必罰, 상과 벌을 공정하게 함.) 확립 요청)

㉤상벌(賞罰)을 발키거든 어른 죵을 미드쇼셔.」 「」: 연쇄법, 나라를 일으킬 방안(관료 조직 장악, 신상필벌 확립, 중신의 신뢰 및 충언 경청)을 제시함.
(영의정인 작자 자신, 또는 자신을 포함한 고위 관리들)

진실로 이리 ᄒᆞ시면 가도(家道) 절노 닐니이다. → 종들을 비판만 하는 「고공가」와 다름.
(집안 살림을 하는 방도 일어날 것입니다.)

▶ 결사: 집안 살림을 일으킬 수 있는 방안을 제시함.

현대어 풀이 내 주인님 그르다 하기에는 종의 죄가 많지만 그렇다 세상을 보려니 민망하여 사뢰나이다. 새끼 꼬는 일을 멈추고 내 말씀을 들으소서. 집일을 고치려거든 종들을 휘어잡으시고, 종들을 휘어잡으시려거든 상과 벌을 밝히시고, 상과 벌을 밝히시려거든 어른 종을 믿으소서. 진실로 이렇게 하시면 집안의 도가 저절로 일어날 것입니다.

출제 포인트

■ 「고공가」와 「고공답주인가」

		고공가	고공답주인가
공통점		집안(나라)이 매우 어려운 상황에 처함.	
차이점	형식	• 주인이 고공(머슴)에게 말하는 형식임.	• 어른 종이 다른 종을 꾸짖고, 주인에게 충고하는 형식임.
	내용	• 문제 상황의 원인이 된 고공들의 게으름을 비판함.	• 밥만 먹고 일하지 않는 종들의 게으름을 비판하고, 마누라의 책임도 있음을 지적함.
	해결 방안	• 제시하지 않음.	• 관료 조직 장악, 신상 필벌 확립, 중신 신뢰

어휘 풀이

* 블한당: 불한당. 떼를 지어 돌아다니며 재물을 마구 빼앗는 사람들의 무리, 남을 괴롭히는 것을 일삼는 파렴치한 사람들의 무리
* 수하상직: '누구냐' 하고 외치는 상직군, 나라를 지키는 군사

1 작품 이해

이 작품은 임금과 신하의 관계를 농사를 짓는 주인과 종의 관계에 빗대어 집안 일, 즉 나라의 일을 바로 잡으려면 관리(종)를 휘어잡고, 상벌을 밝히고, 고위 관리(어른 종)를 믿어야 한다는 내용의 가사이다. 허전의 「고공가」에 대한 답가의 형식이며, 화자는 자신을 '어른 죵'에 빗대어 다른 '죵'의 태만하고 사리사욕을 일삼는 행태를 나무라고 상전인 '마누라'에게 직언을 하고 있다. 이는 임진왜란 이후 피폐해진 상황 속에서도 당쟁만 일삼으며 자신의 이익만 챙기는 신하들을 비판하고, 임금에게 나라를 일으킬 수 있는 방안을 제시하고 있는 것으로 볼 수 있다.

- 갈래: 가사 • 성격: 교훈적, 비판적, 우의적
- 주제: 기울어진 집안을 일으키기 위해 주인과 종이 가져야 할 자세
- 시적 상황 집안(나라)의 형편이 기울어 가는데 □들은 게으르고 집안일은 하지 않고 있음.
- 정서와 태도 종들의 행태를 □□하고 꾸짖고 있음.

정답: 종, 비판

2 내용 확인

1 맞는 내용이면 ○표, 틀린 내용이면 ×표 하시오.

① 본사 2에서 화자는 집안을 기울게 만든 책임이 '죵'과 '마누라'에게 있다고 생각하고 있다. ( )

② 결사에서 화자는 다른 '죵'에게 집안을 일으킬 방책을 제시하고 있다. ( )

내용 확인 도우미

1 ① 본사 2의 '이 집 이리~마누라 타시로다.'에서 화자는 '죵'과 '마누라'에게 집안이 기운 책임이 있다고 하였다.
② 화자는 결사의 '집 일을~미드쇼셔.'에서 '마누라'에게 집안을 일으킬 방책을 제시하고 있다.

정답 1 ① ○ ② ×

3 실전 Test

• 정답 53쪽

01 윗글의 표현 방식에 대한 설명으로 적절하지 않은 것은?

① 연쇄와 반복을 통해 리듬감을 나타내고 있다.
② 색채어를 사용하여 대상의 면모를 부각하고 있다.
③ 청자에게 말을 건네는 방식으로 시상을 전개하고 있다.
④ 설의적인 표현을 사용하여 화자의 정서를 강조하고 있다.
⑤ 직유의 방식을 통해 대상의 이미지를 선명하게 드러내고 있다.

02 윗글의 마누라에 대한 화자의 태도로 가장 적절한 것은? 기출 문제

① 대상의 처지에 안타까워하며 현실을 탄식하고 있다.
② 대상과 자신을 비교하며 삶에 회의를 느끼고 있다.
③ 대상을 관조하며 인생의 의미를 반추하고 있다.
④ 대상을 예찬하며 친근감을 드러내고 있다.
⑤ 대상의 심정에 공감하며 격려하고 있다.

03 ㉠~㉤에 대한 이해로 적절하지 않은 것은? 기출 문제

① ㉠: 직분을 망각하여 화자에 의해 비판을 받고 있는 존재
② ㉡: 가까운 곳에 있으며 화자에게 불안감을 주고 있는 세력
③ ㉢: 잘못된 일을 고치도록 화자가 설득하고 있는 청자
④ ㉣: 화자가 청자에게 당부하는 시급하고 중요한 행위
⑤ ㉤: 화자가 공정하고 엄중하게 시행되기를 바라고 있는 일

04 [보기]를 참고하여 윗글을 감상한 내용으로 가장 적절한 것은?

보기

유학 이념에서는 국가를 가족의 확장된 형태로 본다. 집안의 화목을 위해서는 구성원들이 자기 역할에 충실해야 하듯, 국가의 안정적인 경영을 위해서는 군신(君臣)이 본분을 다해야 한다. 조선 시대 시가에서는 이러한 이념을 담아 국가를 집으로 표현하는 경우가 많다.

① '문허진 담'은 외세의 침입에 협조하며 국익을 저버리고 사익을 추구하는 마음을 뜻하겠군.
② '기운 집'은 되돌릴 길 없이 기울어 패망한 국가를 나타내겠군.
③ '논의'는 국가 대사를 위해 임금과 신하가 합의하여 도출하여 시행한 대책을 뜻하겠군.
④ '혬 업는 죵'은 조정의 일에 지나치게 관여하는 신하를 나타내겠군.
⑤ '어른 죵'은 국가의 바람직한 경영을 위해 요구되는 중요한 요소를 뜻하겠군.

실전 Test Guide

01 표현상의 특징과 그로 인한 효과를 파악할 수 있는지 확인하는 문제이다. 제시문의 각 부분에서 활용된 표현 방식을 확인한 후 선택지의 적절성 여부를 판단해 보도록 한다.

02 시어의 의미를 파악하고 시어에 나타난 화자의 태도를 파악할 수 있는지 평가하는 문제이다. 문맥을 고려하여 시어에 대해 화자가 어떤 감정을 느끼고 있으며, 어떠한 태도를 보이고 있는지를 생각해 보도록 한다.

03 문맥을 고려하여 시구의 의미를 파악할 수 있는지를 평가하는 문제이다. 화자가 주제를 드러내기 위해 사용한 비유적인 표현의 의미를 앞뒤 문맥을 통해 추측해 보도록 한다.

04 [보기] 자료를 바탕으로 제시문을 적절히 감상할 수 있는지 평가하는 문제이다. 국가를 가족의 확장한 형태로 본다는 [보기]의 설명을 바탕으로 시구의 문맥적 의미를 파악한 후, 선택지의 적절성 여부를 판단해 보도록 한다.

가사

127 선상탄(船上歎)_박인로

[A] 늙고 병(病)든 몸을 주사(舟師)로 보늬실ᄉᆡ,
화자 자신을 낮추어 표현함. 수군 통주사 – 수군을 관장하는 벼슬 이름
을사(乙巳) 삼하(三夏)애 진동영(鎭東營) ᄂᆞ려오니,
여름 석 달 동쪽을 지키는 군영. 현재의 부산
관방중지(關防重地)예 병(病)이 깁다 안자실랴.
변방의 중요한 땅(국경의 요충지) 설의법 – 우국충정
일장검(一長劍) 비기 ᄎᆞ고 병선(兵船)에 구테 올나,
비스듬히
여기 진목(勵氣瞋目)ᄒᆞ야 대마도(對馬島)을 구어보니,
기운을 내고 눈을 부릅뜸 왜에 대한 적개심
「ᄇᆞ람 조친 황운(黃雲)은 원근(遠近)에 사혀 잇고, 「」: 대구법
따르는 은유법 – 전쟁의 기운
아득ᄒᆞᆫ 창파(滄波)ᄂᆞᆫ 긴 하ᄂᆞᆯ과 ᄒᆞᆫ 빗칠쇠.」
넓고 큰 바다의 맑고 푸른 물결

▶ 서사: 통주사로 진동영에 내려와 병선을 타고 대마도를 바라봄.

현대어 풀이 (임금이) 늙고 병든 몸을 수군 통제사로 보내시므로, 을사년 여름에 부산진에 내려오니, 변방의 중요한 요새지에서 병이 깊다고 앉아 있겠는가? 긴 칼을 비스듬히 차고 병선에 굳이 올라 기운을 내고 눈을 부릅떠 대마도를 굽어보니, 바람을 따르는 누런 구름은 멀고 가깝게 쌓여 있고, 아득한 푸른 물결은 긴 하늘과 같은 빛이로구나.

[B] 선상(船上)에 배회(徘徊)ᄒᆞ며 고금(古今)을 사억(思憶)ᄒᆞ고,
옛날과 오늘날 생각하고
어리 미친 회포(懷抱)애 헌원씨(軒轅氏)*를 애ᄃᆞ노라.
어리석고 미친 화자가 원망하는 대상 ①
대양(大洋)이 망망(茫茫)ᄒᆞ야 천지(天地)예 둘려시니,
「진실로 ᄇᆡ 아니면 풍파 만리(風波萬里) 밧긔,
어ᄂᆡ 사이(四夷) 엿볼넌고. 「」: 헌원씨를 원망하는 이유 → 헌원씨가 배를 만들지 않았다면 왜적들이 풍파가 심한 바다를 건널 수 없으므로 우리나라를 침략할 수 없었을 것이라고 생각함.
사방의 오랑캐, 여기서는 '왜적'을 의미함.
무ᄉᆞᆷ 일ᄒᆞ려 ᄒᆞ야 ᄇᆡ 못기를 비롯ᄒᆞᆫ고.
만들기
만세천추(萬世千秋)에 ᄀᆞ업ᄉᆞᆫ 큰 폐(弊) 되야,
오랜 세월 헌원씨가 만든 배가 왜적이 우리나라를 침략하게 되는 폐를 끼침.
보천지하(普天之下)애 만민원(萬民怨) 길우ᄂᆞ다.」
넓은 하늘 아래, 온 천하 만 백성의 원망 조장하다.

▶ 본사 1: 배를 처음 만든 헌원씨를 원망함.

현대어 풀이 배 위에서 이리저리 돌아다니며 옛날과 오늘날을 생각하고, 어리석고 미친 마음에 (배를 처음 만든) 헌원씨를 애달파 하노라. 큰 바다가 아득히 넓어 천지에 둘러 있으니, 진실로 배가 아니면 풍파가 거센 바다 만 리 밖에서 어느 오랑캐가 (우리나라를) 엿볼 것인가? 무슨 일을 하려고 배를 만들기 시작하였는가? 오랜 세월에 끝없는 큰 폐단이 되어 온 천하에 만백성의 원망을 기르고 있다.

중국 진나라의 제1대 황제로, 중국을 최초로 통일함.
[C] 어즈버 ᄭᆡᄃᆞ라니 진시황(秦始皇)의 타시로다. 「」: 진시황을 원망하는 이유 → 진시황의 명을 받고 불로초를 구하러 일본으로 간 신하들이 돌아오지 않고 왜족의 시조가 되었다고 생각함.
아아 깨달으니 화자가 원망하는 대상 ②
「ᄇᆡ 비록 잇다 ᄒᆞ나 왜(倭)를 아니 삼기던들,
일본(日本) 대마도(對馬島)로 뷘 ᄇᆡ 졀로 나올넌가.
저절로
뉘 말을 미더 듯고, 동남동녀(童男童女)를 그ᄃᆡ도록 드려다가,
총각과 처녀 크도록
해중(海中) 모든 셤에 난당적(難當賊)을 기쳐 두고,」
감당하기 어려운 도적 – 왜적
통분(痛憤)ᄒᆞᆫ 수욕(羞辱)이 화하(華夏)애 다 밋나다.
수치와 모욕 중국 미친다.
장생(長生) 불사약(不死藥)을 얼미나 어더 ᄂᆡ여,
만리장성(萬里長城) 놉히 사고 몃만 년(萬年)을 사도썬고.
쌓고 살았던가
ᄂᆞᆷᄃᆡ로 죽어가니 유익(有益)ᄒᆞᆫ 줄 모ᄅᆞ로다.
남처럼 인생무상
어즈버 ᄉᆡᆼ각ᄒᆞ니 서불(徐市)* 등(等)이 이심(已甚)ᄒᆞ다.
화자가 원망하는 대상 ③ 지나치게 심하다

작품 한눈에 보기

화자의 상황: 임진왜란 후 부산진의 통주사로서 배를 타고 대마도를 바라봄.
→ 헌원씨, 진시황, 서불에 대한 원망: 왜적의 침략에 대한 분노
→ 과거의 배와 현재의 배 대조: 전운이 감도는 상황 제시
→ 제갈공명과 손빈의 고사: 왜적을 물리치겠다는 다짐
→ 왜적에게 항복 권유: 평화 공존의 의지와 태평성대에 대한 소망

출제 포인트

■ 표현상의 특징

① 중국 고사를 인용함.

'헌원씨'의 고사	'진시황'과 '서불'의 고사
배를 만들어서 왜적이 침입할 수 있게 함.	왜족의 시조를 생겨나게 하여 왜적의 침입이 이루어짐.

↓ 왜적에 대한 분노와 전쟁에 대한 안타까움을 형상화함.

② 한자어를 많이 사용하여 화자의 생각을 직접적으로 드러냄.

③ 설의법, 은유법 등을 사용하여 화자의 생각을 강조함.

④ 3(4) · 4조의 음수율과 4음보의 연속체, 대구법 등을 통해 운율을 형성함.

어휘 풀이

* 헌원씨: 배를 처음 만들었다고 알려진 중국 고대 전설상의 황제

* 서불: 서복. 진시황의 명으로 동남(東男), 동녀(東女) 3천 명을 데리고 불사약을 구하러 신산(神山)으로 배를 타고 떠났으나 다시 돌아오지 않음.

「인신(人臣)이 되야셔 망명(亡命)*도 ᄒᆞᄂᆞᆫ 것가. 「」: 서불을 원망하는 이유 → 불로초를 구하지 못했으면 돌아왔어야 하는데, 그러지 않고 왜에 살아서 그 후손들이 왜적이 되었다고 생각함.

신하. 여기서는 '서불'을 가리킴.

신선(神仙)을 못 보거든 수이나 도라오면,

빨리나

주사(舟師) 이 시럼은 전혀 업게 삼길럿다.」 ▶ 본사 2: 왜적을 생기게 한 진시황과 서불을 원망함.

화자 자신 / 근심 / 생겼겠다

현대어 풀이 아, 깨달으니 진시황의 탓이로다. 배가 비록 있다고 하더라도 왜족이 생기지 않았더라면, 일본 대마도로부터 빈 배가 저절로 나오겠는가? 누구의 말을 곧이 듣고, 총각과 처녀를 그토록 데려다가, 바다의 모든 섬에 감당하기 힘든 도적을 남기어(만들어), (왜적의 침략으로 인한) 통분한 수치와 모욕이 중국에까지 다 미치게 하였는가? 죽지 않고 오래 사는 약을 얼마나 얻어 내어, 만리장성을 높이 쌓고 몇만 년을 살았던가? (진시황도) 남처럼 죽어 갔으니 (불로초를 구하러 사람을 보낸 일이) 유익한 줄을 모르겠도다. 아, 생각하니 서불의 무리가 지나치게 심하다. 신하가 되어서 망명 도주를 한 것인가? 신선을 못 보았거든 빨리나 돌아왔으면, 통주사의 이 시름은 전혀 생기지 않았을 것이다.

두어라, 기왕불구(既往不咎)라 일너 무엇ᄒᆞ로소니.

이미 지나간 일은 탓하지 않음.

속졀업ᄉᆞᆫ 시비(是非)를 후리쳐 더뎌 두쟈.

팽개쳐 던져 두자.

잠사 각오(潛思覺悟)ᄒᆞ니 내 ᄯᅳᆺ도 고집(固執)고야.

깊이 생각하고 깨달음. / 헌원씨에 대한 원망

황제 작주거(皇帝作舟車)ᄂᆞᆫ 왼 줄도 모ᄅᆞ로다.

황제가 배와 수레를 만든 것 / 그릇된

「장한(張翰) 강동(江東)애 추풍(秋風)을 만나신들

중국 진나라 때 사람. 가을 바람이 불자 고향 생각이 나서 벼슬을 버리고 고향으로 돌아갔다고 함.

편주(扁舟) 곳 아니 타면, 천청해활(天淸海闊)ᄒᆞ다 어ᄂᆡ 흥(興)이 절로 나며,

작은 배 / 바꿀 / 하늘이 맑고 바다가 넓음.

삼공(三公)도 아니 밧골 제일강산(第一江山)애, 「」: '황제 작주거ᄂᆞᆫ 왼 줄도 모ᄅᆞ로다'의 이유 → 배는 풍류를 즐기는 데 유용함.

삼정승(영의정, 좌의정, 우의정)

부평(浮萍) ᄀᆞᄐᆞᆫ 어부 생애(漁父生涯)을

개구리밥

일엽주(一葉舟) 아니면, 어ᄃᆡ 부쳐 ᄃᆞᆫ힐ᄂᆞᆫ고.」 ▶ 본사 3: 배의 유용성을 생각함.

한 척의 조그마한 배

현대어 풀이 두어라, 이미 지난 일은 탓하지 않는 것이라 말해 무엇하겠는가? 아무 소용이 없는 시비를 팽개쳐 던져 두자. 깊이 생각하여 깨달으니 내 뜻도 고집스럽구나. 황제가 배와 수레를 만든 것은 그릇된 줄도 모르겠도다. 장한이 강동으로 돌아가 가을바람을 만났다고 해도 작은 배를 타지 않았다면 하늘이 맑고 바다가 넓다고 해도 무슨 흥이 저절로 나겠으며, 삼정승과도 바꾸지 않을 만큼 경치가 좋은 곳에서 개구리밥 같은 어부의 생활이 한 척의 조그마한 배가 아니면 어디에 의지하여 다니겠는가?

일언 닐 보건ᄃᆡ, ᄇᆡ 삼긴 제도(制度)야

배가 풍류의 수단으로 쓰인 일 / 생긴

지묘(至妙)ᄒᆞᆫ 덧ᄒᆞ다마ᄂᆞᆫ, 엇디ᄒᆞᆫ 우리 물은

아주 묘한 / 무리는

ᄂᆞᄂᆞᆫ ᄃᆞᆺᄒᆞᆫ 판옥선(板屋船)*을 주야(晝夜)의 빗기 ᄐᆞ고,

현재 우리는 밤낮으로 전투선을 타고 있는 상황임.

임풍영월(臨風詠月)호ᄃᆡ 흥(興)이 전혀 업ᄂᆞᆫ게오.

맑은 바람과 밝은 달을 대하며 시를 짓고 놂.

「석일(昔日) 주중(舟中)에ᄂᆞᆫ 배반(杯盤)*이 낭자(狼藉)*터니

옛날 / 배 위에서 자연을 즐기는 풍류를 묘사함. – 소동파의 「전적벽부」의 내용 인용

금일(今日) 주중(舟中)에ᄂᆞᆫ 대검 장창(大劍長槍)ᄲᅮᆫ이로다.」 「」: 과거(풍류)와 현재(전운) 대조

오늘날 / 큰 칼과 긴 창

ᄒᆞᆫ 가지 ᄇᆡ언마ᄂᆞᆫ 가진 ᄇᆡ 다라니,

똑같은 / 바가 다르니

기간(期間) 우락(憂樂)이 서로 ᄀᆞᆺ지 못ᄒᆞ도다. ▶ 본사 4: 같은 모양이지만 과거의 풍류가 사라지고 전운이 감도는 오늘날의 배

그 사이에 / 근심과 즐거움

현대어 풀이 이런 일을 보면 배 만든 제도야 아주 묘한 듯하다마는, 어찌하여 우리 무리는 나는 듯이 빠른 판옥선을 밤낮으로 비스듬히 타고 바람과 달을 보며 시를 짓고 놀되 흥이 전혀 없는 것인가? 옛날의 배 안에는 술상이 어지럽게 흩어졌더니, 오늘날의 배 안에는 큰 칼과 긴 창뿐이로다. 똑같은 배이건마는 가진 바가 다르니, 그 사이의 근심과 즐거움이 서로 같지 못하도다.

「시시(時時)로 멀이 드러 북신(北辰)을 ᄇᆞ라보며, 「」: 화자의 우국충정

머리 / 북극성. 임금이 계신 곳

상시 노루(傷時老淚)ᄅᆞᆯ 천일방(天一方)의 디이ᄂᆞ다.」

시국을 근심하는 늙은이(화자)의 눈물

출제 포인트

■ '배'를 중심으로 한 시상 전개

왜적이 타고 온 배를 원망함.
↓
배가 있어 풍류와 흥취를 즐길 수 있음을 깨달음.
↓
전쟁의 비애를 극복하고 고기잡이배를 타며 자연을 즐기겠다고 다짐함.
↓
평화로운 세상에 대한 염원

■ 시어의 대조

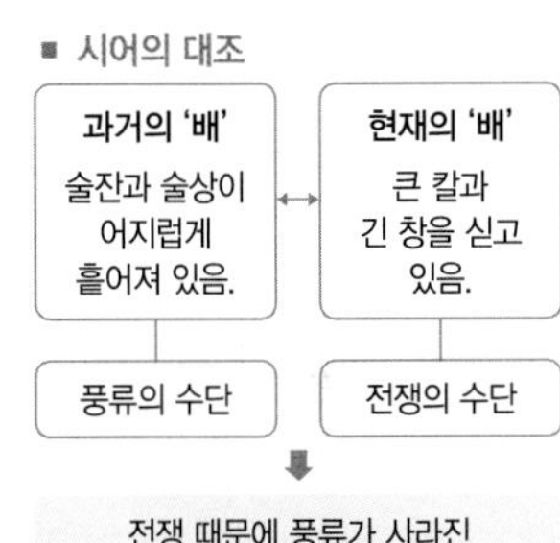

과거의 '배'
술잔과 술상이 어지럽게 흩어져 있음.
현재의 '배'
큰 칼과 긴 창을 싣고 있음.
풍류의 수단
전쟁의 수단
전쟁 때문에 풍류가 사라진 상황을 한탄함.

수능 필수 개념 플러스

"창작 배경"

박인로는 임진왜란 당시 의병으로 왜적과 직접 싸웠던 인물이다. 또한 「선상탄」이 창작된 시기인 1605년은 임진왜란이 끝난 지 7년밖에 되지 않아, 왜적에 대한 적대감이 높았던 시기이다. 이때 통주사(수군을 관장하는 벼슬)로 임명된 박인로는 임진왜란으로 인한 고통과 피해를 극복하려는 의지를 표출하고 우리 민족의 자신감과 우월감을 고취시키기 위해 이 작품을 창작하였다고 한다.

어휘 풀이

* 망명: 망명도주. 죽을 죄를 지은 사람이 몸을 숨겨 멀리 도망함.
* 판옥선: 조선 시대에 널빤지로 지붕을 덮은 전투선. 명종 때에 개발된 것으로 임진왜란 때 크게 활약함.
* 배반: 술상에 차려 놓은 그릇. 또는 거기에 담긴 음식
* 낭자: 마구 흩어져 있어 어지러움.

[D] 「오동방(吾東方) 문물(文物)이 한당송(漢唐宋)애 디랴마는,」 「」: 우리 문화에 대한 자부심
우리나라 / 중국에서 문화가 발달했던 왕조
국운(國運)이 불행(不幸)ᄒᆞ야 해추 흉모(海醜兇謀)애
왜적들의 흉악한 모략
만고수(萬古羞)을 안고 이셔,
오랜 세월 동안 씻을 수 없는 부끄러움, 임진왜란의 치욕
백분(百分)에 ᄒᆞᆫ 가지도 못 시셔 ᄇᆞ려거든,
씻어

[E] 이 몸이 무상(無狀)ᄒᆞᆫ들 신자(臣子)ㅣ 되야 이셔다가,
변변치 못하다 한들 / 신하
궁달(窮達)이 길이 달라 몬 뫼ᄋᆞᆸ고 늘거신ᄃᆞᆯ,
빈궁과 영달, 즉 신하와 임금의 신분을 의미함. / 모시고
우국 단심(憂國丹心)이야 어ᄂᆡ 각(刻)애 이즐넌고.
주제(나라에 대한 걱정과 임금에 대한 충성)가 드러난 시어

▶ 본사 5: 왜적에게 당한 수치심과 변함없는 우국 단심

현대어 풀이 때때로 머리를 들어 임금이 계신 곳을 바라보며 시국을 근심하는 늙은이의 눈물을 하늘 한 모퉁이에 떨어뜨리는구나. 우리나라의 문물이 중국의 한나라, 당나라, 송나라에 뒤떨어지랴마는, 나라의 운수가 불행하여 왜적의 흉악한 모략에 빠져 오랜 세월 씻을 수 없는 부끄러움을 안고서, 그 백분의 일도 못 씻어 버렸거든, 이 몸이 변변치 못하다 한들 신하가 되어 있다가, 신하와 임금의 신분이 서로 달라 못 모시고 늙은들, 나라를 걱정하는 충성스러운 마음이야 어느 때인들 잊을 수 있겠는가?

강개(慷慨)* 계운 장기(壯氣)는 노당익장(老當益壯) ᄒᆞ다마는,
이기지 못하는 / 늙을수록 더욱 씩씩함.
됴고마ᄂᆞᆫ 이 몸이 병중(病中)에 드러시니, 설분신원(雪憤伸冤) 어려올 듯 ᄒᆞ건마는,
조그마한 / 분함을 씻고 억울함을 풀어 버림.
그러나 사제갈(死諸葛)도 생중달(生中達)*을 멀리 좃고,
죽은 제갈공명
발 업ᄉᆞᆫ 손빈(孫臏)도 방연(龐涓)*을 잡아거든,
손자, 중국 전국 시대의 병법가
ᄒᆞ믈며 이 몸은 수족(手足)이 ᄀᆞ자 잇고 명맥(命脈)이 이어시니,
갖추어
서절구투(鼠竊狗偸)을 저그나 저흘소냐. 「비선(飛船)에 ᄃᆞᆯ려드러 선봉(先鋒)을 거치면,
쥐와 개처럼 몰래 물건을 훔치는 좀도둑 / 두려워하겠느냐? / 나는 듯이 달리는 배 / 휘몰아치면
구시월(九十月) 상풍(霜風)에 낙엽(落葉)가치 헤치리라.」 「」: 비유를 통해 적을 물리치겠다는 의지, 무인의 기개 등을 드러냄.
서릿바람(가을바람)
칠종칠금(七縱七禽)을 우린ᄃᆞᆫ 못ᄒᆞᆯ 것가.
마음대로 잡았다 놓아주었다 함. – 제갈공명이 맹획을 일곱 번이나 사로잡았다가 일곱 번 놓아주었다는 데서 유래함.

▶ 본사 6: 왜적을 무찌르겠다는 다짐

현대어 풀이 (왜적의 침입을) 분하게 여기는 마음을 이기지 못하는 씩씩한 기운은 나이가 들수록 더욱 씩씩해지고 있지만, 조그마한 이 몸이 병중에 들었으니, 분함을 씻고 억울함을 풀어 버리기가 어려울 듯하건마는, 그러나 죽은 제갈공명이 살아 있는 사마의를 멀리 쫓아 버렸고, 발이 없는 손빈도 방연을 잡았는데, 하물며 이 몸은 손과 발이 갖추어 있고 목숨이 이어 있으니 쥐나 개와 같은 왜적을 조금이나마 두려워하겠는가? 나는 듯이 달리는 배에 달려들어 선봉을 휘몰아치면, 구시월에 부는 서릿바람에 떨어지는 낙엽처럼 (왜적을) 헤치리라. 칠종칠금을 우리라고 못할 것인가?

「준피 도이(蠢彼島夷)들아 수이 걸항(乞降) ᄒᆞ야ᄉᆞ라. 「」: 항복을 권유함.
꾸물거리는 섬나라 오랑캐 – 왜적 / 빨리 / 항복하며 용서를 빎.
항자 불살(降者不殺)이니 너를 구ᄐᆡ 섬멸(殲滅)ᄒᆞ랴.」
항복하는 자는 죽이지 않음.
오왕(吾王) 성덕(聖德)이 욕병생(欲竝生) ᄒᆞ시니라.
우리 임금 / 함께 살고자 함.
태평천하(太平天下)애 요순(堯舜)* 군민(君民) 되야 이셔,
태평성대의 백성
일월 광화(日月光華)는 조부조(朝復朝) ᄒᆞ얏거든,
해와 달의 빛 – 임금의 성덕 / 아침이 지나고 또 아침이 옴. – 태평성대의 지속
「전선(戰船) ᄐᆞ던 우리 몸도 어주(魚舟)에 창만(唱晩)ᄒᆞ고,
전투에 쓰던 배 / 고기잡이 배 / 늦도록 노래함.
추월 춘풍(秋月春風)에 놉히 베고 누어 이셔,
성대(聖代) 해불양파(海不揚波)를 다시 보려 ᄒᆞ노라.」 「」: 자연 속에서 풍류를 즐길 수 있는 태평성대에 대한 소망
바다에 파도가 일지 않음 – 태평성대

▶ 결사: 태평성대에 대한 소망

현대어 풀이 꾸물거리는 섬나라 오랑캐들아, 빨리 항복하려무나. 항복한 자는 죽이지 않으니, 너희들을 구태여 다 죽이겠는가? 우리 임금의 성스러운 덕이 너희와 더불어 살아가고자 하시느니라. 태평스러운 천하에 요순 시대의 백성이 된 것처럼 해와 달의 빛 같은 임금의 성덕이 매일 아침마다 밝게 비치니, 전투에 쓰던 배를 타던 우리 몸도 고기잡이배에서 늦게까지 노래하고, 가을 달 봄바람에 (베개를) 높이 베고 누워, 성군 치하의 태평성대를 다시 볼까 하노라.

출제 포인트

■ 중국 고사의 인용

고사 ①	고사 ②
어려운 상황 속에서도 기개를 떨친 제갈공명과 손빈의 고사	제갈공명이 남만의 왕 맹획을 일곱 번 잡고 일곱 번 놓아주었다는 고사

⬇

화자 자신은 제갈공명이나 손빈에 비하면 성한 몸으로 살아 있으므로 왜적을 격퇴할 수 있다는 의지와 기개, 자신감을 보임.

■ 화자의 정서(결사)

오왕 성덕이 욕병생 ᄒᆞ시니라.	왕의 성덕이 다 같이 잘 살기를 바람.
성대 해불양파를 다시 보려 ᄒᆞ노라.	태평성대를 기원함.

⬇

평화를 기원함.

수능 필수 개념 플러스

"「태평사」와 「선상탄」"

박인로는 전쟁(임진왜란) 체험을 바탕으로 전쟁을 다룬 가사로 「태평사」와 「선상탄」을 지었다. 「태평사」는 임진왜란이 끝나고 다시 태평성대를 구가한다는 내용의 전쟁 가사이다. 전란의 참상과 종전 후 태평성대를 맞이하게 된 기쁨과 성은에 보답하여 길이 이 태평을 즐기자는 뜻을 노래하고 있다. 「선상탄」은 임진왜란이 끝난 후 전쟁을 일으킨 왜적들에 대한 강한 적개심과 태평천하에 대한 기원을 노래한 가사이다.

어휘 풀이

* 강개: 의롭지 못한 것을 보고 의기가 북받쳐 원통하고 슬픔
* 생중달: 살아있는 사마중달(사마의). 제갈공명을 두려워하였는데 공명이 죽었다는 말을 듣고 쳐들어갔다가 공명이 수레에 앉아 있는 나무 조각상을 보고 도망쳤다는 일화가 있음.
* 방연: 손빈의 친구. 손빈의 재주를 시기하여 모략으로 그의 발을 잘랐으나, 나중에 손빈의 책략으로 잡혀 죽었다는 일화가 있음.
* 요순: 고대 중국의 요임금과 순임금을 아울러 이르는 말

1 작품 이해

이 작품은 왜구에 대한 적개심과 우국충정이 드러나 있는 가사이다. 작가가 45세 때 수군 통주사로 부산진에 부임하여 머무를 때 지었다. 화자는 선상에서 일본 쪽을 바라보며, 임진왜란을 일으킨 왜적에 대한 분노와 무장으로서의 기개, 나라를 사랑하는 마음과 평화를 기원하는 마음을 드러내고 있다.

- 갈래: 가사(전쟁 가사)
- 성격: 우국적, 비판적, 기원적

- 주제: 전쟁의 비애를 딛고 태평성대를 누리고 싶은 마음과 우국충정
- 시적 상황 배 위에서 □□□를 바라보고 있음.
- 정서와 태도 왜적에 대한 강한 □□□을 느끼며 우국충정을 드러내며 태평성대를 염원하고 있음.

정답: 대마도, 적개심

2 내용 확인

1 맞는 내용이면 ○표, 틀린 내용이면 ×표 하시오.

① 중국의 고사를 인용하여 화자의 정서와 생각을 강조하고 있다. ( )

② 화자는 배가 전쟁의 수단으로 사용되었던 과거와 달리 풍류의 수단으로 사용되고 있는 현재의 상황에 만족하고 있다. ( )

내용 확인 도우미

1 ① 본사에서는 '헌원씨', '진시황', '서불', '제갈공명', '손빈' 등의 고사를 인용하였다.

② 본사 4에서 화자는 '배'가 풍류의 수단으로 사용된 과거와 달리 현재는 전쟁의 수단으로 사용되고 있음을 언급하였다.

정답 1 ① ○ ② ×

3 실전 Test

• 정답 54쪽

01 [A]~[E]에 대한 설명으로 적절하지 않은 것은? 기출 문제

① [A]는 '주사'로 임명되어 '진동영'에 내려온 화자의 상황을 나타내고 있다.

② [B]에는 배를 만든 '헌원씨'를 추모하는 화자의 모습이 나타나 있다.

③ [C]에는 왜적을 생기게 한 '진시황'에 대한 화자의 원망이 드러나 있다.

④ [D]에는 '한당송'에 뒤지지 않는 '문물'을 가졌음에도 왜적의 침략을 받아 원통해하는 화자의 마음이 드러나 있다.

⑤ [E]에는 '신자'로서 '우국 단심'을 다짐하는 화자의 모습이 나타나 있다.

02 윗글의 빅와 [보기]의 빈 빅를 비교한 내용으로 가장 적절한 것은? 기출 문제

보기

추강(秋江)에 밤이 드니 물결이 ᄎᆞ노매라.
낙시 드리치니 고기 아니 무노ᄆᆡ라.
무심(無心)ᄒᆞᆫ ᄃᆞᆯ빛만 싯고 빈 ᄇᆡ 저어 오노라. – 월산 대군

① 윗글의 'ᄇᆡ'는 화자가 머물러 있다가 떠나온 공간이고, [보기]의 '빈 ᄇᆡ'는 화자가 머무르고 있는 공간이다.

② 윗글의 'ᄇᆡ'는 화자에게 시름을 불러일으키고 있고, [보기]의 '빈 ᄇᆡ'는 화자의 무욕의 정서를 드러내고 있다.

③ 윗글의 'ᄇᆡ'와 달리 [보기]의 '빈 ᄇᆡ'는 과거에 대한 그리움을 드러내고 있다.

④ [보기]의 '빈 ᄇᆡ'와 달리 윗글의 'ᄇᆡ'는 이상적인 삶의 모습을 나타내고 있다.

⑤ [보기]의 '빈 ᄇᆡ'와 달리 윗글의 'ᄇᆡ'는 계절적 배경과 어울려 풍류적 분위기를 드러내고 있다.

실전 Test Guide

01 제시문의 내용을 정확히 파악하고 있는지를 확인하는 문제이다. 화자의 상황, 정서, 태도 등을 고려하여 선택지의 적절성을 판단해 보도록 한다.

02 제시문과 [보기]의 시어를 비교하여 의미와 기능을 파악해 보는 문제이다. 문맥을 고려하여 시어들의 공통점과 차이점을 파악해 보도록 한다.

가사

128 누항사(陋巷詞)_박인로

어리고 우활(迂闊)* ᄒᆞᆯ산 이ᄂᆡ 우ᄒᆡ 더니 업다.
(어리석고 / 더한 사람)

길흉화복(吉凶禍福)*을 하날긔 부쳐 두고,
(운명론적 사고 방식)

「누항(陋巷) 깁픈 곳의 초막(草幕)을 지어 두고,
(좁고 누추한 거리 / 풀이나 짚으로 지붕을 이어 조그마하게 지은 막집)

풍조우석(風朝雨夕)에 석은 딥히 셥히 되야,
(바람 부는 아침과 비 오는 저녁–고르지 못한 날씨 / 섶, 땔감)

셔 홉 밥 닷 홉 죽(粥)에 연기(煙氣)도 하도 할샤.
(보잘것없는 초라한 음식–궁핍한 생활)

설 데인 숙냉(熟冷)애 뷘 배 쇡일 ᄲᅮᆫ이로다.」 「」: 화자의 궁핍하고 곤궁한 삶의 모습
(숭늉)

생애(生涯) 이러ᄒᆞ다 장부(丈夫) ᄠᅳᆺ을 옴길넌가.
(현실 ↔ 이상 / 설의법)

안빈 일념(安貧一念)을 젹을망정 품고 이셔,
(가난한 삶 속에서도 마음을 편하게 가지겠다는 하나의 마음)

수의(隨宜)로 살려 ᄒᆞ니 날로조차 저어(齟齬)ᄒᆞ다. ▶ 서사: 누항에서 안빈 일념으로 살고자 함.
(옳은 일을 좇음. / 뜻대로 되지 않는다.)

현대어 풀이 어리석고 세상 물정을 잘 모르기는 나보다 더한 사람이 없다. 길흉화복을 하늘에 맡겨 두고 누추한 거리 깊은 곳에 초가를 지어 두고, 변화가 심한 날씨에 썩은 짚이 땔감이 되어 세 홉 밥 다섯 홉 죽을 만드는데 연기가 많기도 많구나. 덜 데운 숭늉으로 고픈 배를 속일 뿐이로다. 생활이 이러하다고 대장부의 뜻을 바꿀 것인가? 안빈낙도하겠다는 한 가지 마음을 적을망정 품고 있어서, 옳은 일을 좇아 살려고 하니 날이 갈수록 뜻대로 되지 않는다.

ᄀᆞᄋᆞᆯ히 부족(不足)거든 봄이라 유여(有餘)ᄒᆞ며,
(여유가 있으며)

주머니 뷔엿거든 병(甁)의라 담겨시랴.
(설의법)

빈곤(貧困)ᄒᆞᆫ 인생(人生)이 천지간(天地間)의 나ᄲᅮᆫ이라.

기한(飢寒)이 절신(切身)ᄒᆞ다 일단심(一丹心)을 이질ᄂᆞᆫ가.
(굶주림과 추위 / 몸을 끊는다 / 일편단심의 충성심 / 설의법)

분의 망신(奮義忘身)ᄒᆞ야 죽어야 말녀 너겨,
(의에 분발하여 제 몸을 돌보지 않음. / 말겠노라고)

우탁 우낭(于槖于囊)의 줌줌이 모아 녀코,
(전대와 망태, 군인의 배낭 / 임진왜란 5년)

병과(兵戈) 오재(五載)예 감사심(敢死心)을 가져 이셔,
(병정과 창–전쟁(임진왜란) / 죽기를 두려워하지 않는 마음, 죽음을 각오한 충성심)

이시섭혈(履尸涉血)ᄒᆞ야 몃 백전(百戰)을 지ᄂᆡ연고. ▶ 본사 1: 임진왜란에 참전했던 일을 회상함.
(주검을 밟고 피를 건너감.–전쟁의 참혹함)

현대어 풀이 가을에도 부족한데 봄이라고 여유가 있을 것이며, 주머니가 비었는데 술병이라고 (술이) 담겨 있겠는가? 빈곤한 인생이 천지간에 나뿐이라. 배고픔과 추위가 몸을 괴롭힌다 한들 일편단심을 잊을 것인가? 의에 분발하여 제 몸을 돌보지 않고 죽고야 말겠노라고 생각하여, 전대와 망태에 한 줌 한 줌 모아 넣고, 전쟁(임진왜란) 5년 동안 죽기를 두려워하지 않는 마음을 가지고 있어, 주검을 밟고 피를 건너가서 몇백 번의 전투를 치렀던가?

일신(一身)이 여가(餘暇) 잇사 일가(一家)를 도라보랴.
(일이 없어 남는 시간 / 설의법–탄식)

일노장수(一奴長鬚)ᄂᆞᆫ 노주분(奴主分)을 이졋거든,
(긴 수염이 난 종(늙은 종) / 종과 주인 사이의 분수, 분별)

고여춘급(告余春及)을 어ᄂᆡ 사이 ᄉᆡᆼ각ᄒᆞ리.
('내(화자)'에게 봄이 왔다고 알려 줌. / 누구에게)

경당문노(耕當問奴)인ᄃᆞᆯ 눌ᄃᆞ려 물ᄅᆞᆯᄂᆞᆫ고.
(농사짓는 일은 마땅히 종에게 물어야 함. / 집이 가난하여 물어 볼 종이 없음.)

궁경가색(躬耕稼穡)이 ᄂᆡ 분(分)인 줄 알리로다.
(몸소 밭을 갈고 씨를 뿌려 곡식을 거둠.)

신야경수(莘野耕叟)*와 농상경옹(壟上耕翁)*을 천(賤)타 ᄒᆞ리 업것마ᄂᆞᆫ,
(갈겠는가)

아므려 갈고젼ᄃᆞᆯ 어ᄂᆡ 쇼로 갈로손고. ▶ 본사 2: 전란 후 농사를 짓고자 하는데 소가 없음.
(소가 없어 밭을 갈 수 없는 궁핍한 현실을 한탄함(사실적 표현).)

작품 한눈에 보기

현실		이상
전란 후의 궁핍한 생활과 그로 인해 느끼는 무력감	↔ 갈등	강호에서 안빈낙도하는 삶

⬇

자연 친화, 빈이 무원, 안분지족, 유교적 가치를 지키는 삶을 살고자 함.

출제 포인트

■ 표현상의 특징

① 대화체를 통해 임진왜란 이후의 궁핍한 삶을 사실적으로 묘사함.
② 농촌의 일상생활과 관련된 어휘와 어려운 한자어를 사용함.
③ 설의법, 대구법, 과장법, 열거법 등 다양한 표현 방식을 사용하여 화자의 정서를 드러냄.
④ 중국의 고사(신야경수, 농상경옹)를 인용하여 화자의 가난한 처지를 드러냄.

■ 화자의 상황

화자		
임진왜란에 참전했던 사대부	→	농사를 스스로 짓고자 하나 농사짓는 법을 물어볼 종이 없고, 밭을 갈 소도 없음.

어휘 풀이

* 우활: 사리에 어둡고 세상 물정을 모름.
* 길흉화복: 길흉과 화복을 아울러 이르는 말
* 신야경수: 잡초 많은 들에서 밭을 가는 늙은이라는 뜻으로, 밭을 갈다가 은나라 재상이 된 이윤을 가리킴.
* 농상경옹: 밭두둑 위에서 밭 갈던 늙은이라는 뜻으로, 진나라 재상이 된 진승을 가리킴.

현대어 풀이 내 몸이 겨를이 있어서 한 집안을 돌보겠는가? 늙은 종은 주인과 종 사이의 분수를 잊어 버렸는데, 나에게 봄이 왔다고 알려 주기를 어느 사이에 생각하겠는가? 농사를 짓는 일은 마땅히 종에게 물어야 한다지만 누구에게 물어볼 것인가? 몸소 농사를 짓는 것이 내 분수에 맞는 일인 줄을 알겠도다. 잡초 많은 들에서 밭 갈던 늙은이(은나라의 이윤)와 밭두둑 위에서 밭 갈던 늙은이(진나라의 진승)를 천하다고 할 사람이 없지마는, 아무리 갈려고 한들 어느 소로 갈겠는가?

한기 태심(旱旣太甚)ᄒᆞ야 시절(時節)이 다 늦은 제,
(가뭄이 이미 크게 심함. / 농사짓기에 좋은 시기)
서주(西疇) 놉흔 논애 잠ᄭᅡᆫ ᄀᆡᆫ 녈비예,
(서쪽에 있는 두둑 / 지나가는 비)
도상(道上) 무원수(無源水)를 반만ᄭᅡᆫ ᄃᆡ혀 두고,
(길 위 / 근원이 없이 흐르는 물)
쇼 ᄒᆞᆫ 젹 듀마 ᄒᆞ고 엄섬이 ᄒᆞᄂᆞᆫ 말삼,
(엉성하게, 탐탁지 않게)
친절(親切)호라 너긴 집의 달 업슨 황혼(黃昏)의 [허위허위] 다라가셔, [ ]: 의태어
(허둥지둥)
「구디 다ᄃᆞᆫ 문(門) 밧긔 어득히 혼자 서셔,
(우두커니) 「」: 소를 빌리러 온 상황에서도 체면을 중시하는 태도를 보임.
큰 기참 아함이를 양구(良久)토록 ᄒᆞ온 후(後)에,」
('에헴' 하는 소리(인기척) / 오래도록)
어화 긔 뉘신고 염치(廉恥) 업산 ᄂᆡ옵노라. ▶ 본사 3: 농사를 짓기 위해 이웃집에 소를 빌리러 감.
(소 주인의 물음 / 화자의 대답 → 대화체를 활용하여 실감 나게 표현함.)

현대어 풀이 가뭄이 이미 몹시 심하여 농사짓기에 좋은 시기가 다 늦은 때에, 서쪽에 있는 두둑 높은 논에 잠깐 갠 지나가는 비에, 길 위에 흘러가는 근원 없이 흐르는 물을 반쯤만 대어 두고, '소 한번 빌려 주마.' 하고 엉성하게 하는 말을 친절하다고 여긴 집에 달 없는 저녁에 허둥지둥 달려가서, 굳게 닫힌 문 밖에 우두커니 혼자 서서, 큰 기침으로 '에헴' 하는 인기척을 꽤 오래도록 한 후에, "어, 거기 누구신가?" 묻기에 "염치없는 저올시다."

「초경(初更)도 거읜ᄃᆡ 긔 엇지 와 겨신고. –소 주인의 말 「」: 소 주인과 화자의 대화(뇌물을 주어야 소를 빌릴 수 있는 각박한 세태를 보여 줌.)
(저녁 7~9시 / 거의 지났는데)
연년(年年)에 이러ᄒᆞ기 구차(苟且)ᄒᆞᆫ 줄 알건만ᄂᆞᆫ,
(해마다)
쇼 업ᄉᆞᆫ 궁가(窮家)애 혜염 만하 왓삽노라. — 화자의 말
(가난한 집 / 논갈이에 대한 걱정)
공ᄒᆞ니나 갑시나 주엄즉도 ᄒᆞ다마ᄂᆞᆫ,
(공짜로나 값을 치르거나 / 빌려 줌직도)
다만 어제 밤의 거넨 집 져 사ᄅᆞᆷ이,
목 불근 수기치(雉)를 옥지읍(玉脂泣)게 ᄭᅮ어 ᄂᆡ고,
(장끼(수꿩) / 구슬 같은 기름이 끓어오르게)
간 이근 삼해주(三亥酒)를 취(醉)토록 권(勸)ᄒᆞ거든,
(갓 익은 / 정월의 세 해일(亥日, 12지 중 돼지로 된 날)에 만든 술)
이러ᄒᆞᆫ 은혜(恩惠)을 어이 아니 갑흘넌고.
(꿩고기와 술을 대접한 은혜를 갚기 위해 건넛집에 소를 빌려주어야 함.)
내일(來日)로 주마 ᄒᆞ고 큰 언약(言約) ᄒᆞ야거든,
실약(失約)이 미편(未便)ᄒᆞ니 사셜이 어려왜라. — 소 주인의 말
(약속을 어기는 것 / 편하지 않음. / 말씀. 소를 빌려주겠다는 말)
실위(實爲) 그러ᄒᆞ면 혈마 어이할고.」 –화자의 말
(진실로)
헌 먼덕 수기 스고 측 업슨 집신에 [설피설피] 물너 오니,
(짚으로 만든 모자 / 맥없이 어슬렁어슬렁)
풍채(風採) 저근 형용(形容)애 ᄀᆡ 즈칠 ᄲᅮᆫ이로다. ▶ 본사 4: 소를 빌리려다 수모를 당함.
(소를 빌리지 못해 처량해지고 위축된 심리)

현대어 풀이 "초경도 거의 지났는데 그 어찌 와 계신가?" "해마다 이러기가 구차한 줄 알지마는 소 없는 가난한 집에 근심이 많아 왔소이다." "공짜로나 값을 치르거나 간에 주었으면 좋겠지만, 다만 어젯밤에 건넛집 저 사람이 목 붉은 수꿩을 구슬 같은 기름이 끓어오르게 구워 내고, 갓 익은 삼해주를 취하도록 권하였는데, 이러한 은혜를 어찌 아니 갚겠는가? 내일 (소를 빌려) 주마 하고 굳게 약속을 하였기에, 약속을 어기는 것이 편하지 않으니 (당신에게 빌려 준다는) 말하기가 어렵구료." "사실이 그렇다면 설마 어찌하겠는가?" 헌 모자를 숙여 쓰고 축 없는 짚신을 신고 맥없이 어슬렁 물러나오니 풍채 작은 (내) 모습에 개가 짖을 뿐이로다.

(달팽이의 집이라는 뜻으로, 작고 초라한 집을 비유적으로 이르는 말)
와실(蝸室)에 드러간ᄃᆞᆯ 잠이 와사 누어시랴.
(화자가 자신의 집을 겸손하게 지칭함. / 설의법)

출제 포인트

■ 작품에 드러난 사회상

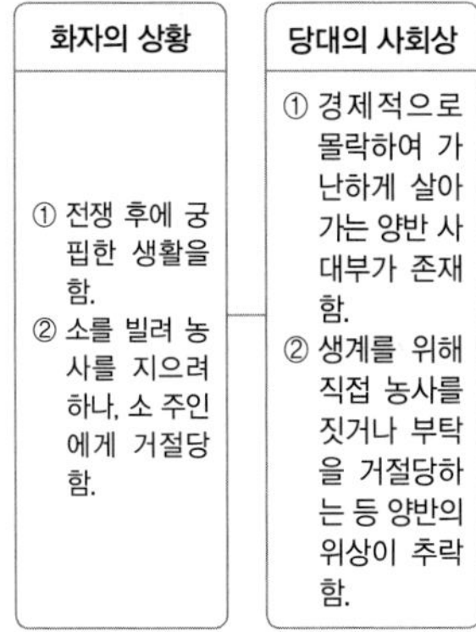

화자의 상황	당대의 사회상
① 전쟁 후에 궁핍한 생활을 함. ② 소를 빌려 농사를 지으려 하나, 소 주인에게 거절당함.	① 경제적으로 몰락하여 가난하게 살아가는 양반 사대부가 존재함. ② 생계를 위해 직접 농사를 짓거나 부탁을 거절당하는 등 양반의 위상이 추락함.

■ 말하기 방식의 차이(본사 4)

화자	소를 빌려야 농사를 지을 수 있는 가난한 처지임을 드러내어 소 주인의 연민에 호소하고 있음.
소 주인	화자에게 소를 빌려줄 수 없는 구체적인 이유를 들어 화자의 부탁을 완곡하게 거절하고 있음(우회적).

■ 자연물의 기능

ᄀᆡ (본사 4)	소를 빌리지 못하고 맥없이 물러나는 화자를 보고 짖는 개는 화자의 서글프고 비참한 심정을 고조시킴.

■ 문학사적 가치

「누항사」는 자연에 은거하는 삶을 제시하고 유교적 충의 사상을 드러내면서도 소외된 사대부의 처지를 사실적으로 반영했다는 점에서 가사 문학의 전환점으로 평가된다. 속세를 떠나 명월청풍과 벗하며 자연과 더불어 한가롭게 살겠다는 내용은 조선 전기 가사의 면모를 이어받은 것이다. 한편 사대부이지만 스스로 농사를 지어 생계를 이어 나가야 하는 현실의 어려움을 사실적으로 제시하고 있다.

수능 필수 개념 플러스

"「누항사」 속 의태어"

의태어는 사람이나 사물의 모양이나 움직임을 흉내 낸 말을 의미하는데, 적절히 사용하면 시적 상황을 실감 나게 전달할 수 있다. 본사 3의 '허위허위'와 본사 4의 '설피설피'는 소를 빌리러 갈 때와 소를 빌리지 못하고 돌아올 때의 화자의 모습을 묘사한 것이다. 이는 화자의 심정을 드러내며, 부탁을 거절당할 만큼 당시에 양반의 위상이 보잘것없었음을 보여 준다.

북창(北牕)을 비겨 안자 싀배를 기다리니,
새벽

무정(無情)한 대승(戴勝)은 이내 한(恨)을 도우ᄂᆞ다.
객관적 상관물 – 봄에 밭 갈기를 재촉한다는 오디새, 화자의 심란하고 참담한 심정을 심화시킴.

종조 추창(終朝惆悵)ᄒᆞ며 ㉠먼 들흘 바라보니,
아침이 끝날 때까지 슬퍼함.

즐기ᄂᆞᆫ 농가(農歌)도 흥(興) 업서 들리ᄂᆞ다.
참담한 심정 때문에 즐거운 농가 소리에도 감흥을 느끼지 못함.

세정(世情) 모ᄅᆞᆫ 한숨은 그칠 줄을 모ᄅᆞᄂᆞ다.
세상 물정, 소를 빌리는 일에도 뇌물이 필요하다는 사실

술 고기 이시면 권당 벗도 하렷마ᄂᆞᆫ 두 주먹 뷔게 쥐고
친척 / 많겠지마는

세태(世態) 업ᄉᆞᆫ 말ᄉᆞᆷ애 양ᄌᆞᄒᆞ나 못 고오니,

ᄒᆞᄅᆞ 아젹 블일 쇼도 못 비러 마랏거든,
아침

ᄒᆞ믈며 동곽 번간에 취ᄒᆞᆯ 뜻을 가딜소냐.
성 동쪽의 무덤 사이 – 『맹자』의 「이루 하」에서 언급한 말을 인용한 것으로, 주위에 빌붙어 배를 채우고 으스대는 사람을 비유함.

아ᄭᆞ온 져 소뷔ᄂᆞᆫ 볏보님도 됴ᄒᆞᆯ세고.
쟁기의 사투리 / 쟁기의 날

가시 엉귄 묵은 밧도 용이(容易)케 갈련마ᄂᆞᆫ,
어렵지 않고 매우 쉽게

㉡허당 반벽(虛堂半壁)에 슬듸업시 걸려고야.

춘경(春耕)*도 거의거다 후리쳐 더뎌 두쟈. ▶ 본사 5: 야박한 세태를 한탄하며 봄갈이를 포기함.
가난으로 봄갈이조차 포기할 수밖에 없는 비애감

현대어 풀이 작고 초라한 집에 들어간들 잠이 와서 누워 있겠는가? 북쪽 창문에 기대어 앉아 새벽을 기다리니, 무정한 오디새는 나의 한을 북돋우는구나. 아침이 끝날 때까지 서글퍼하며 먼 들을 바라보니, 즐기는 농부들의 노래도 흥 없이 들리는구나. 세상 물정을 모르는 한숨은 그칠 줄을 모른다. 술과 고기가 있으면 친척과 벗도 많겠지마는, 두 주먹 비게 쥐고 세태 인정 없는 말씀에 내 모양 하나 유지하지 못하니, 하루 아침 부릴 소도 못 빌리고 말았거든, 하물며 성 동쪽의 무덤 사이에 취할 뜻을 가질쏘냐? 아까운 저 쟁기는 쟁기의 날도 좋구나. (소만 있다면) 가시가 엉킨 묵은 밭도 매우 쉽게 갈 수 있겠지만 빈집 벽 가운데에 쓸데없이 걸려 있구나. 봄갈이도 거의 다 지났다. (농사일은) 팽개쳐 던져 버리자.

「강호(江湖) 한 ᄭᅮᆷ을 ᄭᅮ언지도 오ᄅᆡ러니, 「」: 가난한 현실 때문에 이상을 잊고 지냈음을 한탄함.
자연과 함께 살겠다는 꿈

㉢구복(口腹)*이 위루(爲累)ᄒᆞ야 어지버 이져ᄯᅥ다.」

첨피 기욱(瞻彼淇燠)혼ᄃᆡ 녹죽(綠竹)도 하도 할샤.
저 물가를 바라봄.

㉣유비군자(有斐君子)*들아 낙ᄃᆡ ᄒᆞ나 빌려ᄉᆞ라.

「노화(蘆花) 깁픈 곳애 명월청풍(明月淸風) 벗이 되야, 「」: 앞으로의 삶에 대한 다짐 → 자연과 함께하는 삶 추구, 자연친화적
갈대꽃

㉤님ᄌᆡ 업ᄉᆞᆫ 풍월강산(風月江山)애 절로절로 늘그리라.」

무심(無心)ᄒᆞᆫ 백구(白鷗)야 오라 ᄒᆞ며 말라 ᄒᆞ랴.
자연 / 자연과의 동화, 물아일체

다토리 업슬ᄉᆞᆫ 다문 인가 너기로라. ▶ 결사 1: 자연을 벗 삼아 늙기를 소망함.
다툴 사람 / 화자가 자연을 벗하며 살려는 이유

현대어 풀이 자연과 함께 살겠다는 꿈을 꾼 지도 오래더니 먹고 사는 것이 누가 되어, 아아 잊었도다. 저 물가를 바라보니 푸른 대나무가 많기도 많구나. 교양 있는 선비들아, 낚싯대 하나 빌려 다오. 갈대꽃 깊은 곳에서 밝은 달과 맑은 바람의 벗이 되어, 임자가 없는 자연 속에서 절로절로(근심 없이) 늙으리라. 무심한 갈매기야, (나더러) 오라고 하며 (오지) 말라고 하겠느냐? 다툴 이가 없는 것은 다만 이것뿐인가 생각하노라.

무상(無狀)*ᄒᆞᆫ 이 몸애 무ᄉᆞᆫ 지취(志趣) 이스리마ᄂᆞᆫ,
자신을 낮추어 겸손하게 표현함. / 뜻과 취향

두세 이렁 밧논을 다 무겨 더뎌 두고,

이시면 죽(粥)이오 업시면 굴물망정, 남의 집 남의 거슨 전혀 부러 말렷노라.
안빈낙도, 안분지족 / 욕심을 부리지 않고 살아가려는 화자의 의지 / 말려고 한다.

「ᄂᆡ 빈천(貧賤) 슬히 너겨 손을 헤다 물너가며, 「」: 가난은 어찌할 수 없다는 운명론적 세계관
싫게 / 내젓는다고

남의 부귀(富貴) 불리 너겨 손을 치다 나아오랴.」
부럽게

출제 포인트

■ 자연물의 기능

대승(본사 5)	밭 갈기를 재촉하며 우는 오디새는 소를 빌리지 못해 농사를 포기하고 있는 화자의 심란한 심정과 비애를 심화시킴.

■ 화자의 삶의 태도

겸손한 삶	• 어리고 우활ᄒᆞᆯ산(서사) • 누항 깁푼 곳(서사) • 와실(본사 5)
자연 친화적인 삶	• 강호 ᄒᆞᆫ ᄭᅮᆷ(결사 1) • 명월청풍(결사 1) • 풍월강산(결사 1)
소박한 삶	• 빈이 무원(결사 2) • 단사표음(결사 2)
유교적 가치를 중시하는 삶	• 일단심(본사 1) • 감사심(본사 1) • 충효(결사 2) • 화형제 신붕우(결사 2)

수능 필수 개념 플러스

"창작 배경"

임진왜란 후 관직을 사임하고 박인로가 고향으로 돌아가 생활할 때 지어진 것이다. 박인로가 51세 때 한음 이덕형이 생활의 어려움을 묻자, 그에 대한 답으로 「누항사」를 지었다고 한다.

"'누항'과 '빈이무원'의 관계"

작품의 제목에서 '누항'은 『논어』에 나오는 말로, 누추하고 좁은 집을 의미한다. 그러나 '누항'은 당시 양반 사대부들이 가난한 삶 가운데에서도 도학을 연마하고 추구하는 즐거움을 즐기는 공간을 말하고자 할 때 사용되었다. 즉, '누항'은 가난하지만 이를 원망하지 않고 자연을 벗 삼아 풍류를 즐기고자 하는 '빈이 무원'의 경지와 일맥상통한다.

어휘 풀이

* 춘경: 봄갈이. 봄철에 논밭을 가는 일
* 구복: 먹고살기 위하여 음식물을 섭취하는 입과 배
* 유비군자: 교양 있는 선비
* 무상: 내세울 만한 선행이나 공적이 없음.

[A]

인간(人間) 어ᄂᆡ 일이 명(命) 밧긔 삼겨시리.
「빈이 무원(貧而無怨)을 어렵다 ᄒᆞ건마ᄂᆞᆫ 「」: 빈이무원, 안빈낙도의 삶 추구(궁극적 지향점)
ᄂᆡ 생애(生涯) 이러호ᄃᆡ 설온 ᄠᅳᆺ은 업노왜라.
단사표음(簞食瓢飮)*을 이도 족(足)히 너기로라.」
평생(平生) ᄒᆞᆫ ᄠᅳᆺ이 온포(溫飽)애ᄂᆞᆫ 업노왜라.
태평천하(太平天下)애 충효(忠孝)를 일을 삼아
화형제(和兄弟)* 신붕우(信朋友)* 외다 ᄒᆞ리 뉘 이시리.
그 밧긔 남은 일이야 삼긴 ᄃᆡ로 살렷노라.

(주석: 명 밧긔 삼겨시리 – 운명론적 사고 방식 / 빈이 무원 – 가난하지만 원망하지 않음 / 단사표음 – 검소하고 소박한 생활 / 평생 ᄒᆞᆫ ᄠᅳᆺ이 – 안분지족, 안빈낙도의 자세 / 온포 – 따뜻하게 입고 배부르게 먹음(부귀) / 충효 – 유교적 가치관 / 화형제 신붕우 – 유교적 가치관 / 외다 – 그르다 / 그 밧긔 남은 일 – 부귀, 벼슬 등 세속적인 일 / 삼긴 ᄃᆡ로 – 운명론적 세계관)

▶ 결사 2: 빈이무원과 안분지족을 추구함.

현대어 풀이 보잘것없는 이 몸이 무슨 뜻과 취향이 있겠는가마는, 두어 이랑의 밭과 논을 다 묵혀 던져 두고, 있으면 죽이요, 없으면 굶을망정, 남의 집, 남의 것은 전혀 부러워하지 않으려 한다. 내 가난과 천함을 싫게 여겨 손을 내젓는다고 물러가며, 남의 부귀를 부럽게 여겨 (오라고) 손짓을 한다고 오겠는가? 인간 세상의 어느 일이 운명 밖에서 생기겠는가? 가난하여도 원망하지 않음이 어렵다고 하건마는 내 생활이 이렇다 해서 서러운 뜻은 없노라. 도시락의 밥과 표주박의 물을 먹는 소박한 생활이지만 이것도 만족하게 여기고 있노라. 평생의 한 뜻이 따뜻하게 입고 배불리 먹는 데에는 없노라. 태평스러운 세상에 충성과 효도를 일로 삼아, 형제간에 화목하고 벗과 신의 있게 사귀는 것을 그르다고 할 사람이 누가 있겠는가? 그 밖의 나머지 일이야 타고난 대로 살겠노라.

출제 포인트

■ 시어의 의미 관계(결사 2)

부귀, 온포	↔ 대조	빈이 무원, 단사표음
부유하고 풍족한 삶 (화자가 부러워하거나 지향하지 않는 삶)		검소하고 소박한 삶 (화자가 추구하며 지향하는 삶)

어휘 풀이

* 단사표음: 대나무로 만든 밥그릇에 담은 밥과 표주박에 든 물이라는 뜻으로, 청빈하고 소박한 생활을 이르는 말. '일단사일표음(一簞食一瓢飮)'의 준말
* 화형제: 형제간의 우애와 화목
* 신붕우: 친구 사이의 신의

1 작품 이해

이 작품은 가난한 삶에서 좌절감과 비애를 느끼지만 가난을 원망하지 않고 안빈낙도하며 살겠다는 내용의 가사이다. 작가가 임진왜란 이후 고향인 경기도 용인에 내려가 살다가 지었다고 한다. 궁핍하고 누추한 일상생활에서 겪는 어려움을 사실적으로 형상화하였고, 자연을 벗 삼아 안빈낙도하면서 충효, 우애, 신의 등 유교적 가치를 지키는 삶을 살겠다는 다짐을 노래하고 있다.

- **갈래:** 가사
- **성격:** 사실적, 고백적, 사색적, 전원적
- **주제:** 궁핍한 삶 속에서도 자연을 벗 삼아 안빈낙도하고자 하는 삶
- **시적 상황** 전쟁 후 누추한 곳에서 궁핍하게 살며 직접 농사를 지으려 하나, □를 빌리지 못해 농사를 포기하고 있음.
- **정서와 태도** 가난하여 농사도 짓지 못하는 현실에 슬퍼하며 한탄하지만, 그럼에도 □□□□하는 삶을 살겠다고 다짐하고 있음.

정답: 소, 안빈낙도

2 내용 확인

1 맞는 내용이면 ○표, 틀린 내용이면 ×표 하시오.

① 세속적 가치를 추구하기 보다는 자연을 소유하고 싶은 화자의 욕망이 드러나 있다. (　　)

② 객관적 상관물을 통해 화자의 참담한 심정을 나타내고 있다. (　　)

2 화자의 상황을 실감 나게 제시하고 화자의 정서를 암시하는 역할을 하는 의태어 두 개를 본사 3과 본사 4에서 찾아 쓰시오.

➡ (　　　　　　　　,　　　　　　　　)

3 결사 2의 '□□ □□'은 '가난하지만 원망하지 않는다'는 의미로, 단사표음과 더불어 화자가 어려운 살림살이를 그대로 받아들여 자연을 벗 삼아 안분지족하고자 하는 화자의 의지가 드러난 시어이다.

내용 확인 도우미

1 ① 화자는 결사 1에서 '님ᄌᆡ 업ᄉᆞᆫ 풍월강산'이라고 하였다.
② 본사 5의 '대승'은 농사를 포기한 화자의 참담한 심정을 심화시킨다.

2 본사 3의 '허위허위'와 본사 4의 '설피설피'는 소를 빌리지 못해 농사를 짓지 못하는 화자의 상황과 정서를 드러내는 의태어이다.

3 '빈이 무원'은 화자가 추구하는 검소하고 소박한 삶을 드러내는 시어이다.

정답 1 ① × ② ○ 2 허위허위, 설피설피 3 빈이 무원

01 윗글에 대한 설명으로 적절하지 않은 것은?

① 설의적인 표현을 사용하여 화자의 의지를 강조하고 있다.
② 대화체를 사용하여 시적 상황을 실감 나게 표현하고 있다.
③ 공간의 이동에 따라 사물의 다양한 속성을 설명하고 있다.
④ 일상생활과 관련된 어휘를 사용하여 삶을 사실적으로 형상화하고 있다.
⑤ 대조적인 의미의 시어를 사용하여 화자가 가진 삶의 태도를 드러내고 있다.

02 [A] 부분에 [보기]의 내용이 들어 있는 이본(異本)이 있다. [보기]가 추가됨으로써 나타나는 효과로 가장 적절한 것은? 기출 문제

보기

가난타 이제 죽으며 부유하다 백년 살랴
원헌(原憲)*이는 몇 날 살고 석숭(石崇)*이는 몇 해 살았나

* 원헌: 춘추 시대에 청빈(淸貧)하게 산 학자
* 석숭: 진(晉)나라 때의 큰 부자

① 여러 인물을 등장시켜 대화 상황으로 전환하고 있다.
② 새로운 공간을 더하여 사건의 선후 관계를 짐작하게 한다.
③ 이질적인 이야기를 삽입하여 새로운 갈등을 유발하고 있다.
④ 구체적인 단서를 제공하여 인물 간의 심리적 거리를 드러내고 있다.
⑤ 역사 속 인물을 끌어와 화자의 삶에 대해 독자의 공감을 이끌어 내고 있다.

03 [보기]를 참조하여 윗글의 ㉠~㉤을 감상한 것으로 적절하지 않은 것은? 기출 문제

보기

사대부들이 궁극적으로 지향했던 삶은 세상에 나아가 태평성대를 구현하는 데 힘을 보태는 것이었으며, 이것을 자신들의 직분이라고 생각했다. 박인로도 이와 같은 삶을 지향했으며 사대부의 직분을 실천하기 위해 노력했지만, 그럴 만한 지위를 얻지 못했다. 그렇다고 세속적인 삶의 방식을 추종하며 살 수도 없었기에 세상에서 점점 소외될 수밖에 없었다. 이런 상황에서 갈등하다가 그가 선택하게 된 또 하나의 가치가 '안빈낙도(安貧樂道)'이다. 즉 안빈낙도는 자신의 뜻을 펼칠 수 없었던 상황에서 사대부로서의 고결한 내면을 지키기 위해 선택한 삶의 양식이었던 것이다.

① ㉠은 화자와 세상과의 심리적 거리를 표현한 것으로 볼 수 있겠군.
② ㉡은 사대부로서의 직분을 현실에서 실천할 수 없는 화자의 안타까운 처지를 드러낸 것으로 볼 수 있겠군.
③ ㉢은 화자가 선비로서의 고결한 삶을 살 수 없었던 이유로 볼 수 있겠군.
④ ㉣은 권력욕에 빠진 위정자들에 대한 비판을 보여 주는군.
⑤ ㉤은 안빈낙도하며 살아가겠다는 화자의 의지를 담고 있는 것으로 볼 수 있겠군.

실전 Test Guide

01 제시문에 나타난 표현상의 특징을 파악할 수 있는지 확인하는 문제이다. 제시문에서 시적 상황과 의미, 화자의 태도 등을 드러내기 위해 사용된 표현 방법이 무엇인지 살펴보도록 한다.

02 [보기]의 추가로 발생하는 효과를 파악할 수 있는지를 평가하는 문제이다. [보기]에 제시된 이본의 내용을 정확히 이해한 후, 제시문의 앞뒤 문맥을 고려하여 선택지의 적절성을 판단해 보도록 한다.

03 작가에 대한 설명을 바탕으로 제시문을 적절히 감상할 수 있는지를 평가하는 문제이다. [보기]의 설명을 근거로 해당 시구에 담긴 화자의 인식과 태도, 상황 등을 파악해 보도록 한다.

가사

129 탄궁가(嘆窮歌)_정훈

하ᄂᆞᆯ이 삼기시믈 일정 고로 ᄒᆞ련마ᄂᆞᆫ
만드시기를 / 차이가 없이 엇비슷하거나 같게
엇지ᄒᆞᆫ 인생(人生)이 이대도록 고초(苦楚)ᄒᆞᆫ고.
설의법–가난한 신세와 현실에 대한 원망과 한탄 / 고난
「삼순구식(三旬九食)을 엇거나 못 엇거나 「」: 화자의 궁핍한 생활
삼십 일 동안 아홉 끼니밖에 먹지 못한다는 뜻으로, 몹시 가난함을 이르는 말
십년일관(十年一冠)을 쓰거나 못 쓰거나
십년 동안 하나의 갓만 쓰는 가난한 생활
안표누공(顔瓢屢空)인ᄃᆞᆯ 날ᄀᆞ치 뷔여시며
공자의 제자인 안연(안회)이 가난하여 음식을 담는 표주박이 자주 비어 있음.
원헌 간난(原憲艱難)인ᄃᆞᆯ 날ᄀᆞ치 이심(已甚)ᄒᆞᆯ가.」 ▶ 서사: 가난한 생활을 한탄함.
청빈했던 공자의 제자 / 지나치게 심하다 / └ 설의법

현대어 풀이 하늘이 만드시기를 일정하게 고르게 하련만 어찌된 인생이 이토록 괴로운가? 삼십 일 동안 아홉 끼니를 얻거나 못 얻거나, 십 년 동안 하나의 갓을 쓰거나 못 쓰거나, 안연의 밥그릇이 비었다고 한들 나같이 비었으며 원헌의 가난인들 나같이 심할까?

뻐꾸기–농사철을 환기함.
춘일(春日)이 지지(遲遲)ᄒᆞ야 포곡(布穀)이 ᄇᆡ야거ᄂᆞᆯ
몹시 더디어 / 재촉하거늘
동린(東隣)에 ᄯᅡ보* 엇고 서사(西舍)에 호ᄆᆡ 엇고
동쪽에 사는 이웃 / 서쪽에 사는 이웃 / └ 농기구를 이웃에게 빌려야 할 정도로 궁핍함.
집 안희 드러가 ᄡᅵ갓ᄉᆞᆯ 마련ᄒᆞ니
씨앗
「올벼 씨 ᄒᆞᆫ 말은 반(半)나마 쥐 먹엇고 「」: 궁핍한 생활을 사실적으로 묘사함.
제철보다 일찍 여무는 벼 / 농사지을 볍씨마저 쥐가 먹음, 설상가상(雪上加霜)
기장피 조ᄑᆞᆺ튼 서너 되 부터거ᄂᆞᆯ」
기장과 피 / 조와 팥 / 서너 되밖에 농사를 지을 수 없음.
한아한 식구(食口) 일이허야 어이 살리. ▶ 본사 1: 농사짓기조차 어려운 형편
춥고 배고픈 / 설의법

현대어 풀이 봄날이 몹시 더디어 뻐꾸기가 재촉하거늘, 동쪽 이웃에게 따비를 얻고 서쪽 이웃에게 호미를 얻고 집안에 들어가 씨앗을 마련하니, 올벼 씨 한 말은 반 넘게 쥐가 먹었고 기장과 피와 조와 팥은 서너 되 부쳤거늘, 춥고 배고픈 식구 이리하여 어찌 살리?

㉠이바 아희들아 아모려나 힘ᄡᅥ 쓰라.
종들을 의미함.
「쥭은 물 샹쳥 먹고 거니 건져 죵을 주니
윗사람 / 건더기
눈 우희 바ᄂᆞᆯ 졋고 코흐로 ᄑᆞ람 분다.」 「」: 주인은 종들을 배려했으나 종들은 주인을 무시함.
올벼ᄂᆞᆫ ᄒᆞᆫ ᄇᆞᆯ ᄲᅳᆺ고 조 ᄑᆞᆺ튼 다 무기니
잡초의 일종 / 묵히니
살히파 바랑이ᄂᆞᆫ 나기도 슬찬턴가.
곡식은 나지 않고 잡초만 무성함. / 싫지 않던가?
「환자* 장리ᄂᆞᆫ 무어스로 댱만ᄒᆞ며 「」: 대구법
봄에 빌린 곡식의 높은 이자
㉡요역(徭役) 공부(貢賦)ᄂᆞᆫ 엇지ᄒᆞ야 ᄎᆞᆯ와 낼고.」
국가에서 시켜 의무적으로 해야 하는 육체적 노동과 세금
백이사지(百爾思之)라도 견ᄃᆡᆯ 셩이 전혜 업다.
이리저리 여러 가지로 생각함. / 견뎌 낼 가능성
장초(萇楚)의 무지(無知)를 불어ᄒᆞ나 엇지ᄒᆞ리. ▶ 본사 2: 종들조차 무시할 정도로 가난한 형편
갯벌에서 자라는 나무, 부러움의 대상–가난으로 인한 걱정이 없음.

현대어 풀이 이봐, 아이들아! 어쨌거나 힘써서 살아가라. 죽을 쑤어 국물은 상전이 먹고 건더기는 건져 종을 주니, (종이) 눈살을 찌푸리며 콧방귀만 뀐다. 올벼는 한 발만 수확하고 조와 팥은 다 묵히니 싸리, 피, 바랑이는 나기도 싫지 않던가? 빌린 곡식의 이자는 무엇으로 장만하며 요역과 공부는 어찌하여 채워 낼까? 이리저리 여러 가지로 생각하여도 견뎌 낼 가능성이 전혀 없다. 장초가 아무 걱정 모르는 것이 부러우나 어찌하리?

풍년인들 / 화자의 아내
「시절(時節)이 풍(豊)ᄒᆞᆫ들 지어미 ᄇᆡ 브르며

작품 한눈에 보기

가난한 생활에 대해 한탄하며 가난에서 벗어나려고 함.
↓
'궁귀'와 대화함.
↓
가난을 운명으로 여기며 체념하고 수용함.

출제 포인트

■ 표현상의 특징

① 의인법, 설의법, 대구법 등을 사용하여 시적 의미를 강조함.

② 일상적 소재와 사실적 묘사를 통해 화자의 상황을 구체적으로 형상화함.

본사 1	올벼 씨 ᄒᆞᆫ 말은 반나마 쥐 먹엇고.
본사 2	쥭은 물 샹쳥 먹고 거니 건져 죵을 주니 눈 우희 바ᄂᆞᆯ 졋고 코흐로 ᄑᆞ람 분다.

⬇

가난한 상황을 구체적으로 묘사함.

③ 중국의 고사를 인용함.

안표누공, 원헌 간난	공자의 제자로 청빈한 생활을 한 '안연'과 '원헌'의 고사를 인용하여, 화자와 비교함으로써 자신의 궁핍한 처지를 부각함.

■ 시어의 의미와 기능(본사 2)

장초	화자가 부러워하는 대상(가난 때문에 걱정이 많은 화자와 달리 무지하여 걱정이 없는 존재임.) → 화자의 궁핍한 처지를 부각함.

어휘 풀이

* ᄯᅡ보: 따비. 풀뿌리를 뽑거나 밭을 가는 데 쓰는 농기구.
* 환자: 환곡. 조선 시대에 곡식을 사창에 저장하였다가 백성들에게 봄에 꾸어 주고 가을에 이자를 붙여 거두던 일. 또는 그 곡식

㉢겨스를 덥자 ᄒᆞᆫ들 몸을 어이 ᄀᆞ리올고.」 「」: 상대적 빈곤감(타인-풍년, 화자의 집-굶주림)
겨울을 / 몸을 가릴 옷조차 없는 가난함.

「기저(機杼)도 ᄡᅳᆯ ᄃᆡ 업서 공벽(空壁)의 ᄭᅵ쳐 잇고 「」: 가난하여 기저와 부증을 쓸 일이 없음.
베틀의 북 / 남아

㉣부증(釜甑)*도 ᄇᆞ려 두니 블근 비티 다 되엿다.」
솥 시루가 녹이 슬 정도로 오랫동안 사용하지 못함-시각적 이미지

세시(歲時) 삭망(朔望) 명일(名日) 기제(忌祭)ᄂᆞᆫ 무어스로 향사(饗祀)하며
세시 절기 / 명절 / 제사 / 제사를 올림.

㉤원근 친척(遠近親戚) 내빈왕객(來賓往客)은 어이ᄒᆞ야 접대(接待)ᄒᆞᆯ고.
왔다 가는 손님들 / 설의법

이 얼굴 진여 이셔 어려운 일 하고 만타. ▶ 본사 3: 가난한 생활의 모습
지니고 / 많고 많다

현대어 풀이 시절이 풍년인들 지어미 배부르며 겨울이 덥다 한들 몸을 어찌 가릴까? 베틀의 북은 쓸 데 없어 빈 벽에 걸려 있고, 솥 시루도 버려두니 붉은빛이 다 되었다. 세시 절기, 명절, 제사는 무엇으로 해 올리며 멀고 가까운 친척과 왔다 가는 손님들은 어떻게 대접할 것인가? 이 몰골을 지니고 있어 어려운 일 많고 많다.

「이 원수 궁귀(窮鬼)를 어이ᄒᆞ야 녀희려뇨.」 「」: 가난을 의인화하여 떠나보내고 싶은 대상으로 표현함.
궁한 귀신

수릐 후량(餱粮)*을 ᄀᆞ초오고 일홈 불러 전송(餞送)ᄒᆞ야
잔치를 베풀어 떠나보냄.

일길 신량(日吉辰良)*에 사방(四方)으로 가라 ᄒᆞ니
가난을 쫓으려 함.

추추 분분(啾啾憤憤)ᄒᆞ야 원노(怨怒)ᄒᆞ야 니론 말이
시끄럽게 떠들며 화를 냄.

「자소지로(自少至老)히 희로우락(喜怒憂樂)을 너와로 ᄒᆞᆷ긔 ᄒᆞ야
어릴 때부터 늙을 때까지 / 화자는 계속 가난했음.

죽거나 살거나 녀힐 줄이 업섯거ᄂᆞᆯ 「」: 궁귀의 말(평생을 함께 했기 때문에 이별할 수 없음.)
→ 희극적 분위기, 가난에 대한 화자의 인식 전환의 계기

어ᄃᆡ 가 뉘 말 듯고 가ᄅᆞ ᄒᆞ여 니ᄅᆞᄂᆞ뇨.」

우ᄂᆞᆫ 덧 ᄭᅮ짓ᄂᆞᆫ 덧 온 가지로 공혁(恐嚇)커ᄂᆞᆯ
꾸짖거늘

도롯셔 ᄉᆡᆼ각ᄒᆞ니 네 말도 다 올토다.
화자의 의식 변화-가난을 체념적으로 수용하게 됨.

「무정(無情)ᄒᆞᆫ 세상(世上)은 다 나ᄅᆞᆯ ᄇᆞ리거ᄂᆞᆯ 「」: 가난에서 벗어날 수 없는 화자의 처지를 부각함.
세상에 대한 화자의 부정적 인식

네 호자 유신(有信)ᄒᆞ야 나ᄅᆞᆯ 아니 ᄇᆞ리거든
가난

인위(人威)로 피절(避絕)ᄒᆞ여 좀ᄭᅬ로 녀흴너냐.」
사람의 위협으로 / 피하여 관계를 끊음. / 잔꾀

「하ᄂᆞᆯ 삼긴 이내 궁(窮)을 혈마ᄒᆞᆫᄃᆞᆯ 어이ᄒᆞ리. 「」: 가난과 천함을 운명으로 여기며 체념적으로 수용함.
→ 안빈낙도, 안분지족

빈천(貧賤)도 내 분(分)이어니 셜워 므슴ᄒᆞ리.」 ▶ 결사: 가난한 삶에 대한 체념과 수용
안빈낙도 / 설의법

현대어 풀이 이 원수 가난 귀신을 어찌해야 멀리 떠나보낼 수 있을까? 술에 음식을 갖추어서 이름 불러 전송하여 좋은 날 좋은 때에 사방으로 가라 하니 시끄럽게 떠들며 화를 내며 원망하여 하는 말이, "어려서부터 지금까지 기쁨과 슬픔을 너와 함께 하여 죽거나 살거나 헤어질 줄이 없었거늘 어디 가서 누구의 말을 듣고 가라고 말하는가?" 우는 듯 꾸짖는 듯 여러 가지로 을러대며 꾸짖거늘 도리어 생각하니 네 말도 다 옳도다. 무정한 세상은 다 나를 버리거늘 너 혼자 신의 있어 나를 아니 버리나니 일부러 피하여서 잔꾀로 이별할 수 있겠는가? 하늘이 준 이내 가난 설마한들 어찌하리? 가난도 내 분수니 서러워하여 무엇하리?

출제 포인트

■ 화자의 상황

서사	삼순구식을 하지 못함.
본사 1	농사 도구가 없음(따비와 호미를 이웃에게 얻음).
본사 2	곡식 대신 싸리, 피, 바랑이가 남.
본사 3	명절과 제사 때 손님 대접을 할 수 없음.

⬇

몹시 궁핍한 생활을 하고 있음.

■ 시어의 의미와 기능(결사)

궁귀	가난을 귀신에 빗대어 표현함. → 가난 때문에 고통스러운 상황을 희화화하여 표현하고, 가난에서 벗어나고 싶은 화자의 간절한 마음을 드러냄. 가난을 운명으로 수용하게 됨.

■ 화자의 태도 변화(결사)

가난 극복에 대한 소망	이 원수 궁귀를 어이ᄒᆞ야 녀희려뇨.
↓	
가난에 대한 체념과 수용	하ᄂᆞᆯ 삼긴 이내 궁을 혈마ᄒᆞᆫᄃᆞᆯ 어이ᄒᆞ리, 빈천도 내 분이어니 셜워 므슴ᄒᆞ리.

■ 문학사적 의의

① 사대부의 현실을 직접 반영한 구체적이고 사실적인 생활 묘사가 나타남.
② 가사 문학의 변모 양상을 파악할 수 있음.

어휘 풀이
* 부증: (떡 찌는) 솥 시루
* 후량: 먼 길을 가는 사람이 지고 다니는 마른 양식
* 일길신량: 경사스러운 행사를 하기 위해 미리 받아 놓은 날짜가 길하고 때가 좋음.

1 작품 이해

이 작품은 '가난함을 한탄하는 노래'라는 의미의 제목처럼 궁핍한 생활로 인한 고통을 사실적으로 형상화한 가사이다. 일상적인 소개를 활용하여 가난한 삶을 형상화하였으며 가난을 '궁귀'를 의인화하여 희화화하고 있다. 화자는 가난으로부터 벗어날 수 없음을 탄식하지만, 결국 가난을 체념적으로 수용하고 있다.

• 갈래: 가사 • 성격: 사실적, 체념적

• 주제: 궁핍한 삶에 대한 한탄과 체념적 수용
• 시적 상황 농사를 짓기도 어렵고 명절을 지내기도 어려울 정도로 □□한 상황에 처해 있음.
• 정서와 태도 가난한 생활에 괴로워하고 한탄하지만, 가난을 자신의 분수로 여기며 체념하고 □□함.

정답: 궁핍(가난), 수용

2 내용 확인

1 맞는 내용이면 ○표, 틀린 내용이면 ×표 하시오.

① 화자와 종들은 서로를 배려하며 가난에서 벗어나기 위해 힘을 모으고 있다. (　　)

② 본사 1에서는 '따보', '호미' 등 농촌 생활과 관련된 소재를 활용하여 화자의 궁핍한 생활상을 사실적으로 그리고 있다. (　　)

내용 확인 도우미

1 ① 본사 2의 '눈 우희 바늘 젓고 코흐로 프람 분다.'에서 화자가 종들에게 무시당하고 있음을 알 수 있다.

② 본사 1에서는 화자가 농기구인 '따보'와 '호미'를 이웃집에서 빌리는 모습을 제시하여 화자의 궁핍한 생활상을 드러내고 있다.

정답 1 ① × ② ○

3 실전 Test

• 정답 55쪽

01 윗글에 대한 설명으로 가장 적절한 것은? 기출 문제

① 대구의 방식으로 화자의 처지를 드러내고 있다.

② 색채 대비를 통해 화자의 긍지를 나타내고 있다.

③ 여음과 후렴구를 사용하여 운율감을 자아내고 있다.

④ 대립적 공간을 설정하여 이상 세계를 보여 주고 있다.

⑤ 영탄법을 활용하여 절대자에 대한 귀의를 다짐하고 있다.

02 ㉠~㉤에 대한 이해로 적절하지 않은 것은? 기출 문제

① ㉠: 열심히 일해 달라는 부탁으로, 현실의 어려움을 벗어나려는 마음이 투영되어 있다.

② ㉡: 요역과 공부를 감당할 마땅한 방법이 없다는 것으로, 백성으로서의 의무를 모면하고자 하는 의도가 반영되어 있다.

③ ㉢: 겨울이 따뜻하다고 해도 몸을 가리기 어렵다는 것으로, 겨울나기에 필요한 최소한의 옷가지도 부족함을 보여 준다.

④ ㉣: 솥 시루를 방치해 두어 녹이 슬었다는 것으로, 떡과 같은 음식을 해 먹을 형편이 아님을 보여 준다.

⑤ ㉤: 친척들과 손님들을 접대할 방도가 없다는 것으로, 도리를 다할 수 없을 것에 대한 염려가 반영되어 있다.

03 윗글의 시상 전개를 [보기]와 같이 그릴 경우, 이에 대한 이해로 적절하지 않은 것은? 기출 문제

보기

㉮ 가난에 대한 한탄 ➡ ㉯ 가난에 대한 수용

① ㉮에서는 빈곤한 생활상을 구체적으로 서술하고 있다.

② ㉮에서는 고사 속의 인물을 이용하여 빈곤을 강조하고 있다.

③ ㉯에서는 빈천을 운명으로 받아들이고 있다.

④ ㉯에서는 무력함을 꾸짖는 '궁귀(窮鬼)'를 원망하고 있다.

⑤ ㉮에서 ㉯로 변화한 것은 '궁귀(窮鬼)'와의 대화 때문이다.

실전 Test Guide

01 표현 방식과 그 효과를 파악할 수 있는지 확인하는 문제이다. 제시문에 활용된 표현 방식과 그 효과를 살펴본 후, 선택지의 적절성을 판단해 보도록 한다.

02 문맥을 고려하여 시구의 의미를 파악할 수 있는지 확인하는 문제이다. 각각의 시구들이 나타내는 화자의 심리와 화자가 처해 있는 상황 등을 분석해 보도록 한다.

03 시상 전개 과정을 이해하고 있는지를 평가하는 문제이다. 제시문에서 '가난'에 대한 화자의 태도가 변환된 부분을 찾아 내용을 숙지한 후 선택지의 옳고 그름을 판단해 보도록 한다.

가사

130 일동장유가(日東壯遊歌)_김인겸

〈전략〉「당풍(壯風)의 돗ᄎᆞᆯ ᄃᆞ라 뉵션(六船)이 ᄒᆞᆷᄭᅴ ᄯᅥ나, 「」: 과장법–배의 위용과 성대한 환송 장면을 묘사함.
거센 바람 / 기선 셋과 복선 셋
삼현(三絃)과 군악 소ᄅᆡ 산ᄒᆡ(山海)ᄅᆞᆯ 진동ᄒᆞ니,」
거문고, 가야금, 당비파의 세 현악기 / 마땅히
ᄆᆞᆯ 속의 어룡(魚龍)들이 응당이 놀라도다.
물속에 사는 동물을 통틀어 이르는 말
ᄒᆡ구(海口)ᄅᆞᆯ 얼픗 나셔 오뉵도(五六島) 뒤지우고,
부산항을 의미함. / 밤경치 / 넓고 멀어서 아득함.
고국(故國)을 도라보니 야ᄉᆡᆨ(夜色)이 창망(滄茫)ᄒᆞ야
출발한 지 꽤 시간이 흘러 날이 어두워짐–화자의 어두운 심정을 환기함.
아모것도 아니 뵈고, 연ᄒᆡ 변진(沿海邊鎭) 각 포(浦)의
육지 가까이의 얕은 바다에 있는 군영
불빗 두어 뎜이 구ᄅᆞᆷ 밧긔 뵐 만ᄒᆞ니.

▶ 부산항을 출발함.

현대어 풀이 거센 바람에 돛을 달고 여섯 척의 배가 함께 떠날 때, 악기 연주하는 소리가 산과 바다를 진동하니 물속의 고기와 동물들이 마땅히 놀랄 만도 하다. 부산항을 얼른 떠나 오륙도를 뒤로 하고, 고국을 돌아보니 밤빛이 아득하여 아무것도 보이지 않고, 바닷가에 있는 군영 각 포구의 불빛 두어 점이 구름 밖에서 보일 듯 말 듯하다.

ᄇᆡ방의 누어 이셔 내 신세ᄅᆞᆯ ᄉᆡᆼ각ᄒᆞ니,
선실 / 화자
ᄀᆞᆨ득이 심난ᄒᆞᆫᄃᆡ 대풍이 니러나니,
가뜩이나 / 마음이 어수선함, 고국을 떠나는 쓸쓸함.
「태산 ᄀᆞᄐᆞᆫ 셩낸 물결 텬디의 ᄌᆞ옥ᄒᆞ니, 「」: 과장법–바람이 거세게 불고 파도가 심함.
직유법
큰나큰 만곡쥐(萬斛舟ㅣ) 나모닙 ᄇᆞ치이ᄃᆺ,
직유법–나뭇잎이 바람에 흔들리듯 큰 배가 흔들림.
하ᄂᆞᆯ의 올라다가 디함(地陷)의 ᄂᆞ려지니,」
땅이 푹 주저앉은 곳
「열두 발 ᄡᅡᆼ돗대ᄂᆞᆫ 지이텨로 구버 잇고, 「」: 과장법, 비유법–심한 풍랑을 만난 배와 선실의 모습을 묘사함.
나뭇가지처럼
쉰두 복 초셕 돗ᄎᆞᆫ 반ᄃᆞᆯ쳐로 ᄇᆡ블럿ᄂᆡ.
짚으로 만든 돛은
굵은 우레 ᄌᆞᆫ 별악은 등 아래셔 딘동ᄒᆞ고,
셩낸 고래 동ᄒᆞᆫ 뇽은 ᄆᆞᆯ 속의셔 희롱ᄒᆞᄂᆡ.
거센 파도를 비유한 표현
방 속의 요강 타구(唾具) 쟛바지고 업더지고,
가래침을 뱉는 그릇
샹하 좌우 ᄇᆡ방 널은 닙닙히 우ᄂᆞᆫ구나.」

▶ 바다에서 거센 풍랑을 만남.

현대어 풀이 선실에 누워서 내 신세를 생각하니 가뜩이나 마음이 어지러운데, 큰 바람이 일어나서 태산 같은 성난 물결이 천지에 자욱하니, 만 석을 실을 만한 큰 배가 마치 나뭇잎이 나부끼듯 하늘에 올랐다가 땅 밑으로 떨어지니, 열두 발이나 되는 쌍돛대는 나뭇가지처럼 굽어 있고 쉰두 폭으로 풀을 엮어 만든 돛은 반달처럼 배가 불렀네. 큰 우렛소리와 작은 벼락은 등 뒤에서 떨어지는 것 같고, 성난 고래와 기운찬 용이 물속에서 희롱하는 듯하네. 선실의 요강과 타구가 자빠지고 엎어지고, 상하 좌우에 있는 선실의 널빤지는 저마다 소리를 내는구나.

이윽고 ᄒᆡ 돗거ᄂᆞᆯ 장관(壯觀)을 ᄒᆞ여 보ᄉᆡ,
상황의 변화–풍랑이 멎고 날이 밝아짐.
니러나 ᄇᆡ문 열고 문셜쥬 잡고 셔셔,
문짝을 끼워 달기 위하여 문의 양쪽에 세운 기둥
ᄉᆞ면을 ᄇᆞ라보니 어와 장ᄒᆞᆯ시고,
바다 경치를 감탄함.
인ᄉᆡᆼ 텬디간의 이런 구경 ᄯᅩ 어ᄃᆡ 이실고.
바다 경치 구경 / 설의법
구만(九萬) 니 우듀 속의 큰 ᄆᆞᆯ결분이로ᄉᆡ.
아득하게 멀고 넓어서 끝이 없는 바다의 모습
등 뒤흐로 도라보니 동ᄂᆡ(東萊) 뫼이 눈섭 ᄀᆞᆺ고,
동래의 산 / 부산에서 멀리 떨어져 동래 산의 꼭대기만 보임.

작품 한눈에 보기

여정	견문	정서와 감상
부산항	환송식 및 출발	웅장함
바다	풍랑, 일출, 망망대해	심란함, 두려움, 감탄
대마도	자연 풍경, 왜인들의 모습	감탄, 업신여김, 비판적 · 멸시적 태도

출제 포인트

■ 표현상의 특징
① 시간의 흐름과 장소의 이동(여정)에 따라 시상을 전개함.
② 중의적 의미의 시어와 시구를 사용함.

고국을 도라보니 야ᄉᆡᆨ이 창망ᄒᆞ야	① 고국 쪽을 돌아보니 날이 어두워져 아무것도 보이지 않음. ② 고국의 운명과 현실이 걱정스러움.
슬프다 우리 길이 어ᄃᆡ로 가ᄂᆞᆫ쟉고	① 풍랑을 만난 우리 배의 나아갈 길이 걱정됨. ② 우리 나라와 민족이 나아갈 길을 염려함.

수능 필수 개념 플러스

“「일동장유가」의 짜임”

「일동장유가」는 구체적인 날짜와 기후, 노정 등 11개월 동안의 여정을 4책, 8천여 구에 상세하게 기록하였다. 전체적인 내용은 다음과 같다.

구분	책의 내용
제1권	일본에서 친선 사절을 요청하여, 통신사 일행이 한양을 출발하여 용인, 충주, 문경, 예천, 안동, 영천, 경주, 울산, 동래를 거쳐 부산에 이르게 됨.
제2권	부산에서 출발한 통신사 일행은 대마도, 일기도, 축전주, 남도를 거쳐 적간관에 도착하여 머물게 됨.
제3권	적간관을 떠나 오사카, 교토, 오다와라, 시나카와를 거쳐 에도에 들어가 임무를 마침.
제4권	일본을 떠나 부산에 귀환한 통신사 일행은 한양에 와서 임금에게 일본에 다녀온 결과를 보고함.

동남을 도라보니 바다히 ᄀ이 업닉.

우아릭 프른 빗치 하ᄂᆞᆯ 밧긔 다하 잇다.
수평선의 모습. 일망무제(一望無際, 한눈에 바라볼 수 없을 정도로 아득하게 멀고 넓어서 끝이 없음.)
슬프다 우리 길이 어ᄃᆡ로 가ᄂᆞᆫ쟈고.
망망대해 한가운데에서의 막막하고 두려운 심정
ᄒᆞᆷ긔 ᄯᅥᄂᆞᆫ 다ᄉᆞᆺ ᄇᆡᄂᆞᆫ 간 ᄃᆡ를 모ᄅᆞ로다.
부산항에서 함께 떠난 다른 배들이 보이지 않는 상황(화자가 탄 배와 멀리 떨어짐.)
ᄉᆞ면을 두로 보니 잇다감 믈결 속의
이따금
부체만 쟈근 돗치 들낙날낙 ᄒᆞᄂᆞᆫ구나. ▶ 풍랑이 그친 후에 바다에서 일출을 봄.
함께 떠난 다른 배들이 멀리 있어 보일락 말락 하면서 작게 보이는 상황

현대어 풀이 이윽고 해가 돋거늘 장대한 광경을 구경해 보세. 일어나서 선실 문을 열고 문설주를 잡고 서서, 사면을 바라보니 아아! 굉장하도다. 인생 천지간에 이런 구경이 또 어디 있을까? 넓고 넓은 우주 속에 다만 큰 물결뿐이로세. 등 뒤로 돌아보니 동래의 산이 눈썹만큼 작게 보이고 동남쪽을 돌아보니 바다가 끝이 없네. 위아래로 푸른빛이 하늘 밖에 닿아 있네. 슬프다. 우리의 가는 길이 어디란 말인가? 함께 떠난 다섯 척의 배는 간 곳을 모르겠도다. 사방을 두루 살펴보니 이따금 물결 속에 부채만 한 작은 돛이 들락날락하는구나.

션듕(船中)을 도라보니 저마다 슈질(水疾)ᄒᆞ야,
배 안 배멀미
ᄯᅩᆼ물을 다 토ᄒᆞ고 혼졀(昏絕)ᄒᆞ야 죽게 알닉.
정신이 아찔하여 까무러침. └ 풍랑 때문에 배멀미를 겪음.
다ᄒᆡᆼᄒᆞᆯ샤 죵ᄉᆞ샹(從使上)은 태연이 안ᄌᆞ시구나.
통신사를 수행하던 임시 벼슬 윗사람으로서의 위엄과 체통을 지켜려는 모습
ᄇᆡ방의 도로 드러 눈 ᄀᆞᆷ고 누엇더니, ᄃᆡ마도 갓갑다고 샤공이 니ᄅᆞ거ᄂᆞᆯ,
대마도
고텨 니러 나와 보니 십 니ᄂᆞᆫ 남앗고나.
예인선, 다른 배를 끌고 가는 배
왜션 십여 쳑이 예션ᄎᆞ로 모다 왓닉.
일본 배가 통신사 일행을 맞이하러 옴.
「그제야 돗출 치고 ᄇᆡ 머리의 줄을 ᄆᆡ야,

왜션을 더지으니 왜놈이 줄을 바다,
일본 사람을 낮추어 보는 태도가 드러남.
제 ᄇᆡ예 ᄆᆡ여 노코 일시의 ᄂᆞ리으니,」「」: 통신사 일행의 배를 왜선이 예인하기 위해 준비하는 모습
노를 저으니
션ᄒᆡᆼ(船行)이 안온ᄒᆞ야 좌슈포(佐須浦)로 드러가니,
편안하고 조용하여 대마도에 있는 포구 이름
신시(辛時)ᄂᆞᆫ ᄒᆞ여 잇고 복션(卜船)은 몬져 왓다. ▶ 풍랑을 뚫고 대마도에 도착함.
오후 3~5시 짐을 싣은 배

현대어 풀이 배 안을 돌아보니 저마다 배멀미를 하여 똥물을 토하고 까무러쳐 심하게 앓네. 다행이도다. 종사상은 태연히 앉았구나. 선실로 다시 들어와 눈 감고 누웠더니, 대마도가 가깝다고 사공이 말하거늘, 다시 일어나 (선실 밖으로) 나와 보니 십 리 정도는 남았구나. 왜선 십여 척이 배를 끌려고 마중을 나왔네. 그제야 돛을 내리고 뱃머리에 줄을 매어 왜선에 던지니 왜놈이 줄을 받아, 제 배에 매어 놓고 일시에 노를 저으니 배가 편안하고 조용하게 좌수포에 들어가니 오후 3~5시쯤 되었고 짐을 실은 배는 먼저 와 있네.

포구(浦口)로 드러가며 좌우ᄅᆞᆯ 둘러보니,
산봉우리 깎아지른 듯 서 있는 모습 신기하고 기이하다
㉮ 봉만(峰巒)이 삭닙(削立)ᄒᆞ야 경치가 긔졀(奇絕)ᄒᆞ다.

송삼(松杉) 듁ᄇᆡᆨ(竹柏) 귤뉴(橘柚) 등감(橙柑) 다 몰쇽 등쳥일싀.
소나무와 삼나무 대나무와 잣나무 귤의 한 종류 모두 다 오렌지색을 띤 청색
왜봉(倭奉) 여ᄉᆞᆺ 놈이 검도정(劍道亭)의 안잣구나.
일본 사람을 업신여기는 태도 정자의 이름
인개(人家ㅣ) 쇼됴(疎凋)ᄒᆞ고 여긔 세 집 뎌긔 네 집
사람 사는 집이 드물고
합ᄒᆞ야 혜게 되면 ᄉᆞ오십 호(戶) 더 아니타.
수북이 쌓아 놓은 곡식 더미
집 형상이 궁슝(穹崇)ᄒᆞ야 노젹뎜이 ᄀᆞᆺ고내야. ▶ 대마도의 풍경과 인가의 모습
몹시 높음. 일본 사람을 미천하게 여기는 태도

현대어 풀이 포구로 들어가며 좌우를 둘러보니 산봉우리가 깎아지른 듯하여 경치가 기이하고 빼어나다. 소나무, 삼나무, 대나무, 잣나무, 귤과 유자, 감귤 등이 모두 다 등청색일세. 왜인 여섯 놈이 검도정에 앉아 있구나. 사람 사는 집이 드물어서 여기 세 집 저기 네 집, 합하여 헤아리면 사오십 호가 넘지 않는다. 집 모양새가 몹시 높아서 곡식 더미 같구나.

출제 포인트

■ 화자의 상황과 정서

상황	배 안에서 배멀미로 고생하다가 일본에 도착하여 자연 풍경과 사람들을 관찰함.
정서	대마도의 아름다운 풍경에 감탄하지만, 일본인들을 업신여김.

■ 표현상의 특징

직유법, 과장법, 은유법, 설의법 등을 활용하여 화자의 상황과 정서를 드러냄.

직유법	• 태산 ᄀᆞᆺ튼 셩낸 물결 • 큰나큰 만곡쥐 나모닙 브치이ᄃᆞᆺ
과장법	• 삼현과 군악 소ᄅᆡ 산히ᄅᆞᆯ 진동ᄒᆞ니, • 하ᄂᆞᆯ의 올라다가 디함의 ᄂᆞ려지니
은유법	• 셩낸 고래 동ᄒᆞᆫ 뇽
설의법	• 인ᄉᆡᆼ 텬디간의 이런 구경 또 어ᄃᆡ 이실고.

■ 문학사적 의의

① 우리말로 기록되어 전하는 최장편 기행 가사(총 4권, 8,000여 구)임.
② 외국 여행의 경험을 기록한 기행 가사 가운데 청나라 연경을 배경으로 한 홍순학의 「연행가」와 쌍벽을 이룸.
③ 당시의 외교 관계를 엿볼 수 있음.

수능 필수 개념

"사행(使行) 가사"

기행 가사의 한 갈래로, 국가의 공식적인 외교 임무를 띠고 파견된 사신이나 그 일행으로 동행했던 이가 외국의 풍물이나 문물을 경험하고 이를 기록한 가사이다. 기행 가사와 마찬가지로 여정, 견문, 감상으로 이루진다. 대표적인 사행 가사에는 김인겸의 「일동장유가」, 박권의 「서정별곡」 등이 있다.

수능 필수 개념 플러스

"김인겸과 계미 통신사"

통신사는 조선 시대에 일본으로 보내던 사신이다. 임진왜란으로 조선과 일본의 국교가 단절되었다가, 일본이 다시 통신사를 파견하여 줄 것을 요청하여 다시 파견하게 되었다. 김인겸이 참여한 계미 통신사는 일본의 도쿠가와 이에시게가 1760년에 조선에 통신사 파견을 청한 것에 응해 꾸려졌다. 1763년 8월 3일부터 1764년 7월 8일까지 총 11개월간이었으며, 대마도와 오사카, 에도에 이르는 여정이었다.

구경거리(통신사의 행렬): 굿

굿 보ᄂᆞᆫ 왜인들이 뫼ᄒᆡ 안자 구버본다.

『그 듕의 ᄉᆞ나ᄒᆡᄂᆞᆫ(사나이, 남자) 머리를 ᄭᅡᆺ가시ᄃᆡ, 『』: 일본 남자들의 머리 모양과 옷차림 묘사

ᄭᆞᆨ뒤만(뒤통수의 한복판) 죠금 남겨 고쵸샹토(고추같이 작게 튼 상투) ᄒᆞ여시며,

발 벗고 바디 벗고 칼 ᄒᆞ나식 ᄎᆞ 이시며』

『왜녀(倭女)의 치장들은 머리ᄅᆞᆯ 아니 ᄭᅡᆨ고 『』: 일본 여자들의 머리 모양 묘사

밀기ᄅᆞᆷ* ᄃᆞᆷ북 발라 뒤흐로 잡아 ᄆᆡ야,

족두리 모양쳐로(직유법 – 모양처럼) 둥글게 ᄡᅮ여 잇고,

그 ᄭᅳᆺᄎᆞᆫ 두로 트러 빈혀(비녀)ᄅᆞᆯ 질러시며,

무론(無論) 노쇼 귀쳔(老少貴賤)ᄒᆞ고(노소와 귀천을 가리지 않고) 어레빗*ᄉᆞᆯ(얼레빗을) ᄭᅩ잣구나.』

『의복을 보와 ᄒᆞ니 무(윗옷의 양쪽 겨드랑이 아래에 단 폭) 업ᄉᆞᆫ 두루막이 『』: 일본인들의 옷차림 묘사

ᄒᆞᆫ 동 단* 막은 ᄉᆞ매(윗옷의 소매 부분. 또는 소매에 이어 댄 조각) 남녀 업시 ᄒᆞᆫ가지요,

넙고 큰 졉은 ᄯᅴᄅᆞᆯ 느ᄌᆞᆨ히(느슨하게) 둘러 ᄯᅴ고

일용범ᄇᆡᆨ(日用凡百)(늘 쓰는 물건) 온갖 거ᄉᆞᆫ 가ᄉᆞᆷ 속의 다 품엇다.』

『남진(남편) 잇ᄂᆞᆫ 겨집들은 감아ᄒᆞ게(검게) 니(齒)ᄅᆞᆯ 칠ᄒᆞ고 『』: 남편이 있는 여자와 없는 여자의 외모 차이 묘사

뒤흐로 ᄯᅴᄅᆞᆯ ᄆᆡ고 과부 처녀 간나ᄒᆡᄂᆞᆫ(계집아이)

압흐로 ᄯᅴ를 ᄆᆡ고 니ᄅᆞᆯ 칠티 아냣구나.』〈후략〉

▶ 왜인 남녀들의 머리 모양과 옷차림 묘사

현대어 풀이 구경하는 왜인들이 산에 앉아서 굽어본다. 그 중에 남자들은 머리를 깎았으되, 뒤통수의 한복판만 조금 남겨 고추상투를 하였으며, 발 벗고 바지 벗고 칼 하나씩 차고 있으며, 일본 여자들의 치장은 머리를 깎지 않고 밀기름을 듬뿍 발라 뒤로 잡아매어 족두리 모양처럼 둥글게 감았고, 그 끝은 둘로 틀어 비녀를 찔렀으며 노소와 귀천을 가리지 않고 얼레빗을 꽂았구나. 의복을 보아 하니 무 없는 두루마기, 한 동으로 된 옷단과 막은 소매가 남녀 구별 없이 같다. 넓고 크게 접은 띠를 느슨하게 둘러 띠고 늘 쓰는 물건들은 가슴 속에 다 품었다. 남편 있는 여자들은 이를 검게 칠하고 뒤로 띠를 매었으며, 과부와 처녀, 계집아이는 앞으로 띠를 매고 이에 칠하지 않았구나.

출제 포인트

■ 표현상의 특징

세밀한 관찰력과 섬세한 묘사를 통해 대상을 사실적으로 형상화함.

대마도와 일본인에 대한 묘사	대마도의 풍경과 인가의 모습, 일본인들의 머리 모양과 옷차림을 세밀하게 관찰하여, 마치 그림을 그리듯 생생하게 표현함.

■ 화자의 태도

• 왜놈, • 왜봉 여ᄉᆞᆺ 놈, 왜녀	부정적인 태도 → 일본 사람들을 업신여김.
• 집 형상이 궁슈ᄒᆞ야 노적덤이 ᄀᆞᆺ고내야. • 그 듕의 ᄉᆞ나ᄒᆡᄂᆞᆫ 머리를 ᄭᅡᆺ가시ᄃᆡ, ᄭᆞᆨ뒤만 죠금 남겨 고쵸샹토 ᄒᆞ여시며, 발 벗고 바디 벗고 • 무 업ᄉᆞᆫ 두루마기 ᄒᆞᆫ 동 단 막은 ᄉᆞ매 • 감아ᄒᆞ게 니ᄅᆞᆯ 칠ᄒᆞ고	문화우월적인 시각 → 일본의 문물을 미개하다고 생각하는 사상이 드러남.

어휘 풀이

* 밀기ᄅᆞᆷ: 밀랍과 참기름을 섞어서 끓여 만든 머릿기름
* 어레빗: 얼레빗. 빗살이 굵고 성긴 큰 빗
* 단: 옷단. 옷자락 끝의 가장자리를 안으로 접어 붙이거나 감친 부분

1 작품 이해

이 작품은 일본으로 가고 고국으로 돌아오는 여정과 약 11개월 동안 일본에 체류하면서 보고 들은 제도, 문물, 풍속, 인물 등을 기록한 가사이다. 작가가 영조 39년(1763년) 통신사 조엄의 수행원(삼방 서기)으로 일본에 다녀왔던 경험을 쓴 것이다. 주로 지방의 특색과 감상을 위주로 국내의 여정을 기록하였으며, 일본에 도착한 이후부터는 객관적으로 관찰한 기록과 주관적으로 일본의 문물을 비판하는 태도를 드러내고 있다.

• 갈래: 가사(기행 가사, 사행 가사, 장편 가사)

• 성격: 사실적, 체험적, 직설적
• 주제: 일본의 풍속과 문화에 대한 견문과 감상
• 시적 상황 통신사의 수행원으로 임무를 수행하기 위해 한양을 떠나 □□□에 도착하여 일본인과 풍경을 관찰하고 있음.
• 정서와 태도 고국을 떠날 때에는 심란함을 느끼고, 대마도의 자연 풍경을 □□하지만, 일본인을 얕잡아 보고 있음.

정답: 대마도, 감탄

2 내용 확인

1 맞는 내용이면 ○표, 틀린 내용이면 ×표 하시오.

① 화자는 일본으로 향하는 배에서 고향을 떠난 것을 후회하고 있다. ( )
② 직유법과 과장법을 활용하여 화자가 처한 상황을 강조하고 있다. ( )

2 윗글은 □□에 따라 시상을 전개하며(추보식 구성), 화자가 보고 들은 견문과 감상을 노래하고 있는 기행 가사이다.

내용 확인 도우미

1 ① 화자는 고국을 떠나 심란함을 느끼고 있을 뿐, 고향을 떠난 것을 후회하고 있지는 않다.
② '태산 ᄀᆞᆺᄐᆞᆫ~디함의 ᄂᆞ려지니'에서 직유법과 과장법을 사용하여 풍랑을 만난 화자의 처지를 드러내고 있다.

2 제시문은 시간의 흐름과 장소의 이동, 즉, 여정에 따라 시상을 전개하고 있다.

정답 1 ① × ② ○ 2 여정

3 실전 Test

• 정답 56쪽

01 윗글에 대한 설명으로 적절한 것끼리 바르게 묶인 것은?

보기

ㄱ. 섬세한 배경 묘사를 통해 계절감을 드러내고 있다.
ㄴ. 비유적인 표현을 통해 시적 상황을 묘사하고 있다.
ㄷ. 시간의 흐름에 따라 시상이 전개되고 있다.
ㄹ. 자연과 인간의 대비를 통해 무상감을 강조하고 있다.

① ㄱ, ㄴ ② ㄱ, ㄷ ③ ㄱ, ㄹ ④ ㄴ, ㄷ ⑤ ㄴ, ㄹ

실전 Test Guide

01 표현상의 특징과 그 효과를 파악할 수 있는지 확인하는 문제이다. 시적 상황이나 분위기, 화자의 정서 등을 드러내기 위해 제시문이 사용된 표현 방법을 살펴보도록 한다.

02 [보기]를 참고하여 윗글을 감상한 내용으로 적절하지 <u>않은</u> 것은?

보기

김인겸은 47세의 늦은 나이에 진사가 된 후, 57세에 통신사의 수행원으로 뽑혀 일본에 다녀왔다. 당시 우리 사회에서는 임진왜란으로 인해 일본에 대한 적대감이 팽배하였고, 문화적으로 일본은 미개하고 야만적이며 조선은 우월하다는 의식이 강한 편이었다. 「일동장유가」에는 이러한 당시의 경향이 반영되어 있으며 고국의 현실을 걱정하는 작가의 성향과 태도도 드러나 있다. 한편 사실을 객관적으로 관찰하여 표현하고, 아름다운 것에 감탄하는 모습도 나타나 있다.

① '믈 속의 어룡들이 응당이 놀라도다.'는 사실을 객관적으로 관찰하여 표현하는 작가의 성향이 드러난 것이겠군.
② '고국을 도라보니 야ᄉᆡᆨ이 창망ᄒᆞ야'는 고국의 상황을 염려하는 작가의 마음이 드러난 것이겠군.
③ '왜션을 더지으니 왜놈이 줄을 바다'에서 '왜놈'은 일본을 적대시하는 당시 분위기와 작가의 성향이 드러난 것이겠군.
④ '봉만이 삭닙ᄒᆞ야 경치가 긔졀ᄒᆞ다.'는 일본의 아름다운 자연에 감탄하는 작가의 태도가 드러난 것이겠군.
⑤ '집 형샹이 궁슝ᄒᆞ야 노젹덤이 ᄀᆞᆽ고내야'는 일본의 문물을 미개하다고 여기는 작가의 생각이 드러난 것이겠군.

02 [보기] 자료를 바탕으로 제시문을 적절히 감상할 수 있는지 확인하는 문제이다. 작가의 삶과 창작 당시의 사회적 배경 등을 언급한 [보기]를 고려하여 제시문 속 시구의 의미를 파악하고 선택지의 적절성을 판단해 보도록 한다.

03 ㉮와 유사한 정서가 나타나는 것은? 기출 문제

① 오ᄂᆞᆯ도 다 새거다, 호ᄆᆡ 메고 가쟈ᄉᆞ라. / 내 논 다 ᄆᆡ여든 네 논 졈 ᄆᆡ여 주마. / 올길헤 뽕 빠다가 누에 머겨 보쟈ᄉᆞ라.
② 노래 삼긴 사ᄅᆞᆷ 시름도 하도할샤 / 닐러 다 못 닐러 불러나 푸돗ᄃᆞᆫ가 / 진실로 풀릴 거시면은 나도 불러 보리라.
③ 두류산(頭流山) 양단수(兩端水)를 녜 듯고 이제 보니, / 도화(桃花) ᄠᅳᆫ ᄆᆞᆰ은 물에 산영(山影)조ᄎᆞ 잠겻세라. / 아희야 무릉(武陵)이 어듸오 나ᄂᆞᆫ 옌가 ᄒᆞ노라.
④ 가노라 삼각산(三角山)아 다시 보자 한강수(漢江水)야. / 고국산천(故國山川)을 떠나고쟈 하랴마ᄂᆞᆫ, / 시절(時節)이 하 수상(殊常)하니 올동 말동 ᄒᆞ여라.
⑤ 반중(盤中) 조홍(早紅)감이 고아도 보이ᄂᆞ다. / 유자(柚子)ㅣ 안이라도 품엄 즉도 ᄒᆞ다마ᄂᆞᆫ / 품어 가 반기리 없슬ᄉᆡ 글노 설워ᄒᆞᄂᆞ이다.

03 제시문에 드러난 화자의 정서를 파악하고, 이와 유사한 정서가 드러난 작품을 선택할 수 있는지를 확인하는 문제이다. 문맥을 고려하여 화자의 정서를 정확히 파악하고, 선택지의 화자의 정서를 비교하여 유사한 정서가 드러난 작품을 선택해 보도록 한다.

가사

131 만언사(萬言詞)_안조환

〈전략〉 등잔불 치는 나비 저 죽을 줄 알았으면
죄를 지은 화자 자신을 의미함.
어디서 식록지신(食祿之臣)이 죄(罪) 짓자 하랴마는
나라의 녹을 받는 신하
대액(大厄)이 당전(當前)하니 눈조차 어둡고나
몹시 사나운 운수 / 앞에 도달함.
마른 섶을 등에 지고 열화(烈火)에 듦이로다.
무모하고 미련함. / 맹렬하게 타는 불
재가 된들 뉘 탓이리 살 가망 없다마는
귀양 가는 벌을 받은 것이 자신의 잘못 때문이라고 인정하고 잘못을 뉘우침.
일명(一命)을 꾸이오셔 해도(海島)에 보내시니
한 목숨 / 귀하게 여기시어 / 유배지인 '추자도'
어와 성은(聖恩)이야 가지록 망극(罔極)하다 〈중략〉 ▶ 본사 1: 죄를 지어 섬으로 유배를 가게 됨.
갈수록 / 임금의 은혜가 끝이 없음.

현대어 풀이 등잔불을 치는 나비가 저 죽을 줄 알았으면 어디서 나라의 녹을 먹는 신하가 죄지으려 했겠냐마는 큰 액운이 앞에 닥치니 눈조차 어둡구나. 마른 섶을 등에 지고 불 속으로 들어간다. 재가 된들 누구 탓을 하리? 살아날 가망이 없다마는 한 목숨을 귀하게 여기시어 섬으로 보내시니 아아, 임금의 은혜야 갈수록 망극하다.

의복(衣服)을 돌아보니 한숨이 절로 난다
「남방 염천(南方炎天) 찌는 날에 빨지 못한 누비바지 「」: 여름이 되었는데도 유배를 올 때 입었던 겨울 의복을 입고 있음.
남쪽의 뜨거운 하늘 / 누벼서 만든 바지
땀이 배고 때 오르니 굴뚝 막은 덕석인가
덮는 용도로 사용되는 멍석
덥고 검기 다 버리고 냄새를 어찌하리」
어와 내 일이야 가련(可憐)히도 되었구나
유배를 와서 비참해진 자신의 신세와 처지를 한탄함.
손잡고 반기는 집 내 아니 가옵더니
유배 오기 전의 상황
등 밀어 내치는 집 구차(苟且)히 빌어 있어
현재 유배지에서 사는 집
「옥식 진찬(玉食珍饌) 어디 두고 맥반 염장(麥飯鹽藏) 무슨 일고 「」: 대구법, 대조법 → 비참한 유배 생활
훌륭한 밥과 진귀하고 맛있는 반찬 ↔ 보리밥과 소금과 간장
금의 화자(錦衣華刺) 어디 두고 현순백결(懸鶉百結) 되었는고」
비단 옷과 화려한 옷 ↔ 닳아 해져서 백 군데나 기운 누더기 옷
이 몸이 살았는가 죽어서 귀신(鬼神)인가
말하니 살았는지 모양은 귀신(鬼神)이라
화자의 비참하고 초라한 모습-자조적인 인식
한숨 끝에 눈물 나고 눈물 끝에 어이없어
슬프고 괴로운 심정
도리어 웃음 나니 미친 사람 되겠구나 ▶ 본사 2: 유배지에서 궁핍하고 비참하게 생활함.
화자

현대어 풀이 의복을 돌아보니 한숨이 저절로 난다. 남쪽 지방의 뜨겁게 찌는 날씨에 빨지 못한 누비바지 땀이 배고 때가 오르니 굴뚝 막은 멍석 같구나. 덥고 검은 것은 버리더라도 냄새를 어찌하리? 아아, 내 신세야 가련하게도 되었구나. (유배 오기 전에는) 손을 잡고 반기는 집에도 내가 가지 않았는데 (지금은) 등을 밀어 내치는 집에 구차하게 빌붙어 있으니, 훌륭한 밥과 맛있는 반찬은 어디로 가고 보리밥에 소금과 간장은 무슨 일인가? 화려하고 비싼 옷은 어디로 가고 여기저기 기운 낡은 옷을 입고 있는가? 이 몸이 살아 있는가? 죽어서 귀신이 되었는가? 말을 하는 것으로 보아 살아 있기는 하나 모양은 귀신이구나. 한숨 끝에 눈물이 나고 눈물 끝에 어이없어 도리어 웃음 나니 미친 사람이 되었구나.

보리를 거두어들이는 일 또는 그런 철 「 계절의 변화(훈훈한 바람이 서늘해짐, 여름 → 가을)
어와 보리가을 맥풍(麥風)이 서늘하다
초여름의 훈훈한 바람
전산(前山) 후산(後山)에 황금이 펼쳤으니
보리가 익어 보리밭이 누런빛으로 변함.
지게를 벗어놓고 전간(田間)에 굼닐면서
밭 사이 / 몸을 구부렸다 폈다 하면서

작품 한눈에 보기(생략된 부분 포함)

유배를 떠나기 전	자신의 잘못을 인정하고, 임금의 은혜에 감사함.
유배 생활 초기	궁핍한 생활을 하는 자신의 처지를 한탄하고, 농부를 보며 과거의 삶을 반성함.
유배 생활 후기	자연과 벗하며 유배 생활의 시름을 풀려 하고, 임금의 은혜에 감사함.
유배 1년 후	시간이 지났으므로 지난 죄를 용서받고 유배지에서 풀려나기를 기원함.

출제 포인트

■ 표현상의 특징

① 과거와 현재를 대조하여 화자의 상황을 드러냄(본사 2).

유배를 오기 전(과거)	↔	유배를 온 후(현재)
옥식 진찬, 금의 화자	↔	맥반 염장, 현순백결

↓

유배 전과 후를 대조하여 현재 화자의 비참한 생활을 강조함.

② 비유적인 표현을 활용함.

본사 1	등잔불 치는 나비	죄를 지은 화자
	마른 섶을 등에 지고 열화에 듦이로다	화자 자신의 죄를 인정함.
본사 2	굴뚝 막은 덕석	빨지 못한 바지 → 비참하고 어려운 유배 생활
	귀신, 미친 사람	비참하고 초라한 화자 → 자조적 인식

■ 화자의 정서

본사 2	• 의복을 돌아보니 한숨이 절로 난다 • 어와 내 일이야 가련히도 되었구나

⬇

유배 생활을 하는 자신의 처지를 한탄함.

한가히 베는 농부 "묻노라 저 농부야

보리쌀로 빚은 단술

밥 위에 보리단술 몇 그릇 먹었느냐

농부를 부러워함.

청풍(淸風)에 취한 얼굴 깨운들 무엇하리

「연년(年年)이 풍년드니 해마다 보리 베어

해마다

마당에 두드리고 용정(舂精)에 쓿어내어

방아나 절구 / 쓸어 내어

일분(一分)은 밥쌀 하고 일분은 술쌀 하여

수확한 쌀의 일부로는 밥을 하고 또 다른 일부로는 술을 만듦. – 풍요로운 이미지

밥 먹어 배부르고 술 먹어 취한 후에

농부들의 편안한 삶

함포고복(含哺鼓腹)하고 격양가(擊壤歌)* 부르는가"」 「」: 농부의 삶에 대한 부러움이 드러남.

잔뜩 먹고 배를 두드린다는 의미로, 먹을 것이 풍족하여 즐겁게 지냄.

농사의 좋은 흥미 저런 줄 알았으면

욕심 없이 일하여 수확한 것을 먹고 사는 농사짓는 삶의 즐거움

공명(功名)을 탐(貪)치 말고 농사를 힘쓸 것을

농민들의 건강한 삶을 부러워하며, 벼슬길에 힘쓴 자신의 지난 삶을 후회함.

「백운(白雲)이 즐기는 줄 청운(靑雲)이 알았으면

욕심 없는 삶(농민) ↔ 공명을 추구하는 삶(화자)

탐화봉접(探花蜂蝶)*이 망라(網羅)*에 걸렸으랴」 「」: 자연물에 빗대어 자신의 삶을 반성함.

화자 자신 / 법에 걸림.

▶ 본사 3: 농부들의 모습을 보고 과거 자신의 삶을 반성함.

현대어 풀이 아아, 보리를 수확할 때에 보리 위를 스치는 바람이 서늘하다. 앞산 뒷산에 (보리가 익어) 황금빛이 펼쳐져 있으니 지게를 벗어 놓고 밭 사이에서 몸을 구부렸다 폈다 하며 한가하게 베는 농부, "묻노라 저 농부야, 밥을 먹고 보리쌀로 빚은 단술 몇 그릇이나 먹었느냐? 맑은 바람에 취한 얼굴 깨운들 무엇하리. 해마다 풍년이 드니 해마다 보리 베어, 마당에서 두드려 방아나 절구로 찧어 (낟알을) 쓸어 내어 일부는 밥을 하고 일부는 술을 만들어, 밥 먹어 배부르고 술 먹어 취한 후에 배를 두드리며 즐거이 풍년가를 부르는가?" 농부의 저런 즐거움이 저렇게 좋은 줄을 알았더라면 공명을 탐하지 말고 농사에나 힘을 쓸 것을, 흰 구름이 즐거운 줄 푸른 구름이 알았다면 꽃을 찾는 나비와 벌이 그물에 걸렸겠느냐?

어제 옳던 말이 오늘에야 왼 줄 알고

공명을 추구했던 과거의 삶을 후회함.

뉘우친 마음이야 없다야 하랴마는

「범 물릴 줄 알았으면 깊은 산에 들었으며

떨어질 줄 알았으면 높은 남게 올랐으며

나무에

천둥할 줄 알았으면 잠든 누에 올렸으며

전세(田稅)로 거둔 대동미, 쌀

파선(破船)할 줄 알았으면 전세 대동(田稅大同) 실었으며

풍파를 만나거나 암초 따위의 장애물에 부딪쳐 배가 파괴됨.

실수(失手)할 줄 알았으면 내기 장기 두었으며 「」: 대구, 비유 → 자신의 잘못된 행동에 대한 후회, 반성, 안타까움

죄(罪) 지을 줄 알았으면 공명 탐심(功名貪心) 하였으랴」〈중략〉

탐내는 마음

▶ 본사 4: 공명 탐심에 대한 후회와 반성

현대어 풀이 어제는 옳던 일이 오늘에야 그른 줄을 알고 뉘우치는 마음이 없다고 하겠는가마는, 범에게 물릴 줄 알았으면 깊은 산에 들어갔으며 떨어질 줄 알았으면 높은 나무에 올랐으며 천둥 칠 줄 알았으면 잠든 누에 올렸으며 배가 파괴될 줄 알았으면 세금으로 걷은 쌀을 실었으며 실수할 줄 알았으면 내기 장기를 두었으며 죄 지을 줄 알았으면 공명을 탐하고자 하였으랴.

도롱이와 삿갓 / 미투리, 삼이나 노 따위로 짚신처럼 삼은 신

사립(簑笠)을 젖혀 쓰고 망혜(芒鞋)를 조여 신고

간편한 차림으로 낚시에 나섬.

조대(釣臺)로 내려가니 대 바람 한가하다

낚시를 하는 곳

「원근 산천(遠近山川)에 홍일(紅日)이 떠었으니

붉은빛을 띤 해, 새벽에 막 떠오른 해

만경창파(萬頃蒼波)는 모두 다 금빛이라」 「」: 색채 이미지(붉은색, 푸른색, 금색)를 통해 조대 주변의 경관을 묘사함.

만 이랑의 푸른 물결이라는 뜻으로, 한없이 넓고 넓은 바다를 이르는 말

낚시를 드리우고 무심(無心)히 앉았으니

욕심 없이

은린옥척(銀鱗玉尺)이 절로 무는구나

모양이 좋고 큰 물고기

구태여 내 마음이 취어(取魚)가 아니로다

물고기를 잡을 욕심이 없음.

출제 포인트

■ 표현상의 특징

① 대조적인 시어를 통해 화자의 정서를 드러냄(본사 3).

공명을 추구하는 삶	↔	욕심 없는 건강한 삶
공명, 청운, 탐화봉접		농사, 백운

② 과거의 잘못에 대한 화자의 태도를 자연물이나 일상생활에 빗대어 드러냄(본사 3, 4).

공명을 탐함.	→	유배를 옴.
탐화봉접, 깊은 산에 듦, 높은 남게에 오름, 잠든 누에 올림, 전세 대동 실음, 내기 장기를 둠.		망라에 걸림, 범에 물림, 나무에서 떨어짐, 천둥이 침, 파선함, 실수함.

↓

공명을 추구했던 자신의 과거를 반성하고 후회함.

③ 유사한 통사 구조를 반복하여 화자의 생각을 강조함(본사 4).

범 물릴 줄 알았으면~ 공명 탐심 하였으랴.

↓

자신의 죄가 실수였음을 강조함.

■ '농부'에 대한 화자의 정서(본사 3)

농부	↔	화자
한가롭게 일하여 수확한 곡식으로 배부르게 먹고, 풍년가를 부름.		공명을 추구하다 죄를 짓고 귀양을 와서 궁핍하고 비참한 생활을 함.

↓

농부의 삶을 부러워함.

■ 화자의 정서

본사 5	사립을 젖혀 쓰고 망혜를 조여 신고 조대로 내려가니 대 바람 한가하다

⬇

자연 속에서 유배 생활의 시름을 해소하고자 함.

어휘 풀이

* 격양가: 풍년이 들어 농부가 태평한 세월을 즐기는 노래. 중국의 요임금 때 태평한 생활을 즐거워하여 불렀다고 함.
* 탐화봉접: 꽃을 찾아다니는 벌과 나비
* 망라: 물고기나 새를 잡는 그물

의취(意趣)를 취(取)함이라 ▶ 본사 5: 낚시를 하며 취향을 즐기고자 함.
의지와 취향 / 취향을 즐기고자 함.

현대어 풀이 도롱이와 삿갓을 젖혀 쓰고 미투리를 조여 신고 낚시하는 자리로 내려가니 대 바람 한가롭다. 가깝고 먼 산천이 붉은빛을 띠었으니 만경창파에 오로지 금빛이라. 낚싯대를 드리우고 욕심 없이 앉았으니 큰 물고기가 절로 (와) 무는구나. 구태여 내 마음이 물고기를 잡고자 함이 아니다. 취향을 즐기고자 함이라.

낚대를 떨쳐 드니 사면에 잠든 백구(白鷗)
화자의 연군지정(戀君之情)을 드러내는 소재
내 낚대 그림자에 저 잡을 날만 여겨
다 놀라 날겠구나 「백구야 날지 마라
「」: 낚싯대를 바다에 던지자 놀라 날아가는 갈매기들에게 화자가 하는 말
의인법 - 백구
성상(聖上)*이 버리시니 너를 좇아 예 왔노라
임금에게 버림받아 유배를 온 화자의 처지
네 본디 영물(靈物)이라 내 마음 모르는가
신령스러운 물건이나 짐승
평생에 곱던 님을 천 리(千里)에 이별하고
임금
사랑은커니와 그리움을 견딜손가
설의법 - 임금에 대한 사랑과 그리움이 매우 큼.
수심(愁心)이 첩첩(疊疊)하니 내 마음 둘 데 없어
근심스러운 마음 / 대나무로 만든 낚싯대
흥(興) 없는 일간죽(一竿竹)을 일없이 들었으니
고기 잡는 낚시질에는 뜻이 없음을 드러냄.
고기도 불관(不關)커든 하물며 너 잡으랴
고기 잡을 마음이 없음. / '백구'를 해칠 마음이 없음.
그래도 못 믿거든 너 가진 긴 부리로
내 가슴 쪼아 헤쳐 흉중(胸中)의 붉은 마음
일편단심 - 임금에 대한 충성심
쾌(快)히 내어 볼 양이면 네가 응당 알 리로다
백구가 화자의 마음을 알아주기를 바람. - 임금이 자신의 변치 않는 충성심을 알아주기를 바람.
공명(功名)도 다 던지고 성은(聖恩)을 갚으려니
화자가 임금에게 전하려는 마음
갚을 법도 있거니와 이 사이 일없으니
유배를 온 지금의 처지로는 성은을 갚는 일을 할 수 없음.
성세(聖世)*에 한민(閑民)되어 너를 좇아 다니려니
한가로운 백성
날 보고 가지 마라 네 벗 되오리라」〈중략〉 ▶ 본사 6: 임금의 은혜에 감사함.
자연 친화적 태도

현대어 풀이 낚싯대를 떨치니 사면에 잠든 백구, 내 낚싯대 그림자에 저 잡는 줄로만 여겨 다 놀라 나는구나. 백구야 날지 마라. 성상이 (날) 버리시니 너를 좇아 여기 왔노라. 네 본래는 영물이라 내 마음을 모르느냐? 평생에 사랑하던 임을 천 리에 이별하고 사랑은커녕 그리움을 견디겠는가? 근심하는 마음이 많이 쌓여 있으니 내 마음을 둘 데가 없어 흥이 없는 낚싯대를 실없이 던졌으니 고기도 잡지 않거든 하물며 너를 잡겠느냐? 그래도 못 믿겠거든 네가 가진 긴 부리로 내 가슴 쪼아 헤쳐 가슴속의 붉은 마음 시원하게 내어 놓고 자세히 살펴보면 네가 응당 알 것이로다. 공명도 다 던지고 임금의 은혜를 갚으려니 갚을 법도 있거니와 이 사이 일이 없으니, 태평성대에 한가로운 백성이 되어 너를 쫓아다니려니, 날 보고 가지 마라, 네 벗이 되겠노라.

하나님께 비나이다 설은 정원(情願) 비나이다
간절한 마음으로 기원함. / 사정을 기원함.
책력(冊曆)도 해 묵으면 고쳐 쓰지 아니하고
달력 / 해가 달라지면 모든 일을 새롭게 시작해야 한다는 의미임.
노호염도 밤이 자면 풀어져서 버리나니
노여움, 화
세사(歲事)도 묵어지고 인사(人事)도 묵었으니
세상에서 일어나는 온갖 일 / 사람의 일
천사만사 탕척(蕩滌)하고 그만 저만 서용(恕容)하사
온갖 일 / 죄를 씻어 줌. / 용서
끊쳐진 옛 인연을 고쳐 잇게 하옵소서 ▶ 결사: 유배지에서 풀려나기를 바람.
끊어진 군신의 연을 이어 가고 싶은 화자의 소망 - 유배지에서 풀려나기를 바람.

현대어 풀이 하나님께 비나이다. 서러운 사정 비나이다. 달력도 해 지나면 다시 쓰지 아니하고 노여움도 밤이 지나면 풀어져 버리나니, 세상일도 묵은 일이 되고 사람의 일도 묵은 일이 되었으니, 온갖 죄를 씻어 주시고 이제 그만 용서하셔서 끊어진 옛 인연을 다시 잇게 하옵소서.

출제 포인트

■ 표현상의 특징(본사 6)
'백구'를 의인화하여 말을 건네는 방식으로 화자의 생각을 드러냄.

'백구'를 '너'라고 지칭하며, 자신의 생각을 표현함.
↓
임금에게 버림받아 유배를 온 자신의 처지를 밝힘.
임금에 대한 사랑과 그리움이 매우 큼.
임금에 대한 충성심이 변함없음.
공명을 탐하지 않고, 성은을 갚을 것임.
↓
자신의 마음을 임금이 알아주기를 바람.

■ '백구'의 의미
화자가 자신의 시름에 대해 말을 건네는 존재로, 화자의 연군지정을 드러내는 소재이다.

■ 시구의 의미(본사 6)
• 사랑은커니와 그리움을 견딜손가
• 흉중의 붉은 마음
• 공명도 다 던지고 성은을 갚으려니
↓
연군지정, 변함없는 충성심

수능 필수 개념 플러스

"「만언사」와 조선 전기 유배 가사의 차이점"
조선 전기의 유배 가사는 자신의 억울함에 대한 호소와 연군지정의 내용을 담는 반면, 조선 후기의 「만언사」는 유배 생활의 고통을 사실적으로 묘사하며 자신의 잘못을 뉘우치는 내용을 담고 있다.

	조선 전기 유배 가사	만언사
성격	서정적, 연모적	서사적, 사실적
주제	연군의 정	유배 생활의 고통

어휘 풀이
* 성상: 살아 있는 자기 나라의 임금을 높여 이르는 말
* 성세: 어진 임금이 다스리는 세상 또는 시대를 높여 이르는 말

1 작품 이해

이 작품은 어렵고 힘든 유배 생활과 잘못을 뉘우치는 심정을 담은 가사이다. 추자도에서 유배 생활을 한 작가가 자신의 경험을 진솔하게 담아 지었다. 유배를 떠나는 과정과 유배 생활 등을 사실적으로 묘사하고, 자신의 죄에 대한 뉘우침, 유배지에서 풀려나기를 바라는 마음 등을 노래하고 있다.

- **갈래:** 가사(유배 가사)
- **성격:** 애상적, 한탄적, 사실적, 반성적
- **주제:** 유배 생활의 어려움과 자신의 잘못에 대한 반성
- **시적 상황** □□를 가서 고통스럽고 비참한 생활을 하고 있음.
- **정서와 태도** 유배 생활을 하며 죄를 뉘우치고 □□하고 있음.

정답: 유배, 반성

2 내용 확인

1 맞는 내용이면 ○표, 틀린 내용이면 ×표 하시오.

① 화자는 유배를 당한 자신의 처지를 억울해하며 결백을 호소하고 있다. (　　)

② 본사 6의 '백구'는 유배당한 화자의 시름을 달래 주는 대상으로, 임금에 대한 화자의 충성심을 드러내는 소재이다. (　　)

내용 확인 도우미

1 ① 본사 1에서 화자는 자신의 잘못으로 유배를 간다며 죄를 뉘우치고 있다.

② 본사 6에서 화자는 '백구'에게 말을 건네며 자신의 근심을 토로하고 임금에 대한 충성심을 드러내고 있다.

정답 1 ① × ② ○

3 실전 Test

• 정답 56쪽

01 윗글에 대한 설명으로 적절하지 않은 것은?

① 화자가 처한 상황을 구체적으로 묘사하고 있다.

② 대상을 의인화하여 화자의 심정을 드러내고 있다.

③ 유사한 통사 구조를 반복하여 화자의 생각을 강조하고 있다.

④ 현실을 극복하고자 하는 의지를 단호한 어조로 표출하고 있다.

⑤ 과거와 현재를 대비하여 화자의 비참한 처지를 부각하고 있다.

02 윗글의 시어에 대한 설명으로 가장 적절한 것은?

	시어	의미와 기능
①	조대	화자가 과거에 머물렀던 장소
②	은린옥척	화자의 지향에서 벗어나 있는 대상
③	그림자	화자가 수행하는 자기 성찰의 매개물
④	성세	화자의 처지가 변화하는 계기
⑤	벗	화자가 부러워하는 대상

03 [보기]의 ㉠~㉤ 중 윗글에서 찾을 수 없는 것은? 기출 문제

보기

옛사람들에게 '유배(流配)'는 무엇이었을까? 유배 가사를 통해 볼 때, 그것은 ㉠외롭고도 힘든 격리인 동시에 ㉡자신의 내면을 들여다보는 계기이기도 했다. 귀양살이의 심경은 흔히 ㉢자연물을 매개로 임금에 대한 그리움을 표현하는 형태로 정형화되었지만, 때로는 자기 부정이나 ㉣적대자에 대한 원망으로 표출되기도 했다. ㉤떠나온 곳에 마음을 두고 복귀를 욕망하는 모습을 찾아보는 것 또한 어렵지 않다. 이러한 다양한 면모가 얽히는 데에 유배 가사의 묘미가 있다.

① ㉠　② ㉡　③ ㉢　④ ㉣　⑤ ㉤

실전 Test Guide

01 표현상의 특징과 그로 인한 효과를 파악할 수 있는지 평가하는 문제이다. 시적 대상에 관한 화자의 생각과 정서를 드러내기 위해 어떤 표현 방법을 사용하고 있는지 살펴보도록 한다.

02 시어의 의미와 기능에 대해 파악할 수 있는지 확인하는 문제이다. 문맥을 고려하여 선택지의 적절성을 판단해 보도록 한다.

03 자료를 활용하여 제시문을 적절하게 감상할 수 있는지를 평가하는 문제이다. [보기]에 제시된 유배 가사의 일반적인 특징을 이해한 후, 제시문에 반영되지 않은 것이 무엇인지 살펴보도록 한다.

가사

132 농가월령가(農家月令歌)_정학유

〈정월령〉

입춘과 경칩 사이의 절기

정월(正月)은 맹춘(孟春)이라 입춘(立春) 우수(雨水) 절후(節侯)로다.

노래할 월(月)의 제시 / 초봄 / 봄이 시작되는 절기 / 절기

「산중 간학(山中澗壑)의 빙설(氷雪)은 남아시니, 「」: 정월의 정경(계절의 변화: 겨울 → 봄)

산속의 물이 흐르는 골짜기

평교(平郊) 광야(廣野)의 운물(雲物)이 변(變)ᄒᆞ도다.」 ▶ 정월의 절기와 정경

들 밖, 넓고 평평한 들 / 하늘 모양과 천지간의 경치

현대어 풀이 1월은 초봄이라, 입춘, 우수의 절기로다. 산골짜기에는 얼음과 눈이 남아 있으나, 넓고 평평한 들판에는 경치가 변하기 시작하도다.

어와 우리 성상(聖上) 애민 중농(愛民重農)ᄒᆞ오시니,

임금 / 백성을 사랑하고 농업을 중시함

간측(懇惻)ᄒᆞ신 권농 윤음(勸農綸音) 방곡(坊曲)의 반포(頒布)ᄒᆞ니,

간절하고 지성스러움 / 농사를 권장하는 임금의 말씀 / 방방곡곡

슬푸다 농부(農夫)들아 아므리 무지(無知)ᄒᆞᆫ들,

감정의 직접 표출

네 몸 이해(利害) 고사(姑舍)ᄒᆞ고 성의(聖意)를 어긜소냐.

그만 두고 / 임금의 뜻을 명분으로 농사일을 강조함.

산전 수답(山田水畓) 상반(相半)ᄒᆞ게 힘ᄃᆡ로 ᄒᆞ오리라.

산의 밭과 물의 논 / 서로 절반씩 어슷비슷함.

일 년 풍흉(一年豊凶)은 측량(測量)치 못ᄒᆞ야도,

풍년과 흉년 / 자연 재해

인력(人力)이 극진(極盡)ᄒᆞ면 천재(天災)를 면(免)ᄒᆞᄂᆞ니,

지성이면 감천, 진인사대천명(盡人事待天命), 하늘은 스스로 돕는 자를 돕는다.

져 각각(各各) 권면(勸勉)ᄒᆞ야 게얼니 구지 마라. ▶ 농사일에 힘쓰라고 권장함.

알아듣도록 권하고 격려하여 힘쓰게 함. / 근면한 생활 태도 강조–교훈적, 계몽적

현대어 풀이 아아, 우리 임금님께서 백성을 사랑하고 농사를 중요하게 여기시니, 지극히 간절하신 농사일을 권하는 임금님의 말씀을 방방곡곡에 알리시니, 슬프다. 농부들이여, 아무리 무지하다고 한들 네 자신의 이해관계는 제쳐 놓는다 해도 임금님의 뜻을 어기겠느냐? 밭과 논을 반반씩 나누어 힘써 경작하오리라. 일 년의 풍년과 흉년을 예측하지는 못해도 사람의 힘을 다 쏟으면 자연의 재앙을 면하나니, 제각각 서로 권하고 격려하여 게을리 굴지 마라.

「일년지계 재춘(一年之計在春)ᄒᆞ니 범사(凡事)를 미리 ᄒᆞ라. 「」: 시기를 중시하는 태도, 정월의 중요성

한 해의 농사 계획 / 모든 일

봄에 만일 실시(失時)ᄒᆞ면 종년(終年) 일이 낭패되네.」

때를 놓치면 / 한 해를 마침

농지(農地)를 다ᄉᆞ리고 농우(農牛)를 살펴 먹여,

대구법 / 농사일에 부리는 소

ᄌᆡ거름 ᄌᆡ와 노코 일변(一邊)으로 시러 ᄂᆡ여,

재로 만든 거름 / 한편

맥전(麥田)의 오좀 듀기 세전(歲前)보다 힘써 ᄒᆞ소.

보리밭 / 오줌 주기 / 작년, 설 쇠기 전

늙으니 근력(筋力) 업고 힘든 일은 못 ᄒᆞ야도,

지붕을 이기 위해 짚 따위로 엮은 것

낫이면 이영 녁고 밤의ᄂᆞᆫ ᄉᆞᆺ기 ᄭᅩ아,

대구법–늙은 사람이 정월에 해야 할 일

ᄯᅴ 맛쳐 집 니우니 큰 근심 더럿도다.

지붕 이니

실과(實果) 나모 벗ᄭᅥᆺ* ᄡᅡ고 가지 ᄉᆞ이 돌 ᄭᅵ오기,

과일 나무에 과일을 많이 열리게 하기 위해 해야 할 일

정조(正朝)날 미명시(未明時)의 시험(試驗)죠로 ᄒᆞ야 보소.

정월 초하루 / 날이 밝기 전

며나리 닛디 말고 송국주(松菊酒) 빗ᄒᆞ여라.

잊지 / 꽃으로 빚은 가향주 / 걸러라(명령)

삼춘(三春) 백화시(百花時)의 화전 일취(花煎一醉)ᄒᆞ야 보ᄌᆞ. ▶ 정월에 해야 할 농사일

온갖 꽃이 만발한 춘삼월 / 화전을 안주 삼아 취해 보자(청유)

현대어 풀이 일 년의 계획은 봄에 하는 것이니 모든 일을 미리 하라. 만약 봄에 때를 놓치면 해를 마칠 때까지 일이 낭패가 되네. 농지를 다스리고 소를 (잘) 보살펴 먹여, 재거름을 재워 놓고 한편으로 실

작품 한눈에 보기

	정월령	팔월령
절기 소개	입춘, 우수	백로, 추분
정경 묘사	산에는 빙설이 있으나, 평야는 봄 경치로 변하기 시작함.	북두성은 서편을 가리키고, 귀뚜라미 울며, 들판에 곡식이 익어 감.
농사 일 권장	농지 다스리기, 농우 보살피기, 재거름 재워 놓고 실어 내기, 보리밭에 오줌 주기, 이엉 엮기, 새끼 꼬기, 과일나무 껍질을 벗기고, 가지 사이에 돌 끼우기	목화·고추 처마에 널기, 안팎 마당 닦기, 발채와 옹구 장만하기, 수수 이삭과 콩가지 거두기, 산과일 따기, 알밤 말리기, 명주 표백하기, 댑싸리로 비 만들어 타작에 쓰기, 참깨와 들깨 수확하기, 일찍 익은 벼 타작하기, 담배나 녹두 팔기
세시 풍속 소개	• 설날: 세배하기, 연날리기, 널뛰기, 윷놀이, 사당에 인사 드리기 • 대보름: 약밥 먹기, 차례 지내기, 묵은 산채 삶아 먹기, 귀밝이술 마시기, 부럼 깨물기, 더위팔기, 달맞이 횃불 켜기	북어쾌·젓조기 마련하기, 신도주·올벼 송편·박나물·토란국 준비하기, 조상께 제사 지내기, 이웃과 음식 나누기, 음식 준비하여 며느리 근친 보내기

수능 필수 개념 플러스

"창작 의도"

실학자 정약용의 둘째 아들인 정학유는 경기도 양주에서 직접 농사를 지으며 실학 사상을 실천한 인물이다. 정학유는 실학 정신을 반영하여 일 년 동안 농가에서 해야 할 일과 농업 기술 등을 알려 주기 위해 「농가월령가」를 창작하였다.

어휘 풀이

* 벗ᄭᅥᆺ: 보굿. 굵은 나무줄기에 비늘 모양으로 덮여 있는 겉껍질

어 내어, 보리밭에 오줌 주기를 새해가 되기 이전보다 힘써 하소. 늙은이 기력이 없어 힘든 일은 못 하여도 낮이면 이엉을 엮고 밤이면 새끼 꼬아, 때맞추어 지붕을 이니 큰 근심 덜었도다. 과일나무 껍질을 벗겨 내고 가지 사이에 돌 끼우기, 정월 초하룻날 날이 밝기 전에 시험 삼아 하여 보소. 며느리는 잊지 말고 송국주를 걸러라. 온갖 꽃이 만발한 춘삼월에 화전을 (안주 삼아) 한번 취해 보자.

정월 대보름 / 홍수와 가뭄
상원(上元)날 달을 보아 수한(水旱)을 안다 ᄒᆞ니,
정월 대보름의 달을 통해 농사와 관련된 날씨를 예측함.
노농(老農)의 징험(徵驗)이라 대강은 짐작(斟酌)ᄂᆞ니,
늙은 농사꾼 / 경험에 비추어 앎.
「정조(正初) 세배(歲拜)ᄒᆞ믄 돈후(敦厚)ᄒᆞᆫ 풍속(風俗)이라.
정월 초하루(설날) / 설날의 세시 풍속 ① / 인정이 두터운
ᄉᆡ 의복(衣服) ᄯᅥᆯ쳐 닙고 친척 인인(親戚隣人) 셔로 ᄎᆞᄌᆞ,
설빔 / 친척과 이웃 사람
노소 남녀(老少男女) 아동(兒童)ᄭᆞ지 삼삼오오(三三五五) 단일 적의,
새 옷의 빛깔을 시각적으로 묘사함.
와각버셕 울긋불긋 물색(物色)이 번화(繁華)ᄒᆞ다.
의성어 – 새 옷이 마찰되어 나는 소리 / 색동옷을 입고 다니기 때문에 빛깔이 화려함.
산나ᄒᆡ 연(鳶) ᄯᅴ오고 계집아ᄒᆡ 널 ᄯᅱ고,
설날의 세시 풍속 ② / 설날의 세시 풍속 ③
윳노라 나기ᄒᆞ기 소년(少年)들의 노리로다.
설날의 세시 풍속 ④
사당(祠堂)의 세알(歲謁)* ᄒᆞ니 병탕(餠湯)의 주과(酒果)로다.
설날의 세시 풍속 ⑤ / 떡국 / 술과 과일
엄파*와 미나리를 무어엄의 겻드리면,
무의 싹
보기의 신신(新新)ᄒᆞ야 오신채(五辛菜)* 불워ᄒᆞ랴.」 「」: 설날의 세시 풍속
새롭고 싱싱하여 / 정월 대보름의 세시 풍속 ②
「보름날 약식(藥食) 다례(茶禮)* 신라(新羅)적 풍속(風俗)이라.
정월 대보름의 세시 풍속 ① / 오래된 풍속임.
묵은 산채(山菜) 살마ᄂᆡ여 육미(肉味)를 밧골소냐.
정월 대보름의 세시 풍속 ③ / 부스럼 / 설의법
귀밝히ᄂᆞᆫ 약(藥)술이며 부름 삭ᄂᆞᆫ 생률(生栗)이라.
정월 대보름의 세시 풍속 ④ / 정월 대보름의 세시 풍속 ⑤
먼져 불너 더위팔기 달마지 홰불 혀기,
정월 대보름의 세시 풍속 ⑥ / 정월 대보름의 세시 풍속 ⑦
흘너오ᄂᆞᆫ 풍속(風俗)이오 아희들 노리로다.」 「」: 정월 대보름의 세시 풍속 ▶ 정월의 세시 풍속
전해 오는

현대어 풀이 정월 대보름날 달을 보아 (그 해의) 홍수와 가뭄을 안다 하니, 늙은 농사꾼의 경험이라 대강은 짐작하네. 정월 초하룻날 세배하는 것은 인정이 두텁고 후한 풍속이라. 새 옷을 떨쳐 입고 친척과 이웃을 서로 찾아 남녀노소에 아이들까지 삼삼오오 다닐 적에, (새 옷이) 와삭거리고 울긋불긋하여 빛깔이 화려하다. 남자아이들은 연을 띄우고 여자아이들은 널을 뛰고, 윷을 놀아 내기하기는 소년들의 놀이로다. 사당에 설 인사를 드리니 떡국과 술과 과일이 제물이로다. 움파와 미나리를 무 싹에다 곁들이면 보기에 새롭고 싱싱하니 오신채를 부러워하겠는가? 보름날 약밥을 지어 먹고 차례를 지내는 것은 신라 때의 풍속이라. 지난해에 캐어 말린 산나물을 삶아서 무쳐 내니 고기 맛과 바꾸겠는가? 귀 밝으라고 마시는 약술이며, 부스럼 삭으라고 먹는 생밤이라. 먼저 불러서 더위팔기와 달맞이 횃불 켜기는 (옛날부터) 전해 오는 풍속이요, 아이들의 놀이로다.

〈팔월령〉

처서와 추분 사이의 절기
팔월이라 중추(仲秋)되니 ᄇᆡᆨ노(白露) 추분 졀긔로다.
노래할 월(月)의 제시 / 음력 8월 / 낮과 밤의 길이가 같아지는 절기
「북두성(北斗星) ᄌᆞ로 도라 서편을 가르치니,
계절의 변화 – 북두칠성의 방향으로 가을이 옴을 짐작함.
선선ᄒᆞᆫ 조석(朝夕) 긔운 추의(秋意)가 완연ᄒᆞ다.
아침과 저녁 / 가을다운 기운
귀ᄯᅩ람이 말근 쇼ᄅᆡ 벽간(壁間)에 들거고나.
청각적 심상을 통해 계절감을 부각함.
아ᄎᆞᆷ의 안ᄀᆡ ᄭᅵ고 밤이면 이슬 ᄂᆞ려,
대구법
ᄇᆡᆨ곡(百穀)을 성실(成實)ᄒᆞ고 만물을 ᄌᆡ촉ᄒᆞ니,
곡식 따위가 다 자라서 열매를 맺음.
들 구경 돌아보니 힘드린 일 공생(功生)ᄒᆞ다.
공들인 것이 나타난다.
ᄇᆡᆨ곡(百穀)의 이삭 ᄑᆡ고 여믈 들어 고ᄀᆡ 숙어,
곡식 등에 처음으로 생기는 알맹이
서풍(西風)의 익ᄂᆞᆫ 빗ᄎᆞᆫ 황운(黃雲)이 이러난다.」 「」: 팔월의 정경(들판 풍경) ▶ 팔월의 절기와 정경
은유법 – 누렇게 익은 곡식

출제 포인트

■ 표현상의 특징

① 월령체 형식의 노래로, 시간의 흐름에 따라 시상을 전개함.

② 농촌의 일상생활과 관련 있는 어휘를 활용하여 농촌의 생활을 생생하게 표현함.

정월령	농지, 농우, ᄌᆡ거름, 맥전, 이영, ᄉᆡᆨ기 등
팔월령	발ᄎᆡ, 망구, 다락기, 참ᄭᆡ, 들ᄭᆡ, 중오려 등

③ 명령형 어미와 청유형 어미를 사용하여 농민들을 계몽하고 교화하고자 함.

④ 대구법, 직유법, 은유법, 설의법 등의 다양한 표현 방법을 활용함.

⑤ 비유적 표현을 활용하여 계절감을 드러냄(8월령).

■ 시어 및 시구의 의미와 기능

황운	누렇게 잘 익은 곡식

⬇

농촌에서 가장 풍성한 계절인 8월을 맞아 잘 익은 곡식을 표현함.

■ 화자의 태도(정월령)

정월령	• 슬푸다 농부들아 아므리 무지ᄒᆞᆫ들 네 몸 이해 고사ᄒᆞ고 성의를 어긜소냐. • 져 각각 권면ᄒᆞ야 게얼니 구지 마라. • 일년지계 재춘ᄒᆞ니 범사를 미리 ᄒᆞ라.

⬇

임금의 뜻을 받들어 농사에 힘쓸 것을 농민들에게 권하며, 계몽적인 성격을 드러냄.

어휘 풀이

* 세알: 섣달그믐이나 설날에 사당에 가서 인사 드리던 일
* 엄파: 움파. 겨울에 움 속에서 자란 빛이 누런 파
* 오신채: 오훈채. 자극성이 있는 다섯 가지 채소류. 마늘, 달래, 무릇, 김장파, 실파를 가리킴.
* 다례: 차례. 음력 매달 초하룻날과 보름날, 명절날, 조상 생일 등의 낮에 지내는 제사

현대어 풀이 팔월이라 중추가 되니 백로, 추분의 절기로다. 북두칠성의 국자 모양의 자루가 돌아 서쪽을 가리키니, 서늘한 아침과 저녁의 기운은 가을다운 기운이 완연하다. 귀뚜라미 맑은 소리가 벽 사이에서 들리는구나. 아침에 안개가 끼고 밤이면 이슬이 내려, 온갖 곡식을 여물게 하고 만물의 결실을 재촉하니, 들 구경을 돌아보니 힘들여 일한 공이 나타난다. 온갖 곡식의 이삭이 나오고 곡식의 알이 들어 고개를 숙여, 서풍에 익는 빛은 누런 구름이 일어나는 듯하다.

ᄇᆡᆨ설 갓흔 면화송이 산호(珊瑚) 갓흔 고초다ᄅᆡ, 쳠아의 너러시니 가을 볏 명낭ᄒᆞ다.
직유법, 대구법 / 고추 열매 / 처마

안팎 마당 닥가 노코 발치* 망구* 장만ᄒᆞ소.

면화 ᄯᆞᄂᆞᆫ 다락기의 수수 이삭 콩가지오.
입구가 작은 바구니

「나무군 도라오니 머루 다ᄅᆡ 산과(山果)로다.

뒤동산 밤 대추ᄂᆞᆫ 아ᄒᆡ들 세상이라.」「」: 가을의 풍요로운 이미지(머루, 다래, 밤, 대추)

아ᄅᆞᆷ* 모아 말리여라 철 대야 ᄡᅳ게 ᄒᆞ소.
유비무환 – 제사 준비를 미리 함.

명지(明紬)를 ᄭᅳᆫ허 내여 추양(秋陽)에 마젼ᄒᆞ고,
명주 / 가을볕 / 생피륙을 삶거나 빨아 볕에 바래는 일

쪽 드리고 잇* 드리니 청홍(靑紅)이 색색이라.
쪽과 잇으로 물을 들이니

「부모님 연만(年晩)ᄒᆞ니 수의(襚衣)ᄅᆞᆯ 유의ᄒᆞ고,
나이가 아주 많음. / 시신에게 입히는 옷

그 남아 마루ᄌᆡ아 자녀의 혼슈(婚需)ᄒᆞ세.」「」: 부모님 수의를 준비하고 남은 것으로 자녀 혼수를 장만함(유교적 효 사상이 드러남.).
재단하여 / 청유

▶ 면화와 곡식의 과실

현대어 풀이 눈같이 하얀 목화송이, 산호 같은 고추 열매, 처마에 널어 놓으니 가을볕이 맑고 밝다. 안팎의 마당을 닦아 놓고 발채와 옹구를 마련하소. 목화 따는 작은 바구니에 수수 이삭과 콩가지도 담고 나무꾼 돌아올 때 머루, 다래와 같은 산과일도 따 오리라. 뒷동산의 밤과 대추는 아이들의 세상이라. 알밤을 모아 말려서 필요한 때에 쓸 수 있게 하소. 명주를 끊어 내어 가을볕에 표백하고, 쪽과 잇으로 물을 들이니, 청홍이 색색이로구나. 부모님 연세가 많으시니 수의를 미리 준비하고, 그 나머지는 재단하여 자녀의 혼수하세.

집 우희 굿은 박은 요긴한 기명(器皿)이라.
살림살이에 쓰는 그릇을 통틀어 이르는 말

ᄃᆡᆸᄊᆞ리 비를 ᄆᆡ아 마당질에 ᄡᅳ오리라.
빗자루를 만들어 / 곡식을 떨어 알곡을 거두는 일

참ᄭᆡ 들ᄭᆡ 거둔 후의 중오려 타작ᄒᆞ고,
제철보다 일찍 익은 벼

담배 줄 녹두 말을 아쇠야 작젼(作錢)ᄒᆞ랴.
담배 몇 줄, 녹두 몇 말 / 물건을 팔아 돈을 마련함.

장 구경도 ᄒᆞ려니와 흥정ᄒᆞᆯ 것 잊지 마소.
젓을 담그는 조기

북어쾌 젓조기를 추석 명일(明日) 쇠아 보세.
북어 스무 마리를 한 줄에 꿰어 놓은 것

신도주(新稻酒) 오려송편 박나믈 토란국을,
햅쌀로 빚은 술 / 올벼로 빚은 송편

선산(先山)의 제물ᄒᆞ고 이웃집 ᄂᆞᆫ화 먹세.
추석의 세시 풍속 – 조상께 제사 지내기, 이웃과 음식 나누기

며느리 말믜 바다 본집에 근친(覲親) 갈 제,
말미, 여기서는 휴가 / 시집간 딸이 친정에 가서 부모를 뵘.

ᄀᆡ 잡아 살마 건져 떡고리와 술병이라.
며느리의 친정집에 보낼 음식을 준비함.

초록 장옷 반믈 치마 장속(裝束)*ᄒᆞ고 다시 보니,
부녀자가 나들이할 때 머리에 쓰던 옷

여름지이에 지친 얼골 소복(蘇復)이 되었ᄂᆞ냐.
농사짓기 / 원기가 회복됨.

중추야 ᄇᆞᆰ은 달에 지기(志氣) 펴고 놀다 오소. 〈후략〉
의지와 기개

▶ 팔월에 해야 할 농사일과 세시 풍속

현대어 풀이 집 위의 익은 박은 요긴한 그릇이라. 댑싸리로 빗자루를 만들어 타작할 때 쓰리라. 참깨, 들깨를 수확한 후에 다소 일찍 익은 벼를 타작하고, 담배나 녹두를 (팔아서) 아쉬운 대로 돈을 마련해라. 장 구경도 하려니와 흥정할 것 잊지 마소. 북어쾌와 젓조기를 사다가 추석 명절을 쇠어 보세. 햅쌀로 빚은 술과 올벼로 만든 송편, 박나물과 토란국을 조상께 제사를 지내고 이웃집이 서로 나누어 먹세. 며느리가 휴가를 얻어 친정집에 근친 갈 때 개를 잡아 삶아 건지고 떡고리와 술병을 함께 보낸다. 초록색 장옷과 남빛 치마로 단장하고 다시 보니 농사짓기에 지친 얼굴에 원기가 회복되었느냐? 추석날 밝은 달 아래 기를 펴고 놀다 오소.

출제 포인트

■ 화자의 태도(팔월령)

팔월령	• 아ᄅᆞᆷ 모아 말리여라 철 대야 ᄡᅳ게 ᄒᆞ소. • 부모님 연만ᄒᆞ니 수의ᄅᆞᆯ 유의ᄒᆞ고, 그 남아 마루ᄌᆡ아 자녀의 혼슈ᄒᆞ세.

⬇

유비무환의 태도를 드러냄.

수능 필수 개념

“「농가월령가」의 짜임”

구분	세시 풍속
정월령	설날의 세배와 풍속, 보름날의 풍속
2월령	춘경과 가축 기르기, 약재 캐기
3월령	논농사 및 밭농사의 파종, 과일나무 접붙이기, 장 담그기
4월령	이른 모내기, 간작, 분봉, 팔일 현등, 천렵
5월령	보리타작, 고치따기, 그네뛰기, 민요화답
6월령	간작, 북돋우기, 유두의 풍속, 장 관리, 삼 수확, 김쌈
7월령	김매기, 피고르기, 선산 벌초하기, 겨울나기 대비 채소 준비 및 김장할 무와 배추의 파종
8월령	수확, 중추절(추석)을 위한 장 흥정, 며느리의 친정 근친
9월령	가을 추수, 풍요함 속에서 피어나는 이웃 간의 온정
10월령	무, 배추, 수확, 겨울준비, 가내 화목, 한 동네의 화목
11월령	메주 쑤기, 동지의 풍속, 가축 기르기, 거름 준비
12월령	새해 준비, 묵은 세배

어휘 풀이

* 발치: 발채. 짐을 싣기 위하여 지게에 얹는 소쿠리 모양의 물건
* 망구: 옹구. 새끼줄로 망태기처럼 엮어 만든 농기구로 거름이나 섶나무 따위를 나를 때 사용함.
* 아ᄅᆞᆷ: 아람. 밤이나 상수리 따위가 충분히 익어 저절로 떨어질 정도가 된 상태. 또는 그런 열매
* 잇: 잇꽃의 꽃부리에서 얻은 붉은빛의 물감
* 장속: 입고 매고 하여 몸차림을 든든히 갖추어 꾸밈. 또는 그런 차림새

1) 작품 이해

이 작품은 농가에서 일 년 동안 해야 할 농사일과 명절의 세시 풍속, 농촌의 풍속 등을 읊은 가사이다. 농민들에게 농사에 힘쓸 것을 권하는 계몽적이고 교훈적인 의도가 반영되어 있다. 월령체 형식의 노래 중 가장 규모가 크고 짜임새가 있다고 평가받고 있으며, 농업 기술을 흥겹게 노래로 부를 수 있게 하여 기술을 보급하고 있다는 의의를 지닌다.

• 갈래: 가사(월령체 가사)

• 성격: 교훈적, 계몽적
• 주제: 각 달과 절기에 따라 농가에서 해야 할 일과 세시 풍속 소개
• 시적 상황 일년동안 농가에서 해야할 □□□을 소개하고, 이를 시행하라고 권하고 있음.
• 정서와 태도 농민들을 교화하고 □□하려는 태도를 드러내고 있음.

정답: 농사일, 계몽

2) 내용 확인

1 맞는 내용이면 ○표, 틀린 내용이면 ×표 하시오.

① 공간의 이동에 따라 시상을 전개하고 있으며, 농사일과 세시 풍속 등을 소개하고 있다. (　　)
② 화자는 〈정월령〉에서 임금의 뜻을 명분으로 농민들에게 농사에 힘쓸 것을 권유하고 있다. (　　)

내용 확인 도우미

1 ① 윗글은 시간의 흐름에 따라 시상을 전개하고 있다.
② 〈정월령〉의 '어와 우리 성상~성의를 어길소냐.'에서 임금의 뜻을 내세워 농민들에게 농사에 힘쓸 것을 권하고 있다.

정답 1 ① × ② ○

3) 실전 Test

• 정답 57쪽

01 윗글에 대한 설명으로 적절하지 않은 것은?

① 대구법을 활용하여 운율을 형성하고 있다.
② 의문의 형식을 통해 화자의 생각을 나타내고 있다.
③ 농사일과 관련된 어휘를 통해 당시 사회를 풍자하고 있다.
④ 비유적 표현을 통해 대상의 모습을 생생하게 표현하고 있다.
⑤ 명령형 · 청유형 문장을 활용하여 화자의 의도를 드러내고 있다.

02 [보기]를 참고하여 윗글을 감상한 내용으로 적절하지 않은 것은?

보기

「농가월령가」는 전체 13장으로 이루어진 월령체 가사로, 각 장은 유사한 구성 방식을 취하고 있다. 그 구성을 도식화하면 다음과 같다.

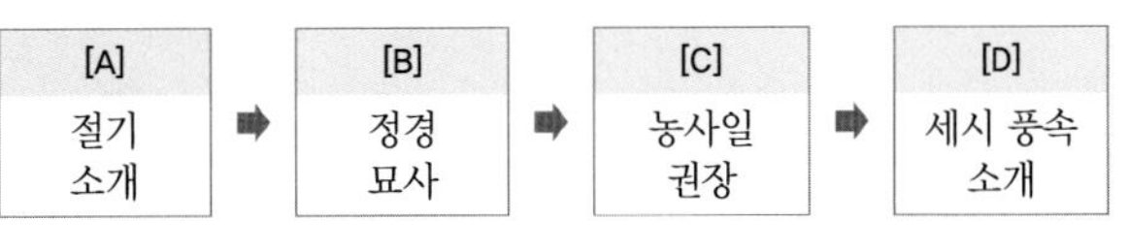

① 〈정월령〉과 〈팔월령〉 모두 [A]에서는 각각 대표적인 절기 두 가지씩을 소개하고 있군.
② 〈정월령〉과 달리 〈팔월령〉의 [B]에서는 청각적 심상을 활용하여 계절감을 드러내고 있군.
③ 〈정월령〉과 〈팔월령〉 모두 [C]에서는 다가올 미래를 위해 미리 준비할 것을 권하고 있군.
④ 〈팔월령〉과 달리 〈정월령〉의 [C]에서는 힘이 부족한 늙은 사람이 해야 할 일을 따로 알려 주고 있군.
⑤ 〈정월령〉과 달리 〈팔월령〉의 [D]에서는 구체적인 두 명절에 행하는 세시 풍속을 각각 제시하고 있군.

실전 Test Guide

01 표현상의 특징과 그로 인한 효과를 파악할 수 있는지 확인하는 문제이다. 화자가 자신의 의도나 생각 등을 드러내기 위해 사용한 표현 방법을 고려하여 선택지의 적절성을 판단해 보도록 한다.

02 구성 방식을 고려하여 제시문을 적절히 감상할 수 있는지 평가하는 문제이다. 시상 전개 과정을 도식화한 [보기]를 바탕으로, 〈정월령〉과 〈팔월령〉을 비교하여 공통점과 차이점을 파악해 보도록 한다.

가사 133 북찬가(北竄歌)_이광명

〈전략〉「앉은 곳에 해가 지고 누운 자리 밤을 새워
잠든 밧긔 한숨이오 한숨 끝에 눈물일세.」「」: 대구법
(잠자는 시간 외에 / 화자의 슬픔, 걱정 / 평상시)
밤밤마다 꿈에 뵈니 꿈을 둘너 상시(常時)과저.
(어머니를 뵐 수 있는 시간 / 꿈을 가져다 현실로 만들고 싶음.)
학발자안(鶴髮慈顔) 못 뵈거든 안족서신(雁足書信) 잦아짐에
(머리가 학의 깃처럼 하얗게 센 자애로운 얼굴 – 어머니 / 기러기의 발목에 매달아 보낸 편지)
기다린들 기별 올까 오노라면 달이 넘네.
(어머니의 소식이 오는데 한 달이 넘게 걸림. – 오랜 기다림.)
못 본 제는 기다리나 보게 되면 시원할까.
(설의법)
노친(老親) 소식 나 모를 제 내 소식 노친 알까.
(어머니 / 설의법)
산과 강물 막힌 길에 일반고사(一般苦思)* 뉘 헤올고. ▶ 본사 1: 어머니에 대한 그리움
(장애물로 가로 막힌 화자의 상황 / 설의법)

현대어 풀이 앉은 곳에 해가 지고 누운 자리에서 밤을 새워 잠자는 시간 외에는 한숨만 나오고 한숨 끝에 눈물만 흘리네. 매일 밤마다 꿈에 (어머니를) 뵈니 꿈이 현실이었으면 좋겠구나. (학의 깃털처럼) 머리가 하얗게 센 어머니의 자애로운 얼굴을 볼 수 없게 되면서 편지 보내는 일만 잦아지는데 기다린다고 소식이 올까, 소식이 (한 번) 오려면 한 달이 넘네. 못 뵐 때는 기다리고 있지만 (막상) 보게 되면 (가슴이) 시원할까. 늙으신 어머니 소식을 내가 모르는데, 내 소식을 어머니께서 아시겠는가. 산과 강물로 막힌 길에 (나의) 괴롭고 고통스러운 마음을 누가 헤아려 줄 것인가.

묻노라 밝은 달아 두 곳에 비추는가.
(도치법 / 화자가 있는 곳과 어머니가 계신 곳)
「따르고저 뜨는 ㉠구름」 남천(南天)으로 닫는구나.
(「」: 어머니가 계신 곳으로 가기 때문에, 도치법 / 남쪽 하늘 어머니가 계신 곳)
「흐르는 (내)가 되어 집 앞에 두르고저. ○: 객관적 상관물 – 화자가 동일시하고 싶은 대상
(어머니가 계신 집)
나는 듯 (새)나 되어 창가에 가 노닐고저.」「」: 대구법 – 어머니가 계신 고향으로 돌아가고 싶은 마음
(어머니 방의 창문 앞)
내 마음 헤아리려 하니 노친 정사(情思) 일러 무삼.
(어머니가 아들을 생각하는 마음 / 설의법)
여의(如意) 잃은 용(龍)이오 키 없는 배 아닌가.
(설의법, 은유법 – 유배로 인해 어머니를 만날 수 없는 화자 자신을 비유함.)
추풍의 낙엽같이 어드메 가 머무를꼬.
(직유법 – 유배지를 떠도는 화자의 처지를 드러냄. / 설의법)
제택(第宅)*도 파산하고 친속(親屬)*은 분찬(分竄)*하니
(집안 전체에 불행이 닥쳤음을 암시함.)
도로(道路)에 방황한들 할 곳이 전혀 업네.
(갈)
어느 때에 주무시며 무엇을 잡숫는고.
(설의법 – 어머니에 대한 걱정)
일점의리(一點衣履) 살피더니 어느 자손 대신할고.
(한 벌의 옷과 한 켤레의 신발 / 설의법)
나 아니면 뉘 뫼시며 자모(慈母)* 밧긔 날 뉘 괼고.
(설의법)
남의 업슨 모자 정리(母子情理) 수유상리(須臾相離) 못하더니
(어머니와 아들간의 인정과 의리 / 잠깐 동안 서로 헤어짐.)
조물(造物)을 뮈이건가 이대도록 떼쳐 온고. 〈중략〉
(조물주에 대한 원망) ▶ 본사 2: 유배지에서 어머니를 그리워하고 걱정하는 마음

현대어 풀이 묻노라 밝은 달아, (나와 어머니가 있는) 두 곳에 비추는가. 따르고 싶구나. 떠 있는 구름 남쪽 하늘로 흘러가는구나. 흐르는 시냇물이 되어 (고향)집 앞을 둘러 흐르고 싶구나. 날아가듯 새가 되어 (고향집) 창문 앞에 가서 노닐고 싶구나. 내 마음을 헤아려 보니 어머니의 마음을 말해서 무엇하겠는가. 여의주를 잃은 용이요, 키가 없는 배가 아니겠는가. 가을바람에 떨어지는 낙엽같이 어디에 가서 머무를까. 문중의 집안들도 망해 버리고, 친척들은 흩어져 숨으니 길거리에서 방황해도 갈 곳이 전혀 없네. 어느 때에 주무시며 무엇을 잡수시는가. 한 벌의 옷과 한 켤레의 신발을 살폈는데 어느 자손이 (그것을) 대신할까. 나 아니면 누가 모시며 자애로운 어머니 외에 누가 나를 사랑하실까. 남에게 없을 만큼 어머니와 아들 간의 인정과 도리로 잠시라도 서로 헤어져 지내지 않았는데 (누가) 조물주를 움

작품 한눈에 보기

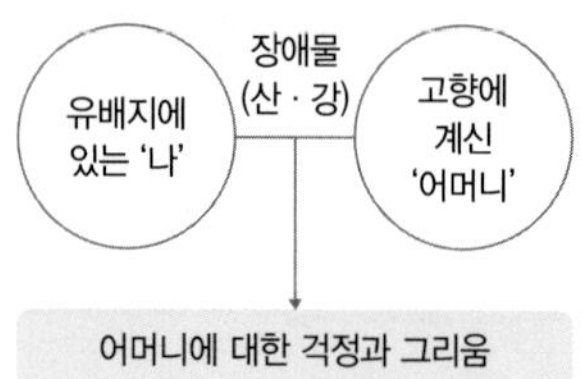

어머니에 대한 걱정과 그리움

출제 포인트

■ 표현상의 특징
① 설의법, 대구법, 도치법, 비유법 등 다양한 표현 방법을 사용함.
② 객관적 상관물(내, 새)을 통해 화자의 정서를 드러냄.

■ 시어와 시구의 의미와 기능

시어	의미와 기능
꿈	화자가 어머니를 만날 수 있는 시간, 화자의 소망이 이루어지는 곳임.
산, 강물	화자와 어머니 사이를 가로막는 장애물
구름, 내, 새	자유롭게 고향에 갈 수 있는 구름, 내, 새는 화자가 동경하는 대상으로, 동일시하고 싶어 하는 대상임.
여의 잃은 용, 키 없는 배	유배로 인해 어머니를 만날 수 없는 화자의 처지를 빗대어 표현함.
낙엽	유배지를 떠도는 화자 자신의 처지를 가을바람에 떨어지는 낙엽에 비유함.

어휘 풀이
* 일반고사: 괴롭거나 고통스러운 모든 생각
* 제택: 문중의 여러 집안
* 친속: 친척, 친지
* 분찬: 흩어져 숨어 지냄.
* 자모: 자식에 대한 사랑이 깊다는 뜻으로, 어머니를 이르는 말

직이게 했는가. (우리 모자 사이를) 이토록 떨어뜨려 놓았는가.

「형제(兄弟)가 종선(終鮮)커든 자성(子姓)이나 니읏던가. 「」: 화자가 아니면 어머니를 모실 사람이 없음.
없거나 적음. 후손
독신(獨身)이 무후(無後)하여 시측(侍側)에 의탁(依託)* 업시」
대를 이어갈 자식이 없음. 곁에 있으면서 웃어른을 모심.
무한(無限)한 애만 씌워 불효(不孝)도 막대(莫大)하다.
자탄신세(自歎身世) 할 일 업서 차라리 잊자하되
자신의 신세를 스스로 한탄함.
한(恨)을 삼긴 솟은 정(情)이 끗끗마다 절로 나니
긴긴 낮 깊은 밤의 천리 상사(千里相思) 한결같아
심리적 거리감–어머니에 대한 그리움
하루도 열두 때오 한 달도 설흔 날에
날 보내고 달 디내며 하마 거늬 반년일세.
화자가 유배를 당한 기간이 반년임을 암시함.
일어구러 해포*되면 사나 마나 무엇할고.
이럭저럭
고락(苦樂)이 순환(循環)하니 어느 날에 돌아갈고.
괴로움과 즐거움은 돌고 도는 것임. –새옹지마
천상 금계(天上金鷄) 울어 예면 웃음 웃고 이 말하리.
평과의 새 「」: 내년 봄에 유배에서 풀려나기를 소망함.
「아마도 우리 성군* 효니하(孝理下)의 명춘(明春)* 은경(恩慶) 미츠쇼셔.」
효(孝)로써 나라를 통치함. ▶ 결사: 유배지에서 풀려나기를 소망하는 마음

현대어 풀이 형제가 없거든 후손이나 이었던가. 형제자매가 없고 대를 이을 자손조차 없어 어머니를 곁에서 모시는 일을 맡길 사람이 없어 끝없이 애만 태우고 (어머니께) 불효함이 더욱 크다. 내 신세를 스스로 한탄함이 하릴없어 차라리 잊으려 하되 한스러움이 생겨나 솟은 감정 끝끝내 저절로 일어나니 긴긴 낮과 깊은 밤에 멀리 떨어진 어머니에 대한 그리움이 한결같구나. 하루도 열두 때요, 한 달도 서른 날인데, 매일을 보내고 매달 지내어 벌써 거의 반년이로세. 이럭저럭 시간이 흘러 한 해가 넘으면 사나 마나 무엇을 할까. 괴로움과 즐거움이 순환하니 어느 날에 돌아갈 수 있을까. 하늘의 화려한 새가 울면서 지나가면 웃음 웃으며 이 말을 하리. 아마도 우리 어진 임금이 효로써 나라를 다스려 내년 봄에 은혜로운 복을 미쳐 주소서.

출제 포인트

■ 문학사적 의의
일반적인 유배 가사는 유배의 억울함을 호소하면서도 임금에 대한 변치 않는 충정을 드러낸다. 그러나 「북찬가」는 유배 생활의 억울함과 어머니에 대한 그리움만 드러내어 독특하다고 평가받고 있다.

수능 필수 개념 플러스

"제목의 의미와 창작 배경"
「북찬가」는 '북쪽으로 숨은 노래'라는 의미이다. 즉, 억울하게 북쪽으로 유배를 가게 되어 지은 노래라는 의미이다. 이광명은 벼슬에 뜻이 없어 홀어머니와 시골에서 살고 있었는데 큰아버지가 역모죄로 처형되자 갑산으로 귀양을 가게 되었고 이에 그 심정을 「북찬가」에 담았다고 한다.

어휘 풀이
* 의탁: 어떤 것에 몸이나 마음을 의지하여 맡김.
* 해포: 한 해가 조금 넘는 동안
* 성군: 어질고 덕이 뛰어난 임금
* 명춘: 내년 봄

1 작품 이해

이 작품은 유배지에서 어머니를 그리워하는 마음을 드러낸 가사이다. 역모 사건으로 처형된 이진유의 조카라는 이유로 귀양을 가게 된 작가가 유배지인 함경도 갑산에서 지었다. 유배를 가게 된 연유에 대한 억울함과 임금에 대한 변치 않는 충의를 노래하는 일반적인 유배 가사와 달리, 멀리 떨어져 계신 어머니에 대한 걱정과 어머니에 대한 간절한 그리움을 드러내고 있다.

- 갈래: 가사(유배 가사)
- 성격: 애상적, 한탄적, 회고적
- 주제: 유배지에서 어머니를 걱정하고 그리워하는 애틋한 마음
- 시적 상황 □□를 가게 되어 어머니와 떨어져 지내고 있음.
- 정서와 태도 어머니와 떨어져 지내게 되어 슬퍼하면서, 어머니에 대한 걱정과 □□□ 등을 느끼고 있음.

정답: 유배, 그리움

2 내용 확인

1 맞는 내용이면 ○표, 틀린 내용이면 ×표 하시오.

① 윗글은 의문형 어미로 문장을 끝맺음으로써 화자의 심정을 효과적으로 강조하고 있다. ( )

② 화자는 어머니가 돌아가셔서 볼 수 없음을 안타까워하고 있다. ( )

2 본사 1의 '□'과 '□□'은 화자와 어머니 사이를 가로막는 장애물로, 화자는 장애물에 막혀 어머니를 뵐 수 없어 어머니에 대한 그리움을 느끼고 있다.

내용 확인 도우미

1 ① 본사 1의 '시원할까', '노친 알까' 등에서 의문형 어미로 문장을 끝맺음으로써 여운을 주고 화자의 마음을 더욱 간절하게 하고 있다.
② 화자는 유배를 가게 되어 어머니를 만날 수 없다.
2 윗글의 화자는 '산과 강물 막힌 길에'서 어머니를 그리워하며 걱정하고 있다.

정답 1 ① ○ ② × 2 산, 강물

3 실전 Test

• 정답 57쪽

01 윗글의 표현상 특징으로 적절하지 않은 것은?

① 물음의 방식을 통해 화자의 처지를 강조하고 있다.
② 비유의 방법을 활용하여 시적 상황을 전달하고 있다.
③ 유사한 구조의 시구끼리 짝을 지어 운율감을 형성하고 있다.
④ 음성 상징어를 사용하여 대상을 사실감 있게 제시하고 있다.
⑤ 연쇄법을 활용하여 화자의 정서를 효과적으로 부각하고 있다.

02 [보기]를 참고하여 윗글을 이해한 내용으로 적절하지 않은 것은? 기출 문제

보기

「북찬가」는 역모 사건과 관련되어 귀양을 가게 된 작가의, 홀로 남겨진 노모에 대한 걱정과 안타까움을 드러내고 있다. 작가는 유배지에서 어머니를 그리워하지만 갈 수 없기 때문에 절망과 한탄의 정서를 갖게 된다. 이런 점에서 「북찬가」는 임금에 대한 그리움과 충심을 노래한 다른 유배 가사들과는 구별된다.

① '밤밤마다 꿈에 뵈니'에는 어머니에 대한 화자의 간절한 그리움이 담겨 있군.
② '산과 강물 막힌 길에 일반고사 뉘 헤올고.'에는 노모에게 소식을 전할 수 없는 화자의 절망감이 담겨 있군.
③ '여의 잃은 용'에는 충성스러운 신하를 귀양 보낸 임금에 대한 화자의 안타까움이 표현되어 있군.
④ '어느 때에 주무시며 무엇을 잡숫는고.'에는 홀로 남겨진 노모에 대한 화자의 걱정이 드러나 있군.
⑤ '나 아니면 뉘 뫼시며'에는 노모에게 효를 다하지 못하는 화자의 안타까움이 나타나 있군.

03 윗글의 ㉠과 [보기]의 ⓐ를 비교한 내용으로 가장 적절한 것은? 기출 문제

보기

ⓐ구름이 무심(無心)탄 말이 아마도 허랑(虛浪)하다
중천(中天)에 떠 있어 임의로 다니면서
구태야 광명한 날빛을 따라가며 덮나니

– 이존오

① ㉠은 화자의 염려가 투영된 소재이고, ⓐ는 화자의 소망이 의탁된 소재이다.
② ㉠은 화자가 부러워하는 대상이고, ⓐ는 화자가 비판적으로 인식하는 대상이다.
③ ㉠은 화자가 처한 불행한 현실을 드러내고, ⓐ는 화자가 추구하는 세계를 드러낸다.
④ ㉠은 화자로 하여금 추억을 떠올리게 하고, ⓐ는 화자로 하여금 탈속적 세계를 떠올리게 한다.
⑤ ㉠은 화자에게 현실 극복 의지를 불러일으키고, ⓐ는 화자에게 현실에 대한 체념의 계기를 마련해 준다.

실전 Test Guide

01 표현상의 특징을 파악할 수 있는지 평가하는 문제이다. 선택지에 제시된 표현 방법이 제시문의 어느 부분에 활용되었는지 꼼꼼하게 살펴보도록 한다.

02 [보기]를 참고하여 제시문을 감상할 수 있는지를 확인하는 문제이다. [보기]의 내용을 정확히 숙지한 후 제시문의 문맥적 의미를 파악해 보도록 한다.

03 제시문과 [보기]를 비교하여 시어의 의미와 기능을 파악해 보는 문제이다. 각 작품의 시적 상황이나 화자의 정서나 태도 등을 고려하여 시어의 의미와 기능을 비교해 보도록 한다.

134 연행가(燕行歌)_홍순학

〈전략〉 하 오월 초칠일의 도강 날ᄌᆞ 정ᄒᆞ여네.
[하: 여름 / 도강: 강을 건넘.]
방물을 정검ᄒᆞ고 ᄒᆡᆼ장을 슈습ᄒᆞ여
[방물: 조선 시대에 중국에 보내던 우리나라의 산물]
압녹강변 다다르니 송객정이 여긔로다.
[다담상: 손님을 대접하기 위해 내놓은 다과를 차린 상]
의쥬 부윤 나와 안고 다담상을 ᄎᆞ려 놋코,
[부윤: 조선 시대의 지방 관아인 부의 우두머리]
삼 사신을 젼별ᄒᆞᆯ시 쳐창키도 그지없다.
[젼별: 잔치를 베풀어 작별함. / 쳐창: 몹시 구슬프고 애달픔.]
일ᄇᆡ 일ᄇᆡ 부일ᄇᆡᄂᆞᆫ 셔로 안져 권고ᄒᆞ고,
[일ᄇᆡ 일ᄇᆡ 부일ᄇᆡ: 한 잔 한 잔 다시 또 한 잔(이백의 시구)]
상ᄉᆞ별곡 ᄒᆞᆫ 곡조을 참아 듯기 어려워라.

▶ 송객정에서 전별연을 함.

현대어 풀이 여름 5월 7일을 압록강을 건너는 날짜로 정하였네. 가지고 갈 물건을 점검하고 여행 장비를 잘 정돈하여 압록강 가에 다다르니 송객정이 여기로구나. 의주 부윤이 나와 앉아서 다담상을 차려 놓고, 세 사신을 전별하는데 구슬프기도 끝이 없다. 한 잔 한 잔 또 한잔으로 서로 앉아 권고하고, 상사별곡 한 곡조를 차마 듣기 어려워라.

㉠장계*을 봉ᄒᆞᆫ 후의 ᄯᅥᆯ더리고 이러나셔,
거국지회 그음업셔 억제ᄒᆞ기 어려운 즁
[거국지회: 나라를 떠나는 감회 / 심회: 마음속에 품고 있는 생각이나 느낌]
홍상의 ᄭᅩᆺ눈물이 심회을 돕ᄂᆞᆫ도다.
[홍상: 붉은 치마의 여인, 기생 / 등ᄃᆡ: 미리 준비하여 기다리고]
뉵인교을 물녀 노니 장독교*을 등ᄃᆡᄒᆞ고,
[뉵인교: 여섯 사람이 메는 가마 / 좌견: 말의 왼쪽에 다는 넓고 긴 고삐]
젼ᄇᆡ 토인* ᄒᆞ직ᄒᆞ니 일산 좌견ᄲᅮᆫ만 잇고,
[젼ᄇᆡ: 버슬아치 행차 때 앞을 인도하던 하인 / 일산: 햇빛을 가리는 양산]
공형* 급창 물너셔니 마두 셔ᄌᆞᄲᅮᆫ이로다.
[급창: 관아에서 부리던 사내종 / 마두: 역마에 관한 일을 맡아보던 벼슬아치]
일엽 소션 ᄇᆡ을 져어 졈졈 멀이 ᄯᅥ셔 가니,
[일엽 소션: 하나의 나뭇잎같은 작은 배]
푸른 봉은 쳡쳡ᄒᆞ여 날을 보고 즐긔ᄂᆞᆫ 듯,
ᄇᆡᆨ운은 요요ᄒᆞ고 광ᄉᆡᆨ이 참담ᄒᆞ다. 〈중략〉
[요요ᄒᆞ고: 아득하고 / 고국을 떠나는 심정]

▶ 환송객들의 전송을 받고 강을 건너감.

현대어 풀이 장계를 봉한 후에 떨치고 일어나서, 나라를 떠나는 감회가 한이 없어 억제하기 어려운 중에 여인의 꽃다운 눈물이 심회를 돋우는구나. 육인교를 사양하니 장독교를 준비하고, 전배와 통인이 하직하니 양산에 말고삐만 남고 공형과 급창이 물러서니 마두와 서자뿐이로다. 나뭇잎 같이 작은 배를 저어 점점 멀리 떠나가니, 푸른 봉우리는 첩첩하여 나를 보고 즐기는 듯, 흰 구름은 아득하고 햇빛은 참담하다.

「」: 청나라 사람들이 사는 곳이 번화하여 감탄함.

「녹창 쥬호 여염들은 오ᄉᆡᆨ이 영농ᄒᆞ고, 화ᄉᆞ ᄎᆡ란 시졍들은 만물이 번화ᄒᆞ다.」
[녹창 쥬호: 녹색 창과 붉은 문 / 여염: 백성의 살림집이 많이 모여 있는 곳 / 화ᄉᆞ ᄎᆡ란 시졍: 화려한 집과 난간의 거리, 시가지]
집집이 호인들은 길의 나와 구경ᄒᆞ니, 의복기 괴려ᄒᆞ여 처음 보기 놀납도다.
[호인: 만주 사람 / 괴려ᄒᆞ여: 괴이하여 / 처음 보기 놀납도다: 문화적 이질감을 느낌.]
㉡머리ᄂᆞᆫ 압흘 ᄶᅡᆨ가 뒤만 ᄯᅡᄒᆞ 느리쳐셔 당ᄉᆞ실노 당긔ᄒᆞ고 말ᄋᆡᆨ이을 눌너 쓰며,
[청나라 사람들의 변발을 묘사함. / 당ᄉᆞ실: 명주실의 일종 / 말ᄋᆡᆨ이: 마래기, 청의 관리들이 쓰던 모자]
「일 년 삼백육십 일에 양치 한 번 아니ᄒᆞ여 「」: 청나라 사람들에 대한 민족적 우월감을 내비침.
㉢이ᄲᆡᆯ은 황금이오 손톱은 다섯 치라.」

▶ 청나라의 거리와 사람들의 모습

현대어 풀이 녹색 창과 붉은 문의 여염집은 오색이 영롱하고, 화려한 집과 난간의 시가지는 만물이 번화하다. 집집마다 호인들이 길에 나와 구경하니, 옷차림이 괴이하여 처음 보기에 놀랍도다. 머리는 앞을 깎아 뒤만 땋아 늘어뜨려 당사실로 댕기를 드리고 마래기를 눌러 쓰며, 일 년 삼백육십 일에 양치 한 번 아니하여 이빨은 황금빛이요, 손톱은 다섯 치라.

작품 한눈에 보기(생략된 부분 포함)

여정	견문(사실)	감상(의견)
작별	송객정에서 의주 부윤의 배웅을 받고 작별함.	나라를 떠나는 감회가 깊음.
도강	배를 타고 압록강을 건너며 자꾸 돌아봄.	부모님과 나라를 생각함.
구련성	백여 리 무인지경을 지나 들판에서 조촐한 음식을 먹음.	두 나라에서 버려진 땅을 아까워하고 밥 한 그릇도 달게 먹는 처지가 우스꽝스럽다고 느낌.
온정평	야영을 하였는데, 사신의 숙소는 괜찮았지만 수행원들의 숙소는 그렇지 않음.	수행원들이 불쌍했고, 겨울에 오는 사신들은 고생이 심할 것 같다고 느낌.
봉황성	봉황성의 경계가 엄하였고, 시가지가 매우 번화하였음.	시가지가 매우 훌륭하다고 생각함.

출제 포인트

■ 문학사적 의의

① 사신 행차의 일원으로 130여 일 동안 연경을 다녀온 사행 가사의 대표작임.

② 김인겸의 「일동장유가」와 함께 조선 후기 기행 가사의 대표작으로 평가됨.

수능 필수 개념 플러스

"친명배청(親明背淸)"

병자호란을 겪으면서 조선의 사대부들은 청에 대한 적개심으로 명나라와 친하게 지내고 청을 배척하자는 '친명배청' 사상을 강화하게 된다. 「연행가」의 글쓴이 홍순학이 청나라의 화려한 문물을 보면서 긍정적인 시각과 부정적인 시각을 함께 드러내는 것도 이 때문이다.

어휘 풀이

* 장계: 지방에 나가 있는 신하가 자기 관하의 중요한 일을 왕에게 보고하던 일. 또는 그런 문서
* 장독교: 가마의 하나.
* 토인: 조선 시대에, 수령의 잔심부름을 하던 구실아치
* 공형: 조선 시대에 각 고을의 세 구실아치. 호장, 이방, 수형리

거문빗 쳐구리ᄂᆞᆫ 깃 업시 지어쓰되
옷그름은 아니 달고 단초 다라 입어쓰며,
단추
아쳥 바지 반물 속것 허리ᄯᅴ로 눌너 ᄆᆡ고,
검푸른 빛 바지 짙은 남색
두 다리의 힝젼 모양 타오구라 일홈 ᄒᆞ여
바지 입을 때 정강이에 꿰어 무릎 아래에 매는 물건
회목의셔 오금ᄭᅡ지 회ᄆᆡᄒᆞ게 드리 ᄡᅵ고,
손목·발목의 잘록한 부분 입은 옷의 매무새나 무엇을 싸서 묶은 모양이 가뿐하게
깃 업슨 쳥 두루막기 단초가 여러히요,
좁은 ᄉᆞᄆᆡ 손등 덥혀 손이 겨오 드나들고,
두루막 위에 배자이며 무릅 우에 슬갑이라. ▶ 청나라 사람들의 옷차림
추울 때에 저고리 위에 덧입는 주머니나 소매가 없는 옷 / 추위를 막기 위하여 바지 위에다 무릎까지 내려오게 껴입는 옷

현대어 풀이 검은빛 저고리는 깃 없이 지었으되, 옷고름은 아니 달고 단추 달아 입었으며, 검푸른 바지와 짙은 남색 속옷을 허리띠로 눌러 매고, 두 다리에 행전 모양을 타오구라 이름하여, 발목에서 오금까지 가뿐하게 둘러치고, 깃 없는 푸른 두루마기는 단추가 여러 개이며, 좁은 소매가 손등을 덮어 손이 겨우 드나들고, 두루마기 위에 배자 입고 무릎 위에는 슬갑을 입는다.

「곰방ᄃᆡ 옥 물ᄲᅮ리 담ᄇᆡ 너ᄂᆞᆫ 쥬머니의 「」: 청나라 사람들의 생활 습관
넣는
부시ᄭᅡ지 ᄶᅧ셔 들고 뒤짐지기 버릇치라.」
부싯돌을 쳐서 불똥이 일어나게 하는 쇳조각
ᄉᆞ람마다 그 모양니 쳔만 인이 한빗치라.
같은 모습이다.
ᄡᆞᄃᆡ인 온다 ᄒᆞ고 져의기리 지져귀며,
소국 사람, 조선 사람 저희끼리
㉣무어시라 인사ᄒᆞ나 ᄒᆞᆫ 마ᄃᆡ도 모르겟다. ▶ 청나라 사람들의 생활과 언어
화자와 청나라 사람들의 말이 통하지 않음.

현대어 풀이 곰방대와 옥 물부리 담배 넣는 주머니에 부시까지 껴서 들고 뒷짐을 지는 것이 버릇이라. 사람마다 그 모양으로 천만 사람이 같은 모습이라. 소국 사람 온다 하고 저희끼리 지저귀며, 무엇이라 인사하나 한 마디도 모르겠다.

「계집년들 볼 만ᄒᆞ다 그 모양은 웃더튼냐. 「」: 청나라 여인의 머리와 얼굴을 시선의 이동에 따라 서술함.
머리만 치거실러 가림ᄌᆞᄂᆞᆫ 아니 타고,
아래에서 위로 추켜올려 가르마
뒤통슈의 모화다가 ᄆᆡᆸ시 잇게 슈식ᄒᆞ고,
머리에 꽂는 장식품
오ᄉᆡᆨ으로 만든 ᄭᅩᆺ촌 ᄉᆞ면으로 ᄭᅩᆺᄌᆞ스며,
도화분 단장ᄒᆞ여 반취ᄒᆞᆫ 모양갓치
복숭아 빛 분 반쯤 취한
블그러 고흔 ᄐᆡ도 아미을 다스르고,
미인의 눈썹
살ᄌᆞᆨ을 고이 ᄡᅵ고 붓스로 그려스니,
살쩍, 귀밑머리
입슐 아ᄅᆡ 연지빗흔 단슌이 분명ᄒᆞ고,
붉은 입술
귓방을 ᄯᅮ른 군영 귀여ᄉᆢ리 달아스며」
구멍 귀고리 제정된 법규
㉤의복을 볼작시면 사나히 졔도로되,
남자의 옷차림과 비슷함.
다홍빗 바지의다 푸른빗 쳐구리오,
연도ᄉᆡᆨ 두루막이 발등ᄭᅡ지 길게 지어,
목도리며 수구 ᄭᅩᆺ동 화문으로 수을 노코,
소매 꽃무늬
품 너르고 ᄉᆞᄆᆡ 널너 풍신 죠케 ᄯᅥᆯ쳐 입고,
소매 옷이 좀 커서 여유 있게
옥수의 금지환은 외ᄶᅡᆨ만 넙젹ᄒᆞ고,
옥처럼 고운 손 금반지 한 짝으로만
손목의 옥고리ᄂᆞᆫ 굴게 ᄉᆞ려 둥글고나. 〈후략〉 ▶ 청나라 여인의 모습과 옷차림
동그랗게 포개어 감아

출제 포인트

■ 표현상의 특징
① 시간의 흐름과 공간의 이동에 따라 내용을 전개함.
② 중국의 고사나 한자를 사용하지 않고, 순우리말을 구사함.
③ 문화적으로 우월하다는 의식을 바탕으로 청나라의 문화를 경시하는 태도가 나타남.

수능 필수 개념 플러스

"「연행가」 속 청나라 사람들의 모습과 생활(생략된 부분 포함)"

	견문(사실)	감상(의견)
남자의 복색	변발에 양치를 하지 않음, 옷고름 대신 단추를 단 저고리 등을 입음.	의복이 괴이하고 처음 보기에 놀라웠으며, 위생 상태가 불결함.
여자의 복색	맵시 있게 장식한 머리, 화장한 얼굴에 남자처럼 바지를 입었고, 한족은 전족을 하였음.	전족 제도는 명나라가 남긴 제도로 오늘날에도 의의가 있음.
아이의 복색	머리 모양과 의복이 특이하였음. 여자아이들은 머리에 꽃을 꽂았으며, 남녀노소를 불문하고 끽연(喫煙) 풍속이 있었음.	배라기는 마치 배꼽을 가린 꼴이었음.
가옥 구조	부뚜막과 비슷한 캉이 있어서 침실과 거실 용도로 사용하고 완자창과 회칠한 벽돌담이 있었음.	집 제도가 우스운데, 미천한 호인들의 집치레가 지나친 것 같음.
식생활	기장, 좁쌀, 수수로 지은 밥을 먹으며, 반찬도 보잘 것 없었음.	식생활이 미개함.
가축 기르기	가축을 잘 다루며 발바리, 앵무새, 백설조 등을 기름.	가축을 매우 능숙하게 다룸.
육아법	아이를 행담에 넣어 기름.	괴상하지만 효율적임.
농사와 길쌈	나귀로 밭을 갈며 긴 호미로 서서 밭을 매고, 아낙네들의 길쌈 솜씨가 뛰어남.	농사짓기와 길쌈하기를 부지런히 함.

현대어 풀이 여자들 볼 만하다 그 모양은 어떻더냐. 머리만 추켜올려 가르마는 아니 타고, 뒤통수에 모아다가 맵시 있게 장식하고, 오색으로 만든 꽃은 사면으로 꽂았으며, 복숭아 빛 분으로 단장하여 반쯤 취한 모양같이 불그스레 고운 태도 눈썹 치장을 하였고, 귀밑머리 고이 끼고 붓으로 그렸으니, 입술 아래 연지빛은 붉은 입술 분명하고, 귓방울 뚫은 구멍에 귀고리를 달았으며, 의복을 보면 남자의 옷차림과 비슷한데, 다홍빛 바지에다 푸른빛 저고리요, 연두색 두루마기를 발등까지 길게 지어, 목도리며 소매 끝동에 꽃무늬로 수를 놓고, 품 너르고 소매 넓어 여유 있게 떨쳐입고, 옥 같은 손의 금반지는 한 짝만 넓적하고, 손목에 낀 옥고리는 굵게 포개어 감아 둥글구나.

1) 작품 이해

이 작품은 청나라를 다녀온 후에 여정과 견문을 노래한 가사이다. 고종이 왕비를 맞이한 사실을 알리기 위해 중국에 사신을 보낸 진하사은겸주청사행(進賀謝恩兼奏請使行)에 작가가 서장관으로 북경에 130여 일 간 다녀온 이야기를 서술한 것이다. 총 3,924구로 된 장편 기행 가사로, 노정*이 자세하고 서술 내용이 풍부하며, 치밀한 관찰력으로 대상을 자세하고도 객관적으로 묘사하고 있다. 고사 성어나 한자어 대신 순한글로 기록하였으며, 김인겸의 「일동장유가」와 함께 조선 후기 기행 가사의 대표작으로 손꼽힌다.

- **갈래:** 가사(기행 가사, 양반 가사, 사행 가사)
- **성격:** 묘사적, 사실적, 산문적
- **주제:** 청나라 연경을 다녀온 견문과 감상
- **시적 상황** □나라에 왕비 책봉을 알리기 위한 사신단의 일행으로 연경을 다녀왔음.
- **정서와 태도** 명나라를 높이고 청나라를 배척하고 있으며, 청나라의 사람과 문물에 대해 □□□을 드러내고 있음.

정답: 청, 우월감

* 노정: 거쳐 지나가는 길이나 과정

2) 내용 확인

1 맞는 내용이면 ○표, 틀린 내용이면 ×표 하시오.

① 화자는 자연물을 통해 고국을 떠나는 아쉬움과 쓸쓸함을 드러내고 있다. (　　)
② 화자는 청나라 사람들이 사는 시가지의 번화함에 놀라며 감탄하고 있다. (　　)

내용 확인 도우미

1 ① 화자는 '빅운'과 '광식'을 통해 압록강을 건너가는 쓸쓸한 심정을 우회적으로 드러내고 있다.
② 화자는 '녹창 쥬호 여염'들이 영롱하고, '화ᄉᆞ 치란 시졍'이 번화하였다며 청나라 거리의 모습에 감탄하였다.

정답 1 ① ○ ② ○

3) 실전 Test

• 정답 58쪽

01 윗글의 표현상 특징으로 적절한 것을 [보기]에서 모두 고른 것은?

보기

ㄱ. 시간의 흐름에 따라 시상을 전개하고 있다.
ㄴ. 자연과 인간을 대비하여 교훈을 이끌어 내고 있다.
ㄷ. 이국의 낯선 문물을 주관적으로 평가하고 있다.
ㄹ. 체험을 바탕으로 대상에 대한 친밀감을 드러내고 있다.

① ㄱ, ㄴ　② ㄱ, ㄷ　③ ㄴ, ㄷ　④ ㄴ, ㄹ　⑤ ㄷ, ㄹ

02 ㉠~㉤에 대한 이해로 적절하지 않은 것은?

① ㉠: 청나라 사신 행차로 가는 벼슬아치로서의 책임감을 드러내고 있다.
② ㉡: 청나라 사람의 독특한 머리 모양을 묘사하고 있다.
③ ㉢: 청나라 사람들의 비위생적인 모습을 부정적으로 인식하고 있다.
④ ㉣: 청나라 사람들과 관심사가 달라 대화가 되지 않는 답답함을 표현하고 있다.
⑤ ㉤: 청나라 여인의 의복이 남자들의 옷차림과 비슷하다고 언급하고 있다.

실전 Test Guide

01 표현상의 특징을 이해하고 있는지 확인하는 문제이다. 화자의 태도와 시상 전개 방식을 고려하여 표현상의 특징으로 적절한 것을 골라 보도록 한다.

02 시구의 함축적 의미를 파악할 수 있는지 평가하는 문제이다. 문맥을 고려하여 시구에 담긴 화자의 정서나 태도를 추측해 보도록 한다.

가사

135 용부가(庸婦歌)_작자 미상

흉보기도 싫다마는 저 부인(婦人)의 거동 보소
비판의 의도를 드러냄. / 풍자의 대상 ① 양반 계층의 여인 / └ 판소리의 형식 차용－말을 건네어 독자의 참여를 유발함.
시집간 지 석 달 만에 시집살이 심하다고
친정에 편지하며 시집 흉을 잡아내네. ▶ 서사: 못난 부인(용부)의 소개
시집 식구들을 흉보는 부인의 행동을 비판함.

현대어 풀이 흉보기도 싫지만 저 부인의 거동 보소. 시집간 지 석 달 만에 시집살이가 심하다고 친정에 편지하며 시집 흉을 잡아내네

「계염할사 시아버니 암상할사 시어머니 「」: 친정에 보낸 편지의 내용－시집 식구들에 대한 험담
음흉하고 욕심이 많음. / 남을 미워하고 시기함.
고자질에 시누이와 엄숙하기 맏동서라
무뚝뚝함.
요악(妖惡)한 아우 동서 여우 같은 시앗년에
요사하고 간사하며 악독함. / 남편의 첩
드세도다 남녀 노복(男女奴僕) 들며 나며 흠구덕*에
말을 듣지 않는 하인들－부인의 신분을 암시함.
남편이나 믿었더니 십벌지목(十伐之木)*되었에라」
주위에서 부인에 대해 여러 번 말을 하여 남편도 부인을 좋지 않게 생각함.
여기저기 사설이요 구석구석 모함이라.
잔소리나 푸념 / 화자의 논평－부인의 편지 내용에 대한 화자의 생각
「시집살이 못 하겠네 간숫병을 기울이며 「」: 부인이 시집에서 벗어나려고 시도함.
'부인'의 말－시집살이에 대한 부정적 인식 / └ 자살을 하기 위한 행동
치마 쓰고 내닫기와 봇짐 싸고 도망질에
보따리에 싼 짐
오락가락 못 견디어 승(僧)들이나 따라갈까.
중들
긴 장죽(長竹)이 벗이 되고 들구경 하여 볼까」
담뱃대
문복(問卜)하기 소일(消日)이라
점 보기 / 어떠한 것에 재미를 붙여 심심하지 아니하게 세월을 보냄.
겉으로는 시름이요 속으로는 딴 생각에
반분대(半粉黛)*로 일을 삼고 털 뽑기가 세월이라
화장을 하고 외모를 단장하는 일에 치중함.
시부모가 경계(警戒)*하면 말 한마디 지지 않고
부인이 시부모에게 예의 없이 행동함.
남편이 걱정하면 뒤받아 맞넉수요
마주 대꾸함.
「들고 나니 초롱군*에 팔자나 고쳐 볼까 「」: 부인이 신분과 당시의 규범에 맞지 않는 천박한 행동을 함.
초롱꾼을 따라가 개가를 할까 생각함. / → 당대 여성들의 잘못된 행실을 풍자하려는 의도
양반 자랑 모두 하며, 색주가(色酒家)나 하여 볼까」 ▶ 본사 1: 못난 부인의 행실 비판
기생 술집

현대어 풀이 욕심 많은 시아버지에 시샘 많은 시어머니 고자질 잘하는 시누이와 무뚝뚝한 맏동서라. 요사스럽고 간악한 아우 동서 여우같은 남편의 첩에 드세구나 남녀 하인들이 드나들며 흠을 잡고 남편이라 믿었더니 (그도 역시 다른 사람의 헐뜯는 말을) 곧이듣게 되었구나. 여기저기 잔소리와 푸념이요, 구석구석이 모함이라. 시집살이 못 하겠네 간숫병을 기울이고 치마를 쓰고 뛰어내리기도 하고 봇짐 싸서 도망질에 오락가락 못 견디어 중들이나 따라갈까. 긴 담뱃대가 벗이 되고 들 구경을 하여 볼까. 점치는 일로 세월을 보내는구나. 겉으로는 시름인 척하면서 속으로는 딴 생각에 몸치장으로 일을 삼고, 털 뽑기로 세월을 보내네. 시부모가 나무라면 말 한마디 지지 않고 남편이 걱정하면 대항하여 마주 대꾸하기요, 드나드는 초롱꾼을 따라가 팔자나 고쳐 볼까. 양반이라 자랑하면서 기생 술집이나 하여 볼까.

남문 밖 뺑덕어미 천성(天性)이 저러한가 배워서 그러한가
풍자의 대상 ② 평민 계층의 여인
본 데 없이 자라나서 여기저기 무릎맞침* 싸움질로 세월이며
보고 배운 것이 없어서
남의 말 말전주와 들면서 음식 공론
남의 말을 옮기며 이간질하는 행동 / └ 음식에 대해 실속 없이 쓸데없는 이야기를 함.
「조상(祖上)은 부지(不知)하고 불공(佛供)하기 위업(爲業)할 제
조상에 제사를 지내지 않음. / 일삼을 때

작품 한눈에 보기

용부

'부인'의 못된 행실	'뺑덕어미'의 못된 행실
양반 계층의 부녀의 모습	평민 계층의 부녀의 모습

↓

두 부녀의 비윤리적 행위를 열거하여 비판함.
→ 백성에게 교훈을 줌.

출제 포인트

■ 표현상의 특징

① '부인'과 '뺑덕어미'의 잘못된 행동을 열거하며 비판함.
② 행동을 사실적으로 묘사하고 직설적으로 표현하여 생동감을 부여함.
③ 비유적 표현을 통해 대상을 생생하게 표현함.

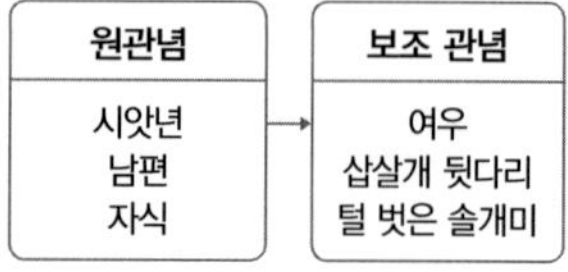

어휘 풀이

* 흠구덕: 남의 흠을 헐뜯어 험상궂게 말함. 또는 그런 말
* 십벌지목: 열 번 찍어 안 넘어가는 나무가 없음.
* 반분대: 살짝 칠한 엷은 화장
* 경계: 옳지 않은 일이나 잘못된 일들을 하지 않도록 타일러서 주의하게 함.
* 초롱군: 초롱을 들고 가며 밤길을 밝혀 주는 사람
* 무릎맞침: 두 사람의 말이 서로 어긋날 때, 제삼자를 앞에 두고 전에 한 말을 되풀이하여 옳고 그름을 따짐.

무당 소경 푸닥거리 의복(衣服)가지 다 내주고, 「」: 불교와 미신을 따르는 것을 비판함. → 불교와 미신을 경시하는 유교적 가치관 반영
(푸닥거리: 무당이 하는 굿)

「남편 모양 볼작시면 삽살개 뒷다리요
(삽살개 뒷다리: 비쩍 마르고 초라한 행색)

자식 거동 볼작시면 털 벗은 솔개미라」 「」: 대구법 – 과장을 통해 해학적으로 표현함.
(털 벗은: 헐벗은 자식의 모습 / 솔개미: 솔개)

엿장사야 떡장사야 아이 핑계 다 부르고
(아이를 핑계로 자신이 사 먹음(탐욕스러운 먹성을 보임).)

물레 앞에 선하품*과 씨아* 앞에 기지개라
(자신이 할 일을 하지 않고 게으름을 부림. – 게으른 성품 비판)

이 집 저 집 이간질과 음담패설 일삼는다
(음담패설: 음탕하고 덕의에 벗어나는 상스러운 이야기)

모함(謀陷) 잡고 똥 먹이기 세간은 줄어가고 걱정은 늘어간다
(똥 먹이기: 곤경에 빠트림 / 대구법, 대조법 – '뺑덕어미'의 잘못된 행실의 결과)

치마는 절러 가고 허리통이 길어간다
(절러 가고: 짧아지고 / 허리통이 길어간다: 품위 없는 옷차림)

총 없는 헌 짚신에 어린 자식 들쳐 업고
(총: 짚신이나 미투리 따위의 앞쪽의 양편쪽으로 운두를 이루는 낱낱의 신울)

혼인 장사(葬事) 집집마다 음식 추심(推尋) 일을 삼고
(남의 혼인이나 장례에 가서 음식을 졸라서 받아 냄. / 추심: 찾아내어 가지거나 받아 냄.)

아이 싸움 어른 쌈에 남의 죄에 매 맞히기
(싸움을 말리지 않고 오히려 싸움을 붙여 놓음.)

「까닭 없이 성을 내고 의뿐 자식 두다리며 「」: 며느리는 쫓아내고 딸은 친정으로 데려와서 집안이 엉망이 됨.
(의뿐: 어여쁜, 귀여운)

며느리를 쫓았으니, 아들은 홀아비라

딸자식을 다려오니 남의 집은 결딴이라」
(남의 집: 사돈댁 / 결딴: 아주 망가져서 도무지 손을 쓸 수 없게 된 상태)

두 손뼉을 두다리며 방성대곡(放聲大哭) 괴이하다
(대성통곡, 큰 소리로 몹시 슬프게 곡을 함.)

무슨 꼴에 생트집에 머리 싸고 드러눕기
(관비정속: 죄인을 관가의 종으로 만드는 형벌)

간부(姦夫) 달고 달아나기 관비정속(官婢定屬) 몇 번인가 ▶ 본사 2: '뺑덕어미'의 못된 행실 비판
(간부: 정을 통한 남자 / 부정한 행실로 여러 번 노비 생활을 함.)

현대어 풀이 남문 밖의 뺑덕어미 천성이 저러한가, 배워서 그러한가. 본 것 없이 자라나서 여기저기 무릎맞춤, 싸움질로 세월을 보내며 남의 말 듣고는 이간질하고, 들어와서는 음식 타령하고 조상에게 제사는 안 지내고 불공 드리기를 일삼을 때 무당 소경에게 푸닥거리를 하느라고 옷가지를 다 내주고 남편 모양을 보자면 삽삽개 뒷다리 같고 자식 거동을 보자면 털 빠진 솔개 같구나. 엿장수, 떡장수 아이 핑계를 대고 다 부르고 물레 앞에선 지겹다고 하품하고 씨아 앞에선 기지개라. 이집 저집 다니면서 이간질과 음담패설을 일삼는다. 남을 모함하여 곤경에 빠뜨리고 살림살이는 줄어 가고 걱정은 늘어 간다. 치마는 짧아지고 허리통은 길어 간다. 총 없는 헌 짚신에 어린 자식 들쳐 업고 혼인집과 초상집 집집마다 음식 얻어먹기 일삼고 아이 싸움 어른 싸움에 남의 죄에 매 맞히기, 까닭 없이 성을 내고 예쁜 자식들을 매질하며 며느리 쫓아냈으니 아들은 홀아비라. 딸자식을 데려오니 사돈댁은 결딴난다. 두 손뼉을 두드리며 통곡하는 것이 괴이하다. 무슨 꼴인지 생트집에 머리 싸고 드러눕기, 정을 통한 남자와 달아나서 관가의 종이 되기를 몇 번이던가.

「무식한 창생(蒼生)들아, 저 거동을 자세 보고 「」: 창작 의도를 직설적으로 드러냄. → 타산지석
(돈호법 – 세상의 모든 사람들아 / 저 거동: '부인'과 '뺑덕어미'의 악행)

그른 일을 알았거든 고칠 개(改) 자 힘을 쓰소

옳은 말을 들었거든 행하기를 위업하소」 ▶ 결사: 백성들에게 옳은 일을 하라고 당부함.
(위업하소: 일삼으시오)

현대어 풀이 무식한 세상 사람들아, 저 거동을 자세히 보고 그릇된 일임을 알았거든 고치기에 힘을 쓰시오. 옳은 말을 들었거든 행하기를 일삼으시오.

출제 포인트

■ 작품에 나타난 시대 상황

'부인'과 '뺑덕어미'의 못된 행실

⬇

조선 후기의 타락한 양반과 부도덕한 평민의 모습이 반영됨.

■ '부인'과 '뺑덕어미'의 비교

부인	뺑덕어미
• 양반 계층 • 남녀 노복을 거느리고 있음. • 양반 자랑을 하며 색주가를 할 생각을 함.	• 서민 계층 • 본 데 없이 자라난 여성임. • 식탐만 있고 해야 할 일은 하지 않음.

■ 화자의 태도(결사)

무식한 창생들아, ~ 행하기를 위업하소.

⬇

세상 사람들에게 '부인'과 '뺑덕어미'의 악행을 교훈삼아 올바른 행동을 하기를 훈계함.

수능 필수 개념 플러스

"「용부가」에 드러난 조선 후기 가사의 성격"

조선 후기에는 서민 의식과 산문 정신의 영향으로 종래의 관념적, 서정적이었던 가사의 내용이 서사적이고 구체적으로 바뀌었다. 즉, 조선 후기의 가사는 강호한정(江湖閑情)이나 연군(戀君)에서 벗어나 인간의 성정을 있는 그대로 표출하였으며, 풍자 의식과 비판 의식을 드러내게 되었다. 「용부가」는 이러한 특징을 잘 보여 주고 있으며, 사실적인 묘사로 토속미를 드러내고 풍자와 유머가 조화를 이루고 있다고 평가된다.

어휘 풀이

* 선하품: 흥미없는 일을 할 때 나오는 하품
* 씨아: 목화의 씨를 빼는 기구

1 작품 이해

이 작품은 두 여인의 어리석고 부정적인 행실을 비판하고 있는 가사이다. 생생하고 구체적인 묘사와 다소 과장된 표현을 통해 부녀자들의 비행과 악행을 열거한 후, 백성들에게 이를 타산지석(他山之石)으로 삼아 올바른 행동을 하도록 경계하고 있다.

• 갈래: 가사
• 성격: 풍자적, 해학적, 교훈적, 비판적
• 주제: 여인들의 잘못된 행실에 대한 비판과 풍자
• 시적 상황 '부인'과 '□□□□'의 못된 행실을 관찰하여 열거하고 있음.
• 정서와 태도 '부인'과 '뺑덕어미'의 행실을 비판하고 세상 사람들에게 올바른 행동을 할 것을 □□하고 있음.

정답: 뺑덕어미, 당부

2 내용 확인

1 맞는 내용이면 ○표, 틀린 내용이면 ×표 하시오.

① 화자는 잘못된 행실을 일삼는 대상들의 행동을 열거하여 이들을 동정하고 있다. (　　)
② 윗글의 화자는 경세와 훈민을 위한 훈계의 의도를 직설적으로 드러내고 있다. (　　)

2 화자가 풍자하고 있는 대상을 본사에서 찾아 쓰시오.

➡ (　　　　　　　　　　,　　　　　　　　　　)

3 본사 2의 '삽살개 뒷다리'는 □□의 초라한 행색을, '털 벗은 솔개미'는 □□의 헐벗은 모습을 해학적으로 빗대어 표현한 시어이다.

내용 확인 도우미

1 ① 화자는 '부인'과 '뺑덕어미'의 비행을 비판하며 세상 사람들에게 옳은 행동을 하라고 당부하고 있다.
② '무식한 창생들아, ~ 행하기를 위업하소.'에서 훈계의 의도를 직설적으로 드러내고 있다.

2 화자는 '부인'과 '뺑덕어미'의 잘못된 행실을 열거하며 풍자하고 있다.

3 '삽살개 뒷다리'는 남편을, '털 벗은 솔개미'는 자식을 해학적으로 비유한 것이다.

정답 1 ① × ② ○　2 부인, 뺑덕어미　3 남편, 자식

3 실전 Test

• 정답 59쪽

01 윗글에 대한 설명으로 적절하지 않은 것은?

① 대구법을 사용하여 음악적 효과를 자아내고 있다.
② 비유를 통해 인물의 모습을 해학적으로 드러내고 있다.
③ 대조적인 소재를 활용하여 공간의 의미를 강조하고 있다.
④ 열거법을 통해 대상의 비도덕적인 행위를 제시하고 있다.
⑤ 실생활과 관련된 어휘를 통해 대상의 성품을 부각하고 있다.

02 [보기]를 참고하여 윗글을 이해한 내용으로 적절하지 않은 것은? 기출 문제

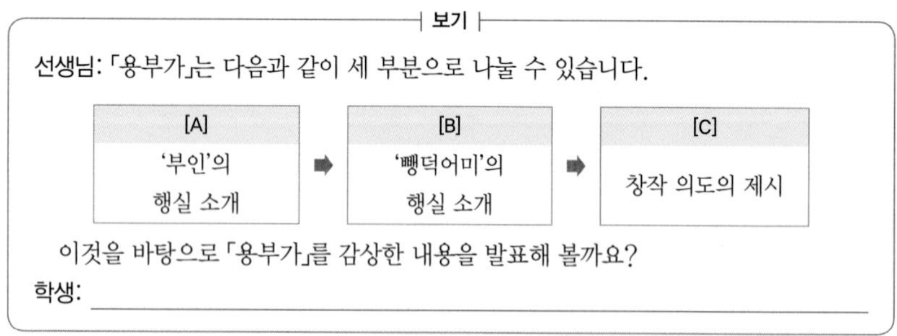
보기

선생님: 「용부가」는 다음과 같이 세 부분으로 나눌 수 있습니다.

[A]		[B]		[C]
'부인'의 행실 소개	➡	'뺑덕어미'의 행실 소개	➡	창작 의도의 제시

이것을 바탕으로 「용부가」를 감상한 내용을 발표해 볼까요?
학생: ______________________

① [A]와 달리 [B]에서는 대상의 잘못된 행실의 결과를 제시하고 있습니다.
② [B]와 달리 [A]에서는 대상이 외모를 가꾸는 일에 치중함을 풍자하고 있습니다.
③ [A], [B]와 달리 [C]에서는 청자를 제시하고 경계의 내용을 직설적으로 드러내고 있습니다.
④ [A]에서는 시부모를, [B]에서는 조상을 홀대하는 대상을 비판하고 있습니다.
⑤ [A]와 [B]에서는 모두 타인을 곤경에 빠뜨리는 대상의 모습을 나타내고 있습니다.

실전 Test Guide

01 표현상의 특징과 효과를 파악할 수 있는지 평가하는 문제이다. 제시문에 활용된 표현 방법을 파악한 후 선택지의 적절성을 따져보도록 한다.

02 시상 전개 과정을 고려하여 제시문을 감상할 수 있는지 평가하는 문제이다. 각 부분에 나타나는 특징을 비교하고 대조하여 선택지에 언급된 내용의 옳고 그름을 판단해 보도록 한다.

가사 136

화전가(花煎歌)_작자 미상

〈전략〉 이렇듯이 좋은 해(歲)에 이 때가 어느 때뇨.

「불한불열(不寒不熱) 삼춘(三春)이라 심류청사(深流靑絲) 드린 곳에,
춥지도 덥지도 않은 봄의 석 달 / 버드나무 푸른 실가지

황앵(黃鶯)이 편편(片片)하고* 천붕수장(天崩繡帳) 베푼 곳에,
누런 꾀꼬리 / 하늘에서 드리운 수놓은 장막-수양버들이 늘어진 모양을 비유적으로 표현함.

봉접(蜂蝶)이 분분하다 우리 황앵(黃鶯) 아니로되,
벌과 나비

꽃은 같이 얻었으니 우리 비록 여자라도,
봄이 되어 꽃이 만발하였으니

이러한 태평세에 아니 놀고 무엇하리.」 「」: 화전놀이를 하는 이유-태평성대에 봄이 되고 꽃이 피었음.

백만사(百萬事) 다 버리고 하루 놀음 하려 하고,
일상에서 벗어나고 싶은 마음

일자(日字)를 정하자니 양일길신(良日吉辰) 언제런고.
일진이 좋은 날

이월이라 염오일(念五日)*에 청명(淸明) 시절(時節) 제때로다.
봄철

손꼽고 바라더니 어느덧 다닫고야. ▶ 본사 1: 봄날에 화전놀이를 가게 됨.
화전놀이 할 날을 간절히 기다림.

현대어 풀이 이렇게 좋은 해에 이때가 어느 때인가. 춥지도 덥지도 않은 봄이라 버드나무 푸른 실가지가 드리운 곳에 누런 꾀꼬리가 황금 조각이 번득이는 듯 날아다니고, 수양버들이 하늘에서 드리운 수놓은 장막처럼 늘어져 있는 곳에 벌과 나비가 어지러이 날고 있다. 우리가 누런 꾀꼬리가 아니지만 꽃은 같이 얻었으니 우리 비록 여자라도 이러한 태평성대에 아니 놀고 무엇하리. 온갖 일을 다 버리고 하루 놀이를 하려고 날짜를 정하자니 일진이 좋은 날이 언제인고. (음력) 2월 25일에 청명 시절이 (봄이 무르익어 화전놀이하기 좋은) 제때로다. 손꼽아 (화전놀이 갈 날을) 바라더니 어느덧 (그날이) 이르렀구나.

아이 종 급히 불러 앞뒷집 서로 일러 소식(消息)하고 가사이다
멀리 떨어져 있는 사람의 사정을 알리는 말이나 글

노소(老少) 없이 다 모여서, 차례로 걸어가니 응장성식(凝粧盛飾) 찬란하다.
얼굴을 단장하고 옷을 화려하게 차려 입음.

「원산(遠山) 같은 눈썹일랑 아미(蛾眉)로 다스리고,
먼 산 / 가늘고 길게 굽어진 아름다운 눈썹

횡운(橫雲) 같은 귀밑일랑 선빈(仙鬢)으로 꾸미도다. — 대구법, 직유법
떠 있는 구름 / 신선의 귀밑털

동해의 고운 명주 잔줄 지어 누벼 입고, 「」: 화전놀이를 위해 치장하는 여인의 모습

추양(秋陽)에 바랜 베를 연반물 들여 입고,」
가을 햇볕 / 연한 반물(거무스름한 남빛)

선명하게 나와 서서 좋은 풍경 보려 하고,

가려강산(佳麗江山) 찾았으되 용산(龍山)을 가려느냐.
경치가 매우 아름다운 강과 산

매봉으로 가려느냐 산명수려(山明水麗) 좋은 곳은,
산과 물이 맑고 깨끗함, 산수의 경치가 아름다움.

소학산(蘇鶴山)이 제일이라 어서 가자 바삐 가자. ▶ 본사 2: 행색을 단장하고 소학산으로 화전놀이를 떠남.
화전놀이의 장소로 정해진 곳 / 화전놀이를 조금이라도 일찍 즐기려는 마음

현대어 풀이 어린 종을 급히 불러 앞뒷집에 서로 일러 (화전놀이 하러 간다는) 소식을 전하고 가자. 늙은이 젊은이 구별 없이 다 모여서 차례로 걸어가니 곱게 단장한 모습이 찬란하다. 먼 산 같은 눈썹은 미인의 눈썹처럼 아름답게 치장하고 떠 있는 구름 같은 귀밑털은 신선의 것과 같이 꾸미도다. 동해처럼 고운 명주를 잔줄 지어 누벼 입고, 가을 햇볕에 바랜 천에 엷은 반물을 들여 입고, 선명하게 나와 서서 좋은 풍경 보려 하고, 아름다운 경치를 찾았으되 용산으로 갈 것이냐. 매봉산으로 갈 것이냐. 산수의 경치가 아름다운 곳은 소학산이 제일이라. 어서 가자 부지런히 가자.

앞에 서고 뒤에 서고 태산 같은 고봉준령(高峯峻嶺),
높이 솟은 산봉우리와 험준한 산마루

허위허위 올라가서 승지(勝地)*에 다닫거다.
의태어-힘에 겨워 힘들어하는 모양

「좌우 풍경 둘러보니 수양(首陽) 같은 금오산은, 「」: 금오산을 백이와 숙제가 숨어 살았던 수양산에 견주어 충신을 생각함.
수양산

작품 한눈에 보기(생략된 부분 포함)

임금에 대한 축원	임금의 만수무강을 기원함.
화전놀이 전	설레는 마음으로 화전놀이 가기를 간절히 기다림.
화전놀이를 떠나며	조금이라도 빨리 화전놀이를 가고 싶어함.
화전놀이 중	화전놀이에 대해 즐거워하고 만족함.
화전놀이를 마치며	화전놀이를 마치는 것을 아쉬워하며 다음을 기약함.

출제 포인트

■ 표현상의 특징

① 문답법을 통해 시적 상황을 강조하고 있음.

② 직유법을 사용하여 외모의 변화 양상을 구체적으로 드러냄.

신체 부위	꾸미기 전	꾸민 후
눈썹	먼 산 같음.	아미(아름다운 눈썹)가 됨.
귀밑털	떠 있는 구름 같음.	선빈(신선의 귀밑털)이 됨.

어휘 풀이

* 황앵이 편편하고: 「유산가」의 구절인 '유상앵비편편금(柳上鶯飛片片金: 버들 사이로 누런 꾀꼬리가 날아다는 것이 마치 황금 조각이 번득이는 것같이 보인다는 뜻)'과 유사한 표현임.
* 염오일: 음력 20일을 염일이라 하며, 염오일은 25일을 의미함.
* 승지: 경치가 좋은 곳

충신이 멀었거늘 어찌 저리 푸르렀으며,」

황하 같은 낙동강은 성인이 나시려나, 어찌 저리 맑았느뇨.
낙동강을 황하에 견주어, 황하가 100년에 한 번 맑아지면 성인이 난다는 이야기를 떠올림.
구경을 그만하고 화전(花煎)터로 내려와서,

빈천이야 정관이야 시냇가에 걸어 놓고,
'빈천', '정관'은 솥이나 냄비류의 방언이라고 추정됨.
청유(淸油)야 백분(白粉)이라 화전*을 지져 놓고,
맑은 기름 / 쌀이나 밀의 하얀 가루
화간(花間)에 제종숙질(諸從叔侄) 웃으며 불렀으되, 어서 오소 어서 오소.
꽃과 꽃 사이 / 여러 사촌 형제와 아저씨와 조카
「집에 앉아 수륙진미(水陸珍味) 보기도 하려니와, 「」: 집에서 산해진미를 먹는 것보다 화전놀이를 하는 지금이 더 즐거움.
산과 바다에서 나는 온갖 진귀한 물건으로 차린, 맛이 좋은 음식. 산해진미
우리 일시 동환(同歡)하기 이에서 더할소냐.」
함께 즐거워함. / 설의법 – 지금이 가장 즐겁다.
송하(松下)에 늘어앉아 꽃가지로 찍어 올려

춘미(春美)를 쾌(快)히 보고 남은 흥을 못 이기어
마음이 유쾌하게
상상봉 치어 달아 한없이 좋은 경치 일안(一眼)에 다 들이니
위쪽으로 달려 올라가 / 한눈에
저 높은 백운산은 적송자(赤松子) 노던 덴가.
넓고 평평한 큰 돌 / 옛날 중국의 신농씨 때에, 비를 다스렸다는 신선의 이름
반석 위에 바둑판은 낙서격(洛書格)을 벌여 있고
중국 하나라 우왕이 홍수를 다스릴 때에, 낙수(洛水)에서 나온 거북의 등에 씌어 있었다는 글
유수(幽邃)한 황학동(黃鶴洞)은 서왕모(西王母) 있던 덴가.
깊숙하고 그윽한 / 중국 신화에 나오는 신녀의 이름
청계변 복사꽃은 무릉원(武陵源)이 의연(依然)하다.
도연명이 지은 「도화원기」에 나오는 이상향. 별천지 / 전과 다름이 없다.
이런 좋은 경개(景槪) 흠 없이 다 즐기니
경치
「소선(蘇仙)의 적벽(赤壁)인들 이에서 더할소냐. 「」: 대구법, 비교법 – 아름다운 자연을 극찬함.
중국 송나라 때의 문호 소동파가 놀면서 '적벽부'를 지은 적벽강
이백(李白)의 채석(采石)인들 이에서 덜할소냐.」 〈중략〉 ▶ 본사 3: 소학산에서 즐기는 화전놀이와 아름다운 자연
당나라의 시인 이태백이 뱃놀이를 하다가 강물에 뜬 달을 잡으려다가 빠져 죽은 채석강

현대어 풀이 앞에 서고 뒤에 서고 태산 같이 높이 솟은 산봉우리와 험준한 산마루 힘들게 올라가서 경치 좋은 곳에 이르렀다. 좌우 풍경을 둘러보니 수양산 같은 금오산은, 충신이 멀리 있는데도 어떻게 저렇게 푸르렀으며, 황하 같은 낙동강은 성인이 태어나려는지 어떻게 저렇게 맑은가. 구경을 그만하고 화전터로 내려와서, 솥과 냄비를 시냇가에 걸어 놓고 맑은 기름과 쌀가루, 밀가루로 화전을 지져 놓고, 꽃 사이에서 제종숙질을 웃으며 불렀으되, "어서 오소, 어서 오소. 집에 앉아 있으면 맛이 좋은 음식들을 보기는 하겠지만 우리가 한때에 함께 즐거워하는 재미가 (화전놀이를 하는) 지금보다 더하겠느냐." 소나무 아래에 늘어앉아 꽃가지로 찍어 올려 봄의 아름다움을 유쾌하게 즐기고 남은 흥을 이기지 못하여 상상봉으로 달려 올라가 한없이 좋은 경치를 한눈에 다 담으니, 저 높은 백운산은 적송자가 놀던 곳인가. 반석 위에 있는 바둑판은 낙서처럼 벌여 있고 깊숙하고 그윽한 황학동은 서왕모가 있던 곳인가. 맑고 깨끗한 시냇가에 핀 복사꽃은 무릉도원과 다름없다. 이렇게 좋은 경치를 흠 없이 다 즐기니 소동파가 놀던 적벽강이 이곳보다 더 아름다울 것인가. 이백이 놀던 채석강이 이곳보다 덜 아름다울 것인가.

서산에 지는 해가 구곡(九谷)에 재촉하여
여러 골짜기
「층암고산(層岩高山)*에 모운(暮雲)이 일어나고, 「」: 대구법 – 저녁 무렵의 풍경을 묘사함.
날이 질 무렵의 구름
벽수동리(碧樹洞裏)*에 숙조(宿鳥)가 돌아든다.」
잠을 자거나 자려고 하는 새
흥(興)대로 놀려하면 임간(林間)의 자연 취객(自然醉客)이 아닌 고로
나무 사이. 숲 속 / 술에 취한 사람
마지못해 일어나니 암하(岩下)야 잘있거라 강산(江山)아 다시 보자.
화전놀이를 끝내야 하는 아쉬움 / 바위틈. 여기서는 화전놀이하며 놀던 바위 아래를 의미함.
시화 세풍(時和歲豊)* 하거들랑 창안백발(蒼眼白髮) 흩날리고
창백한 얼굴과 흰 머리
고향산천(故鄕山川) 찾아 오마. ▶ 결사: 화전놀이를 마침.

현대어 풀이 서산에 지는 해가 여러 골짜기에서 재촉하여 바위가 쌓인 높은 산에는 해질 무렵의 구름이 (뭉게뭉게) 일어나고 푸른 나무들이 우거진 골짜기에는 잘새가 돌아든다. 흥이 나는 대로 놀고 싶지만 숲 속의 자연 취객이 아니기 때문에 마지못해 일어나니, "우리가 놀던 바위 아래야, 잘 있거라. 아름다운 이 강산아 다시 보자. 시절이 좋아서 풍년이 들게 되면 늙어서라도 고향 산천을 (잊지 않고) 찾아오마."

출제 포인트

■ 표현상의 특징

① 중국의 고사를 인용하여 절경을 본 화자의 정서를 드러냄.

아름다운 경치	중국 고사
금오산	수양
낙동강	황하
백운산	적송자
반석	우왕의 낙서(낙서격)
황학동	서왕모
청계변	무릉원
이런 좋은 경개	소선의 적벽, 이백의 채석

⬇

자연의 아름다움을 극찬하고 화자의 감상을 드러냄.

② 설의법과 비교법을 사용하여 화자의 생각을 드러냄(본사3).

비교법	집에 앉아 수륙진미~이에서 더할소냐. → '수륙진미'와 '화전놀이'를 비교함.
	이런 좋은 경개~이에서 덜할소냐. → 화자가 경치를 즐기는 곳과 '적벽', '채석'을 비교함.
설의법	• '~이에서 더할소냐' • '~이에서 덜할소냐' → 지금 이곳의 경치와 화전놀이에 대한 만족감을 드러냄.

③ 대구법을 사용(결사)하여 운율감을 형성함.

④ 자연물을 활용하여 시간적 배경을 제시하고 있음.(결사)

모운	숙조
날이 저물 무렵의 구름	잠을 자기 위해 둥지로 날아드는 새

⬇

해질 무렵임을 암시하여 화전놀이를 마쳐야 할 시간임을 알려줌.

어휘 풀이

* 화전: 찹쌀가루를 반죽하여 진달래나 개나리, 국화 따위의 꽃잎이나 대추를 붙여서 기름에 지진 떡
* 층암고산: 바위가 겹겹이 쌓인 높은 산
* 벽수동리: 푸른 나무들이 우거진 골짜기
* 시화 세풍: 나라가 태평하고 풍년이 듦.

1 작품 이해

이 작품은 여성들이 화창한 봄날을 맞아 규방에서 벗어나 경치 좋은 곳을 찾아가 화전을 먹고 가무를 즐기는 등 화전놀이를 하는 즐거움을 묘사한 가사이다. 공간의 이동에 따라 시상을 전개하고 있으며, 대구법과 설의법을 통해 화자의 정서를 강조하고 있다. 또한 화전놀이를 가기 전과 후의 감정 변화를 섬세하게 드러내고 있다.

• 갈래: 가사(내방 가사) • 성격: 풍류적, 감각적

• 주제: 봄날 화전놀이의 즐거움
• 시적 상황 규방에만 있던 부녀자들이 봄을 맞아 □□□□를 즐기고 있음.
• 정서와 태도 화전놀이에 대한 기대감과 설렘, 즐거움과 만족감 그리고 화전놀이를 마치는 □□□을 드러내고 있음.

정답: 화전놀이, 아쉬움

2 내용 확인

1 맞는 내용이면 ○표, 틀린 내용이면 ×표 하시오.

① 물음의 형식을 활용하여 화자의 정서를 강조하고 있다. ( )
② 화자는 화전놀이를 가서 몹시 만족해하지만, 먼 곳으로 떠나 다시는 못 올 것이라는 생각에 슬픔을 느끼고 있다. ( )

내용 확인 도우미

1 ① 본시 3의 '~이에서 더할소냐.', '~이에서 덜할소냐.' 등에서 설의법을 활용하여 자연의 아름다움에 대해 극찬하고 있다.
② 화자는 결사에서 '강산아 다시 보자.'며 다음을 기약하고 있다.

정답 1 ① ○ ② ×

3 실전 Test

• 정답 59쪽

01 윗글에 대한 설명으로 적절하지 않은 것은?

① 대구법을 사용하여 리듬감을 형성하고 있다.
② 자문자답의 방식으로 시기를 강조하여 제시하고 있다.
③ 직유법을 통해 인물의 모습을 구체적으로 묘사하고 있다.
④ 다른 대상과의 비교를 통해 화자의 생각을 강조하고 있다.
⑤ 현재에서 과거를 회상하는 방식으로 시상을 전개하고 있다.

02 [보기]를 참고하여 윗글을 감상한 내용으로 적절하지 않은 것은?

보기

「화전가」는 봄날을 맞아 화전놀이를 즐기는 여인들의 모습과 심리를 섬세하게 묘사하고 있는 내방 가사이다. 화전놀이를 떠나기 전, 화전놀이를 하는 중, 화전놀이를 마치는 과정에 따라 내용을 전개하고 있다.

① '손꼽고 바라더니'에서 화전놀이에 대한 화자의 기대감을 엿볼 수 있겠군.
② '아미'와 '선빈'에서 화전놀이를 가기 위해 곱게 단장한 화자의 모습을 확인할 수 있겠군
③ '어서 가자 바삐 가자.'에서 화전놀이를 남보다 빨리 가기 위해 경쟁하는 화자의 모습을 확인할 수 있겠군.
④ '이에서 더할소냐.'에서 화전놀이를 즐기는 화자의 만족감을 엿볼 수 있겠군.
⑤ '마지못해 일어나니'에서 화전놀이를 마치는 화자의 아쉬움을 확인할 수 있겠군.

실전 Test Guide

01 표현상의 특징과 그로 인한 효과를 파악할 수 있는지 평가하는 문제이다. 제시문에 활용된 표현 방법을 확인한 후 선택지의 적절성을 따져보도록 한다.

02 제시문에 대한 설명을 바탕으로 제시문을 적절히 감상할 수 있는지 확인하는 문제이다. 화전놀이를 즐기는 과정을 중심으로 화자의 모습과 심리를 추측해 보고, 이를 바탕으로 선택지의 적절성을 판단해 보도록 한다.

가사

137 덴동 어미 화전가(花煎歌)_작자 미상

가세 가세 화전(花煎)을 가세 꽃 지기 전에 화전 가세.
화전놀이, 봄에 꽃잎으로 전을 부쳐 먹으며 노는 부녀자들의 꽃놀이
이때가 어느 땐가 때마침 삼월이라
문답법-계절적 배경 강조
동군(東君)이 포덕택(布德澤)하니 춘화일난(春和日暖) 때가 맞고
태양, 봄의 신 / 은혜를 베풂. / 봄이 되어 날씨가 따뜻해짐.
㉠화신풍(花信風)*이 화공(畵工) 되어 만화방창(萬化方暢)* 단청(丹靑)* 되네
의인법
이런 때를 잃지 말고 화전놀음 하여 보세.
봄이 되어 만물이 소생하고 꽃이 만발한 때
불출 문외(不出門外)* 하다가 소풍노 하려니와
집밖 출입이 자유롭지 못했던 당시 여인들의 생활상을 드러냄.
우리 비록 여자라도 흥체 있게 놀아 보세. 〈중략〉 ▶ 서사: 봄을 맞아 화전놀이를 가고자 함.
흥취

현대어 풀이 가세 가세 화전놀이를 가세 꽃 지기 전에 화전놀이 가세. 이때가 어느 땐가 때마침 삼월이라. 태양이 은혜를 베푼 덕에 봄 날씨가 따뜻하여 때가 맞고 꽃이 피는 것을 알리는 바람이 화가가 되어 모든 생물이 한창 피어 단청이 되었네. 이런 때를 놓치지 말고 화전놀음 하여 보세. 문밖에 나가지도 못하다가 소풍을 하려니와 우리가 비록 여자일지라도 흥취 있게 놀아 보세.

「상단이는 꽃 데치고 삼월이는 가루집 풀고 「」: 화전을 부치는 과정-구체적인 이름을 사용하여 현실감을 부여함.
취단이는 불을 넣어라 향단이가 떡 굽는다.」
청계반석(淸溪盤石) 너른 곳에 노소를 갈라 좌차리고
맑고 깨끗한 시내의 넓고 평평한 큰 돌 / 자리를 차리고
꽃떡을 일변 드리나마 노인부터 먼저 드리어라.
유교적 윤리의식, 장유유서
엿과 떡과 함께 먹으니 향기의 감미가 더욱 좋다.
떡의 꽃향기 / 엿의 단맛
함포고복(含哺鼓腹) 실컷 먹고 서로 보고 하는 말이
잔뜩 먹고 배를 두드린다는 뜻으로, 먹을 것이 풍족하여 즐겁게 지냄을 이르는 말
일 년 일 차 화전놀음 여자 놀음 제일일세.
화전놀이가 매우 즐거웠음.
「노고지리 신질(迅疾) 떠서 빌빌밸밸 피리 불고 「」: 의인법, 대구법 → 자연물에 의탁하여 화전놀이의 흥겨움을 드러냄.
동작이나 움직임 따위가 빠르고 날쌤. / □: 의성어-흥겨운 분위기 조성
㉡오고가는 벅궁새는 벅궁벅궁 벅구치고
음의 유사성을 이용한 언어유희
봄빛자는 꾀고리는 좋은 노래로 벗 부르고
호랑나비 범나비는 머리 위에 춤을 추고
말 잘하는 앵무새는 잘도 논다고 치하하고,
천인화표(千仞華表) 학두루미 요지연인가 의심하네,」〈중략〉
천 길이나 되는 돌기둥 / 중국 곤륜산에 있는 연못으로 신선이 산다고 함. ▶ 본사 1: 흥겹게 화전놀이를 즐기는 여인들

현대어 풀이 상단이는 꽃을 데치고, 삼월이는 (화전을 부치기 위해) 가루를 풀고, 취단이는 불을 지피고, 향단이는 떡을 굽는다. 맑고 깨끗한 시내의 넓고 깨끗한 큰 돌 위에 늙은이와 젊은이를 나누어 자리를 펴고 꽃떡을 한편에서 드리는데 노인부터 먼저 드리어라. 엿과 떡을 함께 먹으니 꽃향기에 단맛이 더욱 좋다. 배부르게 실컷 먹고 서로 보면서 하는 말이 일 년에 한 번 하는 화전놀음 여자가 하는 일 중에서 제일이구나. 노고지리가 빠르게 떠서 빌빌낄낄 소리를 내고, 오고 가는 뻐꾸기는 벅궁벅궁 소리 내고, 봄을 알리는 꾀꼬리는 좋은 노래로 벗을 부르고, 호랑나비 범나비는 머리 위에서 춤을 추고, 말 잘하는 앵무새는 잘 논다고 칭찬을 하고, 신선이 학이 되었다는 학두루미는 이곳이 신선이 사는 곳인가 하고 의심을 하네.

이내 나이 육십이라 늙어지니 더욱 슬의. 자식이나 성했으면 저나 믿고 사지마난
덴동 어미의 나이를 짐작할 수 있음. / 아들이 불에 데어 아들에게 의지하기 보다는 아들을 보살펴야 하는 상황임.
나인 점점 많아가니 몸은 점점 늙어가네. 이렇게도 할 수 없고 저렇게도 할 수 없다.
나이가 들고 몸은 쇠약해진 덴동 어미의 처지 / 이러지도 못하고 저러지도 못하는 어려운 처지, 진퇴양난
덴동이를 뒷더업고 본 고향을 돌아오니 이전 강산은 의구하나 인정 물정 다 변했네.
뒤로 업고 / 자연사와 인간사를 대조함.

작품 한눈에 보기

화전놀이를 권유하고 준비하여 떠나, 흥겹게 화전놀이를 하던 중, '청춘과부'가 슬퍼함.
↓
덴동 어미가 자신의 인생사(네 번의 결혼과 실패)를 이야기하고, 청춘과부의 개가를 만류함.
↓
청춘과부가 깨달음을 얻고 화전놀이를 즐겁게 즐긴 후, 내년의 화전놀이를 기약함.

출제 포인트

■ 표현상의 특징

① 자문자답을 통해 계절적 배경을 강조함(서사).

이때가 어느 땐가 때마침 삼월이라
⬇
화전놀이를 가야할 봄이 되었음을 강조함.

② 의인법, 대구법 등을 사용하여 화전놀이의 흥겨움을 드러냄.

③ 인간사와 자연사를 대비하여 드러냄.

이전 강산은 의구함.	↔	인정 물정 다 변함.
그늘 맺진 은행나무 불개청음 대아귀(不改淸蔭待我歸)라.		• 우리 집은 터만 남아 쑥대밭이 되었고나. • 아는 이는 하나 없고 모르는 이 뿐이로다.

어휘 풀이

* 화신풍: 꽃이 피는 것을 알리는 바람
* 만화방창: 따뜻한 봄날에 온갖 생물이 자람.
* 단청: 옛날식 집의 벽, 기둥, 천장 따위에 여러 가지 빛깔로 그림이나 무늬를 그림. 또는 그 그림이나 무늬
* 불출 문외: 문밖으로 나가지 아니함.

우리 집은 터만 남아 쑥대밭이 되었고나. 아는 이는 하나 없고 모르는 이 뿐이로다.
고향 사람들이 변하였음. – '인정 물정 다 변했네'의 구체적 내용
그늘 맺진 은행나무 불개청음대아귀(不改淸陰待我歸)*라. ▶ 본사 2: 덴동 어미가 덴동이를 업고 고향에 찾아옴.
'이전 강산은 의구하나'의 구체적 내용

현대어 풀이 이내 나이 육십이어서 늙어지니 더욱 슬퍼 자식이나 멀쩡하면 자식 믿고 살겠지만 나이는 점점 많아지고 몸은 점점 늙어가네. 이렇게도 할 수 없고 저렇게도 할 수 없다. 덴동이를 뒤로 업고 고향으로 돌아오니 예전의 강산은 변함이 없는데, 인정과 물정은 다 변했네. 우리 집은 터만 남아 쑥대밭이 되었구나. (고향에는) 아는 사람 하나 없고 모르는 사람뿐이로다. 그늘 드리워진 은행나무만 변함없이 시원한 나무 그늘을 간직하고 내가 오길 기다리고 있구나.

남편의 죽음에 대한 덴동 어미의 서러운 감정을 촉발시키는 대상, 덴동 어미가 남편과 동일시하는 대상임.
난데없는 두견새가 머리 위에 둥둥 떠서
감정 이입
불여귀 불여귀 슬피 우니 서방님 죽은 넋이로다.
두견새의 울음소리로 '나는 함께 돌아가지 못함'을 의미함.
새야 새야 두견새야 내가 어찌 알고 올 줄 여기 와서 슬피 울어 내 서럼을 불러내나.
서러움
반가와서 울었던가 서러워서 울었던가. 서방님의 넋이거든 내 앞으로 날아오고
반복법, 대구법 – 슬픔, 서러움의 정서
임의 넋이 아니거든 아주 멀리 날아가게. 두견새가 펄쩍 날아 내 어깨에 앉아 우네.
두견새가 덴동 어미 남편의 넋임을 암시함.
임의 넋이 분명하다 애고탐탐 반가워라. 나는 살아 육신이 왔네 넋이라도 반가워라.
두견새가 죽은 첫째 남편의 넋이라고 생각하는 덴동 어미
근 오십년 이곳 있어 날 오기를 기다렸나.
덴동 어미가 본 고향을 떠나 있던 기간
어이 할고 어이 할고 후회막급* 어이할고야.
고향을 떠나 세 번이나 개가한 삶을 후회함.
새야 새야 우지 마라 새 보기도 부끄러워.
생각해 보면
내 팔자를 셔겨더면 새 보기도 부끄럽잖지.
네 번 결혼한 자신의 삶이 부끄러움
첨에 당초에 친정 와서 서방님과 함께 죽어
첫째 남편이 친정에 왔다가 죽었음을 알 수 있음.
저 새와 같이 자웅되어 천만 년이나 살아볼걸. ▶ 본사 3: 덴동 어미가 두견새를 보고 죽은 첫째 남편의 넋으로 여김.
암수가 함께 있는 새의 모습은 화자의 처지와 대비되며 화자가 부러워하는 존재임.

현대어 풀이 난데없는 두견새가 머리 위에 둥둥 떠서 불여귀 불여귀하고 슬피 우니 우리 서방님 죽은 넋이로구나. 새야 새야 두견새야 내가 올 줄 어찌 알고 여기 와서 슬피 울어 내 서러움을 불러내느냐. 반가워서 울었는가. 서러워서 울었는가. 서방님의 넋이거든 내 앞으로 날아오고 임의 넋이 아니거든 아주 멀리 날아가거라. 두견새가 펄쩍 날아 내 어깨에 앉아 우네. 임의 넋이 분명하다. 아이고 정말 반가워라. 나는 살아서 육신이 왔지만 (서방님은) 넋이라도 반가워라. 오십 년 가까이 이곳에 있으면서 내가 오기를 기다렸나. 어이 할고 어이 할고 밀려오는 이 후회 어이 할고야. 새야 새야 울지 마라 새 보기도 부끄러워 내 팔자를 생각해 보면 새 보기도 부끄러워라. 맨 처음에 친정 와서 서방님과 함께 죽어 저 새와 같이 암수 짝이 되어 천만 년 살아볼걸.

내 팔자를 내가 속아 기어이 한번 살아 볼라고
ⓒ「첫째 낭군은 추천*에 죽고 둘째 낭군은 괴질*에 죽고 「」: 대구법, 반복법, 열거법 – 덴동 어미가 네 번이나 결혼한 기구한 운명과 사연
셋째 낭군은 물에 죽고 넷째 낭군은 불에 죽어
이 내 한 번 못 잘 살고 내 신명이 그만일세.」
몸과 목숨을 아울러 이르는 말
첫째 낭군 죽을 때에 나도 한가지 죽었거나
같이
살더래도 수절*하고 다시 가지나 말았다면
개가한 것을 후회하는 덴동 어미
산을 보아도 부끄럽잖고 저 새 보아도 무렴찮지.
염치없지는 않지
살아 생전에 못 된 사람 죽어서 귀신도 악귀로다.
나도 수절만 하였다면 열녀각은 못 세워도
열녀(절개가 굳은 여인)의 행적을 기리기 위하여 세운 누각
「남이라도 칭찬하고 불쌍하게나 생각할걸.」 「」: 여인이 수절하는 것을 권하고 개가를 금기로 여기는 당시 사회적 분위기 반영됨.
ⓔ남이라도 욕할게요 친정일가들 반가할까.」〈중략〉 ▶ 본사 4–①: 덴동 어미가 고향에 돌아와 자신의 기구한 신세를 한탄함.
설의법 – 개가해서도 실패한 삶에 대해 고향 사람들과 친정 식구들의 반응을 걱정함.

현대어 풀이 내 팔자에 내가 속아 기어이 한번 살아 보려고 첫째 낭군은 그네에서 떨어져 죽고, 둘째

출제 포인트

■ 화자(덴동어미)의 정서

① 열거법, 반복법을 통해 화자의 사연을 드러냄.
② 설의법을 사용하여 화자의 걱정을 강조함.
③ 대구법을 활용하여 음악적 효과를 거둠.

■ '두견새'의 기능과 역할(본사 3)

두견새	• 덴동 어미가 죽은 남편을 떠올리고 서러운 감정을 느끼게 만든 매개체 • 덴동 어미가 남편과 동일시하는 존재 • 암수가 함께 있어 덴동 어미가 부러워하는 존재

■ 「덴동어미 화전가」의 시대상

불출 문외하다가(서사)	여인들이 집밖 출입이 자유롭지 않았던 봉건적인 시대상을 알 수 있음.
나도 수절만 하였다면 ~ 친정일가들 반가할까 (본사 4–①)	남편을 여읜 여인들의 수절을 권장하고 개가를 금지시키는 사회상을 반영함.

수능 필수 개념

"탄식 가사"

조선 후기의 규방 가사에는 시집 살이의 괴로움이나 남편을 잃은 슬픔 등을 토로하는 내용의 탄식 가사가 다수 존재한다. 「덴동 어미 화전가」에도 조선 후기에 여인으로서 살아가며 느끼는 고통과 슬픔에 대한 탄식이 드러난다.

어휘 풀이

* 불개청음대아귀: 변함없이 시원한 나무 그늘을 간직하고 내가 돌아오기를 기다림.
* 후회막급: 이미 잘못된 뒤에 아무리 후회하여도 다시 어찌할 수가 없음.
* 추천: 그네를 타는 일을 높여 부르는 말
* 괴질: 원인을 알 수 없는 이상한 병. '콜레라'를 속되게 이르는 말
* 수절: 정절을 지킴.

낭군은 괴질에 걸려 죽고 셋째 낭군은 물에 빠져 죽고, 넷째 낭군은 불에 타 죽어, 이 내 한 번을 잘살지 못하고 내 운명이 그만일세. 첫째 낭군 죽을 때에 나도 함께 죽었거나 살더라도 수절하고 다시 개가하지나 말았더라면 산을 보아도 부끄럽지 않고 저 새를 보아도 염치없지는 않지. 살아 생전에 못된 사람은 죽어서 귀신도 악귀로다. 나도 수절만 하였으면 열녀각은 못 세워도 남이라도 칭찬하고 불쌍하게는 생각할걸. (그러지 못했으니) 남이라도 욕할 것이요. 친정 일가인들 반가워할까.

좋은 시절

「춘삼월 호시절에 화전놀음 와서들랑
계절적 배경–봄
꽃빛일랑 곱게 보고 새소리는 좋게 듣고
밝은 달은 예사 보며 맑은 바람 시원하다.
좋은 동무 좋은 놀음에 서로 웃고 놀다 보소.」

「」: 화전놀이를 제안함. → 덴동 어미가 자신의 기구한 과거사로 인해 침울해진 분위기를 전환함.

「사람의 눈이 이상하여 제대로 보면 관계찮고
어떤 마음으로 바라보느냐에 따라 인생이 시름도 이겨낼 수 있음.
고운 꽃도 새겨 보면 눈이 캄캄 안 보이고
귀도 또한 별일이지 그대로 들으면 괜찮은 걸
새소리도 고쳐 듣고 슬픈 마음 절로 나네.」
아름다운 새소리도 슬픈 마음으로 들으면 슬프게 들림.

「」: 마음먹기에 따라 같은 일도 다르게 받아들여짐.

「맘 심 자가 제일이라 단단하게 맘 잡으면
마음 심(心) 자
ⓜ꽃은 절로 피는 거요 새는 예사 우는 거요
달은 매양 밝은 거요 바람은 일상 부는 거라
마음만 예사 태평하면 예사로 보고 예사로 듣지
모든 일은 마음먹기에 달려 있음, 일체유심조
보고 듣고 예사 하면 고생될 일 별로 없소」

「」: 운명론적 세계관, 운명에 순응하고 삶을 긍정하는 태도, 순응적 · 의지적 자세 → 주체 의식

▶ 본사 4–②: 청춘과부에 대한 덴동 어미의 충고

현대어 풀이 봄철 좋은 때에 화전놀음 와서는, 꽃빛일랑 곱게 보고 새소리는 좋게 듣고 밝은 달을 바라보며 맑은 바람 시원하다. 좋은 동무 좋은 놀음에 서로 웃고 놀아 보소. 사람의 눈이 이상하여 제대로 보면 괜찮고 고운 꽃도 새겨 보면 눈이 캄캄하여 안 보이고 귀도 또한 별일이지 그대로 들으면 괜찮은 걸 새소리도 고쳐 듣고 슬픈 마음 절로 나네. 마음 심자가 제일이라 단단하게 마음 잡으면 꽃은 저절로 피는 것이요, 새는 그냥 우는 것이요, 달은 항상 밝은 것이요, 바람은 일상 부는 것이라. 마음만 늘 태평하면 평범하게 보고 평범하게 듣지 보고 듣는 것을 평범하게 하면 고생될 일이 별로 없소.

환하게 모두 깨달음.
앉아 울던 청춘과부 황연대각(晃然大覺) 깨달아서
덴동 어미의 말을 듣던 청자
덴동 어미 말 들으니 말씀마다 개개 옳애
청춘과부에게 생명력과 활력을 불어 넣어 줌.
이내 수심 풀어 내어 이리저리 부쳐 보세.
청춘과부–화자가 교체됨.
이팔청춘 이내 마음 봄 춘 자로 부쳐 두고
화용월태 이내 얼굴 꽃 화 자로 부쳐 두고
아름다운 여인의 얼굴과 맵시를 이르는 말
술술 나는 긴 한숨은 세우 춘풍 부쳐 두고
가랑비와 봄바람
밤이나 낮이나 숱한 수심 우는 새나 가져가게.
봄을 즐기며 시름을 잊어버림.
일촌간장* 쌓인 근심 도화 유수*로 씻어 볼까.
자연을 즐기며 근심을 잊어버림.
천만 첩이나 쌓인 설움 웃음 끝에 하나 없네. 〈하략〉
과장법–추상적 관념의 구체화

▶ 본사 5: 깨달음을 얻고 화전놀이를 즐기는 청춘과부

현대어 풀이 앉아 울던 청춘과부가 환하게 모두 깨달아서 덴동 어미 말 들으니 말씀마다 모두 옳아 나의 걱정을 풀고 이리저리 부쳐 보세. 이팔청춘 나의 마음 봄 춘 자로 부쳐 보고, 아름다운 이내 얼굴 꽃 화 자로 부쳐 보고, 술술 나는 긴 한숨은 가랑비와 봄바람에 부쳐 두고, 밤낮으로 하는 근심 우는 새나 가져가게. 애달픈 마음으로 인한 근심 흐르는 물에 씻어 볼까. 천만 겹이나 쌓인 설움이 웃음 끝에 하나도 없네.

출제 포인트

■ 표현상의 특징

① 화자가 교체되어 작품에 입체감을 부여함.

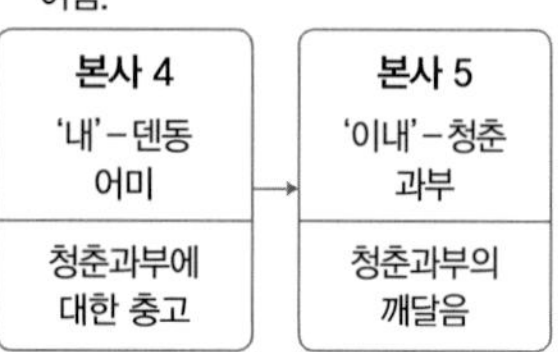

② 과장법과 추상적 관념의 구체화를 통해 화자의 정서를 강조함(본사 5).

천만 첩이나 쌓인 설움	• 과장법: 설움이 많아 천만 첩이나 쌓인다며 과장하여 표현함. • 추상적 관념의 구체화: 추상적 관념인 '설움'을 천만 첩이나 쌓였다고 구체화함.

③ 계절적 배경을 드러내는 시어로 작품의 분위기를 조성함.

본사 4–②	• 춘삼월
본사 5	• 봄 춘 자 • 세우 춘풍 • 도화 유수

⬇

쌓인 눈과 언 땅이 녹고 만물이 생동하며 꽃이 피는 계절인 '봄'을 배경으로 시름을 극복하고 흥겨운 분위기를 형성함.

■ 화자(덴동 어미)의 정서

상황	정서
근 50년 만에 고향에 돌아옴.	• 네 번이나 결혼한 기구한 운명을 한탄하고, 개가한 과거를 후회하며, 수치심을 느낌. • 고향에 돌아온 자신에 대한 고향 사람들과 친정식구들의 반응과 만남을 걱정함.

어휘 풀이

* 일촌간장: 한 토막의 간과 창자라는 뜻으로, 애달프거나 애가 타는 마음을 이름.
* 도화 유수: 복숭아 꽃이 떠서 흐르는 물

1 작품 이해

이 작품은 봄에 여성들이 산에 올라가 화전놀이를 하며 부른 가사이다. 봄을 맞이하여 화전놀이를 가서 나눈 대화를 중심으로 시상을 전개하고 있으며, 덴동 어미의 기구한 삶을 중심으로 조선 후기의 생활상 등이 구체적으로 드러나 있다. 화전놀이를 즐기는 흥겨운 상황 속에서도, 액자식 구성을 통해 덴동 어미의 기구한 인생 역정을 사실적이면서도 구체적으로 묘사하고 있다.

- 갈래: 가사(규방 가사, 탄식 가사)
- 성격: 여성적, 사실적, 훈계적, 애상적
- 주제: 화전놀이의 흥겨움과 덴동 어미의 기구한 인생 역정
- 시적 상황 부녀자들이 화전놀이를 즐기던 중, □□ □□가 자신의 기구한 삶을 이야기하고 있음.
- 정서와 태도 덴동 어미는 네 번이나 결혼한 것을 후회하고 한탄하며, 결국 운명에 □□하고 있음.

정답: 덴동 어미, 순응

2 내용 확인

1 맞는 내용이면 ○표, 틀린 내용이면 ×표 하시오.

① 남성 중심의 가부장적인 봉건 제도에 대한 부녀자들의 불만이 드러나 있다. (   )

② 화자가 자연스럽게 바뀌면서 작품에 입체감을 부여하고 있다. (   )

2 화자인 '덴동 어미'가 죽은 남편과 동일시하는 대상으로, '덴동 어미'의 서러운 감정을 촉발시키는 소재를 본사 3에서 찾아 쓰시오.

➡ (   )

내용 확인 도우미

1 ① '덴동 어미'의 기구한 삶과 이에 대한 한탄, 화전놀이의 흥겨움 등을 노래하고 있으나, 가부장적인 봉건 제도에 대해 불만을 표시하지는 않았다.

② 본사 5에서 '덴동 어미'에서 '청춘과부'로 화자가 바뀌고 있다.

2 '덴동 어미'는 '두견새'를 죽은 남편과 동일시하고 있다.

정답 1 ① × ② ○ 2 두견새

3 실전 Test

• 정답 60쪽

01 윗글의 인물을 이해한 것으로 가장 적절한 것은?

① 덴동 어미는 청춘과부에게 생명력을 불어넣고 있다.

② 덴동 어미는 계획적인 삶이 중요하다고 생각하고 있다.

③ 덴동 어미는 고향을 떠나 은거해야겠다고 다짐하고 있다.

④ 청춘과부는 덴동 어미가 하는 말이 틀렸다고 여기고 있다.

⑤ 청춘과부는 가난이 사람을 성숙하게 만드는 것이라고 믿고 있다.

02 [보기]를 참고하여 윗글을 감상한 내용으로 적절하지 않은 것은?

보기

「덴동 어미 화전가」는 부녀자들이 봄철에 산에 올라 꽃으로 전을 부쳐 먹으며 노는 화전놀이를 소재로 한 가사로, '덴 아이의 어머니'라는 '덴동 어미'의 삶을 부각하고 있다. 이 작품은 다양한 표현 방법으로 생생한 계절감, 화전놀이의 즐거움, 화자의 처지와 정서, 당대의 사회상 등을 인상적으로 그린 점이 높이 평가받고 있다.

① ㉠은 대상을 의인화하여 봄날의 계절감을 생동감 있게 표현하고 있군.

② ㉡은 음의 유사성을 이용한 언어유희로 화전놀이의 흥겨운 분위기를 조성하고 있군.

③ ㉢은 반복과 열거를 통해 화자의 기구하고 불쌍한 처지와 운명을 강조하고 있군.

④ ㉣은 설의법을 통해 여인의 개가를 금하는 당대의 사회상을 반영하고 있군.

⑤ ㉤은 감정 이입의 대상을 통해 화자의 서럽고 슬픈 감정을 부각하고 있군.

실전 Test Guide

01 제시문에 드러난 화자의 특성을 파악할 수 있는지 확인하는 문제이다. 제시문의 전체적인 내용을 이해한 후, 화자의 가치관, 삶의 자세 등에 대해 생각해 보도록 한다.

02 제시문에 대한 설명을 참고하여 제시문을 적절히 감상할 수 있는지 평가하는 문제이다. ㉠~㉤에 사용된 표현상의 특징과 그 효과가 바르게 설명되었는지 살펴보도록 한다.

138 춘면곡(春眠曲)_작자 미상

춘면(春眠)을 느즛 깨야 죽창(竹窓)을 반개(半開)하니
봄잠, 계절적 배경 / 느즛: 늦게 / 반개하니: 반쯤 여니
정화(庭花)는 작작(灼灼)한데 가난 나뷔 머므난듯
정화: 뜰에 핀 꽃 / 작작한데: 활짝 피어 있고 / 나뷔: 나비
안류(岸柳)는 의의(依依)하야 성긔 내를 띄워셰라.
안류: 강기슭의 버들 / 의의하야: 우거져서 / 성긔 내: 성긴 안개
창전(窓前)의 덜고인 숧을 이삼배(二三盃) 먹은 후(後)의
덜고인: 덜 익은
호탕(浩蕩)한 미친 흥(興)을 부젼업시 자아내여
취기가 오름.
백마금편(白馬金鞭)으로 야유원(冶遊園)을 찾아가니
백마금편: 흰 말을 타고 금 채찍을 듦, 화려한 행장 / 야유원: 기생집
화향(花香)은 습의(襲衣)하고 월색(月色)은 만정(滿庭)*한데
습의하고: 옷에 스며들고 / 기생집의 분위기를 시각적, 후각적 이미지로 묘사함.
광객(狂客)*인듯 취객(醉客)인 듯 흥(興)을 겨워 머무는듯
배회(徘徊) 고면(顧眄)*하야 유졍(有情)이 셧노라니
유졍: 풍치 있게
취와주란(翠瓦朱欄) 놉흔 집의 녹의홍상(綠衣紅裳) 일미인(一美人)이
취와주란: 푸른 기와와 붉은 난간 / 녹의홍상 일미인: 녹색 저고리와 다홍치마를 입은 아름다운 여인
사창(紗窓)을 반개(半開)하고 옥안(玉顔)을 잠간 들러
옥안: 옥같이 아름다운 여인의 얼굴
웃난듯 반기난듯 교태(嬌態)하여 머므난 듯.
교태: 아리따운 자태

▶ 서사: 봄날 야유원에서 미인을 만남.

현대어 풀이 봄잠을 늦게 깨어 대나무 창문을 반쯤 여니, 뜰의 꽃은 활짝 피어 있고 가는 나비가 머무는 듯, 강기슭의 버드나무는 우거져서 성긴 안개를 띄었구나. 창 앞에 덜 익은 술을 두세 잔 먹은 후에 호탕하고 미친 듯한 흥을 부질없이 자아내어 화려한 차림으로 기생집을 찾아가니 꽃의 향기는 옷에 스며들고 달빛은 뜰에 가득한데 미친 나그네인 듯 취객인 듯 흥에 겨워 머무는 듯, 이리저리 거닐면서 여기저기 둘러보고 풍치 있게 서 있으려니 푸른 기와와 붉은 난간 높은 집에 녹색 저고리와 다홍치마를 입은 한 미인이, 사창을 반쯤 열고 아름다운 얼굴을 잠깐 들어, 웃는 듯 반기는 듯 교태를 부리며 머무는 듯

추파(秋波)를 암주(暗注)하고 녹의금 빗기 안고
추파: 은근히 보내는 눈길 / 암주: 은근히 / 녹의금: 녹기금. 한나라 사마상여가 쓰던 거문고
청가(淸歌) 일곡(一曲)으로 춘흥(春興)을 자아내니
청가: 맑고 청아한 노래 / 춘흥: 봄의 흥취
운우(雲雨) 양대상(陽臺上)에 초몽(楚夢)이 다정(多情)하다.
운우지정, 초나라 양왕이 꿈속에서 선녀를 만났다는 전설을 인용함. – 남녀 간의 사랑의 행위를 비유함.
사랑도 그지업고 연분(緣分)도 깁흘시고
그지업고: 끝이 없고
이 사랑 이 연분(緣分)을 비(比)할 데도 전혀 업다.

▶ 본사 1: 야유원의 여인과 사랑을 나눔.

현대어 풀이 여자의 정을 나타내는 은근한 눈짓을 보내고 거문고 비스듬히 안아 맑고 청아한 노래 한 곡으로 봄의 흥취을 자아내니 양대 위에서 선녀와 운우지정(남녀 간의 사랑 행위)을 나누던 초나라 왕의 꿈이 다정하구나. 사랑도 끝이 없고 인연도 깊구나. 이 사랑 이 인연을 비할 데도 전혀 없다.

두 손목 마조 잡고 평생(平生)을 언약(言約)함이
여인과 영원한 사랑을 약속함.
너난 죽어 곳치 되고 나는 죽어 나뷔 되야
대구법 – 남녀 간의 영원한 사랑
청춘(靑春)이 진(盡)하도록 떠나사자 마자터니
진하도록: 다하도록
인간(人間)의 일이 하고 조물(造物)조차 새암하야
새암하야: 시샘하여
신정 미흡(新情未洽)하야 애달을손 이별(離別)이라.
신정 미흡: 새로운 정을 다 펴지 못함. / 애달을손: 애달프지만
「청강(淸江)의 떳난 원앙(鴛鴦) 우러 녜고 떠나는디
광풍(狂風)의 놀난 봉접(蜂蝶) 가다가 돌티난 듯」
광풍: 거센 바람 / 봉접: 벌과 나비

◯: 화자와 여인의 모습을 비유한 소재
「」: 대구법, 비유법 – 화자와 여인이 이별한 상황을 자연물에 빗대어 표현함.

작품 한눈에 보기

봄날 술을 마시고 야유원에 감.
↓
여인과 사랑을 나누고 이별함.
↓
입신양명하여 임과 재회하길 기약함.

출제 포인트

■ 표현상의 특징

① 시간의 흐름에 따라 시상을 전개함.

② 자연물을 활용하여 화자의 정서를 드러냄.

본사 2	화자와 여인을 모습을 '원앙'과 '봉접' 등에 빗대어 표현함.
본사 6	'편월', '오동', '잘새', '제비', '나뷔' 등을 화자의 분신으로 표현함.

③ 대구법, 비유법, 설의법 등 다양한 표현 방법을 활용함.

■ 화자의 정서와 태도

- 신정 미흡하야 애달을손 이별이라 (본사 2).
- 슯흐다 뎌 새소리 내 말갓치 불여귀다(본사 3).

↓

여인과의 이별하여 슬픔을 느낌.

일신의 병이 되고 만사의 무심하여 (본사 3)
↓
여인과 이별하여 세상사에 무심해짐.

수능 필수 개념 플러스

"「춘면곡」의 의미"

「춘면곡」은 '봄잠을 잔 후의 노래'를 의미하지만 내용상을 고려하면 '사랑한 후의 노래'라는 의미로 볼 수 있다.

어휘 풀이

* 만정: 뜰에 무엇이 가득함. 또는 그 뜰
* 광객: 미친 사람 또는 말이나 행동이 미친 사람처럼 일상의 이치에서 벗어난 사람
* 배회 고면: 아무 목적도 없이 거닐면서 여기저기 돌아봄.

석양(夕陽)은 재를 넘고 정마(征馬)난 자조 울 제
먼 길을 갈 때에 타는 말 ㄴ자주
나삼(羅衫)을 뷔여잡고 암연(黯然)히 여흰 후(後)의
비단으로 만든 옷 소매 / 슬프고 침울하게
슯흔 노래 긴 한숨을 벗을 삼아 도라오니
여인과 헤어진 화자의 슬픔, 안타까움
이제 임(任)이어 생각하니 원수(怨讐)로다. ▶ 본사 2: 임과 이별하고 돌아옴.

현대어 풀이 두 손목을 마주 잡고 평생을 약속함이 너는 죽어 꽃이 되고 나는 죽어 나비가 되어 청춘이 다하도록 떠나서 살지는 말자 했더니, 인간의 일이 많고 조물주조차 시샘하여 새로운 정을 다 펴지 못하여 애달플 것은 이별이라. 맑은 강에 놀던 원앙 울며 떠나는데, 세찬 바람에 놀란 벌과 나비 가다가 돌아보는 듯, 석양은 재를 넘고 나그네의 말은 자주 울 때, 비단 옷 소매를 부여잡고 어둡고 침울하게 이별한 후에 슬픈 노래 긴 한숨을 벗으로 삼아 돌아오니, 이제 임하여 생각하니 원수로다.

썩으니
간장(肝臟)이 다 셕그니 목숨인들 보전(保全)하랴.
간과 창자 / 그리움으로 애가 탐.
일신(一身)의 병(病)이 되고 만사(萬事)의 무심(無心)하여
상사병 / 여인에 대한 그리움으로 세상일에 관심이 없어짐.
서창(書窓)*을 구지 닫고 섬거이 누어시니
힘없이
화용월태(花容月態)난 안중(眼中)의 암암(黯黯)하고
꽃 같은 얼굴과 달 같은 자태 / 아른거리고
분벽창(粉壁窓)은 침변(枕邊)에 의의(依依)하야
아름다운 여인이 거처하는 방 / 베갯머리 / 떠올라
「화총(花叢)의 노적(露滴)하니 별루(別淚)를 뿌리는 듯 「」: 이별의 슬픔을 자연물에 빗대어 표현함.
꽃 떨기 / 이슬이 방울져 떨어짐. / 이별의 눈물
유막(柳幕)의 연롱(煙籠)하니 이한(離恨)*을 먹음은 듯」
버들막 / 안개가 짙게 끼니
공산야월(空山夜月)의 두견(杜鵑)이 제혈(啼血)한 제
사람 없는 빈산에 비치는 달 / 화자의 감정을 이입한 대상
슯흐다 뎌 새소리 내 말갓치 불여귀(不如歸)다. ▶ 본사 3: 임과 이별한 슬픔
'돌아감만 못하다'를 의미하며 두견새의 울음소리를 뜻함.

현대어 풀이 간장이 다 썩으니 목숨인들 보전하겠는가? 몸의 병이 되고 온갖 일에 무심하여 서창을 굳게 닫고 힘없이 누워 있으니, 꽃 같은 얼굴과 달 같은 자태는 눈앞에 아른거리고, 아름다운 여인이 거처하는 방이 베갯머리에 아른거리고, 꽃떨기에 이슬이 떨어지니 이별의 눈물을 뿌리는 듯, 버들가지가 휘장을 두른 듯한 속에 안개가 짙게 끼니 이별의 한을 머금은 듯, 빈산의 달밤에 두견이 피를 토하고 울 때, 슬프다 저 새소리 내 말같은 두견이로구나.

삼경(三更)에 못든 잠을 사경말(四更末)에 비러 드러
밤 11시~1시 / 새벽 1시~3시 말
상사(相思)*하던 우리 님을 꿈 가운데 해후(邂逅)*하니
소망을 성취하는 공간
천수만한(千愁萬恨) 못다 닐너 일장호접(一場蝴蝶) 흐터지니
천 가지 수심과 만 가지 한 → 이별의 한 / 허무한 꿈
아릿다온 옥빈홍안(玉鬢紅顔) 겯에 얼풋 안잣는 듯
옥 같은 귀밑머리와 아름다운 얼굴
어화 황홀(恍惚)하다 꿈을 생시(生時) 삼고지고.
현실
무침 허희(無寢噓唏)하야 바삐 니러 바라보니
자지 않고 탄식함
운산(雲山)은 첩첩(疊疊)하야 천리몽(千里夢)을 가려있고
화자와 임 사이의 장애물 / 임을 향한 마음
호월(皓月)은 창창(蒼蒼)하야 님 향심(向心)에 비취였다. ▶ 본사 4: 임의 꿈을 꾸고 탄식함.
흰 달-화자의 정서를 심화시키는 객관적 상관물

현대어 풀이 한밤중에 들지 못한 잠을 사경 말에 비로소 들어, 그리워하던 우리 임을 꿈속에서 우연히 만나니, 시름과 한을 못다 말하여 허무하게 꿈을 깨니, 아리따운 여인의 젊은 얼굴 곁에 얼핏 앉아 있는 듯 아 황홀하다 꿈을 현실로 삼고 싶구나. 잠 못 들어 탄식하고 바삐 일어나 바라보니 구름 낀 산은 첩첩하여 천리의 꿈을 가리었고, 흰 달은 창창하여 임을 향한 마음을 비추었다.

「가기(佳期)는 격절(隔絕)*하고 세월이 하도할사
임과의 좋은 시절
엇그제 곳이 안류변(岸柳邊)의 붉엇더니 「」: 시간의 흐름(봄 → 가을)
강 언덕의 버드나무 가
그 덧의 홀홀하야 낙엽 추성(落葉秋聲)이라.」
그 사이에 재빠르게 / 잎이 떨어지는 가을 소리

출제 포인트

■ '꿈'의 역할(본사 4)

상황	삼경에 못든 잠을 사경말에 비러 드러
태도	연인과 이별하여 슬픔을 느끼며 잠을 이루지 못함. → 전전반측(輾轉反側, 누워서 몸을 이리저리 뒤척이며 잠을 이루지 못함.)

■ 화자의 상황과 태도(본사 4)

임과의 이별로 인한 시름과 한(恨)
↓
화자의 고뇌와 괴로움을 '꿈'을 통해 해소하고자 함.
↓
그리워하는 임을 꿈에서 다시 만남.

수능 필수 개념

"불여귀(不如歸)"

'두견'을 의미한다. 중국 촉나라의 망제는 간신에게 나라를 빼앗기고 쫓겨난 후, 다시는 돌아가지 못하는 제 신세를 한탄하며 울다가 죽었다. 이러한 망제의 혼은 두견새가 되어 밤마다 '불여귀(不如歸)'를 울부짖으며 목구멍에서 피가 나도록 울었다고 한다. '불여귀'는 '두견이', '접동새', '귀촉도', '자규' 등으로 불리기도 하며, 우리 고전 시가에서는 화자가 감정을 이입하는 대상으로 자주 나타난다.

수능 필수 개념 플러스

"「춘면곡」의 특이점"

「춘면곡」은 남성 화자가 여인과 사랑을 하고 평생 같이 지내자는 언약까지 했으나 결국 이별하게 되고, 이후 이별의 슬픔을 토로하며 재회를 다짐하는 내용으로 구성되어 있다. 여성 화자 중심의 다른 고전 시가와는 다르게 남성 화자가 느끼는 이별의 비애를 진솔하게 토로하고 있다는 데에 의의가 있다.

어휘 풀이

* 서창: 서재에 나 있는 창
* 이한: 이별의 한
* 상사: 서로 생각하고 그리워함.
* 해후: 오랫동안 헤어졌다가 뜻밖에 다시 만남.
* 격절: 서로 사이가 떨어져서 연락이 끊어짐.

새벽서리 디난 달의 외기러기 슯히울 제
지는　　　화자의 감정이 이입된 대상
반가온 님의 소식(消息) 행혀 올가 바라더니
창망(滄茫)한 구름 밧긔 뷘소리 뿐이로다
아득한　　화자의 정서를 심화시키는 객관적 상관물
지리(支離)타 이 이별(離別)이 언제면 다시 볼고.　▶ 본사 5: 시간의 흐름과 임에 대한 기다림
지루하다

현대어 풀이　좋은 시절은 끊어지고 세월이 많이 흘러서, 엊그제 꽃이 강 언덕의 버들 가에 붉었더니, 그동안에 세월이 빨리 지나가서 잎 떨어지는 가을의 소리라. 새벽 서리 지는 달에 외기러기 슬피 울 때 반가운 임의 소식 행여 올까 바랐더니 아득한 구름 밖에 빗소리뿐이로다. 지루하다 이 이별이 (끝나) 언제면 다시 볼까.

어화 내일이야 나도 모를 일이로다
이리저리 그리면서 어이 그리 못 가는고
약수(弱水) 삼천 리(三千里) 머닷 말이 이런 대를 일러라
신선이 사는 땅에 있다는 강 이름. 화자와 임을 가로막는 장애물
[A] 「산두(山頭)의 편월(片月) 되야 님의 낯이 비취고져 □: 화자의 분신
조각달
석상(石上)의 오동(梧桐) 되야 님의 무릅 베이고져
오동나무로 만든 거문고
공산(空山)의 잘새 되야 북창(北窓)의 가 울니고져
임이 계신 곳
옥상(屋上) 조양(朝陽)의 제비 되야 날고지고
아침 해
옥창(玉窓) 앵도화(櫻桃花)에 나뷔 되여 날고지고」 「」: 대구법, 비유법
여인의 방
태산(泰山)이 평지(平地) 되도록 금강(錦江)이 다 마르나
과장법 – 임과 이별한 슬픔과 임에 대한 그리움
평생(平生) 슯흔 회포(懷抱)* 어대를 가올하리　▶ 본사 6: 임에 대한 그리움
비교하겠는가

현대어 풀이　아아 내 일이야 나도 모를 일이로다. 이리저리 그리워하면서 어찌 그렇게 못 가는가. 약수 삼천 리 멀다는 말이 이런 것을 말하는구나. 산꼭대기의 조각달 되어 임의 얼굴에 비추고 싶구나. 돌 위의 오동나무 되어 임의 무릎을 베고 싶구나. 빈 산에 잘새 되어 북창에 가서 울고 싶구나. 집 위 아침 햇살에 제비 되어 날고 싶구나. 옥창 앵두꽃에 나비 되어 날고 싶구나. 태산이 평지가 되도록 금강이 다 마르도록 평생의 슬픈 회포를 어디에다가 견주리오.

서중유옥안(書中有玉顔)은 나도 잠간(暫間) 들엇으니
책 속에 얼굴이 예쁜 여인이 있음. – 공부를 열심히 하면 아름다운 아내를 얻을 수 있음.
마음을 고쳐먹고 강개(慷慨)*를 다시 내야
장부(丈夫)의 공업(功業)을 긋긋이 이룬 후(後)의
입신양명　　끝까지
그제야 님을 다시 맛나 백년(百年) 살녀하노라　▶ 결사: 임과 재회하기를 기약함.
임과의 재회를 기약함.

현대어 풀이　글을 부지런히 읽어 공부를 잘하면 아름다운 아내를 얻을 수 있다는 말은 나도 잠깐 들었으니, 마음을 다시 먹고 의기를 다시 내어, 대장부의 공적이 뚜렷한 사업(입신양명)을 끝까지 이룬 후에 그제서야 임을 다시 만나 백년을 살려 하노라.

출제 포인트

■ 시어의 의미

	시어	시어의 의미
본사 2	원앙, 봉접	화자와 여인의 모습
본사 3, 5	두견, 외기러기	여인과 이별한 화자의 감정을 이입한 대상
본사 4	운산, 약수	화자와 임 사이의 장애물
본사 4, 5	호월, 뷘소리	화자의 정서를 심화시키는 객관적 상관물
본사 6	편월, 오동, 잘새, 제비, 나뷔	하자의 분신

수능 필수 개념 플러스

"「자술」과의 비교"

남성 화자의 목소리로 임을 그리는 내용의 고전 시가는 「춘면곡」과 「자술」이 있다. 두 작품을 비교하면 다음과 같다.

	춘면곡	자술
갈래	가사	한시
주제	이별의 슬픔과 임에 대한 그리움	임에 대한 간절한 그리움
특징	① 자연물을 통해 화자의 정서를 드러냄. ② 여인과의 이별로 인한 슬픔을 솔직하게 드러냄.	① 가정법을 활용하여 현실에서 꿈으로 내용을 전환함. ② 과장법을 활용하여 화자의 그리움을 표현함.

어휘 풀이
* 회포: 마음속에 품은 생각이나 정(情)
* 강개: 의롭지 못한 것을 보고 의기가 북받쳐 원통하고 슬픔.

1 작품 이해

이 작품은 이별한 여인을 그리워하며 공명을 이룬 후 다시 만나겠다는 다짐을 담은 가사이다. 많은 고전 시가가 여성 화자의 목소리로 전개되지만, 「춘면곡」은 남성 화자가 자신의 정서를 노래하고 있다는 점이 특이하다. 봄날 야유원에 갔다가 여인을 만나 사랑을 하고 이별을 맞은 화자는 이별로 인한 슬픔으로 괴로워하다가 입신양명 후에 여인과 재회하기를 기약하고 있다.

• 갈래: 가사　　• 성격: 서정적, 애상적

• 주제: 이별의 슬픔과 임에 대한 그리움
• 시적 상황　□□□에서 여인을 만나 사랑을 하고 이별한 후에 그리워하고 있음.
• 정서와 태도　임과의 이별로 슬퍼하던 화자는 장부의 □□(입신양명)을 이룬 후에 임과 다시 만나 백년을 살겠다고 다짐하고 있음.

정답: 야유원, 공업

2 내용 확인

1 맞는 내용이면 ○표, 틀린 내용이면 ×표 하시오.

① 윗글의 화자는 여성으로, 부재하는 임을 그리워하고 있다. (　　)

② 본사 2의 '원앙'은 화자가 부러워하는 대상으로, 화자의 처지와 대비되는 존재이다. (　　)

2 화자와 임 사이를 가로막는 장애물을 의미하는 시어를 '본사 6'에서 찾아 쓰시오.

➡ (　　　　　　　　　　)

3 과장된 표현을 활용하여 화자의 정서를 부각하고 있는 시구를 본사 6에서 찾아 쓰시오.

➡ (　　　　　　　　　　　　　　　　　　　　　　　　　　　　　)

내용 확인 도우미

1 ① 윗글의 화자는 여인과 이별 후에 여인을 그리워하는 남성 화자이다.
② '원앙'과 '봉접'은 화자와 여인의 모습을 비유적으로 표현한 소재이다.

2 '약수'는 사람이 건널 수 없는 전설 속 강으로, 화자와 임 사이를 가로막는 장애물을 의미한다.

3 본사 6의 '태산이 평지 되도록 금강이 다 마르나'에서는 임과 이별한 슬픔과 임에 대한 그리움을 과장법을 통해 표현하고 있다.

정답 1 ① × ② ×　2 약수　3 태산이 평지 되도록 금강이 다 마르나

3 실전 Test

• 정답 60쪽

01 윗글에 대한 설명으로 적절하지 않은 것은?

① 4음보의 율격을 사용하여 리듬감을 형성하고 있다.

② 현재와 과거를 교차하여 사건의 긴박감을 나타내고 있다.

③ 꿈 속 장면을 삽입하여 환상적인 분위기를 조성하고 있다.

④ 객관적 상관물을 활용하여 화자의 정서를 심화시키고 있다.

⑤ 자연물을 활용하여 임에 대한 화자의 마음을 드러내고 있다.

02 [보기]를 참고하여 [A]를 감상한 내용으로 적절하지 않은 것은? 기출 문제

보기

시조나 가사에는, 임과 헤어져 있는 화자가 어떤 특정한 자연물로 다시 태어나서 임의 곁에 머물고 싶다는 진술이 흔히 나타난다. 이러한 진술은 화자의 소망을 강조하기 위한 관습적 표현인데, 그 속에는 당대인들의 세계관이 투영되어 있다. 인간과 자연이 깊은 관련을 맺으며 조화를 이룬다는 인식, 현세의 인연이 후세로 이어질 수 있다는 순환적 인식 등이 그것이다. 시가에 담긴 이러한 인식은 화자가 현실의 고난이나 결핍을 극복하는 데 도움을 준다.

① 관습적인 표현을 활용한 것은 개인적 정서를 보편적인 것으로 느끼게 하는 데 효과적이었겠어.

② 비슷한 의미 구조를 지니는 구절을 거듭 제시함으로써 화자의 소망이 간절함을 강조하고 있어.

③ '오동', '제비', '나뷔' 등이 사용된 데서, 인간과 자연이 관련되어 있다는 화자의 인식을 엿볼 수 있어.

④ '편월'이나 '잘새' 같은 소재에는 '님'과 함께 크고 넓은 세계로 도약하려는 화자의 희망이 담겨 있어.

⑤ 자연물로 변해서라도 '님'과 만나려 하는 것을 보니 화자가 '님'과 만나기 어려운 상황에 놓여 있음을 알 수 있어.

실전 Test Guide

01 표현상의 특징과 그로 인한 효과를 파악할 수 있는지 확인하는 문제이다. 화자가 시적 대상에 관한 생각과 정서를 드러내기 위해서 어떤 표현 방법을 사용하고 있는지 살펴 보도록 한다.

02 관습적인 표현에 대한 설명을 바탕으로 제시문을 적절히 감상할 수 있는지 평가하는 문제이다. [보기]에서 설명한 관습적 표현을 이해하고, 이를 바탕으로 제시문에 드러난 화자의 정서와 인식, 태도 등을 추측해 보도록 한다.

잡가 139

유산가(遊山歌)_작자 미상

「화란 춘성(花爛春城)하고 만화방창(萬化方暢)이라.」 「」: 봄을 알리는 상투적인 한문구 → 상층문학을 모방함.
꽃이 활짝 피어 봄 성에 가득함. / 온갖 사물이 화창하게 피어남.
때 좋다 벗님네야, 산천경개(山川景漑)를 구경을 가세. ▶ 서사: 산천경개 구경 권유
청자 / 청유형, 향락적 태도 – 화자의 의도를 제시함.

현대어 풀이 꽃이 활짝 피어 봄 성에 가득하고 만물이 바야흐로 화창하게 피어난다. 시절이 좋구나. 세상 사람들이여, 산천의 경치를 구경 가자.

대나무 지팡이와 짚신, 먼 길을 떠날 때의 간편한 차림새
죽장망혜(竹杖芒鞋) 단표자(單瓢子)로 천리 강산을 들어를 가니,
한 개의 표주박
만산 홍록(滿山紅綠)들은 일 년 일도(一年一度) 다시 피어 □: 봄의 계절감을 드러내는 소재
온 산에 가득한 붉은 꽃과 푸른 나뭇잎 / 일 년에 한 번씩
춘색(春色)을 자랑노라 색색이 붉었는데,
음수율을 맞추기 위해 반복함.
창송 취죽(蒼松翠竹)은 창창울울(蒼蒼鬱鬱)한데,
푸른 소나무와 대나무
기화요초(琪花瑤草) 난만 중(爛漫中)에 꽃 속에 잠든 나비 자취 없이 날아난다.
옥같이 고운 풀에 핀 구슬같이 아름다운 꽃
「유상앵비(柳上鶯飛)는 편편금(片片金)이요, 「」: 대구법, 은유법
버드나무 위에서 나는 꾀꼬리 / 금 조각
화간접무(花間蝶舞)는 분분설(紛紛雪)이라.」
꽃 사이에서 춤추는 나비
삼춘가절(三春佳節)이 좋을씨고. 도화만발 점점홍(桃花滿發點點紅)이로구나.
봄에 대한 화자의 감정을 직설적으로 드러냄. / 복숭아꽃은 만발하여 점점이 붉어 있음 → 동양적 이상향인 '무릉도원'을 연상시킴.
어주 축수 애삼춘(漁舟逐水愛三春)이어든 무릉도원(武陵桃源)이 예 아니냐.
고기잡이배를 타고 물길을 따라 가며 봄을 즐김(왕유의 「도원행」에서 인용한 구절). / 도연명의 「도화원기」에 나오는 동양적 이상향
양류 세지 사사록(楊柳細枝絲絲綠)하니 황산 곡리 당춘절(黃山谷裏當春節)에
버드나무의 가는 가지가 실처럼 늘어져 푸름. / 황산의 골짜기 안에서 봄을 맞이함.
연명 오류(淵明五柳)가 예 아니냐. ▶ 본사 1: 봄의 화려한 경치 묘사
도연명이 은거 후에 마당에 버드나무 다섯 그루를 심고 스스로를 오류 선생이라 칭한 것에서 유래한 고사

현대어 풀이 대나무 지팡이를 짚고 짚신을 신고 표주박 하나를 가지고 천리 강산을 들어가니, 온 산에 가득한 붉은 꽃과 푸른 나뭇잎들은 일 년에 한 번씩 다시 피어 봄 색깔을 자랑하느라고 색깔마다 붉었는데, 푸른 소나무와 대나무는 울창하고, 아름다운 꽃과 풀이 만발하여 흐드러진 가운데 꽃 속에 잠든 나비가 사뿐하게 날아오른다. 버드나무 위에 나는 꾀꼬리는 마치 금 조각 같고, 꽃 사이에서 춤추는 나비는 어지러이 흩날리는 눈송이 같구나. 봄 석 달의 아름다운 계절이 참으로 좋도다. 복숭아꽃이 만발해서 여기저기 붉었구나. 고기잡이배를 타고 물을 따라 올라가며 봄을 즐기니 무릉도원이 바로 여기가 아니겠는가. 버드나무 가느다란 가지들이 실처럼 늘어져 푸르고 황산의 골짜기 안에서 봄을 맞았으니 도연명이 다섯 그루의 버드나무를 심었다는 곳이 여기가 아니겠는가.

[A]
제비는 물을 차고, 기러기 무리져서
계절의 변화(겨울 → 봄), 제비가 돌아오고 기러기가 떠나려 함.
거지중천(居之中天)에 높이 떠서 두 나래 훨씬 펴고,
하늘 한복판에 위치함.
펄펄펄 백운간(白雲間)에 높이 떠서 천리강산 머나먼 길을 어이 갈꼬 슬피 운다.
의태어 / 흰 구름 사이 / 상투적인 표현으로, 작품 전체의 정서와는 이질적임.
「원산(遠山)은 첩첩(疊疊), 태산(泰山)은 주춤하여, 「」: 의인법, 대구법, 의태어 등을 활용함. – 자연 경치를 실감나게 묘사함, 원경에서 근경으로 시선을 이동하며 경치를 묘사함.
의태어 / 우뚝 서 있으며
기암(奇岩)은 층층(層層), 장송(長松)은 낙락(落落),
기이한 바위 / 의태어 / 가지가 크고 길어 축 늘어짐.
에이 구부러져 광풍(狂風)에 홍을 겨워 우줄우줄 춤을 춘다.」
조금 휘어져 구부러져 / 사나운 바람 / 의인법
「층암 절벽상(層岩絶壁上)의 폭포수(瀑布水)는 콸콸,
층층이 바위가 쌓여 있는 절벽 / 의성어
수정렴(水晶簾) 드리운 듯, 이 골 물이 주루루룩, 저 골 물이 쏼쏼,
수정으로 만든 발(원관념 – 폭포) / 의성어 / 의성어
열에 열 골 물이 한데 합수(合水)하여
여러 물길이 하나로 합쳐짐. 「」: 의성어, 비유법, 열거법 – 폭포수의 장관을 생동감 있게 묘사함.
천방져 지방져 소쿠라지고* 펑퍼져*, 넌출지고* 방울져,
열거법 – 순우리말 표현을 활용하여 폭포수가 흘러내리는 모습을 역동적으로 표현함.
저 건너 병풍석(屛風石)으로 으르렁 콸콸 흐르는 물결이 은옥(銀玉)같이 흩어지니,」
병풍 모양의 바위 / 의성어 / 직유법 – 물방울

작품 한눈에 보기

시상의 도입	봄 경치를 구경가자고 권함.
시상의 구체화	• 봄의 화려한 경치를 나열함. • 철새를 통한 계절의 변화를 묘사함. • 산, 바위, 나무의 원경과 근경 • 폭포의 장엄한 경관 완상
시상의 마무리	• 봄 경치 완상을 마침. • 아름다운 경치를 감탄함.

출제 포인트

■ 표현상의 특징
① 자연물을 열거하여 계절감을 드러내고 있음.
② 고사를 활용하여 화자의 생각을 강조함.

도화만발 점점홍(桃花滿發點點紅) 양류 세지 사사록(楊柳細枝絲絲綠) = 무릉도원(武陵桃源) 연명 오류(淵明五柳) 기산 영수(箕山潁水)
↓
화자가 즐기는 경치가 매우 아름다운 절경이라는 생각을 강조함.

③ 대구법, 비유법, 설의법 등을 활용하여 화자의 정서를 드러냄.
④ 상투적인 한자어 표현과 순우리말 표현이 혼용되고 있음.
⑤ 의태어, 의성어 등을 사용하여 생동감을 부여함.

어휘 풀이
* 소쿠라지고: (아주 빠른 물결이) 굽이쳐 용솟음치고
* 펑퍼져: 물이 옆으로 펀펀하게 흐르는 모양
* 넌출지고: 급한 물결이 넘실거리는 모양

└ 소부 허유(巢父許由) 문답하던 기산 영수(箕山潁水)가 예 아니냐.
소부와 허유(중국 요 임금 때의 은자) 소부와 허유가 은거했던 곳(이상향) 설의법
「주곡제금(奏穀啼禽)은 천고절(千古節)이요, 「」: 대구법
주곡주곡 우는 주걱새(두견새) 천고의 절개
적다정조(積多鼎鳥)는 일년풍(一年豊)이라.」 ▶ 본사 2: 봄의 경치와 폭포의 장관 완상
소쩍새 일 년의 풍년을 미리 알림.

현대어 풀이 제비는 물을 차고, 기러기는 무리를 지어 하늘 한복판에 높이 떠서 두 날개를 활짝 펴고, 펄펄펄 흰 구름 사이에 높이 떠서 천 리 강산 먼 길을 어찌 갈까 슬피 운다. 먼 산은 겹겹이 싸여 있고 큰 산은 우뚝 솟았으며, 기이한 바위는 층층이 쌓였고, 큰 소나무는 축축 늘어지고 조금 구부러져서 사나운 바람에 흥을 못 이겨 우줄우줄 춤을 춘다. 층층의 바위 절벽 위에 폭포수는 콸콸 쏟아지는데 마치 수정으로 만든 발을 드리운 듯, 이 골짜기 물이 주루루룩 저 골짜기 물이 쏼쏼 흘러내리고 열 골짜기의 물이 한곳에 합쳐져서 천방지방으로 용솟음치고 펀펀하게 흐르고 넘실거리며 방울을 이루어 저 건너편 병풍석으로 콸콸 소리를 내며 흐르는 물결이 은옥 같이 흩어지니 소부와 허유가 서로 문답하던 기산과 영수가 여기가 아니겠느냐? 주걱새 울음소리는 영원히 변치 않는 절개를 알리고 소쩍새 울음소리는 한 해의 풍년이 들 징조를 미리 알리는구나.

경치가 끝없이 펼쳐져 아름다움
일출 낙조(日出落照)가 눈앞에 벌여나 경개 무궁(景槪無窮) 좋을씨고.
해 뜨는 광경과 해 지는 광경 ▶ 결사: 자연의 무궁한 아름다움에 대한 감탄

현대어 풀이 아침에 뜬 해가 낙조가 되어 눈앞에 펼쳐지니, 경치가 끝이 없이 좋구나.

출제 포인트

■ 화자의 태도

본사 1	무릉도원이 예 아니냐. 연명 오류 예 아니냐
본사 2	기산 영수가 예 아니냐

⬇

자연에 대해 예찬함.

수능 필수 개념

"잡가(雜歌)"
민요적 성격의 노래로, 가사보다는 다양한 형식으로 세속적이고 유흥적인 감정을 표현한 노래이다. 조선 후기 가사의 정형성이 무너지면서 나타난 시가 형식이다. 「유산가」는 서울을 중심으로 불렸던 12잡가 중 대표작으로 꼽힌다.

1 작품 이해

이 작품은 화창한 봄날을 맞이하여 아름다운 경치를 완상하며 풍류를 즐기는 모습을 노래한 잡가이다. 다양한 표현 방법과 의성어, 의태어를 사용하여 생동감 넘치는 봄의 경치와 거기에서 느끼는 흥취를 노래하고 있다.

• 갈래: 잡가 • 성격: 풍류적, 서정적, 향락적, 영탄적, 감각적

• 주제: 봄의 아름다운 경치 완상과 예찬
• 시적 상황 □을 맞이하여 경치를 즐기며 구경하고 있음.
• 정서와 태도 봄 경치를 흥겹게 즐기며 아름다움을 □□하고 있음.

정답: 봄, 예찬

2 내용 확인

1 맞는 내용이면 ○표, 틀린 내용이면 ×표 하시오.
① 화자는 부정적인 현실에서 벗어나고자 하는 의지를 드러내고 있다. ( )
② 상투적인 한문구를 활용하여 계절감을 드러내고 있다. ( )

내용 확인 도우미

1 ① 화자는 봄 경치를 구경하며 즐길 뿐, 부정적 현실을 벗어나려 하고 있지 않다.
② 서사의 '화란 춘성', '만화방창' 등의 시어를 활용하여 계절감을 표현하였다.

정답 1 ① × ② ○

3 실전 Test

• 정답 60쪽

01 윗글의 표현상 특징으로 적절하지 않은 것은?
① 시선의 이동에 따라 시상을 전개하고 있다.
② 대구를 활용하여 리듬감을 만들어 내고 있다.
③ 비유적 표현으로 대상의 이미지를 형상화하고 있다.
④ 역설적 표현을 사용하여 화자의 정서를 강조하고 있다.
⑤ 의성 · 의태어를 다채롭게 구사하여 생동감을 살리고 있다.

02 [A]의 전개 방향에 대한 설명으로 적절하지 않은 것은? 기출 문제
① 비애의 정서에서 유흥의 정서로 나아가고 있다.
② 후반부로 가면서 3 · 4조의 율격이 파괴되고 있다.
③ 화자의 시선이 원경에서 근경으로 옮아가고 있다.
④ 후반부에서는 대상에 대한 묘사가 보다 구체적으로 드러난다.
⑤ 후반부로 갈수록 시각적 이미지와 청각적 이미지가 두드러진다.

실전 Test Guide

01 표현상의 특징과 그로 인한 효과를 파악할 수 있는지 평가하는 문제이다. 제시문에 나타난 표현상의 특징을 확인한 후 선택지의 적절성을 판단해 보도록 한다.

02 시상 전개 방식을 파악할 수 있는지를 확인하는 문제이다. [A]의 내용과 표현 방식, 화자의 정서 등을 살펴보도록 한다.

한시 **140**

산민(山民) _ 김창협

下馬問人居 하마문인거	말에 내려 인가를 찾아가 보니	
婦女出門看 부녀출문간	아낙네 문간에 나와 맞이하네. (인가: 사람이 사는 집)	
坐客茅屋下 좌객모옥하	띠집 처마 아래 손을 앉게 하고 (띠집: 풀로 지붕을 얹은 집 / 손: 손님(= 화자))	
爲我具飯餐 위아구반찬	나를 위해 밥과 반찬 내어 오네. (아낙네의 인정 어린 모습)	▶ 1~4구: 산골 민가를 방문함.
丈夫亦何在 장부역하재	남편은 어디에 나가 있냐 하니 (화자의 질문)	
扶犁朝上山 부리조상산	「아침에 따비를 메고 산에 올라 (「」: 아낙의 대답(힘겨운 노동으로 인한 고달픈 생활) / 따비: 풀뿌리를 뽑거나 밭을 가는 데 쓰는 농기구)	
山田苦難耕 산전고난경	산밭을 일구느라 고생을 하며	
日晩猶未還 일만유미환	저물도록 돌아오지 못한다네.」	▶ 5~8구: 산골에 사는 백성의 고된 삶
四顧絶無隣 사고절무린	「사방을 둘러봐도 이웃은 없고 (「」: 산골 생활의 외로움)	
鷄犬依層巒 계견의층만	개와 닭도 산기슭에 의지해 사네.」	
中林多猛虎 중림다맹호	「숲 속에는 사나운 호랑이 많아 (「」: 산골 생활의 무서움)	
採藿不盈盤 채곽불영반	나물도 마음대로 못 뜯는다네.」	▶ 9~12구: 산골 생활의 외로움과 무서움
哀此獨何好 애차독하호	슬프다, 외딴 살림 어찌 좋으리. (감정을 직접적으로 표출함.)	
崎嶇山谷間 기구산곡간	험하고 험한 ⓐ산골짜기에서…… (외롭고 척박한 공간)	
樂哉彼平土 낙재피평토	「평지에 살면 더없이 좋으련만」 (「」: 산민의 바람 / 평지: 환경은 좋지만 관리들의 횡포가 있는 공간)	
欲往畏縣官 욕왕외현관	가고 싶어도 벼슬아치 두렵다네. (벼슬아치의 수탈이 산골 생활의 고통보다 더 두려움. – 가정맹어호(苛政猛於虎), 가렴주구(苛斂誅求))	▶ 13~16구: 관리들의 수탈로 인한 백성들의 고달픈 삶

작품 한눈에 보기

산골짜기	↔	평지
• 하루 종일 일해야 함. • 이웃이 없어 외로움. • 호랑이가 많아 위험함.		벼슬아치의 수탈과 횡포가 있음.

↓

평지보다 산골짜기를 선택함.
→ 관리들의 횡포로 인한 고통이 산속 생활이 주는 두려움보다 심함.

출제 포인트

■ 화자의 정서와 태도
① 산골짜기에서 고달프게 살아가는 백성들을 바라보며 연민을 느낌.
② 호랑이보다 무섭게 백성들을 수탈하는 벼슬아치들을 비판함.

1) 작품 이해

이 작품은 관리들의 가혹한 수탈로 고달프게 살아가는 백성들의 삶을 그린 한시이다. 화자는 평지에서 살지 못하고 척박한 환경인 산골짜기에서 고된 노동을 하며 살아가는 백성들을 연민 어린 시선으로 바라보며 수탈을 일삼는 관리들을 비판하고 있다.

- 갈래: 한시(오언 배율)
- 성격: 사실적, 비판적, 현실 고발적
- 주제: 산골 사람들에 대한 연민과 벼슬아치들의 횡포 비판
- 시적 상황 우연히 □□□□에 외따로 떨어진 집을 방문하여 그 집 아낙네와 산골 생활의 어려움에 대한 대화를 나누고 있음.
- 정서와 태도 산골에서 고달프게 살아가는 백성들의 삶에 연민을 느끼면서 백성들을 가혹하게 수탈하는 벼슬아치를 □□하고 있음.

정답: 산골짜기, 비판

2) 내용 확인

1 맞는 내용이면 ○표, 틀린 내용이면 ×표 하시오.

① 백성들은 벼슬아치의 수탈이 없는 산골짜기에서의 삶에 만족하고 있다. (   )
② 화자는 산골짜기에서 고달프게 살아가는 백성들의 모습을 보고 자신의 감정을 직접적으로 드러내고 있다. (   )

2 '아낙네'가 평지에 살지 못하는 이유가 직접적으로 드러난 시구를 찾아 쓰시오.

➡ (   )

내용 확인 도우미

1 ① 6~12구에서는 산골짜기에서의 삶을 고달프고 외로우며 위험한 것으로 묘사하고 있다. 따라서 백성들이 그러한 삶에 만족한다고 보기는 어렵다.
② 화자는 13구에서 백성들의 삶을 보고 '슬프다'라고 하였다.

2 마지막 구에서 '아낙네'는 벼슬아치가 두려워 평지에 살지 못함을 말하고 있다.

정답 1 ① × ② ○ 2 가고 싶어도 벼슬아치 두렵다네.

3 실전 Test

• 정답 61쪽

01 윗글에 대한 설명으로 가장 적절한 것은?

① 유사한 이미지를 통해 주제를 드러내고 있다.
② 대상을 의인화하여 친밀감을 드러내고 있다.
③ 공간 이동에 따른 정서의 변화를 나타내고 있다.
④ 화자와 대화 상대 사이의 갈등을 드러내고 있다.
⑤ 인물의 행동을 구체적으로 표현하여 현장감을 살리고 있다.

02 윗글의 ⓐ와 [보기]의 ⓑ에 대한 설명으로 적절하지 않은 것은? 기출 문제

보기

논밭 갈아 김 매고 베잠방이 대님쳐 신들메고*
낫 갈아 허리에 차고 도끼 벼려 둘러메고 ⓑ무림산중(茂林山中) 들어가서 삭정이 마른 섶을 베고 잘라서 지게에 짊어 지팡이 받쳐 놓고 샘을 찾아가서 점심 도시락 비우고 곰방대를 톡톡 떨어 잎담배 피워 물고 콧노래 조올다가,
석양이 재 넘어갈 제 어깨를 추스르며 긴 소리 짧은 소리 하며 어이 갈꼬 하더라.

*신들메고: 신을 (발에) 잡아매고

① ⓐ는 부정적 현실에서 도피한 공간이다.
② ⓐ는 외롭고 가난한 삶이 이어지는 공간이다.
③ ⓑ는 일상적 삶이 드러나는 공간이다.
④ ⓑ는 자연과의 일체감을 확인하는 공간이다
⑤ ⓐ와 ⓑ는 현실적 삶을 영위하는 노동의 공간이다.

03 윗글과 [보기]를 연관 지어 이해한 내용으로 적절하지 않은 것은? 기출 문제

보기

공자가 어지러운 노나라를 떠나 제나라로 가던 중 초라한 세 개의 무덤 앞에서 슬피 우는 여인을 만났다. 사연을 물으니 호랑이가 시아버지, 남편, 아들을 모두 잡아먹었다는 것이었다. 이에 공자가 "그렇다면 이곳을 떠나서 사는 것이 어떠냐?"라고 묻자 여인은 "여기서 사는 것이 차라리 괜찮습니다. 다른 곳으로 가면 무거운 세금 때문에 살 수가 없습니다."라고 대답하였다.
이에 공자가 "가혹한 정치는 호랑이보다도 더 무섭다는 것을 알려 주는 말이로다."라고 하였다.

① 윗글의 화자와 [보기]의 '공자' 모두 현실에 대한 비판적 인식을 지니고 있군.
② 윗글의 '아낙네'와 [보기]의 '여인' 모두 현재의 처지를 개선하려는 의지가 보이지 않는군.
③ 윗글의 '아낙네'와 [보기]의 '여인' 모두 관리의 횡포로 인해 힘든 삶을 살아가고 있군.
④ [보기]의 '호랑이'와 달리 윗글의 '호랑이'는 벼슬아치를 비유적으로 표현한 것이군.
⑤ [보기]의 '공자'와 달리 윗글의 화자는 대상에 대한 자신의 감정을 직접적으로 드러냈군.

실전 Test Guide

01 표현상의 특징과 그 효과를 정확하게 파악할 수 있는지 확인하는 문제이다. 제시문에 사용된 표현 방식을 확인한 후 선택지의 적절성을 판단해 보도록 한다.

02 시어의 의미를 파악할 수 있는지 평가하는 문제이다. 제시문과 [보기]에 나타난 '산속'이라는 공간의 특성에 대해 생각해 보도록 한다.

03 제시문과 비슷한 주제 의식을 가진 [보기]를 비교하여 감상할 수 있는지 확인하는 문제이다. 화자나 인물의 태도 등을 중심으로 두 글의 공통점과 차이점을 파악해 보도록 한다.

한시

141 자술(自述)_이옥봉

近來安否問如何 근 래 안 부 문 여 하	요사이 안부를 묻노니 어떠하시나요? 임에 대한 걱정 / 화자의 정서-이별의 한	▶ 기: 임의 안부를 물음.
月到紗窓妾恨多 월 도 사 창 첩 한 다	ⓐ달 비친 사창에 저의 한이 많습니다. 그리움을 심화시킴. └ 여성의 방-화자가 여성임을 알게 함.	▶ 승: 화자에게 한이 많음.
若使夢魂行有跡 약 사 몽 혼 행 유 적	「꿈속의 넋에게 자취를 남기게 한다면 화자의 바람(임과의 만남)이 이루어질 수 있는 공간	▶ 전: 꿈속의 상황을 가정함.
門前石路半成沙 문 전 석 로 반 성 사	문 앞의 돌길이 반쯤은 모래가 되었을걸.」 임을 만나고 싶은 간절한 마음을 시각적으로 표현함.	▶ 결: 임을 간절히 그리워함.

「」: 가정법, 과장법, 꿈속에서 임의 집 앞의 돌길이 모래로 변할 정도로 화자가 임을 많이 찾아갔음. → 임을 향한 간절한 그리움

작품 한눈에 보기

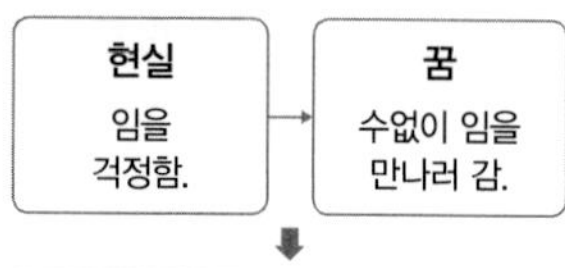

임에 대한 간절한 그리움

출제 포인트

■ 표현상의 특징
가정법(전구)과 과장법(결구)을 통해 화자의 정서를 드러냄.

1 작품 이해

이 작품은 이별한 임을 그리워하는 마음을 노래한 한시이다. 현실에서 만날 수 없는 임을 꿈에서 만나는 것으로 가정하여 문 앞의 돌길이 모래가 되었다는 과장된 표현을 통해 임을 향한 간절한 그리움을 시각적으로 형상화하고 있다.

- 갈래: 한시(칠언 절구)
- 성격: 애상적, 고백적
- 주제: 임에 대한 간절한 그리움
- 시적 상황 달 밝은 밤에 임의 □□를 묻고 있음.
- 정서와 태도 임에 대해 간절한 □□□을 느끼고 있음.

정답: 안부, 그리움

2 내용 확인

1 맞는 내용이면 ○표, 틀린 내용이면 ×표 하시오.

① 화자는 자신을 만나러 오지 않는 임을 원망하고 있다. ( )
② 결구에서는 과장된 표현을 통해 화자의 정서를 드러내고 있다. ( )

내용 확인 도우미

1 ① 기구에서 화자는 임의 안부를 물으며 임을 그리워하고 있다.
② 전구와 결구에서는 화자가 꿈속에서 임의 집 앞 돌길이 모래가 될 만큼 임을 자주 찾아갔다고 과장되게 표현하여 임에 대한 그리움을 표현하고 있다.

정답 1 ① × ② ○

3 실전 Test

• 정답 62쪽

01 윗글의 ⓐ와 [보기]의 ⓑ에 대한 설명으로 가장 적절한 것은? 기출 문제

보기

작은 것이 높이 떠서 만물을 다 비추니
밤중에 밝은 빛이 ⓑ너만 한 것 또 있겠는가
보고도 말이 없으니 내 벗인가 하노라

– 윤선도, 「오우가(五友歌)」

① ⓐ와 ⓑ 모두 의인화된 소재이다.
② ⓐ와 ⓑ 모두 화자와 동일시된 소재이다.
③ ⓐ는 자연적 존재이고, ⓑ는 인공적 존재이다.
④ ⓐ는 인생의 무상함을, ⓑ는 자연의 영원함을 드러낸다.
⑤ ⓐ는 화자의 정서를 심화시키고, ⓑ는 화자의 가치관을 부각한다.

실전 Test Guide

01 시어의 기능과 특성을 비교하여 이해할 수 있는지 확인하는 문제이다. 제시문과 [보기]에 사용된 시어가 어떤 방식으로 형상화되어 있으며 어떤 기능을 하는지를 파악한 후, 그 공통점과 차이점을 비교해 보도록 한다.

한시 142

탐진촌요(耽津村謠)_정약용

棉布新治雪樣鮮 면 포 신 치 설 양 선	새로 짜낸 무명이 눈결같이 고왔는데, 농민들의 노력으로 일군 재산 / 직유법	▶ 기: 새로 짜낸 고운 무명
黃頭來博吏房錢 황 두 래 박 이 방 전	이방 줄 돈이라고 황두가 뺏어 가네. 상급 관리 / 지방 하급 관리	▶ 승: 무명을 수탈하는 관리
漏田督稅如星火 누 전 독 세 여 성 화	「누전 세금 독촉이 성화같이 급하구나. 토지 대장에서 빠진 토지 / 직유법	▶ 전: 가혹한 세금 독촉
三月中旬道發船 삼 월 중 순 도 발 선	삼월 중순 세곡선(稅穀船)이 서울로 떠난다고.」 조세로 징수한 곡식을 실어 나르는 배 / 세곡선을 구실로 농민을 수탈하는 현실 비판(가렴주구(苛斂誅求))	▶ 결: 부당한 세금 압박

「」: 도치법 – 토지 대장에서 누락된 토지의 세금까지 거두어 중간에 가로채는 지방 관리들의 횡포 비판

작품 한눈에 보기

농민 (재산을 수탈당함.) ↔ 이방, 황두 (세금을 독촉함.)

↓

부패한 관리들의 횡포를 비판함.

출제 포인트

■ 표현상의 특징

직유법(기 · 전)과 도치법(전 · 결)을 통해 관리들의 횡포를 강조하고 비판함.

1 작품 이해

이 작품은 농민들을 가혹하게 수탈하는 부패한 관리들을 고발하고 있는 한시이다. 관리들의 횡포에 시달리는 농민들의 현실을 사실적으로 묘사하여 조선 후기의 부패한 현실을 비판하고 있다.

• 갈래: 한시(칠언 절구)　　• 성격: 비판적, 사실적

• 주제: 농민들을 괴롭히는 관리들의 횡포 고발

• 시적 상황　농민들이 관리들에게 □□ 세금을 독촉당하고 있음.

• 정서와 태도　농민을 수탈하는 부패한 관리들의 횡포를 □□하고 고발하고 있음.

정답: 누전, 비판

2 내용 확인

1 맞는 내용이면 ○표, 틀린 내용이면 ×표 하시오.

① 농민들을 수탈하는 관리들의 횡포를 구체적으로 드러내고 있다. (　　)

② 말의 차례를 바꾸어 사용함으로써 말하고자 하는 바를 강조하고 있다. (　　)

2 화자는 부패한 관리를 의미하는 '□□'와/과 '□□'의 횡포를 비판하고 있다.

내용 확인 도우미

1 ① 농민들을 수탈하는 관리들의 횡포를 '무명', '누전 세금', '독촉' 등의 시어를 통해 구체적으로 표현하고 있다.
② 전구와 결구에서는 도치법을 사용하여 의미를 강조하고 있다.

2 승구의 '이방'과 '황두'는 농민들을 수탈하는 부패한 관리를 가리킨다.

정답 1 ① ○ ② ○　2 이방, 황두

3 실전 Test

• 정답 62쪽

01 [보기]를 바탕으로 윗글을 감상한 내용으로 적절하지 않은 것은?

보기

'탐진'은 전라남도 강진의 옛 이름으로, 「탐진촌요」는 그곳에서 유배 생활을 하던 작가가 농민들의 비참한 생활상을 목격하고 쓴 한시이다. 농민들이 이룬 결실을 관리들이 수탈해 가는 현실을 사실적으로 묘사하여 탐관오리의 횡포를 고발하고 있다.

① '무명'은 농민들이 이룬 결실인데, 이를 '황두'에게 빼앗기고 있군.
② '이방'은 국가에 조세를 납부하기 위해 농민들을 독촉하는 역할을 하는 사람이군.
③ '누전 세금'은 관리들이 농민들을 수탈하는 상황을 알려 주고 있군.
④ '독촉'은 농민들이 비참한 생활을 할 수밖에 없는 원인을 나타내고 있군.
⑤ '세곡선'은 지방 관리들이 농민들을 수탈하는 구실이 되고 있군.

실전 Test Guide

01 [보기]를 참고하여 시어의 의미를 파악해 보는 문제이다. 시적 상황과 시적 대상들 간의 관계를 바탕으로 시어의 의미를 추론해 보도록 한다.

한시

143 보리타작(打麥行)_정약용

新蒭濁酒如湩白 「새로 거른 막걸리 젖빛처럼 뿌옇고 「」: 농민들의 소박한 삶을 시각적으로 형상화함.
신 추 탁 주 여 동 백
大碗麥飯高一尺 큰 사발에 보리밥, 높기가 한 자로세.」 과장법 / 약 30.3cm
대 완 맥 반 고 일 척
飯罷取枷登場立 밥 먹자 도리깨 잡고 마당에 나서니 [A]
반 파 취 가 등 장 립
雙肩漆澤翻日赤 검게 탄 두 어깨 햇볕 받아 번쩍이네. 곡식의 낟알을 떠는 데 쓰는 농기구
쌍 견 칠 택 번 일 적
농민들의 건강한 모습 ▶ 기: 노동하는 농민들의 건강한 모습

呼邪作聲擧趾齊 옹헤야 소리 내며 발맞추어 두드리니 보리타작을 하며 부르는 노동요 └ 노래를 부르며 흥겹게 일하는 모습
호 사 작 성 거 지 제
須臾麥穗都狼藉 삽시간에 보리 낟알 온 마당에 가득하네. 노동의 결과
수 유 맥 수 도 랑 자
雜歌互答聲轉高 「주고받는 노랫가락 점점 높아지는데,」 「」: 노동요에 맞춰 흥겨움이 더해짐. [B]
잡 가 호 답 성 전 고
노동요를 선창(先唱)과 후창(後唱)으로 나누어 부름.
但見屋角紛飛麥 보이느니 지붕 위에 보리 티끌뿐이로다. 보이는 것이
단 견 옥 각 분 비 맥
▶ 승: 보리타작하는 마당의 역동적 정경

觀其氣色樂莫樂 그 기색 살펴보니 즐겁기 짝이 없어 보리타작을 하는 사람들의 얼굴빛
관 기 기 색 락 막 락
了不以心爲形役 마음이 몸의 노예 되지 않았네. [C]
요 불 이 심 위 형 역
심신의 조화 – 즐거운 노동에 대한 평가 ▶ 전: 심신의 조화 속에 즐겁게 이루어지는 노동

樂園樂郊不遠有 낙원이 먼 곳에 있는 게 아닌데 └ 심신이 조화를 이룬 건강한 노동의 즐거움이 있는 곳
낙 원 락 교 불 원 유
何苦去作風塵客 무엇하러 벼슬길에 헤매고 있으리요. [D]
하 고 거 작 풍 진 객
세속적 공명에 집착했던 자신의 삶을 반성함. ▶ 결: 관직에 몸담은 자신의 삶에 대한 반성

작품 한눈에 보기

선경	후정
보리타작하는 농민들의 건강한 모습	심신의 조화 속에 이루어지는 노동의 기쁨을 통해 세속적 공명에 집착했던 삶을 반성함.

출제 포인트

■ 표현상의 특징
① '선경(기, 승) 후정(전, 결)'의 시상 전개 방식을 사용함.
② 시각적이고 역동적인 이미지(보리타작하는 농민들의 모습)를 활용하여 생동감과 현장감을 부여함.
③ 농민들의 일상생활과 관련된 시어(막걸리, 사발, 보리밥, 도리깨 등)를 사용함.

■ 화자의 정서와 태도
농민들의 건강한 삶을 예찬하고 자신의 삶을 반성함.

1 작품 이해

이 작품은 보리를 타작하는 농민들의 모습을 사실적으로 묘사하고 건강한 삶을 예찬하고 있는 한시이다. 양반 사대부인 화자는 농민들의 건강한 노동 현장을 보며 벼슬에 집착했던 자신의 삶을 반성하고 있다.

- 갈래: 한시, 행(行)*
- 성격: 묘사적, 사실적, 예찬적, 반성적
- 주제: 농민들의 건강한 삶에 대한 예찬과 자기반성

- 시적 상황 즐겁게 □□□□을 하는 농민들의 모습을 바라보며 자신의 삶을 돌아보고 있음.
- 정서와 태도 건강하게 노동하는 농민들의 삶을 예찬하면서 벼슬길을 추구하던 자신의 삶을 □□하고 있음.

정답: 보리타작, 반성

* 행: 한시의 형식 중 하나로 사물이나 감정을 거침없이 표현함.

2 내용 확인

1 맞는 내용이면 ○표, 틀린 내용이면 ×표 하시오.

① 선경 후정의 방식으로 시상을 전개하고 있다. ( )
② 화자는 생계를 위해 보리 농사를 짓는 농민이라고 할 수 있다. ( )
③ '옹헤야 소리 내며 발맞추어 두드리니'와 '주고받는 노랫가락 점점 높아지는데'에는 청각적 심상이 두드러진다. ( )

2 화자는 육체와 정신이 조화를 이룬 건강한 노동의 즐거움이 있는 곳을 '□□'(이)라고 표현하며 예찬하고 있다.

내용 확인 도우미

1 ① 윗글은 보리타작을 하는 농민들의 모습을 제시한 후, 이를 통해 얻은 화자의 깨달음을 드러내고 있다.
② 결구의 '벼슬길에 헤매고 있으리요.'라는 표현을 통해 화자가 양반임을 알 수 있다.
③ '옹헤야 소리', '주고받는 노랫가락'은 청각적 심상이 활용된 표현이다.

2 화자는 심신이 조화를 이루어 건강하게 노동하는 농민들의 삶의 현장을 '낙원'이라면서 긍정적으로 평가하고 있다.

정답 1 ① ○ ② × ③ ○ 2 낙원

3 실전 Test

• 정답 62쪽

01 윗글에 대한 설명으로 적절하지 않은 것은?

① 비판적 태도를 드러내며 시상을 마무리하고 있다.
② 설의적 표현을 통해 화자의 정서를 드러내고 있다.
③ 대상을 묘사한 다음 화자의 생각을 드러내고 있다.
④ 의인화된 대상에게 말을 건네는 방식을 활용하고 있다.
⑤ 실생활과 관련된 시어를 사용하여 사실감을 드러내고 있다.

02 윗글의 낙원에 내포된 의미와 가장 가까운 것은?

① 시련 속에서 신념을 다지는 공간이다.
② 세속적 욕망에서 벗어나 있는 공간이다.
③ 삶의 허무함을 극복하기 위한 공간이다.
④ 현실에서의 번뇌를 넘어선 초월적 공간이다.
⑤ 고통을 극복하기 위한 자기 수양의 공간이다.

03 윗글의 [A]~[D]에 대한 설명으로 적절하지 않은 것은? 기출 문제

① [A]는 보리타작을 시작하기 전의 상황을 묘사하고 있다.
② [B]는 농민들이 서로 협력하며 노동하는 장면을 형상화하고 있다.
③ [C]는 [A], [B]에서 주목한 농민들의 모습에서 정신적 의미를 이끌어 내고 있다.
④ [D]에는 [A]~[C]를 통해 얻은 깨달음이 화자의 삶과 연계되어 진술되고 있다.
⑤ [A]~[D]에는 지난날에 얽매이지 않는 삶을 살려는 화자의 의지가 제시되고 있다.

04 윗글과 [보기]를 비교한 내용으로 적절하지 않은 것은? 기출 문제

보기

보리밥 풋ᄂᆞ믈을 알마초 머근 후(後)에
바횟긋 ᄆᆞᆰᄀᆞ의 슬ᄏᆞ지 노니노라.
그나믄 녀나믄 일이야 부ᄅᆞᆯ 줄이 이시랴.

– 윤선도, 「만흥(漫興)」

① 윗글과 [보기]의 '보리밥'은 모두 현실에 만족하는 삶의 모습을 표현한 것이다.
② 윗글의 '마당'은 노동의 공간이고, [보기]의 'ᄆᆞᆰᄀᆞ'는 풍류의 공간이다.
③ 윗글의 '노랫가락'에서는 흥겨움이, [보기]의 '노니노라.'에서는 여유로움이 느껴진다.
④ 윗글의 '벼슬길'과 [보기]의 '녀나믄 일'은 모두 화자가 이루고자 하는 목표를 나타낸다.
⑤ 윗글의 '헤매고 있으리요.'와 [보기]의 '부ᄅᆞᆯ 줄이 이시랴.'는 화자의 생각을 설의적으로 드러낸 것이다.

실전 Test Guide

01 표현상의 특징을 파악할 수 있는지 확인하는 문제이다. 화자의 정서와 태도, 생각 등이 어떠한 방식을 통해 표현되고 있는지 살펴보도록 한다.

02 시어의 의미 및 그 기능을 정확히 파악하고 있는지를 확인하는 문제이다. 문맥을 고려하여 시어의 의미를 파악하고 선택지의 적절성을 판단해 보도록 한다.

03 시상 전개 방식을 파악할 수 있는지 평가하는 문제이다. '시작 → 전개 → 전환 → 끝맺음'의 과정을 거친다는 점을 고려하여 제시문의 구체적인 전개 양상을 파악해 보도록 한다.

04 작품 간의 공통점과 차이점을 비교하여 감상해 보는 문제이다. 시적 상황이나 화자의 정서, 태도를 중심으로 공통점과 차이점을 파악해 보도록 한다.

한시
144 고시(古詩) 8_정약용

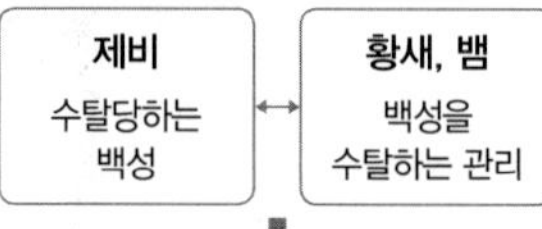

鷰子初來時 (연 자 초 래 시)	제비 한 마리 처음 날아와 (관리에게 수탈당하는 백성)
喃喃語不休 (남 남 어 불 휴)	지지배배 그 소리 그치지 않네. (의성어) ▶ 1, 2구: 제비의 소리가 그치지 않음.
語意雖未明 (어 의 수 미 명)	「말하는 뜻 분명히 알 수 없지만 「」: 제비의 울음소리에서 삶의 터전을 잃은 백성들의 서러움을 떠올림.
似訴無家愁 (사 소 무 가 수)	집 없는 서러움을 호소하는 듯」 (삶의 터전을 빼앗긴 백성들의 서러움) ▶ 3, 4구: 제비가 집 없는 서러움을 호소함.
楡槐老多穴 (유 괴 로 다 혈)	「"느릅나무 홰나무 묵어 구멍 많은데 (백성들의 보금자리) 「」: 화자의 질문
何不此淹留 (하 불 차 엄 류)	어찌하여 그 곳에 깃들지 않니?"」 ▶ 5, 6구: 제비에게 느릅나무와 홰나무에 살지 않는 이유를 물음.
燕子復喃喃 (연 자 부 남 남)	제비 다시 지저귀며
似與人語酬 (사 여 인 어 수)	사람에게 말하는 듯 (의인화)
楡穴鸛來啄 (유 혈 관 래 탁)	「"느릅나무 구멍은 황새가 쪼고 (느릅나무 구멍 – 백성들이 살 수 있는 터전 / 황새 – 백성들을 수탈하는 관리(지배층))
槐穴蛇來搜 (괴 혈 사 래 수)	홰나무 구멍은 뱀이 와서 뒤진다오."」 「」: 제비의 대답 → 당시의 사회상(가렴주구)을 암시함. ▶ 7~10구: 제비가 황새와 뱀의 횡포를 토로함.

작품 한눈에 보기

제비		황새, 뱀
수탈당하는 백성	↔	백성을 수탈하는 관리

↓

지배층의 수탈과 횡포를 풍자함.

출제 포인트

■ 표현상의 특징
① 화자와 제비의 가상적인 대화 형식으로 내용을 전개함.
② 제비를 의인화하여 당시 세태를 우의적으로 풍자함.

1 작품 이해

이 작품은 백성들을 가혹하게 수탈하는 지배층의 횡포를 풍자한 한시이다. 수탈당하는 백성을 '제비'로 표현하여 지배층에 의해 삶의 터전을 잃은 백성들의 서러움을 우의적으로 드러내고 있다.

- 갈래: 한시(오언 고시)
- 성격: 우의적, 풍자적, 상징적, 현실 비판적
- 주제: 지배층의 횡포와 수탈에 대한 비판
- 시적 상황 '□□'와 가상 대화를 하고 있음.
- 정서와 태도 가혹하게 수탈당하는 백성들에 대한 □□을 드러내며 지배층의 횡포를 고발함.

정답: 제비, 연민

2 내용 확인

1 맞는 내용이면 ○표, 틀린 내용이면 ×표 하시오.

① 화자와 제비가 대화하는 형식으로 내용이 전개되고 있다. (　　)
② 화자는 삶의 터전을 스스로 찾지 못하는 제비를 비판하고 있다. (　　)

내용 확인 도우미

1 ① 화자는 제비와의 가상 대화를 통해 당대의 현실을 비판하고 있다.
② 화자는 삶의 터전을 빼앗긴 백성들을 연민의 시선으로 바라보고 있다.

정답 1 ① ○ ② ×

3 실전 Test

• 정답 63쪽

01 윗글에 대한 설명으로 적절한 것끼리 바르게 묶인 것은?

보기
ㄱ. 반어적 표현을 통해 화자의 정서를 강조하고 있다. ㄴ. 청각적 이미지를 활용하여 상황을 생생하게 전달하고 있다. ㄷ. 우의적인 수법을 활용하여 당시의 사회상을 비판하고 있다. ㄹ. 대조적인 의미를 지닌 시어를 사용하여 상황을 표현하고 있다.

① ㄱ, ㄴ　② ㄴ, ㄷ　③ ㄷ, ㄹ
④ ㄱ, ㄷ, ㄹ　⑤ ㄴ, ㄷ, ㄹ

실전 Test Guide

01 표현상의 특징을 파악할 수 있는지 평가하는 문제이다. 제시문에 사용된 표현 방식과 그 효과에 대해 생각해 보고 선택지의 적절성을 판단해 보도록 한다.

민요 145

강강술래_작자 미상

「달 떠 온다 달 떠 온다 우리 마을에 달 떠 온다」 강강술래
「」: 선창(先唱) – 선창자가 매김. aaba 구조 / 후창(後唱), 후렴구 – 후창자들이 제창함.
저 달이 장차 우연히 밝아 장부 간장 다 녹인다 강강술래 ▶ 기: 달맞이의 기쁨
(시간적 배경 – 달 아래 달맞이를 함. / 간장: 마음)
우리 세상이 얼마나 좋아 이렇게 모아 잔치하고 강강술래
(낙천적 세계관 / 집단적 가무(歌舞))
강강술래 잘도 한다 인생일장은 춘몽이더라 강강술래
(인생의 무상함, 일장춘몽)
「아니야 놀고 무엇을 할꼬 노세 노세 젊어서 노세 강강술래 「」: 짧고 덧없는 인생을 즐겨야 함. → 유희적, 향락적 관점
(향락을 권유함.)
늙고 병들면 못 노니라 놀고 놀자 놀아 보세」 강강술래
「이러다가 죽어지면 살은 녹아 녹수가 되고 강강술래 「」: 사람은 죽은 후 흔적 없이 사라짐. → 현세적 세계관
(녹수: 푸른 물)
뼈는 삭아 진토가 되니」 우리 모두 놀고 놀자 강강술래
(진토: 티끌과 흙)
어느 때의 하세월에 우리 시방에 다시 올래 강강술래
(의미 중복: 어느 세월, 언제쯤 / 시방: 지금)
우리 육신이 있을 적에 춤도 추고 노래도 하고 강강술래 ▶ 서: 즐거운 현세의 삶 추구
(현세의 삶을 즐길 것을 강조함.)
놀고 놀고 놀아 보자 질게 하면 듣기도 싫다 강강술래
(질게: 길게 / 후렴구를 길게 늘여 부르지 말아라)
노세 노세 젊어서 노세 칭칭이도 고만하자 강강술래 ▶ 결: 놀이의 마무리
(칭칭이: 경상도 민요 「쾌지나 칭칭나네」, 여기서는 「강강술래」를 가리킴.)

작품 한눈에 보기

선창(先唱)	후창(後唱)
짧고 덧없는 인생을 즐기면서 살자는 주제 의식을 전달함.	'강강술래'를 반복하여 집단적 노래로서의 통일성을 부여함.

출제 포인트

■ 표현상의 특징
① 선창자가 먼저 노래를 하고 여러 명의 후창자들이 함께 후렴구를 부르는 형식으로 전개됨.
② 반복과 변조를 통해 운율을 형성함.

1 작품 이해

이 작품은 추석날 밤에 여러 명의 부녀자들이 함께 손을 잡고 원을 그리며 빙빙 돌면서 춤을 추는 '강강술래 놀이'를 할 때 불렀던 민요이다. 「강강술래」는 지역에 따라 다양한 내용으로 전해지는데, 제시문은 경상남도 거제 지역에서 전해지는 것이다.

- 갈래: 민요, 유희요(遊戲謠)*
- 성격: 집단적, 낙천적, 유희적, 현세적
- 주제: 인생 무상, 즐거운 삶의 추구
- 시적 상황 □이 뜬 밤에 여러 명이 모여 춤을 추고 노래하고 있음.
- 정서와 태도 인생을 덧없는 것이라고 여기며 □□이 있을 때에 놀고자 하고 있음.

정답: 달, 육신

* 유희요: 놀이를 하면서 부르는 노래

2 내용 확인

1 맞는 내용이면 ○표, 틀린 내용이면 ×표 하시오.
① 화자는 출세지향적 관점에서 부귀와 공명을 추구하고 있다. ( )
② 인생의 덧없음을 밝혀 현세적인 세계관을 드러내고 있다. ( )

내용 확인 도우미

1 ① 화자는 현세의 삶을 즐기자고 할 뿐, 부귀 공명은 언급하지 않았다.
② 4행에서 '인생일장은 춘몽이더라'라고 하며 인생의 덧없음을 노래하고 있다.

정답 1 ① × ② ○

3 실전 Test

• 정답 64쪽

01 윗글에 대한 설명으로 적절하지 않은 것은?
① 청유형 어미를 사용하여 유흥을 권유하고 있다.
② 동일한 시어를 반복하여 운율을 형성하고 있다.
③ 우의적인 기법을 활용하여 주제를 강조하고 있다.
④ 선후창의 형식으로 집단적인 성격을 제시하고 있다.
⑤ 직설적인 표현을 통해 낙천적인 세계관을 드러내고 있다.

실전 Test Guide

01 표현상의 특징을 파악할 수 있는지 확인하는 문제이다. 주제 의식과 분위기 등을 어떻게 드러내고 있는지를 살펴보고 선택지의 적절성을 판단해 보도록 한다.

민요

146 논매기 노래_작자 미상

잘하고 자로 하네 에히요 산이가 자로 하네. (후렴) ▶ 후렴: 일 잘하는 농부를 칭찬함.
(흥을 돋우는 여음구 / 자주, 잘 / 광대, 재주꾼. 여기서는 농부나 일꾼(선창자)을 의미함.)

이봐라 농부야 내 말 듣소 이봐라 일꾼들 내 말 듣소. → 선창(先唱)
(사람들의 관심을 유도함.)
잘하고 자로 하네 에히요 산이가 자로 하네. → 후창(後唱) ▶ 1연: 농부와 일꾼들의 관심을 유도함.

㉠하늘님이 주신 보배 편편옥토(片片沃土)가 이 아닌가.
(어느 논밭이나 모두 다 비옥함. / ① 농사를 천직으로 여기는 마음, ② 하늘이 주신 농토에 대한 자부심)
잘하고 자로 하네 에히요 산이가 자로 하네. ▶ 2연: 비옥한 농토에 자부심을 느낌.

물꼬* 찰랑 돋아 놓고 쥔네 영감 어디 갔나.
(물꼬를 터 논에 물을 받아 놓고 / 주인네)
잘하고 자로 하네 에히요 산이가 자로 하네. ▶ 3연: 일하던 주인 영감을 찾음.

㉡잘한다 소리를 퍽 잘하면 질 가던 행인이 질 못 간다.
(길 / 노래를 잘하면 길 가던 행인이 구경하느라 길을 못 간다 ① 노래의 흥겨움 과시 ② 일을 더 열심히 하라는 독려)
잘하고 자로 하네 에히요 산이가 자로 하네. ▶ 4연: 논매기를 독려함.

잘하고 자로 하네 우리야 일꾼들 자로 한다.
(일꾼들을 칭찬함.-흥을 돋움.)
잘하고 자로 하네 에히요 산이가 자로 하네. ▶ 5연: 일꾼들을 격려하고 칭찬함.

㉢이 논배미*를 얼른 매고 저 논배미로 건너가세.
(서로 도우며 일을 함.-상부상조(相扶相助))
잘하고 자로 하네 에히요 산이가 자로 하네. ▶ 6연: 상부상조할 것을 독려함.

㉣담송담송 닷 마지기 반달만치만 남았구나.
(담상담상, 드물고 성긴 모양 / 일이 얼마 남지 않았음을 시각적으로 표현함.-남은 일을 빨리 끝내자고 독려함.)
잘하고 자로 하네 에히요 산이가 자로 하네. ▶ 7연: 일이 얼마 남지 않았음을 알림.

㉤「일락서산(日落西山)에 해는 지고 월출동령(月出東嶺)에 달 돋는다.」 「」: 동어 반복 → 시간의 경과를 강조함.
(서쪽 산으로 해가 짐. / 동쪽 고개로 달이 돋음. / '일락'='해는 지고' / '월출'='달 돋는다')
잘하고 자로 하네 에히요 산이가 자로 하네. ▶ 8연: 더욱 부지런히 일할 것을 독려함.

잘하고 자로 하네 에히요 산이가 자로 하네.
잘하고 자로 하네 에히요 산이가 자로 하네. ▶ 9연: 일을 잘했다고 격려함.

잘하고 못하는 건 우리야 일꾼들 솜씨로다. ▶ 10연: 일꾼들의 솜씨에 자부심을 느낌.
(농사꾼으로서의 솜씨에 대한 자부심)

작품 한눈에 보기

선창(先唱)
비옥한 농토를 예찬하고 일꾼들의 논매기 작업을 독려함.

후창(後唱)
일꾼들을 격려하고 칭찬함.

출제 포인트

■ 표현상의 특징
① 4음보를 바탕으로 3·4조와 4·4조가 반복되어 운율을 형성함.
② 선후창의 방식으로 구성됨.

■ 후렴구의 반복
① 리듬감을 형성함.
② 흥겨운 분위기를 조성함.
③ 일꾼들을 격려하고 칭찬하여 노동의 능률을 향상시킴.
④ 노래의 전승을 용이하게 함.

수능 필수 개념

"노동요"
일을 즐겁게 하고 공동체 의식을 높여서 일의 능률을 올리기 위하여 부르는 노래이다. 농사를 지으며 부르는 농업 노동요, 고기를 잡으며 부르는 어업 노동요, 상여 따위를 메고 나갈 때 부르는 운반 노동요, 부녀자들이 길쌈을 하면서 부르는 길쌈 노동요 따위가 있다. 집단으로 부르는 노동요는 집단의 행동을 일치시키는 구령 역할을 하며, 공동체의 결속과 통합을 가져오기도 한다.

어휘 풀이
* 물꼬: 논에 있는 물의 좁은 통로
* 논배미: 논의 하나하나의 구역

1 작품 이해

이 작품은 힘든 논매기를 하는 동안 노동에서 오는 피로를 잊고 일의 능률을 올리기 위해 집단적으로 부르던 민요이다. 힘든 노동을 하면서도 서로를 격려하며 농사일에 대한 기쁨과 자부심을 노래하는 농부들의 낙천적인 모습이 잘 드러나 있다.

• 갈래: 민요, 노동요 • 성격: 낙천적, 긍정적

• 주제: 농사일의 기쁨과 보람
• 시적 상황 여러 명이 함께 □□□ 작업을 하고 있음.
• 정서와 태도 비옥한 토지에 대한 □□□을 드러내고 일을 열심히 하도록 일꾼들을 독려함.

정답: 논매기, 자부심

2 내용 확인

1 맞는 내용이면 ○표, 틀린 내용이면 ×표 하시오.

① 화자는 일꾼들이 일을 게을리하는 것을 꾸짖으며 경계하고 있다. (　　)

② '잘하고 못하는 건 우리야 일꾼들 솜씨로다.'에는 농부로서 느끼는 솜씨에 대한 자부심이 드러나 있다. (　　)

2 '잘하고 자로 하네 에히요 산이가 자로 하네.'는 □□으로, 일꾼들을 격려하고 칭찬하는 역할을 하며 리듬감을 형성한다.

내용 확인 도우미

1 ① 화자는 일꾼들의 솜씨를 칭찬하며 더욱 열심히 일하라고 독려하고 있다.
② 10연에서는 솜씨에 대한 자부심을 드러내며 긍정적이고 낙천적인 정서를 표출하고 있다.

2 '잘하고 자로～자로 하네.'라는 후렴을 통해 일꾼들을 칭찬하고 격려하고 있다.

정답 1 ① × ② ○　2 후렴

3 실전 Test

• 정답 64쪽

01 ㉠～㉤에 대한 설명으로 적절하지 않은 것은?

① ㉠: 하늘이 내린 땅을 자랑스럽게 여기는 화자의 자부심이 드러나 있다.
② ㉡: 행인이 발걸음을 떼지 못할 정도로 노래를 더욱 잘해야 한다고 독려하고 있다.
③ ㉢: 서로 도우며 일을 하는 모습을 통해 상부상조의 정신을 드러내고 있다.
④ ㉣: 남은 일의 분량을 비유적으로 드러내어 일을 빨리 끝내자고 독려하고 있다.
⑤ ㉤: 동일한 의미의 표현을 반복하여 시간의 경과를 강조하고 있다.

02 윗글과 [보기]를 비교하여 감상한 내용으로 가장 적절한 것은?

보기

〈제3수〉
둘러 내자* 둘러 내자 우거진 고랑 둘러 내자.
바랭이 여뀌풀을 고랑마다 둘러 내자.
쉬 짙은 긴 사래*는 마주 잡아 둘러 내자.

〈제4수〉
땀은 듣는* 대로 듣고 볕은 쬘 대로 쬔다.
청풍(淸風)에 옷깃 열고 긴 파람* 흘리 불 제
어디서 길 가는 손님네 아는 듯이 머무는고.

– 위백규, 「농가(農歌)」

*둘러 내자: 걷어 내자　*사래: 이랑의 길이　*듣는: 떨어지는　*파람: 휘파람

① 윗글과 [보기]의 화자는 일을 하는 도중에 잠시 휴식을 취하며 여유를 즐기고 있다.
② 윗글과 [보기]의 화자는 혼자가 아닌 공동으로 농사일을 하는 상황을 노래하고 있다.
③ 윗글과 [보기]의 화자는 농사일의 고단함을 구체적으로 표현하여 고달픈 처지를 한탄하고 있다.
④ 윗글의 화자는 [보기]의 화자와 달리 언어유희를 통해 노동의 피로를 흥겨움으로 승화시키고 있다.
⑤ [보기]의 화자는 윗글의 화자와 달리 함께 일하는 상대방을 칭찬하며 작업의 능률을 높이려 하고 있다.

실전 Test Guide

01 시구의 의미를 파악할 수 있는지 확인하는 문제이다. 화자의 의도, 정서와 태도 등을 중심으로 선택지의 적절성을 판단해 보도록 한다.

02 작품 간의 공통점과 차이점을 비교하는 문제이다. 화자의 상황과 정서·태도 등을 중심으로 제시문과 [보기]의 공통점과 차이점을 살펴보도록 한다.

민요
147 시집살이 노래_작자 미상

[A]
형님 온다 형님 온다 분(粉)고개로 형님 온다.
a-a-b-a 구조
형님 마중 누가 갈까 형님 동생 내가 가지.
시집 간 사촌 언니 / 형님의 사촌 동생-형님의 이야기를 이끌어 냄.
「형님 형님 사촌 형님 시집살이 어떱뎁까? ▶ 기: 사촌 형님의 시집살이에 대한 호기심
어떠합니까?
㉠이애 이애 그 말 마라 시집살이 개집살이.」 「」: 대화 형식(사촌 동생의 질문과 형님의 대답)
발음의 유사성을 이용한 언어유희-'시집'을 '개집'에 비유하여 시집살이의 어려움을 표현함.
「앞밭에는 당추(唐椒) 심고 뒷밭에는 고추 심어,」
「」: 대구법 / 고추-동어 반복을 피하고 운율을 살림.
고추 당추 맵다 해도 시집살이 더 맵더라.
관용적 표현-성질이 사납고 독하더라.

「둥글둥글 수박 식기(食器)* 밥 담기도 어렵더라. 「」: 상차림 예절의 어려움.
도리도리 도리 소반(小盤)* 수저 놓기 더 어렵더라.」
㉡「오 리(五里) 물을 길어다가 십 리(十里) 방아 찧어다가, 「」: 고된 가사 노동
물을 긷는 곳이 멀다는 의미 / 방아를 찧는 곳이 멀다는 의미
아홉 솥에 불을 때고 열두 방에 자리 걷고,」
외나무다리 어렵대야 시아버니같이 어려우랴?
어려운 시아버지 / 설의법
나뭇잎이 푸르대야 시어머니보다 더 푸르랴?
무서운 시어머니 / 설의법-서슬이 퍼렇다.
㉢「시아버니 호랑새요 시어머니 꾸중새요, 「」: 시집 식구들과 자신을 '새'에 비유하여 고달픈 시집살이를 해학적으로 표현함(열거법).
호랑이같이 무서운 새 / 꾸중을 잘하는 새
동세 하나 할림새요 시누 하나 뾰족새요,
남의 허물을 잘 고해바치는 새 / 성격이 모난 새
시아지비 뾰중새요 남편 하나 미련새요,
무뚝뚝하고 퉁명스러운 새 / 어리석고 둔한 새-남편에 대한 원망
자식 하난 우는 새요 나 하나만 썩는 샐세.」
잘 우는 새 / 속마음이 썩고 있는 새-고달픈 시집살이로 인한 화자의 내적 괴로움
㉣「귀 먹어서 삼 년이요 눈 어두워 삼 년이요, 「」: 고된 시집살이를 참고 견디며 세월을 보냄.
말 못 해서 삼 년이요 석 삼 년을 살고 나니,」
9년
㉤ 배꽃 같던 요내 얼굴 호박꽃이 다 되었네. □: 혼인 전의 고왔던 모습
↕ 대조-시집살이로 거칠어진 자신의 외모를 한탄함.
삼단 같던 요내 머리 비사리춤이 다 되었네. ○: 혼인 후 시집살이로 거칠어진 모습
삼을 묶은 단처럼 숱이 많고 풍성하던 / 싸리나무의 껍질-매우 거칠다.
백옥 같던 요내 손길 오리발이 다 되었네.
매우 거친 손을 비유함.
「열새 무명 반물 치마 눈물 씻기 다 젖었네.
고운 무명 / 짙은 남색 치마
두 폭 붙이 행주치마 콧물 받기 다 젖었네.」 「」: 고달픈 시집살이로 인해 눈물을 흘리는 화자의 처지 ▶ 서: 시집살이의 어려움
울었던가 말았던가 베갯머리 소(沼)* 이겼네.
과장법-베갯머리에서 흘린 눈물로 연못이 만들어짐.
「그것도 소이라고 거위 한 쌍 오리 한 쌍 「」: 자식들을 보며 괴로움을 참고 견디는 화자의 처지를 해학적으로 표현함.
자식들을 비유함.
쌍쌍이 때 들어오네.」 ▶ 결: 시집살이에 대한 해학적 체념과 수용
① 때를 맞추어 들어옴. ② 떼를 지어 들어옴. ③ 물에 떠서 들어옴.

작품 한눈에 보기

나: 형님을 만나 시집살이에 대해 물음.
↓
형님: 시집살이의 고충을 토로함.
↓
형님: 자식들을 바라보며 시집살이를 체념하고 살아감.

출제 포인트

■ 표현상의 특징
① '나(사촌 동생)'의 물음과 사촌 형님의 대답으로 이루어진 대화 형식으로 구성됨.
② 언어유희(시집살이 개집살이)와 다양한 비유적 표현(호랑새, 꾸중새, 할림새, 뾰족새, 뾰중새, 미련새, 우는 새, 썩는 새)를 통해 해학성을 유발함.
③ 4음보를 바탕으로 4·4조 음수율을 유지하고, 'a-a-b-a' 구조가 반복되기도 함.

■ 화자의 정서 및 태도

•'시집살이 개집살이' •'시집살이 더 맵더라.'	고된 시집살이를 한탄함.
•'남편 하나 미련새요'	남편을 원망함.
•'거위 한 쌍 오리 한 쌍 / 쌍쌍이 때 들어오네.'	해학적인 체념과 수용

어휘 풀이
* 수박 식기: 수박처럼 둥근 밥그릇
*도리 소반: 둥글고 조그마한 상
*소: 늪. 호수보다 물이 얕고 진흙이 많으며 침수(沈水) 식물이 무성한 곳

1 작품 이해

이 작품은 힘든 시집살이를 감내*해야 했던 여성들의 괴로움과 한(限)이 드러나 있는 민요이다. 남성 중심의 봉건적 가족 관계 속에서 여성이 겪는 시집살이의 고충을 해학적 표현을 통해 토로하고 있다.

• 갈래: 민요, 부요(婦謠)*
• 성격: 풍자적, 해학적, 서민적
• 주제: 시집살이의 고충과 체념적 수용

• 시적 상황 사촌 동생이 □□□□에 대한 질문을 하고 형님이 시집살이의 어려움에 대해 대답하고 있음.
• 정서와 태도 고된 시집살이를 한탄하며 해학적으로 □□함.

정답: 시집살이, 체념(수용)

* 감내: 어려움을 참고 견딤.
* 부요: 예전에 부인들이 부르던 민요

2 내용 확인

1 맞는 내용이면 ○표, 틀린 내용이면 ×표 하시오.

① 화자는 자신이 처한 상황을 적극적으로 타개하려는 의지를 갖고 있다. (　　)

② 화자는 시집 식구들의 모습을 '새'에 빗대어 시집살이의 고달픔을 해학적으로 표현하고 있다. (　　)

내용 확인 도우미

1 ① '형님'은 마지막 두 행에서 자식들을 보며 시집살이를 견디고 있다.
② 시집 식구들의 부정적인 모습을 '호랑새', '꾸중새' 등에 빗대어 고달픈 시집살이를 해학적으로 표현하고 있다.

정답 1 ① × ② ○

3 실전 Test

• 정답 64쪽

01 윗글의 시상 전개에 대한 이해로 가장 적절한 것은? 기출 문제

① 감탄과 반성의 어조를 교차하여 복잡한 감정을 나타내고 있다.
② 상황을 부정적으로 규정하고 나서 다양한 예들을 나열하고 있다.
③ 처음과 끝을 동일한 내용으로 상응시켜 시상 전개에 안정감을 부여하고 있다.
④ 근경에서 원경으로 시선을 확대해 가면서 심리의 변화를 보여 주고 있다.
⑤ 외부 세계와 내면을 대비해 가며 이상적 세계에 대한 동경을 드러내고 있다.

02 ㉠~㉤에 대한 이해로 적절하지 않은 것은? 기출 문제

① ㉠: 물음에 대한 답변을 유보하며 사촌 동생의 결혼을 만류하고 있다.
② ㉡: 과장된 표현을 통해 며느리가 수행해야 하는 가사 노동의 상황을 강조하고 있다.
③ ㉢: 시집 식구들을 일일이 지목하여 시집 식구들에 대한 화자의 생각을 드러내고 있다.
④ ㉣: 며느리가 감당해야 하는 제약을 제시해 며느리의 처지를 보여 주고 있다.
⑤ ㉤: 결혼 전후의 용모 변화를 자연물에 빗대어 시집살이의 고충을 토로하고 있다.

03 [A]와 [보기]를 비교하여 감상한 내용으로 가장 적절한 것은? 기출 문제

보기

저기 가는 저 각시, 본 듯도 하구나.
천상(天上) 백옥경(白玉京)을 어찌하여 이별하고
해 다 져 저문 날에 누굴 보러 가시는가. 어와, 너로구나. 이내 사설 들어 보오.
내 얼굴 이 거동이 임이 사랑함직 한가마는 어쩐지 날 보시고 너로다 여기시매
나도 임을 믿어 딴 생각 전혀 없어 아양이며 교태며 어지럽게 하였던지
반기시는 낯빛이 예와 어찌 다르신가.

– 정철, 「속미인곡(續美人曲)」

① [A]와 [보기] 모두 시어의 반복을 통해 리듬감을 살리고 있다.
② [A]와 [보기] 모두 화자 자신의 문제 상황에 대한 책임을 제삼자에게 전가하고 있다.
③ [A]와 [보기] 모두 예전에 알고 지내던 인물과의 만남을 계기로 하여 자신의 심정을 토로하고 있다.
④ [A]에서는 계절의 변화를, [보기]에서는 공간의 변화를 통해 화자의 정서를 심화하고 있다.
⑤ [A]에서는 반어적 표현을, [보기]에서는 다양한 비유적 표현을 통해 자신의 처지를 드러내고 있다.

실전 Test Guide

01 시상 전개 방식을 파악할 수 있는지 평가하는 문제이다. 시적 상황과 화자의 정서와 태도 등을 드러내기 위해 사용한 시상 전개 방식을 살펴보도록 한다.

02 시구의 의미와 표현상의 특징을 파악할 수 있는지 확인하는 문제이다. 문맥을 통해 해당 구절의 의미를 파악하고, 어떤 표현법이 사용되었는지 살펴보도록 한다.

03 작품 간의 공통점과 차이점을 비교하여 적절히 감상할 수 있는지 평가하는 문제이다. 표현상의 특징과 그로 인한 효과, 화자의 정서와 태도 등을 중심으로 제시문과 [보기]의 공통점과 차이점을 파악해 보도록 한다.

민요 148

잠 노래_작자 미상

잠아 잠아 짙은 잠아 이 내 눈에 쌓인 잠아
'잠'을 의인화하여 청자로 설정함. a-a-b-a 구조
염치불구 이 내 잠아 검치두덕 이 내 잠아
염치 불고(부끄러운 마음을 모름.) 욕심 언덕-언덕처럼 쌓인 잠의 욕심
어제 간밤 오던 잠이 오늘 아침 다시 오네. ▶ 기: 염치없이 계속 오는 잠
아침에 일어나서도 지난 밤처럼 계속 졸린 상황
잠아 잠아 무삼 잠고 가라 가라 멀리 가라.
무슨 잠이냐? 반복-'잠'을 내쫓을 수 있는 구체적인 사물로 인식함.
시상 사람 무수한데 구테 너난 간 데 없어
세상 셀 수 없이 많은데 구태여 잠
원치 않는 이 내 눈에 이렇다시 자심하뇨.
잠에 대한 원망 이렇듯이 점점 더 심해지느냐?
「주야에 한가하여 월명동창 혼자 앉아 「」: 한가롭게 지내며 잠 못 들어 괴로워하는 사람의 모습 → 화자의 처지와 대조를 이룸.
밤낮으로 달 밝은 동쪽 창가
삼사경 깊은 밤을 허도이 보내면서
밤 11시~새벽 3시 헛되이
잠 못 들어 한하는데」 그런 사람 있건마는
무상 불청 원망 소래 온 때마다 듣난고니. ▶ 승: 바쁜 자신을 찾아오는 잠에 대한 원망
덧없이 청하지 않은 소리 듣는 것이냐?
석반을 거두치고 황혼이 대듯마듯
저녁밥 다 먹고 되자마자
낮에 못 한 남은 일을 밤에 할랴 마음먹고
언하당 황혼이라 섬섬옥수 바삐 들어
말이 끝나자 마자 가냘프고 고운 여자의 손
등잔 앞에 고개 숙여 실 한 바람* 불어 내어
풀어
더문더문 질긋 바늘* 두엇 뜸 뜨듯마듯
드문드문 두어 땀
난데없는 이 내 잠이 소리없이 달려드네. ▶ 전: 저녁 바느질을 시작하자마자 찾아드는 잠
「눈썹 속에 숨었는가 눈 알로 솟아온가. 「」: 잠이 와서 저절로 눈이 감기는 상황을 해학적으로 표현함.
눈 아래로부터
이 눈 저 눈 왕래하며 무삼 요수 피우든고.
무슨 요망한 수단
맑고 맑은 이 내 눈이 절로절로 희미하다.」 ▶ 결: 잠으로 인해 희미해진 눈

작품 한눈에 보기

화자	청자
잠을 참고 밤낮으로 일을 해야 하는 여인	할 일이 많은 화자에게 계속 찾아오는 잠

↓

고달픈 삶과 계속 오는 잠을 원망함.

출제 포인트

■ 표현상의 특징
① '잠'을 의인화하여 청자로 삼아 말을 건네는 형식으로 잠이 오는 상황을 해학적으로 표현함.
② 화자의 처지와 대비되는 대상을 제시하여 화자의 고달픈 삶을 강조함.

■ 화자의 정서와 태도
① '잠'에게 자신의 처지를 하소연하며, 계속 찾아오는 '잠'을 원망함.
② 익살과 해학을 통해 삶의 애환을 풀어 내고자 함.

어휘 풀이
* 바람: 길이의 단위. 한 바람은 한 발(두 팔을 양옆으로 펴서 벌렸을 때 한쪽 손끝에서 다른 쪽 손끝까지의 길이)
* 질긋 바늘: 문맥상으로 '바늘 하나 길이가 찰 때까지' 정도의 의미로 짐작됨.

1 작품 이해

이 작품은 밤낮으로 일을 해야 했던 부녀자들의 고된 삶을 드러내고 있는 민요이다. 부녀자들이 늦은 밤까지 쏟아지는 잠을 참으며 바느질을 하면서 불렀던 노래로, 고달픈 삶의 애환을 해학적으로 풀어 내고 있다.

- 갈래: 민요, 노동요, 부요
- 성격: 해학적, 서민적, 한탄적
- 주제: 밤새워 바느질을 해야 하는 고달픈 삶과 잠에 대한 원망
- 시적 상황 □□□을 해야 하는데 자꾸 잠이 옴.
- 정서와 태도 염치없이 찾아오는 잠을 □□하고 있음.

정답: 바느질, 원망

2 내용 확인

1 맞는 내용이면 ○표, 틀린 내용이면 ×표 하시오.

① 화자인 '나'가 의인화된 청자인 '잠'에게 말을 건네는 형식으로 시상을 전개하고 있다. ( )
② 밤낮으로 한가하게 지내면서 잠 못 들어 괴로워하는 다른 사람과 화자의 처지를 대조하여 드러내고 있다. ( )

2 '□□□□'와 '실', '바늘'이라는 시어를 통해 화자가 바느질을 하는 여성이라는 것을 짐작할 수 있다.

내용 확인 도우미

1 ① 화자는 '잠아', '너' 등의 표현을 통해 '잠'을 의인화하여 청자로 설정하고 '잠'에게 말을 건네고 있다.
② 7~9행에서 화자의 처지와 반대되는 사람을 언급하여 화자의 고달픈 처지를 강조하고 있다.

2 밤에 섬섬옥수를 바삐 들어 실로 바느질을 한다는 것으로 보아 화자가 여성임을 알 수 있다.

정답 1 ① ○ ② ○ 2 섬섬옥수

3 실전 Test

• 정답 65쪽

01 윗글에 대한 설명으로 가장 적절한 것은?

① 시어의 반복을 통해 화자의 정서를 강조하고 있다.
② 대상을 인격화하여 대상과의 친근감을 형성하고 있다.
③ 인간과 자연을 대비하여 화자의 처지를 강조하고 있다.
④ 인물들 간의 대화 형식으로 시상을 생동감 있게 전개하고 있다.
⑤ 역설적인 표현을 통해 대상에 대한 화자의 감정을 간접적으로 표출하고 있다.

02 [보기]를 통해 윗글을 감상할 때, 적절하지 않은 것은? 기출 문제

보기

「잠 노래」는 농사일이나 집안일 등 바쁜 낮의 일과를 보내고 나서도 밤늦게까지 남은 집안일을 해야 했던 옛날 우리나라 여인들의 애환이 담겨 있는 노래로 여러 지역에서 다양하게 불리어지던 민요이다. 위 「잠 노래」의 화자는 의인화를 통해 원하지 않음에도 불구하고 계속하여 자신을 찾아오는 '잠'을 원망하고 있다. 그러나 자신의 신세를 한탄만 하지 않고 해학적인 태도로 노래를 부르면서 '잠'을 쫓아내고 해야 할 일을 마치려는 의지를 나타내 보이고 있다.

① '잠'을 청자로 설정하여 이야기하는 것으로 볼 때 대상을 의인화하고 있군.
② '잠 못 들어 한하는데'를 통해 '잠'을 쫓으려는 화자의 의지를 읽을 수 있군.
③ '낮에 못한 남은 일을 밤에 할랴 마음먹고'를 통해 화자의 애환을 알 수 있군.
④ '바늘'이라는 소재를 통해 이 노래가 여인들 사이에서 불리어졌음을 확인할 수 있군.
⑤ '눈썹 속에 숨었는가 눈 알로 솟아온가.'라는 구절에서 해학적인 태도를 엿볼 수 있군.

03 윗글과 보기의 공통점으로 가장 적절한 것은? 기출 문제

보기

한숨아 세한숨아 네 어내 틈으로 들어오느냐
고모장지 세살장지 가로닫이 여닫이 암돌쩌귀 수돌쩌귀* 배목걸새* 뚝딱 박고 용거북 자물쇠로 수기수기 채웠는데 병풍이라 덜컥 접은 족자라 데굴데굴 마느냐 네 어내 틈으로 들어오느냐
어인지 너 온 날 밤이면 잠 못 들어 하노라

– 작자미상

* 암돌쩌귀 수톨쩌귀: 문짝을 문설주에 달고 여닫기 위한 쇠붙이
* 배목걸새: 문을 잠그고 빗장으로 쓰는'ㄱ'자 모양의 쇠

① 감정을 이입하여 대상에 대한 친밀감을 드러내고 있다.
② 시간의 흐름에 따라 대상의 변화 과정을 묘사하고 있다.
③ 시선의 이동에 따른 화자의 정서 변화를 드러내고 있다.
④ 의인화된 대상에게 말을 건네면서 시상을 전개하고 있다.
⑤ 영탄적 표현을 통해 자연물에서 받은 감흥을 표출하고 있다.

실전 Test Guide

01 표현상의 특징을 파악할 수 있는지 확인하는 문제이다. 화자의 정서와 태도 등을 효과적으로 드러내기 위해 사용된 방식을 살펴보도록 한다.

02 [보기] 자료를 고려하여 제시문을 적절하게 감상할 수 있는지 평가하는 문제이다. [보기]를 바탕으로 시어나 시구에 나타난 화자의 상황과 정서, 태도 등을 파악해 보도록 한다.

03 작품 간의 공통점을 파악할 수 있는지 확인하는 문제이다. 시상 전개 방식과 화자의 상황, 정서와 태도 등을 고려하여 두 작품의 공통점을 파악해 보도록 한다.

민요 149

아리랑_작자 미상

아리랑 아리랑 아라리요 / 아리랑 고개를 넘어간다.
후렴구 – 유음('ㄹ')과 '아리랑'의 반복을 통해 리듬감을 형성함.
나를 버리고 가시는 님은
위협 – 임을 떠나보내고 싶지 않은 간절한 마음
십 리도 못 가서 발병 난다.
거리의 단위. 1리는 약 0.393km에 해당함.
▶ 1연: 임과 이별하고 싶지 않은 마음

아리랑 아리랑 아라리요 / 아리랑 고개로 넘어간다.
「청청하늘엔 잔별도 많고
맑고 푸른 하늘 작은 별
이내 가슴엔 수심도 많다.」
매우 근심하는 마음
「」: 대구법 – 하늘의 수많은 별만큼 근심으로 가득 차 있는 화자의 내면을 드러냄.
▶ 2연: 이별로 인한 근심

작품 한눈에 보기

떠나는 임을 위협함.
↓
임을 떠나보내고 싶지 않음.
↓
이별로 인한 수심이 가득 차 있음.

출제 포인트

■ 표현상의 특징
임을 위협함으로써 임과 함께하고 싶은 간절한 소망을 드러냄.

1 작품 이해

이 작품은 임과 이별하고 싶지 않은 마음을 노래한 우리나라의 가장 대표적인 민요이다. 떠나는 임을 위협함으로써 임과 함께하고 싶은 화자의 간절한 소망을 드러내고 있다.

- 갈래: 민요(서울, 경기)
- 성격: 서정적, 애상적
- 주제: 임과의 이별로 인한 슬픔과 안타까움
- 시적 상황 사랑하는 임과 □□하고 있음.
- 정서와 태도 임을 □□하여 이별하고 싶지 않은 마음을 드러내고 있음.

정답: 이별, 위협

2 내용 확인

1 맞는 내용이면 ○표, 틀린 내용이면 ×표 하시오.

① 화자는 임과의 이별을 슬퍼하면서도 떠나는 임의 앞날을 축복하고 있다. (   )
② 유음(ㄹ)이 반복적으로 사용되는 후렴구를 반복하여 운율감을 형성하고 있다. (   )

내용 확인 도우미

1 ① 1연에서 화자는 임에게 '나'를 떠나면 발병이 날 것이라면서 위협하고 있다.
② 각 연 1, 2행의 후렴구에서는 유음 'ㄹ'을 반복하여 운율을 형성하고 있다.

정답 1 ① × ② ○

3 실전 Test

• 정답 66쪽

01 윗글과 [보기]를 비교하여 감상한 내용으로 적절한 것은?

| 보기 |

여ᄒᆡ므론* 아즐가 여ᄒᆡ므론 질삼뵈 ᄇᆞ리시고 / 위 두어렁셩 두어렁셩 다링디리
괴시란ᄃᆡ* 아즐가 괴시란ᄃᆡ 우러곰* 좃니노이다* / 위 두어렁셩 두어렁셩 다링디리
– 작자미상, 「서경별곡(西京別曲)」

*여ᄒᆡ므론: (임과) 이별하기보다는 *괴시란ᄃᆡ: 사랑만 해 주신다면
*우러곰: 울면서 *좃니노이다: 따르겠습니다

① 윗글과 [보기]의 화자 모두 임과 함께하고 싶은 간절한 마음을 드러내고 있다.
② 윗글과 [보기]의 화자 모두 이별 이후의 상황을 가정하여 임을 위협하고 있다.
③ 윗글과 [보기]의 화자 모두 이별이 자신의 탓이라고 생각하며 과거를 반성하고 있다.
④ 윗글의 화자는 [보기]와 달리 사랑을 쟁취하려는 적극적인 태도를 드러내고 있다.
⑤ [보기]의 화자는 윗글과 달리 임과 함께했던 공간에서 떠나는 것을 두려워하고 있다.

실전 Test Guide

01 작품 간의 공통점과 차이점을 비교하여 감상할 수 있는지 확인하는 문제이다. 화자의 정서와 태도를 중심으로 제시문과 [보기]의 공통점과 차이점을 파악해 보도록 한다.

민요 150

진도 아리랑_작자 미상

「서산에 지는 해는 지고 싶어 지느냐 「」: 임이 화자를 떠나는 것은 해가 지는 것처럼 어찌할 수 없는 일임(대구법).
서쪽 산 / 설의법
날 두고 가시는 임 가고 싶어 가느냐」
설의법
「아리 아리랑 스리 스리랑 아라리가 났네 / 아리랑 으으응 아라리가 났네」 「」: 후렴구
▶ 1연: 어찌할 수 없는 임과의 이별

문경 새재는 웬 고갠가
문경과 괴산 사이의 고개 – 험난한 삶의 굴곡을 상징함.
구부야 구부구부가 눈물이로다
굽이 / 삶의 비애, 한탄
아리 아리랑 스리 스리랑 아라리가 났네 / 아리랑 으으응 아라리가 났네
▶ 2연: 험난한 삶에 대한 탄식

「청천 하늘에 잔별도 많고 □: 반짝이는 이미지가 유사함(가슴속의 비애를 하늘에 반짝이는 별의 이미지로 형상화함.).
맑은 하늘 / 작은 별
우리네 가슴에는 눈물도 많다」 「」: 하늘의 수많은 별만큼 슬픔이 가득 차 있는 화자의 내면을 드러냄(대구법).
아리 아리랑 스리 스리랑 아라리가 났네 / 아리랑 으으응 아라리가 났네
▶ 3연: 슬픔으로 가득한 삶에 대한 탄식

작품 한눈에 보기

어찌할 수 없는 임과의 이별
↓
힘들고 험난한 삶
↓
슬픔(눈물)이 많은 우리네 삶

출제 포인트

■ 표현상의 특징
① 선후창의 형식으로 내용이 전개됨.
② 후렴구를 사용하여 리듬감을 형성함.
③ 설의적 표현(1연의 '~지느냐', '~가느냐')을 통해 어찌할 수 없는 이별의 상황을 강조함.
④ 대구법을 사용하여 화자의 정서를 드러냄.

1 작품 이해

이 작품은 임과의 이별과 삶의 애환을 소박하고 애상적인 어조로 노래한 민요이다. 전국에 다양하게 퍼져 있는 '아리랑' 중 전라남도 진도 지역에서 전해지는 민요로, 「정선 아리랑」, 「밀양 아리랑」과 함께 우리나라 3대 아리랑으로 손꼽힌다.

• 갈래: 민요, 부요(婦謠) • 성격: 애상적, 한탄적

• 주제: 이별의 슬픔, 험난한 삶에 대한 한탄
• 시적 상황 임과 □□한 후 순탄하지 않은 삶을 살고 있음.
• 정서와 태도 임과의 이별을 슬퍼하며 험난하고 슬픔으로 가득 찬 삶을 □□하고 있음.

정답: 이별, 한탄

2 내용 확인

1 맞는 내용이면 ○표, 틀린 내용이면 ×표 하시오.

① 화자는 임과의 갑작스러운 이별을 받아들이지 못하고 깊은 슬픔과 절망에 빠져 있다. ( )
② '아리 아리랑~아라리가 났네'라는 후렴구를 반복하여 화자의 비극적인 삶을 강조하고 슬픔의 정서를 드러내고 있다. ( )

내용 확인 도우미

1 ① 화자는 1연에서 임과 이별하는 상황을 해가 지는 것처럼 어쩔 수 없는 것으로 받아들이고 있다.
② 윗글은 후렴구를 통해 리듬감과 통일감을 형성할 뿐, 큰 의미를 표현하고 있지는 않다.

정답 1 ① × ② ×

3 실전 Test

• 정답 66쪽

01 윗글에 대한 설명으로 적절하지 않은 것은?

① 유사한 문장 구조를 반복하여 리듬감을 드러내고 있다.
② 함축적인 의미를 가진 시어를 활용하여 화자의 정서를 강조하고 있다.
③ 시각적 이미지를 활용하여 화자의 정서를 구체적으로 형상화하고 있다.
④ 의문형 어미를 사용하여 대상이 처한 상황에 대한 의문을 드러내고 있다.
⑤ 후렴구를 활용하여 리듬감을 부여하고 구조적인 안정감을 형성하고 있다.

실전 Test Guide

01 표현상의 특징을 파악할 수 있는지 확인하는 문제이다. 시적 의미나 화자의 정서 등을 드러내기 위해 사용된 표현 방식과 그로 인한 효과를 살펴보도록 한다.

MEMO

MEMO

MEMO

MEMO

SUMMA CUM LAUDE

[국어 기본서]

숨마쿰라우데®

고전 시가

단계별 학습으로 고전 시가를 완성하는 국어 문학 고득점 전략서

秘 서브노트 SUB NOTE

SUMMA CUM LAUDE

[국어 기본서]

숨마쿰라우데®

고전 시가

秘 서브노트 SUB NOTE

고대 가요 001 공무도하가(公無渡河歌)

백수광부의 아내 백수광부의 아내가 지은 것으로 보는 것이 일반적이지만, 뱃사공 곽리자고나 그의 아내인 여옥이 지었다고 보는 견해도 있다.

문학사적 의의
① 문헌상 가장 오래된 서정 시가
② 집단 가요에서 개인적 서정 시가로 넘어가는 과도기적 작품
③ 이별의 정한(情恨)을 다룬 작품들의 원류(原流)

01 시상 전개 과정의 파악 정답 ④

정답해설 4구는 물에 빠져 죽은 임에 대한 화자의 슬픔과 체념의 정서가 드러나 있는 부분이다. 즉, 임의 죽음으로 인한 화자의 안타까운 심정이 집약되어 표현되었다고 볼 수 있다. 따라서 4구에서 화자가 시적 대상인 임과 하나가 되려는 의지를 드러내고 있다고 보는 것은 적절하지 않다.

오답해설 ① 1구에는 물을 건너지 않았으면 하는 화자의 기대와는 달리 물을 건너려고 하는 임을 만류하는 태도가 나타나 있다.
② 2구에는 화자의 애원을 뿌리치고 물을 건너가는 임과 그런 임을 바라보며 탄식하고 있는 화자의 모습이 담겨 있다.
③ 3구에서는 임이 물에 빠져 죽은 상황을 비유적 표현 없이 직설적으로 표현하고 있다.
⑤ 4구에서는 3구에서 제시한 임의 죽음을 보며 느끼는 화자의 슬픔과 체념의 정서 등을 집약하여 드러내고 있다.

고대 가요 002 구지가(龜旨歌)

구간(九干) 가야국(가락국)이 형성되기 이전에 김해 지역을 다스리던 9명의 우두머리. 『삼국유사』의 「가락국기(駕洛國記)」에 따르면 9명이 각각 김해 지역을 나누어 다스리다가, 하늘에서 내려온 김수로(金首露)를 왕으로 추대하여 금관가야국을 건국하였다고 한다.

문학사적 의의
① 주술성을 지닌 집단 무가(巫歌)
② 현전하는 가장 오래된 노동요

01 시상 전개 과정과 표현 방식의 파악 정답 ③

정답해설 윗글의 화자는 청자인 '거북'에게 '호명-명령-가정-위협'의 순서로 말을 건네고 있다. ③을 보면, '두견새'를 호명한 후 '어서 둥지로 돌아가거라.'라고 명령하고, '또 다시 서글픈 심회(心懷)를 재촉한다면'이라고 가정적 상황을 제시한 다음, '그 요망한 부리를 비틀어 버리리라.'라고 위협하고 있다. 따라서 ③이 글의 흐름과 표현 방식 면에서 가장 유사하다고 볼 수 있다.

오답해설 ① '벼'를 호명하며 '고개를 숙이지 마라.'라고 명령하고 있기는 하지만, 가정적 상황을 제시하거나 '벼'를 위협하고 있지는 않다.
② '닭'을 호명한 후 '네가 그리 요란을 떤다면'이라고 가정적 상황을 제시하여, '널 쫓아내리라.'라고 위협하고 있다. 그러나 '닭'에게 명령하고 있는 부분은 찾을 수 없다.
④ '매화'를 호명한 후 '온 세상을 하얗게 물들여다오.'라고 당부를 하고 있다. 그러나 '매화'에게 명령하거나, 가정적 상황을 제시하거나, '매화'를 위협하고 있는 부분은 찾을 수 없다.
⑤ '풀'을 호명한 후 '이제 그 눈물을 거두어라.'라고 명령하고 있고, '눈물을 닦고 속박의 시대를 굳건히 버틴다면'이라며 가정적 상황을 제시하고 있다. 하지만 '풀'에게 위협을 가하고 있지는 않다.

고대 가요 003 황조가(黃鳥歌)

유리왕(?~18) 주몽의 아들로, 고구려의 2대 임금. 어린 시절 아버지인 주몽 없이 부여에서 어렵게 성장하였으나, 고구려에 입국하여 태자가 되었다. 고구려의 기틀을 확립한 임금으로, 「황조가」를 지었을 만큼 감수성이 풍부한 인물로 알려져 있다.

문학사적 의의
① 작가와 창작 연대가 알려져 있는 현전하는 가장 오래된 서정 시가
② 집단 가요에서 개인적 서정시로 넘어가는 과도기적 작품

01 표현상의 특징 파악 정답 ①

정답해설 2구에서는 '암수 정답게 노니는데'를 통해 1구의 '꾀꼬리'가 의인화되었다고 볼 수 있다. 그러나 '꾀꼬리'는 화자의 처지와 대비되는 존재로, 화자가 부러워하는 대상이지 친밀감을 느끼는 대상으로 보기는 어렵다. 따라서 1구에서 의인화를 통해 화자가 꾀꼬리에 대한 친밀감을 나타내고 있다고 보는 것은 적절하지 않다.

오답해설 ② 2구의 정답게 노니는 꾀꼬리의 모습은 임을 잃고 외로움을 느끼는 화자의 처지를 부각하는 기능을 한다.
③ 3구에서는 '이내 몸은'과 '외로울사'를 도치하여 화자의 외로운 심정을 강조하고 있다.
④ 4구는 함께 돌아갈 사람이 누구인지를 묻고 있는 것이 아니라, '함께 돌아갈 임이 없다'는 화자의 탄식을 드러낸 것이다. 따라서 4구는 설의법을 통해 임이 없는 화자의 처지를 강조하고 있다고 볼 수 있다.

⑤ 1, 2구는 암수 서로 정다운 꾀꼬리의 모습을 그리고 있고, 3, 4구는 임을 잃은 화자의 외로움을 제시하고 있다. 따라서 1, 2구에서는 선경(先景)을, 3, 4구에서는 후정(後情)을 제시하여 시상을 전개하고 있다고 볼 수 있다.

고대 가요 004 해가(海歌)

문학사적 의의
① 주술성을 지닌 집단 무요
② 「구지가」가 후대에 전승되었음을 알려 주는 시가

01 작품 간 공통점과 차이점 파악 정답 ❷

정답해설 윗글의 화자가 '거북'을 그물로 잡아 구워 먹겠다고 협박하는 이유는 '거북'으로 나타나는 동해 용왕(해룡)이 남의 아내(수로 부인)를 훔쳐갔기 때문이다. 한편 [보기]에는 화자가 '거북'을 구워 먹겠다고 협박하고는 있지만, 그 근본적인 이유는 제시되어 있지 않다. 따라서 윗글은 [보기]와 달리, 시적 대상인 '거북'을 위협하는 이유가 구체적으로 드러나 있다고 할 수 있다.

오답해설 ① 윗글과 [보기]의 화자 모두 '거북'을 청자로 설정하여 말을 건네는 방식으로 내용을 전개하고 있다.
③ 윗글은 '거북'을 호명하며 '수로 부인을 내놓아라.'라고 명령하고, 수로 부인을 '내어놓지 않으면'이라고 가정한 다음 '그물로 잡아 구워 먹으리.'라며 위협하고 있다. 그리고 [보기] 역시 '거북'을 호명하며 '머리를 내어라.'라고 명령하고, 머리를 '내어놓지 않으면'이라고 가정한 다음 '구워서 먹으리.'라며 위협하고 있다. 따라서 윗글과 [보기] 모두 '호명 – 명령 – 가정 – 위협'의 구조로 되어 있다고 볼 수 있다.
④ 윗글의 4구에서는 '거북'을 사로잡아 징벌하기 위한 도구로 '그물'이 제시되어 있다. 그러나 [보기]에서는 '거북'을 구워서 먹겠다고 위협만 하고 있을 뿐, 징벌 수단이 구체적으로 제시되어 있지 않다.
⑤ 윗글의 화자는 '거북'에게 '수로 부인을 내놓아라.'라고 명령하고 있고, [보기]의 화자도 '거북'에게 '머리를 내어라.'라고 명령하고 있다. 따라서 두 작품의 화자 모두 자신들이 원하는 바를 '거북'에게 직설적으로 표현하고 있다고 볼 수 있다.

구간 등, 「구지가」

- **갈래**: 고대 가요
- **해제**: 가락국 시조인 수로왕의 강림 신화에 삽입되어 전하는 고대 가요이다. '거북'을 신령스러운 존재로 본다면, 거북의 머리는 생명을, 거북이 머리를 내놓는 행위는 생명의 탄생을 의미한다. 이는 수로왕의 탄생과 관련된다.
- **주제**: 왕의 강림 기원

* 참고: 본문 15쪽

고대 가요 005 정읍사(井邑詞)

문학사적 의의
① 한글로 표기된 가장 오래된 노래
② 현재까지 전하는 유일한 백제 노래
③ 시조의 원형을 간직한 노래(여음을 제외하면 3장 6구의 시조 형식과 거의 유사함.)

01 표현상의 특징 파악 정답 ❷

정답해설 윗글에서는 '어긔야', '어긔야 어강됴리. / 아으 다롱디리.' 등 특별한 의미 없이 리듬을 맞추거나 흥을 돋우기 위한 여음과 후렴구를 사용하고 있다. 그러나 의성어나 의태어 같은 음성 상징어를 사용하지는 않았다.

오답해설 ① 화자는 자연물인 달에 의탁하여 남편의 안전과 무사 귀환이라는 자신의 소망을 기원하고 있다.
③ '어긔야'와 같은 여음구나 '어긔야 어강됴리. / 아으 다롱디리.'와 같은 후렴구를 반복하여 리듬감을 형성하고 있다.
④ 화자는 달에게 말을 건네는 듯한 어조를 통해 남편을 염려하고 걱정하는 마음을 드러내고 있다.
⑤ '~ㄴ고요', '~ㄹ셰라', '~라'와 같이 다양한 어미를 통해 남편의 안전을 염려하는 화자의 마음을 드러내고 있다.

02 자료를 통한 시구의 의미 파악 정답 ❺

정답해설 ⓔ는 저물까 두렵다는 의미로, 남편에 대한 걱정과 무사 귀환을 바라는 아내의 마음을 드러낸 것이지, 남편을 위한 희생 의지를 표현한 것이 아니다. 또한 [보기]의 '남편을 기다리던 아내는 언덕에 망부석으로 변해 남아 있다고 한다'는 구절 역시 화자가 남편을 위해 희생했다는 것이 아니라, 그만큼 남편을 향한 기다림이 간절했다는 것을 의미한다. 따라서 ⓔ에 남편을 위한 아내의 희생 의지가 드러난다고 보는 것은 적절하지 않다.

오답해설 ① [보기]에서 '남편이 밤길에 오다가 해를 입지나 않을까 염려하였다'고 하였다. 그리고 윗글의 화자는 달이 높이 떠서 멀리멀리 비추어 달라고 하였다. 따라서 ⓐ'머리곰'에는 남편을 걱정하는 아내의 간절한 마음이 담겨 있다고 할 수 있다.
② [보기]에서 남편은 '행상을 떠나 오래도록 돌아오지 않았다'고 하였다. 그리고 윗글의 ⓑ에서 화자는 남편이 시장에 가 있는지 묻고 있다. 따라서 ⓑ를 통해 남편의 직업이 상인임을 알 수 있다.
③ [보기]에서 '남편이 밤길에 오다가 해를 입지나 않을까 염려하였다'고 하였다. 이를 고려하면 윗글의 화자가 남편을 염려하며 혹시 디딜까 두려워하는 '즌 듸'는 남편에게 일어날 수 있는 모든 부정적인 상황으로 볼 수 있다.
④ [보기]에서 '남편이 밤길에 오다가 해를 입지나 않을까 염려하였다'고 하였다. 그리고 윗글의 ⓓ는 어느 곳에나 짐을 풀어 놓고 쉬라는 의미이다. 따라서 ⓓ에는 남편의 안전을 먼저 생각하는 아내의 마음이 드러난다고 할 수 있다.

향가 006 서동요(薯童謠)

서동(?~641) 본명은 장(璋)이며, 백제의 30대 왕인 무왕이다. 마를 캐어 생계를 유지해 '서동(薯童)'이라고 불렸다. '서동 설화'

는 『삼국유사(三國遺事)』에 전해지며, 고대부터 전승된 설화에 여러 가지 역사적 사건들과 관련한 이야기들이 섞여 만들어진 것으로 보는 견해가 일반적이다.

01 자료를 통한 감상의 적절성 파악 정답 ⑤

정답해설 참요는 시대적 상황이나 정치적 징후를 예언하거나 암시하는 주술성을 지닌 민요이다. 윗글이 노래로 불린 후, 그 내용대로 서동과 선화 공주가 혼인을 하게 되었으므로 윗글은 참요적 성격을 띤다고 볼 수 있다.

오답해설 ① 윗글에서 남몰래 결혼하고 밤에 서동을 안고 가는 적극적인 사랑의 주체는 선화 공주로 묘사되어 있다.
② 윗글에 나온 선화 공주에 관한 내용은 실제 발생하지 않았던 일이므로, 선화 공주의 비밀이 사람들에게 알려졌다고 보기는 어렵다.
③ 윗글은 선화 공주가 아닌 서동이 원하는 바, 즉 선화 공주와 서동의 결혼을 이루어 주는 역할을 하였다.
④ 윗글은 사랑의 당사자인 선화 공주와 서동이 화자로 등장하지 않고 제삼자가 화자로 등장하여 서동과 선화의 사랑 이야기를 하는 형식을 취하고 있다.

향가 007 헌화가(獻花歌)

01 시어의 의미와 기능 파악 정답 ②

정답해설 2구의 '암쇼'는 화자인 노옹이 꽃을 꺾어 오기 위해 손에서 놓은 것이다. 따라서 수로 부인이 희생해야 하는 것이라고 보기 어렵다.

오답해설 ① 1구의 '바회 ᄀᆞ'는 사람이 접근하기 힘든 공간으로, 위험을 무릅쓰고 수로 부인을 위해 꽃을 꺾어 오는 화자의 순정을 부각한다.
③ 윗글의 화자인 '나'는 수로 부인을 위해 꽃을 꺾어 바치려 한다.
④ 3구의 '안디 붓그리샤ᄃᆞᆫ'은 '아니 부끄러워하신다면'이라는 뜻인데, 3~4구에서 화자는 자신을 부끄러워하지 않으면 꽃을 꺾어 바치겠다고 말하고 있다. 따라서 '안디 붓그리샤ᄃᆞᆫ'은 화자가 꽃을 꺾어 오기 위한 조건이 된다고 볼 수 있다.
⑤ 4구의 '곶'은 화자가 수로 부인에게 바치는 것으로, 수로 부인을 향한 흠모의 정, 사랑이 형상화된 것이다.

향가 008 원왕생가(願往生歌)

01 시어의 의미 파악 정답 ②

정답해설 6구의 '두 손 모도호ᄉᆞᆯ바'는 '두 손 모아'를 의미한다. 이는 달이 아니라 화자가 무량수불을 향하여 소망을 빌 때 취하는 자세이다.

오답해설 ① 5구의 '다딤 기프샨'은 '다짐(맹세) 깊으신'을 의미하며, '존(부처님)'을 수식하고 있다. 따라서 화자가 '다짐 깊으신 부처님'이라는 말로 부처님을 찬양하고 있다고 볼 수 있다.
③ 7구의 '원왕생'은 '왕생을 기원한다'는 의미로, 화자가 무량수불에게 자신이 극락에서 다시 태어나게 해 달라고 기원하는 표현이다.
④ 8구의 '그릴 사ᄅᆞᆷ'은 두 손을 모아 왕생을 기원하는 사람을 의미하며 화자 자신을 가리킨다.
⑤ 9구의 '이몸 기텨 두고'는 '이 몸 남겨 두고'라는 의미로, 화자를 왕생시키지 않고 현실에 남겨 두는 상황을 가리킨다.

02 시어의 의미와 기능 파악 정답 ④

정답해설 윗글의 '달'은 무량수불에게 화자의 소원을 전달해 주는 매개체이다. 그리고 [보기]의 '달'은 임이 오는 길을 밝히고 싶다는 화자의 소원을 직접 이루어 줄 수 있는 존재이다.

오답해설 ① 윗글과 [보기]의 화자는 시련을 겪고 있지 않으며, '달'을 통해 위로를 얻고 있지도 않다.
② 윗글의 '달'은 지상과 극락세계를 연결하여 화자의 소원을 전달해 주는 역할을 하므로, 어두운 세상을 밝게 비추어 주는 구원자라고 보기는 어렵다. 그러나 [보기]의 '달'은 어두운 세상을 비추어 줌으로써 '임'의 무사 귀환을 돕는 존재이기 때문에 구원자의 역할을 하고 있다고 볼 수 있다.
③ 윗글의 '달'은 애상적 분위기를 형성하는 것과는 관련이 없다. 오직 소원을 전달하는 매개체 역할을 할 뿐이다. 또한 [보기]의 '달'도 광명을 상징하므로 애상적 분위기와 관련이 있다고 볼 수 없다.
⑤ 윗글의 '달'은 극락세계로 가서 화자의 소원을 전달해 주는 초월적 존재이다. 그러나 [보기]의 '달'은 어둠을 밝히는 광명의 존재일 뿐, 현실적 제약에 얽매여 있는 존재라고 보기는 어렵다.

어느 행상인의 아내, 「정읍사」

- **갈래**: 고대 가요
- **해제**: 이 작품은 현재까지 가사가 전해지는 유일한 백제의 노래이다. 행상에 나가 돌아오지 않는 남편의 안위를 걱정하면서 광명의 상징인 달에게 남편의 안전한 귀가를 기원하는 내용으로 구성되어 있다. 후렴구를 제외하면 평시조의 3장 6구 형식과 유사하여 시조 형식의 기원이 되었다고 보기도 한다.
- **주제**: 남편의 안전을 기원하는 마음

* 참고: 본문 18쪽

향가 009 처용가(處容歌)

01 작품 간 공통점과 차이점 파악 정답 ④

정답해설 [보기]의 11행 '처용 아비를 피해 가고 싶다'에는 처용을 피하고 싶다는 역신의 심리가 드러나 있다. 하지만 윗글에서는 역신의 심리가 제시된 부분을 찾을 수 없다.

오답해설 ① 윗글은 처용의 독백으로 이루어져 있다. 그리고 [보기]는 제삼자의 발언과 제삼자와 처용이 대화를 하는 부분, 역신의 소망으로 구성되어 있다.
② 윗글과 [보기] 모두 역신이 아내를 침범했다는 문제 상황이 직접적으로 제시되어 있다.
③ 윗글과 [보기]에서 처용 아내의 말은 나타나지 않는다.
⑤ [보기]의 5행 '열병신 따위야 횟감이로다.'에서는 처용의 능력을 과장해

표현하고 있다. 그러나 윗글에서는 처용의 능력을 나타낸 부분을 찾을 수 없다.

02 자료를 통한 감상의 적절성 파악 정답 ③

정답해설 7구의 '본ᄃᆡ 내해다마ᄅᆞᆫ'은 '본래 내 것이다마는'이라는 뜻이다. 이는 처용과 아내의 관계를 말해 주는 것일 뿐, 처용의 아내가 아름다웠다고 추측할 근거가 될 수 없다.

오답해설 ① 1구의 'ᄉᆡᄫᆞᆯ ᄇᆞᆯ기 ᄃᆞ래'는 '서울 밝은 달에'라는 뜻이다. 이를 통해 이 노래의 공간적 배경이 서울이며, 시간적 배경이 밤임을 알 수 있다.
② 4구의 '가ᄅᆞ리 네히어라.'는 '다리가 넷이구나.'라는 뜻이다. 이는 두 사람이 있다는 뜻이므로 역신이 아내와 동침한 상황임을 추측할 수 있다.
④ 8구의 '아ᅀᆞᄂᆞᆯ 엇디ᄒᆞ릿고.'는 '빼앗긴 것을 어찌하겠는가.'라는 뜻이다. 처용이 아내를 빼앗긴 것에 대한 분노 대신 역신에 대한 관용적 태도를 보이는 부분이다.
⑤ [보기]에 따르면 처용의 태도에 감복한 역신이 물러갔다고 한다. 따라서 윗글은 요사스러운 기운이나 귀신을 물리치는 축사의 기능을 했다고 볼 수 있다.

향가 010 제망매가(祭亡妹歌)

월명사 신라 경덕왕 때의 승려. 달밤에 피리를 불면서 대문 앞 큰 길을 지나는데 달이 그 소리에 감복하여 운행을 멈추었다는 이야기가 전해질 정도로 피리를 잘 불었다고 한다. 또 다른 작품으로는 「도솔가」가 있으며, 『삼국유사』에 실려 전한다.

01 화자의 정서와 태도 파악 정답 ③

정답해설 윗글의 화자는 누이의 죽음으로 인해 슬픔을 느끼고 있지만, 이를 직설적으로 표현하고 있지는 않다. 대신 인간의 삶과 죽음을 자연물에 빗대어 표현하면서 종교적으로 극복하려는 태도를 보이고 있다.

오답해설 ① 7~8구의 'ᄒᆞᄃᆞᆫ 가지라 나고 / 가논 곧 모ᄃᆞ론뎌.'에서는 누이와 화자가 같은 부모에게서 나왔지만 죽어서 가는 곳을 모르는 현실에 대한 허무감과 무상감을 표현하고 있다.
② 7구의 'ᄒᆞᄃᆞᆫ 가지(같은 부모)'라는 비유적 표현을 통해 화자와 죽은 누이의 혈연 관계를 드러내고 있다.
④ 9~10구의 미타찰에서 누이와 재회하기를 도 닦아 기다린다는 표현을 통해 화자가 재회에 대한 확신으로 이별의 슬픔을 극복하는 태도를 보이고 있다고 볼 수 있다.
⑤ 화자는 누이의 죽음으로 인한 개인의 슬픔을 도를 닦는 행위를 통해 종교적 차원으로 승화하려는 의지를 드러내고 있다.

02 작품 간 공통점과 차이점 파악 정답 ①

정답해설 잎이 떨어지는 결과를 가져왔다는 점에서 ⓐ는 누이를 죽게 한 원인으로 볼 수 있다. 따라서 ⓐ로 인해 화자의 시련이 유발되었다고도 할 수 있다. 그러나 A의 '바람'은 꽃을 지게 한 자연 현상일 뿐, 화자의 시련과는 관련이 없다.

오답해설 ② ⓐ는 잎이 떨어지는 결과의 원인이며, B의 '바람'은 나무가 쓰러지게 하는 결과의 원인으로 볼 수 있다.
③ ⓑ는 죽은 누이를 의미하여, 화자가 느끼는 슬픔과 무상감을 부각한다. 한편 A의 '도화'는 봄의 경치를 만끽하는 화자의 흥취를 강조한다.
④ ⓑ는 죽은 누이를 빗댄 표현이고, B의 '나무'는 임을 그리워하다 병이 든 화자를 빗댄 표현이다.
⑤ ⓑ와 A의 '도화'는 바람에 의해 떨어지고, B의 '나무'는 바람이 불어 쓰러지고 있다. 따라서 ⓑ, '도화', '나무'는 모두 수동성을 함축하고 있다고 볼 수 있다.

정민교, 「간밤에 부던 바람~」

- **갈래**: 평시조
- **해제**: 이 작품은 보통 치워야 할 대상으로 생각하는 낙화(落花)를 보면서도 흥취를 느끼는 화자의 풍류적 태도가 드러난 시조이다.
- **주제**: 도화(桃花)를 보며 느끼는 풍류

유희춘, 「바람 불어 쓰러진~」

- **갈래**: 평시조
- **해제**: 이 작품은 임에 대한 그리움을 표현한 시조이다. 바람이 불어 쓰러진 나무와 임을 그리워하다 병이 든 화자의 상황을 대구적으로 표현하여, 임을 만나야만 화자의 병이 나을 수 있다고 노래하고 있다.
- **주제**: 임에 대한 간절한 그리움

향가 011 찬기파랑가(讚耆婆郞歌)

충담사 신라 경덕왕 때의 승려. 해마다 3월 3일과 9월 9일에 차를 달여 미륵보살에게 올리는 예를 거행하였는데, 돌아오는 길에 왕의 명으로 「안민가」를 지었다는 기록이 『삼국유사』에 전한다.

또 다른 해독(김완진 해독)
늣겨곰 ᄇᆞ라매
이슬 ᄇᆞᆯ갼 ᄃᆞ라리
ᄒᆡᆫ 구룸 조초 ᄠᅥ간 언저레
몰이 가ᄅᆞᆫ 믈서리여ᄒᆡ
기랑(耆郞)ᄋᆡ ᄌᆞᅀᅵ올시 수프리야.
일오(逸烏)나릿 ᄌᆡ벼긔
낭(郞)이여 디니더시온
ᄆᆞᅀᆞᄆᆡ ᄀᆞᆯ 좃ᄂᆞ라져.
아야 자싯가지 노포
누니 모ᄃᆞᆯ 두폴 곳가리여.

- 현대어 풀이: 흐느끼며 바라보매 / 이슬 밝힌 달이 / 흰 구름 따라 떠 간 언저리에 / 모래 가른 물가에 / 기랑의 모습과 같은 수풀이여. / 일오 내 자갈 벌에서 / 낭이 지니시던 / 마음의 끝을 좇고 있노라. / 아아, 잣나무 가지가 높아 / 눈이라도 덮지 못할 고깔(화랑의 우두머리)이여.

01 시어의 의미 파악 정답 ②

정답해설 윗글에서 어려운 처지의 사람을 누구보다 먼저 나서서 도울 것이라는 '기파랑'의 특성을 추론할 근거는 찾을 수 없다.

오답해설 ① 4구의 '나리(냇물)'를 통해 기파랑의 맑고 깨끗한 성품을 추론할 수 있다.
③ 2구의 'ᄃᆞᆯ(달)'을 통해 기파랑이 누구나 높이 우러러보는 존재였음을 추론할 수 있다.
④ 9구의 '잣ㅅ가지'와 10구의 '서리'를 통해 기파랑이 힘들고 어려운 일이 있어도 곧은 절개를 꺾지 않았음을 추론할 수 있다.
⑤ 6구의 '지벽(조약돌)'을 통해 기파랑이 원만하면서도 강직한 성품을 갖고 있었음을 추론할 수 있다.

02 작품 간 공통점과 차이점 파악 정답 ①

정답해설 윗글의 9구 '잣ㅅ가지'는 곧은 절개를 지키는 존재를, 10구의 '서리'는 이를 위협하는 시련을 상징한다. [보기]의 '황국화'는 곧은 절개를 지키는 존재를, '풍상'은 이를 위협하는 시련을 상징하므로 '잣ㅅ가지-서리'와 '황국화-풍상'은 서로 대응된다고 볼 수 있다.

오답해설 ② 윗글과 [보기]에는 시간의 변화가 드러나지 않는다.
③ 윗글은 기파랑을 찬양하고 있고, [보기]는 임에 대한 충정을 맹세하고 있다. 그러나 윗글과 [보기]에서 대상과의 관계 개선을 희망하는 내용은 드러나지 않는다.
④ 윗글은 기파랑의 부재와 그에 대한 그리움이 드러난다고 볼 수 있다. 하지만 [보기]에는 부재하는 대상이 드러나 있지 않다.
⑤ 윗글 10구의 '화반'은 기파랑을 가리키는 말로 그리움의 대상이다. 그러나 [보기]의 '님'은 화자가 충정을 맹세하는 대상이지, 원망하는 대상으로 보기 어렵다.

송순, 「풍상이 섯거친 날에~」

- **갈래**: 평시조
- **해제**: 이 작품은 임이 풍상을 이겨 낸 국화를 보낸 것을 절개 곧은 신하가 되라는 뜻으로 보고 임금에 대한 변함없는 충정을 맹세하고 있다. 변절을 상징하는 '도리'와 대조되는 '황국화'를 통해 화자의 의지를 강조하고 있다.
- **주제**: 임금에 대한 변함없는 충정 맹세
- **현대어 풀이**: 바람 불고 서리가 내린 날에 갓 핀 노란 국화를
  좋은 화분에 가득 담아 옥당(홍문관)에 보내오니,
  복숭아꽃과 오얏꽃은 꽃인 체를 하지 마라, 임의 뜻을 알겠구나.

향가 012 모죽지랑가(慕竹旨郎歌)

또 다른 해독(김완진 해독)
간 봄 몯 오리매
모ᄃᆞᆯ 기ᄉᆞ샤 우롤 이 시름.
ᄆᆞᄃᆞᆷ곳 볼기시온
즈ᅀᅵ 히 혜나삼 헐니져.
누늬 도랄 업시 뎌옷
맛보기 엇디 일오아리.
낭(郎)이여 그릴 ᄆᆞᅀᆞᄆᆡ 즛 녀올 길
다보짓 굴헝히 잘 밤 이샤리.

- 현대어 풀이: 지나간 봄 돌아오지 못하니 / 살아 계시지 못하여 우올 이 시름. / 전각(殿閣)을 밝히오신 / 모습이 해가 갈수록 헐어 가도다. / 눈의 돌음 없이 저를 / 만나보기 어찌 이루리. / 낭 그리는 마음의 모습이 가는 길 / 다복 굴형에서 잘 밤 있으리.

01 표현상의 특징 파악 정답 ④

정답해설 8구의 '다봊 굼허'는 '다북쑥 우거진 구렁(마을)'을 의미한다. 이는 저승 세계 혹은 험한 이승 세계를 비유적으로 표현한 것이다.

오답해설 ① 윗글에는 죽지랑의 죽음을 그리워하고 재회를 바라는 화자의 정서만이 드러나 있을 뿐, 이와 대비를 이루는 자연물은 드러나지 않는다.
② 2구의 '우리(울어)'에서 청각적 이미지를 활용하였지만, 이를 통해 대상에 생동감을 불어넣고 있다고 보기는 어렵다.
③ 윗글에서 여음구를 활용한 부분은 찾아볼 수 없다.
⑤ 윗글에는 색채를 드러내는 표현이 사용되지 않았다.

02 작품 간 공통점과 차이점 파악 정답 ④

정답해설 [보기]의 화자는 '조홍감'을 보고 돌아가신 부모님을 떠올리고 있다. 그러나 윗글의 '봄'은 '죽지랑과 함께한 시절'을 의미하는 시어로, 화자에게는 회상의 매개체가 아니라 회상의 대상이나 내용 자체라고 볼 수 있다.

오답해설 ① 윗글의 6구 '맛보ᅌᆞᆸ디 지ᅀᅩ리.'는 '만나 뵙도록 지으리이다(만들겠습니다).'를 의미하며, 재회를 소망하는 표현이다. 8구의 '다봊 굴허헤 잘 밤 이시리.'는 '다북쑥 (우거진) 마을에서 (함께) 잘 밤 있으리.'를 의미하며, 역시 재회에 대한 소망을 드러낸 표현이다. 그러나 [보기]에서는 재회에 대한 소망이 드러난 부분을 찾을 수 없다.
② 윗글은 죽지랑의 부재로 인한 슬픔과 그리움을, [보기]는 부모님의 부재로 인한 서러움을 드러내고 있다.
③ 윗글에서는 간 봄을 그리워하며 2구에서 '모든 것이 울어 시름에 잠긴다'고 표현하여 자신의 감정을 다른 대상까지 확대하고 있다. 그러나 [보기]의 화자는 품어 가 반길 이가 없음을 홀로 서러워할 뿐이다.
⑤ 윗글에서는 2구에서 '시름'이라는 시어로 화자의 정서를 직접 드러내었다. 또 [보기]에서는 종장에서 '설워ᄒᆞᄂᆞ이다'라며 화자의 정서를 직접 드러내고 있다.

박인로, 「조홍시가」

- **갈래**: 평시조
- **해제**: 이 작품은 홍시를 선물 받은 후 느낀 부모님에 대한 그리움을 읊은 시조이다. 화자는 홍시를 보고 중국 삼국 시대의 육적회귤(陸績懷橘) 고사를 연상하여 돌아가신 부모님에 대한 그리움을 토로하고 있다.
- **주제**: 돌아가신 부모님에 대한 그리움

* 참고: 본문 177쪽

향가 013 도솔가(兜率歌)

01 시어의 의미 파악 정답 ⑤

정답해설 ⓜ'뫼셔롸'는 꽃에게 미륵 좌주를 모시라고 명령하는 부분일 뿐, 꽃을 위협하려는 의도를 표출한 것으로 보기는 어렵다.

오답해설 ① ㉠은 산화공덕을 하게 된 원인으로, 두 개의 해가 나타난 변괴를 의미한다.
② 두 개의 해가 나타난 문제를 해결하기 위해 산화공덕을 하였으므로 ㉡은 문제 해결을 위한 제의를 의미한다고 볼 수 있다.
③ ㉢은 문제 상황을 해결하기 위한 제의에 활용된 소재로, 문제를 해결하고 싶은 소원을 미륵 좌주에게 전달하는 매개체라고 볼 수 있다.
④ ㉣은 제의를 지내는 사람들이 꽃에게 하는 명령이다. '곧은 마음'을 가진 것은 사람들이므로, 정성을 다해 의식을 치르는 자세가 드러난다고 볼 수 있다.

한시 014 여수장우중문시(與隨將于仲文詩)

01 화자의 태도 파악 정답 ④

정답해설 화자는 기구와 승구에서 적장인 상대방의 책략과 계획을 높이 칭찬하고 있다. 그러나 전구에서는 상대방의 공이 이미 높다고 하며 상대방을 칭찬하는 듯하지만 실제로는 상대방이 이룬 공이 그 정도면 충분하다며 조롱하고 있다. 또 결구에서는 전쟁을 그만두지 않으면 대가를 치를 것이라며 은근히 위협하고 있다. 따라서 화자는 표면적으로는 상대방을 높이는 듯하면서 우회적으로는 상대방을 조롱하고 위협하고 있다고 볼 수 있다.

오답해설 ① 화자는 기구와 승구에서 상대방의 책략과 계획을 과장되게 칭찬하고 있다. 그러나 이는 상대를 자만에 빠지게 하기 위한 것이 아니라 상대방을 조롱하는 의미이다.
② 기구와 승구, 전구에서 상대방의 능력을 과장되게 칭찬하며 조롱하고 있다. 그러나 상대방의 모순된 행위를 비판하는 부분은 나타나지 않는다.
③ 화자는 영웅적인 기개로 상대방에게 물러갈 것을 종용하고 있지만, 표면적으로는 상대방을 칭찬하며 찬양하고 있다.
⑤ 화자는 전구에서 상대방이 싸움에서 승리한 사실을 언급하고 있다. 하지만 이는 상대방의 위선을 꼬집는 것이 아니라 상대방을 조롱하는 것으로 보아야 한다.

향가 015 제가야산독서당(題伽倻山讀書堂)

최치원(857~) 통일 신라 말기의 학자, 문장가. 유교(儒敎) · 불교(佛敎) · 도교(道敎)에 모두 이해가 깊었고, 수많은 시문(詩文)을 남겨 한문학의 발달에도 기여하였다. 대표적인 작품으로 「추야우중」, 「촉규화」 등이 있다.

01 화자의 정서와 태도 파악 정답 ⑤

정답해설 화자가 머무르고 있는 곳 주변으로는 물이 흐르고, 승구에 따르면 그 물소리가 커서 지척에 있는 사람들의 말도 분간하기 어려울 정도이다. 그런데 결구에서 화자는 오히려 세상의 '시비하는 소리'가 들릴까 봐 흐르는 물로 온 산을 둘러 버렸다고 하였다. 따라서 화자가 세속적인 삶으로부터 거리를 두고자 함을 추측할 수 있다.

오답해설 ① 화자는 계곡물로 온 산을 둘러 세상과 단절하려고 할 뿐, 계곡물의 긍정적인 면을 본받으려는 태도는 드러나지 않는다.
② 윗글에서 자신의 처지를 한탄하는 부분은 찾아볼 수 없다.
③ 화자는 세속을 멀리하려고만 할 뿐, 자신의 내면적 갈등을 극복하려고 노력하지는 않는다.
④ '시비하는 소리'를 멀리하려는 모습에서 속세에 대한 비판적 태도가 드러난다고 볼 수 있지만, 자신의 삶에 대한 반성적 태도를 보인다고는 볼 수 없다.

한시 016 추야우중(秋夜雨中)

01 자료를 통한 감상의 적절성 파악 정답 ⑤

정답해설 결구의 '향하네.'의 주체는 화자의 마음으로, 만 리 밖을 향하고 있다고 하였다. 그런데 화자는 승구에서 자신을 알아주는 이가 없다고 한탄하고 있으므로, 화자가 정치가로서 이름을 날리겠다는 의지를 드러낸 것이 아니라 세상과의 심리적 거리감을 표현한 부분이라고 할 수 있다.

오답해설 ① 기구의 '가을바람'은 모든 것이 소멸해 가는 가을이라는 계절의 특성을 고려하면, 세상에서 소외된 화자의 처지와 조응하여 화자의 쓸쓸함을 증폭시킨다고 볼 수 있다.
② 기구와 승구, 결구의 끝에 쓰인 한자음 '음, 음, 심'은 한시에서 음악성을 높여 주는 압운에 해당한다. 윗글의 화자는 세상이 자신을 알아 주지 않고 있음을 한탄하고 있으므로 화자가 탄식하는 소리처럼 들린다고도 볼 수 있다.
③ [보기]에 따르면 최치원은 당나라에 있을 때나 귀국했을 때나 자신의 꿈을 펼치지 못했음을 알 수 있다. 따라서 '알아주는 이 없네.'에 화자의 재능을 몰라주는 세상에 대해 한탄하는 마음이 담겨 있다고 볼 수 있다.
④ '만 리'는 실제의 거리가 아니라, 자신을 둘러싼 현실에서 한계를 느낀 화자와 세상과의 거리가 멀다는 것을 강조하고 있는 표현이다.

한시 017 촉규화(蜀葵花)

01 표현상의 특징 파악 정답 ③

정답해설 3구의 '매우(梅雨)', 4구의 '맥풍(麥風)' 등의 시어를 통해 계절적 배경이 초여름임을 알 수 있다. 따라서 이 시는 계절감을 주는 어휘로 시적 분위기를 조성한다고 할 수 있다.

오답해설 ① 5구 '수레나 말 탄 사람 그 뉘가 보아 줄까?'에서 화자는 설의적 표현으로 냉소적 태도를 드러내고 있을 뿐, 긍정적 태도를 드러내고 있지는 않다.
② 1, 2구에서 시각적 심상이, 3구에서 후각적 심상이 나타난다. 그러나 청각적 심상이 나타난 부분은 찾을 수 없다.

④ 윗글에서 '같이', '처럼', '듯이'와 같은 연결어로 직접 비유하는 직유법이 사용된 부분을 찾을 수 없다.
⑤ 윗글에서 감탄사 등을 사용하여 정서를 나타내는 영탄적 표현은 나타나지 않는다.

02 시어의 의미 파악 정답 ⑤

정답해설 ⓜ'태어난 곳'은 촉규화가 피어 있는 곳이 아니라, 화자가 태어난 본래 고향(신분)을 말하는 것이다.

오답해설 ① ㉠'쓸쓸하게 황량한 밭'은 촉규화가 피어 있는 곳으로, 소외되고 거친 곳을 표현하고 있다.
② ㉡'탐스러운 꽃'은 '향기', '그림자'와 함께 화자의 완숙한 학문적 경지를 드러내고 있다.
③ ㉢'수레나 말 탄 사람'은 화자의 소망을 이루어 줄 수 있는 권력을 가지거나 지위가 높은 사람을 가리킨다.
④ ㉣'벌이나 나비'는 화자에게 별 도움이 되지 않는 사람을 의미한다.

03 자료를 통한 감상의 적절성 파악 정답 ②

정답해설 [보기]를 통해 「촉규화」가 세상으로부터 능력을 인정받지 못한 최치원이 자신의 처지를 표현한 작품임을 추론할 수 있다. 이를 고려하면 [B]는 최치원의 능력이 세상에 제대로 쓰이지 못함을 나타낸다고 할 수 있다. 그러므로 [B]에서 화자가 자신의 능력을 펼치게 될 것이라는 기대감을 표명하고 있다고 보는 것은 적절하지 않다.

오답해설 ① [A]에서는 '황량한 밭'에 어울리지 않게 '탐스러운 꽃'을 피워 내는 촉규화의 모습을 대비적으로 드러내고 있다. 이는 최치원이 '탁월한 능력을 갖추고 있었지만 출신상의 한계로 인해 세상에 크게 쓰이지 못했다'는 [보기]의 내용을 고려할 때, 화자가 자신의 출신상의 한계와 탁월한 능력을 대비하여 말하고 있는 것으로 볼 수 있다.
③ [C]에서 촉규화는 '수레나 말 탄 사람'은 지나치고 '벌이나 나비'들만 엿보고 있다고 묘사되어 있다. 따라서 촉규화와 동일시되는 화자 역시 자신을 크게 써 줄 수 있는 사람들에게 관심을 받지 못하고 평범한 이들 속에서 살아야 하는 것에 대해 아쉬움을 드러내고 있다고 볼 수 있다.
④ [D]에서 화자는 '태어난 곳 비천하니'라고 자신의 출신을 밝히면서 '스스로 부끄럽고'라며 자신의 정서를 드러내고 있다. 또한 '사람들이 내버려 두니'라고 자신의 처지를 나타내면서 '그저 한스럽네.'라고 토로하고 있다. 따라서 화자가 자신의 출신과 처지에 대한 부끄러움과 한스러움을 표현하고 있다고 볼 수 있다.
⑤ [A]에서는 '탐스러운 꽃이 여린 가지 누르고 있네.'와 같이 촉규화의 외양을 묘사함으로써 자신의 처지를 드러내고 있다. 또 [D]에서는 '부끄럽고', '한스럽네'라는 촉규화의 내면을 서술함으로써 화자 자신의 처지를 드러내고 있다.

고려 가요 018 가시리

01 표현상의 특징 파악 정답 ⑤

정답해설 3연의 '잡ᄉᆞ와 두어리마ᄂᆞᄂᆞᆫ / 선ᄒᆞ면 아니 올세라'에서 임을 잡고 싶은 마음과 임이 돌아오지 않을까 염려하는 마음이 드러난다. 따라서 임을 붙잡고 싶은 소망과 임을 떠나보낼 수밖에 없는 현실 사이의 내적 갈등이 드러난다고 볼 수 있다. 그러나 이를 반어적으로 표현하고 있다고 보기는 어렵다.

오답해설 ① 각 구의 '나ᄂᆞᆫ'은 운율을 맞추기 위한 여음으로, 특별한 의미가 없다. 또한 각 연의 마지막 부분에 '위 증즐가 대평셩ᄃᆡ'라는 후렴구가 반복되어 음악적 효과와 구조적 통일감, 안정감을 부여하고 있다.
② 화자는 자신을 버리고 떠나는 임을 청자로 설정하여 임에 대한 원망과 다시 돌아오기 바라는 소망을 표현하고 있다.
③ 화자는 사랑하는 임을 잡고 싶지만, 임은 화자를 버리고 떠나고 있다. 화자는 '가시리잇고'를 반복하여 화자의 소망과 달리 떠나가는 임의 행위를 표현하고 있다.
④ 4연의 '가시ᄂᆞᆫ ᄃᆞᆺ 도셔 오쇼셔'에 임이 다시 돌아오기를 바라는 화자의 소망과 임을 기다리는 간절한 마음이 직접적으로 드러나 있다.

02 자료를 통한 감상의 적절성 파악 정답 ③

정답해설 2연의 '날러는 엇디 살라 ᄒᆞ고'에는 이별의 상황에 처해 있는 화자의 애절한 심정이 담겨 있다. 이는 임이 떠난다면 자신은 살지 못할 정도로 힘들 것이므로 떠나지 말라는 화자의 하소연이라고 할 수 있다. 따라서 이를 임을 붙잡지 못하고 체념한 모습이라고 보기는 어렵다. 임을 붙잡지 못하고 체념한 화자의 심정은 3연에 드러나 있다.

오답해설 ① 1연의 '가시리 / 가시리 / 잇고'에서 3글자, 3글자, 2글자로 된 3 · 3 · 2조의 음수율을 확인할 수 있다. 또 시가를 읊을 때 한 호흡으로 이어지는 운율 단위인 음보도 3음보임을 확인할 수 있다.
② 각 연의 마지막 부분에 반복되는 '위 증즐가 대평셩ᄃᆡ'는 후렴구로, 리듬감을 형성하고 있으므로 음악적 효과를 높여 주는 역할을 한다고 볼 수 있다.
④ 3연의 '선ᄒᆞ면 아니 올셰라'는 임이 서운하게 생각하면 돌아오지 않을까 두렵다는 의미이다. 따라서 화자는 이러한 두려움 때문에 임을 적극적으로 붙잡지 못하고 이별의 상황에 소극적으로 대응하고 있다고 볼 수 있다.
⑤ 4연의 '셜온 님 보내ᄋᆞᆸ노니'에는 떠나보내고 싶지는 않지만 어쩔 수 없이 임을 떠나보내야 하는 화자의 상황이 드러나 있다. 이러한 표현 속에는 화자가 자신에게 닥친 상황을 어쩔 수 없이 받아들이면서 느끼는 한의 정서가 담겨 있다고 볼 수 있다.

고려 가요 019 정과정(鄭瓜亭)

정서(?~?) 고려 때의 문인으로 호는 과정(瓜亭). 인종의 비(妃)인 공예태후(恭睿太后)의 동생의 남편으로 왕의 총애를 받았다. 1151년(의종 5)에 정함. 김존중의 참소(남을 헐뜯어서 죄가 있는 것처럼 꾸며 윗사람에게 고하여 바침.)로 동래 및 거제로 유배되었다가 1170년(명종 1)에 풀려났다. 문장에 뛰어났으며 묵죽화(墨竹畫)에도 능했다. 저서로 시화집 『과정잡서(瓜亭雜書)』가 있으나 현재 전하지 않는다.

01 화자의 정서와 태도 파악 정답 ③

정답해설 화자는 6행 '벼기더시니 뉘러시니잇가.'에서 자신을 모함하여 임과 헤어지게 만든 사람이 누구냐면서 그 사람을 원망하고 있다.

오답해설 ① 화자는 3~4행 '아니시며~아ᄅᆞ시리이다.'에서 자신은 전혀 잘못이 없고 그 사실을 잔월효성이 알 것이라면서 임에게 자신의 결백을 호소하고 있다. 그러나 자신의 과거에 대해 반성하고 있는 부분은 찾아볼 수 없다.
② 화자는 11행 '아소 님하, 도람 드르샤 괴오소셔.'에서 임이 마음을 돌이켜 다시 자신을 사랑해 주기를 소망하고 있을 뿐, 임과의 재회에 대해 비관적으로 전망하고 있는 부분은 찾아볼 수 없다.
④ 화자는 6~7행 '벼기더시니~천만 업소이다.'에서 이별의 원인이 된 다른 사람들의 헐뜯는 말에 대해 결백과 억울함을 호소하고 있다. 또 11행에서는 임이 다시 마음을 돌이켜 자신을 사랑해 주기를 애원하고 있는 것으로 보아, 이별을 겸허히 받아들이고 새로운 시작을 준비하는 것으로 보기는 어렵다.
⑤ 화자는 자신의 결백함을 호소하고 임이 다시 자신을 사랑하기만을 바라고 있을 뿐, 화자가 임과의 옛 추억을 회상하거나 임의 무탈함을 기원하는 부분은 찾아볼 수 없다.

02 작품 간의 공통점 파악 정답 ⑤

정답해설 윗글은 6행 '벼기더시니 뉘러시니잇가.', 10행 '니미 나를 ᄒᆞ마 니ᄌᆞ시니잇가.'에서 의문형 문장을 활용하여 청자인 임에게 말을 건네는 형식을 취하고 있다. 그리고 [보기]의 초장 '어이 못 오던다 무ᄉᆞᆷ 일로 못 오던다.', 중장의 'ᄌᆞᆷ갓더냐 네 어이 그리 아니 오던다.'에서 의문형 문장을 활용하여 임을 기다리는 화자의 정서를 드러내고 있다. 또 종장의 '날 보라 올 ᄒᆞᆯ리 업스랴.'에서는 오지 않는 임에 대해 원망하는 마음을 표현하고 있다. 따라서 윗글과 [보기]는 모두 의문문을 활용하여 청자(임)에게 화자의 감정을 말로 전달하는 듯한 효과를 유발하고 있다.

오답해설 ① 윗글의 화자는 '접동새'에 한(恨)의 정서를 이입하여 자신의 정서를 드러내고 있다. 그러나 [보기]의 화자는 임이 오지 못할 법한 특정한 상황을 제시하여 감정을 표출하고 있을 뿐, 자연물에 감정을 이입하여 드러내고 있지는 않다.
② [보기]의 중장 중 '성을 ᄡᅡ고 성 안헤 담 ᄡᅡ고 담 안헤란 집을 짓고 집 안헤란 두지 노코 두지 안헤 궤를 노코 궤 안헤 너를 결박ᄒᆞ여 노코'에 연쇄적 표현이 사용되었다. 그러나 윗글에서는 연쇄적으로 표현한 부분을 찾아볼 수 없다.
③ [보기]의 화자는 임을 기다리면서 임이 갇혀 있어 오지 못하는 가정적 상황을 설정하여 과장되게 표현하고 있다. 그러나 윗글에서는 가정적 상황을 설정하여 과장되게 표현한 부분을 찾아볼 수 없다.
④ 윗글의 '님'은 임금을, '잔월효성'은 화자의 결백을 아는 초월적 존재를 의미한다. 그러나 [보기]는 열거의 방법을 통해 시상을 전개하고 있을 뿐, 비유와 상징을 통해 다양한 의미를 암시하고 있지는 않다.

작자 미상, 「어이 못 오던다~」

- **갈래**: 사설시조
- **해제**: 이 작품은 오지 않는 임에 대한 그리움과 원망을 노래하고 있는 사설시조이다. 중장에서는 '성, 담, 집, 두지(뒤주), 궤' 등 여러 가지 장애물을 나열하는 열거법과 과장법을 활용하여 임을 그리워하는 화자의 간절한 마음을 해학적으로 표현하고 있다. 한편 종장에서는 단 하루도 시간을 낼 수 없느냐고 임을 원망하면서 시상을 마무리하고 있다.
- **주제**: 임을 기다리는 안타까운 마음

* 참고: 본문 199쪽

고려 가요 020 동동(動動)

01 시어 및 시구의 의미 파악 정답 ①

정답해설 정월령의 '나릿믈'은 봄을 맞이하여 녹으려 하고 있는데, 화자는 세상에 태어나 홀로 지내는 외로움 때문에 얼어붙은 마음을 지니고 있다. 따라서 '나릿믈'은 화자의 처지와 대비되는 대상으로 볼 수 있다. 그러나 십일월령의 '봉당 자리'는 화자가 추운 계절에 홑적삼을 덮고 누운 차가운 공간으로, 화자의 외로운 처지를 부각하는 대상이라고 할 수 있다.

오답해설 ② 오월령의 '약'에는 임의 장수를 바라는 화자의 정성이, 칠월령의 '원'에는 임과 함께 살고 싶은 화자의 소망이 드러나 있다.
③ 유월령의 '좃니노이다.'에는 임을 따르겠다는 화자의 마음이, 칠월령의 'ᄒᆞᆫ ᄃᆡ 녀가져'에는 임과 함께 살고자 하는 화자의 마음이 직접적으로 드러나 있다.
④ 유월령의 '빗'은 벼랑에 버려진 것이고, 시월령의 'ᄇᆞᄅᆞᆺ'은 꺾여 버려진 것이다. 따라서 이 두 소재는 버림받은 화자의 신세를 비유적으로 표현한 것이라고 볼 수 있다.
⑤ 시월령의 '디니실 ᄒᆞᆫ 부니 업스샷다.'에는 임에게 버림받아 함께 지낼 사람이 없는 화자의 삶이, 십일월령의 '스싀옴 녈셔.'에는 임과 이별하고 홀로 살아가야 하는 화자의 삶이 드러나 있다.

02 작품 간의 공통점과 차이점 파악 정답 ③

정답해설 [보기]의 화자는 '님'과 임의 소식을 담은 '편지'가 오지 않아 '설움'을 느끼고 있다. 그리고 [A]의 화자는 '정월ㅅ 나릿믈'은 얼었다 녹았다 하는데 세상에 태어나 혼자 살아가고 있는 자신의 모습을 한탄하고 있다. 따라서 [보기]의 화자와 [A]의 화자 모두 대립된 욕망은 표출하고 있지 않으며, 이로 인한 고뇌도 드러나지 않는다.

오답해설 ① [A]의 화자는 임과 함께하지 못하고 홀로 외롭게 지낸다고 하였다. 또 [보기]의 화자도 임이 오기를 바라며 강가에서 기다리다 간다고 하였다. 따라서 두 화자 모두 임을 그리워한다고 볼 수 있다.
② [A]에서는 봄이 오자 녹는 강물과 계속 홀로인 화자의 처지를 대비하여 화자의 외로움을 강조하고 있다. [보기]에서도 강물은 녹는데 임이 오지 않아 자신의 설움은 풀리지 않고 있음을 나타내고 있다.
④ [A]에서 화자는 홀로 지내는 자신의 처지를 탄식하고 있을 뿐, 구체적으로 특별한 행위를 하는 모습은 찾아볼 수 없다. 그러나 [보기]의 화자는 강가에 나가서 임을 기다리고 있으므로, 상내방을 향한 구체적 행위를 하고 있다고 할 수 있다.
⑤ [보기]에서는 '강이 풀림→배가 옴→임이 옴→설움이 풀림'의 연쇄적인 시상 전개를 통해 화자의 심정이 강조되고 있다.

김동환, 「강이 풀리면」

- **갈래**: 자유시(서정시)
- **해제**: 이 작품은 임이 오기를 기다리는 화자의 애절한 마음이 드러난 현대시이다. '오늘도 강가서 기다리다 가노라'의 반복과 '강이 풀림→배가 옴→임이 옴→설움이 풀림'의 연쇄적 시상 전개, 강물은 녹는데 설움은 풀리지 않는다는 내용적 대비를 통해 화자의 심정을 강조하고 있다.
- **주제**: 임에 대한 간절한 기다림

고려 가요 021 청산별곡(靑山別曲)

01 시적 상황 파악 정답 ④

정답해설 8연의 '설진 강수'는 잘 익은 독한 술을 의미한다. 화자는 누룩이 자신을 붙잡으니 어쩔 수 없다고 하면서, 술로 현실의 고뇌를 달래고 있음을 드러내고 있다. 따라서 술이 화자의 괴로움을 잊게 하는 매개체라고 볼 수는 있으나, 이를 통해 화자가 현실을 극복하고자 하는 의지를 갖게 되는 것으로 보기는 어렵다.

오답해설 ① 1연의 '청산'은 현실을 벗어난 도피처나 이상향으로 볼 수 있다. 따라서 청산에 살지 않는 화자가 '청산애 살어리랏다.'라고 표현하는 것은 이상향인 청산에서 살고 싶다는 의미로 볼 수 있다.
② 화자가 청산에 살고 있는 상황이라면, 화자는 유랑민으로 볼 수 있다. 삶의 터전을 잃은 유랑민은 어쩔 수 없이 청산에 살아야만 하는 상황이므로 '살어리랏다'는 '살아야만 하는구나.'로 해석할 수 있으며, 이는 화자가 자신의 신세를 한탄하는 것으로 볼 수 있다.
③ 화자를 좌절한 지식인으로 본다면, 2연의 '시름'은 정치적 상황으로 인한 속세의 고뇌로 해석할 수 있다. 즉, 2연의 화자는 속세의 고뇌 때문에 괴로움이 지속되고 있다고 볼 수 있다.
⑤ 화자를 유랑민으로 본다면, '믈 아래'는 속세를, '가던 새'는 '(예전에) 갈던 밭'으로 해석할 수 있다. 따라서 예전에 갈던 밭을 보고 있는 화자는 과거에 미련을 가지고 있다고 볼 수 있다.

02 작품 간의 공통점 파악 정답 ③

정답해설 윗글은 1연에서 '살어리랏다.', 2연에서 '우러라 새여.' 등을 반복하여 화자의 소망과 고뇌를 드러내고 있다. 그리고 [보기]는 3연과 5연에서 '나를 밀어 올려 다오.'를 반복하여 이상 세계로 가고자 하는 화자의 강렬한 욕망을 드러내고 있다.

오답해설 ① 윗글의 2연은 '우러라 새여.'라고 하면서 청자인 새에게 말을 건네는 어투를 사용하고 있다. 또 [보기]는 '춘향이'를 화자, '향단이'를 청자로 설정하여 말을 건네는 어투를 사용하고 있다. 그러나 두 작품 모두 화자와 청자가 대화를 주고받는 상황은 나타나지 않는다.
② 윗글은 각 연마다 후렴구인 '얄리얄리 얄라셩 얄라리 얄라.'를 제시하고 있다. 이는 울림소리인 'ㄹ, ㅇ'이 반복적으로 사용되어 경쾌한 리듬감과 구조적인 안정감을 느끼게 해 준다. 그러나 [보기]에서는 특정한 음운이 반복된 부분을 찾아볼 수 없다.
④ 윗글의 화자는 2연에서 '새'에 감정을 이입하여 자신의 비애를 드러내고 있다. 그러나 [보기]에서는 감정이 이입된 대상을 찾아볼 수 없다.
⑤ 윗글에서는 이상향인 '청산'과 '바다'는 제시되어 있지만, 그것을 화자가 처해 있는 현실과 이어 주는 매개체는 찾아볼 수 없다. 그러나 [보기]에서는 상승과 하강의 속성을 갖는 소재인 '그네'를 통해 지상인 현실과 이상향인 '하늘'을 연결하고 있다고 볼 수 있다.

서정주, 「추천사 – 춘향의 말1」

- **갈래**: 자유시(서정시)
- **해제**: 「춘향전」에서 모티프를 얻어 춘향의 말을 통해 현실 세계를 벗어나 초월적 세계로 가고자 하는 열망을 형상화하고 있는 현대시이다. '그넷줄'의 상승과 하강의 반복적 움직임을 통해 춘향의 간절한 열망과 필연적 좌절을 드러내고 있다. 또한 유사한 시구의 반복을 통해 화자의 정서를 강조하면서 리듬감을 형성하고 있다.
- **주제**: 현실을 벗어나 이상 세계로 향하고 싶은 갈망

고려 가요 022 서경별곡(西京別曲)

01 시어 및 시구의 의미 파악 정답 ④

정답해설 ㉣의 '네 가시 럼난디 몰라셔'는 화자가 임을 배에 싣고 떠나는 사공에게 자신의 아내나 잘 챙기지 왜 남의 임을 싣고 떠나느냐고 원망하는 부분이다. 따라서 음란한 세태를 비판한 것과는 거리가 멀다.

오답해설 ① '질삼뵈'는 화자의 생업을 의미하며, 화자가 여성임을 추측할 수 있게 한다.
② 1연에서 화자는 임과 이별하기보다는 생업을 버리고서라도 울면서 임을 따르겠다고 하였으므로 적극적으로 이별을 거부하고 있음을 알 수 있다.
③ '사공'은 임을 배에 태우고 강을 건너게 해 주는 사람으로, 화자의 입장에서는 화자와 임을 이별하게 만드는 인물이라고 볼 수 있다.
⑤ 3연에서 화자는 임이 배를 타고 들어가면 대동강 건너편의 꽃을 꺾을 것이라고 하였다. 이는 화자가 임이 새로운 여인을 만날까 봐 염려하는 것으로 볼 수 있다.

02 작품 간의 공통점과 차이점 파악 정답 ③

정답해설 [보기]의 1행 '비 갠 긴 둑에 풀빛이 고운데'에는 자연의 아름다운 모습이 드러나 있고, 2행 '남포에서 임 보내며 슬픈 노래 부르네.'에는 임과 이별하고 있는 화자의 상황이 드러나 있다. 이는 자연사와 인간사를 대조하여 화자의 슬픔을 부각한 것으로 볼 수 있다. 반면 윗글에서는 자연사와 인간사를 대조한 부분을 찾을 수 없다.

오답해설 ① 윗글의 2연에서 '그츠리잇가'는 '그치지 않는다'는 의미이고, [보기]의 3행에서 '언제나 마르려나'는 '마르지 않는다'는 의미이다. 따라서 두 작품 모두 설의적 표현을 통해 시상을 전개하고 있다고 볼 수 있다.
② 윗글의 3연을 통해 임과 이별하는 공간이 '대동강'임을 알 수 있다. 또 [보기]의 2행을 통해 이별의 공간이 '남포'임을 알 수 있다.
④ [보기]에는 임과 이별하는 상황만 제시되어 있을 뿐, 다른 사람을 원망하고 있는 모습은 드러나 있지 않다. 그러나 윗글의 3연에서는 화자가 이별의 원인을 제3자인 '사공'의 탓으로 돌리며 그를 원망하고 있는 모습이 드러나 있다.
⑤ [보기]의 화자는 이별의 상황에서 임을 보내며 슬픈 노래를 부르고 대동강에서 눈물을 흘리고 있다. 그러나 윗글의 화자는 1연의 '우러곰 좃니노이다.'와 같이 이별을 받아들이지 않고 임을 따라가겠다는 적극적인 태도를 보이고 있다.

정지상, 「송인」

- **갈래**: 한시(칠언 절구)
- **해제**: '송인(送人)'은 '사람을 떠나보낸다.'는 의미로, 대동강을 배경으로 임을 떠나보내는 애틋한 마음을 자연과 대비하여 노래하고 있다. 설의법, 도치법, 과장법 등을 활용하여 시상을 전개하고 있다.
- **주제**: 이별의 정한과 슬픔

* 참고: 본문 66쪽

고려 가요 023 정석가(鄭石歌)

01 자료를 통한 감상의 적절성 파악 정답 ④

정답해설 2~5연의 '유덕ᄒᆞ신 님믈 여ᄒᆡᄋᆞ와지이다.'는 임과 영원히 함께하고 싶다는 화자의 소망을 반어적으로 표현한 부분이다. 화자는 불가능한 상황을 가정한 후 그것이 이루어진 후에야 이별하겠다고 표현함으로써 임과 절대 헤어지지 않겠다는 강한 의지를 드러내고 있다.

오답해설 ① 1연의 '션왕셩ᄃᆡ예 노니ᄋᆞ와지이다.'는 태평성대에 놀고 싶다는 의미로 나라의 안녕을 기원하는 내용이다. 이 부분은 임과의 영원한 사랑을 소망한 2~6연의 내용과는 어울리지 않는데, 궁중 음악으로 수용되면서 덧붙여진 것으로 추측해 볼 수 있다.
② 2연은 '구운 밤에 싹이 나면', 3연은 '옥 연꽃에 꽃이 피면', 4연은 '무쇠 옷이 다 헐면', 5연은 '무쇠 소가 쇠로 된 풀을 먹으면'과 같이 실제 현실에서 일어날 수 없는 불가능한 상황을 가정하고 있다. 화자는 이렇게 불가능한 상황을 가정하여 그러한 상황이 일어나면 임과 이별하겠다고 표현함으로써 임과 이별하지 않겠다는 의지를 강조하고 있다.
③ 2, 3연의 '삭나거시아', '퓌거시아'는 싹이 나고, 꽃이 핀다는 것에서 생성의 의미를, 4, 5연의 '헐어시아', '머거아'는 옷이 헐고 풀을 먹어 버린다는

것에서 소멸의 의미를 갖는다고 볼 수 있다.
⑤ 6연의 '긴'은 구슬이 바위에 떨어져도 끊어지지 않는 '끈'을 의미한다. 화자는 바위에 떨어져도 끊어지지 않는 끈처럼 어떤 시련이 오더라도 임과의 인연은 끊어지지 않을 것이라고 강조하고 있다.

02 작품 간의 공통점과 차이점 파악 정답 ⑤

정답해설 윗글의 6연 '즈믄 히를 외오곰 녀신돌'은 천 년 동안 임과 헤어져 살아간다는 의미로 이별의 상황을 과장하여 가정하고 있는 부분이다. 또 2연에서는 '구운 밤에 싹이 나면', 3연에서는 '옥 연꽃에 꽃이 피면', 4연에서는 '무쇠 옷이 다 헐면', 5연에서는 '무쇠 소가 쇠로 된 풀을 먹으면'이라고 불가능한 상황을 과장하여 가정하고 있다. [보기]의 중장은 신을 벗어 쥐고 황급한 마음으로 달려가는 화자의 행동을 과장하여 묘사함으로써 임을 애타게 기다리는 화자의 마음을 드러내고 있다.

오답해설 ① 윗글에서 시간과 공간을 구체적으로 드러낸 부분은 찾을 수 없다. 그러나 [보기]에서는 초장을 보면 시간적 배경이 '밤'이라는 것을 알 수 있다. 또 중장의 '중문', '대문'으로 보아 공간적 배경이 '집' 근처임을 알 수 있다.
② 윗글의 6연 '긴힛둔 그츠리잇가', '신잇둔 그츠리잇가'에서 설의적 표현이 사용되었음을 알 수 있다. 그러나 [보기]에서는 설의적 표현이 드러난 부분을 찾아볼 수 없다.
③ 대조는 상반된 내용을 나란히 배열하는 표현 방법이고, 연쇄는 앞 구절의 끝 부분이 다음 구절의 첫 부분에 되풀이되는 표현 방법이다. 윗글과 [보기]에서는 대조와 연쇄를 사용한 부분을 찾아볼 수 없다.
④ 윗글에서는 임과 이별하고 싶지 않은 화자의 마음을 비유와 가정 등을 통해 우회적으로 표현하고 있다. 그리고 [보기]에서는 임을 애타게 기다리는 화자의 마음을 과장된 행동 묘사를 통해 해학적으로 표현하고 있다. 따라서 윗글과 [보기] 모두 격정적 어조로 고요한 분위기를 드러낸다고 보기는 어렵다.

작자 미상, 「님이 오마 ᄒ거늘~」

- **갈래**: 사설시조
- **해제**: 이 작품은 임에 대한 그리움을 해학적으로 표현한 사설시조이다. 의성어와 의태어를 사용하여 행동을 과장되게 묘사하여 임을 기다리는 화자의 애타는 마음을 드러내고 있다. 초장에는 임이 온다는 소식을 들은 화자의 모습이, 중장에는 무언가 어른거리는 모양을 보고 임이 왔다고 생각하여 맨발로 달려갔으나 엉뚱한 사물이었음을 깨닫는 화자의 모습이 드러나 있다. 결국 화자는 종장에서 중장에서의 자신의 행동을 겸연쩍어하는 모습을 보인다.
- **주제**: 임을 기다리는 애타는 마음

* 참고: 본문 198쪽

고려 가요 024 만전춘별사(滿殿春別詞)

01 시어와 시구의 의미 파악 정답 ④

정답해설 '약'은 사향을 의미하며, '약든 가슴을 맛초ᄋᆞᆸ사이다 맛초ᄋᆞᆸ사이다'는 임과 향기로운 가슴을 맞추며 함께하고 싶은 화자의 소망이 드러난 부분이다. 따라서 '약'을 임의 건강을 기원하는 의미를 가진 것으로 보기는 어렵다.

오답해설 ① '더듸 새오시라'는 밤이 더디 새라는 의미이다. 화자는 얼어 죽을망정 밤이 더디 새어 임과 함께하는 시간이 더 오래 지속되기를 바라고 있다.
② '어느 ᄌᆞ미 오리오'는 잠이 오지 않는다는 의미이다. 화자가 잠을 이루지 못하는 이유는 임이 떠난 후 외로움을 느끼고 있기 때문이다.
③ '(비)올하'는 '오리'를 부르는 것으로, 이 '오리'는 '여흘'과 '소'를 왔다 갔다 하는 모습을 보여 준다. 따라서 이는 화자와 다른 여인 사이에서 방탕한 생활을 하는 임을 빗대어 표현한 것으로 볼 수 있다.
⑤ '원대평생'은 '영원히, 일생'을 의미한다. 이는 임과 오랫동안 함께하고 싶은 화자의 마음을 표현한 것으로 볼 수 있다.

02 작품 간 공통점과 차이점 파악 정답 ②

정답해설 윗글의 화자는 3연의 '벼기더시니 뉘러시니잇가'에서 함께하자는 약속을 어긴 사람이 누구냐며, 자신을 떠난 임을 원망하고 있다. 이와 달리 [보기]의 화자는 6행 '벼기더시니 뉘러시니잇가'에서 자신을 모함하여 이별하게 만든 사람이 누구냐며, 그 사람을 원망하고 있다.

오답해설 ① 윗글의 화자와 [보기]의 화자는 모두 임에 대한 사랑을 표현하고 있다.
③ 윗글의 화자는 2연에서 자신의 처지와 대비되는 자연물인 '도화'를 언급하였다. 여기서 '도화'는 화자의 외로움을 심화하는 객관적 상관물로 볼 수 있다. 한편 [보기]의 화자는 2행에서 자신의 외로움과 슬픔을 '산 접동새'에 이입하여 드러내고 있다.
④ 윗글의 화자는 4연에서 임의 방탕한 생활을 오리에 빗대어 표현하고 있다. 이와 달리 [보기]에서는 임의 방탕한 생활을 풍자한 부분을 찾을 수 없다.
⑤ 윗글은 1연에서 '어름 우희 댓닙자리 보와 님과 나와 어러 주글만뎡'이라면서 극한 상황을 설정하여 임과 함께하고 싶은 화자의 마음을 드러내고 있다. 이와 달리 [보기]에서는 극한 상황을 설정하여 화자의 마음을 강조한 부분을 찾을 수 없다.

정서, 「정과정」

- **갈래**: 고려 가요
- **해제**: 이 작품은 임금에 대한 신하의 정을 임에 대한 여인의 사랑에 빗대어 노래한 고려 가요이다. 정서가 고려 의종에게 자신의 결백을 밝히고자 지은 것이라고 한다. 화자는 '접동새'에 감정을 이입하여 한(恨)의 정서를 표현하고 있다. 3단으로 구성되어 있으며 감탄사 '아소' 등을 사용한 것으로 보아 10구체 향가의 전통이 남아 있다고 본다.
- **주제**: 임금을 향한 변함없는 충정과 자신의 결백 호소
- **현대어 풀이**: 내가 임을 그리워하여 울며 지내니 / 산 접동새와 나는 (처지가) 비슷합니다. / (나를 참소하는 말이) 사실이 아니며 거짓인 줄 아아 / 새벽녘의 달과 별이 아실 것입니다. / 넋이라도 임과 함께 지내고 싶어라. 아아 / (나에게 잘못이 있다고) 우기던 사람이 누구였습니까? / (나는) 잘못도 허물도 전혀 없습니다. / 뭇 사람의 (나를 헐뜯는) 말이로구나. / 슬프구나 아아 / 임께서 나를 벌써 잊으셨습니까? / (그렇게 하지) 마소서 임이시여. (마음을) 돌이켜 (내 말을) 들으시어 (나를 다시) 사랑해 주소서. * 참고: 본문 42쪽

경기체가 025 한림별곡(翰林別曲)

한림 제유 고려 시대에 임금의 명령을 받아 문서를 꾸미는 일을 맡아 보던 관청인 한림원의 선비들을 의미한다. 작가가 누구인지는 확실하지 않으나, 대체로 1장에 나오는 유원순, 이인로, 이공로, 이규보, 진화, 유충기, 민광균, 김양경 등으로 본다.

01 시구의 의미 파악 정답 ④

정답해설 각 장에 반복되어 사용되고 있는 '경 긔 엇더ᄒᆞ니잇고.'는 '광경이 그 어떠합니까?'를 의미하며 '참으로 좋다'는 의미를 설의적으로 표현한 것이다. 화자는 이 구절을 통해 자신들의 문장이나 학문, 재주, 생활에 대한 자부심을 과시하고 있다.

오답해설 ① 자신들의 학문과 재주를 과시하고 있는 표현으로 학문에 정진하겠다는 의지를 보였다고 보기는 어렵다.
② 각 연에서 '경 긔 엇더ᄒᆞ니잇고.'를 반복하여 음악성을 부여하고 구조적 통일감과 안정감을 주고 있다고 볼 수 있다. 그러나 이는 화자가 자신들의 자부심을 표현한 구절이므로, 의미 없는 구절이라고 보기는 어렵다.
③ '경 긔 엇더ᄒᆞ니잇고.'의 '경'은 자연 풍경이 아니라, 앞부분에서 열거한 사대부들의 생활 모습을 의미한다.
⑤ 학문과 재주에 대한 자부심과 긍지가 드러날 뿐, 귀족 생활에 대한 비판적 태도와는 거리가 멀다.

02 작품 간 공통점 파악 정답 ④

정답해설 윗글의 제1장에서는 문인들의 명문장을 나열하였고, 제2장에서는 명저들을 나열하였다. 그리고 [보기]의 중장에서는 다양한 창의 종류와 돌쩌귀의 종류 등을 나열하였다.

오답해설 ① 윗글은 3 · 3 · 4조의 3음보 율격을 통해 리듬감을 형성하고 있으며, [보기]는 4음보의 율격이 나타난다.
② 윗글의 각 장에서는 '경 긔 엇더ᄒᆞ니잇고.'라는 구절이 사용되었다. 이는 '그 광경이 참으로 좋다'를 의미하며 화자의 자부심을 드러내는 설의적 표현이다. 한편 [보기]에는 설의적 표현이 나타나지 않는다.
③ 윗글에서는 '경 긔 엇더ᄒᆞ니잇고.'라는 후렴구가 반복되어 구조적 통일감을 주고 리듬감을 부여하고 있다. 그러나 [보기]에서는 후렴구가 반복되는 부분을 찾을 수 없다.
⑤ 윗글에서는 추상적인 대상을 구체적인 사물에 빗대어 표현한 부분을 찾을 수 없다. 그러나 [보기]에서는 답답한 가슴을 꽉 막힌 방에 빗대어 표현하여 답답할 때면 창을 달아 열고 싶다고 하였다.

작자 미상, 「창 내고쟈 창을 내고쟈~」

- **갈래**: 사설시조
- **해제**: 답답한 심정에서 벗어나고 싶은 간절한 마음을 노래하고 있는 사설시조이다. 가슴을 꽉 막혀 있는 방에 빗대어 표현하였으며, 창문을 만들어 여닫음으로써 그 답답함을 해소해 보겠다고 노래하고 있다. 중장에서는 창과 관련된 다양한 사물들을 열거하여 화자의 답답한 마음을 해학적으로 표현하고 있다.
- **주제**: 답답함으로부터 벗어나고 싶은 마음

* 참고: 본문 202쪽

시조 026 ᄒᆞᆫ 손에 막ᄃᆡ 잡고~

우탁(1263~1342) 고려 후기의 문신으로, 벼슬에서 물러난 뒤에는 예안에 은거하면서 후진 교육에 전념하였다. 뛰어난 역학자여서, 주역이 중국에서 동쪽으로 왔다는 뜻으로 '역동선생(易東先生)'으로 불렸다. 저서에 『역론(易論)』, 『정전이해(程傳理解)』 등이 있었다고 하는데, 현재 전하지는 않는다.

01 작품 간의 공통점 파악 정답 ⑤

정답해설 윗글에서는 '세월의 흐름'과 '늙음'이라는 추상적인 개념을 '길'과 '백발'이라는 사물을 통해 구체적으로 형상화하고 있다. 그리고 [보기]에서는 눈에 보이지 않아 자르거나 만질 수가 없는 '시간'을 잘라 내고, 넣어 두었다가, 펴겠다고 표현하고 있다. 이는 추상적 개념인 '시간'을 구체적으로 형상한 것으로 볼 수 있다.

오답해설 ① 윗글에서는 계절감이 드러나는 시어를 찾을 수 없다. 그러나 [보기]에는 '동지ㅅ돌', '춘풍'과 같이 계절감이 드러나는 시어가 나타나 있다.
② 윗글에서는 의태어를 활용한 부분을 찾을 수 없다. 그러나 [보기]에는 '서리서리', '구뷔구뷔'와 같은 의태어를 활용하고 있다.
③ 윗글의 종장에서는 '백발'이 지름길로 온다면서 의인화하여 표현하였다. 그러나 [보기]에서는 사람이 아닌 것을 사람처럼 표현한 부분을 찾을 수 없다.
④ 윗글에서는 늙음을 '백발'이라고 표현함으로써 백색의 시각적 심상을 활용하고 있다. 그러나 [보기]에서는 백색의 시각적 심상을 활용한 부분은 찾을 수 없다.

황진이, 「동지ㅅ돌 기나긴 밤을~」

- **갈래**: 평시조
- **해제**: 동짓날 기나긴 밤을 잘라 두었다가 임이 오신 밤에 펴겠다고 하면서 임과 함께하고 싶은 소망을 드러낸 시조이다. 추상적 개념을 구체적으로 형상화한 발상이 참신하고, 우리말의 아름다움을 드러내고 있다.
- **주제**: 임을 기다리는 애타는 마음

* 참고: 본문 94쪽

시조 027 이화에 월백ᄒᆞ고 은한이~

이조년(1269~1343) 고려 후기의 문신으로 호는 매운당(梅雲堂) · 백화헌(百花軒). 모함을 받아 유배 생활을 한 적이 있으며, 이후 다시 벼슬길에 올랐으나 왕이 충언을 받아들이지 않자 사직하고 고향에서 여생을 마쳤다.

01 작품 간의 공통점과 차이점 파악 정답 ③

정답해설 윗글은 화자가 봄밤의 풍경을 보며 느끼는 애상과 우수를 감각적으로 형상화하고 있다. 그리고 [보기]는 국화를 선비의 절개에 비유하여 예찬하고 있다. 따라서 두 작품에는 화자와 대상의 이별이 나타나 있지 않으므로, 대상과 이별하는 시간적 배경이 묘사된 부분도 찾을 수 없다.

오답해설 ① 윗글의 화자는 초장에서 밝은 달빛을 받은 '이화'를 보고 애상감을 느끼고 있다. 또 화자는 중장에서 전통적으로 한을 상징하는 '자규(두견새)'를 매개로 자신의 애상감을 더욱 심화하여 드러내고 있다.
② [보기]의 중장에서는 국화가 낙목한천(겨울의 춥고 쓸쓸한 풍경)에 '네 홀로' 피었다고 묘사하고 있다. 이는 다른 꽃들이 삼월 동풍에 피는 것과 대조되어 국화의 고고한 속성을 더 효과적으로 드러낸다.
④ 윗글의 종장에서 '다정'은 '다정다감함, 정이 많음'을 의미하는데, 이는 화자의 애상적 정취를 드러내는 것으로 볼 수 있다. 그리고 [보기]의 종장에서 '오상고절'은 '서릿발이 심한 속에서도 굴하지 아니하고 외로이 지키는 절개'를 의미하며 국화의 굳은 절개를 드러내는 표현으로 볼 수 있다.
⑤ 윗글의 종장에서 화자는 봄밤의 애상적 정취에 '잠 못 들어' 한다고 하였다. 이는 화자가 봄밤의 감흥을 주체하지 못하여 잠이 들지 못하고 있는 모습을 드러낸 것이다. 그리고 [보기]의 종장에서 화자는 '오상고절'이라는 긍정적인 가치를 지닌 것이 '너뿐', 즉 국화뿐이라면서 국화를 예찬하고 있다.

이정보, 「국화야, 너난 어이~」

- **갈래**: 평시조
- **해제**: 이 작품은 낙엽이 떨어지는 추운 겨울에 홀로 피는 국화를 통해 선비의 절개를 예찬하고 있는 시조이다. 국화에 인간적 가치를 부여하고 있으며, '삼월 동풍'과 '낙목한천'을 대비하여 추운 겨울에 홀로 핀 국화의 절개를 예찬하고 있다.
- **주제**: 국화(선비)의 절개 예찬

* 참고: 본문 163쪽

시조 028 이런들 엇더ᄒᆞ며 져런들~

이방원(1367～1422) 조선 제3대 왕 태종(재위 1400～1418). 아버지인 태조 이성계 휘하에서 구세력(고려 왕조를 지지하는 세력) 제거에 큰 역할을 하였으나, 세자 책봉에 불만을 품고 왕자의 난을 일으켰다. 후에 관제 개혁을 통하여 왕권을 강화하였다.

01 작품 간의 공통점과 차이점 파악 정답 ②

정답해설 윗글과 [보기]에서는 반어적으로 표현한 부분이나 상대방에 대해 비판한 부분을 찾을 수 없다.

오답해설 ① 윗글은 '만수산 드렁칡'이 얽힌 모습에 빗대어 화자인 자신과 청자도 그처럼 어우러져 함께 누리자며 권하고 있다. 이는 조선 건국에 참여하자는 것을 우회적으로 표현하여 상대방을 회유하는 것이라고 볼 수 있다. 그러나 [보기]의 화자는 자신의 마음은 변하지 않을 것이라며, 직설적으로 자신의 의지를 드러내고 있다.
③ 윗글에서는 점층적으로 표현한 부분을 찾을 수 없다. 반면 [보기]에서는 '주거→일백 번 고쳐 주거→백골이 진토되여'와 같이 죽음과 관련된 점층적 표현을 사용하여 시상을 전개하고 있다.
④ 윗글에서는 극한 상황을 가정한 부분을 찾을 수 없다. 한편 [보기]에서는 죽음이라는 극한 상황을 가정하여 화자 자신이 죽어서 백골이 진토되는 상황이 와도 자신의 충절은 변하지 않을 것임을 강조하고 있다.
⑤ 윗글의 초장에서는 '엇더하료.', 중장에서는 '엇더ᄒᆞ리.'라고 표현함으로써 의문형 어미를 활용하고 있다. [보기]에서도 종장에서 '가실 줄이 이시랴.'라고 표현함으로써 의문형 어미를 활용하고 있다.

정몽주, 「이 몸이 주거 주거~」

- **갈래**: 평시조
- **해제**: 이방원의 「이런들 엇더ᄒᆞ며 져런들~(하여가)」에 대한 답가로 알려져 있으며 「단심가(丹心歌)」로도 불린다. 조선 왕조의 건국에 함께 참여하자는 이방원의 우회적 회유에 대해, 정몽주는 고려를 향한 충절은 절대 변하지 않을 것이라고 직설적으로 답하고 있다. 반복법, 과장법, 점층법, 설의법 등을 활용하여 자신의 의지를 강조하고 있으며, 종장의 '일편단심'에 이러한 화자의 의지가 집약되어 나타난다.
- **주제**: 고려 왕조에 대한 변함없는 충절

* 참고: 본문 61쪽

시조 029 이 몸이 주거 주거~

정몽주(1337～1392) 고려 말기의 문신으로 호는 포은(圃隱). 오부 학당과 향교를 세워 후진을 가르치고, 유학을 진흥하여 성리학의 기초를 닦았다. 명나라를 배척하고 원나라와 가깝게 지내자는 정책에 반대하고, 끝까지 고려를 받들었다. 저서로 『포은집』이 있다.

01 작품 간의 공통점 파악 정답 ③

정답해설 윗글의 화자는 죽음이라는 극단적인 상황을 가정하여 죽어도 '일편단심'을 지키겠다면서 고려 왕조에 대한 굳은 절개를 직설적으로 드러내고 있다. [보기]의 화자도 단종에 대한 자신의 지조와 절개를 '낙락장송'에 빗대어 표현하고 있다.

오답해설 ① 윗글의 화자는 자연 친화적 태도를 갖고 있다고 보기는 어렵다. 오직 고려에 대한 변함없는 충절만을 드러내고 있을 뿐이다. [보기]의 중장에서도 '봉래산 제일봉에 낙락장송' 등을 언급하고 있기는 하지만, 이는 화자의 절개를 빗대어 표현한 것일 뿐 자연 친화적 태도를 표현한 것으로 보기는 어렵다.
② 윗글과 [보기]의 두 화자는 모두 죽음의 상황을 가정하여 미래에 어떤 상황이 닥치더라도 자신의 지조와 절개가 변치 않을 것임을 강조하고 있다. 그러나 과거에 대해 반성하고 있는 부분은 찾아볼 수 없다.
④ 윗글과 [보기]의 두 화자는 어떤 부정적 현실에 놓이더라도 자신의 뜻은 변치 않을 것이라는 의지적인 태도를 보이고 있다. 그러나 현실과 이상 사이에서 갈등하고 있는 부분은 찾아볼 수 없다.
⑤ 윗글의 '님'은 고려 왕조를 의미하기 때문에 부재하는 대상으로 볼 수 없고, 그리움의 정서를 노래한 것으로 보기도 어렵다. 마찬가지로 [보기]에도 부재하는 대상이나 그에 대한 그리움의 정서는 나타나지 않는다.

성삼문, 「이 몸이 주거 가셔~」

- **갈래**: 평시조
- **해제**: 단종에 대한 굳은 절개와 충절을 노래한 시조이다. 화자는 자신을 전통적 상징인 '소나무'에 비유하여, 온 세상이 백설로 가득하더라도 자신만은 홀로 푸르겠다는 굳은 결의를 드러내고 있다.

참고로 성삼문은 세조 원년에 단종의 복위를 꾀하다가 실패하여 처형된 사육신(死六臣)의 한 사람이다.
- **주제**: 임(단종)에 대한 굳은 절개

* 참고: 본문 87쪽

시조 030 백설이 ᄌᆞ자진 골에~

이색(1328~1396) 고려 말기의 문신으로 호는 목은(牧隱). 조선 개국 후 태조가 여러 번 불렀으나 절개를 지키고 나가지 않았다. 저서로 『목은시고』, 『목은문고』가 있다.

01 작품 간의 공통점과 차이점 파악 정답 ❷

정답해설 윗글의 '백설'은 고려의 유신을, '구름'은 이와 대조되는 조선 건국의 신흥 세력을 상징한다. 또 '매화'는 지조와 절개를 지키는 우국지사를 의미한다. 그러므로 '백설', '매화'와 '구름'이 의미상 대조된다고 볼 수 있다. 그리고 [보기]의 '가마귀'는 간신, 소인배 혹은 이성계를 의미하고 '백로'는 충신, 군자 혹은 정몽주 등을 의미한다. 따라서 '가마귀'와 '백로'도 의미상 대조되는 표현이라고 볼 수 있다.

오답해설 ① 윗글의 화자는 안타까운 상황에 대한 한탄만 하고 있을 뿐, 구체적인 청자에게 이와 같은 사실을 말하고 있지는 않다. 한편 [보기]의 화자는 '백로'를 구체적인 청자로 설정하여 자신의 염려를 드러내며 백로에게 절의(절개와 의리)를 당부하고 있다.
③ 윗글의 초장에서는 계절감이 드러나는 시어인 '백설'을, 중장에서는 '매화'를 활용하여 시상을 전개하고 있다. 그러나 [보기]에서는 계절감이 드러나는 시어를 찾아볼 수 없다.
④ '우의(寓意)'란 다른 사물에 빗대어 비유적인 뜻을 나타내거나 풍자하는 것을 의미한다. 윗글에서는 '백설', '구름', '매화', '석양' 등의 자연물에 당시의 정치적 상황을 빗대어 표현하였다. 그리고 [보기]에서는 인간사에서 경계하고 지켜야 할 내용을 '가마귀'와 '백로'에 빗대어 표현하였다.
⑤ 윗글의 '백설'과 [보기]의 '백로'는 하얀색의 색채 이미지가 드러나는 시어이다.

정몽주의 어머니, 「가마귀 싸호ᄂᆞᆫ 골에~」

- **갈래**: 평시조
- **해제**: 이 작품은 정몽주의 절의가 훼손될 것을 걱정하여 군자로서의 절의를 당부하고 있는 내용이다. 대조적인 소재(까마귀 ↔ 백로)를 활용하여 주제를 우회적으로 제시하고 있다.
- **주제**: 군자로서의 지조와 절개
- **현대어 풀이**: 까마귀 싸우는 골에 백로야 가지 마라. / 성낸 까마귀 흰 빛을 시기하니 / 청강에 좋게 씻은 몸을 더럽힐까 하노라.

시조 031 구름이 무심튼 말이~

이존오(1341~1371) 고려 후기의 문신으로 호는 석탄(石灘) · 고산(孤山). 신돈의 횡포를 탄핵했다가 좌천되어 은둔 생활을 하다 31세에 죽었으며, 저서로는 『석탄집』이 있다.

01 작품 간의 공통점 파악 정답 ❶

정답해설 윗글은 고려 공민왕 때 승려 신돈이 횡포를 부리는 상황을 구름이 햇빛을 가리는 것에 빗대어 표현하고 있다. [보기]에서도 고려가 기울어 가고 새로운 왕조가 생겨나려는 시대적 상황을 백설이 녹아 없어진 골짜기에 구름이 험한 것에 빗대어 나타내고 있다.

오답해설 ② 윗글은 초장에서 '구름이 욕심 없다는 말이 아마도 허무맹랑하다'면서 구름에 대한 일반적 관념을 부정하면서 시상을 전개하고 있다. 그러나 [보기]는 일반적 관념을 부정하지는 않았다.
③ 윗글에서는 시간적 배경이 드러난 부분을 찾을 수 없으나, [보기]에서는 종장의 '석양'에 시간적 배경이 나타난다.
④ 윗글의 화자는 구름이 햇빛을 덮는 현실을 부정적으로 인식하고 있다. 또 [보기]의 화자도 구름이 험한데 매화가 피지 않고 있는 현실을 부정적으로 바라보고 있다. 그러나 두 화자 모두 이를 벗어나려는 의지적 태도를 보이지는 않는다.
⑤ 윗글에서 의문형 어미를 활용하여 화자의 안타까움을 드러내는 부분은 찾아볼 수 없다. 그러나 [보기]의 중장에서는 '반가온 매화ᄂᆞᆫ 어ᄂᆡ 곳에 피엿ᄂᆞᆫ고.'라고 하면서 의문형 어미를 활용하였다. 이는 매화에 빗대어 표현된 고려의 충신을 찾을 수 없음을 안타까워하는 것으로 볼 수 있다.

이색, 「백설이 ᄌᆞ자진 골에~」

- **갈래**: 평시조
- **해제**: 기울어 가는 고려 왕조를 안타깝게 여기는 마음이 드러나 있는 시조이다. '백설'은 고려 유신을, '구름'은 조선을 건국하고자 하는 신흥 세력을, '매화'는 고려의 우국지사를, '석양'은 국운이 기울어 가는 고려 왕조를 상징한다.
- **주제**: 기울어 가는 고려 왕조에 대한 안타까움

* 참고: 본문 62쪽

한시 032 동명왕편(東明王篇)

이규보(1168~1241) 고려 중기의 문신으로, 호는 백운거사(白雲居士). 호탕하고 활달한 시풍으로 관직에 임명될 때마다 그 감회를 읊은 즉흥시가 유명하다. 저서로 『동국이상국집』, 『백운소설』 등이 있다.

01 자료를 통한 창작 동기의 파악 정답 ❷

정답해설 [보기]의 마지막 부분에서 '우리나라가 본래 성인의 나라임을 천하에 알리고자' 「동명왕편」을 창작하였다고 하였다. 따라서 윗글의 작가는 동명왕의 영웅적 행적을 자주적으로 기록하여 우리 민족의 일체감과 긍지를 드러내기 위해서 윗글을 창작하였다고 볼 수 있다.

오답해설 ① [보기]의 첫 부분을 고려하면 작가는 처음에는 동명왕 이야기를 황당하고 기괴한 것으로 여겼으나 후에 신성한 것임을 깨달아 이를 기록하고자 했음을 알 수 있다. 따라서 이를 현실성 있게 보완했다는 것은 적절하지 않다.
③ 작가는 [보기]에서 '여러 사람의 눈을 현혹한 것'이 아닌 '나라를 창시한 신성한 사적'인 동명왕 이야기를 기술한다고 하였다.
④ [보기]를 통해 작가가 동명왕의 이야기를 이상한 것이 아니라 사실 그대로의 신성한 국사로 여기고 있음을 알 수 있다.
⑤ 작가가 [보기]를 통해 우리의 건국 이야기는 기괴한 것이 아니고 신성한 것이므로 기록하여 후세에 전하겠다고 하였다.

한시 033 송인(送人)

정지상(?~1135) 고려 인종 때의 문신으로 호는 남호(南湖). 시에 뛰어난 고려 12시인 중 한 사람으로 꼽히기도 한다. 작품에 「신설(新雪)」, 「향연치어(鄕宴致語)」 등이 있다.

01 작품 간 공통점 파악 정답 ❷

정답해설 윗글에서는 비가 그친 후의 '고운 풀빛'과 '슬픈 노래'를 부르는 이별의 상황이 대조를 이루고 있다. 이는 아름다운 자연의 모습과 이별을 하고 있는 인간사를 대비하여 화자의 슬픔을 강조한 것으로 볼 수 있다. 그리고 [보기]에서는 '비'가 화자의 서러움을 유발하며, 화자는 이러한 정서를 '풀빛'에 이입하여 표현하고 있다. 또 '푸르른 보리밭', '맑은 하늘' 등 봄의 아름다움은 오히려 화자의 서러움을 부각한다. 따라서 두 작품 모두 자연물을 통해 애상적 정서를 부각한다고 볼 수 있다.

오답해설 ① 윗글의 전구 '언제나 마르려나.'에 설의적 표현이 사용되었지만, 이는 화자의 눈물이 더해져 대동강 물이 마르지 않을 것이라는 의미이지 화자가 감정을 절제하고 있다고 보는 것은 적절하지 않다. 한편 [보기]에는 설의적 표현이 사용된 부분을 찾아볼 수 없다.
③ 윗글에서는 사물에 감정을 이입한 부분을 찾아볼 수 없다. 그러나 [보기]에서는 3행 '서러운 풀빛'에 화자의 감정이 이입되었다고 볼 수 있다.
④ 윗글의 화자는 남포에서 임을 보내며 슬픈 노래를 부르고 있다. 그리고 [보기]의 '임 앞에 타오르는 / 향연'에서 '향연'은 향을 피우는 연기를 의미하므로, 화자가 임과 사별한 상황임을 알 수 있다. 따라서 두 작품의 화자들은 모두 임과 이별한 상황, 즉 임이 부재하고 있는 상황에 처해 있다고 볼 수 있다. 그러나 두 작품의 화자 모두 재회를 바라고 있지는 않다.
⑤ 윗글의 기구 '풀빛이 고운데'와 결구의 '푸른 물결', [보기]의 '서러운 풀빛', '푸르른 보리밭'에 시각적 심상이 나타난다. 하지만 두 작품 모두 이를 활용하여 슬픔을 극복하고자 하지는 않았다.

이수복, 「봄비」

- **갈래**: 자유시(서정시)
- **해제**: 생동감 넘치는 봄을 배경으로 사별한 임에 대한 그리움을 표현한 현대시이다. 봄의 생명력을 '푸르른 보리밭', '맑은 하늘', '종달새', '꽃밭', '처녀애들', '아지랑이'로 표현하고, 이와 대비되는 애상적 정서를 '비', '향연'을 통해 표현하였다. 3음보의 민요적 율격, 시행과 종결 어미의 반복으로 음악적 효과를 얻고 있다.
- **주제**: 봄비 내리는 날의 애상적 정서

한시 034 부벽루(浮碧樓)

01 작품의 종합적 감상 정답 ❷

정답해설 5구와 6구에 등장하는 '기린마'와 '천손'은 각기 '성인이 나올 징조를 알리는 상상의 짐승, 동명왕이 타고 하늘로 올라갔다는 말'과 '고구려의 시조인 동명왕'을 가리킨다. 화자가 기린마는 떠나서 돌아오지 않으며, 천손은 어느 곳에 노니는가라고 한 것은 어지러운 세상을 구원할 동명왕과 같은 영웅이 나올 징조가 보이지 않는다는 것을 의미한다. 따라서 화자가 초월적 존재에 기대어 소망을 이루려고 한다고 보기는 어렵다.

오답해설 ① 1~4구에서 부벽루와 그 주변 풍경을 서술하고, 5~8구에서 인생의 무상감을 표현하고 있다. 따라서 선경후정의 방식으로 시상을 전개하고 있다고 볼 수 있다.
③ 화자가 고구려의 도읍이었던 평양성의 '부벽루'에 올라 느낀 무상감을 노래하고 있다는 점에서 공간적 배경이 작품 창작의 동기가 되었다고 볼 수 있다.
④ 4구의 '천 년 구름 아래 돌은 늙었네.'에서 '천 년'이라는 시간의 흐름을 시각적으로 형상화하고 있다.
⑤ '조각달', '구름', '산', '강' 등의 자연은 변치 않았지만 인간이 살던 공간인 '성'은 현재 '텅 빈 성'이다. 따라서 자연의 영원함과 인간 역사의 유한함을 대조하여 무상감을 드러내고 있다고 볼 수 있다.

한시 035 사리화(沙里花)

이제현(1287~1367) 고려 말기의 문신으로 호는 역옹(櫟翁) · 익재(益齋). 왕명으로 실록을 편찬하였고, 원나라 학자나 문인들과의 활발한 교류를 바탕으로 조맹부의 서체를 고려에 도입하여 유행시키기도 하였다. 「사리화」 등 고려의 민간 가요 17수를 한시로 번역하였으며, 저서로 『익재집』, 『역옹패설』 등이 있다.

01 작품 간 공통점과 차이점 파악 정답 ❺

정답해설 윗글에서는 권력자들이 농민을 수탈하는 현실 상황을 참새가 곡식을 쪼아 먹는 것에 빗대어 우회적으로 비판하고 있다. 그러나 [보기]에서는 관리가 백성을 수탈하는 현실 상황을 직설적으로 비판하고 있다.

오답해설 ① 윗글의 '참새'는 평민을 수탈하는 권력층을 의미하고, [보기]의 '이방'과 '황두'는 무명을 빼앗아 가는 권력층을 의미한다. 따라서 '참새'와 '이방', '황두'는 모두 탐관오리에 해당한다고 볼 수 있다.
② 윗글의 '벼'와 '기장'은 농민의 땀으로 일군 결실을 의미하며, 탐관오리들이 수탈해 가는 물품이다. [보기]의 '새로 짜낸 무명'도 황두가 빼앗아 가므로 탐관오리들이 수탈해 가는 물품에 해당한다고 볼 수 있다.
③ 도치법은 정서의 환기와 변화감을 끌어내기 위하여 말의 차례를 바꾸어

쓰는 문장 표현법으로, 윗글에서는 도치법을 활용한 부분을 찾을 수 없다. 그러나 [보기]의 3, 4구에서는 말의 차례를 바꾼 도치법을 활용하고 있다.
④ 윗글에서는 백성을 수탈하는 권력층을 '참새'에, 수탈당하는 농민을 '늙은 홀아비'에 빗대어 대립적으로 표현하고 있다. 그러나 [보기]에서는 시어를 대립적으로 사용한 부분을 찾아볼 수 없다.

정약용, 「탐진촌요」

- **갈래**: 한시(칠언 절구)
- **해제**: '탐진'은 지금의 전남 강진으로, 정약용이 그곳에서 유배 생활을 하던 때의 농촌의 모습과 농민의 고초를 그린 한시이다. 총 15수 중 [보기]에 제시된 부분은 제7수로, 관리들의 횡포에 시달리는 당시 농민들의 삶의 모습을 사실적으로 묘사하고 있다.
- **주제**: 권력자들의 가혹한 수탈에 대한 비판

* 참고: 본문 265쪽

한시 036 춘흥(春興)

01 작품 간 공통점과 차이점 파악 정답 ④

정답해설 윗글의 '봄비가 가늘'다는 것에서 시각적 이미지를, '밤중에 약간 소리가 나는 듯했'다는 것에서 청각적 이미지를 활용하여 봄의 생동감을 감각적으로 표현하고 있다. 하지만 공감각적 이미지를 활용한 부분은 찾아볼 수 없다. 한편 [보기]에서는 1연 2행의 '먼 산이 이마에 차라(시각의 촉각화).', 3연 2행의 '서늘옵고 빛난 이마받이하다(시각의 촉각화).', 4연 2행의 '흰 옷고름 절로 향기로워라(시각의 후각화).'에 공감각적 심상이 나타나며, 이를 통해 봄의 생동감을 표현하고 있다.

오답해설 ① 윗글의 화자는 '봄비'를 통해 계절의 변화, 즉 봄이 왔음을 느끼고 있다. 그리고 [보기]의 화자는 때 아닌 '눈'에서 봄을 느끼고 있다.
② 윗글에서는 감탄사를 찾을 수 없으나, [보기]에서는 5연 2행의 감탄사 '아아'를 통해 화자의 느낌을 강조하고 있다.
③ 윗글은 봄비가 내린 후 새싹이 돋아날 것을 기대하는 화자의 모습을, [보기]는 미나리 새순이 돋고 고기 입이 오물거리는 등 만물이 소생하는 이른 봄의 모습을 그리고 있다. 따라서 두 작품 모두 봄의 생명력과 소생의 이미지를 표현한다고 할 수 있다.
⑤ 윗글의 시간적 배경은 승구에서 '밤중'으로 제시되어 있다. [보기]에서는 2연에서 '우수절', '초하루 아침'으로 시간적 배경이 구체적으로 나타나 있다.

정지용, 「춘설」

- **갈래**: 자유시(서정시)
- **해제**: 다양한 감각적 이미지를 구사하여 봄눈의 이미지와 봄의 정경을 생생하게 묘사한 현대시이다. '눈'을 통해 만물이 생동하는 봄의 기운을 노래한 발상이 독특하다고 평가받고 있다.
- **주제**: 춘설이 내린 산에서 느낀 봄의 생명력

악장 037 용비어천가(龍飛御天歌)

01 자료를 통한 작품의 의도 파악 정답 ④

정답해설 ㉣은 이성계가 조선을 건국하기 전에 이미 성스러운 조짐이 나타났음을 밝힌 부분이다. 따라서 조선 왕들의 성실한 통치의 모습을 드러낸 것이 아니라 조선 개국의 정당성을 드러낸 것으로 보아야 한다.

오답해설 ① ㉠의 '천복'을 통해 조선 왕조가 하늘의 복을 받고 있음, 즉 건국이 정당하다는 것을 드러낸다고 볼 수 있다.
② '고성이 동부ᄒᆞ시니.'는 '중국 고대의 여러 성군(聖君)이 하신 일과 부절을 맞춘 것처럼 일치하시니.'를 의미한다. 이는 중국의 옛 성군에 빗대어 육조의 뛰어난 사적을 찬양하려는 의도가 드러난 표현이다.
③ '곶 됴코 여름 하ᄂᆞ니.'는 '꽃이 좋고 열매가 많으니.'를 의미한다. '꽃'과 '열매'는 조선 왕조의 발전을 비유적으로 나타낸 것이며, 이것들이 많다는 것은 문화가 융성한다는 것이므로 조선 왕조를 송축하는 의도가 드러난다고 볼 수 있다.
⑤ '님금하, 아ᄅᆞ쇼셔. 낙수예 산행 가 이셔 하나빌 미드니잇가.'에서 청자를 '님금'으로 설정하고 있으며, 제125장 전체가 후대 임금에게 조언하는 내용이므로 후대 왕들에 대한 권계의 의도가 있다고 볼 수 있다.

02 표현상의 특징 파악 정답 ⑤

정답해설 제2장은 조선의 무궁한 발전을 기원하는 내용이 주를 이루고 있는데, '뿌리 깊은 나무'와 '샘이 깊은 물'이라는 자연물을 통해 조선이 튼튼한 기초를 바탕으로 무궁한 발전이 가능함을 강조하고 있다. 따라서 자연 현상과 인간의 삶을 대조적으로 보여 주고 있다고 보기는 어렵다. 또 제125장에서는 후대 왕에 대한 권계의 내용을 표현하고 있을 뿐, 자연 현상을 언급하고 있지는 않다.

오답해설 ① 제2장에서는 '뿌리 깊은 나무는 바람에 흔들리지 않는다'는 사례와 '샘이 깊은 물은 가뭄에 그치지 않는다'는 사례를 나란히 배열하고 있다. 이 두 사례는 모두 근본이 튼튼하면 시련을 견딜 수 있다는 유사한 내용의 자연의 이치를 담고 있다.
② 제125장에서 1행에서는 '~니', 2행에서는 '~이다', 3행에서는 '~니잇가'를 종결 어미로 사용하였다.
③ 제125장에서는 '님금하, 아ᄅᆞ쇼셔.'라고 하여 수신자가 (후대) 왕임을 분명하게 밝히고 있다.
④ 제125장에는 대부분의 단어들이 한자어로 되어 있는 반면에 제2장에서는 한자어가 아닌 순우리말을 사용하여 내용을 전개하고 있다.

언해 038 춘망(春望)

두보(712~770) 중국 당나라 때의 시인으로 시성(詩聖)이라 불렸다. 두보의 시는 뛰어난 문장력을 바탕으로 사회상을 반영하여, 후세 사람들은 시로 표현된 역사라는 뜻으로 '시사(詩史)'라 부르기도 하였다. 주요 작품으로는 「강남봉이구년」, 「강촌」 등이 있으며, 조선 시대에 두보의 시를 언해한 『두시언해』가 발간되어 널리 읽혔다고 한다.

01 화자의 정서와 태도 파악 정답 ②

정답해설 윗글에는 오랜 전란으로 피폐해진 상황과 이러한 현실에 상심하고 있는 화자의 모습이 나타나 있다. 그러나 이러한 현실을 극복하려는 화자의 의지는 찾아볼 수 없다.

오답해설 ① 화자는 함련에서 꽃마저 눈물을 흘리게 하고, 새소리마저 마음을 놀라게 한다고 표현함으로써 전란으로 인한 깊은 상실감을 표출하고 있다.
③ 화자는 미련에서 하얗게 센 머리가 점점 짧아지고 남은 머리카락도 비녀를 이기지 못한다고 하면서 쇠약해져 버린 자신의 육신에 대해 한탄하고 있다.
④ 화자는 경련에서 석 달 동안 이어진 전쟁으로 인해 집에서 온 편지가 만금보다 값지다고 하면서 가족에 대한 그리움을 드러내고 있다.
⑤ 화자는 수련과 함련에서 전란으로 피폐해진 나라의 현실을 애통하게 여기고 있다. 따라서 화자는 나라의 안위를 걱정하고 있다고 볼 수 있다.

02 화자의 정서 파악 정답 ①

정답해설 윗글의 화자는 ㉠에서 가족의 소식이 만금보다 값지다고 하였다. 이는 전란으로 인해 헤어져 있는 가족에 대한 그리움이 그만큼 큰 것을 의미한다. ①은 고향을 떠나 있는 상황에서 고향에 대한 소식을 들을 수 없어 밤을 혼자 새우고 있는 심정을 드러내고 있다. 즉 ①의 화자 역시 밤을 혼자 샐 만큼 고향의 가족에 대한 그리움을 느끼고 있다.

오답해설 ② 화자는 바람처럼 떠도는 소문 때문에 시름과 원한을 느끼며 문 닫고(외부와 차단하고) 누워 있다.
③ 화자는 임의 편지를 받아 보며 임 생각에 서러워하고 있다.
④ 화자는 임과 이별을 하며 눈물을 흘리면서 서러워하고 있다.
⑤ 화자는 임과 이별을 하며 사랑의 증표로 금비녀를 주면서 자신을 잊지 말아달라고 당부하고 있다.

03 작품 간 공통점과 차이점 파악 정답 ③

정답해설 윗글의 시적 화자는 전란으로 인해 폐허가 된 나라의 모습과 가족과의 이별로 인한 슬픔으로 눈물을 흘리고 있다. 그리고 [보기]의 시적 화자는 부서진 나라가 회복되는, 진정한 의미의 봄이 오지 않은 현실 때문에 눈물을 흘리고 있다. 따라서 [보기]의 시에만 시적 화자가 눈물을 흘리는 이유가 드러나 있다고 보는 것은 적절하지 않다.

오답해설 ① 윗글과 [보기]에서는 나라가 망하고 부서졌는데도 산과 강, 풀과 나무로 나타나는 자연은 변함없다고 하면서 자연과 인간사를 대조하고 있다.
② [보기]는 1연의 '이 나라 나라는', '이 산천 여태 산천은'에서 '나라'와 '산천'을 반복하여 화자의 정서를 강조하고 있다. 그러나 윗글에서는 시어를 반복한 구절을 찾아볼 수 없다.
④ 윗글의 수련에서는 나라가 패망했는데도 산과 강은 남아 있고 풀과 나무만 우거졌다고 하며 인간사에 대한 무상함을 나타내고 있다. 그리고 [보기]의 1연에서도 자연에는 봄이 왔으나 인간사에는 봄이 오지 않고 부서진 나라뿐이라며 인간사에 대한 무상함을 나타내고 있다.
⑤ 윗글과 [보기] 모두 산과 강, 풀과 나무, 새와 꽃이라는 공통된 소재를 이용하여 화자의 상실감과 비애감을 드러내고 있다.

김소월, 「봄」

- **갈래**: 번역시
- **해제**: 1926년에 김소월이 두보의 「춘망」을 우리 시의 느낌으로 번역하여 발표한 시이다. 김소월의 탁월한 언어적 감수성으로 단순한 번역이 아니라 원작을 새로운 느낌의 시로 탄생시켰다는 평가를 받고 있다. 계절인 봄은 왔지만 부서진 나라가 회복되는 봄이 오지 않아 절망하는 내용으로 구성되어 있다는 점에서 두보의 「춘망」과 상당히 유사하지만, 김소월의 「봄」은 망한 나라의 회복에 초점을 맞추고 있다는 점에서 차이가 있다.
- **주제**: 나라의 주권 회복에 대한 염원

연해 039 강촌(江村)

01 표현상의 특징 파악 정답 ⑤

정답해설 윗글은 선경후정의 기법을 활용하여 한가한 강촌의 모습과 한가로운 강촌의 삶에 대한 만족감을 드러내고 있다. 그러나 자연에 대한 예찬적 태도를 드러내지는 않았다.

오답해설 ① 함련과 경련에서는 제비와 갈매기, 늙은 아내와 어린 아들의 모습이 서로 대구를 이루며 리듬감을 형성한다.
② 수련과 함련에서는 한가로운 자연의 모습이 나타나 있으며, 경련과 미련에서는 인간 세상의 모습이 나타나고 있다. 화자는 이 두 모습을 대비하여 삶에 대한 만족감을 드러내고 있다.
③ 화자는 경련에서 늙은 아내가 장기판을 그리고, 어린 아들은 바늘로 낚시 도구를 만드는 모습을 제시하면서 미련에서 이 밖에 더 필요한 것은 약밖에 없다고 언급하고 있다. 여기에서의 장기판이나 낚시 도구는 일상적 사물로, 한가롭고 유유자적한 삶의 모습을 드러내는 역할을 한다.
④ 윗글은 수련과 함련에서 강의 모습과 그 위를 나는 새의 모습 등 먼 곳의 풍경을 다루다가 경련과 미련에서는 집안으로 시선을 옮겨 집안의 풍경을 묘사하고 있다.

02 작품 간 공통점과 차이점 파악 정답 ④

정답해설 ㉠'져구맛 모미'는 시적 화자가 자기 스스로를 낮추어 표현한 것이며, 윗글의 화자는 오직 약물만이 필요하다는 소박한 소망을 드러내며 강촌에서 소박한 삶을 영위하고 있다. [보기]에서는 이 시의 작가인 두보가 강촌에서 가난하게 살고 있으면서도 시에서는 임금에 대한 충성과 백성을 아끼는 마음을 잃지 않았다고 하였다. ④를 보면 초장과 중장에서는 낙향하여 서호에 은거한 자신의 소박한 모습을 드러내고 있지만, 종장에서는 '님'으로 표현된 임금에 대한 충성스러운 마음을 드러내고 있다. 따라서 ④가 ㉠의 생활 모습과 내면 세계에 가장 가깝다고 볼 수 있다.

오답해설 ① 화자는 태평성대에 음악과 자연의 흥취 속에 살면서 이를 '성은'이라고 표현하고 있다. 자연 속에서 살고 있지만 흥취에 젖어 있고 태평한 시절의 삶이라는 측면에서 윗글에 나타난 생활 모습과는 거리가 멀다.
② 고국을 떠나는 화자의 모습이 나타날 뿐, 윗글의 ㉠에게서 볼 수 있는 소박한 생활이나 안분지족의 태도는 드러나 있지 않다.
③ 화자는 단종에 대한 지조를 지키려는 의지를 드러낼 뿐, 윗글의 ㉠의 생활 모습이나 내면 세계와는 거리가 멀다.
⑤ 화자는 자신이 살고 있는 곳을 무릉도원과 비교하면서 자연 속에서 행복을 누리고 있다. 이는 임금에 대한 충성이나 백성을 아끼는 마음을 가진 ㉠의 생활 모습과는 거리가 멀다.

연해 040 강남봉이구년(江南逢李龜年)

01 자료를 통한 감상의 적절성 파악 정답 ④

정답해설 결구의 꽃이 진다는 표현은 일반적으로 생명력의 상실을 나타내므로, 인간의 노년기와 관련지어 해석할 수 있다. 그러므로 '곳 디는 시절'은 이구년을 만난 시기인 늦은 봄을 의미하는 동시에 두 사람의 인생의 황혼기, 즉 늙고 초라해진 모습을 암시한다고 볼 수 있다.

오답해설 ① 기구와 승구에서는 화자와 이구년의 화려했던 과거의 모습만 드러날 뿐, 과거와 현재 모습의 대비는 찾아볼 수 없다.
② 기구와 승구는 화자와 이구년이 과거에 만났던 내용이므로 이구년과 화자의 모습이 대비된다고 보기는 어렵다.
③ 전구에 나타나는 강남의 아름다운 봄 풍경은 화자와 이구년의 현재 처지와 대비되는 것일 뿐, 두 사람의 화려한 시절을 암시한 것으로 보기는 어렵다.
⑤ 결구의 '또 너를 맛보과라.'는 화자와 이구년이 과거와 대비되는 모습으로 만나게 된 현재 상황에 대한 애상감이 고조되는 부분이다. 따라서 이 부분을 비통함을 극복한 것이라고 볼 수는 없다.

연해 041 절구(絕句)

01 작품의 특징과 내용 파악 정답 ❶

정답해설 기구의 '새'는 봄날의 아름다운 풍경 중 일부로, 고향이 그리워도 가지 못하는 화자의 비애감을 대조적으로 부각하는 소재이다. 하지만 고향과 화자를 연결해 주는 매개체라고 보기는 어렵다.

오답해설 ② 기구와 승구는 구조적으로 대구를 이루고 있고, 'ᄀᆞ름(강)'과 '뫼(산)', '새'와 '곳(꽃)'이라는 소재들도 서로 대구를 이루고 있다.
③ 기구에서는 'ᄀᆞ름(강)'의 푸른색과 '새'의 흰색이, 승구에서는 '뫼(산)'의 푸른색과 '곳(꽃)'의 붉은색이 대비를 이루고 있다.
④ 전구의 '쏘'를 통해 고향에 돌아가고자 하는 화자의 소망이 여러 해 좌절되어 왔음을 추측할 수 있다.
⑤ 결구의 '어느 나리'는 '도라갈 ᄒᆡ'을 강조하며, 고향으로 돌아갈 날을 기약할 수 없는 화자의 초조하고 안타까운 심정을 표출하고 있다.

언해 042 등고(登高)

01 작품 간 공통점과 차이점 파악 정답 ④

정답해설 [A]에는 화자가 자신의 처지에 대해 한탄하고 슬퍼하는 모습이 드러나 있을 뿐, 자신의 처지에 대한 개선 의지는 나타나 있지 않다. [보기]의 화자는 늙음을 막기 위한 노력이 소용없는 일임을 해학적으로 드러내며 달관하고 있으므로, 현실 개선 의지가 있다고 보기는 어렵다.

오답해설 ① [A]에서 화자는 늙고 초췌한 자신의 모습에 체념적 태도를 보이고 있다. 한편 [보기]의 화자는 아무리 막아도 백발이 지름길로 온다면서 늙음을 해학적으로 받아들이는 달관적 태도를 보이고 있다.
② [A]에서는 '슬허ᄒᆞ노니'와 같이 슬픔의 정서가 직접적으로 드러나 있다. 그러나 [보기]에서는 화자의 정서가 직접 언급된 부분을 찾을 수 없다.
③ [A]에는 전란이라는 시대 상황 때문에 타향에서 쓸쓸하게 늙어 가는 화자의 처지가 드러난다. 그러나 [보기]에는 구체적인 시대 상황이 드러나 있지 않다.
④ [A]에는 '서리 ᄀᆞᄐᆞᆫ 귀믿터리'로 인해 슬퍼하는 화자의 모습이 나타나 있다. 또 [보기]에도 아무리 막으려 해도 막아지지 않는 '백발'의 모습이 언급되어 있다. 따라서 두 작품 모두 속절없이 늙어 가는 화자의 처지가 나타나 있다고 볼 수 있다.

우탁, 「탄로가」

- **갈래**: 평시조
- **해제**: '늙음'이라는 추상적 개념을 구체적 대상으로 표현한 시조이다. 세월의 흐름을 가시와 막대로 막을 수 없다면서 해학적으로 받아들이는 달관적 태도를 드러내고 있다.
- **주제**: 늙음에 대한 한탄

* 참고: 본문 58쪽

언해 043 귀안(歸雁)

01 화자의 정서와 태도 파악 정답 ③

정답해설 [보기]에서는 두보가 안녹산의 난을 피해 유랑 생활을 하던 중에 기러기를 보고 향수를 느껴 「귀안」을 지었다고 하였다. 따라서 윗글의 화자는 고향에 갈 수 없는 한을 드러내고 있다고 볼 수 있다.

오답해설 ① 윗글에서는 어린 시절 화자 자신의 모습이나 이를 그리워하는 모습은 나타나지 않는다.
② 윗글에서 '나그내'는 화자 자신의 처지를 나타내는 소재이다. 따라서 고향에서 온 나그네로부터 고향 소식을 듣는 상황이라고 볼 수 없다.
④ 윗글의 화자는 고향에 대한 그리움을 드러내고 있지만, 이러한 상황을 개선하려는 의지를 보이지는 않는다.
⑤ 윗글의 화자는 고향을 그리워하고 있으나, 전란을 겪은 고향의 풍경이 묘사된 부분은 찾아볼 수 없다.

시조 044 가마귀 검다 ᄒᆞ고~

이직(1362~1431) 고려 말에서 조선 초의 문신. 이성계를 도와 개국 공신이 되었으며, 영의정까지 올랐다. 저서로는 『형재시집』이 있다.

01 소재의 특징 비교 정답 ④

정답해설 윗글에서 '가마귀'는 겉은 검지만 속은 흰 긍정적인 대상으로 나타나며, '백로'는 겉은 희지만 속은 검은 부정적인 대상으로 나타난다. 한편 [보기]에서는 '가마귀'를 부정적 대상으로, '백로'를 긍정적 대상으로 묘사하고 있다. 따라서 윗글과 [보기]의 '가마귀'와 '백로'는 서로 대조되는 이미지로 형상화되고 있다고 할 수 있다.

오답해설 ① 윗글의 화자는 '백로'가 아닌 '가마귀'와 자신을 동일시하고 있다. 그리고 [보기]의 '백로'는 화자와 동일시된 대상이 아니라 고려에 대한 충절을 가진 화자의 아들인 정몽주와 동일시되고 있다.
② 윗글과 [보기]의 화자는 '백로'가 처한 상황을 부러워하고 있지는 않다.
③ '백로'를 부정적인 대상으로 인식하고 있는 것은 [보기]의 화자가 아니라 윗글의 화자이다.
⑤ 두 작품 모두 '백로'에 대한 '가마귀'의 태도가 아니라, '가마귀'에 대한 '백로'의 태도를 중심으로 시상을 전개하고 있다.

정몽주의 어머니, 「가마귀 싸호ᄂᆞᆫ 골에~」

- **갈래**: 평시조
- **해제**: 이 작품은 정몽주의 절의가 훼손될 것을 걱정하여 군자로서의 절의를 당부하고 있는 내용이다. 대조적인 소재(까마귀 ↔ 백로)를 활용하여 주제를 우회적으로 제시하고 있다.
- **주제**: 군자로서의 지조와 절개
- **현대어 풀이**: 까마귀 싸우는 골에 백로야 가지 마라. / 성낸 까마귀 흰 빛을 시기하니 / 청강에 좋게 씻은 몸을 더럽힐까 하노라.

시조 045 흥망이 유수ᄒᆞ니~

원천석(1330~?) 고려 말의 혼란한 정계를 개탄하여 원주 치악산에서 은둔 생활을 하였고, 조선의 태종이 여러 차례 벼슬을 내렸으나 응하지 않았다. 저서로는 『운곡시사(耘谷詩史)』 등이 있다.

01 표현상의 특징 파악 정답 ③

정답해설 윗글에서 의인화된 대상은 나타나지 않으며, 풍자를 통해 세태를 비판하고 있지도 않다.

오답해설 ① 윗글은 초장에서 시각적 이미지를, 중장에서 청각적 이미지를 활용하여 고려의 멸망을 표현하고 있다.
② 초장의 '추초', 중장의 '목적' 등의 비유적 시어를 활용하여 망국의 한과 무상감을 드러내고 있다.
④ 종장에서 '-노라'라는 영탄으로 시상을 마무리함으로써 고려의 멸망 때문에 느끼는 슬픔을 나타내고 있다.
⑤ 종장의 '석양'은 '저무는 해'를 의미하기도 하고 '고려의 멸망'을 의미하기도 한다. 화자는 중의성을 가지는 시어인 '석양'을 활용하여 고려의 멸망이라는 현실을 드러내고 있다.

시조 046 눈 마ᄌ 휘여진 ᄃᆡ를~

01 표현상의 특징 파악 정답 ⑤

정답해설 초장의 '눈'은 조선 건국에 협력하기를 강요하는 세력을 상징하고 'ᄃᆡ'는 충절을 지키고자 하는 고려의 유신, 즉 화자를 상징한다. 또한 화자는 종장의 '세한 고절'을 통해 대나무의 절개를 예찬하고 자신의 충절을 다짐하고 있다. 따라서 상징적인 의미를 가진 시어인 대나무를 통해 자신의 굳은 의지를 드러내고 있다고 볼 수 있다.

오답해설 ① 초장의 눈을 맞아 휘어진 대나무를 시각적인 표현이라고 볼 수 있다. 그러나 이는 화자의 절개를 드러내기 위해 상황을 상징적으로 묘사한 것이지, 감각적인 언어로 대상을 생동감 있게 그려 냈다고 보기는 어렵다.
② 초장과 중장에서 설의법을 사용하여 화자의 의지를 드러내고 있을 뿐, 의성어와 의태어를 사용한 부분은 찾아볼 수 없다.
③ 우리나라 문학에서 '눈'은 시련이나 고난을, '대나무'는 지조와 절개를 상징하는 시어로 널리 사용되어 왔다. 따라서 자연물의 속성을 새롭게 해석하였다고 보기는 어렵다.
④ 초장과 중장에 설의법이 사용되었지만, 반어적 어법이 사용된 부분은 찾아볼 수 없다.

시조 047 오백 년 도읍지를~

길재(1353~1419) 고려 말과 조선 초의 학자. 태종이 태상박사(太常博士)에 임명했으나 글을 올려 두 임금을 섬기지 않는다는 뜻을 펼쳤다. 저서로 『야은집』, 『야은속집』, 『야은언행습유록』 등이 있다.

01 작품 간 공통점 파악 정답 ①

정답해설 윗글은 패망한 고려의 도읍지를 바라보면서 느끼는 안타까움과 무상감을 노래하고 있다. 그리고 [보기]는 변함이 없는 산과 끊임없이 흘러 가는 물을 대조하고, 흐르는 물과 유한한 인간을 비교하여 인생에 대한 무상감을 드러내고 있다. 따라서 두 작품 모두 삶에 대한 무상감을 드러내고 있다고 볼 수 있다.

오답해설 ② 윗글의 화자는 종장에서 고려 왕조의 태평연월이 꿈처럼 허무하다면서 무상감을 느끼고 있다. [보기]의 화자도 종장에서 인걸도 물 같아서 가고 다시 아니 온다면서 무상감을 느끼고 있다. 따라서 두 화자가 이상 세계를 동경한다고 보기는 어렵다.
③ 윗글의 화자는 고려 왕조의 옛 도읍지를 돌아보며 융성했던 시절이 꿈 같다고 할 뿐, 삶의 태도를 반성하거나 개선하고 있지는 않다. [보기]의 화자도 삶에 대한 무상감을 드러낼 뿐, 삶의 태도에 대해서는 언급하지 않았다.
④ 윗글의 화자는 산천은 영원한데 인걸은 간 곳이 없다고 안타까워하고 있을 뿐, 현실과의 단절에 대해서는 언급하지 않았다. [보기]의 화자도 물과 인걸이 한 번 가면 다시 돌아오지 않는다는 점 때문에 애상감을 느끼고 있을 뿐, 현실과의 단절은 거론하지 않았다.
⑤ 윗글의 화자는 고려가 패망한 현실에서 무상감을 느끼고 있을 뿐, 현실을 벗어나려고 하지는 않았다. [보기]의 화자도 인걸이 오지 않고 있는 현실에서 무상감을 느낄 뿐, 현실을 벗어나려는 의지를 보이고 있지는 않다.

황진이, 「산은 녯 산이로되~」

- **갈래**: 평시조
- **해제**: 산과 물을 대조하여 인생에 대한 허망함을 구체화한 시조이다. 종장의 '인걸'은 두 가지로 해석할 수 있다. 흠모하던 서경덕으로 본다면 떠난 임을 그리워하는 애상적 태도가, 인생으로 본다면 인생무상의 관조적 태도가 드러난다고 볼 수 있다.
- **주제**: 인생무상과 무정한 임에 대한 그리움

시조 048 선인교 나린 물이~

정도전(1342~1398) 고려 말과 조선 초의 문인으로 호는 삼봉(三峯). 조선 개국 일등 공신으로, 성리학을 이념으로 내세웠으며 불교를 배척하였다. 저서로는 『조선경국전』, 『삼봉집』 등이 있다.

01 자료를 통한 감상의 적절성 파악 정답 ④

정답해설 종장의 '고국 흥망을 무러 무엇ᄒᆞ리오.'는 고려를 잊고 현재의 나라인 조선에 충실하라는 의미이다. 따라서 조선의 흥망과 고려의 흥망이 다르지 않음을 나타낸 것으로 보기는 어렵다.

오답해설 ① 초장의 '선인교'와 '자하동'은 융성했던 고려의 왕업을 함축한 시어이다.
② 중장에서 화자는 고려 왕조의 업적이 '물소ᄅᆡ'뿐이라고 말하면서, 고려의 '반천 년 왕업'를 떠올리고 무상감을 느끼고 있다.
③ '물소ᄅᆡ'는 고려의 멸망을 청각적 이미지를 통해 드러낸 것으로, 고려 왕조의 업적을 의미하는 '반천 년 왕업'과 대비된다고 할 수 있다.
⑤ '무러 무엇ᄒᆞ리오.'는 물어도 소용이 없다는 의미이므로, 고려의 멸망이라는 과거를 잊고 현재에 충실하라는 의도를 내포하고 있다. 따라서 새 왕

조에 대해 비협조적인 고려 유신에 대한 화자의 태도가 나타나 있다고 볼 수 있다.

시조 049 이 몸이 주거 가셔~

성삼문(1418~1456) 단종의 복위를 꾀하다 죽은 사육신 가운데 한 사람이다. 단종을 향한 굳은 절개를 노래한 시조를 여러 수 지었다.

01 자료를 통한 감상의 적절성 파악 정답 ②

정답해설 중장의 '봉래산'은 임금이 있는 한양의 남산을 일컬으며, 화자는 '봉래산 제일봉'에서 '낙락장송'이 되겠다고 하였다. [보기]에서 성상문이 단종에 대한 지조와 절개를 지킨 사람이고 한 것을 고려하면 '봉래산 제일봉'이 수양 대군을 상징한다고 보는 것은 적절하지 않다.

오답해설 ① 화자는 단종에 대한 자신의 절개를 강조하기 위해 자신이 죽는다는 극단적인 상황을 설정하고 있다.
③ 화자는 초장에서 죽어서 무엇이 될 것인지 자문하고, 이에 대해 절개를 지키는 '낙락장송'이 되겠다고 자답하고 있다.
④ '백설'은 수양 대군과 그 일파를 상징하는 것으로, '백설이 만건곤'하다는 것은 수양 대군 일파가 득세하는 상황을 드러낸 표현이다.
⑤ 눈으로 세상이 하얗게 덮여 있어도 '독야청청'하겠다는 것은 수양 대군의 일파로 세상이 가득해도 단종에 대한 절개를 끝까지 지키겠다는 자신의 다짐을 표현한 것으로 볼 수 있다.

시조 050 수양산 바라보며~

01 화자의 정서와 태도 파악 정답 ②

정답해설 윗글의 화자는 굶주려 죽을지언정 고사리를 뜯어 먹어서야 되겠냐면서 고사리를 뜯어 먹은 백이와 숙제보다 자신의 지조와 절개가 높음을 드러내고 있다. 그리고 [보기]의 화자는 시련을 견디고 봄 소식을 전하려 하는 매화를 예찬하고 있다. 따라서 두 작품 모두 주제를 드러내기 위한 소재로 각각 ㉠과 ㉡을 활용하고 있다고 볼 수 있다.

오답해설 ① 윗글의 화자는 고사리를 캐 먹은 백이와 숙제를 비판하고 있다. 그러나 [보기]의 화자는 '매화'를 비판하는 것이 아니라 예찬하고 있다.
③ 윗글에는 백이와 숙제에 대한 화자의 한탄은 드러나지만, 회한(뉘우치고 한탄함.)의 정서는 찾아볼 수 없다. 또 [보기]에도 매화에 대한 예찬만이 드러날 뿐, 애상의 정서는 찾아볼 수 없다.
④ 윗글의 화자는 백이와 숙제를 비판할 뿐 자신을 성찰하고 있지 않다. 또 [보기]의 화자는 매화를 예찬할 뿐, 사회상에 대해서 언급하고 있지 않다.
⑤ [보기]의 화자는 '매화'에 대해 예찬의 태도를 보이고 있다. 그러나 윗글의 화자는 백이와 숙제에 대해 연민의 감정이 아니라, 한탄의 감정을 드러내고 있다.

안민영, 「매화사」

- **갈래**: 연시조
- **해제**: 매화에 대한 예찬의 태도를 드러낸 총 8수로 된 연시조이다. 매화의 속성을 세밀하게 묘사하였으며, 매화를 의인화하여 지조 높은 선비의 모습을 상징적으로 표현하고 있다. 제시된 부분은 매화의 강인한 의지를 예찬한 제6수에 해당한다.
- **주제**: 매화에 대한 예찬
- **현대어 풀이**: 바람이 눈을 몰아 창문에 부딪치니, / 찬 기운이 방으로 새어 들어 잠들어 있는 매화를 건드린다. / 아무리 얼게 하려 한들 (매화의) 봄뜻을 빼앗을 수가 있을 것인가.

* 참고: 본문 198쪽

시조 051 방 안에 혓는 촉불~

이개(1417~1456) 단종의 복위를 꾀하다 죽은 사육신 가운데 한 사람이다. 세종 때 훈민정음 창제에 참여하였으며, 주로 지조와 절개를 드러내는 시조를 지었다.

01 시어의 기능 파악 정답 ⑤

정답해설 윗글의 화자는 '촉불'에 감정을 이입하여 초가 타는 모습이 임(단종)과 이별한 슬픔으로 인해 눈물을 흘리는 자신의 모습과 같다고 하였다. [보기]의 화자도 임금(유배된 단종)과 이별한 후의 애절한 마음을 '믈'에 이입하여 밤새 울며 흐른다고 표현하였다.

오답해설 ① '천만 리'는 임과 화자 사이의 심리적 거리를 의미하며, 임과의 이별이 화자에게는 큰 슬픔임을 추측하게 한다.
② '고은 님'은 화자와 이별한 임을 가리킨다.
③ '닉 ᄆᆞ음'은 임과 원치 않은 이별을 한 화자의 슬픈 마음을 의미한다.
④ '냇ᄀᆞ'는 화자가 슬픔을 달랠 길이 없어 앉아 있는 공간적 배경이다.

왕방연, 「천만 리 머나먼~」

- **갈래**: 평시조
- **해제**: 세조 때 영월로 유배되는 단종을 호송한 작가가 단종과 이별하고 돌아오는 길에 느낀 심정을 노래한 시조이다. 화자는 어린 임금을 유배지에 남겨 두고 돌아와야 했던 비통함과 애절함을 흐르는 시냇물에 감정 이입하여 표현하고 있다.
- **주제**: 단종에 대한 애절한 마음
- **현대어 풀이**: 천만 리 머나먼 곳에서 고운 임을 이별하고 (돌아와) / 나의 슬픈 마음을 둘 데가 없어 냇가에 앉았더니 / (흘러가는) 저 시냇물도 내 마음 같아서 울며 밤길을 흐르는구나.

* 참고: 본문 90쪽

시조 052 천만 리 머나먼 길희~

왕방연(?~?) 조선 전기의 문신이자 시인. 단종이 강원도 영월로 유배될 때에 호송한 금부도사이다. 단종과 이별한 심정을 읊은 시조 한 수만이 전한다.

01 작품 간 공통점 파악 정답 ❶

정답해설 윗글의 초장 '고은 님 여희ᄋᆞ고'에서 임과 이별함, 즉 대상의 부재를 알 수 있고, 중장의 'ᄂᆡ ᄆᆞᄋᆞᆷ 둘 ᄃᆡ 업서'와 '우러 밤길 녜놋다.'에서 임과 이별한 화자가 느끼는 안타까움과 슬픔을 알 수 있다. 그리고 [보기]의 중장 '홍안을 어듸 두고 백골만 묻혔느냐'는 예쁜 얼굴은 어디 가고 백골만 남아 있느냐는 의미로, 죽음으로 인해 대상이 부재함을 알 수 있다. 또 종장의 '슬허ᄒᆞ노라'에서 대상의 죽음에서 느끼는 안타까움이 드러나 있다. 따라서 두 작품 모두 대상의 부재로 인한 안타까움을 드러내고 있다고 할 수 있다.

오답해설 ② 윗글의 화자는 임과 이별하여 슬퍼하고 있을 뿐, 자신의 궁핍한 현실에 대해 언급하지 않았다. 마찬가지로 [보기]의 화자는 인생의 허무함에 대해 노래하고 있을 뿐, 궁핍한 현실에 대해 좌절하는 모습을 보이고 있지는 않다.
③ 윗글에서는 화자가 임을 여의고 냇가에 앉아 있는 상황이 제시될 뿐, 이별이 예기치 않은 것이었는지에 대한 여부는 드러나 있지 않다. [보기]에서도 대상의 죽음을 슬퍼하는 화자의 모습이 드러날 뿐, 이별의 과정에 대한 여부는 드러나 있지 않다.
④ 윗글에서 시냇물이 울며 흘러간다는 것은 화자의 감정이 이입된 표현일 뿐 거스를 수 없는 자연의 섭리와 경외감을 드러낸 것이라고 보기는 어렵다. 또 [보기]의 청초도 변하지 않은 자연을 상징할 뿐, 자연의 섭리와는 거리가 멀다.
⑤ 윗글의 화자는 임과 헤어진 후 슬픔을 느끼고 있을 뿐, 자신의 이념과 배치되는 현실에서 실망을 느끼고 있다고 보기는 어렵다. [보기]의 화자도 잔을 잡아 권할 이가 없음을 슬퍼할 뿐, 현실에 대한 실망감을 표출하고 있지는 않다.

임제, 「청초 우거진 골에~」

- **갈래**: 평시조
- **해제**: 이 작품은 황진이의 무덤에서 느낀 인생의 허무함을 노래한 시조이다. '청초'와 '홍안', '홍안'과 '백골'이 대비를 이루어 황진이에 대한 애도와 그리움을 표현하고 있다.
- **주제**: 인생무상

* 참고: 본문 103쪽

시조 053 추강에 밤이 드니~

월산 대군(1454~1488) 조선의 제9대 왕인 성종의 형. 서책과 풍류를 즐겼으며 시문의 수준이 높았다고 한다. 저서로는 『풍월정집』이 있다.

01 화자의 정서와 태도 파악 정답 ❺

정답해설 윗글의 화자는 가을 밤에 배를 띄워 달빛 아래에서 풍류를 즐기며 욕심을 버리고 자연 속에서 한가롭게 지내고자 하는 심정을 드러내고 있다. 그리고 [보기]의 화자는 자신의 빈천을 슬퍼하지도 않고, 남의 부귀를 부러워하지도 않고, 가난한 삶을 원망하지도 않으며 현재 생활에 만족하고 있다. 따라서 Ⓐ와 Ⓑ는 욕심 없이 살아가는 것을 가치 있게 인식하고 있음을 알 수 있다.

오답해설 ① Ⓐ는 종장에서 빈 배를 저어 온다면서 무욕의 삶을 살고자 한다. 그리고 Ⓑ는 가난한 삶이어도 현재에 만족하며 살고자 한다. 그러나 Ⓐ와 Ⓑ 모두 공동체를 위한 헌신적 삶에 대해서는 언급하고 있지 않다.
② Ⓐ는 유유자적한 삶을 살아가고자 하고, Ⓑ는 가난한 삶에도 만족하고 있다. 그러나 Ⓐ와 Ⓑ 모두 사회적 규범의 적극적인 준수에 대해서는 언급하지 않고 있다.
③ Ⓐ는 자연 속에서의 무욕의 삶을 노래하지만, 세속과 자연을 분리하고자 하지는 않았다. Ⓑ도 현재의 가난한 삶에 만족하는 태도를 보이고 있을 뿐, 세속과 자연을 분리하려는 의지를 보이고 있지는 않다.
④ Ⓐ는 욕심없이 유유자적하게 살아가고자 하는 모습을 보이고, Ⓑ는 가난하지만 만족하며 살아가고자 하는 모습을 보이고 있다. 그러나 Ⓐ와 Ⓑ는 과거 경험을 바탕으로 자신의 삶을 성찰하고 있지는 않다.

박인로, 「누항사」

- **갈래**: 가사
- **해제**: 곤궁한 생활상과 안빈낙도하는 심회를 노래한 가사이다. 화자는 곤궁한 생활을 하고 있지만, 가난을 원망하지 않고 도(道)를 즐기는 장부의 뜻은 변함이 없다고 말하고 있다.
- **주제**: 안빈낙도
- **현대어 풀이**: 나의 가난과 천함을 싫게 여겨 손을 내젓는다고 물러가며, / 남의 부귀를 부럽게 여겨 손을 친다고 나에게 오겠느냐? / 인간 세상의 어느 일이 운명 밖에 생겼으리. / 가난하여도 원망하지 않음을 어렵다고 하건만 / 내 생활이 이러하되 서러운 뜻은 없노라. / 도시락의 밥과 표주박의 물을 먹는 가난한 생활이지만 이것도 만족스럽게 여기노라.

* 참고: 본문 220쪽

시조 054 말 업슨 청산이요~

01 표현상의 특징 파악 정답 ❸

정답해설 윗글에서는 의문형 종결 어미를 사용하지 않았으므로, 설의법을 사용하여 화자의 감정을 전달하고 있다고 보기는 어렵다.

오답해설 ① 초장과 중장에서 '업슨'을 반복하여 운율을 형성하고 있다.
② 초장의 '말 업슨 청산'에서 의인법을 활용하여 자연과 더불어 살려는 화자의 자연 친화적 태도를 드러내고 있다.
④ 초장과 중장에서 대구법을 활용하여 자연의 있는 그대로의 모습을 드러내고 있다.
⑤ 초장과 중장에서 시끄럽고 꾸밈이 많으며 내 것과 네 것이 존재하는 세속과 대비되는 자연물의 속성을 제시하고 있다.

시조 055 십 년을 경영ᄒᆞ여~

송순(1493~1583) 조선 중기의 문신. 벼슬에서 물러나 강호 생활을 하면서 자연을 예찬하는 작품을 써 강호가도(江湖歌道)의 선구자적 역할을 하였다. 작품으로는 「면앙정가」 등이 있다.

01 시적 공간의 의미 파악 정답 ❷

정답해설 윗글에는 화자가 자연에 어떻게 은거하게 되었는지에 대해서는 언급되어 있지 않다. 따라서 '초려'를 화자가 자연에 은거하게 된 원인으로 보기는 어렵다.

오답해설 ① 초장에서 '초려'는 화자가 십 년을 계획하여 지어냈다고 하였으므로 화자가 자연 속에서 만들어 낸 청빈한 삶의 공간이라고 할 수 있다.
③ 중장에서는 '나'와 시적 대상인 '달', '청풍'이 '초려' 속에서 한데 어우러지고 있으며, 종장에서 '강산'은 병풍처럼 둘러 둔다고 하였다.
④ 중장에서 화자는 '달', '청풍'에게 초려를 한 칸 맡겨 둔다고 하였으므로, 초려에서 자연과 함께 지내고자 한다고 볼 수 있다.
⑤ 화자는 종장에서 '초려'가 세 칸 뿐이라 '강산'을 들일 수 없으니 둘러두고 보겠다고 하였다. 이는 '초려' 뒤로 병풍처럼 펼쳐진 '강산'을 통해 물아일체의 경지를 드러내고 있다고 볼 수 있다.

시조 056 동지ㅅ돌 기나긴 밤을~

황진이(?~?) 조선 중기의 명기(名妓)로 한시와 시조를 잘 지었다. 작품으로는 「청산리 벽계수야~」, 「어져 내일이여~」 등이 있으며 『청구영언』과 『해동가요』에 전한다.

01 표현상의 특징과 효과 파악 정답 ❹

정답해설 ㉠은 동짓달 기나긴 밤이라는 추상적인 시간을 한 허리, 즉 중간을 베어 내겠다면서 구체적인 사물처럼 표현하고 있다. [보기]의 ㉡도 흥이라는 추상적인 관념을 나귀에 모두 싣는다면서 구체적인 사물처럼 표현하고 있다. 따라서 ㉠과 ㉡은 추상적인 대상을 구체적으로 표현하여 화자의 정서를 드러내고 있다고 볼 수 있다.

오답해설 ① 윗글과 [보기] 모두 종장에 마음속으로 다짐하는 뜻을 나타내는 종결 어미인 '-리라'를 사용하여 의지를 드러내고 있을 뿐, 설의적 표현은 찾아볼 수 없다.
② 윗글과 [보기]는 추상적 개념을 구체화하여 주제를 드러내고 있다. 그러나 대구법이나 유사한 상황을 병렬적으로 제시한 부분은 찾을 수 없다.
③ 윗글과 [보기]에서는 색채 이미지를 활용한 부분을 찾을 수 없다. 또 특정 공간이 가진 상징적 의미도 나타나지 않는다.
⑤ 윗글과 [보기]에서는 앞말을 바로 뒤에 이어받아 제시하는 연쇄법이 사용된 부분을 찾을 수 없다.

김천택, 「전원에 나믄 흥을~」

- **갈래**: 시조
- **해제**: 자연 속에서 풍류를 즐기면서 지내는 화자의 한가하고 여유로운 생활이 담겨 있는 시조이다. 추상적인 감정인 흥취를 나귀에 실을 수 있는 구체적 대상으로 형상화하여 여흥이 가시지 않았음을 표현한 점이 돋보인다.
- **주제**: 자연 속에서 즐기는 풍류
- **현대어 풀이**: 전원에서 즐기던 흥을 다리 저는 나귀 등에 모두 싣고 / 계곡이 있는 산의 눈에 익은 길을 따라 흥겨워하며 돌아와서 / 아이야, 거문고와 책을 익히도록 하여라 (그것으로) 남은 세월을 보내리라.

시조 057 어져 내 일이야~

01 표현상의 특징 파악 정답 ❺

정답해설 [보기]에서는 '제 구ᄐᆞ여'를 도치함으로써 화자가 붙잡았으면 임이 굳이 가지는 않았을 것이라는 추측과, 자존심 때문에 화자가 굳이 임을 떠나보냈다는 사실을 중의적으로 나타내고 있다고 하였다. 따라서 '제 구태여'가 자신을 버리고 간 임에 대한 화자의 원망을 강조하고 있다고 보는 것은 적절하지 않다.

오답해설 ① '제 구ᄐᆞ여'가 도치되지 않았다면, 중장의 의미가 '임이 제 구태여 갔겠느냐마는'이 되며, '제'의 주체는 임으로 볼 수 있다.
② '제 구ᄐᆞ여'가 종장의 내용에 이어지는 것이라면, 종장의 의미가 '내가 구태여 보내 놓고 그리워하는 정~'이 된다. 따라서 '제'는 화자를 의미한다고 볼 수 있다.
③ 작가는 '제 구ᄐᆞ여'를 종장에 이어지게 함으로써 임을 떠나보낸 화자의 회한의 정서를 드러내고 있다.
④ '제 구ᄐᆞ여'가 중장의 처음 부분에 있었다면 '임이 구태여 가셨겠냐마는'을 의미하게 된다. 따라서 자존심과 연정 사이의 화자의 갈등을 드러내고자 한 작가의 의도는 찾아보기 어렵게 된다.

시조 058 청산은 내 뜻이오~

01 소재의 의미 파악 정답 ❸

정답해설 윗글의 '청산'은 불변성과 영원성을 상징하는데, 이는 '변함없이 푸름'이라는 사대부들의 당위론적인 자연 인식을 그대로 반영한 것이다. 따라서 '청산'이 '녹수'와 마찬가지로 기존의 자연 인식과는 다른 이미지로 사용되었다고 보기는 어렵다.

오답해설 ① [보기]에서 황진이는 녹수의 끊임없이 흐르는 성질이 아닌 흘러가 버리는 특성에 주목했다고 하였다.
② 윗글에서 녹수는 흘러가는 존재로, 변하지 않는 청산과 대비된다. 따라서 녹수는 청산의 불변성에 대비되는 가변성을 상징한다고 볼 수 있다.
④ '내 뜻'은 임에 대한 변함없는 사랑을 의미한다. 따라서 녹수를 '내 뜻'이라고 표현했다면 사대부의 당위론적 자연 인식, 즉 녹수의 불변성을 바탕으로 한 것이라고 볼 수 있다.
⑤ 님의 정(情)을 녹수에 비유한 것은 임의 마음이 녹수가 흘러가는 것처럼 변한다는 속성을 고려했기 때문이다. 이는 [보기]에 언급된 것처럼 황진이

가 녹수에 대한 당위론적인 인식과 다른 인식을 했었기에 가능한 것으로 볼 수 있다.

시조 059 ᄆᆞ음이 어린 후ㅣ니~

서경덕(1489~1546) 조선 중기의 학자로 호는 화담(花潭). 박연 폭포 · 황진이와 함께 송도삼절(松都三絕)로 불린다. 작품으로 「ᄆᆞ음아 너ᄂᆞᆫ 어이~」 등의 시조가 있으며, 저서로는 『화담집』이 있다.

01 작품 간의 공통점 파악 정답 ③

정답해설 윗글의 화자는 임이 부재하는 상황에 있으며 종장에서는 떨어지는 잎과 바람 부는 소리를 임이 오는 소리로 착각할 정도로 임을 그리워하고 있다. [보기]의 화자도 임이 부재하는 상황에서 임이 온다는 소리를 듣고 '주추리 삼대'를 임으로 착각하고 있는데, 이는 그만큼 임을 그리워하고 있는 것으로 볼 수 있다.

오답해설 ① 윗글과 [보기]의 화자는 임을 그리워할 뿐, 자신을 버리고 돌아오지 않는 임을 원망하고 있지는 않다.
② 윗글의 화자는 만중 운산에 있으면서 임을 기다리고 있고, [보기]의 화자는 집에서 임을 기다리고 있다. 그러나 윗글과 [보기]에는 임이 처한 상황에 대해 언급되어 있지 않으며, 임의 상황이 현재보다 더 나아지기를 소망하는 마음도 나타나 있지 않다.
④ 윗글과 [보기]의 화자는 임을 그리워하고 있을 뿐, 임과의 이별을 수용한 것에 대해 회한의 감정이 드러나 있지는 않다.
⑤ 윗글과 [보기]의 화자는 모두 임을 기다리고 있지만, 재회에 대한 믿음으로 임과의 이별로 인한 슬픔을 극복하고 있다고 보기는 어렵다.

작자 미상, 「님이 오마 ᄒᆞ거늘~」

- **갈래**: 사설시조
- **해제**: 이 작품은 그리워하는 임을 만나고 싶어 하는 마음을 해학적으로 표현한 사설시조이다. 임이 오신다는 소식을 듣고 난 후 화자가 하는 행동들이 과장되게 묘사되어 있다.
- **주제**: 임을 애타게 기다리는 마음

* 참고: 198쪽

시조 060 묏버들 갈ᄒᆡ 것거~

홍랑(?~?) 조선 선조 때의 기생. 삼당시인(三唐詩人)의 한 사람이었던 최경창이 경성에 머물 때 서로 사랑을 나눴던 인물로, 「묏버들 갈ᄒᆡ 것거~」를 지어 버들과 함께 최경창에게 보냈다고 한다.

01 시어의 의미 파악 정답 ⑤

정답해설 윗글의 ㉠은 임에 대한 화자의 사랑을 상징하며, 화자의 분신과도 같은 존재이다. [보기]의 ⓔ'낙월'은 화자가 죽어서 되고 싶어 하는 존재로, 화자는 지는 달이 되어 임의 방을 환하게 비추고자 한다. 따라서 ⓔ 역시 화자의 분신으로, 화자의 임에 대한 사랑을 잘 드러내고 있는 소재라고 볼 수 있다. 따라서 윗글의 ㉠과 의미가 가장 유사한 것은 ⓔ이다.

오답해설 ① ⓐ는 임과 만나고자 하는 화자의 소망이 이루어지는 공간이다.
② ⓑ는 화자를 꿈에서 깨게 하는 것으로, 임과 함께하고자 하는 화자의 소망을 방해하는 장애물이라고 볼 수 있다.
③ ⓒ는 화자가 자다가 일어나 앉아 여는 것일 뿐, 특별한 의미를 지니고 있지 않다.
④ ⓓ는 화자가 불쌍하다고 느끼고 있는 것으로, 화자가 자신을 어떻게 인식하고 있는지를 알 수 있게 해 주는 소재이다.

정철, 「속미인곡」

- **갈래**: 가사
- **해제**: 「사미인곡」의 속편으로, 정철이 참소를 받아 고향인 전남 창평에 내려가 있을 때 지은 가사이다. 순우리말의 묘미를 잘 살리었으며, 두 여인의 대화라는 독특한 형식을 통해 임금을 그리워하는 정을 애절하게 노래하였다. 제시된 부분은 본사 뒷부분과 결사로 독수공방의 슬픔과 임과의 재회, 죽어서라도 임을 따르겠다는 소망이 드러난 부분이다.
- **주제**: 연군지정
- **현대어 풀이**: (산을) 오르며 내리며 (강가를) 헤매며 방황하니, / 잠깐 사이에 힘이 다해서 풋잠을 잠깐 드니, / 정성이 지극하여 꿈에 임을 보니, / 옥 같은 모습이 반 넘어 늙었구나. / 마음에 먹은 말씀 실컷 아뢰려 하니, / 눈물이 계속해서 나니 말인들 어찌하며, / 정을 못다 풀어 목조차 메니, / 방정맞은 닭소리에 잠은 어찌 깨었던가. / 아아, 헛된 일이로다. 이 임이 어디로 갔는가. / 꿈결에 일어나 앉아 창을 열고 바라보니, / 가엾은 그림자가 나를 따를 뿐이로다. / 차라리 죽어 없어져서 지는 달이나 되어 / 임 계신 창 안에 환하게 비치리라. / 각시님, 달은커녕 궂은비나 되십시오.

* 참고: 138쪽

시조 061 이화우 흣ᄲᅮ릴 제~

계랑(1573~1610) 조선 선조 때의 명기(名妓). 가사 · 한시를 비롯하여 춤 · 거문고에 이르기까지 다재다능하였다. 작품으로는 「가을 생각」, 「술 취한 나그네에게 주다」, 「무제」 등 가사와 한시 70여 수와 금석문이 있다. 작품집으로 『매창집』이 있다고 하나 전하지는 않는다.

01 표현상의 특징 파악 정답 ②

정답해설 화자는 초장에서는 '이화우'를, 중장에서는 '추풍 낙엽'이라는 자연물을 활용하고 있다. 그러나 이는 계절감을 드러내기 위한 것으로, 자연물에 화자의 감정을 이입하고 있다고 보기는 어렵다.

오답해설 ① '이화우', '추풍 낙엽' 등 하강의 이미지를 가진 시어를 통해 화자가 느끼는 이별의 정서가 심화되고 있다.

제Ⅲ부

③ 화자는 중장에서 '저도 날 싱각ᄂᆞᆫ가'라고 표현함으로써 화자가 임을 그리워하고 있는 것처럼 임도 화자를 생각해 주기를 바라고 있다.
④ 비처럼 떨어지는 배꽃(이화우)을 통해 봄을, 가을 바람에 떨어지는 낙엽(추풍 낙엽)을 통해 가을을 표현하여 봄에 이별한 후 가을까지의 시간 경과를 드러내고 있다.
⑤ 화자는 종장에서 임과 화자 사이의 정서적 거리감을 '천 리'라고 표현하고 있다. 이것은 화자와 임이 공간적으로 떨어져 있음도 의미한다.

시조 062 대쵸 볼 불근 골에~

황희(1363~1452) 조선 초기 국가의 기틀을 마련하는 데 노력한 유능한 정치가. 세종 때 18년간 영의정을 지내면서 법전의 정비에 힘썼으며, 농사의 개량과 종자 보급을 실행하였다. 저서에는 『방촌집』이 있다.

01 작품 간의 공통점 파악 정답 ⑤

정답해설 윗글의 화자는 술을 마시고 있는데, 이는 풍요로운 농촌에서 느끼는 흥겨움이 고조되었기 때문이다. 그리고 [보기]의 화자는 밝은 달 아래 배꽃이 하얗게 피어 있는 봄밤에 잠 못 들고 있는데, 이는 봄밤에 느끼는 애상감이 고조되었기 때문으로 볼 수 있다.

오답해설 ① 윗글에서 붉은색 이미지는 '대쵸 볼 불근'에서 나타나며, 이는 가을 농촌의 풍요로움을 드러낸다. [보기]의 흰색 이미지는 초장의 '월백'과 '은한'에 나타나며, 이는 봄밤의 애상적 정서를 부각한다.
② 윗글의 '밤'과 [보기]의 '이화'는 화자의 감정을 촉발한다고는 볼 수 있지만, 심화시키는 역할을 한다고 보기는 어렵다.
③ 윗글의 자연은 화자가 풍류를 즐기게 하는 공간으로 나타나며, [보기]의 자연은 화자가 애상감을 느끼게 하는 것으로 나타난다. 따라서 두 작품에 나타난 자연이 화자가 이상향으로 느끼는 것이라고 볼 수 없다.
④ 윗글의 '게'와 [보기]의 '자규'는 화자의 정서를 환기한다. 그러나 화자의 감정과 유사한 자연물이라고 보기는 어렵다.

이조년, 「이화에 월백ᄒᆞ고 은한이~」

- **갈래**: 평시조
- **해제**: 봄밤에 느끼는 애상적 정서를 나타낸 시조이다. '이화, 월백, 은한' 등의 백색 이미지와 '자규'가 지니는 애원, 고독의 이미지를 효과적으로 드러내고 있다.
- **주제**: 봄밤의 애상적 정서
- **현대어 풀이**: 배꽃에 달빛이 비치고 은하수가 삼경(늦은 밤)을 알리는 때에 / 가지 끝에 어린 봄날의 정서를 두견새가 알 리가 있을까마는(알고 저리 우는 것일까마는) / 다정다감한 것도 병인 듯해서 잠을 못 이루고 있구나.

* 참고: 본문 59쪽

시조 063 재 너머 성권롱 집에~

정철(1536~1593) 조선 선조 때의 문신으로 호는 송강(松江). 윤선도와 조선 시가 문학의 쌍벽을 이루는 가사 문학의 일인자이다. 작품으로 「사미인곡」, 「속미인곡」, 「훈민가」 등이 있다.

01 표현상의 특징 파악 정답 ⑤

정답해설 윗글의 중장에서는 성 권농의 집으로 출발하는 장면을 제시하고, 종장에서는 성 권농의 집에 도착하는 장면을 제시하였다. 이러한 중장과 종장 사이의 시간과 공간의 비약(생략)은 생동감을 주고 경쾌한 분위기를 형성하며, 친구와 빨리 만나고 싶은 화자의 마음을 보여 준다.

오답해설 ① 윗글의 화자가 친구의 집에 술이 익었다는 말을 듣고 성 권농의 집으로 신명 나게 가는 모습이 해학적으로 제시되어 있을 뿐, 설의적 표현은 찾아볼 수 없다.
② 윗글의 중장에는 화자가 소를 타고 신 나게 친구의 집에 가는 모습을 통해 전원생활의 풍류를 즐기는 모습이 드러나 있을 뿐, 인간과 자연의 대비가 드러난 부분은 찾아볼 수 없다.
③ 윗글은 신명이 나서 성 권농의 집으로 바삐 가는 화자의 모습을 통해 해학적인 분위기를 조성하고 있다. 그러나 계절적 이미지가 드러나거나 이를 통해 시의 분위기를 형성하고 있는 부분은 없다.
④ 중장에서 신명 난 화자의 마음을 표현하기 위해 화자의 모습을 해학적으로 제시하고는 있다. 하지만 이는 연민의 감정을 환기하고 있는 것이 아니라, 전원생활의 풍류를 즐기는 모습을 드러낸 것이다.

시조 064 두류산 양단수를~

조식(1501~1572) 조선 중기의 학자로 호는 남명(南冥). 불의와 타협하지 않는 성품을 가졌으며, 성리학 연구와 후진 양성에 힘썼다. 저서로는 『남명집』, 『파한잡기』 등이 있으며, 작품으로 「삼동에 뵈옷 닙고~」 등 시조 3수가 있다.

01 화자의 태도 파악 정답 ①

정답해설 윗글의 화자는 두류산 양단수의 경치를 무릉도원에 빗대어 표현하면서, 자연 속에 은거하는 즐거움을 노래하고 있다. 그리고 [보기]의 화자는 자연 속에 파묻혀 살면서 세속의 부귀영화를 멀리하고 안빈낙도하고 있다. 따라서 두 작품의 화자는 자연 친화적인 삶을 추구하고 있다고 볼 수 있다.

오답해설 ② 윗글의 화자는 두류산 양단수의 아름다운 풍경을 '무릉'이라고 하며 예찬하고 있다. [보기]의 화자도 낙엽 위에 앉아 '박주산채'를 먹겠다며 안빈낙도의 삶을 노래하고 있다. 따라서 두 작품의 화자가 이상적인 세계의 도래를 열망하고 있다고 보기는 어렵다.
③ 윗글의 화자는 두류산 양단수가 '무릉'이라고 하며 그 아름다움에 감탄하고 있다. [보기]의 화자도 낙엽 위에 앉아 떠오르는 달빛 아래에 앉아 술과 산나물을 내오라고 하고 있다. 따라서 두 작품의 화자는 유교 이념에 충실한 삶을 동경하기 보다는 자연과 함께 하는 삶에 만족감을 느끼고 있음을 추측할 수 있다.
④ 윗글의 화자는 두류산 양단수의 풍경을 예찬하고 있고, [보기]의 화자는 자연에서 안빈낙도하고 있다. 따라서 두 작품의 화자 모두 현재의 삶에 만

족하고 있다고 볼 수 있다. 하지만 각 작품에서 화자가 만족하고 있는 현재의 삶이 과거와 달라졌는지는 언급되지 않았다.
⑤ 윗글의 화자는 두류산 양단수의 풍경이 마치 '무릉'과 같다면서 예찬하고 있고, [보기]의 화자는 낙엽 위에 앉아 달빛 아래에서 '박주산채'를 먹겠다고 하였다. 따라서 두 작품의 화자는 자연 속에서 은거하며 자연과 함께하는 삶을 이야기하고 있다. 그러나 각 작품에서 두 화자가 속세에 미련을 두고 있음을 언급하는 부분은 찾아볼 수 없다.

한호, 「집 방석 내지 마라~」

- **갈래**: 평시조
- **해제**: 자연 속에 묻혀 살면서 세속의 부귀영화를 꺼리는 안빈낙도의 태도가 드러난 시조이다. 낙엽 위에 앉아서 달빛을 받으며 한 잔의 술을 마시는 화자의 모습에서 안빈낙도의 태도를 엿볼 수 있다.
- **주제**: 산촌 생활의 안빈낙도와 자족의 삶
- **현대어 풀이**: 짚으로 만든 방석을 내지 마라. 낙엽엔들 못 앉겠느냐. / 솔불을 켜지 마라. 어제 진 달이 (다시) 떠오른다. / 아이야 변변치 않은 술과 산나물일지라도 없다 말고 내오너라.

* 참고: 본문 166쪽

시조 065 청초 우거진 골에~

임제(1549~1587) 조선 선조 때의 문신. 당대 명성을 떨쳤던 문장가로 호방하고 명쾌한 시풍으로 알려져 있다. 작품으로 「수성지」, 「원생몽유록」, 「화사」 등의 한문 소설과 시조 3수 등이 있다.

01 화자의 정서 파악 정답 ①

정답해설 윗글의 중장에서 백골만 묻혀 있다고 하였으므로 대상이 죽었음을 추측할 수 있다. 이에 대해 화자는 종장에서 '슬허ᄒᆞ노라.'라고 표현함으로써 슬픔과 안타까운 마음을 드러내고 있다.

오답해설 ② 제시문에서 화자는 인생무상을 느끼고 있을 뿐, 화자 자신의 궁핍한 처지로 인해 좌절하고 있다고 보기는 어렵다.
③ 화자는 종장에서 대상의 부재에 대해 슬픔의 정서를 나타내고 있다. 하지만 이를 예기치 않은 이별로 인한 것이라고 볼 만한 근거는 찾을 수 없다.
④ 윗글에는 황진이의 죽음에 대한 애도와 인생무상의 애상적 정서가 드러날 뿐, 자연의 섭리에 대한 경외감은 드러나 있지 않다.
⑤ 윗글에는 황진이의 죽음에 대한 슬픔이 드러날 뿐 화자의 이념과 현실의 대립 관계는 나타나 있지 않다. 따라서 여기에서 비롯되는 실망감도 표출되어 있지 않다.

시조 066 강호사시가(江湖四時歌)

맹사성(1360~1438) 조선 전기의 재상. 황희와 함께 조선 전기 문화 창달에 크게 기여하였고, 『태종실록』을 편찬하였으며, 시문(詩文)에 능하고 청렴한 관리로도 유명하였다.

01 자료를 통한 감상의 적절성 파악 정답 ⑤

정답해설 윗글의 화자는 강호에서 한가로운 삶을 살 수 있는 것이 임금의 은혜라고 하고 있다. 그러나 화자가 유교적 이상을 현실화하기 위해 노력했다는 근거는 윗글과 [보기]에서 찾을 수 없다. [보기]를 고려할 때 화자의 사적인 삶과 공적인 삶의 조화는 유교적 이상이 현실화된 시기가 도래했기 때문으로 보는 것이 적절하다.

오답해설 ① 각 수의 초장과 중장은 주로 자연에서의 개인의 풍류와 흥취를 노래하고 있다. 따라서 화자의 사적인 삶을 다루고 있다고 볼 수 있다.
② 각 수의 '이 몸이 ~히옴도'에서 '~'에 해당하는 내용은 초장과 중장에서 언급한 자연에서의 화자의 풍류와 흥취를 요약하여 표현한 것이다.
③ '역군은(亦君恩)이샷다.'는 화자가 신하의 입장에서 임금의 은혜에 대해 감사하고 있는 것이므로, 신하라는 공적인 삶과 관련된 말이라고 볼 수 있다.
④ [보기]에서는 「강호사시가」에 개인의 평안한 삶을 가능하게 한 임금에 대한 감사가 잘 나타나 있다고 하였다. 따라서 화자는 걱정이나 탈 없이 만족스럽게 살아가는 삶을 가능하게 한 임금의 은혜에 대해 감사해 하고 있다고 볼 수 있다.

시조 067 어부가(漁父歌)

이현보(1467~1555) 조선 중기의 문신이자 시인. 주로 자연을 노래한 작품을 지었다. 작품으로는 「효빈가」, 「농암가」를 포함한 시조 8수 등이 있으며, 저서로는 『농암집』이 있다.

01 작품 간 공통점과 차이점 파악 정답 ③

정답해설 윗글과 [보기]의 화자는 모두 어부로, 자연과 함께 한가로이 살아가고 있다. 그러나 [보기]의 화자는 겨울날의 풍경을 마음껏 즐기고 있을 뿐, 이상과 현실을 나누어 인식하고 있지는 않다.

오답해설 ① 윗글에서는 '천심 녹수', '만첩청산', '청하', '녹류'의 푸른색 이미지와 '월백', '백구'의 흰색의 이미지를 통해 강렬한 인상을 주고 있다.
② [보기]에서는 '가는 눈'과 '붉은 꽃'에서 흰색과 붉은색의 색채를 대비하고 있다.
④ 윗글의 제2수에서는 세속적인 것에 욕심이 없는 삶을 추구하는 화자의 모습이 드러나 있다. 한편 [보기]의 '가는 눈 뿌린 길 붉은 꽃 흩어진 데 흥치며 걸어가서'에는 자연의 흥취를 느끼며 자연과 더불어 살고자 하는 화자의 흥이 드러나 있다.
⑤ 윗글의 화자는 '업스니', '니젯거니', '더옥', '업스랴' 등의 시어에서 욕심 없이 살고자 하는 마음을 드러내고 있다.

윤선도, 「어부사시사」

- **갈래**: 연시조
- **해제**: 혼란한 정치에서 벗어나 자연의 사계절을 즐기는 풍류와 어부 생활의 여유로움을 노래한 연시조이다. 어부의 생활을 사실적으로 그리고 있으며 우리말의 아름다움을 잘 살렸다고 평가받는

다. 제시된 부분은 동(冬)사 중 한 수로, 자연의 순리에 따르는 삶을 드러내고 있다.

• **주제**: 자연을 즐기는 흥취

• **현대어 풀이**: 어허 날이 저물어 가니 돌아가 편히 쉼이 좋을 것이로다. / 가는 눈 뿌려진 길 위로 석양 노을에 쌓인 눈이 붉으레하게 보이는 데를 흥얼거리며 걸어간다. / 눈세계를 비춰 주는 달이 서산마루를 넘어갈 때까지 소나무 지켜 섰는 창가에 앉아서 밤경치나 즐겨 보자꾸나.

* 참고: 본문 186쪽

시조 068 도산십이곡(陶山十二曲)

이황(1501~1570) 조선 중기의 문신으로 호는 퇴계(退溪). 조선의 유학을 집대성한 인물로, 이(理)로써 세상을 순화하고자 하는 도학 정치를 추구하였다. 도산 서원을 창설하여 후진 양성과 학문 연구에 힘썼으며, 저서로 『퇴계전서』, 『성학십도』 등이 있다.

01 작품 간 공통점과 차이점 파악 정답 ③

정답해설 윗글의 화자는 제1곡과 제2곡에서 자연에 대한 사랑을 말하면서 자연과 벗하여 살고자 하는 소망을 드러내고 있다. 또 제9곡에서 옛 성현들의 길이 앞에 있다면서 옛 성현의 가르침을 따르고자 한다. 이를 고려하면 화자는 유교적 가치를 존중하는 자세를 갖고 있다고 볼 수 있다. 그리고 [보기]의 서술자는 '세상일 다 팽개치고 고향으로 돌아가 태평성세의 농사짓는 늙은이가 되리라.'라면서 개인의 소망을 드러내고 있다. 또 '성군의 가르침을 노래하리라.'라고 하면서 유교적 가치에 대해 언급하고 있다. 따라서 두 작품 모두 유교적 가치를 존중하면서 한 개인으로서의 소망을 이루려는 모습을 드러내고 있다고 할 수 있다.

오답해설 ① 윗글과 [보기]의 화자들은 은둔의 삶이라기보다는 번잡한 세상에서 벗어나 자연에서 한가하게 사는 삶에 대한 소망을 드러내고 있다. 또한 두 작품의 화자들이 지배층의 핍박으로부터 도피하기 위해 자연을 선택하고 있지도 않다.
② 윗글과 [보기]의 화자들은 자연에서의 삶에 대해 노래하고 있을 뿐, 불우한 처지에 처해 있지 않다. 따라서 불우한 처지에서 벗어날 수 있으리라는 낙관적 태도도 나타나 있지 않다.
④ 윗글의 화자는 제2곡에서 안개와 노을로 집을 삼는다고 하였다. 따라서 자연의 즐거움을 누리기 위해 삶의 물질적 여건이 필요함을 강조하고 있다고 볼 수 없다. 또한 [보기]의 서술자도 부친에게 별장을 물려받아 전원생활이 가능하게 되었다고 하였다. 하지만 이는 자연의 즐거움을 누리게 된 계기일 뿐이므로, 자연의 즐거움을 누리기 위해 삶의 물질적 여건이 필요함을 강조했다고 볼 수는 없다.
⑤ 윗글의 화자는 속세가 아니라 자연 속에 있으면서 자연에서의 삶을 노래하고 있다. 또한 [보기]의 서술자는 현재 속세에 살고 있는데, '세상일 다 팽개치고 고향으로 돌아가 농사짓는' 사람이 되고 싶어 한다.

이규보, 「사가재기」

• **갈래**: 수필

• **해제**: 부친에게 물려받은 별장에서 전원생활을 하는 것에 대한 기대감을 나타낸 수필이다. 속세를 벗어나 전원에서 살고자 하는 마음과 안분지족의 태도가 드러난다.

• **주제**: 전원생활에 대한 기대

시조 069 고산구곡가(高山九曲歌)

이이(1536~1584) 조선 중기의 문신이자 학자로 자는 숙헌(叔獻), 호는 율곡(栗谷)·석담(石潭)·우재(愚齋). 이황의 주리적(主理的) 이기설과 대립하였다. 저서로는 『율곡전서』, 『성학집요』 등이 있다.

01 시어의 의미 파악 정답 ③

정답해설 [보기]는 조선조 시가의 작가들이 자연을 노래할 때의 관행을 설명한 글이다. [보기]에 따르면 조선조 작가들은 자연을 노래할 때 실제 보이는 풍경뿐 아니라, 작가의 주관에 따라 이상화된 관념적인 풍경인 '마음 안의 풍경'까지 그려 내고자 하였다. 제2곡에서 화자는 '꽃'을 띄워 '야외'로 보냄으로써 그들에게 '승지'를 알게 하겠다고 하였다. 그러므로 [보기]의 관점을 고려하면, '야외'는 속세를 의미하는 관념적인 풍경일 뿐 실제 풍경이라고 보기는 어렵다.

오답해설 ① 제1곡의 '원근이 글림이로다.'는 경치가 그림처럼 아름답다는 의미이므로, '글림'은 실제 풍경으로부터 촉발된 마음 안의 풍경을 가리킨다.
② 제1곡에서 화자는 '녹준'을 놓고 '벗'을 기다리고 있다. 이런 화자도 풍경의 일부라고 볼 수 있다는 것은 [보기]에서 '작가 자신마저도 그 풍경의 일부이고자 했다'는 부분과 관련된 해석이다.
④ 제2곡의 '승지'는 화자가 속세 사람들에게 알게 하고자 하는 것이다. 따라서 작가의 주관에 따라 이상화된 관념적인 풍경으로, 작가가 꿈꾸는 이상적인 자연의 모습을 의미한다고 볼 수 있다.
⑤ [보기]에서는 그려진 마음 안의 풍경이 당대 다른 문학 작품 등에서 추출되고 재구성된 것이라고 하였다. 따라서 윗글에서 풍경을 이루고 있는 '취병', '녹수', '반송' 등의 시어도 다른 작품에 나타날 가능성이 있다고 보는 것이 적절하다.

시조 070 한거십팔곡(閑居十八曲)

권호문(1532~1587) 조선 중기의 문인이자 학자. 무민재를 짓고 독서를 하고 시를 지으며 일생을 보냈다. 저서로는 『송암집』이 있으며, 작품으로는 「독락팔곡」이 있다.

01 시어의 의미 파악 정답 ④

정답해설 윗글은 자연에 은거하면서 때때로 현실에 대한 미련을 떨치지 못해 고민하던 화자가 자연을 즐기면서 내면의 갈등을 해소한다는 내용이다. 제12수에서 무리를 잃은 갈매기는 나를 좇아 놀고 있다고 하였다. 이는 화자가 비 갠 밤에 자연을 즐기는 물아일체의 경지를 드러내기 위한 것이므로, 자연에 은거하는 것을 망설이는 화자의 모습이라고 보기는 어렵다.

오답해설 ① 제4수의 내용을 [보기]를 바탕으로 살펴보면, '강호'는 속세를 떠나 자연에 은거하고자 하는 화자의 심리와 관련되고, '성주(임금)'는 작가가 추구했던 유교적인 가치나 벼슬을 통한 정치 참여 욕구와 관련된다고 볼 수 있다.
② 제4수에서 화자는 '강호'와 '성주' 사이에서 고민하며 '기로'에 서 있다. 또 [보기]에서는 작가가 속세를 떠나 자연에 은거하고자 하면서도 정치 참여 욕구 때문에 번민했다고 하였다. 따라서 기로에 서 있는 화자의 모습은 작가의 갈등을 드러낸 것으로 볼 수 있다.
③ 제8수의 '치군택민'은 임금에게 몸을 바쳐 충성하고 백성에게는 혜택을 베푼다는 의미로, 화자가 사회적인 책무를 다하겠다는 것으로 볼 수 있다. 따라서 유교적인 가치를 중시하는 사대부로서의 모습을 보여 준다고 할 수 있다.
⑤ 제19수에서 화자는 '강수'를 보며 '십 년 전 진세 일념'이 얼음 녹듯 한다고 하였다. [보기]에서는 작가가 자연에서 진정한 즐거움을 느끼게 되면서 갈등으로부터 벗어나고 있다고 하였으므로, 화자가 강수를 보며 번민에서 벗어나고 있다고 볼 수 있다.

시조 071 훈민가(訓民歌)

01 표현상의 특징 파악 정답 ⑤

정답해설 제3수의 종장과 제4수의 초장, 제14수의 초장과 중장에서는 명령형 어미를 활용하고 있다. 또 제13수의 초장과 종장에서는 청유형 어미를 활용하고 있다. 화자는 이를 통해 유교적 덕목의 실천이라는 주제 의식을 강조하고 있다.

오답해설 ① 윗글에는 의인화된 대상이 등장하지 않으며, 유교적인 덕목을 실천하라고 권유하고 있을 뿐 세태를 비판하고 있지는 않다.
② 윗글에서는 설의법을 사용하여 유교적인 삶을 강조하고 있을 뿐, 음성 상징어나 시각, 청각 등의 감각적인 언어를 활용하고 있지는 않다.
③ 제3수의 중장, 제4수의 중장, 제16수의 중장 등에 의문형 어구가 쓰였다. 이는 유교적인 삶을 살라는 화자의 의도를 강조하기 위한 설의적 표현일 뿐, 의문형 어구를 반복하여 심리적 갈등을 드러내는 부분은 찾을 수 없다.
④ 윗글에서 계절적 이미지를 활용한 부분은 찾아볼 수 없다.

02 대상의 기능과 성격 파악 정답 ④

정답해설 화자는 제4수에서 효행의 실천을 강조하고 있는데, 제4수의 '어버이'는 효행과 관련된 관념 속의 일반화된 존재이다. 이와 달리 [보기]의 '아버지'는 화자의 명태에 얽힌 추억과 연관된 인물로, 체험 속에 있는 구체적인 인물이다.

오답해설 ① ㉠은 백성들이 효를 다해야 하는 존재로, 연민의 대상이 아니다. 또 ㉡은 존경의 대상이라기보다는 그리움의 대상이다.
② ㉠은 백성들이 효를 다해야 하는 존재이고, ㉡은 화자의 추억 속 그리움의 대상이다. ㉠을 기쁨을 주는 존재로, ㉡을 슬픔을 주는 존재로 파악할 수 있는 근거는 각 작품에서 찾을 수 없다.
③ ㉠을 미래를 지향하는 존재로, ㉡을 과거에 집착하는 존재로 파악할 수 있는 근거를 찾을 수 없다.
⑤ ㉠이 돌아가시게 되면 '애돏다' 여길 수 있으므로 회한을 느끼게 하는 존재라고 보는 것은 적절하다고 볼 수도 있다. 하지만 ㉡은 화자의 추억 속 인물일 뿐, 가르침을 전해 주는 인물이라는 근거는 찾을 수 없다.

목성균, 「명태에 관한 추억」

- **갈래**: 수필
- **해제**: 명태라는 생선을 주요 소재로 삼아 아버지와 옛 시절에 대한 추억을 되짚어 보고 아버지에 대한 그리움을 표현한 수필이다. 술에 취한 채 명태를 사 오셨던 아버지의 모습, 아버지와 명탯국을 함께 먹었던 추억 등을 통해 아버지에 대한 서술자의 그리움을 엿볼 수 있다.
- **주제**: 명태에 얽힌 추억과 아버지에 대한 그리움

시조 072 장진주사(將進酒辭)

01 작품의 내용 파악 정답 ③

정답해설 윗글의 중장에서는 지게 위에 거적을 덮어 가는 초라한 장례와 곱게 꾸민 상여에 수많은 사람들이 울며 따라가는 화려한 장례를 제시하고 있다. 이것은 누구든지 죽음을 맞이할 수밖에 없다는 필연성을 드러내고 있을 뿐, 죽음을 초월한 가치를 드러내고 있다고 보는 것은 적절하지 않다.

오답해설 ① 초장에서는 꽃을 꺾어서 마시는 술잔의 수를 세며 술을 마시자면서 낭만적인 분위기를 즐기는 풍류적인 태도를 보이고 있다.
② 중장에서는 '이 몸 주근 후면'이라고 자신의 죽음을 가정한 후 '뉘 ᄒᆞᆫ 잔 먹쟈 ᄒᆞᆯ고'라는 설의적 표현을 통해 술 한 잔 권할 사람이 없다며 쓸쓸한 분위기를 자아내고 있다.
④ 종장에서는 무덤 위에 원숭이가 휘파람을 불 때 뉘우쳐도 소용이 없다면서, 술을 권하고 있다.
⑤ 종장에서는 '뉘우ᄎᆞᆫ ᄃᆞᆯ 엇더리'라고 하면서 죽은 후에는 소용이 없으니 술을 마셔야 한다는 것을 합리화하며 권하고 있다.

02 작품 간 공통점 파악 정답 ②

정답해설 윗글의 중장에서는 열거법을 활용하여 죽음 이후의 쓸쓸하고 삭막한 분위기를 묘사하고 있다. 그리고 [보기]의 중장에서는 열거법을 활용하여 설상가상의 상황을 묘사하면서 화자의 절망적인 상황을 드러내고 있다. 따라서 윗글과 [보기]는 열거법을 사용하여 시상을 전개하고 있다고 볼 수 있다.

오답해설 ① 윗글은 초장에서 반복적인 표현을 사용하여 리듬감을 살리며 술을 먹자는 화자의 권유를 강조하고 있다. 그리고 [보기]는 중장에서 점층법을 사용하여 도사공의 절박한 마음을 드러내고 있다. 대구법을 사용하여 리듬감을 살리고 있는 부분은 찾아볼 수 없다.
③ 윗글의 화자는 종장에서 원숭이가 무덤에서 휘파람을 불며 놀 때 뉘우쳐도 소용이 없다면서 인생에 대한 무상감을 드러내며 술로 현재를 즐길 것을 권유하고 있다. 그러나 [보기]의 화자는 사면초가의 상황에 놓인 도사공의 마음과 자신의 마음을 비교하면서 임을 여읜 자신의 슬픔을 토로하고

있을 뿐, 인생에 대한 무상감에 대해서는 언급하지 않았다.
④ 윗글의 화자는 술로써 인생에 대한 무상감을 해소하려고 하며, [보기]의 화자는 까투리의 마음과 도사공의 마음을 본인의 마음과 비교하며 임을 잃은 슬픔을 드러내고 있다. 따라서 두 화자 모두 아름다운 자연 속에서 살아가면서 즐거움을 느끼고 있다고 보기는 어렵다.
⑤ 윗글의 화자는 인생이 무상하니 술을 마시면서 현재를 즐기자며 권하고 있을 뿐, 특정 대상에 감정을 이입하여 시상을 전개하고 있지 않다. [보기]도 까투리의 마음과 도사공의 마음에 화자의 마음을 비교하여 임을 여읜 자신의 슬픔을 드러내고 있을 뿐, 특정 대상에 감정을 이입하고 있지는 않다.

나모도 바히돌도 업슨~

- **갈래**: 사설시조
- **해제**: 위기에 빠진 까투리의 마음, 사면초가의 상황에 처한 도사공의 마음과 화자의 마음을 비교하여 임을 여읜 절망적인 마음을 드러낸 사설시조이다. 중장에서 과장법과 열거법을 활용하여 점층적으로 상황을 제시하였고, 종장에서 화자의 마음과 비교함으로써 절망적인 화자의 심정을 생생하게 드러내고 있다.
- **현대어 풀이**: 나무도 바윗돌도 없는 산에 매에 쫓기는 까투리의 마음과 / 넓은 바다 한가운데 일 천 석 실은 배에 노도 잃고 닻도 잃고 용총도 끊어지고 돛대도 꺾이고 키도 빠지고 바람 불어 물결 치고 안개 뒤섞여 잦아진 날에 갈 길은 천 리 만 리 남았는데 사면은 검어 어둑하고 천지는 조용하고 사나운 파도치는데 해적 만난 도사공의 마음과 / 엊그제 임 여읜 내 마음이야 어디에다 비교하리오.

* 참고: 본문 201쪽

03 소재의 의미와 기능 파악 정답 ②

정답해설 윗글의 화자는 죽음이 덧없기 때문에 살아생전에 즐겁게 지내자면서 술을 권하고 있다. 종장의 원숭이는 무덤의 쓸쓸함을 드러내며 인생이 무상함을 강조하는 소재이다. 따라서 자연과 인간의 일체감을 나타내기 위해 인간을 닮은 소재인 원숭이로 표현해야 한다는 것은 적절하지 않다.

오답해설 ① 종장에서는 원숭이가 휘파람을 분다면서 청각적으로 표현하고 있다. 그런데 [보기]와 같이 수정하게 되면 무덤 주변의 스산한 이미지를 청각적으로 표현하지 못하게 된다.
③ 윗글은 당시에는 보기 어려웠던 동물인 '진나비(원숭이)'를 통해 죽음의 쓸쓸함을 신비롭게 표현하였다. 따라서 무덤 위에 이슬이 내린다고 표현하면 신비로운 분위기는 사라지게 된다.
④ 종장의 원숭이는 무덤 주변의 스산함 속에서 죽음의 쓸쓸함을 환기하고 있다. 원숭이가 당시에 볼 수 있는 동물인지의 여부는 죽음의 쓸쓸함에서 오는 인생무상의 정서에 영향을 미치지 않는다.
⑤ 원숭이가 당시에 실제로 보기는 어려웠다고 해도 작가가 종장에서 원숭이가 휘파람을 분다고 표현한 것은 여러 글을 통해 원숭이에 대한 관념을 가지고 있었기 때문이라고 추측할 수 있다.

가사 073 상춘곡(賞春曲)

정극인(1401~1481) 조선 전기의 문신이자 학자로, 호는 불우헌(不憂軒). 세조의 왕위 찬탈 후 사직하고 은거하였다가 다시 정계에 진출하여 10년간 여러 관직을 거쳤다. 이후 관직을 내려놓고 귀향하여 후진 양성에 힘썼으며, 저서로 『불우헌집』이 있다.

01 갈래의 특성 이해 정답 ①

정답해설 윗글은 자연 속에서 풍류를 즐기는 소박한 생활이지만 자신의 처지에 만족할 줄 아는 안분지족의 태도를 보이고 있다. 이는 조선 전기의 사대부들이 주로 노래했던 관념적인 주제와 관련된 내용으로, 현실 생활을 소재로 하고 있지 않다. 따라서 이 작품이 관념적인 주제에서 벗어나 생활과 밀착된 주제를 다루고 있다는 것은 적절하지 않다.

오답해설 ② 윗글은 자연에서 사는 삶을 노래하고 있으며, 「성산별곡」, 「면앙정가」 등 강호 가사에 영향을 끼쳤다.
③ 윗글은 '홍진에 / 뭇친 분네 / 이내 생애 / 엇더ᄒᆞᆫ고.'처럼 4음보의 율격을 유지하여 안정적인 리듬감을 형성하고 있다.
④ 윗글과 같은 조선 전기의 가사는 주로 양반 사대부들이 창작하여 한자어의 사용이 많은 편이다.
⑤ 가사의 마지막 문장은 시조의 종장과 비슷한 형식으로 되어 있다. 윗글의 마지막 행 역시 '아모타 백년행락이 이만ᄒᆞᆫ ᄃᆞᆯ 엇지ᄒᆞ리.'로 되어 있어 글자 수가 3 · 5 · 4 · 4이다. 따라서 시조의 종장과 형식이 유사하다고 볼 수 있다.

02 표현상의 특징 파악 정답 ③

정답해설 ㉢의 '~쟈스라'는 명령형 어미가 아니라 청유형 어미이다. 또한 ㉢은 이웃 사람들에게 자연 구경을 가자고 권유하는 내용이므로, 탈속적 삶에 동참할 것을 촉구하고 있다고 보기는 어렵다.

오답해설 ① 화자는 속세에 있는 사람들에게 '자연 속에서 살아가는 내 생활이 이 정도면 어떠한가?'라고 물으면서 자신의 생활에 대한 자부심을 드러내고 있다.
② 화자는 봄기운을 이기지 못해 우는 '새'에 자신의 감정을 이입하여, 봄날에 느끼는 흥취를 드러내고 있다.
④ 화자는 자신이 있는 공간에서 '무릉'을 떠올리고 있다. 무릉도원은 동양적 이상향으로, 아름다운 자연을 보고 무릉을 떠올리는 것은 관용적인 연상으로 볼 수 있다. 이를 고려하면, 화자는 자신이 있는 공간을 이상적인 곳으로 생각하고 있다고 볼 수 있다.
⑤ 화자는 부귀공명을 꺼리는 마음을 '공명'과 '부귀'가 '날 ᄭᅴ우니'라며 주체와 객체를 바꾸어 표현하고 있다. 이러한 주객전도의 표현을 통해 화자는 세속적 욕망을 멀리하고 안분지족하겠다는 자신의 가치관을 드러내고 있다.

03 자료를 통한 감상의 적절성 파악 정답 ⑤

정답해설 [E]의 '검은 들'은 겨울 들판의 어두운 모습을 표현한 것이고, '봄빗도 유여ᄒᆞᆯ샤.'는 봄빛이 넘친다는 의미이므로 봄이 되어 활기를 띤 들판의 모습을 표현한 것이다. 따라서 '검은 들이 봄빗도 유여ᄒᆞᆯ샤.'는 겨울에서 봄으로 계절이 변하였음을 말하는 것이지, 인간과 자연이 조화로운 합일을 이루어 감을 의미하는 것으로 보기는 어렵다.

오답해설 ① '석양'은 지는 해를, '세우'는 가늘게 내리는 비를 의미하는데, 이 두 시어는 하강 이미지를 갖고 있다. 그리고 '꽃'과 '풀'은 봄에 새롭게 돋아나는 것으로 상승 이미지를 나타낸다. 따라서 '석양'과 '세우' 속에 피고 돋는 '꽃'과 '풀'의 이미지는 하강 이미지와 상승 이미지가 조화를 이루고 있다고 볼 수 있다.
② 화자가 '오ᄂᆞᆯ'과 '내일', '아ᄎᆞᆷ'과 '나조'로 시간을 나누어 제시한 것은 봄날 자연 속에서 즐길 일이 그만큼 많다는 것을 말하기 위함이다. 이는 시간을 조절하고 안배하여 봄을 즐길 만큼 봄놀이가 만족스럽다는 것을 의미하며 이러한 안배는 균형있게 제시되어 있다.
③ '곳나모 가지'를 꺾어 술잔을 세어 가며 술을 먹으려는 것은 술을 과하게 먹지 않기 위해서이다. 이는 [보기]에서 말한 조선조 사대부들의 '절제'라는 유교적 세계관과 관련된다. 따라서 '곳나모 가지'로 술잔을 세는 모습을 통해 사대부의 절제된 풍류를 엿볼 수 있다.
④ '청향'과 '낙홍'은 봄날의 화자가 자연 속에서 즐기는 대상으로, 술과 더불어 화자의 심정을 고조시키는 시어라고 할 수 있다. 하지만 화자는 이들이 '진다'고 표현함으로써 자연에 취해 고조되는 감정을 절제하고 있다.

가사 074 만분가(萬憤歌)

조위(1454~1503) 조선 성종 때의 학자로, 호는 매계(梅溪). 『성종실록』을 편찬할 때 김종직의 「조의제문」을 실었다는 이유로 무오사화 때 유배되어 죽었다. 저서로는 『매계집』이 있다.

01 표현상의 특징 파악 정답 ❶

정답해설 화자는 서사의 '두견'과 '구름', 본사 3의 '만장송'과 '학', 결사 1의 '매화' 등을 통해 임금에 대한 그리움과 임금에게 자신의 억울함을 하소연하고 싶은 마음을 드러내고 있다. 따라서 화자는 이러한 자연물을 활용하여 자신의 심정을 드러내고 있다고 볼 수 있다.

오답해설 ② 윗글에서는 반어적 표현을 사용한 부분을 찾을 수 없다. 그리고 화자의 하소연 대상인 '옥황'을 희화화하고 있지도 않다.
③ 화자는 '두견', '구름' 등의 자연물을 통해 유배 상황에서 임금을 그리워하는 자신의 마음을 노래하고 있다. 하지만 의성어나 의태어는 사용하지 않았다.
④ 화자는 본사 1의 '무서리'와 '양각풍' 등에 빗대어 표현된 '무오사화'로 인해 귀양이라는 부정적 현실에 처하게 되었다고 언급하고 있다. 그러나 이는 현실을 풍자하고 있다고 볼 수 없으며, 독자들에게 교훈을 주고 있다고 보기도 어렵다.
⑤ 화자는 서사의 '이화', 본사 2의 '팔월 추풍', 결사 1의 '설중' 등의 시어를 통해 계절감을 드러내면서 자신의 처지와 정서를 표현하고 있다. 하지만 계절에 따라 달라지는 경치를 의미하는 경물을 구체적으로 묘사하고 있지는 않다.

02 작품 간 공통점과 차이점 파악 정답 ❸

정답해설 [C]의 '백옥 ᄀᆞ튼 이내 ᄆᆞ음'은 화자가 임을 위해 지킨 마음을 의미하므로 '백옥'은 화자의 순수한 마음을 비유적으로 표현한 것이라고 볼 수 있다. 그러나 [보기 2]의 [나]에서 '옥 같은 얼굴'은 임의 고운 얼굴을 비유적으로 표현한 것이다. 따라서 [나]에 임금에 대한 자신의 마음이 옥처럼 순수하다는 뜻이 담겨 있다고 보는 것은 적절하지 않다.

오답해설 ① [A]에는 죽어서 '두견'의 넋이 되어서라도 임금과 만나고 싶은 화자의 의지가 드러나 있다. [마]에도 죽어서 '낙월'이 되어서라도 임금과 만나고 싶다는 화자의 소망이 나타난다.
② [B]의 '쓸커시 ᄉᆞ로리라'와 [다]의 '슬카장 ᄉᆞᆲ쟈'에는 자신의 억울함이나 사랑하는 마음 등 자신이 하고 싶은 말을 상대방(임금)에게 실컷 전하고 싶은 화자의 바람이 담겨 있다.
④ [D]는 해 질 무렵 긴 대나무에 의지하여 서 있으니 푸른 옷소매도 찬 기운이 돌 만큼 얇다는 뜻이고, [가]는 초가집 찬 잠자리에 한밤중이 돌아왔다는 뜻이다. 이는 임금과 떨어져 있는 화자가 처해 있는 상황으로, 임금과 떨어져 있는 고독한 시 · 공간에서 화자가 느끼는 쓸쓸함이 담겨 있다고 할 수 있다.
⑤ [E]의 화자는 임과 떨어져 있어 난초를 꺾어 쥐고 임이 계신 곳을 바라보고 있다. [라]의 화자는 임과 떨어져 있어 자다가 창을 열고 임이 계신 곳을 바라보고 있다. 따라서 [E]와 [라]에서 각 화자들은 먼 곳에 있는 임금을 향한 그리움을 느끼고 있다고 볼 수 있다.

정철, 「속미인곡」

- **갈래**: 가사(서정 가사, 양반 가사)
- **해제**: 임금을 그리워하는 정을 애절하게 노래한 가사이다. 「사미인곡」의 속편으로 정철이 참소를 받아 고향인 전남 창평에 내려가 있을 때 지은 것이다. 두 여인의 대화라는 독특한 형식으로, 순우리말의 묘미를 살렸다고 평가받고 있다.
- **주제**: 임금을 그리는 정
- **현대어 풀이**: 초가집 찬 잠자리에 밤중만 돌아오니, 벽 가운데 걸린 등불은 누구를 위하여 밝았는가. (산을) 오르며 내리며 (강가를) 헤매며 방황하니, 잠깐 사이에 힘이 다해서 풋잠을 잠깐 드니, 정성이 지극하여 꿈에 임을 보니, 옥 같은 모습이 반 넘어 늙었구나. 마음에 먹은 말씀 실컷 아뢰려 하니, 눈물이 계속해서 나니 말인들 어찌하며, 정을 못다 풀어 목조차 메니, 방정맞은 닭소리에 잠은 어찌 깨었던가. 아아, 헛된 일이로다. 이 임이 어디로 갔는가. 꿈결에 일어나 앉아 창을 열고 바라보니, 가엾은 그림자가 나를 따를 뿐이로다. 차라리 죽어 없어져서 지는 달이나 되어 임 계신 창 안에 환하게 비치리라.

* 참고: 본문 138쪽

가사 075 면앙정가(俛仰亭歌)

송순(1439~1583) 조선 중기의 문신. 벼슬에서 물러나 강호 생활을 하면서 자연을 예찬하는 작품을 써 강호가도의 선구자적 역할을 하였다. 작품으로는 「십년을 경영하여~」 등이 있다.

01 표현상의 특징 파악 정답 ❷

정답해설 본사 1에서 면앙정 앞의 시냇물을 '쌍룡(쌍룡이 뒤트ᄂᆞᆫ 둧)'과 '비단(긴 깁을 치 폇ᄂᆞᆫ 둧)'에 비유하고 있다. 또 물가에 펼쳐진 모래밭을 '눈(눈ᄀᆞᆺ치 펴젓거든)'에 비유하고 있다.

제 Ⅲ 부

따라서 윗글은 직유법을 통해 화자의 시각적 인상을 구체화하고 있다고 볼 수 있다(ㄱ). 서사에서 '청학이 ~ 두 ᄂᆞ릐 버렷ᄂᆞᆫ ᄃᆞᆺ'이라고 한 것과 본사 1에서 '쌍룡이 뒤트ᄂᆞᆫ ᄃᆞᆺ 긴 깁을 치 폇ᄂᆞᆫ ᄃᆞᆺ'이라고 표현한 것은 감각적 이미지를 통해 시적 대상의 운동감을 나타내고 있다고 볼 수 있다(ㄷ).

오답해설 ㄴ. 윗글에서는 면앙정 주변의 아름다운 경치를 사계절의 변화에 따라 예찬하고 있다. 그러나 과거와 현재의 대비는 드러나 있지 않으며, 화자가 특정 대상을 그리워하고 있다고 볼 수도 없다.
ㄹ. 윗글에서는 자연의 모습을 대구법, 의인법 등을 활용하여 전달하고 있다. 그러나 표면적으로는 모순되어 보이지만, 그 이면에 진리를 내포하고 있는 역설적 표현은 사용되지 않았다.

02 자료를 통한 감상의 적절성 파악 정답 ②

정답해설 [보기]에서 '면앙우주'는 송순이 면앙정 주변의 아름다운 자연물에 인간적 생명력과 의지를 부여하여 자신의 이상과 세계관을 표출한 공간이라고 하였다. 윗글의 ⓑ'늘근 뇽'은 무등산 제월봉이 선잠에서 막 깨어난 '늙은 용'의 머리를 얹어 놓은 듯한 형세라고 비유적으로 표현한 것이다. 따라서 ⓑ의 '늘근 뇽'이 '선ᄌᆞᆷ을 ᄀᆞᆺ ᄭᅵ야'라고 표현한 것을 이상을 펼치기에는 이미 늦었다고 여기는 작가의 조바심이 담겨 있다고 볼 수 없다. 오히려 잠에서 막 깨어난 용처럼 이상을 펼치려는 작가의 의지가 드러나 있다고 보는 것이 더 적절하다.

오답해설 ① '무변대야'는 '끝없이 넓은 들판'을 의미하며, 그런 곳에서 제일봉이 무슨 '짐작'을 한다는 것은 높은 이상을 향한 작가의 의지를 드러낸 것으로 볼 수 있다.
③ '정자' 즉 면앙정이 '두 ᄂᆞ릐 버렷ᄂᆞᆫ ᄃᆞᆺ'하다는 것은 면앙정의 지붕이 학이 날개를 펼친 것 같은 모습이라는 의미이다. 이는 면앙정을 통해 비상하고 싶은 작가의 내면을 드러낸 것이라고 볼 수 있다.
④ '믈'이 '밤ᄂᆞᆺ즈로 흐르ᄂᆞᆫ' 모습은 작가가 자신이 추구하는 이상을 위해 끊임없이 노력해야 한다고 인식하고 있는 내면을 표출한 것이라고 볼 수 있다.
⑤ '추월산'을 비롯한 여러 산들이 높낮이가 다름에도 불구하고 보기 좋게 늘어서 있다고 표현한 것은 [보기]에 언급된 조화와 합일을 중시하는 송순의 세계관이나 삶의 태도를 드러내는 것이라고 볼 수 있다.

가사 076 관동별곡(關東別曲)

정철(1536~1593) 조선 선조 때의 문신으로 호는 송강(松江). 윤선도와 조선 시가 문학의 쌍벽을 이루는 가사 문학의 일인자이다. 작품으로 「재 너머 성권롱~」을 비롯한 시조와 「사미인곡」, 「속미인곡」 등의 가사가 있다.

01 표현상의 특징 파악 정답 ②

정답해설 화자는 공간의 이동에 따라 바라보고 있는 시적 대상에 대한 감상을 표현하고 있다. 또 직유법, 은유법, 대구법 등 다양한 표현 방법을 활용하여 정서를 드러내고 있지만, 대상을 점층적으로 강조하여 시상을 전개하는 표현은 활용하지 않았다.

오답해설 ① 본사 1-①에서 폭포의 모습을 빗대어 표현한 '은 ᄀᆞᆮ튼 무지게 옥 ᄀᆞᆮ튼 룡의 초리'와 '들을 제ᄂᆞᆫ 우레러니 보니ᄂᆞᆫ 눈이로다.', 본사 1-④에서 십이 폭포를 빗대어 표현한 '실ᄀᆞ티 플텨이셔 뵈ᄀᆞ티 거러시니' 등에서 대구의 방식을 활용하여 운율감을 주고 있다.
③ 본사 1-①의 '섯돌며 ᄲᅮᆷᄂᆞᆫ 소릐 십 리의 ᄌᆞ자시니, / 들을 제ᄂᆞᆫ 우레러니 보니ᄂᆞᆫ 눈이로다.'에서 시각적 이미지와 청각적 이미지를 활용하여 만폭동 폭포의 모습을 생동감 있게 묘사하고 있다. 또 본사 2의 '정긔를 ᄯᅥᆯ티니 오ᄉᆡᆨ이 넘노ᄂᆞᆫ ᄃᆞᆺ, 고각을 섯부니 ᄒᆡ운이 다 것ᄂᆞᆫ ᄃᆞᆺ.'에서 시각적 이미지와 청각적 이미지를 동원하여 관찰사의 화려한 행렬을 표현하고 있다.
④ 본사 1-①에서 만폭동의 폭포를 '무지게', '룡의 초리', '우레', '눈'에 빗대어 표현하였다. 또 본사 1-④에서 불정대의 십이 폭포를 '은하슈', '실', '뵈'에 빗대어 표현하였다. 이는 모두 폭포의 속성을 부각한 것이다.
⑤ 서사의 '어와 셩은이야 가디록 망극ᄒᆞ다', 본사 1-②의 '어와 뎌 디위를 어이ᄒᆞ면 알 거이고.' 등에서 영탄법을 통해 임금의 은혜에 대한 감사와 공자의 호연지기에 대한 흠모 등 화자의 감정을 직접적으로 드러내고 있다.

02 내용의 이해 정답 ⑤

정답해설 본사 1-④의 [A]는 십이 폭포의 모습을 묘사한 부분이다. 십이 폭포를 '은하슈'에 빗대어 표현하고 있으므로, 지상의 자연물을 천문 현상에 비유하고 있다고 볼 수 있다. 그리고 [보기]는 망양정에서 바라본 파도의 모습을 '은산'과 '빅셜'에 빗대어 표현하고 있다. 따라서 시적 대상을 지상의 자연물에 비유하고 있다고 볼 수 있다.

오답해설 ① [A]에서는 십이 폭포의 모습을 은하수에 빗대어 묘사하고 있고, [보기]에서는 망양정에서 바라본 파도의 모습을 묘사하고 있다. 그러나 [A]와 [보기]에 시간의 흐름은 드러나 있지 않다.
② [A]는 십이 폭포의 모습을, [보기]는 바다의 모습을 묘사하고 있다. 이는 자연의 아름다운 모습을 표현하고 있을 뿐, 인간의 접근을 허용하지 않는 자연의 냉혹함을 드러내고 있지는 않다.
③ [A]에서 화자는 십이 폭포의 아름다운 모습을 관찰하고 있다. 그러나 고요한 마음으로 사물이나 현상을 관찰하는 관조의 태도를 보이고 있다고 보기는 어렵다. 또 [보기]에서는 망양정에서 본 바다의 모습을 묘사하고 있을 뿐, 자연을 통해 자신을 반성하고 있다고 보기 어렵다.
④ [보기]는 망양정에서 바라본 파도의 생동감 있는 모습을 '고래', '은산', '빅셜'에 빗대어 나타내고 있다. 그러나 [A]에서 불정대의 십이 폭포가 '은하슈'를 베어 내어 '실'처럼 풀어 '뵈'처럼 걸어 놓은 듯하다는 것은 십이 폭포의 아름다운 모습에 대한 묘사일 뿐, 폭포를 의인화하고 있다고 보기는 어렵다.

「관동별곡」의 생략된 부분

- **해제**: [보기]는 「관동별곡」 중 본사에 해당하며, 화자인 정철이 관동 팔경과 동해안을 유람할 때 망양정에서 파도를 바라보며 그 광경을 묘사한 부분이다. '바다 밧근 하ᄂᆞᆯ이니 하ᄂᆞᆯ 밧근 므서신고.'에서는 바다의 끝없음을 연쇄적, 점층적으로 묘사하였다. 또 '은산'은 높이 솟아 부서지는 흰 파도를 은유적 표현을 통해 드러낸 것이다.
- **현대어 풀이**: 하늘 끝을 보지 못해 망양정에 올랐더니 바다 밖은 하늘인데 하늘 밖은 무엇인가? 가뜩이나 성난 고래(파도) 누가 놀굴하지 않는 절개 곧은 신하가 되라는 뜻으로 보고 임금에 대한 변

라게 했기에 (물을) 불거니 뿜거니 어지럽게 구는가? 은산을 꺾어 내어 온 세상에 내리는 듯 오월의 넓고 먼 하늘에 흰 눈(물보라)은 무슨 일인가?

가사 077 사미인곡(思美人曲)

01 표현상의 특징 파악 정답 ④

정답해설 서사의 'ᄒᆞᆫ ᄉᆡᆼ 연분이며 하ᄂᆞᆯ 모ᄅᆞᆯ 일이런가.', '연지분 잇ᄂᆡ마ᄂᆞᆫ 눌 위ᄒᆞ야 고이 ᄒᆞᆯ고.', 본사 2의 '쳔리 만리 길흘 뉘라셔 ᄎᆞ자갈고.', 결사의 '편쟉이 열히 오나 이 병을 엇디ᄒᆞ리.' 등에서 설의적인 표현이 나타나 있다. 화자는 이러한 설의적 표현을 통해 임을 향한 자신의 마음을 강조하고 있다.

오답해설 ① 윗글에서는 고사를 활용한 부분을 찾을 수 없다. 결사에서 중국의 명의인 '편쟉'을 제시하였으나, 이는 화자의 상사병을 고쳐 줄 사람이 없다는 것을 말하기 위함일 뿐이다.
② 본사 2의 '녹음', 본사 4의 'ᄇᆡᆨ셜' 등 색채어가 사용되고 있기는 하지만, 계절적 배경을 드러내는 소재일 뿐 색채의 대비를 활용한 것은 아니다.
③ 본사 2에서 '금자', '지게', 'ᄇᆡᆨ옥함' 등 특정 사물을 언급하고 있지만 이들은 임에게 옷을 지어 보내고 싶은 화자의 마음을 담은 것일 뿐, 다양한 관점에서 묘사된 것은 아니다. 또 이들을 통해 생동감을 자아내고 있지도 않는다.
⑤ 서사의 '하계예 ᄂᆞ려오니'에서 하강의 이미지를 찾을 수 있다. 그러나 이는 단순한 적강 모티프를 드러낸 것일 뿐, 반복되어 나타나지 않으며 대상을 구체적으로 표현하고 있지도 않다.

02 시어의 의미와 기능 파악 정답 ③

정답해설 화자는 황혼녘에 ㉠'ᄃᆞᆯ'을 보고 '님이신가 아니신가.'라고 말하고 있으므로, ㉠은 화자에게 부재하는 대상인 '임'을 떠오르게 하는 자연물이라고 볼 수 있다. 그리고 ㉡'ᄆᆡ화'를 꺾어 화자가 '님 겨신 ᄃᆡ'에 보내고 싶어 한다. 따라서 ㉡은 임에 대한 화자의 마음을 전달하는 자연물이라고 할 수 있다.

오답해설 ① 화자는 'ᄃᆞᆯ'을 보며 임과의 단절을 두려워하는 것이 아니라 임을 그리워하고 있다. 또 임에게 'ᄆᆡ화'를 보내 자신의 마음을 전달하고 싶어 한다.
② 'ᄃᆞᆯ'은 임을 떠올리게 하는 대상일 뿐, 화자가 도달하고자 하는 목표라고 볼 수 없다. 또 'ᄆᆡ화'는 화자가 임에게 자신의 사랑을 표현하기 위해 보내고자 하는 것이므로, 'ᄆᆡ화'로 인해 화자가 심리적인 방황을 하고 있다고 보기는 어렵다.
④ 'ᄃᆞᆯ'은 화자에게 임을 떠올리게 하는 대상이고 'ᄆᆡ화'는 화자가 임에게 보내고 싶어 하는 것이므로, 이 두 소재가 화자가 현실에서 겪어야 할 외부적 시련을 상징한다고 볼 수는 없다.
⑤ 화자는 'ᄃᆞᆯ'을 보고 임을 그리워하다가, 'ᄆᆡ화'를 임에게 보내어 자신의 마음을 전하려고 한다. 따라서 'ᄃᆞᆯ'과 'ᄆᆡ화'는 부정적 상황에 대해 체념하는 화자의 모습을 나타낸다고 보기는 어렵다.

03 자료를 통한 감상의 적절성 파악 정답 ④

정답해설 [보기]에서 윗글은 '궁궐을 떠난 신하가 임금을 그리워하면서 지은' 것이라고 하였다. 그리고 본사 4에서 화자는 임이 계신 '옥누 고쳐'가 추울 것이라고 생각하고, 화자가 사는 '모쳠'에 비친 해를 '옥누'에 올리고 싶다고 하였다. 따라서 추운 날씨에 '모쳠'에 비친 해는 임의 추위를 덜어 주고자 하는 화자의 마음과 정성을 의미하는 것이지, 임금의 자애로운 은혜가 신하에게 미치고 있음을 암시하는 것이라고 보기 어렵다.

오답해설 ① 본사 2의 '옷'은 화자가 지어낸 것으로, 화자의 마음과 정성이 담긴 소재이다. 따라서 임에 대한 화자의 그리움과 충정을 드러내는 것이라고 볼 수 있다.
② 서사에서 '하계예 ᄂᆞ려오니'라고 한 것은 신하인 화자는 지상에 있다는 의미이다. 본사 3의 'ᄃᆞᆯ'과 '별'은 천상에 있으므로, 화자가 'ᄃᆞᆯ'과 '별'을 보고 임을 떠올린 것은 군신 사이의 수직적 관계를 반영했기 때문이라고 볼 수 있다.
③ 화자는 본사 3에서 '쳥광'을 '봉황누'에 보내고 싶어 한다. 화자가 '쳥광'을 보내고자 하는 '봉황누'는 임금이 계신 곳이며, 화자는 임금이 그 빛으로 '팔황'(온 세상)을 다 비추어 '심산 궁곡'을 '대낮같이' 만들기를 염원하고 있다. 이는 임금의 선정이 온 세상에 미치기를 바라는 것이므로, 화자와 청자는 신하와 임금의 관계임을 추측할 수 있다.
⑤ 본사 4의 '앙금'은 원앙을 수놓은 이불로, 부부가 함께하는 잠자리를 의미한다. 따라서 겨울밤을 배경으로 차가운 '앙금'을 통해 화자의 외로운 처지를 표현한 것은 군신 관계를 남녀 관계에 빗대어 표현한 것이라고 볼 수 있다.

가사 078 속미인곡(續美人曲)

01 화자의 정서와 태도 파악 정답 ④

정답해설 서사 2에서 화자는 '내 몸의 지은 죄 뫼ᄀᆞ티 싸혀시니 / 하ᄂᆞᆯ히라 원망ᄒᆞ며 사ᄅᆞᆷ이라 허믈ᄒᆞ랴.'라면서, 임과 이별한 이유를 자신의 탓으로 여기고 있다. 또한 '셜워 플텨 혜니 조믈의 타시로다.'라고 덧붙인 것으로 보아 임금과의 이별이 운명에 의한 것이라고 판단하고 있음을 알 수 있다. 따라서 화자가 자신의 문제와 관련하여 세상을 원망하고 있다고 볼 수 없다.

오답해설 ① 윗글은 서사 1에서 갑녀가 백옥경을 떠난 이유를 묻고 서사 2와 본사 2~4에서 을녀가 답하는 형식으로 글이 전개되고 있다. 따라서 대화 형식으로 화자의 정서를 드러내고 있다고 볼 수 있다.
② 서사를 통해 을녀는 과거 천상 백옥경에서 임의 사랑을 받았으나, 현재는 임과 이별하고 임을 그리워하며 지내고 있음을 알 수 있다. 따라서 화자, 즉 을녀는 임과 함께했던 과거를 잊지 못하고 있다고 할 수 있다.
③ 서사 2와 본사 2~4를 통해 을녀가 천상 백옥경을 떠나 임과 헤어져 있는 괴로움과 고통을 느끼고 있음을 알 수 있다. 따라서 있고자 하는 공간에 있지 못해 안타까움을 느끼고 있다고 볼 수 있다.
⑤ 본사 3과 4에서 을녀는 높은 산과 물가에서 임의 소식을 듣지 못하고, 꿈에서조차 임과 정을 못다 풀고 있다. 이 때문에 결사 1에서 'ᄎᆞᆯ하리 싀여디여 낙월'이라도 되어 임에게 다가가려 하고 있다. 따라서 '달'에 상징적 의미를 부여하여 자신의 의지를 드러내고 있다고 볼 수 있다.

02 시구의 의미 파악 정답 ④

정답해설 서사 2에서 을녀는 임과 이별한 이유가 자신의 허물 때문이라는 인식을 드러내고 있다. ㉣은 자신의 죄가 산처럼 쌓여 있다며 겸손하게 자신의 허물을 탓하는 표현이므로, [보기]의 밑줄 친 부분이 가장 잘 드러나 있다고 볼 수 있다.

오답해설 ① ㉠은 자신이 임께서 사랑할 만큼의 모습이 아니라는 것을 의미한다. 이는 화자가 자신을 겸손하게 여기는 표현일 뿐, 자신의 허물을 탓하고 있다고 보기는 어렵다.
② ㉡은 다른 생각을 하지 않고 임만을 전적으로 믿었다는 의미이다. 따라서 화자가 자신의 허물을 탓하고 있다고 보기는 어렵다.
③ ㉢은 화자를 대하는 임의 태도가 달라졌다는 의미이다. 이는 화자 자신의 행동이 아니라 임의 태도를 말하고 있는 것이다.
⑤ ㉤은 임과의 이별이 조물주의 탓이라는 의미이다. 이것은 하늘도 원망할 수 없고 사람도 탓할 수 없는 상태에서 느끼는 체념의 정서를 드러낸 것이지, 겸손하게 자신의 허물을 탓하고 있는 것과는 거리가 멀다.

03 작품의 이해와 재구성 정답 ③

정답해설 윗글의 화자는 임과 이별한 후 혼자가 된 상황에서 느끼는 외로움을 ⓐ에서 초가집 차가운 잠자리에 밤이 돌아와 벽 가운데 등불이 누구를 위해 밝은가라고 표현하고 있다. 그리고 [보기 1]의 화자는 ⓑ에서 추상적 관념인 '흥'을 전나귀에 모두 싣는다면서 구체화하고 있다. 따라서 ⓐ에 드러난 화자의 처지를 밝히고 ⓑ에 담긴 발상 및 표현을 사용하려면, 혼자된 외로움을 나타내되 추상적인 관념을 구체화하여야 한다. ③을 보면, '혼자만 있는 쓸쓸한 침실'에서 ⓐ의 홀로 된 외로운 처지를 반영하고 있고, '슬픔을 포개어 쌓았다.'에서 '슬픔'이라는 추상적인 감정을 쌓을 수 있는 것처럼 시각적으로 형상화하였으므로, [보기 2]의 조건을 충족하고 있다고 볼 수 있다.

오답해설 ① 혼자가 되어 외로운 처지인지가 명확하지 않고 추상적 관념을 구체화하고 있지도 않다.
② 혼자가 되어 외로운 처지인지 알 수 없으며, 추상적인 관념을 구체화하고 있지도 않다. '괴롭지만 행복한 침실'은 역설적 표현이다.
④ 혼자가 되어 외로운 처지인지 나타나 있지 않으며, 추상적 관념을 구체화하지도 않았다. 잠자리와 등불 사이를 '하늘과 땅의 거리'로 표현한 것은 과장법으로 볼 수 있다.
⑤ '추억의 보따리를 풀어 헤쳤다.'에서 '추억'이라는 추상적 관념을 구체화하였다고 볼 수 있다. 그러나 아늑하고 즐거운 상황은 ⓐ의 혼자 외로운 처지와는 거리가 멀기 때문에 [보기 2]의 조건을 모두 충족하였다고 볼 수는 없다.

김천택, 「전원에 나믄 흥을~」

- **갈래**: 시조
- **해제**: 자연 속에서 풍류를 즐기면서 지내는 화자의 한가하고 여유로운 생활이 담겨 있는 시조이다. 추상적인 감정인 흥취를 나귀에 실을 수 있는 구체적 대상으로 형상화하여 여흥이 가시지 않았음을 표현한 점이 돋보인다.
- **주제**: 자연 속에서 즐기는 풍류
- **현대어 풀이**: 전원에서 즐기던 흥을 다리 저는 나귀 등에 모두 싣고 / 계곡이 있는 산의 눈에 익은 길을 따라 흥겨워하며 돌아와서 / 아이야, 거문고와 책을 익히도록 하여라 (그것으로) 남은 세월을 보내리라.

가사 079 성산별곡(星山別曲)

01 표현상의 특징 파악 정답 ④

정답해설 본사 1의 '매창'과 '도화' 등은 봄을, 본사 2의 '남풍'과 '녹음' 등은 여름을, 본사 4의 '삭풍'과 '눈' 등은 겨울을 나타낸다. 따라서 윗글은 계절의 변화 양상에 따라 시상을 전개하고 있다고 볼 수 있다.

오답해설 ① 윗글에서는 의성어나 의태어 등의 음성 상징은 활용하고 있지 않다.
② 윗글은 자연 속에서 신선처럼 살아가는 사람의 한가로움을 예찬하고 있을 뿐, 애상적 어조를 사용하고 있지는 않다.
③ 윗글은 화자가 현재 머무르고 있는 성산에서의 풍류를 언급하고 있을 뿐, 과거의 모습을 언급하지 않았다. 본사 1의 'ᄒᆡ올 일'은 미래의 모습이 아니라 현재 산중 생활에서의 삶을 의미한다. 따라서 과거와 미래를 대비하고 있다고 보기는 어렵다.
⑤ 본사 2에서 '~ᄂᆞᆫ 듯'의 구조가 반복되고는 있지만, 동일한 시구가 주기적으로 반복되고 있다고 보기는 어렵다.

02 자료를 통한 감상의 적절성 파악 정답 ⑤

정답해설 [자료]에서는 백구가 인간의 무심을 알아보는 갈매기라고 하였다. 고사에서 갈매기를 잡으려는 마음은 무심함이 아니라 욕심과 관련이 있다는 것을 알 수 있다. [E]에 나타난 '주인'의 모습은 '무심코 한가'하므로 갈매기를 잡으려 한 '어부'의 모습과 같은 것으로 연상하는 것은 적절하지 않다.

오답해설 ① [A]에 나타난 '산옹'이 '외씨'를 뿌리며 산에서 살아가는 소박한 삶의 모습은, [자료]에 언급된 '소평'이 나라가 망하자 벼슬을 버리고 '외씨'를 심으며 살던 모습과 유사하다. 따라서 '산옹'의 소박한 삶에서 '소평'의 삶을 연상했다고 볼 수 있다.
② [B]에서 화자는 '도화'가 핀 '시내 길'을 보고 '도원은 어드매오 무릉이 여긔로다.'라고 하였다. 따라서 화자는 '시내 길'에 피어 있는 '도화'를 보고 [자료]에 언급된 복숭아꽃이 만발한 '무릉도원'을 연상했다고 볼 수 있다.
③ 화자는 [C]에서 '희황 벼개'에서 '픗ᄌᆞᆷ'을 깨며 평안함을 느끼고 있다. [자료]에서 '희황 벼개'는 태평한 세상을 상징한다고 하였으므로 '희황 벼개'를 활용한 것은 성산에서 '픗ᄌᆞᆷ'을 깰 때 느낀 평안함에서 '희황'의 태평한 시대가 연상되었기 때문이라고 볼 수 있다.
④ [D]에서 화자는 '만산'의 '홍백련' '향긔'를 맡은 것이 '염계를 마조 보와 태극을 뭇ᄌᆞᆸᄂᆞᆫ' 것과 같다고 하였다. [자료]에 언급된 것처럼 연꽃이 군자의 풍모를 빗댄 것과 관련하여 산에 가득한 연꽃 향기는 '염계'의 '애련설'과 연결된다. 따라서 '홍백련'을 활용한 것은 '염계'가 말한 군자의 덕을 연상했기 때문이라고 볼 수 있다.

가사 080 규원가(閨怨歌)

허난설헌(1563～1589) 조선 중기의 여류 시인으로 본명은 초희, 호는 난설헌(蘭雪軒). 자신의 비통하고 불행한 처지를 섬세한 필치와 여성적 감각으로 승화한 한시를 많이 창작하였다. 동생 허균이 허난설헌의 사후에 흩어진 시들을 모아 편찬한 『난설헌집』이 전해진다.

01 표현상의 특징 파악 정답 ③

정답해설 승구의 '겨울밤 차고 찬 제 자최눈 섯거 치고, / 여름날 길고 길 제 구즌 비ᄂᆞᆫ 므스 일고.'에서 대구법을 활용하여 화자의 외로운 처지를 강조하고 있다. 또 전구의 '소상 야우의 댓소리 섯도ᄂᆞᆫ 듯, / 화표 천 년의 별학이 우니ᄂᆞᆫ 듯,'에서도 대구법을 활용하여 녹기금의 소리를 형상화하고 있다. 따라서 대구법을 통해 운명에 맞서려는 화자의 의지를 드러내고 있다고 보는 것은 적절하지 않다.

오답해설 ① 화자는 승구의 가을날 침상에서 우는 '실솔'과 결구의 죽림 푸른 곳에서 서럽게 우는 '새'에 감정을 이입하여 자신의 슬픔을 드러내고 있다.
② 화자는 기구에서 '소년 행락'하던 생각과 '천연 여질'과 '설빈 화안'의 아름다움을 지녔던 과거를 떠올리며, 현재는 면목가증이 되었다면서 스스로 부끄러워하며 탄식하고 있다.
④ 승구에서 화자는 '가을 ᄃᆞᆯ,' '실솔'과 같이 계절감이 드러나는 시어를 활용하여 자신의 외로운 처지를 부각하고 있다.
⑤ 화자는 전구에서 '간장이 구곡되야 구븨구븨 끈쳐서라.'와 같이 과장법을 활용하여 임을 기다리는 자신의 안타까운 마음을 드러내고 있다.

02 자료를 통한 감상의 적절성 파악 정답 ③

정답해설 결구에 언급된 '천상의 견우 직녀'는 은하수가 막혀 있어도 일 년에 한 번은 칠월 칠석이라는 때를 놓치지 않고 만나므로, 임을 만날 수 없는 화자의 처지와 대비되는 존재이다. 따라서 이들을 화자의 슬픔을 대변하는 대상으로 이해하는 것은 적절하지 않다.

오답해설 ① 기구의 '서른 말ᄉᆞᆷ'은 화자의 서러운 사연을 일컫는 것으로, [보기]에서 언급한 '자신을 사랑해 주지 않는 남편을 원망하면서도 그 원인이 자신에게도 있음을 한탄'하는 내용과 관련된다. 따라서 '서른 말ᄉᆞᆷ'에는 남편에게 버림받은 화자의 운명과 처지에 대한 한(恨)이 담겨 있다고 볼 수 있다.
② 기구의 '스스로 참괴ᄒᆞ니 누구를 원망ᄒᆞ리.'는 '스스로 부끄러워하니 누구를 원망하겠는가?'를 의미한다. 이는 자신이 젊고 아름다운 모습을 잃고 밉살스러운 모습이 되어 남편이 찾지 않는다고 생각하는 화자가 자신의 처지를 한탄하고 자책하는 말이다. 따라서 '스스로 참괴ᄒᆞ니'에는 남편이 오지 않는 상황에 대해 자신을 책망하는 내용이 담겨 있다고 볼 수 있다.
④ 결구의 '날 가ᄐᆞ니 또 이실가.'는 남편의 사랑을 받지 못하고 독수공방하는 화자가 자신의 기구한 운명에 대해 생각하는 바를 드러낸 말이다. 따라서 여기에는 홀로 지내는 화자의 외로움이 드러나 있다고 할 수 있다.
⑤ 결구의 '아마도 이 님의 지위로 살동말동 ᄒᆞ여라.'는 화자의 처지와 상황이 모두 임의 탓으로, 앞으로도 자신이 제대로 살 수 있을지 모르겠다는 의미이다. 따라서 이 부분에는 남편을 원망하는 화자의 정서가 드러나 있다고 볼 수 있다.

가사 081 봉선화가(鳳仙花歌)

작자 미상 학자들에 따라서는 허난설헌이나, 헌종 때의 인물인 정일당 남씨가 「봉선화가」를 지었다고 보기도 한다. 그러나 작자가 알려져 있지 않다는 것이 일반적인 시각이다.

01 표현상의 특징과 시상 전개 방식의 파악 정답 ③

정답해설 화자는 봉선화를 직접 심고 그 아름다움을 바라보다가(본사 1), 그 꽃잎으로 손톱에 물을 들이고(본사 2), 봉선화가 지자 규중의 인연을 언급하며(결사) 봉선화를 예찬하고 있다. 따라서 화자는 시간의 흐름에 따라 시상을 전개하며 봉선화에 대한 애정을 드러내고 있다고 볼 수 있다.

오답해설 ① 윗글은 봉선화라는 일상적 소재를 활용하여 시상을 전개하면서 봉선화를 예찬하고 있을 뿐, 삶에 대해 반성하고 있지는 않다.
② 윗글의 화자는 손톱에 봉선화 물을 들인 후 봉선화와의 인연에 대해 이야기하고 있지만, 과거의 상황에 대해서는 언급하지 않았다. 또 봉선화를 예찬하고 있으므로 상황에 대한 회의적 인식을 드러내고 있다고 보기도 어렵다.
④ 화자는 본사 1에서 사람들에게 향기가 없다고 봉선화를 비웃지 말라면서 봉선화에 대한 남다른 정을 드러내고 있으며, 결사에서는 봉선화가 진 것에 '암암이 슬허ᄒᆞ고' 있다. 따라서 감정을 절제한 표현으로 화자의 객관적 태도를 부각하고 있다고 보기는 어렵다.
⑤ 화자는 본사 2에서 봉선화 꽃잎으로 손톱에 물을 들이는 과정을 상세하게 제시하고 있지만, 근경에서 원경으로 시선을 확대하고 있지는 않다.

02 표현상의 특징 파악 정답 ④

정답해설 [D]의 '불근 ᄭᅩᆺ이 가지에 부텃ᄂᆞᆫ 듯' 하다는 것은 손톱에 붉게 꽃물이 든 모습을 비유적으로 표현한 것이다. 또 꽃물이 든 손톱, 즉 붉은 꽃을 손으로 잡으려 하니 어지럽게 흩어진다고 하면서 그 모습을 역동적으로 묘사하고 있다. 하지만 이것은 손톱에 든 봉선화 물의 아름다움에 대한 표현일 뿐, 봉선화의 속성을 파악하기가 어렵다는 것을 구체화하였다고 보기는 어렵다.

오답해설 ① [A]는 봉선화 꽃잎에 흰 백반을 갈아 넣은 후, 손 가운데 개어 올리는 과정을 묘사한 것으로, 손톱에 봉선화 물을 들이는 과정을 구체적으로 보여 주고 있다.
② [B]에서는 '~ᄂᆞᆫ 양', '~ᄂᆞᆫ 듯'과 같은 비유적 표현을 반복하면서 손톱에 봉숭아 물이 스며드는 모습을 표현하고 있다.
③ [C]에서는 봉선화 꽃잎과 백반 가루를 섞은 것을 손톱에 올리고 종이로 단단히 싸맨 모습을 '춘라옥자 / 일봉서'와 같이 미화하여 표현함으로써 봉선화 물을 들이고자 기울인 화자의 정성과 기대감을 표출하고 있다.
⑤ [E]에서는 '청출어람(靑出於藍)'이라는 고사성어를 활용한 관용적 표현을 활용하여 손톱에 물든 봉선화 물의 붉은 빛에 대해 언급하고 있다.

03 화자의 정서와 태도 파악 정답 ④

정답해설 결사의 '동원의 도리화'는 잠깐 머무르다 사라지는 순간적인 아름다움을 가진 대상으로, 화자는 '동원의 도리화'가 꽃바람에 떨어져도 슬퍼해 줄 사람이 없다고 하였다. 이는 손톱에 물들어 남아 있는 봉선화와 대비되므로, '동원의 도리화'는 화자가 봉선화와의 인연을 부각하기 위해 제시한 대상이라고 보아야 한다. 그러므로 바람을 이기지 못하고 쉽게 떨어지는 '동원의 도리화'에서 화자가 무상감을 느끼고 슬퍼한다고 이해하는 것은 적절하지 않다.

오답해설 ① 화자는 본사 1에서 세상 사람들에게 봉선화가 '향기 업다'고 비웃지 말라면서 정숙하고 조용한 봉선화의 속성을 긍정적으로 평가하고 있다.
② 화자는 결사에서 꿈에서 본 '녹의홍상 일녀자'가 하직 인사를 하러 온 '꼿귀신'이라 여기고 있다. 그래서 봉선화가 시들어 떨어진 것을 예감하며 창문을 열어 확인하고 있다.
③ 화자는 결사에서 봉선화에게 '그되 자최 내 손에 머믈럿'다고 말하면서 봉선화 꽃물이 자신의 손톱에 남아 있음을 알리고 있다. 이는 바닥에 떨어져 있는 봉선화에게 '그되는 한티 마소', 즉 한스러워하지 말라며 위로하고 있는 것이라고 볼 수 있다.
⑤ 화자는 결사에서 도리화와 봉선화를 대비하여 도리화는 떨어져도 아무도 슬퍼하지 않지만, 봉선화는 자신에게 남은 하나뿐인 인연이라면서 봉선화에 대한 각별한 정을 드러내고 있다.

한시 082 어옹(漁翁)

설장수(1341～1399) 고려 말기와 조선 초기의 문신으로 호는 운재. 위구르족 출신의 귀화인으로 중국어와 몽골어에 모두 능통해 중국과의 외교와 사역원의 교육을 체계화하는 데 크게 기여하였다. 언변이 뛰어나며 시와 글씨에도 능했다고 전해지며, 저서로는 『운재집』이 있다.

01 자료를 통한 감상의 적절성 파악 정답 ①

정답해설 윗글의 화자는 옥당이 있다고 부러워하지 않는다면서 속세를 벗어난 자연에서의 생활에 만족감을 드러내고 있다. 4행의 '달'은 가을날의 유유자적한 흥취를 더해 주는 소재일 뿐 인격이 부여되거나, 화자와 동일시되지는 않았다.

오답해설 ② [보기]에서 언급한 것처럼 화자를 '이상적인 생활 공간에서 자신의 삶에 만족하며 살아가는 은자'로 본다면, '배 한 척'은 생계유지를 위한 노동의 공간이 아니라, 한가롭고 평화로운 생활을 영위하는 공간으로 볼 수 있다.
③ '초록 도롱이 푸른 삿갓'은 뱃사람의 차림새를 표현한 것이다. 화자는 배를 타고 노를 저으며 자연에서 살아가는 삶이 행복하다고 하였으므로, 이와 같은 어부의 삶을 긍정적으로 나타내고 있다고 볼 수 있다.
④ 화자는 '서울 길의 붉은 먼지' 같은 자신이 부정하는 속세를 떠나 '초록 도롱이 푸른 삿갓'과 함께 살아가고 있다. 옥당을 부러워하지 않고 있으므로, 자신이 원하는 삶을 통해 '뱃사람의 흥취'를 느낀다고 할 수 있다.
⑤ 화자는 8행에서 '세상에 옥당 있다고 어찌 부러워하리오.'라는 설의적 표현을 통해 '옥당'과 같은 세속적 가치에 거리를 두고 현재 자신이 살고 있는 자연 친화적인 삶에 만족하고 있음을 드러내고 있다.

한시 083 만보(晩步)

이황(1501～1570) 조선 중기의 문신으로 호는 퇴계(退溪). 조선의 유학을 집대성한 인물로, 이(理)로써 세상을 순화하고자 하는 도학 정치를 추구하였다. 저서로 『퇴계전서』, 『성학십도』 등이 있다.

01 시상 전개 방식의 파악 정답 ⑤

정답해설 윗글의 1~12행은 가을 저녁의 모습과 수확을 앞둔 농촌의 풍요로운 풍경을 묘사하고 있으며, 13~16행은 화자의 오랜 숙원인 학문적 성취를 이루지 못한 삶에 대한 회한과 안타까운 정서가 드러나 있다. 따라서 윗글은 선경후정의 방식으로 시상을 전개하고 있다고 볼 수 있다.

오답해설 ① 윗글의 3행에서 시간적 배경이 저녁임이 드러나 있고, 9행에서 계절적 배경이 가을임이 나타나 있다. 그러나 시간의 순서를 역전하는 역순행적 구성을 보이고 있지는 않다.
② 윗글의 앞 부분에서는 가을날 농촌의 풍요로움이 나타나 있고 뒷부분에는 답답한 화자의 마음이 드러나 있다. 그러나 시어를 점층적으로 반복한 부분은 찾을 수 없고, 이로 인해 화자의 정서가 고조되지도 않았다.
③ 윗글의 화자는 해오라기를 의인화하여 자신의 처지와 대비하여 자신의 마음을 드러내고 있다. 그러나 하나의 시어와 관련된 다른 관념이 꼬리에 꼬리를 무는 형식으로 연결되는 연상 작용은 구사하지 않았다.
④ 윗글은 앞 부분에는 풍경을 묘사하고 뒷부분에는 정서를 드러내는 선경후정의 방식으로 전개되고 있다. 그러나 처음과 마지막에 같거나 비슷한 내용을 배치하여 상응시키는 수미 상관의 시상 전개 방식을 사용하지는 않았다.

02 작품 간 공통점 파악 정답 ①

정답해설 윗글의 화자는 가을걷이가 가까워진 들녘에서 자신의 처지와 대비되는 우뚝 훤칠하게 서 있는 해오라기를 바라보고 있다. 그러면서 13행의 '내 인생은 홀로 무얼 하는 건가?'와 같은 표현을 통해 학문적 성취가 미진한 자신의 처지에 대해 한탄하는 마음을 표현하고 있다. 그리고 [보기]의 화자는 어렸을 적 노인을 보고 비웃던 자신이 어느새 백발노인이 되었음을 탄식하고 있다. 따라서 윗글과 [보기]의 글쓴이는 모두 자신을 돌아보고 있다고 할 수 있다.

오답해설 ② 윗글에서의 자연은 수확을 앞둔 풍요로운 모습으로 나타나며, 화자는 수확을 앞둔 가을날 학문적 성취를 이루지 못한 자신에 대해 안타까움을 느끼고 있다. 그러나 [보기]의 화자는 자신의 늙음을 한탄하고 있을 뿐, 자연에 대해 언급하지 않았으므로 자연에서 발견한 삶의 가치를 전달하고 있다고 보기 어렵다.
③ 윗글의 1~2행을 통해 화자가 학문 탐구에 열정이 있는 사람임을 짐작할 수 있고, 14행에서 숙원이 오랫동안 풀리지 않는다고 하는 걸로 보아 화자가 학문적 성취를 이루고 싶어 한다는 것을 알 수 있다. 또 [보기]의 화자는 제3수를 통해 소년행락이 어제 같지만 이미 자신은 늙었다면서 한탄하

고 있음을 알 수 있다. 따라서 윗글의 화자와 [보기]의 화자 모두 욕심 없는 삶에 대해 다짐하고 있다고 보기는 어렵다.
④ 윗글의 화자는 자신이 학문적 성취를 이루지 못함에 대해 안타까워하고 있고, [보기]의 화자는 이미 늙어버린 것에 대해 탄식하고 있다. 따라서 두 화자가 시련을 극복하고자 하는 의지를 가지고 있다고 볼 수는 없다.
⑤ 윗글의 화자는 학문적 성취를 이루지 못한 자신에 대해 안타까움을 느끼고 있지만, 16행에 나타나 있듯이 거문고만 타면서 괴로워하고 있다. 또 [보기]의 화자는 자신의 늙음을 한탄하고 있을 뿐, 젊음을 되찾기 위해 어떤 구체적인 행동을 취하고 있는 것은 아니다. 따라서 두 화자가 이상적인 삶을 살아가려는 욕구를 형상화하고 있다고 보기는 어렵다.

신계영, 「탄로가(嘆老歌)」

- **갈래**: 연시조
- **해제**: 탄로가는 전체 3수로 구성된 연시조로, 늙음을 한탄하는 내용을 다루고 있다. <제1수>에서는 표면적으로는 아이를 훈계하고 있지만, 내면적으로는 쉽게 늙어버린 스스로를 탄식하고 있다. <제2수>에서는 젊은 마음과 늙은 자신의 모습을 거울을 매개로 대조하고 있으며, <제3수>에서는 병든 백발의 화자가 소년행락의 즐거움을 돌이킬 수 없는 현재의 처지에 대해 느끼는 서글픔을 드러내고 있다.
- **주제**: 늙음에 대한 한탄

03 자료를 통한 시어의 의미 파악 정답 ❷

정답해설 [보기]에서는 윗글의 작가인 이황이 자연을 벗하면서 학문 수양에 전념하려 노력했다고 하였다. 또 이황이 옛 성현들이 도달했던 학문적 이상을 추구하면서 학문 수양의 길을 걸었다고도 하였다. 그러므로 윗글에서 화자가 말하고자 한 '회포'는 이황의 오랜 숙원이었던 학문적 성취나 결실을 맺지 못한 것에 대한 아쉬움이나 안타까움을 드러낸 것이라고 할 수 있다.

오답해설 ① 화자는 자신의 학문적 성취가 미흡한 것에 대한 회한의 정서를 드러내고 있을 뿐, 학문의 길을 포기하지는 않았다.
③ [보기]에서 이황이 벼슬을 사직하고 향리로 돌아와 학문 수양에 힘썼다고 하였으므로, 윗글의 화자가 학문을 통해 높은 벼슬에 오르려 했다고 보기는 어렵다.
④ [보기]의 「도산십이곡」 내용을 고려하면, 이황은 옛 성현을 본받아 학문 수양을 하는 것이 학문을 통해 옛 성현과 만나는 것이라고 생각했을 것이라고 추측할 수 있다.
⑤ 윗글에서 화자는 자신의 오랜 숙원이었던 학문적 성취를 이루지 못한 것을 아쉬워하고 있다. 그러나 자연을 벗하는 즐거움을 누리지 못한 것에 대해서는 언급하지 않았다.

이황, 「도산십이곡」

- **갈래**: 연시조
- **해제**: 자연에 살고 싶은 소망과 학문에 정진하려는 자세를 노래한 총 12수의 연시조이다. 전반부에서는 도산 서원 주변의 경관에 대한 감흥과 자연에 대한 사랑을 드러내고 있으며, 후반부에서는 학문 수양에 대한 끝없는 의지와 학문에 임하는 심경을 노래하고 있다.
- **주제**: 자연 친화적 삶과 학문 수양에의 다짐 * 참고: 본문 108쪽

한시 084 무어별(無語別)

임제(1549~1587) 조선 선조 때의 문신. 당대 명성을 떨쳤던 문장가로, 호방하고 명쾌한 시풍으로 알려져 있다. 작품으로는 「수성지」, 「원생몽유록」, 「화사」 등의 한문 소설과 시조 3수 등이 있다.

01 표현상의 특징 파악 정답 ❸

정답해설 승구의 '헤어졌어라.'라는 구절에서 시적 대상인 '아가씨'가 사랑하는 사람과 이별한 처지임을 알 수 있다. 그러나 유사한 시구를 반복하여 시적 대상인 '아가씨'의 처지를 강조하고 있는 부분은 찾을 수 없다.

오답해설 ① 결구의 '배꽃'과 '달'은 봄밤의 애상적 분위기와 임과 이별한 아가씨의 슬픔을 심화하고 있다.
② 승구의 '-어라'라는 감탄형 종결 어미를 통해 임과 말도 제대로 하지 못하고 헤어진 '아가씨'의 심정을 드러내고 있다.
④ 결구의 '배꽃'과 '달'은 백색의 시각적인 이미지를 가진 시어로 애상적이고 애련한 분위기를 조성하고 있다.
⑤ 시적 화자는 작품 표면에 나타나지 않으면서, 시적 대상인 '아가씨'가 임과 말없이 이별한 후 슬퍼하고 있는 시적 상황을 객관적으로 전달하고 있다.

한시 085 봄비

허난설헌(1563~1589) 조선 중기의 여류 시인으로 본명은 초희, 호는 난설헌(蘭雪軒). 자신의 비통하고 불행한 처지를 섬세한 필치와 여성적 감각으로 승화한 한시를 많이 창작하였다. 동생 허균이 허난설헌의 사후에 흩어진 시들을 모아 편찬한 『난설헌집』이 전해진다.

01 자료를 통한 감상의 적절성 파악 정답 ❺

정답해설 결구에서 '살구꽃'은 담 위에서 지고 있다고 하였다. 이는 규방에서 외롭고 쓸쓸하게 젊은 시절을 보내고 있는 화자의 모습과 유사하다고 볼 수 있다. 그러므로 '살구꽃'은 화자의 쓸쓸한 정서를 드러내는 것이지, 작가의 남편과 인연을 맺은 새로운 여인을 의미한다고 보기는 어렵다.

오답해설 ① 기구의 '봄비' 내리는 '못'은 화자가 있는 곳으로, [보기]에서 언급한 노류장화의 풍류에 빠진 남편 때문에 규방에서 독수공방하는 작가의 쓸쓸한 심정을 심화하는 역할을 한다.
② 승구의 '찬 바람'은 '장막'에 스며드는 것으로, 규방에 혼자 있어 외로움을 느끼는 작가의 처지를 드러낸다.
③ 승구의 '장막'은 찬 바람이 스며드는 곳으로, 화자가 남편도 없이 홀로 독수공방하고 있는 규방을 의미한다.
④ 전구의 '뜬시름'은 화자가 느끼는 외롭고 쓸쓸한 정서를 의미한다. [보기]를 고려하면 이는 고독하게 규방을 지키던 작가의 한(恨)을 의미한다고 볼 수 있다.

제Ⅲ부

한시 086 사시사(四時詞)

01 시구의 의미 파악 정답 ④

정답해설 〈추사〉의 '은하수'와 '새벽별'은 화자가 임에 대한 그리움을 달래기 위해 마련한 옷과 편지를 봉한 후 본 것으로, 시간이 흘러 새벽이 되었다는 것을 의미한다. 즉 '은하수'와 '새벽별'은 화자의 쓸쓸한 심리와 대비되는 대상일 뿐, 임과 지내던 시절을 회상하는 것과는 거리가 멀다.

오답해설 ① 〈추사〉의 '구슬 병풍은 더욱 차갑다'는 촉각적 이미지를 통해 화자의 외로움을 극대화한 표현이다.
② 〈추사〉의 '오동잎은 떨어져'는 하강의 이미지로, 가을의 계절감을 드러내면서 쓸쓸한 분위기를 나타낸다.
③ 〈추사〉의 '임의 옷'과 '편지 한 장'은 화자가 임에게 보내려고 하는 것들로, 임에 대한 화자의 마음을 상징하며 화자의 그리움과 사랑을 전달하는 매개체이다.
⑤ 〈추사〉의 '지는 달'이 '정답게' 내 방을 엿본다는 것은 달을 의인화하여 표현한 부분으로, 화자의 외로움을 달이 위로해 준다는 의미이다.

02 자료를 통한 감상의 적절성 파악 정답 ②

정답해설 윗글은 〈춘사〉, 〈하사〉, 〈추사〉, 〈동사〉로 구성되어 있으며, 각 계절의 특징적인 경치를 묘사하고 이에 따른 화자의 정서를 드러내는 선경후정의 방식으로 주제를 드러내고 있다. 그러므로 〈추사〉인 [C]와 〈동사〉인 [D]에서 선경후정의 방식을 사용하지 않았다고 보는 것은 적절하지 않다.

오답해설 ① 〈춘사〉의 '풀숲'은 화자를, '나비'는 임을, '꽃밭'은 다른 여인을 의미한다. 화자의 입장에서 보았을 때 다른 여인은 연애의 경쟁자, 즉 연적을 의미한다고 볼 수 있다. 그러나 〈하사〉, 〈추사〉, 〈동사〉에서는 연적을 나타내는 비유적인 표현은 언급되어 있지 않다.
③ 〈춘사〉의 '봄비', '봄기운'과, 〈추사〉의 '그림자 없는 가을'에서 계절적 배경을 직접적으로 드러내는 시어를 찾아볼 수 있다. 그러나 〈하사〉와 〈동사〉에서는 계절적 배경을 직접적으로 드러내는 시어를 찾을 수 없다.
④ 〈춘사〉의 '앵무새', 〈하사〉의 '갈매기', 〈추사〉의 '은하수'와 '새벽별'은 화자의 외로운 처지나 어두운 심리와 대비되는 객관적 상관물이다. 그러나 〈동사〉에서는 '비단 이불은 차갑기만 하여라'처럼 촉각적 이미지를 활용하여 화자의 처지나 심리를 드러내고 있을 뿐, 객관적 상관물을 활용하여 화자의 정서를 드러낸 부분은 찾을 수 없다.
⑤ 〈춘사〉의 '찬 봄기운이 스며들고', 〈추사〉의 '비단 장막으로 찬 기운 스며들고', '구슬 병풍은 더욱 차갑다.', '차디찬 금침', 〈동사〉의 '비단 이불은 차갑기만 하여라' 등은 촉각적 이미지를 통해 임의 부재 때문에 화자가 느끼는 외로움을 드러내고 있다. 그러나 〈하사〉에서는 '벌만이 윙윙대는구나.', '꾀꼬리 울음소리', '채릉곡을 부르는데'에서 청각적 이미지를 활용하고 있을 뿐, 촉각적 이미지를 활용하지는 않았다.

03 시어의 의미 파악 정답 ⑤

정답해설 윗글의 화자는 ㉠'비단 장막'이 드리워진 곳에서 사랑하는 임을 그리워하고 있다. 그리고 [보기]의 화자는 임과 사랑하는 동안 함께 서서 보던 ㉡'숲'에서 임을 그리워하고 있다. 따라서 ㉠과 ㉡은 화자가 사랑하는 대상을 그리워하는 공간이라고 볼 수 있다.

오답해설 ① ㉠은 찬 기운이 스며드는 공간으로, 화자가 임을 그리워하는 장소이다. 따라서 심리적 갈등을 해소하는 공간이라고 보기는 어렵다.
② ㉡은 임과 사랑할 때 함께 서서 보던 곳으로, 지금은 잎들이 지고 있는 상태이다. 화자는 잎이 지는 것을 바라보며 임을 그리워하고 있을 뿐, 자책을 하고 있다고 보기는 어렵다.
③ ㉠은 임이 없는 공간이므로 충족감을 느낄 수 있는 공간이라고 볼 수 없다.
④ ㉡은 임과 헤어진 화자가 임을 그리워하며 바라보고 있는 공간일 뿐, 현실에서 도피하기 위한 공간이라고 볼 수 없다.

도종환, 「가을비」

- **갈래**: 자유시(서정시)
- **해제**: 가을비, 낙엽, 바람으로 이어지는 시상의 흐름을 따라 사랑과 이별이 반복되는 세상살이에서 느끼는 삶의 고독과 쓸쓸함을 읊은 현대시이다. 인간의 보편적 삶의 모습이 자연의 순리에 따르는 삶과 같다는 작가의 생각이 드러나 있다.
- **주제**: 사랑과 인생의 유한함

시조 087 가노라 삼각산아 다시~

김상헌(1570~1652) 조선 중기의 문신으로 호는 청음. 병자호란 때 청나라와 끝까지 싸우기를 주장하였고, 병자호란 이후 청나라 심양으로 잡혀가 모진 고초를 겪었다. 『청구영언』 등에 시조 4수가 전하고, 저서로 『야인담록』 등이 있다.

01 표현상의 특징 파악 정답 ⑤

정답해설 윗글은 대구법, 의인법, 대유법을 사용하여 나라에 대한 화자의 사랑을 드러내었고, 영탄법을 사용하여 고국을 떠나는 불안감을 표현하였다. 따라서 다양한 표현 방법을 활용하여 정서를 드러내고 있을 뿐, 화자의 정서와 대비되는 대상을 내세워 정서를 드러낸다고 보는 것은 적절하지 않다.

오답해설 ① 초장의 '가노라 삼각산아'와 '다시 보자 한강수야'에서 대구법을 사용하여 운율을 형성하였다.
② 초장의 '삼각산'과 '한강수'에 호격 조사인 '아, 야'를 덧붙여 사람처럼 부르고 있으며, 이를 통해 고국 산천에 대한 친근감을 표현하고 있다.
③ 종장의 '올동 말동 ᄒᆞ여라.'에서 영탄법을 사용하여 나라를 떠나는 화자의 불안감을 드러내고 있다.
④ 초장의 '삼각산'과 '한강수'는 고국 산천을 대신해 쓰인 대유적 표현으로, 화자가 말하려는 조국을 가리킨다.

시조 088 국화야, 너난 어이~

이정보(1693~1766) 조선 후기의 문신. 만년에 벼슬을 그만두고 산수를 즐기며 여생을 보냈으며, 한시와 시조에 능했다. 『해동가요』에 시조 78수가 전한다.

01 자료를 통한 감상의 적절성 파악 정답 ①

정답해설 윗글의 '국화'는 화자가 '오상고절'이라고 칭하면서 예찬하는 대상으로, 지조와 절개를 상징한다. 따라서 '국화'는 화자가 추구하는 윤리적 덕목을 가진 존재라고 할 수 있다.

오답해설 ② 초장의 '삼월'은 따뜻한 봄날을 의미하므로, 어지러운 정치적 현실과는 거리가 멀다.
③ 중장의 '낙목'은 잎이 진 나무를 의미하며 시련을 상징한다. 따라서 친화의 대상으로 보기는 어렵다.
④ '한천'은 겨울의 차가운 하늘을 의미하며 시련과 고난을 상징한다. 따라서 '한천'이 예찬의 의미를 담고 있다고 보기는 어렵다.
⑤ 종장의 '오상고절'은 심한 서릿발 속에서도 굴하지 아니하고 외로이 지키는 절개를 의미하며, 초장의 '국화'를 가리킨다. 따라서 '오상고절'을 때 묻지 않은 자연을 상징한다고 보는 것은 적절하지 않다.

시조 089 노래 삼긴 사룸~

신흠(1566~1628) 조선 중기의 문신으로, 호는 상촌. 성리학의 한 갈래인 정주학파로도 유명하며, 시와 문장이 뛰어났다. 저서로는 『상촌집』이 전한다.

01 작품 간 공통점과 차이점 파악 정답 ②

정답해설 윗글은 노래라도 불러 시름을 풀고 싶다는 내용의 시조이다. 그리고 [보기]는 길을 잃고 헤매는 행인들을 위해 화자가 큰 배를 만들어 다 건네주려고 하였으나 사공이 변변하지 못하여 그 뜻을 실현할 수 없다는 내용의 시조이다. 따라서 윗글과 [보기]에는 현재의 상황만 제시되어 있으므로 문제가 해결된 후의 상황이 제시되어 있다고 볼 수 없다.

오답해설 ① 윗글의 화자는 시름이 많다며 노래를 불러 시름을 풀고 싶다고만 하였을 뿐, 그 원인에 대해서는 언급하지 않았다. 그러나 [보기]의 화자는 '제세주'를 만들어 '길 잃은 행인을 다 건네려 하였'지만 결국 그 뜻을 이루지 못해서 탄식하고 있다. 따라서 윗글과 달리 [보기]에는 화자가 고민하는 이유가 제시되어 있다고 볼 수 있다.
③ 윗글의 종장에서 '불러 보리라.'라고 하면서 시름을 없애기 위해 노래를 부르겠다는 화자의 의지를 드러내며 시상을 마무리하고 있다. 하지만 [보기]에서는 사공이 변변하지 못해 행인들을 건네주지 못했다는 상황이 언급되어 있을 뿐, 화자의 의지는 나타나 있지 않다.
④ 윗글의 초장에는 시름이 많은 사람이 노래를 지어서 불렀을 것이라는 내용이 제시되어 있다. 그러나 [보기]에는 추측한 내용이 언급되어 있지 않다.
⑤ 윗글의 화자는 '노래'를 불러 시름을 잊고자 하였고, [보기]의 화자는 '제세주'를 만들어 길 잃은 사람들을 도우려 하였다.

박인로, 「자경」

- **갈래**: 연시조
- **해제**: 이 작품은 스스로의 행동을 경계하는 마음을 담은 3수로 된 연시조이다. 박인로는 혼탁한 시대를 구하고자 하였지만, 결국은 그러한 기회가 주어지지 않아 은사(隱士, 예전에 벼슬하지 아니하고 숨어 살던 선비)로서 세월을 보내게 되었다. 그래서 이 작품을 통해 자기의 능력이 미치지 못함을 자탄하며 항상 마음으로 자신을 경계하고자 하였다. 제시된 부분은 3수 중 마지막 수로, 혼탁한 세상을 구하지 못하는 자신을 한탄하는 내용을 담고 있다.
- **주제**: 스스로의 마음과 행동에 대한 경계

• **현대어 풀이**: 구인산의 큰 소나무를 베어 세상을 구할 만한 배를 만들어 / 길 잃은 행인을 다 건네주려고 하였더니 / 사공이 변변치 못하여 저물어 가는 강가에 (배를) 버렸구나.

시조 090 혓가레 기나 쟈르나~

01 시어와 시구의 의미 파악 정답 ③

정답해설 중장의 '수간모옥'은 몇 칸 안 되는 작은 초가로, 소박한 삶을 영위하는 공간이다. 화자는 이 '수간모옥'에서 세속에 대한 욕심 없이 온 자연을 누리는 것에 만족감을 느끼며 살아가고 있다.

오답해설 ① 초장의 '혓가레'나 '기동'은 화자가 길고 짧거나, 기울거나 갈라지거나 개의치 않는 존재이다. 따라서 '혓가레'와 '기동'은 화자의 가난하고 소박한 삶의 모습을 드러내는 소재일 뿐, 화자의 삶을 지탱하는 중요한 요소라고 볼 수 없다.
② 화자는 초가집의 기둥이 기울거나 갈리지는 상황에서도 중장에서 언급한 것처럼 자신의 삶을 비웃는 타인들에게 작다고 비웃지 말라고 한다. 또한 종장에서 만산낙월이 자신의 것인가 한다면서 자족하고 있으므로, 화자가 자신의 삶을 반성적으로 돌아보고 있다고 보기는 어렵다.
④ '어즈버'는 시조에 상투적으로 나타나는 감탄사로, 긍정적인 표현이나 부정적인 표현에 모두 쓰일 수 있다. 그러나 윗글의 화자는 자신의 처지를 슬퍼하지 않고 즐기며 소박한 삶에 만족하고 있으므로 '어즈버'를 가난한 삶에 대한 탄식으로 보기는 어렵다.
⑤ '만산나월'은 실제 소유할 수 있는 것이 아니라 화자가 즐기는 자연이다. 따라서 화자가 세속에 대해 욕망을 갖고 있다고 볼 수 없다.

시조 091 집 방석 내지 마라~

한호(1543~1605) 조선 중기의 문신이자 서예가로, 호는 석봉. 당시 중국의 서체와 서풍을 모방하던 풍조를 깨트리고 자신의 독창적인 서체와 서풍을 개척하였다. 국가의 여러 문서와 외교 문서를 도맡아 썼다.

01 화자의 태도 파악 정답 ⑤

정답해설 윗글의 화자는 달빛 아래에서 낙엽 위에 앉아 소박한 안주에 술을 마시려고 한다. 이를 통해 윗글의 화자는 안빈낙도하는 삶을 추구하고 있음을 알 수 있다. [보기]를 보면, [E]의 '단표누항'은 누추한 곳에서 먹는 한 그릇의 밥과 한 바가지의 물을 의미한다. 즉 화자는 단표누항이어도 이만한들 어떠냐면서 만족감을 드러내고 있다. 따라서 [E]가 윗글에 나타난 화자의 태도와 가장 유사한 부분이라고 할 수 있다.

오답해설 ① [A]는 화자가 복숭아꽃을 보며 무릉을 떠올리는 부분이다. 여기에서는 자연 속에서 풍류를 즐기는 화자의 태도가 드러날 뿐, 안빈낙도의 태도는 드러나지 않는다.
② [B]는 화자가 자신이 사는 공간을 현실 세계가 아닌 무릉도원, 즉 이상향으로 받아들이는 태도가 드러난 부분이다. 따라서 이를 안빈낙도의 태도라고 보기는 어렵다.
③ [C]는 화자가 산에 오르는 모습을 묘사한 부분이다. 구름 속에 앉는다면서 자신을 신선처럼 묘사하고는 있지만, 이것과 안빈낙도의 태도는 거리가 멀다.
④ [D]는 산봉우리에서 본 봄을 맞은 마을의 경치를 묘사한 부분이다. 경치의 아름다움을 언급하고는 있지만 소박한 삶을 추구하는 것과 유사하다고 보기는 어렵다.

정극인, 「상춘곡」

• **갈래**: 가사
• **해제**: 속세를 떠나 자연을 벗 삼아 안빈낙도하는 삶을 즐기겠다는 작기의 생활 철학과 물이일체의 기치관이 잘 드러난 기시이다. 서사·본사·결사의 3단 구성으로, 서사에서는 시냇가에 집을 짓고 자연의 주인이 된 즐거움이 드러나 있다. 본사에서는 봄을 맞이하여 자연 속에서 체험한 물아일체의 경지와 풍류적인 생활이 나타나 있으며, 결사에서는 안빈낙도하는 삶에 대한 만족감이 언급되어 있다.
• **주제**: 봄 경치의 완상과 안빈낙도
• **현대어 풀이**: 고운 모래 맑은 물에 잔을 씻어 들고, 맑은 물을 굽어보니 떠오는 것이 복숭아꽃이로구나. 무릉도원이 가깝도다. 저 들이 무릉도원인가? 소나무 숲 사이의 좁은 길에 진달래꽃을 붙들고, 산봉우리에 급히 올라 구름 속에 앉아 보니, 수많은 마을이 곳곳에 벌여 있네. 안개와 노을과 빛나는 햇살은 수놓은 비단을 펼쳐 놓은 듯하구나. <중략> 누추한 곳에서 가난하게 생활해도 헛된 생각 아니하네. 아무튼 한평생 살아가는 즐거움이 이만하면 어떠하리.

* 참고: 본문 118쪽

시조 092 청산도 절로절로 녹수도~

송시열(1607~1689) 조선 숙종 때의 문신이자 학자로 자는 영보, 호는 우암 또는 우재. 주로 연군과 강호가도를 담은 시조를 썼다. 저서에 『주자대전차의』, 『송자대전』 등이 있다.

01 종합적 감상의 적절성 파악 정답 ①

정답해설 윗글에서는 초장과 중장을 대구적으로 배치하여 자연의 순리를 따르며 살아가고자 하는 마음을 드러내고 있다. 그러나 윗글에서 직유법이 활용된 부분은 찾아볼 수 없다.

오답해설 ② 중장과 종장은 산도 저절로 물도 저절로 자신도 자연 속에 저절로 자라고 늙는다는 의미이다. 따라서 자연과 하나가 되는 물아일체의 경지가 드러나 있다고 볼 수 있다.
③ 각 장은 '절로'가 반복되고 있는데, 여기에서의 'ㄹ'은 유음으로 부드러운 느낌과 경쾌한 느낌을 주면서 운율을 형성하고 있다.
④ 윗글의 화자는 자연에서 저절로 자란 몸이 늙는 것도 저절로 하고 있다면서 자연의 섭리를 따라 순응하는 삶을 살겠다는 태도를 보이고 있다.
⑤ 초장의 '청산'과 '녹수'는 자연 속에서 저절로 살아가는 존재로, 자연의

섭리를 따르는 자연물이다. 따라서 자연의 섭리에 순응하는 삶을 살겠다는 화자와 유사한 특성을 갖고 있다고 볼 수 있다.

시조 093 님이 혜오시매 나는~

01 시어의 관계 파악 정답 ③

정답해설 윗글의 ㉠은 임금 혹은 남성이며, ㉡은 임금께 버림받은 신하 혹은 연인에게 버림받은 여인으로 볼 수 있다. [보기]의 ⓐ는 신하 혹은 임에게 외면받는 여인으로, ⓑ는 임금 혹은 남성으로 볼 수 있다. 따라서 ⓐ는 ㉡과 유사한 존재로, ⓑ는 ㉠과 유사한 존재로 볼 수 있다. 두 작품은 신하 혹은 여인인 ⓐ와 ㉡이 임금이나 남성인 ⓑ와 ㉠에게 사랑을 갈구하거나 억울함을 하소연하는 내용이므로, ⓐ와 ㉡이 ⓑ와 ㉠을 잊으려 한다고 보기는 어렵다.

오답해설 ① ㉠과 ㉡의 관계는 표면적으로는 남성과 여성, 이면적으로는 임금과 신하의 관계이다. ⓑ와 ⓐ의 관계 역시 표면적으로는 남성과 여성, 이면적으로는 임금과 신하의 관계이므로 유사한 관계라고 볼 수 있다.
② ㉡은 ㉠이 다른 사람을 사랑하게 되어서 헤어지게 되어 서러움을 느끼고 있다. ⓐ는 모함에 의해 ⓑ와 헤어지게 되었으므로 억울함을 느끼고 있다.
④ ㉡은 ㉠이 다른 사람을 사랑하게 되어서 이별하였고, ⓐ는 억울한 누명을 쓰게 되어서 ⓑ와 이별하였다. 따라서 ㉡과 ⓐ는 각각 ㉠과 ⓑ와의 관계에서 어려움을 겪고 있다고 볼 수 있다.
⑤ ㉡은 ㉠의 판단에 의해 ㉠과 헤어지게 되었으며, ⓐ는 ⓑ의 판단에 의해 ⓑ와 헤어지게 되었다. 따라서 ㉡과 ⓐ는 ㉠과 ⓑ에 비해 관계에서 수동적이라고 볼 수 있다.

윤선도, 「견회요」

- **갈래**: 연시조
- **해제**: 임금을 향한 충성심과 부모에 대한 간절한 그리움이 드러난 총 5수의 연시조이다. 작가가 당시에 권세를 잡았던 이이첨 등의 죄를 규탄하는 상소문을 올렸다가 오히려 유배되었을 때 지은 작품이다. 제시된 부분은 <제2수>로, 자신의 억울한 심정과 결백을 주장하는 내용이다.
- **주제**: 유배지에서 느끼는 정회
- **현대어 풀이**: 내 일이 잘못된 줄을 나라고 하여 모르겠는가? / 이 마음이 어리석은 것도 (모두) 임을 위하기 때문일세. / 아무개가 아무리 헐뜯어도 임께서 헤아려 주십시오.

* 참고: 본문 179쪽

시조 094 강산 죠흔 경을~

김천택(?~?) 조선 영조 때의 시조 작가이자 가객으로, 호는 남파. 평민 출신으로 창곡에 뛰어났다. 영조 4년(1728)에 『청구영언』을 편찬하여 시조 정리와 발전에 공헌하였다.

01 작품의 구조 파악 정답 ③

정답해설 윗글의 초장에서는 '힘센 사람들이 자연을 두고 다툰다면'이라고 가정하고 있다. 중장에서는 초장의 가정을 화자의 모습에 적용하여 힘과 권력이 없는 화자가 어찌 자연을 얻겠느냐며 판단하고 있다. 종장에서는 초장의 가정을 부정하면서 화자를 포함한 누구나 자연을 즐길 수 있음을 결론내리고 있다. 이러한 구조로 보았을 때, (B)에서는 (A)의 가정을 화자의 처지에 적용하고 있을 뿐, (A)의 가정을 바탕으로 새로운 대안을 찾고 있다고 보기는 어렵다.

오답해설 ① (A)에서는 '힘센 이'로 표현된 '세속적 권력을 가진 자'가 '강산'으로 표현된 '자연의 경치'를 두고 다툰다고 표현함으로써 '자연의 경치마저 권력 다툼의 대상이 된다면'이라고 가정하고 있다.
② (B)에서는 '닋 힘과 닋 분으로'라고 언급하여 (A)의 가정을 화자 자신의 처지에 적용하고 있다.
④ (C)에서는 '진실로 금ᄒᆞ리 업쓸씌'라고 표현하여 (A)의 가정을 부인하고 있다.
⑤ (A)의 가정을 (B)에서 화자의 처지에 적용하는 과정을 거쳐 (C)에서는 '나도 두고 논이노라.'라고 표현함으로써 화자를 포함한 누구나 자연을 누릴 수 있다는 결론을 도출하고 있다.

시조 095 백구ㅣ야 말 무러보자~

01 자료를 통한 시어의 의미 파악 정답 ④

정답해설 '명구승지'는 경치가 좋기로 이름난 곳을 의미하며, 화자는 이곳에서 백구와 놀겠다고 하였다. 이는 화자가 이곳에서 자연과 하나 되어 즐기는 삶을 추구하고 있다고 볼 수 있다. 따라서 ㉠은 그 속에서 노닐고 삶을 즐기는 공간으로서의 자연을 의미한다고 할 수 있다.

오답해설 ① 화자는 자연 속에서의 즐기는 삶을 추구할 뿐, 현실을 도피하고 있다고 볼 수 없다.
② 화자는 자연 속에서 유유자적하는 삶을 추구할 뿐, 삶에 대해 반성하거나 성찰하고 있지 않다.
③ 현실적인 삶의 터전으로서의 자연은 농사를 짓고 땀을 흘리는 공간으로 그려진다. 그러나 윗글에서는 자연 속에서 노닐고자 할 뿐, 삶의 터전인 자연의 모습은 나타나지 않는다.
⑤ 윗글의 화자는 자연과 하나되어 노닐고자 할 뿐, 속세에 대해서 언급하고 있지 않다. 따라서 잃어버린 속세에 대한 보상적 공간으로서의 자연의 모습도 나타나지 않는다.

시조 096 동기로 세 몸 되어~

박인로(1561~1642) 조선 중기의 문신으로 호는 노계. 임진왜란 때 수군(水軍)으로 참전하였으며, 벼슬에서 물러난 후에는 시작(詩作) 활동에 전념하였다. 작품으로 「태평사」, 「사제곡」, 「선상탄」 등이 있다.

01 작품 간 공통점과 차이점 파악 정답 ④

정답해설 윗글 종장의 '문외'는 화자가 서 있는 장소로, 동생들을 기다리고 있는 공간이다. [보기]의 '만중 운산' 또한 화자가 현재 있는 장소로, '님'을 기다리는 공간이라고 할 수 있다. 그러나 이 두 공간이 이별의 장소였다는 근거는 각 작품에서 찾을 수 없다.

오답해설 ① 윗글의 '아우'와 [보기]의 '님'은 모두 화자가 돌아오기를 기다리는 그리움의 대상이다.
② 윗글의 '돌아올 줄 모르는고.'와 [보기]의 '어닉 님 오리마는'은 모두 돌아오지 않는 대상 때문에 이별의 상황이 지속되고 있는 것에 대한 안타까움을 드러내고 있는 부분이다.
③ 윗글의 '석양'은 저녁 때의 햇빛을 가리키며, [보기]의 '지는 닙'은 나뭇잎이 지는 모습을 표현한 것이다. 따라서 이 두 시어는 시각적 심상을 통해 대상을 나타내고 있다고 볼 수 있다.
⑤ 윗글의 '한숨'은 동생을 기다리는 화자의 그리움과 안타까움을, [보기]의 'ᄆᆞ음이 어린'은 임을 기다리는 화자의 사랑과 그리움을 드러낸다고 볼 수 있다.

서경덕, 「ᄆᆞ음이 어린 후ㅣ니~」

- **갈래**: 평시조
- **해제**: 이 작품은 임과 헤어져 있는 상황에서 임에 대한 사랑과 그리움을 노래한 시조로, 서경덕이 황진이를 기다리며 지었다고 한다. 떨어지는 낙엽 소리와 바람 소리 같은 미세한 움직임에도 마음을 쓰는 화자의 모습을 통해 그리움의 정서를 효과적으로 드러내고 있다.
- **주제**: 임을 기다리는 마음
- **현대어 풀이**: 마음이 어리석으니 하는 일마다 모두 어리석다. / 겹겹이 구름 낀 산중이니 임이 올 리 없건마는 / 떨어지는 잎과 부는 바람 소리에도 행여나 임인가 하노라.

* 참고: 본문 97쪽

시조 097 공명을 즐겨 마라~

김삼현(?~?) 조선 숙종 때의 시인. 정3품 절충장군의 벼슬을 지냈으며, 관직에서 물러난 후에는 강호에 은거하면서 시를 짓고 지냈다. 명랑하고 낙천적인 시로 유명하며, 작품에 「크나큰 바희 우화」, 「송단에 선 줌 ᄉᆡ기야~」 등이 있다.

01 작품 간 공통점과 차이점 파악 정답 ④

정답해설 윗글의 화자는 공명과 부귀를 멀리하고 일신이 한가한 삶을 추구하고 있으며, [보기]의 화자는 자연을 즐기는 삶을 추구하고 있다. [보기]의 '닉 분'은 자신의 분수를 의미하므로, 화자가 추구하는 분수에 맞는 삶은 자연 속에서 노니는 삶이라고 할 수 있다. 윗글의 화자가 추구하는 '한가커니' 사는 삶도 부귀와 공명을 멀리하고 자연 속에서 한가하게 사는 삶을 의미하므로, [보기]의 '닉 분'에 맞는 삶과 의미상 유사하다고 할 수 있다.

오답해설 ① 윗글의 '영욕'은 '공명'을 추구했을 때 나타날 수 있는 결과이고, [보기]의 '닷톨 양'의 목적은 '강산'을 자신의 것으로 만드는 것이다. 따라서 [보기]의 '닷톨 양'의 목적과 윗글의 '영욕'은 서로 관련이 있다고 보기 어렵다.
② 윗글의 '위기'를 맞는 사람이 가지려고 한 것은 '부귀'이고, [보기]의 '강산'은 권력이 있는 사람들이 가지려고 다투는 아름다운 자연이다.
③ 윗글의 '우리'는 자연 속에서 한가로움을 즐기는 사람을 의미한다. 반면 [보기]의 '금ᄒᆞ리'는 자연을 즐기는 것을 금지하는 사람을 의미한다. 따라서 '금ᄒᆞ리'와 '우리'는 유사한 존재라고 볼 수 없다.
⑤ 윗글의 '두려온 일'이 없는 사람은 부귀와 공명을 멀리하고 한가하게 지내는 사람을 의미하고, [보기]의 '힘센 이'는 세속적인 권력자를 의미한다. 따라서 [보기]의 '힘센 이'를 윗글의 '두려온 일' 없는 사람이라고 보기는 어렵다.

김천택, 「강산 죠흔 경을~」

- **갈래**: 평시조
- **해제**: 이 작품은 자연의 아름다움을 만끽하고 싶은 깊은 열망을 노래한 시조이다. 자연은 세속적 권력자만이 즐기는 것이 아니라, 화자와 같이 권력과 부귀가 없는 사람도 즐길 수 있는 것이라고 표현하였다.
- **주제**: 누구나 즐길 수 있는 자연
- **현대어 풀이**: 강산의 아름다운 경치를 차지하기 위해 힘센 사람들이 다툴 것이라면 / 내 힘과 내 분수로 어떻게 (자연을) 얻을 수 있겠는가? / 진실로 (자연을 사랑하고 즐기는 것을) 금할 사람이 없으므로 나 같은 사람도 두고 즐기노라.

* 참고: 본문 169쪽

시조 098 숨에나 님을 볼려~

호석균(?~?) 풍류와 호화를 즐기던 선비 출신으로 중년에 입산수도한 승려로 추정된다. 작품에 「추강에 셧는 비는~」 등이 있다.

01 작품 간 공통점과 차이점 파악 정답 ②

정답해설 윗글의 ㉠은 두견새의 울음소리를 의미하며, '자규'는 화자가 임을 만나는 수단인 잠을 깨우는 존재이다. 따라서 화자와 임의 만남을 방해하는 대상이라고 할 수 있다. [보기]의 ㉡도 꿈에서 임을 만나려는 화자의 잠을 방해하는 대상이다. 따라서 ㉠과 ㉡ 모두 화자와 임의 만남을 방해하는 대상이라고 볼 수 있다.

오답해설 ① 윗글의 ㉠은 화자가 임을 만나는 수단인 잠을 깨우는 존재이자, 화자와 단장춘심을 공유하는 대상이다. 따라서 화자의 감정이 이입된 대상이라고 볼 수 있다. 그러나 [보기]의 ㉡은 화자의 잠을 깨우는 존재일 뿐, 화자의 감정이 이입된 대상이라고 보기는 어렵다.
③ 윗글의 ㉠과 [보기]의 ㉡은 꿈에서 임을 보려고 하는 화자의 잠을 깨우고 있다. 따라서 ㉠과 ㉡ 모두 실재하는 소리로 볼 수 있다.
④ 윗글의 ㉠은 두견새의 울음소리를 의미하므로 두견새가 우는 늦봄이나 여름이라는 계절적 배경을 드러낸다. [보기]의 ㉡도 풀 속에서 우는 짐승, 즉 풀벌레를 의미하므로 풀벌레 소리가 높아지는 가을이라는 계절적 배경

을 드러낸다.
⑤ ㉠과 ㉡는 모두 화자의 잠을 깨우는 소재로 화자가 원망하는 대상이라고 볼 수 있다. 그런데 ㉠은 화자의 잠을 깨우는 동시에 화자의 감정이 이입된 대상이므로 단순한 미움의 대상으로만 보기는 어렵다.

허난설헌, 「규원가」

- **갈래**: 가사
- **해제**: 이 작품은 봉건 사회에서 남편을 기다리는 여인의 고독한 심정을 노래한 가사이다. 화자는 당대의 유교적 가치관에서 벗어나, 남편을 원망하며 자신의 기구한 운명을 한탄하고 있다. 제시된 부분은 작품의 마지막 부분의 일부로, 임에 대한 원망이 드러나 있다.
- **주제**: 봉건 사회에서 독수공방하는 여인의 한(恨)
- **현대어 풀이**: 차라리 잠을 들어 꿈에서나 (임을) 보려 하니, 바람에 지는 잎과 풀 속에서 우는 벌레, 무슨 일로 원수가 되어 잠조차 깨우는가? 하늘의 견우와 직녀는 은하수가 막혔어도 칠월 칠석 일 년에 한 번 때를 놓치지 않고 만나는데, 우리 임 가신 후에는 무슨 약수가 가렸기에, 오거나 가거나 소식조차 끊겼는가?

* 참고: 본문 145쪽

시조 099 뉘라셔 가마귀를 검고~

박효관(?~?) 조선 고종 때의 가곡 명창으로 호는 운애. 고종 13년(1876)에 제자 안민영과 시가집 『가곡원류』를 편찬하였고, 가곡에 대한 이론을 확립하였다. 그 속에 본인이 지은 시조 13수가 전한다.

01 자료를 통한 감상의 적절성 파악 정답 ①

정답해설 윗글의 초장에서 '가마귀'를 흉조로 인식하던 당대 사람들의 일반적 인식이 제시되어 있지만, 화자가 이러한 인식에 일부 동의했다고 보기는 어렵다. 화자는 중장에서 '반포 보은'을 한다면서 '가마귀'를 효를 드러내는 소재로 활용하고 있기 때문이다.

오답해설 ② 초장에서는 '가마귀'를 부정적으로 보는 다른 이들의 일반적인 인식을 제시하고 있다.
③ 중장의 '반포 보은'은 까마귀 새끼가 다 자라서 부모에게 먹이를 물어다 준다는 의미의 한자성어이다. 이는 효에 대한 자식의 도리를 드러낸 것으로, 효를 중시하던 당대의 윤리관이 반영되어 있다고 볼 수 있다.
④ 종장의 'ᄉᆞ롬이 져 ᄉᆡ만 못ᄒᆞ믈'에서 'ᄉᆞ롬'과 '져 ᄉᆡ', 즉 까마귀를 대비하여 효를 실천해야 한다는 주제 의식을 드러내고 있다.
⑤ 종장의 '못ᄂᆡ 슬허ᄒᆞ노라.'에는 당대의 중요한 윤리적 가치였던 효를 실천하지 않는 세태에 대한 화자의 비판이 드러나 있다.

시조 100 님 그린 상사몽이~

01 소재의 의미와 기능 비교 정답 ⑤

정답해설 윗글의 ㉠은 감정 이입의 대상으로, 임과의 사랑을 연결하는 매개체이자 임에 대한 그리움을 담은 소재이다. [보기]의 ㉡은 감정 이입의 대상으로, 떠난 임을 그리워하며 슬피 우는 화자의 감정을 드러낸 소재이다. 따라서 ㉠은 화자의 그리움을, ㉡은 화자의 슬픔을 담은 소재라고 볼 수 있다.

오답해설 ① ㉠은 임에 대한 그리움을 담아 화자 대신 임에게로 가는 존재이므로 수동적인 존재가 아닌 능동적인 존재라고 볼 수 있다. 그리고 ㉡은 상에서 울고 있는 존재일 뿐, 능동적인지 수동적인지 판단하기는 어렵다.
② ㉠과 ㉡ 모두 임을 향한 그리움이나 임과 함께 있지 못하는 슬픔과 관련이 있는 소재로, 지조나 변절과는 관련이 없다.
③ ㉠은 임을 향한 그리움을 드러내는 존재로, 회상의 매개체라고 보기는 어렵다. ㉡ 역시 현재 화자의 방에 있는 존재로, 회상의 대상이라고 보기는 어렵다.
④ ㉠은 일상적 의미의 실솔이 아니라 화자의 마음을 전달하는 매개체를 의미한다. 또 ㉡은 화자의 슬픔이 이입된 대상일 뿐, 무엇을 빗대어 표현한 것은 아니다.

허난설헌, 「규원가」

- **갈래**: 가사
- **해제**: 이 작품은 봉건 사회에서 남편을 기다리는 여인의 고독한 심정을 노래한 가사이다. 화자는 당대의 유교적 가치관에서 벗어나, 남편을 원망하며 자신의 기구한 운명을 한탄하고 있다. 제시된 부분은 남편에 대한 원망과 서글픈 심정이 드러나 있다.
- **주제**: 봉건 사회에서 독수공방하는 여인의 한(恨)
- **현대어 풀이**: 모습을 못 보거든 그립지나 말았으면, (하루) 열두 때가 길고 (한 달) 삼십 일이 지루하다. 창 밖에 심은 매화는 몇 번이나 피고 졌는가? 겨울밤 차고 찰 때 자국눈이 섞어 내리고, 여름날 길고 길 때 궂은 비는 무슨 일인가? 봄날 꽃 피고 버들잎 돋는 좋은 시절에 아름다운 경치를 보아도 아무 생각이 없다. 가을 달이 방에 비치고 귀뚜라미가 침상에서 울 때, 긴 한숨 떨어지는 눈물에 헛되이 생각만 많다. 아마도 모진 목숨 죽기도 어렵구나.

* 참고: 본문 145쪽

시조 101 금강 일만 이천 봉이~

안민영(?~?) 조선 후기의 가객으로 호는 주옹. 고종 13년(1876)에 스승 박효관과 함께 시가집 『가곡원류』를 편찬하여 시조 문학을 정리하였다. 저서에 『주옹만록』 등이 있다.

01 시조의 형식적 특징 파악 정답 ⑤

정답해설 윗글의 초장과 중장에서는 3(4)·4조를 기본으로 하는 규칙적이고 안정된 리듬을 반복하고 있다. 이를 [보기 1]과 관련지어 보면 3자는 '전봇대 하나가 안 보이'는 것에 해당하고, 4자는 '전봇대가 일정한 간격으로 지나가는' 것에 해당한다. 윗글의 종장은 '3-7-4-3'의 형태로 두 번째 음보의 글자 수가 7자로 갑자기 늘어났다가 세 번째 음보에서는 4자로 다시 돌아가고 있다. 이를 [보기 1]과 관련지어 보면 7자는 '전봇대가 촘촘히 나타나'는 것에 해당하고, 4자는 '다시 원래의 간격을 회복하면 기대감이 충족되어 편안함을 느'끼는 부분에 해당한다. 따라서 ⓐ와 같은 속성이 가장 잘 드러나는 곳은 ⑤ '금강인가'라고 볼 수 있다.

오답해설 ① 4자로 '전봇대가 일정한 간격으로 지나가는' 것에 해당한다.
② 3자로 '전봇대 하나가 안 보이'는 것에 해당한다.
③ 4자로 '전봇대가 일정한 간격으로 지나가는' 것에 해당한다.
④ 7자로 '전봇대가 촘촘히 나타나'는 것에 해당한다.

시조 102 조홍시가(早紅柹歌)

01 표현상의 특징 파악 정답 ③

정답해설 제3수에서 화자는 큰 쇳덩어리로 노끈을 꼬아 지는 해를 잡아매고 싶다고 하였다. 쇳덩어리로 노끈을 꼬는 행위와 해를 잡아매는 행위는 실현할 수 없는 것이다. 즉 화자는 불가능한 상황을 설정하여 부모님이 늙지 않기를 바라는 자신의 소망을 드러내고 있다.

오답해설 ① 제1수의 '조홍감'은 화자가 돌아가신 부모님을 떠올리게 하는 소재일 뿐, 계절적 배경에 대한 묘사라고 보기는 어렵다.
② 제2수에서는 효자들의 고사를 인용하여 시상을 전개하고 있을 뿐, 먼저 경치를 제시하고 후에 감상을 제시하는 선경후정의 방식은 사용하지 않았다.
④ 제4수에서는 의미상 대조를 이루는 시어를 통해 화자의 자부심을 드러내고 있을 뿐, 의미가 점점 강해지는 점층적 표현은 활용하지 않았다.
⑤ 제1수의 '조홍감'은 화자에게 돌아가신 부모님을 떠오르게 하는 소재이다. 또 제3수의 '장천'과 '해'는 화자가 불가능한 상황을 설정하기 위해 활용한 소재이다. 따라서 이 시어들이 삶의 무상함을 드러낸다고 보기는 어렵다.

02 자료를 통한 감상의 적절성 파악 정답 ③

정답해설 [보기]를 고려하면 맹종이 대숲에서 눈물을 흘리는 것은 겨울이라 어머니가 원하는 죽순을 얻지 못했기 때문이라고 볼 수 있다. 하지만 윗글의 제1수에서 화자가 조홍감을 보고 서러워하는 것은 부모님이 돌아가셨기 때문이므로, 부모님이 원하는 것을 얻지 못해서 서러워한다고 보기는 어렵다.

오답해설 ① 제1수의 화자는 소반에 놓여 있는 '조홍감'을 보고 유자가 아니라도 품어 갈 만하다고 하였다. 이는 [보기]에 언급된 육적이 어머니께 드리려 했던 '유자'를 떠올렸다고 볼 수 있다.
② [보기]에서는 왕상이 계모를 위해 겨울에 옷을 벗고 얼음을 깨어 잉어를 잡으려 했다고 하였다. 마찬가지로 제2수의 화자도 왕상처럼 부모님께 효를 다하고 싶다는 의지를 표현했다고 볼 수 있다.
④ [보기]에서 노래자는 색동옷을 입고 어린애 장난을 하면서 부모님을 즐겁게 해 주었다고 하였다. 마찬가지로 제2수의 화자 또한 부모님을 위해 나이와 상관없이 어떤 일도 할 수 있음을 드러낸다고 볼 수 있다.
⑤ [보기]에서 '왕상'은 잉어를 먹고 싶어 하는 계모를 위해 겨울에 옷을 벗고 얼음을 깨려 하였고, '노래자'는 부모님을 위해 70세의 나이에도 어린아이의 옷인 색동옷을 입었다고 하였다. 이는 효를 실천하는 방법에서는 차이가 있지만 결과적으로는 부모님께 효를 다하는 것이라고 볼 수 있다. 따라서 화자는 왕상과 노래자가 정성스러운 효심을 다하고 있다고 보며 자신도 그와 같은 효를 행하고자 함을 알 수 있다.

시조 103 견회요(遣懷謠)

윤선도(1587~1671) 조선 중기의 문신이자 시인으로 호는 고산. 전란과 당쟁의 소용돌이 속에서도 우리말의 아름다움을 살린 시조를 많이 남겼다. 작품으로 「만흥」, 「오우가」, 「어부사시사」 등이 있다.

01 표현상의 특징 파악 정답 ①

정답해설 윗글은 유배지에서 느끼는 부모님에 대한 그리움과 임금을 향한 변함없는 충정을 드러내고 있을 뿐, 불가능한 상황을 설정하지는 않았다.

오답해설 ② 제4수의 '뫼흔 길고 길고 물은 멀고 멀고'에서는 대구법을 사용하여 운율감을 형성하고 있다.
③ 제1수 초장의 '슬프나 / 즐거오나 / 옳다 하나 / 외다 하나'에서 볼 수 있듯이 전체적으로 4음보를 규칙적으로 사용하여 리듬감을 부여하고 있다.
④ 제1수 종장의 '분별할 줄 이시랴', 제2수 초장의 '모랄 손가' 등에서 의문의 형식인 설의법이 사용되고 있으며, 이를 통해 화자의 생각을 강조하고 있다.
⑤ 제4수의 '길고 길고', '많고 많고'에서는 동일한 시어를 반복하여 부모님에 대한 그리움의 정서를 드러내고 있다.

02 자료를 통한 감상의 적절성 파악 정답 ③

정답해설 제3수의 '님 향한 내 뜻'은 임금을 향한 변함없는 충성심, 즉 연군지정을 드러낸 표현이다. 따라서 아버지의 관직 복귀를 염원하는 마음과는 관련이 없다.

오답해설 ① 제1수의 '해올 일'은 화자가 꼭 해야 할 일을 의미한다. 이는 나라를 걱정하여 상소를 올린 일, 즉 화자가 불의를 외면하지 않은 것이라고 할 수 있다.
② 제2수의 '아믜'는 화자를 모함하여 귀양가게 한 사람들, 즉 화자와 그 가족에게 화가 미치게 한 사람들로 볼 수 있다.
④ 제4수의 '어버이 그린 뜻'에는 유배를 가서 멀리 떨어져 있는 부모님에게 화자가 느끼는 그리움이 드러나 있다.
⑤ 제5수의 '님군을 잊으면'은 임금께 불충을 저지르는 것, 즉 화를 당할 것이 두려워 불의를 외면하고 불충을 저지르는 일인 상소를 올리지 않는 것이라고 볼 수 있다.

시조 104 만흥(漫興)

01 자료를 통한 감상의 적절성 파악 정답 ③

정답해설 윗글의 제2수에서 '그나믄 녀나믄 일'을 부러워하지 않는다고 하였다. 이는 화자가 세속의 일과 관련된 벼슬길에 관심을 두지 않고 자연 속에 은거하고자 하는 의지를 드러낸 것이라고 할 수 있다. [보기]에서는 윤선도가 유배되었다가 돌아온 직후에 금쇄동에서 십여 년간 혼자 지냈다고 하였다. 이를 고려하면 '그나믄 녀나믄 일'은 금쇄동에서 산수를 즐기는 것이 아니라 세속의 일, 즉 부귀영화를 추구하는 것이라고 볼 수 있다.

오답해설 ① 제1수의 '산슈간'은 관념적인 자연이라고도 볼 수 있지만, [보기]를 고려하면 실제 공간인 금쇄동이라고도 할 수 있다.
② 제2수의 '바흿굿 믉ㄱ'는 자연을 의미하는데, [보기]를 고려하면 윤선도가 금쇄동에 거처하면서 조성해 놓은 정원의 바위와 연못을 의미한다고도 할 수 있다.
④ 제3수에서 '먼 뫼'가 임보다 반갑다고 하였다. [보기]를 고려하면 '먼 뫼'는 윤선도가 탄핵을 당해 유배당할 때 받은 상처를 치유해 줄 수 있는 자연을 의미한다고도 할 수 있다.
⑤ 제5수의 'ᄃᆞ토리 업슨 강산'은 다툴 사람이 없는 자연을 의미한다. 이는 [보기]에 언급된 탄핵과 유배가 존재하는 현실과 달리 다툼과 시비가 없는 곳을 가리킨다고 볼 수 있다.

02 시구의 의미 파악 정답 ③

정답해설 [보기]에서 선비의 처세는 '물러남에 있어 떳떳하지 못해도 진정 아니' 된다고 하였다. 이를 고려하여 윗글의 제5수를 보면, 화자는 '셩이 게으르'다는 것을 '물러남'의 표면적인 이유로 밝히고 있으나, 이는 화자가 스스로를 겸손하게 표현한 것이다. 따라서 '셩이 게으르'다는 것을 물러남에 있어 떳떳하지 못한 '나'의 모습을 드러낸 것이라 보기는 어렵다.

오답해설 ① 제2수에서 화자는 '알마초' 먹고 '슬ᄏᆞ지 노'닐고 있다. 이는 자연 속에서 안분지족하고 있는 화자의 모습을 표현한 것으로, 물러난 '나'가 선택한 삶의 방식이라고 볼 수 있다.
② 제2수의 '그나믄 녀나믄 일이야 부롤 줄이 이시랴'는 그 밖의 다른 일이야 부러워하지 않겠다는 것을 의미한다. 따라서 이 부분에서 이익을 탐하는 것을 경계하는 '나'의 태도를 발견할 수 있다.
④ 제5수에서는 하늘이 화자에게 인간 만사를 맡기지 않고 'ᄃᆞ토리'가 없는 강산을 지키라고 했다고 하였다. 이는 물러남으로 인해 '나'가 속세의 'ᄃᆞ토리'와 거리를 두고 있는 것이라고 볼 수 있다.
⑤ 제6수에서 화자가 '님금 은혜'를 '갑고쟈' 한다고 하였는데, 이는 '나'가 속세에 관심이 있다는 의미이다. 따라서 이를 통해 '나'가 세상을 잊은 것이 아님을 드러낸다고 할 수 있다.

03 작품 간의 공통점과 차이점 파악 정답 ④

정답해설 윗글의 화자는 자연과 더불어 유유자적하면서 살아가는 삶에서 느끼는 만족감을 드러내고 있다. 또 [보기]의 화자는 봄날 산의 경치를 즐기는 흥겨움을 드러내고 있다. 따라서 윗글과 [보기] 모두 자연에서 비롯된 화자의 감흥을 드러내고 있다고 볼 수 있다.

오답해설 ① 윗글의 화자는 자연 속에서 살아가는 삶에 대한 만족감과 임금에 대한 은혜에 대해 언급하고 있을 뿐, 계절에 대해서는 언급하지 않았다. 또 [보기]의 화자는 봄날 산의 경치에 대해서만 언급하고 있을 뿐, 다른 계절에 대해서는 언급하고 있지 않다. 따라서 윗글과 [보기] 모두 계절의 변화를 드러내지는 않았다.
② 윗글의 화자는 자연 속에서 안분지족하며 살아가는 삶과 물아일체의 경지에 대해서만 언급하고 있을 뿐, 자아를 성찰하고 있지는 않다. [보기]의 화자도 봄날 산의 아름다운 경치에 대해서만 언급하고 있을 뿐, 자아를 성찰하고 있지 않다. 따라서 윗글과 [보기] 모두 자연물을 매개로 자아를 성찰하고 있다고 볼 수 없다.
③ 윗글에는 자연 속에서 느낄 수 있는 여유롭고 한가한 분위기가 드러나 있고, [보기]에는 봄날의 아름다운 산에서 느낄 수 있는 흥겨운 분위기가 드러나 있다.
⑤ 윗글의 화자는 자연 속에서 살아가는 만족감을 드러내고 있고, [보기]의 화자는 봄날 산의 경치를 보고 느끼는 흥겨움을 표출하고 있다. 그러므로 두 작품 모두 자연 속에 직접 들어가 즐기는 삶을 제시하고 있을 뿐, 관조적인 자세로 대상의 의미를 탐구하고 있다고 보기는 어렵다.

작자 미상, '유산가'

- **갈래**: 잡가
- **해제**: 봄 산의 경치를 즐기는 화자의 흥겨움과 자연 속에서 즐거움을 누리는 선인들의 삶에 대한 낙천적인 태도와 유흥적인 삶의 모습이 드러나 있는 잡가이다. 봄의 아름다운 경치와 즐거움을 우리말로 진솔하게 노래하고 있으며, 봄의 정취를 다채롭게 표현하고 있다.
- **주제**: 봄 경치의 완상(玩賞)과 예찬
- **현대어 풀이**: 제비는 물을 차고, 기러기는 무리를 지어 허공에 높이 떠서 두 날개를 활짝 펴고, 펄펄펄 흰 구름 속에 높이 떠서 천리 강산 머나먼 길을 어이 갈 것이냐고 슬피 운다. 멀리 보이는 산은 첩첩이 보이고, 태산은 우뚝 솟아 있고, 기이한 바위는 층층이 쌓이고, 큰 소나무들은 가지를 늘어뜨리고, 구부러진 모습으로 거센 바람에 흥이 겨운 듯 우쭐우쭐 춤을 춘다. 층층 바위 절벽 위의 폭포수는 콸콸 쏟아지는데, 마치 수정발을 드리운 듯하고, 이 골짜기 물이 주루루룩, 저 골짜기 물이 쏼쏼 흘러내리고, 여러 곳의 물이 한 곳에 합해져서 천방지방으로 흩어지고 용솟음치고 편편하게 흐르고, 길게 이어지고 방울져 내리며, 건너편 병풍석으로 으르렁 콸콸 흐르는 물결이 은과 옥같이 흩어지니, 마치 소부와 허유가 세상과 단절하고 지내던 기산과 영수라는 곳과 같구나.

* 참고: 본문 260쪽

시조 105 오우가(五友歌)

01 표현상의 특징 파악 정답 ⑤

정답해설 제2수에서는 '구룸', 'ᄇᆞ람'과 '믈'을 대조하여 깨끗하고도 그치지 않는 물의 속성을 제시하고 있다. 그리고 제3수에서는 '곳', '플'과 '바회'를 대조하여 변하지 않는 바위의 속성을 드러내고 있다. 또 제4수에서는 '곳', '닙'과 '솔'을 대조하여 지조와 절개를 지키는 소나무의 곧은 속성을 부각하고 있다. 따라서 윗글은 대조적인 소재를 통해 대상의 속성을 부각하고, 이를 예찬하고 있다.

오답해설 ① 윗글은 3음보가 아니라 4음보를 통해 운율을 형성하고 있다.
② 윗글은 대상에 대한 예찬을 통해 시상을 전개하고 있으므로 시간의 흐름에 따라 시상을 전개하고 있다고 보기는 어렵다.

③ 윗글은 대구와 대조를 통해 대상의 특성을 강조하며 예찬하고 있다. 그러나 윗글에서 어조의 변화가 나타난 부분은 찾을 수 없다.
④ 윗글은 대상의 특성을 대구와 대조, 의인법 등을 활용하여 드러내고 있을 뿐 어순을 도치하고 있지는 않다.

02 반응의 적절성 평가 정답 ⑤

정답해설 윗글의 제6수에서는 높이 떠서 만물을 다 비추면서도 과묵한 존재인 달을 예찬하고 있다. 이는 많은 사람들을 거느리는 것과는 거리가 멀다.

오답해설 ① 윗글의 제2수에서는 맑고도 그치지 않는 물을 예찬하고 있다. 이러한 물을 보고 순수함을 오랫동안 유지하고 싶다고 반응할 수 있다.
② 윗글의 제3수에서는 변하지 않는 바위를 예찬하고 있다. 이러한 바위의 속성을 보고 한결같은 사람이 되고 싶다고 생각할 수 있다.
③ 윗글의 제4수에서는 눈서리와 같은 시련을 견디며 지조와 절개를 지키는 소나무를 예찬하고 있다. 이러한 소나무를 보고 자신도 시련에 굴하지 않고 싶다고 다짐할 수 있다.
④ 윗글의 제5수에서는 지조와 절개를 지키면서도 욕심이 없는 대나무를 예찬하고 있다. 이러한 대나무를 통해 곧은 지조와 절개를 가진 사람이 되고 싶다고 생각할 수 있다.

시조 106 어부사시사(漁父四時詞)

01 표현상의 특징 파악 정답 ②

정답해설 윗글의 화자는 현재 누리고 있는 어부의 생활에서 느끼는 감흥과 정취를 드러내고 있다. 그러나 어촌의 모습과 흥취를 드러내고자 과거와 미래를 대비하고 있지는 않다.

오답해설 ① 윗글은 각 수의 초장과 중장 사이, 중장과 종장 사이에 여음(후렴구)을 삽입하여 어촌 생활에서 느끼는 흥취를 돋우고 있다.
③ 윗글은 4음보를 사용하여 운율을 형성하고 있다.
④ 윗글의 시적 배경은 어촌으로, 화자가 지향하는 물아일체적 삶과 유유자적하며 흥취를 즐기는 삶이 실현되는 이상적 공간으로 형상화하고 있다.
⑤ 춘사 4의 '우ᄂᆞᆫ 거시 벅구기가 프른 거시 버들숩가'에서는 시각적, 청각적 이미지를 활용하여 어촌의 아름다움을 표현하고 있다.

02 작품의 공통점과 차이점 파악 정답 ③

정답해설 동사 8의 '셰샹'과 '딘훤'은 부정적인 현실이나 속세를 의미하고, '구룸'과 '파랑셩'은 이러한 부정적인 현실이나 속세를 막아주는 역할을 한다. 그러나 [보기]의 '명월'은 화자가 벗이 되고 싶은 대상일 뿐, 부정적인 현실을 차단하는 자연물이라고 보기는 어렵다.

오답해설 ① 동사 8의 화자는 속세를 떠나 지조를 지키며 살아가는 삶에 대해 노래하고 있고, [보기]의 화자는 자연에서의 삶에서 느끼는 만족감을 드러내고 있다. 그러므로 [보기]의 화자가 현실 개혁에 대한 의지를 갖고 있다고 보기는 어렵다.
② 동사 8의 화자는 파도 소리가 속세에서 시비를 가리는 시끄러운 소리를 막아준다면서 자연을 즐기는 현재 상황에 대한 만족감을 드러내고 있다. [보기]의 화자도 자연 속에서 살고 있는 현실에 순응하면서 만족감을 느끼고 있다.
④ 동사 8에서 '믉ᄀᆞ'는 화자가 머물고 있는 자연 공간을 의미하고 '셰샹'은 화자가 떠나온 속세를 의미한다. 이 두 공간은 대비되면서 자연에서의 한가로운 삶이라는 주제를 부각하고 있다. 한편 [보기]의 '강호'와 '풍월 강산'은 모두 자연을 의미하므로, 두 공간을 대비되는 공간이라고 볼 수 없다.
⑤ 동사 8의 화자는 속세를 떠나 지조를 지키며 살아가는 삶에 대한 만족감을 드러내고 있을 뿐, 자신의 삶에 대해 반성하고 있지 않다. 한편 [보기]의 화자는 '입과 배가 누가 되어 어즈버 잊었도다'에서 자신의 삶에 대해 반성하는 태도를 보이고 있다.

박인로, '누항사'

- **갈래**: 가사
- **해제**: 자신의 가난한 처지에 대해 진솔하게 털어놓으면서도 자연에 파묻혀 안빈낙도하며 충효와 신의, 우애 등의 본분에 충실할 것을 다짐하는 내용의 가사이다. 제시된 부분은 자연에 묻혀 늙기를 소망하는 내용의 본사의 마지막 부분이다.
- **주제**: 누항에 사는 선비의 곤궁한 삶과 안빈낙도의 추구
- **현대어 풀이**: 자연과 함께 살겠다는 꿈을 꾼 지도 오래더니 먹고 사는 것이 누가 되어 아아 잊었도다. 저 물가를 바라보니 푸른 대나무가 많기도 많구나. 교양 있는 선비들아 낚싯대 하나 빌려 다오. 갈대꽃 깊은 곳에서 밝은 달과 맑은 바람의 벗이 되어 임자가 없는 자연 속에서 절로절로(근심 없이) 늙으리라. 무심한 갈매기야, (나더러) 오라고 하며 (오지) 말라고 하겠느냐. 다툴 이가 없는 것은 다만 이것뿐인가 생각하노라.

* 참고: 본문 220쪽

시조 107 율리유곡(栗里遺曲)

김광욱(1580~1656) 조선 중기의 문신으로 호는 죽소. 글씨와 문장에 뛰어났으며, 저서에 『죽소집』이 있다.

01 화자의 태도 파악 정답 ①

정답해설 [A]에서 화자는 뒷집에서 한 말도 안 되는 거친 보리를 꾸어 와서 술을 빚고 여러 날 주렸다가 마신 술이므로 달거나 쓰거나 상관없다고 하였다. 따라서 [A]의 화자는 안분지족의 태도, 즉 조촐하지만 소박한 삶의 모습을 드러내고 있다고 할 수 있다.

오답해설 ② 화자는 '술쌀'을 꾸고 술을 빚어 마시는 행위를 하고 있을 뿐이므로, 화자가 사회적 규범을 따르고 있다고 볼 수는 없다.
③ '술쌀', '보리' 등은 일상생활의 소재일 뿐, 자연과 관련된 소재가 아니다. 또한 화자가 농가에서 술을 빚어 마시는 모습은 나타나 있으나 자연을 언급하고 있지는 않으므로, 화자가 농가와 자연을 분리하려는 의지가 보인다고 할 수 없다.
④ 화자는 술을 꾸고 빚어 마시는 개인적인 행위만을 하고 있을 뿐, 공동체적 삶을 위한 행동은 하고 있지 않다.
⑤ 화자는 가난하지만 주어진 삶에 순응하고 있으므로, 숭고한 삶에 대한

지향이 드러나 있다고 볼 수 없다.

02 시어의 의미 파악 정답 ①

정답해설 제8수의 '강산'은 화자가 '조각배'에 '달'을 싣고 낚시를 하며 '청흥'을 느끼는 공간으로, 화자가 유유자적하는 삶을 영위하는 장소이다. 그리고 [보기]의 '마당'은 농민들이 보리타작하는 곳으로, 화자가 몸과 마음의 조화를 이룬 농민들의 모습을 보며 건강한 노동의 즐거움을 깨닫고 자신의 삶을 성찰하게 되는 공간이다. 따라서 ⓐ는 자연과 벗하며 살아가는 공간이고 ⓑ는 건강한 노동의 즐거움을 깨닫는 공간이라고 볼 수 있다.

오답해설 ② 제8수의 '강산'은 화자가 '삼공'과도 바꾸지 않고 '만호후'도 부러워하지 않으며 살고자 하는 곳이다. 따라서 화자의 소박한 삶에 대한 지향이 담긴 공간이라고 할 수 있다. 그러나 [보기]의 화자는 보리타작하는 농민들의 모습을 즐겁게 바라보고 있을 뿐, [보기]의 화자가 빈곤한 삶을 살고 있는지의 여부는 판단할 수 없다. 따라서 '마당'을 빈곤한 삶을 극복하려는 의지가 담긴 공간으로 보기는 어렵다.
③ 제8수의 '강산'은 화자가 조각배를 타고 여유롭게 낚시를 하며 살아가는 공간으로, 화자의 궁핍한 처지나 그로 인한 좌절감이 드러나 있는 곳은 아니다. 또 [보기]의 '마당'은 보리타작하는 농민들이 있는 곳일 뿐, 화자가 이 곳에서 농민들과 삶의 애환을 공유하고 있다고 보기는 어렵다.
④ 제8수의 '강산'은 화자가 '삼공'과도 바꾸지 않고 기꺼이 살고자 하는 공간이므로, '강산'을 힘겨운 상황에 대한 저항 의지가 담긴 공간으로 보기는 어렵다. 또 [보기]의 '마당'은 화자가 보고 있는 농민들의 건강한 노동이 구현되는 곳으로 화자에게 삶의 깨달음을 주는 장소이다. 따라서 '마당'을 현실과 타협하는 공간으로 볼 수 없다.
⑤ 제8수의 '강산'은 화자가 '삼공'과도 바꾸지 않고 살고자 하는 공간이므로, 내적 욕구에 대한 자기 절제가 반영된 공간이라고 할 수는 없다. 또 [보기]의 화자는 '마당'에서 보리타작하는 농민들의 모습을 보고 즐겁기 짝이 없다고 했으므로, '마당'을 현재의 상황에 대한 안타까움이 표출된 공간으로 보기도 어렵다.

정약용, 「보리타작」

- **갈래**: 한시
- **해제**: 보리타작하는 농민들의 모습을 사실적으로 노래한 한시이다. 화자는 농민들의 건강한 노동을 바라 보며 건강하고 즐겁게 노동하면서 살아가는 공간을 '낙원'으로 인식하게 되었다. 그래서 '벼슬길'과 같은 세속적 욕망에서 벗어나고자 하였다.
- **주제**: 농민들의 보리타작을 통해 얻은 삶의 깨달음

* 참고: 본문 266쪽

시조 108 병산육곡(屛山六曲)

권구(1672~1749) 조선 후기의 학자로 호는 병곡. 향리에 사창(社倉)을 열어 빈민을 구제하였고, 저서에는 『병곡집』이 있다.

01 표현상의 특징 파악 정답 ③

정답해설 제6수에서 현재 자신이 있는 공간인 어촌이 무릉이라면서 자연 속에서 안빈낙도하고자 하는 주제 의식을 드러내고 있다. 그러나 윗글에서 과거와 현재를 대비하고 있는 부분은 찾을 수 없다.

오답해설 ① 제1수의 '부귀라 구치 말고 빈천이라 염치 말아'와 제5수의 '저 가마귀 짖지 말아 이 가마귀 좇지 말아' 등에서 대구법을 활용하여 운율을 형성하고 있다.
② 제4수의 '공산리', '달', '두견', '백조' 등의 자연물들을 통해 애상적 분위기를 드러내고 있다.
④ 제4수의 '두견'은 의지할 곳이 없어 외로움과 슬픔을 느끼는 화자의 감정이 이입된 대상이고, '백조'는 한스럽고 서러운 심정의 화자의 감정이 이입된 대상이다.
⑤ 제4수의 '낙화광풍(落花狂風)에 어느 가지 의지하리'는 설의적인 표현으로, 의지할 곳이 없는 화자의 상황을 강조한 부분이다.

02 시어의 의미 파악 정답 ④

정답해설 제4수의 화자는 '두견'이 혼자 울고 있다면서 '두견'을 부르고 있다. 즉 두견새는 의지할 곳이 없어 외로워하고 있는 화자의 감정이 이입된 대상으로, 화자는 두견새를 자신과 동일시하면서 연민을 느끼고 있다. 한편 제5수의 화자는 '가마귀'에게 짖지 말고 좇지 말라고 하는데, 이는 '가마귀'에 대해 부정적인 감정을 갖고 있음을 보여 준다. 그러므로 '두견'을 부를 때의 화자의 심리와 '가마귀'에 대한 화자의 심리가 유사하다고 볼 수 없다.

오답해설 ① 제1수의 화자는 백구와 '망기'하겠다고 하였다. 이는 속세의 일이나 욕심을 잊고 살아가겠다는 화자의 다짐을 드러낸 것으로 볼 수 있다. 그리고 제2수의 '어조 생애'는 물고기를 낚으며 살아가는 삶을 의미하며, 화자는 '백구'와 벗하며 '세간 소식'과 단절하고 어조 생애를 즐기며 늙어간다고 하였다. 이는 속세에서 벗어나 살아가는 삶이므로 '망기'에 대한 바람이 실현된 것이라고 볼 수 있다.
② 제2수의 화자는 '세간 소식 나는 몰라 하노라.'라고 말하면서 세상의 소식과 단절되어 살아가고자 한다. 그리고 제4수의 '낙화광풍'은 '꽃잎이 떨어지도록 미친 듯이 부는 바람'을 의미하는데, 이는 정치적으로 혼탁하고 험난한 현실을 비유적으로 표현한 것이다. 따라서 화자가 '세간 소식'과 단절하려는 이유는 '낙화광풍' 같은 험난한 현실 때문이라고 볼 수 있다.
③ 제1수의 화자는 '부귀'를 구하려 하지 말라고 하였다. 한편 제3수의 '보리밥'과 '파 생채'는 소박한 음식을 의미하는데, 화자는 이를 '양' 맞추어 먹으려 한다. 이는 부귀를 추구하지 않고 안빈낙도를 하겠다는 화자의 태도를 보여 준다고 할 수 있다. 그러므로 '보리밥 파 생채'를 '양' 맞추어 먹는 화자의 모습은 제1수의 '부귀'를 추구하지 않는 삶의 태도를 반영한 것으로 볼 수 있다.
⑤ 제1수에서 화자는 '빈천'을 싫어하지 말라고 하였다. 한편 제6수에서 화자는 '어촌이 무릉인가 하노라.'라고 하였는데, 이는 화자가 있는 현실적 공간인 어촌을 이상적 공간인 '무릉'으로 인식할 정도로 만족하고 있다는 것을 반영한 것이다. 따라서 화자가 '부귀'와는 동떨어진 '어촌'에서의 삶을 만족하고 있는 것은 '빈천'을 싫어하지 않는 화자의 인식이 바탕이 된 것이라고 할 수 있다.

시조 109 독자왕유희유오영(獨自往遊戲有五詠)

권섭(1671~1759) 조선 후기의 시인으로 호는 옥소 · 백취옹. 한시와 가사, 시조에 능하여 567수의 한시를 지었으며, 저서로 유교(遺橋)인 『옥소고』 13권이 있다.

01 자료를 통한 감상의 적절성 파악 정답 ❹

정답해설 제3수의 종장에서 화자는 자연을 즐기고 돌아와 승유편을 지어 후세에 남기겠다고 하였다. 그리고 제4수의 초장에서 화자는 숨차고 오금이 아파 산수 유람을 갈 힘이 없다고 말하고 있다. 따라서 제3수의 종장과 제4수의 초장에서는 일상적 관용 어구를 사용하였다고 보기 어려우며, 엄숙한 분위기와도 거리가 멀다.

오답해설 ① 제1수와 제3수, 그리고 제5수의 화자는 산수 유람을 권유하는 사람이다. 반면 제2수와 제4수에서는 각각의 이유를 들어 산수 유람을 거절하는 또 다른 화자가 나타난다. 따라서 윗글은 화자를 바꿔 가며 대화를 주고받는 형식을 통해 극적 요소를 가미하여 시상을 전개하고 있다고 볼 수 있다.
② 제1수의 화자가 산수 유람을 가자고 요청하자, 제2수의 화자는 '중시 급제'를 이유로 거절하고 있다. 제3수의 화자도 산수 유람을 가자고 요청하자, 제4수의 화자는 일신상의 고단함을 이유로 거절하고 있다.
③ 제1수의 화자는 종장에서 '자네가 아니 간다면 내 혼자인들 어떠리'라고 말함으로써 산수 유람에 대한 강한 의지를 드러내고 있다. 또 제5수의 중장에서도 '남이 말한다고 아니 보랴'라고 말하면서 혼자서라도 산수 유람을 하겠다는 의지를 다시 한 번 강조하였다.
⑤ 제4수의 화자는 중장과 종장에서 창 닫고 더운 방에 마음껏 퍼져 있으면서, 배 위에 아기들을 올려놓으며 놀아 주겠다고 하였다. 이런 모습은 생활 속 삶의 모습을 사실적으로 표현한 것으로 볼 수 있다.

시조 110 매화사(梅花詞)

01 표현상의 특징 파악 정답 ❸

정답해설 윗글의 제1수에서는 초장의 '매영'과 종장의 '달'을 통해 시각적 심상을, 중장의 '거문고와 노래'를 통해 청각적 심상을 활용하고 있다. 또 제3수에서는 매화의 향기인 '암향'을 통해 후각적 심상을 활용하여 '아치고절'이라면서 매화의 속성을 예찬하고 있다. 따라서 이 작품은 다양한 감각적 심상을 사용하여 매화를 예찬하고 있다고 볼 수 있다.

오답해설 ① 제6수의 중장 '찬 기운 ᄉᆡ여 드러 ᄌᆞᆷ든 매화를 침노ᄒᆞ다'에서 시적 긴장감이 나타난다고 볼 수 있다. 그러나 반어적 표현을 사용하고 있는 부분은 찾을 수 없다.
② 제2수와 제3수에서 화자가 매화를 '너'라고 부르면서 말을 건네고 있지만 매화의 대답은 나타나 있지 않다. 따라서 제시문이 대화의 형식을 사용하고 있다고 보기는 어렵다.
④ 제2수에서는 매화의 그윽한 향기를, 제3수에서는 매화의 아름다움과 절개를, 제6수에서는 매화의 의지를, 제8수에서는 매화의 의지와 높은 절개를 예찬하고 있다. 그러나 매화에 감정을 이입하는 부분은 찾아볼 수 없으며, 매화를 예찬하고 있는 화자에게서 애상감도 느낄 수 없다.
⑤ 제6수의 종장 '아무리 얼우려 ᄒᆞ인들 봄 ᄯᅳᆺ이야 아슬소냐'에서는 의문형 어미를 활용하여 봄을 알리겠다는 매화의 의지를 예찬하고 있다. 그러나 명령형 어조를 사용하거나, 화자의 현실에 대한 비판 의식이 드러난 부분은 찾을 수 없다.

02 시상 전개 방식과 표현상의 특징 파악 정답 ❹

정답해설 화자는 제8수에서 눈 속에서 필 수 있는 꽃은 '매화'뿐이며, '척촉'과 '두견화'는 감히 필 수 없다고 하였다. 따라서 '매화'와 다른 자연물인 '척촉', '두견화'를 비교하여 대조적 특성을 부각하고 있다고 볼 수 있다.

오답해설 ① 제1수에는 매화 그림자가 비치는 방에서 기녀들과 두세 명의 노인이 거문고를 연주하고 노래를 부르며 술을 권하는 모습을 그리고 있다. 이때 창밖으로 떠오르는 달을 묘사하여 낭만적 분위기를 형성하고 있다.
② 제1수에서는 '매영', 즉 매화의 그림자만이 언급되어 있다. 그러나 제3수에는 제1수와 달리 '매화'를 의인화하여 '너'라고 부르면서 '빙자옥질'과 '아치고절'을 통해 매화의 아름다움과 절개를 강조하며 예찬하고 있다.
③ 제6수에서는 '찬 기운 ᄉᆡ여 드러 ᄌᆞᆷ든 매화를 침노'하는 시련의 상황 속에서도 '봄 ᄯᅳᆺ'을 잃지 않는 매화의 속성을 부각하여 매화의 의지를 예찬하고 있다.
⑤ 제6수의 '~봄 ᄯᅳᆺ이야 아슬소냐', 제8수의 '~뉘 있으리'에서는 의문의 형식을 통해 매화의 의지와 절개 등 매화가 가진 가치를 강조하고 있다.

03 자료를 통한 감상의 적절성 파악 정답 ❺

정답해설 [보기]는 윗글의 화자가 매화를 감상하는 여러 가지 태도에 대한 설명이다. 이 중 '당대의 이념과 관련하여 매화에 규범적 가치를 부여하여 감상하는 태도'의 관점에서 보면 제6수의 '봄 ᄯᅳᆺ'은 '지조나 절개'로 이해할 수 있다. 그러나 '자연물로서의 속성에 초점'을 맞추어 보면 '자연의 섭리나 이치'로 이해할 수 있고, '심미적으로 접근'하면 '추운 겨울에 피어난 꽃의 아름다움'으로 이해할 수도 있다. 따라서 당대 이념에 국한하여 매화를 감상해야 '봄 ᄯᅳᆺ'의 의미를 파악할 수 있다고 이해하는 것은 적절하지 않다.

오답해설 ① 제1수에는 '거문고'를 연주하고 '노래'를 하는 모습이 제시되어 있다. 이는 매화가 불러일으킨 시흥을 즐기는 풍류적 태도를 드러낸 것이라고 볼 수 있다.
② 제1수의 '거문고와 노래' 속에 '잔 잡아 권'하는 행위는 매화로 인해 고조된 흥취를 다른 사람들과 함께하고 싶은 마음을 표현한 것이라고 볼 수 있다.
③ 매화를 심미적으로 감상할 때 제3수의 '황혼월'은 낭만적 분위기를 조성하여 매화의 아름다움을 돋보이게 해 준다고 볼 수 있다.
④ 제3수의 '아치'에서는 매화의 심미적 가치를, '고절'에서는 매화에 부여된 당대의 규범적 가치를 확인할 수 있다.

시조 111 붉가버슨 아해(兒孩) | 들리~

이정신(?~?) 조선 영조 때의 가객(歌客)으로 호는 백회재. 시조와 창에 능하였다. 작품에 '믜암이 밉다 울고~', '쉽이 날 위하여

~' 등이 있다.

01 작품 간 공통점과 차이점 파악 정답 ④

정답해설 [보기]의 화자는 불개미와 관련된 허무맹랑한 이야기를 통해 임에게 자신의 결백을 강조하고 있다. 따라서 '불개야미'는 속임을 당하는 백성들이 아니라, '님'에게 결백을 호소하기 위해 제시하는 불가능한 상황 속의 소재라고 보아야 한다.

오답해설 ① 윗글의 화자는 고추잠자리를 속여서 잡으려고 하는 '븕가버슨 아해'들의 모습을 통해 서로 속이는 세태를 풍자하고 있다.
② [보기]의 화자는 '불개야미'와 관련된 허황된 이야기처럼 근거 없는 말로 남을 속이거나 모함하는 세태 속에서 임에게 잘 판단해 달라고 호소하고 있다.
③ [보기]의 종장에서는 '온 놈이 온 말을 ᄒᆞ여도 님이 짐쟉ᄒᆞ소셔.'라고 하며 임에게 세상 사람들의 말에 대해 현명한 판단을 내리도록 당부하고 있다.
⑤ 윗글에서는 고추잠자리와 발가벗은 아이들이라는 두 가지 의미를 지닌 '븕가숭이'라는 중의적 표현을 통해 서로 속고 속이는 세태를 풍자하고 있다.

작자 미상, 「개야미 불개야미 준등~」

- **갈래**: 사설시조
- **해제**: 이 작품은 자신의 결백을 호소하며 화자를 모함하는 말에 '임'이 현혹되지 않기를 바라는 내용의 사설시조이다. 화자는 불개미 이야기를 통해 허황된 말이 유행하고 있음을 제시하며 자신의 결백을 강조하고 있다.
- **주제**: 참언에 대한 경계
- **현대어 풀이**: 개미, 불개미, 잔등 똑 부러진 불개미, / 앞발에 피부병 나고 뒷발에 종기가 난 불개미가 광릉 샘 고개를 넘어 들어가서 호랑이의 허리를 가로 물어 추켜들고 북해를 건넜다는 말이 있습니다. 임이시여, 임이시여, / 모든 사람이 온갖 말을 하더라도 임께서 짐작하소서.

* 참고: 본문 204쪽

시조 112 논밭 갈아 기음 매고~

01 시어의 의미 비교 정답 ①

정답해설 윗글의 ⓐ'무림 산중'은 농부가 나무를 하는 일상적인 공간이다. 따라서 자연과의 일체감을 확인하는 공간이라고 보기는 어렵다.

오답해설 ② 윗글의 ⓐ는 농부가 김을 맨 후에 나무를 하러 가는 공간으로 농부의 일상적 삶의 공간이다.
③ [보기]의 ⓑ는 '험하고 험한'에서 알 수 있듯이 화자가 살고 있는 외롭고 험난한 공간이다.
④ [보기]의 ⓑ에 백성들이 사는 이유는 벼슬아치가 무서워 평지에서 살지 못하기 때문이다. 따라서 ⓑ에는 부정적 현실(평지 생활)에서 도피한 공간이라고 볼 수 있다.
⑤ 윗글의 ⓐ와 [보기]의 ⓑ는 농부나 산골 사람이 살아가는 삶의 터전이므로, 일상적인 삶을 영위하는 노동의 공간이라고 볼 수 있다.

김창협, 「산민」

- **갈래**: 한시
- **해제**: 이 작품은 산골 사람들의 고된 삶을 노래하면서 백성들을 괴롭히는 벼슬아치들을 비판하는 내용의 한시이다. 산속에서의 힘든 삶이 벼슬아치들의 가혹한 수탈과 횡포가 자행되는 평지에서의 삶보다 낫다고 하였다. 이러한 백성들의 삶을 통해 지배 계층의 횡포를 비판하고 있다.
- **주제**: 백성들의 삶에 대한 연민과 벼슬아치들의 횡포 비판

* 참고: 본문 262쪽

시조 113 님이 오마 ᄒᆞ거늘~

01 표현상의 특징 파악 정답 ①

정답해설 윗글의 화자는 임이 오기를 간절하게 기다리다가 주추리 삼대를 임으로 착각하여 멋쩍어 하고 있다. 화자가 임을 만나지는 못했지만, 임이 온다는 소식을 듣고 임을 기다리고 있으므로 대상이 부재하는 상황이라고 볼 수 있다.

오답해설 ② 윗글의 화자는 임을 애타게 기다리고 있을 뿐, 임을 기다리는 자신의 처지를 원망하고 있지는 않다.
③ 윗글의 화자는 임을 기다리며 그리워하고 있을 뿐, 임에 대해 연민을 느끼고 있지는 않다.
④ 윗글의 화자는 종장에서 버선을 벗어 품에 품고 신을 벗어 손에 쥐고 임이라고 착각한 주추리 삼대에게 달려가고 있다. 그러나 이를 통해 화자가 비참한 생활을 하고 있다고 보기는 어렵다.
⑤ 윗글의 화자는 임을 그리워하면서 임을 기다리고 있을 뿐, 자연에 대한 친화적 태도를 보이고 있지는 않다.

시조 114 어이 못 오던다~

01 작품 간 공통점과 차이점 파악 정답 ④

정답해설 윗글의 [A]는 '~ᄡᅡ고', '~노코' 등의 어구를 반복하여 운율감을 형성하고 있다. 그러나 [보기]는 글자 수와 음보의 반복을 통해 운율을 형성하고 있을 뿐, 유사한 문장이 반복되지는 않았다.

오답해설 ① [A]의 중장의 '좀갓더냐', '네 어이 그리 아니 오던다'에서는 의문형 진술로 오지 않는 임을 기다리는 화자의 탄식을 표현하고 있다. [보기]에서는 '오거나 가거나 소식조차 ᄭᅳ쳤는고'에서 의문형 진술로 임에 대한 소식이 끊겨 탄식하는 화자의 모습을 확인할 수 있다.
② [A]는 임과의 만남을 방해받는 상황을 임이 오지 못하게 하는 장애물을 열거하며 움직일 수 없는 상황에 빗대어 표현하고 있다. [보기]에서는 '약수'에 막혀 임이 오지 못한다고 표현하고 있다.
③ [A]에서는 임을 오지 못하게 하는 장애물들을 열거하며 기다려도 만날 수 없음에 대한 괴로움을 표현하였다. [보기]에서도 '약수'에 가려 기다리는 임을 만날 수 없어 괴로워하고 있다.
⑤ [A]는 '성' → '담' → '집' → '두지' → '궤' → '외걸새' → '즈물쇠'로 이어지는 연쇄적 표현을 통해 임이 오지 못하는 상황을 추측하고 있다. [보기]에

서는 은하수가 막혔어도 일 년에 한번은 꼭 보는 '견우 직녀'와 자신의 처지를 대비하여 임을 기다리는 자신의 처지를 드러내고 있다.

허난설헌, 「규원가」

- **갈래**: 가사
- **해제**: 이 작품은 봉건 사회에서 남편을 기다리는 여인의 고독한 심정을 노래한 가사이다. 화자는 당대의 유교적 가치관에서 벗어나, 남편을 원망하며 자신의 기구한 운명을 한탄하고 있다. 제시된 부분은 임을 기다리는 마음을 노래한 결사의 일부분이다.
- **주제**: 봉건 사회에서 독수공방하는 여인의 한(恨)
- **현대어 풀이**: 하늘의 견우와 직녀는 은하수가 막혔어도 칠월 칠석 일 년에 한 번 때를 놓치지 않고 만나는데, 우리 임 가신 후에는 무슨 약수가 가렸기에, 오거나 가거나 소식조차 끊겼는가?

* 참고: 본문 145쪽

시조 115 귀또리 져 귀또리~

01 화자의 정서 파악 정답 ③

정답해설 윗글의 '귀또리'는 화자의 얕은 잠을 깨우고 있다. 이에 화자는 '귀또리'를 원망하는 마음을 ⓐ'살쓰리도' 깨운다면서 반어적으로 표현하고 있다. 그리고 자신의 외로운 처지를 이해할 수 있는 존재는 '귀또리'뿐이라고 생각하여 자신의 마음을 달래기 위해 ⓑ'두어라'라고 표현하고 있다.

오답해설 ① ⓐ에는 '귀또리'를 칭송하는 심정이 나타나지 않으며, ⓑ에는 자신의 처지에 대한 화자의 한탄이 나타나지 않는다.
② ⓐ에는 '귀또리'를 불쌍해하는 심정이 나타나지 않으며, ⓑ에는 자신의 잘못을 반성하는 심정이 나타나지 않는다.
④ ⓐ에는 '귀또리'를 믿지 못하는 심정이 나타나지 않는다. ⓑ에는 '귀또리'에 대한 원망을 자제하려는 심정은 나타나지만, 슬픔을 억제하려는 심정은 나타나지 않는다.
⑤ ⓐ에는 '귀또리'를 동정하는 심정이 나타나지 않으며, ⓑ에는 외로움을 극복하려는 심정이 나타나지 않는다.

시조 116 나모도 바히돌도 업슨~

01 표현상의 특징 파악 정답 ②

정답해설 윗글과 [보기]에서는 '가토리'와 '도사공'이 처한 상황을 '나'의 상황과 비교하고 있을 뿐, 이를 풍자적으로 그려 내고 있지는 않다.

오답해설 ① 윗글의 종장에서는 'ᄀ을ᄒ리오'라는 설의적 표현을 통해 임을 여읜 화자의 마음을 어디에도 비교할 수 없다는 의미를 더 강조하고 있다.
③ [보기]와 달리 윗글의 중장에서는 '도사공'이 처한 절망적 상황을 과장하며 열거하고 있다.
④ [보기]에 비해 윗글은 정해진 형식(3–4–3–4)에 얽매이지 않고 중장을 길게 늘여 형식을 파괴하고 있다.
⑤ 윗글과 [보기]에서는 화자의 마음을 '가토리', '도사공'의 마음과 비교하여 임을 여읜 화자의 참담한 심정을 드러내고 있다.

시조 117 창 내고쟈 창을 내고쟈~

01 표현상의 특징 파악 정답 ⑤

정답해설 윗글의 화자는 중장에서 구체적 사물인 문의 종류와 그 부속물을 나열하여 답답함을 해소하고자 하는 소망을 해학적으로 드러내고 있다. 그러나 풍자적으로 표현한 부분은 찾아볼 수 없다.

오답해설 ① 중장에서는 일상적 사물인 문의 종류와 그 부속품들을 열거하여 화자의 답답한 마음을 표현하고 있다.
② 초장과 중장에서는 '창 내고쟈'를 반복하고 있다. 이는 현실의 답답함에서 벗어나고자 하는 화자의 절실한 심정을 드러낸 것으로 볼 수 있다.
③ 중장에서 '뚝딱'이라는 음성 상징어를 사용하여 가슴에 창을 내는 상황을 생동감있게 표현하고 있다.
④ 화자는 창을 달 수 없는 자신의 가슴에 창을 달고 싶다는 기발한 생각을 표현하고 있다. 이는 그렇게 해서라도 화자가 자신의 답답한 심정을 해소하고 싶음을 나타내고 있다.

시조 118 싀어마님 며ᄂ라기 낫바~

01 작품의 종합적 감상 정답 ①

정답해설 윗글의 화자는 시집살이를 시키는 시집 식구들에 대한 비판적인 인식을 드러내면서 자신의 억울함을 호소하고 있다. 따라서 윗글의 화자가 현실 체념적인 태도를 보인다고 보기는 어렵다.

오답해설 ② 중장에서는 '회초리 나니 ᄀᆞ치 알살픠선 싀아바님'처럼 '싀어마님', '싀누으님', '아ᄃᆞᆯ'을 각각 직유법을 활용하여 '쉿동', '송곳부리', '욋곳'에 빗대어 대상의 속성을 표현하고 있다.
③ 화자는 중장의 '빗에 바든 며ᄂ리가 갑세 쳐 온 며ᄂ리가'에서 고달픈 시집살이를 묘사하고 있으며, 종장에서 '건 밧틔 멋곳 ᄀᆞ튼 며ᄂ리를 어듸를 낫바' 하냐면서 시댁 식구들을 원망하고 자신의 처지를 한탄하고 있다.
④ 중장의 '회초리', '쉿동' 등은 일상생활에서 흔히 접할 수 있는 소재이다. 이러한 일상적인 소재에 시댁 식구들을 빗대어 표현함으로써 시댁 식구들의 부정적인 모습을 해학적으로 묘사하고 있다.
⑤ 중장에서 '당피'와 '돌피'를 대조하여 '아ᄃᆞᆯ'의 특성을 드러내고 있다.

시조 119 개야미 불개야미 ᄌ등~

01 작품 간 공통점과 차이점 파악 정답 ④

정답해설 [보기]에서는 '대천 바다'라는 막연한 공간에 십여 명의 '사공'을 등장시켰다. 이는 이야기의 사실성보다는 이야기의 허구성을 강조하여 임이 다른 사람의 참소하는 말에 현혹되지 않기를 바라는 마음을 드러낸 것이다. 따라서 여러 명의 사공을 등장시켜 사실성을 강조하고 있다고 보기는 어렵다.

오답해설 ① 윗글에서는 '불개야미'와 관련된 극단적인 이야기를 통해 사람들이 참소하는 말들의 허무맹랑함을 드러내고 있다.
② [보기]의 화자는 바다에 빠진 바늘을 건졌다는 허무맹랑한 이야기를 통해 임이 자신을 모함하는 사람들의 말에 현혹되지 않기를 당부하고 있다.
③ 윗글에서는 크기가 작은 '개야미'와 대조되는 크기가 큰 '심재', '가람', '북해'와 같은 시어들을 제시하여 극단적으로 과장된 이야기를 언급함으로써 참언의 허황됨을 강조하고 있다.
⑤ 윗글과 [보기]의 화자는 모두 종장에서 임이 다른 사람들의 참소하는 말을 올바르게 판단해 주기를 바라는 소망을 드러내고 있다.

작자 미상, 「대천 바다 한가온데~」

- **갈래**: 사설시조
- **해제**: 이 작품은 자신의 결백을 주장하며 임이 참언을 경계하기를 바란다는 내용의 사설시조이다. 넓은 바다 한가운데에 빠진 작은 바늘을 십여 명의 뱃사공들이 무딘 삿대로 꿰어 건져 냈다는 허황된 말이 있음을 언급하며 소문(참언)의 허무맹랑함을 강조하고 있다.
- **주제**: 참언에 대한 경계와 결백 주장
- **현대어 풀이**: 넓디넓은 바다 한가운데 중침, 세침(바늘)이 빠지었습니다. / 십여 명의 사공들이 끝 무딘 삿대를 저마다 둘러메고 한꺼번에 소리치고 바늘귀를 꿰어 건져 냈다는 (허황된) 말이 있습니다. / 임이시여, 임이시여, 모든 사람이 온갖 말을 하더라도 임께서 짐작하소서.

시조 120 댁들에 동난지이 사오~

01 작품 간 공통점과 차이점 파악 정답 ②

정답해설 윗글은 게젓 장수와 구매자의 대화 내용이고, [보기]는 한숨이 문의 종류와 그 부속품 사이로 들이온다는 내용이다. 따라서 윗글과 [보기] 모두 '게젓'과 '문의 종류와 부속품'이라는 일상적인 소재를 언급하고 있다고 볼 수 있다.

오답해설 ① 윗글의 중장에서는 '외골내육(外骨內肉)', '양목(兩目)' 등 주로 한자어가 사용되고 있다. 그러나 [보기]의 중장에서는 '고모장ᄌᆞ', '셰살장ᄌᆞ' 등 주로 순우리말이 사용되고 있다.
③ 윗글의 종장 '장사야 하 거북이 웨지 말고 게젓이라 하렴은'에서는 어려운 한자어를 사용하는 게젓 장수의 현학적 태도를 해학적으로 풍자하고 있다. 그리고 [보기]에서는 문단속을 철저하게 하고 있지만 어느 틈으로 들어오는 '한숨'을 해학적으로 표현하여 그칠 줄 모르는 시름을 형상화하고 있다.
④ 윗글은 게젓 장수와 구매자가 말을 주고받는 대화 형식을 통해 시상이 전개되고 있다. 또 [보기]에서는 '한숨'에 인격을 부여하여 '한숨아'라고 부르고 있으므로 청자인 '한숨'에게 말을 건네고 있다고 할 수 있다.
⑤ 윗글의 중장에서는 게의 외양과 움직이는 모습을 한자어를 사용하여 열거하고 있다. [보기]의 중장에서도 문의 종류와 부속품을 열거하고 있다. 따라서 윗글과 [보기] 모두 열거법을 사용하여 시상을 전개하고 있다고 볼 수 있다.

작자 미상, 「한숨아 셰한숨아 네~」

- **갈래**: 사설시조
- **해제**: 이 작품은 그칠 줄 모르는 시름에서 벗어나고 싶은 마음을 해학적으로 표현한 사설시조이다. 삶의 고뇌와 시름을 청각적으로 형상화한 '한숨'을 의인화하여 청자로 설정해 내용이 전개되고 있다. '한숨'을 막으려고 온갖 노력을 다했는데도 어디로 그렇게 들어오는 것이냐고 묻는 화자의 모습에서 서민들이 겪는 삶의 힘겨움이 드러나 있다.
- **주제**: 그칠 줄 모르는 삶의 시름
- **현대어 풀이**: 한숨아, 가느다란 한숨아, 너는 어느 틈으로 들어오느냐? / 고모장지, 세살장지, 가로닫이, 여닫이에 암톨쩌귀, 수톨쩌귀, 배목걸쇠 뚝딱 박고 용거북 장식의 자물쇠로 깊이깊이 채웠는데, 병풍처럼 덜컥 접고 족자처럼 데굴데굴 마느냐? 너는 어느 틈으로 들어오느냐? / 어찌 된 일인지 네가 오는 날 밤이면 잠 못 들어 하노라.

* 참고: 본문 208쪽

시조 121 두터비 ᄑᆞ리를 물고~

01 시어의 의미 관계 파악 정답 ⑤

정답해설 윗글의 '두터비'는 'ᄑᆞ리'를 물고 있다가 '백송골'을 보고 놀라서 자빠졌다. 이를 통해 '두터비'는 'ᄑᆞ리'에게는 강하고 '백송골'에게는 약다는 것을 알 수 있는데, 힘의 관계로 나타내면 'ᄑᆞ리<두터비<백송골'이라고 할 수 있다. ⑤를 보면 '솔개'도 '쥐'를 노리고 있지만 '봉황'을 만날까 봐 조심하고 있으므로, 힘의 관계로 나타내면 '쥐<솔개<봉황'이라고 할 수 있다. 따라서 ⑤에 나타난 '쥐<솔개<봉황'의 관계가 윗글에 나타난 'ᄑᆞ리<두터비<백송골'의 관계에 가장 가깝다고 할 수 있다.

오답해설 ① '닭'과 '개'는 화자가 기를 만하다고 생각하는 가축으로, 서로 동등한 관계로 볼 수 있다. 그러나 '꿩'은 '닭', '개'와 관련이 없는 동물이다.
② '까마귀'는 화자가 긍정적으로 평가하고 있는 대상(조선의 개국 공신)이고, '백로'는 화자가 비판적으로 평가하고 있는 대상(고려의 유신)이다. '너'는 '백로'를 지칭하고 있으므로 화자의 선호도에 따라 나타내면 '까마귀>백로 = 너'라고 표현할 수 있다.
③ '나비'와 '범나비'는 화자가 '청산'에 함께 가고 싶어 하는 대상으로, 서로 동등한 관계라고 할 수 있다. 한편 '꽃'은 화자가 '청산'으로 가는 길에 잠시 쉴 수 있는 자연의 공간을 의미한다.
④ '봉황'은 화자가 기다리고 있는 대상이고 '오작(까마귀와 까치)'은 '봉황' 대신 화자를 찾아온 대상이다. 한편 화자는 '동자'에게 '오작'을 쫓아내도록 지시하고 있다.

시조 122 개를 여라믄이나 기르되~

01 시어의 기능 비교 정답 ①

정답해설 윗글의 ㉠'개'는 화자가 보고 싶어 하는 고운 임을 쫓아 버리는 원망의 대상이다. 그리고 [보기]의 ㉡'촉불'은 화자

제Ⅳ부

가 임을 여의고 슬퍼하는 자신의 처지와 같다고 느끼는 감정 이입의 대상이다.

오답해설 ② 윗글의 '개'는 고운 임을 쫓는 원망의 대상일 뿐 깨달음의 대상이라고 보기는 어렵다. 그리고 [보기]의 '촉불'은 화자가 자신과 처지가 비슷하다고 생각하는 대상일 뿐, 화자에게 심리적 위안이 된다고 보기는 어렵다.
③ 윗글의 '개'는 화자가 원망하는 대상이므로 지양하는 대상이라고 볼 수 있다. 그리고 [보기]의 '촉불'은 화자와 동일시되는 대상이므로 지양하는 대상이라고 보기는 어렵다.
④ 윗글의 '개'는 임에 대한 화자의 원망이 전가되어 표현되고 있는 대상이고, [보기]의 '촉불'은 화자의 감정이 이입된 대상이다. 윗글과 [보기]의 화자는 삶의 방식에 대해 언급하고 있지 않으므로, 이 두 대상 때문에 화자의 삶의 방식이 변하고 있다고 보기는 어렵다.
⑤ 윗글의 '개'는 화자가 원망하는 대상이고, [보기]의 '촉불'은 화자가 동일시 하고 있는 대상이다. 윗글과 [보기]에는 미래에 대한 내용은 언급되어 있지 않으므로, 이 두 대상이 미래에 대한 화자의 인식이 전환되는 계기를 마련하고 있다고 보기는 어렵다.

이개, 「방 안에 혓는 촉불~」

- **갈래**: 평시조
- **해제**: 이 작품은 단종과 이별한 후의 애타는 심정을 노래한 시조이다. 겉으로 보이는 것은 눈물뿐이지만, 속에서는 충정이 타고 있음을 완곡하게 표현하고 있다.
- **주제**: 임과 이별한 슬픔
- **현대어 풀이**: 방 안에 켜 있는 촛불은 누구와 이별을 하였기에 / 겉으로 눈물 흘리면서 속이 타 들어가는 줄을 모르는가. / 저 촛불도 나와 같아서 속이 타는 줄을 모르는구나.

* 참고: 본문 89쪽

시조 123 한숨아 셰한숨아 네~

01 표현상의 특징 파악 정답 ②

정답해설 윗글의 초장 '~드러온다.', 중장의 '뒥뒥글 문다.' 등에서 의문형의 문장 형식이 반복되고 있다. 이는 '한숨'을 청자로 설정하여 웃음을 유발하는 것이므로, 양반이나 양반 중심의 사회를 비판하고 있다고 보기는 어렵다.

오답해설 ① 윗글에서는 '한숨아', '~장주', '돌져귀' 등의 동일한 음이 반복되어 리듬감을 형성하고 있다.
③ 윗글에서는 '한숨'을 마치 집에 드나들 수 있는 사람처럼 표현하고 있으며, 이를 통해 걱정과 염려가 많은 평민들의 삶을 그리고 있다. 화자는 '한숨'을 막으려고 하지만 어떻게든 들어오고 있다며 극복하기 어려운 현실을 해학적으로 이겨내고자 하는 당대 평민들의 삶을 해학적으로 드러내고 있다.
④ 중장에서는 '고모장주', '셰살장주', '가로다지', '여다지', '암돌져귀' 등을 나열하며 한숨을 막고자 하고 있다. 이것들은 모두 평민들의 생활 속에서 찾아볼 수 있는 소재이며, 당대 평민들의 삶의 모습을 구체적으로 보여 준다.
⑤ 윗글의 중장에서는 눈에 보이지 않는 '한숨'을 '병풍이라 덜걱 져븐 족자ㅣ라 뒥뒥글 무'는 모습으로 시각화하여 한숨을 막지 못한 상황을 해학적으로 묘사하였다.

시조 124 일신이 사쟈 ᄒᆞᆫ이~

01 시어의 의미 파악 정답 ④

정답해설 종장의 '복 더위'는 화자가 가장 견디기 힘들어 하는 '쉬ᄑᆞ리'가 들끓는 시기를 의미하므로, 해충에 의한 피해보다 극심한 탐관오리의 횡포라고 보기는 어렵다. 게다가 해충에 의한 피해는 탐관오리의 횡포를 가리키므로 어느 쪽이 더 심하다고 말하기도 어렵다.

오답해설 ① 초장의 '일신'은 화자를 지칭하는 표현으로, 해충으로 비유된 탐관오리들에게 수탈과 착취를 당하는 백성 중 한 사람이라고 볼 수 있다.
② 초장의 '물썻'은 중장의 다양한 해충들과 종장의 쉬ᄑᆞ리를 아우르는 표현으로, 백성들을 괴롭히는 탐관오리를 가리킨다.
③ 중장의 '당빌리'는 해충에 의해 유발되는 피부병으로, 탐관오리들로 인해 백성들이 겪는 고통을 의미한다고 볼 수 있다.
⑤ 종장의 '쉬ᄑᆞ리'는 화자가 가장 견디지 못하겠다고 한 해충이므로, 백성들을 가장 고통스럽게 하는 최악의 탐관오리를 의미한다고 볼 수 있다.

가사 125 고공가(雇工歌)

허전(1563~?) 조선 중기의 문신. 벼슬은 진사를 거쳐 합종현감에 이르렀다고 하는데, 자세한 행적은 알려져 있지 않다.

01 표현상의 특징 파악 정답 ②

정답해설 윗글은 나라의 일을 집안의 농사일에 빗대어 게으르고 어리석은 머슴을 비판하고 있다. 화자는 주인으로, 청자인 조정의 관리들은 머슴으로 나타나 있다. 그러나 화자의 감정을 다른 대상에 이입한 부분은 찾을 수 없으므로 대상에 감정을 이입하여 화자의 정서를 부각하고 있다고 볼 수 없다.

오답해설 ① 본사 2의 'ᄒᆞᆫ 집이 가ᄋᆞᆷ열면 옷밥을 분별ᄒᆞ랴.', 'ᄀᆞ을 거둔 후면 성조를 아니ᄒᆞ랴.' 등에서 설의적인 표현이 나타나 있으며, 이를 통해 화자의 생각을 드러내고 있다.
③ 본사 1의 '무ᄉᆞᆷ 일 감드러 흘긧할긧 ᄒᆞᄂᆞᆫ다.'에서 '흘긧할긧'은 흘겨보는 모양을 흉내낸 말이다. 이 표현에는 고공들이 서로 질시하고 반목하는 행동이 구체적으로 나타나 있다.
④ 본사 2의 '누고ᄂᆞᆫ 장기 잡고 누고ᄂᆞᆫ 쇼을 몰니'에서는 대구법을 통해 서로 협동하는 모습을 표현하고 있다. 또 '산전도 것츠럿고 무논도 기워 간다.'에서도 대구법을 사용하여 잡초와 풀이 우거진 밭과 논의 모습을 표현하고 있다.
⑤ 본사 1의 '저희마다 여름 지어~혬이 어이 아조 업서'에서 과거의 머슴과 현재의 머슴의 모습을 대조하여 현재의 머슴들을 비판하고 있다.

02 자료를 통한 감상의 적절성 파악 정답 ②

정답해설 윗글의 '나'는 고공들의 나태하고 사리사욕에 빠져 있는 모습을 비판하고 있다. 그러나 본사 2의 '너희 ᄌᆡ조 셰아려', '너희 직조을 내 짐작ᄒᆞ엿노라' 등으로 보아, '나'가 고공들의 능력을 일정 부분 인정하고 있음을 추측할 수 있다.

오답해설 ① [보기]를 고려하면 윗글의 '고공'은 당시의 관료들을 빗대어 표현한 것임을 알 수 있다. 그러므로 '고공'들이 반목과 질시를 일삼았다는 것은 조정에 불화가 있었다는 것으로 추측할 수 있다.
③ 결사의 '엇그직 왓던 도적 ~ 옷밥만 닷토ᄂᆞ다.'에서 '도적'은 임진왜란 당시의 왜적을 의미한다. 그러므로 화자인 '나'가 외적에 대한 경계심을 갖고 있는 것은 외적, 즉 왜적이 다시 우리나라를 침략할까봐 걱정하고 있는 것으로 추측할 수 있다.
④ [보기]에서는 윗글이 국가 정치를 한 집안의 농사일에 비유하고 있다고 하였으므로 '집안의 일'은 '나라의 일'을 의미한다고 할 수 있다. 그러므로 화자가 집안의 일을 염려하는 것은 곧 나라를 걱정하는 것이라고 볼 수 있다. 특히 결사의 '너희ᄂᆡ 드리고 새 ᄉᆞ리 사쟈 ᄒᆞ니'를 보면 화자가 성공적으로 국가가 재건되기를 바라고 있음을 알 수 있다.
⑤ 결사의 '화살을 젼혀 언고 옷밥만 닷토ᄂᆞ다.'를 통해 고공들은 도적이 멀리 가지 않았는데도 자신들의 잇속만 차리고 있음을 알 수 있다. [보기]를 고려하면 이는 당시 관료들이 외적의 침입에 대비하는 등 나라 일을 해야 하는 자신의 본분을 잊고 자신들의 잇속만을 채우려고 했다고 추측할 수 있다.

가사 126 고공답주인가(雇工答主人歌)

이원익(1547~1634) 조선 중기의 문신으로, 호는 오리. 영의정을 지냈으며 임진왜란 때 대동강 서쪽을 잘 방어하였고, 대동법을 시행하였다. 저서에 『오리집』, 『속오리집』, 『오리일기』 등이 있다.

01 표현상의 특징 파악 정답 ②

정답해설 윗글은 연쇄법과 직유법, 설의법 등을 활용하여 주제를 드러내고 있다. 그러나 색채어를 사용하여 대상의 면모를 부각하는 부분은 찾을 수 없다.

오답해설 ① 결사의 '집 일을 곳치거든~어른 죵을 미드쇼셔.'에서 연쇄법을 활용하였고, 본사 2에서는 '뉘라셔 곳쳐'를 반복하였다. 따라서 연쇄와 반복을 통해 리듬감을 나타내고 있다고 볼 수 있다.
③ 서사의 '어와 져 양반아 도라안자 내 말 듯소.'에서 청자에게 말을 건네는 방식으로 시상을 전개하고 있다.
④ 본사 1의 '~네붓터 이러튼가.', '~터밧츨 무겨ᄂᆞ고.', '~호미연장 못 갓던가.'와 본사 2의 '옷 버서~곳쳐 쓸고' 등에서 설의법을 사용하여 '죵'들에 대한 화자의 비판적 의식과 안타까움을 드러내고 있다.
⑤ 본사 2의 '옥 ᄀᆞ튼 얼굴'에서 직유의 방식을 활용하여 말하고자 하는 대상인 임금의 이미지를 선명하게 드러내고 있다.

02 화자의 태도 파악 정답 ①

정답해설 본사 2에서 '마누라'는 기운 집에 혼자 앉아 낮과 밤으로 근심을 하고 있다. 화자는 논의할 상대도 없이 혼자 근심하고 있는 '마누라'의 처지를 안타까워하며 탄식하고 있다.

오답해설 ② 윗글의 화자는 '마누라'와 자신을 비교하기 보다는 혼자 있는 '마누라'의 처지를 안타깝게 여기고 있다. 또 윗글의 화자는 기울어가는 집안의 현실을 안타까워하고 있을 뿐, 자신의 삶에서 회의를 느끼고 있지는 않다.
③ 윗글의 화자는 혼자 있는 '마누라'의 처지를 안타까워하고 있지만, '마누라'를 관찰하고 있지는 않다. 또 인생의 의미를 되풀이하여 음미하거나 생각하고 있지도 않다.
④ 윗글의 화자는 기운 집에서 혼자 앉아 낮과 밤으로 근심하고 있는 '마누라'의 처지를 안타까워하고 있다. 그러나 본사 2의 '도로혀 혜여ᄒᆞ니 마누라 타시로다'를 보면 화자가 집안, 즉 나라가 기울게 된 것은 '마누라'의 탓도 있다고 여기고 있음을 알 수 있다. 그러므로 '마누라'를 예찬하고 있다고 볼 수 없다.
⑤ 윗글의 화자는 '마누라'에 대해 안타까움을 느끼고 있지만, 본사 2의 '도로혀 혜여ᄒᆞ니 마누라 타시로다'에서 집이 기울고 혼자 있게 된 것은 '마누라'의 탓도 있다고 책임을 묻고 있다. 따라서 '마누라'의 심정에 공감하며 격려하고 있다고 보기는 어렵다.

03 시구의 의미 파악 정답 ④

정답해설 결사에서 화자는 청자에게 새끼 꼬는 일을 멈추고 자신의 말을 들어 달라고 하고 있다. 따라서 ㉣'ᄉᆞᆺ괴기'를 화자가 청자인 '마누라'에게 당부하는 시급하고 중요한 행위라고 보기는 어렵다.

오답해설 ① 본사 1의 ㉠'외방사음'은 '바깥 마름'을 의미한다. '제 소임 다 바리고 몸 ᄭᅳ릴 ᄲᅮᆫ'이라고 한 것으로 보아 '외방사음'은 제 소임을 다하지 않아 화자에게 비판을 받는 존재라고 할 수 있다.
② 본사 2의 ㉡'블한당 구모 도적'은 떼를 지어 다니며 재물을 빼는 구멍에 든 도적을 의미한다. 화자가 이들이 '아니 멀니 단이거든'이라고 한 것으로 보아 이들이 화자 가까이 있으며, 화자에게 불안감을 주고 있다는 것을 추측할 수 있다.
③ 결사의 ㉢'ᄂᆞ 항것'은 청자인 '마누라(상전)'를 지칭한다. 화자는 '가도'가 절로 일어나게 하려면 '죵들을 휘오시고', '상벌을 ᄇᆞᆯ키시고', '어른 죵'을 믿으라며 설득하고 있다.
⑤ 화자는 결사에서 '가도'가 절로 일어나게 하려면 '죵들을 휘오시고', '상벌을 ᄇᆞᆯ키시고', '어른 죵'을 믿으라고 하고 있다. 따라서 화자는 집안이 일어나기를 바라고 있으므로, ㉤'상벌'이 공정하고 엄중하게 시행되기를 바라고 있다고 추측할 수 있다.

04 자료를 통한 감상의 적절성 파악 정답 ⑤

정답해설 윗글의 '어른 죵'은 '마누라'가 믿어야 할 존재로, '영의정을 비롯한 높은 벼슬아치'를 의미한다. 화자는 '가도'가 저절로 일어나기 위해서는 '어른 죵'을 믿어야 한다고 하였다. 따라서 윗글의 '어른 죵'은 국가의 바람직한 경영을 위해 필요한 존재라고 할 수 있다.

오답해설 ① 윗글의 '문허진 담'은 위험에 빠진 국가를 가리키므로, 외세의 침입에 협조한 것이라고 보기는 어렵다.
② 윗글의 '기운 집'은 위태로운 상황에 놓여 있지만 힘을 합쳐 일으켜 세워야 할 나라를 의미한다. '마누라'가 '어른 죵'을 믿는 등의 군신이 본분을 다하면 회복할 가능성이 있으므로, 되돌릴 길 없이 기울어 패망한 국가를 나타낸다고 볼 수 없다.
③ 윗글의 '논의'는 국가를 위해 임금과 신하가 합의하여 도출해 내야 하는 대책으로 볼 수 있다. 그러나 본사 2에서 마누라는 혼자 앉아 있을 뿐, 같이

제Ⅳ부

논의하고 있는 사람은 존재하지 않으므로 이미 도출하여 시행한 대책이라고 볼 수 없다.
④ 윗글의 '혬업는 죵'은 조정의 일에 무관심하고 자신의 잇속만 챙기며 직무를 소홀히 하는 신하를 가리킨다.

가사 127 선상탄(船上歎)

박인로(1561~1642) 조선 중기의 문신으로 호는 노계. 임진왜란 때 수군(水軍)으로 참전하였으며, 벼슬에서 물러난 후에는 시작(詩作) 활동에 전념하였다. 작품으로 「태평사」, 「사제곡」, 「누항사」 등이 있다.

01 세부 내용의 파악 정답 ②

정답해설 [B]에서 화자는 배를 만들어 왜적이 우리나라를 침략할 수 있도록 한 '헌원씨'를 원망하고 있을 뿐, '헌원씨'를 추모하고 있지는 않다.

오답해설 ① [A]는 화자가 수군을 관장하는 벼슬인 '주사'가 되어 동쪽을 지키는 군영인 '진동영', 즉 현재의 부산에 부임한 상황을 제시하고 있다.
③ [C]는 화자가 배가 있더라도 '진시황'이 불사약을 구하기 위해 일본에 사람을 보내지 않았다면 왜적이 생기지 않았을 것이며, 이 왜적이 우리나라를 침략하지 못했을 것이라고 생각하여, '진시황'을 원망하고 있는 부분이다.
④ [D]는 화자가 우리나라의 문물이 중국의 한나라, 당나라, 송나라에 뒤지지 않는데도 '해추 흉모', 즉 왜적의 흉악한 모략에 빠져 임진왜란의 치욕을 겪었다고 생각하여 원통해하는 부분이다.
⑤ [E]는 화자가 '신자', 즉 신하의 몸이 되어 임금을 직접 모시지는 못해도 나라를 생각하는 충성스러운 마음은 잊지 못한다면서 '우국단심'을 다짐하는 부분이다.

02 시어의 의미와 기능 비교 정답 ②

정답해설 윗글의 본사 1에서 화자는 'ᄇᆡ'가 아니면 왜적이 우리나라를 엿볼 수 없다고 하였으므로, 화자는 'ᄇᆡ'가 왜적이 우리나라를 침략하게 된 원인이라고 생각하고 있음을 알 수 있다. 그러므로 윗글의 'ᄇᆡ'는 화자에게 시름을 불러일으키는 대상이라고 할 수 있다. 한편 [보기]의 화자는 '뷘 ᄇᆡ'에 달빛만 가득 싣고 돌아오고 있다. 따라서 '뷘 ᄇᆡ'는 화자의 무욕의 정서를 드러내고 있는 대상이라고 할 수 있다.

오답해설 ① [보기]의 '뷘 ᄇᆡ'는 화자가 달빛만 싣고 돌아오고 있으므로, 현재 화자가 머무르고 있는 공간이라고 할 수 있다. 그러나 윗글의 'ᄇᆡ'는 화자가 부정적으로 생각하는 대상이고 현재 화자가 '선상'에 있으므로, 화자가 머물러 있다가 떠나온 공간이라고 할 수 없다.
③ 윗글의 'ᄇᆡ'는 화자가 원망하는 대상일 뿐, 과거에 대한 화자의 그리움을 드러내는 소재라고 볼 수 없다. [보기]의 '빈 ᄇᆡ'도 세속의 물욕, 명예, 이익 등을 초월한 화자의 정서를 드러내는 소재로 과거에 대한 그리움을 드러내는 소재라고 볼 수 없다.
④ 윗글의 'ᄇᆡ'는 화자가 왜적이 우리나라를 침략할 수 있도록 한 원인이라고 생각하는 대상이므로 이상적인 삶의 모습을 나타내는 것과는 거리가 멀다. 반면에 [보기]의 '빈 ᄇᆡ'는 무욕의 정서를 드러내는 것이므로 화자가 생각하는 이상적인 삶의 모습을 나타낸 것이라고도 볼 수 있다.
⑤ 윗글의 'ᄇᆡ'는 화자가 부정적으로 여기는 대상이므로 계절적 배경과 어울려 풍류적 분위기를 드러낸다고 할 수 없다. 반면에 [보기]의 '빈 ᄇᆡ'는 '추강'에서 알 수 있는 가을이라는 계절적 배경과 어울려 풍류적 분위기를 형성한다고 볼 수 있다.

월산 대군, 「추강에 밤이 드니~」

- **갈래**: 평시조
- **해제**: 가을 달밤의 아름답고 풍류적인 정취와 그것에서 느낄 수 있는 무욕(無慾)의 정서를 형상화한 시조이다. 감각적인 이미지와 대구법을 사용하여 자연 속에서의 욕심 없는 삶을 표현하고 있다.
- **주제**: 자연 속에서의 유유자적한 삶
- **현대어 풀이**: 가을 강에 밤이 드니 물결이 차갑구나. / 낚시를 들이쳐 놓으니 고기는 물지 않는구나. / 욕심이 없는 달빛만 싣고 빈 배를 저어 오는구나.

* 참고: 본문 91쪽

가사 128 누항사(陋巷詞)

01 표현상의 특징 파악 정답 ③

정답해설 본사 3과 본사 4는 화자가 소를 빌리기 위해 이웃집에 다녀오는 부분이다. 이 부분에서 공간의 이동을 확인할 수는 있지만, 소를 빌리려다 수모를 당하는 화자의 모습만 드러나 있을 뿐, 사물의 다양한 속성에 대한 설명은 찾아볼 수 없다.

오답해설 ① 서사의 '생애 이러ᄒᆞ다 장부 뜻을 옮길넌가.'와 본사 1 '기한이 절신ᄒᆞ다 일단심을 이질ᄂᆞ가.' 등에서 설의적 표현을 사용하였다. 화자는 이러한 표현을 통해 이상을 추구하고 충성을 다하겠다는 의지를 드러내고 있다.
② 본사 3과 본사 4에서는 소를 빌리기 위해 소 주인에게 부탁을 하는 화자와 그 부탁을 거절하는 소 주인의 대화 상황이 제시되어 있다.
④ '쇼', '논', '수기치', '농가', '춘경' 등의 일상생활과 관련된 어휘를 사용하여 농촌 생활을 사실적으로 표현하고 있다.
⑤ 결사의 '빈이 무원'과 '단사표음'은 화자가 지향하는 검소하고 소박한 삶을 의미한다. 반면 '부귀'와 '온포'는 화자가 부러워하지 않으며 지양하는 부유한 삶을 의미한다. 이러한 시어들을 대조하여 화자가 추구하는 삶의 태도를 강조하고 있다.

02 표현상의 효과 파악 정답 ⑤

정답해설 [보기]에 언급된 '원헌'은 청빈한 삶을 산 학자이고 '석숭'은 큰 부자이다. 이들은 서로 대조적인 삶을 산 역사적인 인물이다. 이러한 역사적 인물을 언급한 이유는 인간의 삶은 공평한 것이어서 가난하다고 해서 일찍 죽고, 부자라고 해서 오래 사는 것이 아니라는 점을 강조하기 위해서이다. 따라서 역사 속 인물을 끌어옴으로써 가난을 원망하지 않는 화자의 삶의 자세에 대한 독자들의 공감을 유도하고 있다고 볼 수 있다.

오답해설 ① '원헌'과 '석숭'이 등장한다고 하여 윗글이 대화 상황으로 전환되지는 않는다.
② [보기]에서는 '원헌'과 '석숭'이라는 새로운 인물을 제시하고 있을 뿐, 새로운 공간을 더하고 있지 않다. 또한 사건의 선후 관계를 짐작할 수 있는 단서도 나타나지 않는다.
③ [보기]에 인용된 '원헌'과 '석숭'의 삶은 서로 이질적으로, 가난을 원망하지 않는 화자의 삶의 자세를 부각하고 있다. 그러나 새로운 갈등을 유발하고 있지는 않다.
④ [보기]에서는 '원헌'과 '석숭'이라는 구체적인 인물을 인용하였으나, 두 인물 간의 심리적 거리는 나타나 있지 않다.

03 자료를 통한 감상의 적절성 파악 정답 ④

정답해설 ㉣에서 '유비군자'는 '교양 있는 선비'를 가리키는 말로, 자연 속에서 안빈낙도하고 있는 사람들을 의미한다. 화자는 이들에게 '낙ᄃᆡ'를 빌리려고 하는데, 화자가 빌리려는 '낙ᄃᆡ' 역시 자연을 벗 삼은 삶의 모습을 보여 주는 소재이다. 따라서 ㉣이 권력욕에 빠진 위정자들을 비판하고 있다고 보는 것은 적절하지 않다.

오답해설 ① ㉠의 '먼 들'은 화자가 평소에 즐기는 농민들의 노래가 들려오는 곳으로, 농민들의 삶의 현장이다. 그러나 화자는 소를 빌리지 못해 농사를 짓지 못하고 집에서 슬퍼하고 있어 농가가 힘이 없게 들린다고 하였다. 따라서 '먼'이라는 수식어를 통해 농사를 짓는 세상('들')과 그렇지 못한 화자 사이의 심리적 거리를 표현한 것이라고 볼 수 있다.
② ㉡'허당 반벽에 슬듸업시 걸려고야.'는 '빈 집 벽 가운데에 쓸데없이 걸려 있구나.'를 의미한다. 이는 화자가 벽에 농기구가 걸려 있는 것을 보며, 소가 없어 농사를 지을 수 없는 자신의 상황에 대한 안타까움을 표현한 것이라고 할 수 있다. [보기]에는 사대부인 박인로가 태평성대를 구현하는 데 힘을 보태는 것을 지향했다고 하였으므로, 박인로 역시 이를 실천하기 위해 노력했음을 알 수 있다. 또한 임진왜란 후의 황폐해진 시대 현실을 고려한다면, 농사를 짓는 것은 태평성대를 구현하기 위한 일이라고 볼 수 있다. 따라서 ㉡은 태평성대를 구현하기 위한 사대부로서의 직분을 현실에서 실천할 수 없는 화자의 안타까운 처지를 드러낸 것이라고 볼 수 있다.
③ ㉢'구복이 위루ᄒᆞ야'는 '먹고사는 것이 누가 되어'를 의미한다. 이는 먹고사는 문제가 '강호 ᄒᆞᆫ 숨', 즉 자연 속에서 안빈낙도하는 삶을 실현하는 데 걸림돌이 되었다는 것을 가리킨다. 따라서 ㉢은 화자가 선비로서의 고결한 삶, 즉 안빈낙도의 삶을 살 수 없었던 이유라고 볼 수 있다.
⑤ ㉤'님ᄌᆡ 업ᄉᆞᆫ 풍월강산애 절로절로 늘그리라.'는 '임자가 없는 자연 속에서 절로절로 늙으리라'를 의미한다. 화자는 이러한 표현을 통해 자연을 벗하며 살아가겠다는 다짐을 드러내고 있다. 따라서 안빈낙도하며 살아가겠다는 화자의 의지를 담고 있는 것이라고 볼 수 있다.

가사 129 탄궁가(嘆窮歌)

정훈(1563~1640) 조선 중기의 시인으로 호는 수남방옹. 정철과 더불어 가사 문학의 쌍벽을 이루었다고 평가 받고 있다. 6편의 가사와 20수의 시조를 남겼으며 저서에 『수방남옹유고』가 있다.

01 표현상의 특징 파악 정답 ①

정답해설 본사 1의 '동린에 ᄡᅡ보 엇고 서사에 호ᄆᆡ 엇고', 본사 2의 '환자 쟝리ᄂᆞᆫ 무어스로 당만ᄒᆞ며 요역 공부ᄂᆞᆫ 엇지ᄒᆞ야 ᄎᆞᆯ와 낼고.' 등에서 대구의 방식을 통해 화자의 가난한 처지를 드러내고 있다.

오답해설 ② 윗글의 화자는 가난을 극복하고자 하였으나 결국 체념하고 받아들이고 있을 뿐, 자신의 긍지를 표현하지는 않았다.
③ 윗글은 여음이나 후렴구를 사용하지 않았으므로 이를 통해 운율을 형성하고 있지도 않다.
④ 윗글의 화자는 가난에서 벗어나고자 하다가 결국 체념하고 수용하고 있을 뿐, 대립적 공간을 설정하여 이상 세계를 보여 주지는 않았다.
⑤ 윗글의 화자는 결사에서 '빈천도 내 분이어니 셜워 ᄆᆞ슴ᄒᆞ리'라는 설의적 표현을 활용하여 가난한 삶을 수용하고 있는 태도를 드러내고 있을 뿐, 절대자에 대해 귀의를 다짐하고 있지는 않다.

02 시구의 의미 파악 정답 ②

정답해설 ㉡'요역 공부ᄂᆞᆫ 엇지ᄒᆞ야 ᄎᆞᆯ와 낼고.'에서 '요역 공부'는 '국가에서 시켜 의무적으로 해야 하는 육체적 노동과 세금'을 의미한다. 화자는 이를 '어찌하여 채워 낼까?'라면서 가난한 처지지만 '요역 공부'를 해결하고자 걱정하고 있다. 따라서 백성의 의무인 '요역 공부'를 모면하려고 하는 의도는 반영되어 있다고 볼 수 없다.

오답해설 ① ㉠'이바 아희들아 아모려나 힘ᄡᅥ 쓰라.'는 '하인들아 힘써 살아가라'를 의미한다. 이는 화자가 하인들에게 열심히 일해 달라고 한 부탁이므로, 가난이라고 하는 현실의 어려움으로부터 벗어나려는 마음이 투영되어 있다고 볼 수 있다.
③ ㉢'겨스를 덥자 ᄒᆞᆫ들 몸을 어이 ᄀᆞ리올고.'는 '겨울이 덥다 한들 몸을 어찌 가릴까?'를 의미한다. 이는 겨울이 따뜻하다고 해도 몸을 가리기 어렵다는 것으로, 화자가 겨울을 나기에 필요한 최소한의 옷가지도 갖추지 못할 정도로 가난한 상황임을 드러낸 것이라고 볼 수 있다.
④ ㉣'부증도 ᄇᆞ려 두니 블근 비티 다 되엿다.'에서 '부증'은 '(떡 찌는) 솥 시루'를 가리키며, 이것이 붉게 녹이 슬었다는 것은 오랫동안 사용하지 않았다는 것을 의미한다. 따라서 이는 화자가 떡과 같은 음식을 해 먹지 못할 정도로 궁핍한 형편임을 드러내는 것이라고 볼 수 있다.
⑤ ㉤'원근 친척 내빈왕객은 어이ᄒᆞ야 접대ᄒᆞᆯ고.'는 '멀고 가까운 친척과 왔다 가는 손님들은 어떻게 대접할 것인가?'를 의미한다. 이는 친척들과 손님들이 방문하여도 접대할 방도가 없다는 것으로, 친척과 손님들에 대한 도리를 다할 수 없는 화자의 가난한 처지에 대한 염려가 반영된 것이라고 볼 수 있다.

03 시상 전개 과정의 파악 정답 ④

정답해설 윗글의 화자는 서사부터 본사까지는 자신의 가난을 한탄하고, 결사에서는 가난한 자신의 삶을 체념하고 이를 수용하고 있다. 따라서 ㉮는 서사~본사, ㉯는 결사를 가리킨다고 볼 수 있다. ㉯에 해당하는 결사에서 '궁귀'는 '자소지로히 희로우락~ᄒᆞ여 니ᄅᆞᄂᆞ뇨.'라면서 자신을 쫓아내려고 하는 의리 없는 화자를 꾸짖고 있다. 화자는 이러한 '궁귀'의 질책을 듣고 자신의 태도를 바꾸어 가난을 수용하고 있다. '궁귀'는 화자의 무력함에

제IV부

대해서는 꾸짖고 있지 않으므로, ㉯에서 무력함을 꾸짖는 '궁귀'를 원망하고 있다는 것은 적절하지 않다.

오답해설 ① ㉮에 해당하는 서사에서 화자는 '삼순구식'이나 '십년일관'도 하지 못하는 자신의 가난한 생활상을 구체적으로 언급하고 있다.
② ㉮에 해당하는 서사에서 화자는 고사 속의 인물인 '안연'과 '원헌'을 자신과 비교하여 가난함을 강조하고 있다.
③ ㉯에 해당하는 결사의 '빈천도 내 분이어니 셜워 므슴ᄒᆞ리.'에서 화자는 빈천을 자신의 분수라며 수용하고 있다.
⑤ 윗글에서 화자는 가난을 탄식하면서 슬퍼하다가 결사의 '궁귀'와의 대화를 통해 가난을 자신의 운명으로 받아들이고 있다.

가사 130 일동장유가(日東壯遊歌)

김인겸(1707～1772) 조선 후기의 문인으로 호는 퇴석. 1763년 조엄의 삼방사기로 일본에 다녀왔다. 저서에 한문으로 지은 일본 기행 『동사록』이 있다.

01 표현상의 특징 파악 정답 ④

정답해설 '태산 ᄀᆞᄐᆞᆫ 셩낸 물결 텬디의 ᄌᆞ옥ᄒᆞ니 큰나큰 만곡쥬 나모닙 ᄇᆞ치이ᄃᆞᆺ'에서 직유법을 사용하여 통신사의 배가 바다에서 풍랑을 만난 상황을 묘사하였다(ㄴ). 또한 윗글은 시간의 흐름에 따라 시상을 전개하는 추보식 구성의 기행 가사이다(ㄷ).

오답해설 ㄱ. 윗글에서 일본으로 향할 때 바람이 불고 풍랑이 일어난 바다의 모습과 풍랑이 그친 후의 아름다운 바다의 풍경을 묘사하고 있다. 또 일본 대마도의 산봉우리의 모습에 대해 언급하고 있다. 그러나 이를 통해 계절감을 드러내고 있다고 보기는 어렵다.
ㄹ. 윗글에서 바다의 모습과 대마도의 풍경 등 자연에 대한 묘사는 나타나지만, 자연과 인간을 대비하여 인생의 무상감을 드러낸 부분은 찾을 수 없다.

02 자료를 통한 감상의 적절성 파악 정답 ①

정답해설 '믈 속의 어룡들이 응당이 놀라도다.'는 '물속의 고기와 동물들이 마땅히 놀랄 만도 하다.'를 의미한다. 이는 통신사 일행을 환송하는 삼현과 군악 소리가 산과 바다에 크게 울려 퍼졌다는 것을 표현한 것이라고 볼 수 있다. 그러므로 이 표현을 사실을 객관적으로 관찰하여 표현하는 작가의 성향이 드러난 것이라고 보기는 어렵다.

오답해설 ② '고국을 도라보니 야ᄉᆡᆨ이 창망ᄒᆞ야'는 '고국을 돌아보니 밤경치가 아득하여'를 의미한다. 이는 고국을 떠나 시간이 꽤 흘러 날이 어두워졌음을 나타내기도 하고, 고국의 현실이나 앞날에 대한 어두운 생각을 나타낸다고도 할 수 있다. 그러므로 이는 [보기]에서 언급한 고국의 현실을 걱정하는 작가의 마음이 드러난 것이라고 볼 수 있다.
③ '왜션을 더지으니 왜놈이 줄을 바다'에서 '왜놈'은 일본 사람을 낮추어 부르는 표현이다. 그러므로 [보기]에서 언급한 일본을 적대시하는 당시 분위기가 반영된 시어라고 볼 수 있다.
④ '봉만이 삭닙ᄒᆞ야 경치가 긔졀ᄒᆞ다.'는 '산봉우리가 깎아지른 듯하여 경치가 기이하고 빼어나다.'를 의미한다. 이는 대마도의 아름다운 산봉우리에 대한 감탄을 표현한 것이다. 그러므로 이는 [보기]에서 언급한 아름다운 것에 감탄하는 작가의 태도가 드러난 것이라고 볼 수 있다.
⑤ '집 형샹이 궁슝ᄒᆞ야 노젹덤이 ᄀᆞᆺ고내야.'는 '집 모양새가 몹시 높아서 노적 더미 같구나.'를 의미한다. 이는 집이 마치 곡식을 쌓아 놓은 더미와 같다는 표현으로, [보기]에서 언급한 일본의 문물을 미개하다고 여기는 작가의 생각이 드러난 것이라고 볼 수 있다.

03 화자의 정서 파악 정답 ③

정답해설 ㉮는 '산봉우리가 깎아지른 듯 하여 경치가 기이하고 빼어나다'를 의미한다. 이는 화자가 대마도의 포구 주변에서 본 뾰족한 산봉우리의 경치에 대해 감탄하고 있는 표현이다. 한편 ③의 화자는 두류산(지리산) 양단수의 절경을 보고 무릉도원 같다며 감탄하고 있다. 따라서 ㉮와 ③의 화자의 정서가 유사하다고 볼 수 있다.

오답해설 ① 화자는 농사일을 열심히 하자고 권하면서 상부상조의 정신을 노래하고 있다.
② 화자는 괴로운 현실에서 시름이 많다면서 노래를 불러서 시름을 해소하고자 하고 있다.
④ 화자는 고국을 떠나면서 시절이 어수선하여 돌아올 수 있을지 알 수 없다며 안타까움을 느끼고 있다.
⑤ 화자는 일찍 익은 감을 보며 돌아가신 부모님을 그리워하고 있다.

가사 131 만언사(萬言詞)

안조환(?～?) 조선 정조 때의 문신으로 대전별감을 지냈다고 하나 자세한 행적은 전해지지 않는다. 「만언사」의 작가는 자료에 따라 '안조환', '안도원', '안도환' 등으로 전해지기도 한다.

01 표현상의 특징 파악 정답 ④

정답해설 윗글의 화자는 유배 생활을 하고 있는 자신의 처지에 대한 서러움을 한탄하고 있으며, 자신의 잘못을 후회하고 있다. 또 결사의 '끊쳐진 옛 인연을 고쳐 잇게 하옵소서'에서는 유배라는 현실을 극복하려는 소망을 드러내고 있다. 하지만 화자는 자신을 용서하고 유배지에서 풀려나게 해달라고 간청하고 있을 뿐, 단호한 어조로 자신이 처한 현실을 극복하려는 의지를 드러내고 있지는 않다.

오답해설 ① 본사 2의 '남방 염천～냄새를 어찌하리'에서 여름이 왔는데도 유배를 올 때 입었던 겨울옷을 그대로 입고 있는 화자의 모습을 구체적으로 묘사하여 화자의 비참한 상황을 실감나게 표현하고 있다.
② 본사 6의 '백구야 날지 마라～네 벗 되오리라'에서 '백구'를 의인화하여 말을 건넴으로써, 임금에 대한 화자의 변함없는 충성심과 성은에 보답하려는 심정을 나타내고 있다.
③ 본사 4의 '범 물릴 줄～공명 탐심 하였으랴'에서 유사한 통사 구조를 반복하여 화자가 한 잘못된 행동을 후회하고 반성하고 있음을 드러내고 있다.
⑤ 본사 2의 '옥식 진찬 어디 두고～현순백결 되었는고'에서 유배를 오기

전과 후의 생활을 대비하여 화자의 비참한 처지를 부각하고 있다.

02 시어의 의미 파악 정답 ②

정답해설 윗글의 화자는 본사 5에서 자신이 낚시를 하고 있지만, 낚시를 하는 목적이 '은린옥척'을 잡고자 함이 아니라 '의지를 취함' 즉, 마음을 얻고자 함이라고 하였다. 그러므로 은린옥척은 화자의 지향에서 벗어나 있다고 볼 수 있다.

오답해설 ① 본사 5에서 화자는 '조대'로 내려가 낚시를 하며 취향을 즐기고자 한다. 따라서 '조대'는 화자가 과거에 머물렀던 장소가 아니라 현재 머무르고 있는 장소라고 볼 수 있다.
③ 본사 6의 '그림자'는 낚싯대의 그림자로, 잠든 백구를 깨우는 역할을 하는 소재일 뿐 화자가 자기 성찰을 하는 매개물이 된다고 보기는 어렵다.
④ 본사 6에서 화자는 성세에 한민이 되어 백구를 쫓아다니겠다고 하였다. 이는 화자가 간절히 바라는 일이므로 '성세'는 화자가 지향하는 대상이지 화자의 처지가 변화하는 계기라고 보기는 어렵다.
⑤ 본사 6의 '벗'은 화자가 '백구'에게 되어 주겠다고 하는 것이다. 따라서 화자가 부러워하는 대상이 아니라 화자 자신을 가리킨다고 볼 수 있다.

03 자료를 통한 감상의 적절성 파악 정답 ④

정답해설 윗글의 화자는 본사 1에서 자신이 유배를 당한 것은 자신의 잘못 때문이라고 인정하고 있다. 또 본사 3에서 과거 자신의 삶을 반성하고, 본사 6에서 임금에 대한 변함없는 충성심을 나타내고 있다. 그러나 윗글에서 적대자에 대한 원망의 감정을 드러낸 부분은 찾을 수 없다.

오답해설 ① 본사 2의 '남방 염천 ~ 현순백결 되었는고'에서 화자의 유배 생활이 비참하고 힘들다는 것을 알 수 있다. 또한 본사 6의 '평생에 곱던 ~ 내 마음 둘 데 없어'에서 화자의 유배 생활이 외롭다는 것을 짐작할 수 있다.
② 본사 3의 '농사의 좋은 흥미 ~ 망라에 걸렸으랴'에서 화자가 과거 자신의 삶을 후회하고 반성하고 있음을 알 수 있다. 그러므로 화자에게 유배 생활은 자신의 내면을 들여다보는 계기가 되었다고 볼 수 있다.
③ 본사 6의 '백구야 날지 마라 ~ 네 벗 되오리라'는 화자가 자연물인 '백구'에게 건넨 말이다. 화자는 이를 통해 임금에 대한 변함없는 충성심과 그리움을 나타내고 있다.
⑤ 결사의 '끊쳐진 옛 인연을 고쳐 잇게 하옵소서'에서 화자는 떠나온 임금의 곁으로 복귀하고 싶은 마음을 드러내고 있다.

가사 132 농가월령가(農家月令歌)

정학유(1786~1855) 조선 헌종 때의 문인으로 호는 운포. 정약용의 둘째 아들로 직접 농사를 지으며 실학 정신을 실천하였다.

01 표현상의 특징 파악 정답 ③

정답해설 윗글에서는 '농지', '농우', 'ᄌᆞ거름', '맥전', '발치', '망구', '다락기' 등 농사일과 관련된 어휘를 활용하여 농촌 생활을 생생하게 표현하고 있다. 그러나 이를 통해 농사일을 실행할 것을 권하고 있을 뿐, 당대 사회를 풍자하고 있지는 않다.

오답해설 ① 정월령의 '농지를 다ᄉᆞ리고 농우를 살펴 먹여', '낫이면 이영 녁고 밤의는 ᄉᆡᆨ기 ᄭᅩ아', 팔월령의 '아ᄎᆷ의 안ᄀᆡ 씨고 밤이면 이실 ᄂᆞ려' 등에서 대구법을 활용하여 운율감을 부여하고 있다.
② 정월령의 '보기의 신신ᄒᆞ야 오신채 불워ᄒᆞ랴.', '묵은 산채 살마ᄂᆡ여 육미를 밧골소냐.' 등에서 의문의 형식을 사용하여 화자의 생각을 강조하고 있다.
④ 팔월령의 '빅설 갓흔 면화송이 산호 갓ᄒᆞᆫ 고초다리'에서는 직유법을 사용하여 '면화송이'와 '고초다리'의 모습을 생생하게 표현하고 있다.
⑤ 윗글에서는 '~마라', '~ᄒᆞ라' 등의 명령형과 '~보ᄌᆞ', '~먹세' 등의 청유형 문장을 통해 농민들을 교화하고 계몽하려는 화자의 의도를 나타내고 있다.

02 자료를 통한 감상의 적절성 파악 정답 ⑤

정답해설 정월령에서는 '정초'에 행하는 세배하기, 연날리기, 널뛰기 등의 세시 풍속과 '보름날'에 행하는 묵은 산채 삶아 먹기, 귀밝이술 마시기, 부럼 깨물기 등의 세시 풍속을 제시하고 있다. 한편 팔월령에서는 '추석 명일'에 행하는 신도주와 오려송편, 박나물과 토란국 등의 음식 만들기와 선산에 제사하기, 며느리 근친 보내기 등을 소개하고 있다. 그러므로 정월령과 팔월령 모두 구체적인 명절에 행하는 세시 풍속을 각각 제시하고 있다고 볼 수 있다.

오답해설 ① 정월령에서는 '입춘', '우수' 두 절기를, 팔월령에서는 '빅노', '추분' 두 절기를 소개하고 있다.
② 정월령에서는 '산중 간학의 빙설은 남아시니 평교 광야의 운물이 변ᄒᆞ도다.'라고 하면서 시각적 심상을 통해 계절을 드러내고 있다. 한편 팔월령에서는 '귀ᄯᅩ람이 말근 쇼ᄅᆡ 벽간에 들거고나.'라면서 계절감을 드러내고 있다. 따라서 팔월령에서는 청각적 심상을 활용하여 가을이라는 계절감을 드러내고 있다고 볼 수 있다.
③ 정월령에서는 '일년지계 재춘ᄒᆞ니 범사를 미리 ᄒᆞ라. 봄에 만일 실시ᄒᆞ면 종년 일이 낭패되네.'라고 하면서 한 해를 마칠 때까지 일이 낭패가 되지 않게 하려면 정월에 모든 일을 미리 준비해야 한다고 권하고 있다. 또한 팔월령에서는 '아름 모아 말리여라 철 대야 쓰게 ᄒᆞ소'라고 하면서 알밤을 모아 말려 필요한 때, 즉 제사 때에 쓰라고 권하고 있다.
④ 정월령에서는 '늙으니 근력 없고 힘든 일은 못 ᄒᆞ야도 낫이면 이영 녁고 밤의는 ᄉᆡᆨ기 ᄭᅩ아'라면서 늙어서 힘이 부족한 늙은 사람이 해야 할 일로 이엉 엮기와 새끼 꼬기를 제시하고 있다. 그러나 팔월령에서는 늙은 사람이 해야 할 일을 따로 제시하지는 않았다.

가사 133 북찬가(北竄歌)

이광명(1701~1778) 조선 영조 때의 강화학파의 일원. 강화도를 중심으로 양명학적 학풍이었다. 작품에 유배지인 갑산의 지리와 풍속을 담은 한글 산문인 「이쥬풍속통」이 있다.

01 표현상의 특징 파악 정답 ④

정답해설 윗글은 대구법, 설의법, 도치법 등 다양한 표현 방법을 사용하고 있지만, 의성어나 의태어 같은 음성 상징어를 사용하고 있지는 않다.

오답해설 ① 본사 1의 '못 본 제는 기다리나 보게 되면 시원할까.', '노친 소식 나 모를 제 내 소식 노친 알까.' 등에서 물음의 방식을 통해 유배지에서 어머니를 그리워하고 있는 화자의 처지를 나타내고 있다.
② 본사 2의 '여의 잃은 용이오 키 없는 배 아닌가.', '추풍의 낙엽같이 어드메 가 머무를꼬.' 등에서 은유법과 직유법을 활용하여 유배를 간 화자가 어머니를 만날 수 없는 상황에 처해 있음을 드러내고 있다.
③ 본사 1의 '앉은 곳에 해가 지고 누운 자리 밤을 새워 잠든 밧긔 한숨이오 한숨 끝에 눈물일세.', 본사 2의 '흐르는 내가 되어 집 앞에 두르고저, 나는 듯 새나 되어 창가에 가 노닐고저.' 등에서 유사한 구조의 시구끼리 짝을 이루는 대구법을 활용하여 운율을 형성하고 있다.
⑤ 본사 1의 '잠든 밧긔 한숨이오 한숨 끝에 눈물일세.'에서 연쇄법을 활용하여 어머니를 그리워하고 걱정하고 있는 화자의 정서를 표현하고 있다.

02 자료를 통한 감상의 적절성 파악 정답 ③

정답해설 본사 2의 '여의 잃은 용'은 유배를 와 있어 어머니를 만날 수 없는 화자 자신의 모습을 비유적으로 표현한 것이다. 따라서 충성스러운 신하를 귀양 보낸 임금에 대한 화자의 안타까움을 드러낸 것이라고 볼 수 없다.

오답해설 ① 본사 1의 '밤밤마다 꿈에 뵈니'는 매일 밤 꿈에 화자가 어머니를 뵌다는 의미로, 화자가 어머니를 간절히 그리워하고 있음을 알 수 있다.
② 본사 1의 '산과 강물 막힌 길에 일반고사 뉘 헤올고.'에서 '산'과 '강물'은 화자와 어머니 사이를 가로 막는 장애물을 의미한다. 화자는 이러한 장애물 때문에 어머니를 뵐 수 없어 고통스러워 하고 있다. 바로 앞 구절인 '노친 소식 나 모를 제 내 소식 노친 알까.'로 보아, 화자는 장애물 때문에 노모의 소식을 알지 못하고 있으며 노모에게 자신의 소식을 전하지 못하여 괴로워하고 있음을 짐작할 수 있다.
④ 본사 2의 '어느 때에 주무시며 무엇을 잡숫는고.'에는 어머니가 먹고 잠을 자는 등의 일상생활을 잘 하고 계시는지에 대한 화자의 궁금증이 드러나 있다. 이는 어머니에 대한 화자의 걱정이 담겨 있다고 할 수 있다.
⑤ 본사 2의 '나 아니면 뉘 뫼시며'에는 화자 자신이 아니면 어머니를 모실 사람이 없는데, 화자가 유배를 오게 되어 어머니를 모시지 못하는 것에 대한 안타까움이 드러나 있다고 볼 수 있다.

03 작품 간 시어의 비교 정답 ②

정답해설 윗글의 화자는 어머니가 계신 남쪽으로 흘러가는 ㉠'구름'을 부러워하고 있다. 한편 [보기]의 화자는 ⓐ'구름'을 '허랑'한 존재이면서 '날빛을 따라가며 덮'는다며 비판하고 있다.

오답해설 ① ㉠은 화자가 가고 싶어 하는 남쪽으로 갈 수 있어 화자가 동경하는 소재이고, ⓐ는 날빛을 따라가며 덮어서 화자가 비판하는 소재이다.
③ ㉠은 화자가 ㉠처럼 갈 수 없기 때문에 화자가 처한 불행한 현실을 드러낸다고 볼 수도 있다. 그러나 ⓐ는 화자가 추구하는 세계를 드러내는 것이 아니라 화자가 비판하고 있는 대상이다.
④ ㉠은 화자가 가고 싶은 곳을 자유롭게 갈 수 있어 동경하는 대상일 뿐, 추억을 떠올리게 하고 있지는 않다. ⓐ도 날빛을 따라가며 덮어 화자가 비판하는 대상일 뿐, 탈속적 세계를 떠올리게 하지는 않는다.
⑤ ㉠은 화자가 가고 싶은 곳을 갈 수 있는 동경의 대상으로, 화자에게 현실 극복 의지를 불러일으키고 있지는 않다. ⓐ는 화자가 비판하는 대상으로 화자에게 현실에 대한 체념의 계기를 마련하고 있지는 않다.

이존오, 「구름이 무심탄 말이~」

- **갈래**: 평시조
- **해제**: 고려말 승려 신돈이 공민왕의 총애를 받아 관직에 올라 나라를 어지럽게 한 것을 통탄하며 풍자한 시조이다. 임금의 총명을 해에 비유하였으며 그 햇빛을 가리는 간신을 구름에 비유하여 풍자하였다.
- **주제**: 간신의 횡포 풍자
- **현대어 풀이**: 구름이 욕심이 없다는 것은 허무맹랑한 기짓말이다. / 하늘 높이 떠 있어 마음대로 다니면서 / 구태여 밝은 햇빛을 따라 가며 덮는구나.

* 참고: 본문 63쪽

가사 134 연행가(燕行歌)

홍순학(1842~1892) 조선 말기의 문신으로 자는 덕오(德五). 고종 3년(1866)에 서장관으로 중국 청나라에 다녀와 그곳에서 보고 느낀 바를 노래한 기행 가사인 「연행가」를 지었다.

01 표현상의 특징 파악 정답 ②

정답해설 윗글은 청나라에 사신으로 떠난 화자의 여정에 따라 견문과 감상을 제시하고 있으므로, 시간의 흐름에 따라 시상을 전개하고 있다고 볼 수 있다(ㄱ). 또한 '화ᄉᆞ 치란 시졍들은 만물이 번화ᄒᆞ다.'와 '의복기 괴려ᄒᆞ여 쳐음 보기 놀납도다.' 등에서 이국의 낯선 문물에 대한 화자의 주관적인 평가가 드러나 있다(ㄷ).

오답해설 ㄴ. 화자는 '빅운은 요요ᄒᆞ고 광ᄉᆡᆨ이 참담ᄒᆞ다.' 등에서 자연물을 통해 고국을 떠나는 자신의 심정을 제시하고 있지만, 자연과 인간을 대비하고 있지는 않다. 또한 자연물을 통해 교훈을 이끌어내지도 않았다.
ㄹ. 화자가 청나라를 가서 보고 느낀 바를 제시하고 있으므로 윗글이 체험을 바탕으로 하고 있다고 볼 수 있다. 그러나 청나라 문물에 대한 우월감을 드러낼 뿐, 친밀감을 드러내고 있지는 않다.

02 시구의 의미 파악 정답 ④

정답해설 ㉣은 청나라 사람들이 사신 일행을 구경하면서 수군거리지만, 그들이 수군대는 말을 알아듣지 못하겠다는 의미이다. 따라서 ㉣은 조선과 청나라의 말이 달라 화자가 청나라 사람들의 말을 이해하지 못하겠다는 것이지, 관심사가 달라 답답하다는 것은 아니다.

오답해설 ① '장계'는 신하가 임금에게 중요한 일을 보고하는 문서를 가리킨다. 따라서 화자가 장계를 봉한 후에 떨치고 일어나는 모습을 통해 벼슬아치로서의 화자의 책임감이 나타난다고 볼 수 있다.
② 머리카락의 앞을 깎고 뒤만 땋아 늘어뜨렸다는 것은 청나라 사람들의 머리 모양을 묘사한 것이다.
③ 이를 잘 닦지 않아 누렇게 변색된 것을 '이썰은 황금'이라고 하였고, 손톱이 지나치게 긴 것을 '손톱은 다섯 치'라고 표현하였다. 이는 청나라 사람들의 불결한 위생 상태를 지적한 표현이다.
⑤ 청나라 여인들의 의복을 '사나히 제도'라고 표현하였는데, 이는 그녀들의 옷차림이 청나라 남자들의 옷차림과 비슷하다고 표현한 것이다.

가사 135 용부가(庸婦歌)

01 표현상의 특징 파악 정답 ③

정답해설 본사 2의 '세간은 줄어가고 걱정은 늘어간다'에서 대조적인 상황을 제시하여 '뺑덕어미'의 악행이 가져온 결과를 언급하고 있다. 그러나 윗글에서 대조적인 소재를 사용하여 공간의 의미를 강조하고 있는 부분은 찾을 수 없다.

오답해설 ① 본사 2의 '남편 모양 볼작시면~털 벗은 솔개미라', '세간은 줄어가고 걱정은 늘어간다' 등에서 대구법을 사용하여 운율감을 형성하고 있다.
② 본사 2의 '남편 모양 볼작시면~털 벗은 솔개미라'에서 '남편'은 '삽살개 뒷다리'에 '자식'은 '털 벗은 솔개미'에 빗대어 표현함으로써 해학적으로 그리고 있다.
④ 본사 1의 '시집살이 못 하겠네 간숫병을 기울이며 치마 쓰고 내닫기와 봇짐 싸고 도망질에', 본사 2의 '이 집 저 집 이간질과 음담패설 일삼는다 모함 잡고 똥 먹이기' 등에서 열거법을 활용하여 '부인'과 '뺑덕어미'의 비도덕적인 행위를 언급하고 있다.
⑤ 본사 2의 '물레 앞에 선하품과 씨아 앞에 기지개라'에서 '물레', '씨아' 등과 같은 실생활과 관련된 어휘를 통해 '뺑덕어미'의 게으른 성품을 드러내고 있다.

02 자료를 통한 감상의 적절성 파악 정답 ⑤

정답해설 [B]는 본사 2에 해당하며 '이 집 저 집 이간질과 음담패설 일삼는다', '모함 잡고 똥 먹이기', '아이 싸움 어른 쌈에 남의 죄에 매 맞히기', '딸자식을 다려오니 남의 집은 결딴이라' 등에서 '뺑덕어미'가 타인을 곤경에 빠뜨리는 모습을 열거하고 있다. 한편 본사 1에 해당하는 [A]에서는 '부인'이 시집에서 벗어나고 싶어 하는 모습과 게으름을 피우는 모습, 정숙하지 못한 모습 등이 언급되어 있다. 그러나 타인을 곤경에 빠뜨리는 모습은 묘사되어 있지 않다.

오답해설 ① [B]의 '세간은 줄어가고 걱정은 늘어간다'는 살림살이는 줄어들고 집안 걱정만 늘어가는 상황을 제시하고 있는데, 이는 '뺑덕어미'가 잘못된 행실을 하여 얻은 결과를 가리킨다. 그러나 [A]에서는 '부인'의 잘못된 행실의 결과에 대해 언급하고 있는 부분을 찾을 수 없다.
② [A]의 '반분대로 일을 삼고 털 뽑기가 세월이라'는 '부인'이 화장을 하고 외모를 단장하는 일에 치중하는 것을 언급한 것으로, 부인의 행실을 풍자하고 비판한 것이라고 볼 수 있다. 그러나 [B]에서는 대상이 외모를 가꾸는 일에 치중함을 풍자하는 부분을 찾을 수 없다.
③ 결사에 해당하는 [C]의 '무식한 창생들아'는 청자인 '세상 사람들(백성들)'을 부른 것이고 이어지는 '저 거동을 자세 보고~행하기를 위업하소'는 '부인'과 '뺑덕어미'의 행실을 타산지석으로 삼아, 올바른 행동을 하라는 화자의 당부를 직설적으로 드러낸 것이라고 할 수 있다. 그러나 [A]와 [B]에서는 청자를 직접 제시한 부분도, 경계의 내용을 직설적으로 드러낸 부분도 찾을 수 없다.
④ [A]의 '시부모가 경계하면 말 한마디 지지 않고'는 '부인'이 시부모에게 예의 없이 행동하는 모습을 묘사한 표현으로, 부인이 시부모를 홀대하는 것을 드러낸다고 볼 수 있다. 또한 [B]의 '조상은 부지하고'는 뺑덕 어미가 조상의 제사를 지내지 않는다는 표현으로, 이 표현 역시 '조상'을 홀대하는 태도를 드러낸 것이라고 볼 수 있다.

가사 136 화전가(花煎歌)

01 표현상의 특징 파악 정답 ⑤

정답해설 윗글은 화전놀이를 떠나기 전, 즐기는 중, 마친 후로 나누어 시간의 흐름과 공간의 이동에 따라 시상을 전개하고 있다. 그러나 과거를 회상하고 있는 부분은 찾아볼 수 없다.

오답해설 ① 본사 2의 '원산 같은 눈썹일랑 아미로 다스리고, 횡운 같은 귀밑일랑 선빈으로 꾸미도다', 결사의 '층암고산에 모운이 일어나고, 벽수동리에 숙조가 돌아든다.' 등에서 대구법을 사용하여 운율을 드러내고 있다.
② 본사 1의 '이 때가 어느 때뇨. 불한불열 삼춘이라'에서 자문자답의 형식을 통해 '삼춘'이라는 시기를 강조하고 있다.
③ 본사 2의 '원산 같은 눈썹일랑', '횡운 같은 귀밑일랑' 등에서 직유법을 사용하여 화전놀이를 가기 위해 치장하는 여인들의 모습을 구체적으로 언급하고 있다.
④ 본사 3의 '소선의 적벽인들 이에서 더할소냐.', '이백의 채석인들 이에서 덜할소냐.'에서 현재 화자가 즐기는 경치와 '적벽', '채석'을 비교하여 화자가 즐기는 경치가 아름답다고 강조하고 있다.

02 자료를 통한 감상의 적절성 파악 정답 ③

정답해설 본사 2의 '어서 가자 바삐 가자.'는 간절히 바라던 화전놀이를 가는 날이 와서 조금이라도 일찍 화전놀이를 즐기려는 화자의 마음을 드러낸 표현이다. 하지만 이는 청유형 어미인 '-자'를 사용하여 함께 떠나는 일행들을 재촉하는 것일 뿐, 남보다 빨리 가기 위해 경쟁하는 모습이라고 보기는 어렵다.

오답해설 ① 본사 1의 '손꼽고 바라더니'는 화전놀이를 가기로 한 날인 음력 2월 25일을 간절히 기다린다는 의미이다. 이는 화전놀이에 대한 화자의 기대감이 드러난 표현이라고 할 수 있다.
② 본사 2의 '아미'는 '원산 같은 눈썹'을 다스려서 된 것이고, '선빈'은 '횡운 같은 귀밑'을 꾸며서 된 것이다. 이는 화전놀이를 가기 위해 곱게 단장한 화자, 즉 여인들의 모습을 언급한 표현이다.
④ 본사 3의 '이에서 더할소냐.'는 설의적인 표현으로, 이보다 더하지 못하다는 의미이다. 문맥을 고려하면 집에 앉아 있으면 '수륙진미'를 보겠지만, 이렇게 함께 즐기는 화전놀이보다 더하지 못하다는 것을 의미한다. 따라서 이는 화전놀이를 즐기는 화자의 만족감이 드러난 표현이라고 할 수 있다.

⑤ 결사의 '마지못해 일어나니'는 일어나고 싶지 않지만 해질 무렵이 되어서 어쩔 수 없이 일어난다는 의미이다. 따라서 이 표현에는 화전놀이를 마치는 화자의 아쉬움이 드러나 있다고 할 수 있다.

가사 137 덴동 어미 화전가(花煎歌)

01 화자의 특징 파악 정답 ❶

정답해설 윗글의 '덴동 어미'는 자신의 처지를 생각하며 슬픔에 빠져 있는 '청춘과부'에게 본사 4-②에서 운명에 순응하며 마음의 동요 없이 살라고 충고하고 있다. 그리고 본사 5의 '청춘과부'는 덴동 어미의 충고에서 깨달음을 얻어 슬픔에서 벗어나 화전놀이를 흥겹게 즐기고 있다. 따라서 '덴동 어미'가 '청춘과부'에게 시련을 극복하도록 의지를 갖게 한 것이므로, '덴동 어미'는 '청춘과부'에게 생명력을 불어넣는 역할을 했다고 할 수 있다.

오답해설 ② '덴동 어미'는 본사 4-①에서 운명에 순응하는 삶의 자세에 대해 언급하고, 본사 4-②에서 마음먹기의 중요성에 대해 강조하고 있다. 그러나 계획적인 삶이 중요하다는 생각을 밝히고 있지는 않다.
③ 본사 2를 통해서 '덴동 어미'가 타향을 떠돌다 근 50년 만에 고향에 돌아왔음을 알 수 있다. 그러나 '덴동 어미'가 고향을 떠나 은거해야겠다고 다짐하는 내용은 찾아볼 수 없다.
④ 본사 5의 '덴동 어미 말 들으니 말씀마다 개개 옳애'에서 알 수 있듯이 '청춘과부'는 '덴동 어미'의 말이 옳다고 생각하고 있다.
⑤ 본사 4-②에서 '청춘과부'는 '덴동 어미'의 모든 것이 마음먹기에 달렸다는 충고를 듣고, 본사 5에서 깨달음을 얻어 즐겁게 화전놀이를 하고 있는 모습이 묘사되어 있다. 그러나 이것이 '청춘과부'가 가난이 사람을 성숙하게 만든다고 믿게 되었다고 보기는 어렵다.

02 자료를 통한 감상의 적절성 파악 정답 ❺

정답해설 ㉤'꽃은 절로 피는 거요 새는 예사 우는 거요'는 마음먹기에 따라서 꽃 피고 새 우는 것은 일상적으로 일어나는 자연적인 것으로 인식할 수 있다는 의미이므로, '꽃'과 '새'는 화자의 감정 이입의 대상이라고 할 수 없다. 또한 여기에서는 화자의 서럽고 슬픈 감정은 나타나지 않는다.

오답해설 ① ㉠'화신풍이 화공 되어 만화방창 단청 되네'에서는 '화신풍', 즉 바람을 화공으로 의인화하여 온갖 생물이 자라는 따뜻한 봄날의 계절감을 생동감 있게 나타내고 있다.
② ㉡'오고가는 벅궁새는 벅궁벅궁 벅구치고'에서는 '벅궁벅궁'과 '벅구'라는 음의 유사성을 이용한 언어유희를 활용하여 화전놀이의 흥겨움을 드러내고 있다.
③ ㉢'첫째 낭군은 추천에 죽고 둘째 낭군은 괴질에 죽고 셋째 낭군은 물에 죽고 넷째 낭군은 불에 죽어'에서는 '낭군'과 '죽고'를 반복하고 있으며 낭군들이 죽는 상황을 열거하고 있다. 이와 같은 표현 방법을 통해 네 번이나 결혼한 '덴동 어미'의 기구하고 불쌍한 처지와 운명을 드러내고 있다.
④ ㉣'남이라도 욕할게요 친정일가들 반가할까.'는 네 번이나 개가한 '덴동 어미'가 자신에 주변 사람들의 반응을 걱정하는 부분이다. '반가할까'라는 설의적인 표현을 통해 여인의 개가를 부정적으로 여기는 당대의 사회상을 짐작하게 한다.

가사 138 춘면곡(春眠曲)

01 표현상의 특징 파악 정답 ❷

정답해설 윗글은 봄날 야유원을 찾은 화자가 여인을 만나 사랑을 하고 헤어진 뒤에 여인 그리워하는 마음을 담은 가사로, 시간의 흐름에 따라 시상이 전개되고 있다. 그러나 현재와 과거를 교차하고 있지는 않으며, 긴박한 사건의 전개도 드러나지 않는다.

오답해설 ① '춘면을 / 느즛 깨야 / 죽창을 / 반개하니'와 같이 4음보의 율격을 통해 운율을 형성하고 있다.
③ 본사 4에서 '삼경에 못든 잠을 사경말'에 든 화자는 꿈에서 '옥빈홍안'의 임을 만나고 있음이 묘사되어 있다. 따라서 꿈 속 장면을 삽입하여 환상적 분위기를 제시하고 있다고 볼 수 있다.
④ 본사 4의 '호월'은 임에 대한 화자의 그리움을 심화시키는 객관적 상관물이다.
⑤ 화자는 본사 3의 '두견'과 본사 5의 '외기럭이'에 감정을 이입하여 임을 그리워하는 마음을 간접적으로 드러내고 있다.

02 자료를 통한 감상의 적절성 파악 정답 ❹

정답해설 화자는 [A]에서 '편월', 즉 조각달이 되어서 '님의 낮에 비추'고 싶고, '잘새'가 되어 임이 계신 '북창에 가 울'고 싶다고 하였다. 따라서 '편월', '잘새' 등의 자연물은 화자의 분신으로, '님'에게 가까이 다가가고 싶어 하는 소망을 담고 있다고 볼 수 있다. 그러나 이것들이 '님'과 함께 크고 넓은 세계로 도약하려는 희망을 담은 것이라고 보기는 어렵다.

오답해설 ① [보기]에서는 관습적 표현에 당대인들의 세계관이 투영되어 있다고 하였다. 따라서 화자가 관습적인 표현을 활용한 것은 독자가 개인적 정서를 보편적인 것으로 느끼게 하는 효과가 있다고 볼 수 있다.
② [A]에서는 '~의 ~되야 ~고져'나, '~의 ~되야 ~날고지고'와 같이 비슷한 의미 구조를 갖는 구절을 반복하여 임과 함께 하고 싶다는 화자의 소망을 강조하고 있다.
③ [보기]에서는 자연물을 이용하는 것에는 인간과 자연이 깊은 관련을 맺으며 조화를 이룬다는 인식이 담겨 있다고 하였다. 따라서 화자가 '오동', '제비', '나뷔' 등을 사용한 것은 인간과 자연에 관한 이러한 인식이 바탕에 깔려 있기 때문이라고 볼 수 있다.
⑤ 화자가 '편월'이나 '잘새' 등이 되어서라도 '님'과 만나려고 한다는 것은 현실에서는 그만큼 '님'과 만나기 힘들다는 것을 의미한다. 따라서 자연물로 변해서라도 화자가 '님'과 만나려 하는 것을 통해, 화자가 '님'과 만나기 어려운 상황에 놓여 있다는 것을 추측할 수 있다.

잡가 139 유산가(遊山歌)

01 표현상의 특징 파악 정답 ❹

정답해설 윗글은 대구법, 비유법, 설의법 등을 활용하여 화자의 정서를 드러내고 있다. 그러나 표면적으로는 모순된 표현이지만 내면적으로는 진실성, 정당성을 띠는 표현 방법인 역설법이 활용된 부분은 찾아볼 수 없다.

오답해설 ① 본사 2에는 '거지중천 → 원산 → 태산(기암 → 장송 → 폭포)'으로 이어지는 시선의 이동이 드러나 있다. 따라서 시선의 이동에 따라 시상이 전개되고 있다고 볼 수 있다.
② 본사 2의 '제비는 물을 차고 기러기 무리져서', '기암은 층층 장송은 낙락' 등에서 대구를 활용하여 리듬감을 형성하고 있다.
③ 본사 2의 '태산은 주춤하여 ~ 춤을 춘다.'에는 의인법이, '수정렴 드리운 듯', '은옥 같이 흩어지니'에는 직유법이 활용되었으며 이를 통해 대상의 이미지를 형상화하고 있다.
④ 본사 2에서는 '펄펄펄', '우줄우줄', '콸콸', '주루루룩', '쌀쌀', '으르렁' 등의 고유어뿐 아니라, '첩첩', '층층', '낙락' 등 한자어로 된 의성어와 의태어를 사용하여 생동감을 부여하고 있다.

02 자료를 통한 감상의 적절성 파악 정답 ❶

정답해설 윗글의 화자는 봄의 아름다운 경치를 완상하고 예찬하고 있으며, 봄의 경치를 즐기면서 흥겨움을 느끼고 있다. 따라서 [A]에서의 자연도 화자가 바라보고 즐기는 풍류와 유흥의 공간이라고 할 수 있다. 한편 '기러기 무리져서~어이 갈꼬 슬피 운다.'는 봄이 되어 기러기가 돌아가는 모습을 관습적이고 상투적으로 표현한 것일 뿐, 화자가 느끼는 비애의 정서를 표현했다고 보기는 어렵다.

오답해설 ① '제비는 물을 차고, 기러기 무리져서'와 같이 3 · 4조를 유지하던 율격이, 후반부로 가면서 '이 골 물이 주루루룩, 저 골 물이 쌀쌀, 열에 열 골 물이 한데 합수하여 천방져 지방져 소쿠라지고 펑퍼져 넌출지고 방울져'에서처럼 파괴된 모습으로 나타나 있다.
③ 하늘을 나는 '제비'와 '기러기'를 향하던 화자의 시선이 '원산'에서 '기암', '장송', '폭포수'의 물결이 흘러가는 모습까지 점점 가까운 풍경으로 옮아가고 있다. 따라서 화자의 시선이 원경에서 근경으로 이동하고 있다고 볼 수 있다.
④ 후반부의 '장송'이 광풍에 춤추는 모습이나 '폭포수'가 흘러 내려가는 모습 등에서 의태어와 의성어를 사용하여 대상의 모습을 구체적으로 묘사하고 있다고 볼 수 있다.
⑤ 후반부로 갈수록 '펄펄펄', '첩첩', '층층', '우줄우줄' 등의 의태어나 '콸콸', '주르주륵', '쌀쌀' 등의 의성어를 활용하고 있다. 이와 같은 표현에는 시각적 이미지와 청각적 이미지가 두드러지게 나타나 있다.

한시 140 산민(山民)

김창협(1651~1708) 조선 중기의 학자로 호는 농암(農巖). 문장에 능하고 글씨도 잘 써서 「문정공이단상비」 등의 작품을 남겼으며, 저서에 『농암집』, 『사단칠정변』 등이 있다.

01 표현상의 특징 파악 정답 ❺

정답해설 윗글의 2~4구에는 문간에 나와 화자를 맞이하고 처마 아래 화자를 앉게 하며 화자를 위해 밥과 반찬을 내어 오는 등 화자를 맞이하는 아낙네의 모습이 구체적으로 제시되어 있다.

오답해설 ① 윗글에서는 산골짜기의 생활과 평지에서의 생활을 대비하여 벼슬아치들의 수탈과 심한 횡포를 비판하고 있다. 따라서 대조적인 이미지의 시어를 통해 주제를 드러내고 있을 뿐, 유사한 이미지를 통해 주제를 드러내고 있다고 볼 수 없다.
② 윗글의 10구에서 개와 닭이 산기슭에 의지하여 살아간다고 표현하였지만, 이는 개와 닭에게 친밀감을 드러내는 표현이라고 보기 어렵다.
③ 윗글의 1구에서 화자는 말에서 내려 인가를 찾아가 아낙네와 대화를 하고 있다. 이 대화를 통해 화자는 고달프게 살아가는 백성들에 대한 연민을 느끼고 벼슬아치들을 비판하고 있을 뿐, 정서의 변화를 나타내고 있지는 않다.
④ 윗글의 화자는 아낙네와의 대화를 통해 고달프게 살아가는 백성들에 대한 연민을 느끼고 벼슬아치들을 비판하고 있을 뿐, 화자와 아낙네 사이의 갈등은 드러나 있지 않다.

02 시어의 의미 파악 정답 ❹

정답해설 [보기]의 ⓑ'무림산중'은 화자가 삭정이 마른 섶을 베고 잘라서 지게에 지는 노동을 하는 공간이다. 따라서 자연과의 일체감을 느끼는 공간이라고 보기는 어렵다.

오답해설 ① 윗글의 15~16구를 고려하면 ⓐ'산골짜기'는 백성들이 벼슬아치의 수탈이 심한 '평지'라는 부정적 현실에서 벗어나 도피한 공간으로 볼 수 있다.
② 윗글의 6~12구를 고려하면 ⓐ'산골짜기'는 하루 종일 산밭을 일구어야 하는 고된 곳이면서 사방을 둘러봐도 이웃이 없는 외로운 곳이다. 또 호랑이 때문에 나물도 마음대로 뜯지 못하여 가난한 삶을 살아야 하는 공간이다. 따라서 백성들의 외롭고 가난한 삶이 이어지는 공간이라고 할 수 있다.
③ [보기]의 ⓑ'무림산중'은 화자가 삭정이 마른 섶을 베고 잘라서 지게에 진 후 점심을 먹고 잎담배를 피우는 공간이다. 따라서 일상적 삶이 드러나는 곳이라고 볼 수 있다.
⑤ 윗글의 6~8구에서 ⓐ'산골짜기'는 하루 종일 밭을 일궈야 하는 곳으로 표현되어 있고, [보기]의 ⓑ'무림산중'은 나무를 하는 공간으로 표현되어 있다. 따라서 두 공간 모두 현실적 삶을 영위하는 노동의 공간이라고 볼 수 있다.

작자 미상, 「논밭 갈아 기음 매고~」

- **갈래**: 사설시조
- **해제**: 농촌에서의 하루 일과를 그리고 있는 사설시조이다. 화자는 논밭에서 김을 매고 산에 들어가 나무를 하고 샘을 찾아가 점심 도시락을 먹고 흥겹게 여유를 즐기고 졸다가, 저녁이 되어 긴 노래 짧은 노래 부르며 집으로 돌아가려 한다. 농촌의 일상을 사실적으로 묘사하면서 바쁜 일과 중에도 여유를 즐기는 농민들의 낙천적인 태도를 표현하고 있다.
- **주제**: 농촌의 일상에서 느끼는 여유

* 참고: 본문 197쪽

03 글의 공통점과 차이점 파악 정답 ❹

정답해설 윗글의 11~12구에서 '호랑이'는 사나운 존재로, 아낙네가 나물을 마음대로 캘 수 없게 한다고 하였다. [보기]의 '호랑이'도 여인의 가족을 모두 잡아먹은 무서운 존재라고 하였다. 따라서 두 '호랑이' 모두 비유적 표현이 아니라 실제 호랑이를 가리킨다고 볼 수 있다.

오답해설 ① 윗글의 화자는 백성들이 산골짜기에서의 고달픈 삶을 택할 정도로 벼슬아치들의 수탈이 극심한 평지의 부정적 현실을 비판하고 있다. [보기]의 '공자'도 '가혹한 정치는 호랑이보다도 더 무섭다'고 하면서 현실을 비판하고 있다.
② 윗글의 6~12구에서 '아낙네'는 산골짜기의 힘겨운 삶에 대해 호소하고 있지만 그것을 개선하려는 의지를 드러내고 있지는 않다. [보기]의 '여인'도 호랑이가 시아버지, 남편, 아들을 모두 잡아먹었지만 '다른 곳으로 가면 무거운 세금 때문에 살 수가 없'다고 할 뿐, 현실을 개선하려고 하지는 않는다.
③ 윗글의 15~16구에서 '아낙네'는 평지의 벼슬아치가 두렵다고 하면서 산골짜기에서 힘들게 살아가고 있다. [보기]의 '여인'도 호랑이가 가족을 다 잡아먹었지만 무거운 세금 때문에 다른 곳에서 살 수가 없어 호랑이의 위협이 있는 곳에서 살아가고 있다. 따라서 '아낙네'와 '여인' 모두 관리의 횡포 때문에 힘든 삶을 살아가고 있다고 볼 수 있다.
⑤ 윗글의 13구에서 화자는 '슬프다, 외딴 살림 어찌 좋으리.'라고 하면서 산골짜기에서 힘들게 살아가는 '아낙네'에 대한 자신의 감정을 직접적으로 드러내고 있다. 그러나 [보기]의 '공자'는 '가혹한 정치는 호랑이보다도 더 무섭다'고 할 뿐, '여인'에 대한 자신의 감정을 직접적으로 드러내고 있지는 않다.

한시 141 자술(自述)

이옥봉(?~?) 조선 선조 때의 여류 시인. 허난설헌과 더불어 조선 중기의 대표적인 여류 시인으로 꼽히며, 저서로는 시 32편이 수록된 『옥봉집』이 있다.

01 시어의 기능과 특성 파악 정답 ⑤

정답해설 윗글의 ⓐ와 [보기]의 ⓑ는 모두 '달'이라는 동일한 소재를 가리킨다. 윗글의 달은 임의 안부를 묻고 있는 화자의 창에 비치어 임을 그리워하는 화자의 정서를 심화시키는 존재이다. 한편 [보기]의 달은 밤중에 높이 떠서 만물을 비추면서 모든 것을 보고도 말하지 않는 과묵한 품성을 지닌 존재이다. [보기]의 화자는 이러한 달을 예찬함으로써 자신이 지향하는 가치관을 부각하고 있다.

오답해설 ① [보기]의 ⓑ는 '달'을 사람처럼 표현하였으므로 의인화된 대상이라고 볼 수 있다. 그러나 윗글의 ⓐ는 사창에 비치는 존재로 의인화된 대상이라고 보기는 어렵다.
② [보기]의 ⓑ는 밤중에 높이 떠서 만물을 비추면서 모든 것을 보고도 말하지 않는 존재로, 화자가 지향하는 가치관을 실현하는 존재이다. 따라서 ⓑ는 화자와 동일시된 소재라고도 볼 수 있다. 그러나 윗글의 ⓐ는 화자의 그리움을 심화시키는 대상일 뿐, 화자와 동일시된 것으로 보기는 어렵다.
③ 윗글의 ⓐ와 [보기]의 ⓑ는 모두 자연적 존재인 '달'을 가리킨다.
④ 윗글의 ⓐ는 화자의 그리움을 심화시키는 역할을 하고, [보기]의 ⓑ는 과묵함을 지향하는 화자의 가치관을 부각하는 역할을 하고 있다. 따라서 ⓐ와 ⓑ는 인생의 무상함이나 자연의 영원함과는 거리가 멀다.

윤선도, 「오우가(五友歌)」

- **갈래**: 평시조, 연시조
- **해제**: 물, 바위, 소나무, 대나무, 달을 의인화하여 그것의 긍정적인 속성을 예찬한 총 6수의 연시조이다. 제시된 부분은 어둠을 비추는 광명의 존재이면서도 과묵함을 지키는 '달'을 예찬한 제6수에 해당한다.
- **주제**: 다섯 가지 벗 중 '달'에 대한 예찬

* 참고: 본문 184쪽

한시 142 탐진촌요(耽津村謠)

정약용(1762~1836) 조선 후기의 대표적인 실학자로, 호는 다산(茶山) 또는 여유당(與猶堂). 주요 작품에는 「탄빈」, 「이노행」, 「보리타작」 등이 있으며, 저서에는 『목민심서』, 『경세유표』, 『여유당전서』 등이 있다.

01 시어의 의미 파악 정답 ②

정답해설 승구에서 '이방'은 지방의 상급 관리를 의미하는데, 지방의 하급 관리인 '황두'가 농민들이 이룬 결실인 '무명'을 '이방'에게 준다며 빼앗아 가는 모습이 제시되어 있다. 이를 고려하면 '이방'은 농민들을 수탈하는 부패한 관리일 뿐, 국가에 조세를 납부하기 위해 농민들을 독촉하는 역할을 하는 사람이라고 보기 어렵다.

오답해설 ① 기구의 '무명'은 농민들의 노력으로 일군 재산으로 볼 수 있다. 이 '무명'을 지방의 하급 관리인 '황두'가 빼앗아 가는 모습이 제시되어 있다.
③ 전구의 '누전'은 토지 대장에서 누락된 토지를 의미하는데, 그에 대한 조세까지 독촉하고 있다. 따라서 '누전 세금'을 통해 관리들이 농민들을 부당하게 수탈하는 상황을 드러내고 있다고 볼 수 있다.
④ 전구에서는 농민들이 '누전'에도 세금을 낼 만큼 과도한 수탈을 당하고 있음을 제시하고 있다. 따라서 이러한 누전 세금에 대한 '독촉'은 백성들이 비참한 생활을 할 수밖에 없는 원인이라고 볼 수 있다.
⑤ 전구와 결구에서는 삼월 중순에 '세곡선'이 떠난다는 구실로 지방 관리들이 누전 세금을 독촉하고 있는 상황을 묘사하고 있다. 따라서 '세곡선'은 지방 관리들이 백성들을 수탈하는 구실이 된다고 볼 수 있다.

한시 143 보리타작(打麥行)

01 표현상의 특징 파악 정답 ④

정답해설 윗글은 보리타작하는 농민들의 건강한 모습을 예찬하고 있을 뿐, 의인화된 대상에게 말을 건네는 방식은 활용하고 있지 않다.

오답해설 ① 화자는 결구에서 '무엇하러 벼슬길에 헤매고 있으리요'라고 말하며 벼슬길을 헤매던 자신의 삶을 비판하고 반성하면서 시상을 마무리하고 있다.
② 결구의 '무엇하러 벼슬길에 헤매고 있으리요.'는 벼슬길에 헤맬 필요가 없다는 의미를 강조한 설의적 표현으로, 벼슬길을 헤매던 자신의 삶에 대

한 화자의 반성적 정서를 드러내고 있다.
③ 기구와 승구에서는 보리타작하는 농민들의 모습을 묘사하고 있고, 전구와 결구에서는 즐겁게 노동하는 삶에 대한 화자의 평가와 자신의 삶에 대한 성찰을 드러내고 있다. 즉, 선경 후정의 방식으로 시상을 전개하고 있다.
⑤ 윗글은 막걸리, 사발, 보리밥 등 실생활과 관련된 시어를 사용하여 농민들의 삶을 사실적으로 표현하고 있다.

02 시어의 의미 파악 정답 ②

정답해설 윗글의 '낙원'은 농부들이 건강한 노동을 하는 현장이자, 세속적 욕망을 추구하며 화자가 쫓아다닌 '벼슬길'과 대조되는 공간이다. 따라서 '낙원'은 세속적 욕망에서 벗어나 있는 공간이라고 할 수 있다.

오답해설 ① 윗글의 화자는 보리를 타작하는 농민들의 모습을 바라보며 농민들의 건강한 삶을 예찬하고 있을 뿐, 시련을 겪고 있지는 않다. 따라서 윗글의 '낙원'을 시련 속에서 신념을 다지는 공간이라고 볼 수 없다.
③ 윗글의 화자는 농민들이 보리타작을 하고 있는 곳을 '낙원'이라고 하면서 심신이 조화를 이룬 건강한 노동을 예찬하고 있다. 따라서 이곳을 삶의 허무함을 극복하기 위한 공간이라고 볼 수 없다.
④ 윗글의 화자는 농민들이 보리타작을 하고 있는 것을 바라보고 있을 뿐, 현실에서의 번뇌를 느끼고 있다고 보기 어렵다.
⑤ 윗글의 화자는 농민들이 건강하게 노동하고 있는 것을 바라보고 있을 뿐, 고통을 겪고 있거나 자기 수양을 하고 있지는 않다.

03 시상 전개 방식의 파악 정답 ⑤

정답해설 윗글의 화자는 즐겁게 보리타작을 하고 있는 농민들의 모습을 바라보며 벼슬길을 헤매고 있었던 자신의 지난날을 반성하고 있다. 따라서 [A]~[D]에는 지난날에 얽매이지 않는 삶을 살려는 화자의 의지가 제시된 것이 아니라, 지난날을 돌아보고 반성하는 화자의 태도가 드러나 있다고 할 수 있다.

오답해설 ① [A]는 막걸리와 보리밥을 먹은 농민들이 도리깨를 잡고 마당에 나서는 모습을 묘사하고 있다. 이는 보리타작을 시작하기 전의 상황을 제시한 것으로 볼 수 있다.
② [B]는 '옹헤야'라는 노동요에 맞춰 흥겹게 보리타작하는 농민들의 모습을 묘사하고 있다. 이는 농민들이 서로 협력하며 노동하는 모습을 형상화한 것이라고 볼 수 있다.
③ [C]에서 화자는 '마음이 몸의 노예 되지 않았네'라며 [A]와 [B]에 제시된 농민들의 건강한 모습을 본 감상을 말하고 있다. 따라서 [C]는 건강한 노동을 하고 있는 농민들의 모습에서 '심신의 조화'라는 정신적 의미를 이끌어 내고 있다고 볼 수 있다.
④ [D]에서 화자는 벼슬길을 헤매던 자신의 모습을 반성하고 있다. 이는 [A]~[C]에서 보고 느낀 '심신의 조화를 이룬 건강한 노동'에 대한 깨달음을 자신의 삶에 연계하여 나타낸 것이다.

04 작품 간의 공통점과 차이점 파악 정답 ④

정답해설 윗글의 '벼슬길'은 화자가 과거에 추구했던 세속적인 공명을 의미한다. 그런데 윗글의 화자는 농민들이 보리타작하는 모습을 보며 건강한 노동의 즐거움을 느낀 후 세속적 공명을 추구했던 자신의 삶을 반성하고 있으므로, '벼슬길'은 화자가 현재 이루고자 하는 목표라고 볼 수 없다. 그리고 [보기]의 화자는 소박한 음식을 먹고 바위 끝 물가에서 실컷 노니는 것 외에 '녀나믄 일'은 부러워할 것이 없다고 말하고 있다. 따라서 '녀나믄 일'은 [보기]의 화자가 이루고자 하는 목표라고 볼 수 없다.

오답해설 ① 윗글의 '보리밥'은 농민들이 일을 하기 전에 든든하게 배를 채우는 음식이고, [보기]의 '보리밥'은 화자가 자연 속에서 지내며 먹는 소박한 음식이다. 윗글의 농민들과 [보기]의 화자 모두 '보리밥'을 먹으며 현실의 삶에 만족하는 태도를 보이고 있으므로, '보리밥'은 현실에 만족하는 삶의 모습을 표현한 것이라고 볼 수 있다.
② 윗글의 '마당'은 농민들이 도리깨를 잡고 나서는 것으로 보아 보리를 타작하는 노동의 공간이라고 추측할 수 있다. 한편 [보기]의 '믉ᄀ'는 화자가 '슬ᄏ지 노니노라.'라고 한 것으로 보아 풍류의 공간이라고 볼 수 있다.
③ 윗글의 '노랫가락'은 농민들이 부르는 노동요로, 농민들은 노동요에 맞춰 흥겨움을 더하며 보리타작을 하고 있다. 그리고 [보기]의 화자가 물가에서 실컷 풍류를 즐기고 있으므로 '노니노라.'는 화자의 여유로움을 표현한 것으로 볼 수 있다.
⑤ 윗글의 '헤매고 있으리요.'는 '헤맬 필요가 없다'는 화자의 생각을 강조한 설의적 표현이다. [보기]의 '부롤 줄이 이시랴.'도 '부러워 할 것이 없다'는 화자의 생각을 강조한 설의적 표현이다.

윤선도, 「만흥(漫興)」

- **갈래**: 연시조
- **해제**: 자연 속에서 유유자적하는 삶의 흥취를 노래한 총 6수의 연시조이다. 제시된 부분은 「만흥」의 제2수로, '보리밥', '풋나물'을 통해 소박한 삶의 모습을 드러내고 있으며, 바위 끝 물가에서 실컷 노는 것 외에는 다른 부러워할 일이 없다는 말을 통해 속세의 부귀공명과 상관없이 자연에서 '안분지족(安分知足)', '안빈낙도(安貧樂道)'하는 경지를 표현하고 있다.
- **주제**: 자연에 묻혀 사는 즐거움과 임금의 은혜
- **현대어 풀이**: 보리밥에 풋나물을 알맞게 먹은 후에 / 바위 끝 물가에서 실컷 놀고 있노라. / 그 밖의 다른 일이야 부러울 줄 있으랴.

* 참고: 본문 181쪽

한시 144 고시(古詩) 8

01 표현상의 특징 파악 정답 ⑤

정답해설 2구의 '지지배배'는 제비가 지저귀는 소리를 나타내는 의성어이다. 따라서 윗글은 청각적 이미지를 통해 제비, 즉 삶의 터전을 잃은 백성의 상황을 생생하게 전달하고 있다고 할 수 있다(ㄴ). 그리고 9구와 10구에서 지배층이 백성을 가혹하게 수탈하는 상황을 '황새'와 '뱀' 때문에 고통받는 '제비'의 목소리로 표현하고 있다. 이는 당시 사회상을 직접적으로 비판한 것이 아니라 다른 대상에 빗대어 우의적으로 비판한 것이라고 볼 수 있다(ㄷ). 또한 윗글은 집을 빼앗긴 '제비'와 제비를 쫓아낸 '황새'와 '뱀'을 대조적으로 제시하여 가혹한 수탈 때문에 삶의 터전을 잃은 백성들의 상황을 나타내고 있다.

오답해설 ㄱ. 윗글에서 원래의 의도와 반대로 말하여 의미를 강조하는 반어적 표현이 활용된 부분은 찾을 수 없다.

민요 145 강강술래

01 표현상의 특징 파악 정답 ③

정답해설 윗글의 10행에서는 육신이 있을 때에 춤도 추고 노래도 하고 즐기자고 하였다. 이는 유한한 인생을 즐겁게 누리자는 주제를 직설적으로 전달하고 있는 표현이다. 따라서 말하고자 하는 바를 직접 말하지 않고 다른 대상에 빗대어 전달하는 우의적인 기법을 활용하여 주제를 강조하고 있다고 볼 수 없다.

오답해설 ① 윗글은 5행과 12행의 '노세 노세 젊어서 노세'와 6행의 '놀고 놀자 놀아 보세' 등에서 '~세', '~자'와 같은 청유형 어미를 사용하여 유흥을 권하고 있다.
② 1행의 '달 떠 온다 달 떠 온다', 5행과 12행의 '노세 노세 젊어서 노세' 등에서 시어를 반복하고 있다. 또 '강강술래'라는 후렴구를 반복하여 운율을 형성하고 있다.
④ 윗글은 놀이 분위기를 형성하고 주제 의식을 전달하는 선창과 '강강술래'를 반복하는 후창으로 구성되어 있다. 이는 한 사람이 먼저 노래를 하면 (선창) 여러 사람이 따라 부르는(후창) 선후창 형식으로, 집단적인 노래의 성격을 보여 준다고 볼 수 있다.
⑤ 윗글의 3행 '우리 세상이 얼마나 좋아'에서 낙천적인 세계관이 드러나 있다.

민요 146 논매기 노래

01 시구의 의미 파악 정답 ②

정답해설 윗글의 ㉡은 노래를 잘하면 길을 가던 행인이 구경을 하느라 길을 못 간다는 의미이다. 이는 노래의 흥겨움을 드러내는 표현이면서 행인이 가던 길을 갈 수 있도록 노래보다 일을 더 열심히 하라는 독려의 말이라고 볼 수 있다. 따라서 행인이 발걸음을 떼지 못할 정도로 노래를 더욱 잘해야 한다는 독려의 말로 보는 것은 적절하지 않다.

오답해설 ① ㉠에서 '편편옥토'는 어느 논밭이나 모두 다 비옥하다는 의미이고, 화자는 '편편옥토'가 '하늘님이 주신 보배'라고 하였다. 따라서 하늘이 내린 농토를 자랑스럽게 여기고 있다고 볼 수 있다.
③ ㉢은 이쪽 논을 얼른 매고 저쪽 논으로 가자는 의미로, 일꾼들이 서로 도우며 일을 하고 있음을 나타낸다. 따라서 상부상조의 정신이 드러난다고 볼 수 있다.
④ ㉣은 일을 할 땅이 얼마 남지 않았다는 의미로 남은 일의 분량을 '반달'에 비유하여 시각적으로 표현하고 있다. 이는 얼마 남지 않은 일을 빨리 끝내자고 독려하기 위한 표현으로 볼 수 있다.
⑤ ㉤의 '일락서산'은 서쪽 산으로 해가 진다는 뜻으로 바로 뒤의 '해는 지고'와 의미가 중첩된다. 또 '월출동령'은 동쪽 고개로 달이 돋는다는 뜻으로 '달 돋는다'와 의미가 중첩된다. 따라서 화자는 동어를 반복하여 해가 지고 달이 뜰 만큼 시간이 경과하였음을 강조하고 있다.

02 작품 간의 공통점과 차이점 파악 정답 ②

정답해설 윗글은 일꾼들에게 농사일을 잘하자고 독려하는 내용이므로 여러 명이 공동으로 농사일을 하고 있음을 짐작할 수 있다. 또 [보기]의 제3수에서 '둘러 내자 둘러 내자'라고 하고 있는데, 이는 청유형 어미를 사용한 표현이므로 혼자가 아닌 공동으로 농사일을 하고 있는 상황이라고 추측할 수 있다.

오답해설 ① [보기]의 제4수 중장에는 시원한 바람에 옷깃을 열고 긴 휘파람을 흐르게 부는 화자의 모습이 묘사되어 있다. 이는 화자가 일을 하는 도중에 잠시 휴식을 취하며 여유를 즐기는 모습이라고 볼 수 있다. 그러나 윗글에서는 열심히 일을 하라고 독려만 할 뿐, 일을 하는 도중에 휴식을 취하는 모습은 찾을 수 없다.
③ [보기]의 제4수 초장의 '땀은 듣는 대로 듣고 볕은 쬘 대로 쬔다.'에는 농사일의 고단함이 드러나 있지만, 이를 한탄하고 있다고 보기는 어렵다. 한편 윗글에서는 후렴 등에 일꾼에 대한 칭찬만 드러나 있을 뿐, 농사일의 고단함이나 이로 인해 한탄하는 부분을 찾을 수 없다.
④ 윗글과 [보기]에서 언어유희가 드러난 부분은 찾을 수 없다.
⑤ 윗글에서는 후렴에서 '잘하고 자로 하네 에히요 산이가 자로 하네.'라고 표현하는 등 일꾼들을 칭찬하며 작업의 능률을 높이려 하고 있다. 그러나 [보기]에서는 화자가 일꾼들을 칭찬하는 부분을 찾을 수 없다.

위백규, 「농가(農歌)」

- **갈래**: 연시조
- **해제**: 전원에서 농사일을 하며 지내는 생활을 노래한 총 9수의 연시조이다. 농촌의 하루 일과를 진솔하게 노래함으로써 노동 현장의 역동성을 드러내고, 농부들의 생활상과 농사일의 즐거움을 표현하고 있다. 제3수에서는 논매기하는 모습을 그리고 있으며, 제4수에서는 농사일의 힘겨움과 휴식 취하는 모습을 묘사하고 있다.
- **주제**: 농부의 노동과 여유로운 휴식
- **현대어 풀이**: 〈제3수〉 걷어 내자 걷어 내자 우거진 고랑 걷어 내자. / 바랭이와 여뀌풀(잡초)을 고랑마다 걷어 내자. / 쉽게 잡초가 우거진 긴 이랑은 마주 잡아 걷어 내자.
  〈제4수〉 땀은 떨어지는 대로 떨어지고 볕은 쬘 대로 쬔다. / 시원한 바람에 옷깃을 열고 긴 휘파람을 흐르게 불 때 / 어디서 길 가는 손님이 (이 마음을) 아는 듯이 머무는가.

민요 147 시집살이 노래

01 시상 전개 방식의 파악 정답 ②

정답해설 시집살이가 어떠냐는 '나'의 질문에 '형님'은 4행에서는 시집살이를 '개집살이'라고 표현하고 있으며, 6행에서는 시집살이가 고추보다 더 맵다고 시집살이를 하는 자신의 상황을 부정적으로 언급하고 있다. 그리고 7~10행에서는 식기에 밥을 담기도 어렵고 소반에 수저를 놓기도 어렵다고 하며 멀리서 물을 길어온다는 등 고된 가사 노동의 어려움에 대해 다양한 예를 나열하여 표현하고 있다.

오답해설 ① 윗글의 '형님'은 시집살이의 어려움에 대해 토로하고 있을 뿐, 시집살이에 대해 감탄하거나 스스로의 태도를 반성하고 있지는 않다.
③ 윗글은 처음과 끝을 동일한 내용으로 상응시키는 수미상관 구조와는 거리가 멀다. 윗글은 '나'와 '형님'의 대화 형식으로 내용이 전개되고 있다.
④ 윗글의 '형님'은 시집살이의 어려움과 관련된 상황들을 나열하고 있을 뿐, 근경에서 원경으로 시선을 확대하고 있지는 않다. 또 고된 시집살이에 대한 한탄과 체념을 드러내고 있을 뿐, 뚜렷한 심리의 변화를 드러내고 있지도 않다.
⑤ 윗글은 힘든 시집살이에서 겪는 고통을 드러내고 있을 뿐, 외부 세계와 내면을 대비하여 표현하고 있지는 않다. 또 이상 세계에 대한 동경도 드러내고 있지 않다.

02 표현상의 특징 파악 정답 ❶

정답해설 ㉠은 시집살이가 어떤지 궁금해 하는 사촌 동생의 질문에 대한 대답의 첫머리이다. 이는 답변을 유보하는 것이 아니라 시집살이를 떠올리기도 싫으니 묻지도 말라는 의미로, 시집살이의 어려움을 강조하기 위해 한 말이다. 그리고 윗글에서 사촌 동생이 결혼을 앞두고 있다거나, 화자가 사촌 동생의 결혼을 만류하는 내용은 찾아볼 수 없다.

오답해설 ② ㉡에서 화자는 오 리 밖에서 물을 길어오고 십 리 밖까지 가서 방아를 찧어다가 아홉 개의 솥에 밥을 하고 열두 방의 잠자리를 정리해야 한다고 과장되게 표현하여 며느리가 수행해야 하는 가사 노동의 과중함을 강조하고 있다.
③ ㉢에서 화자는 시집 식구들을 각각 '호랑새', '꾸중새', '할림새', '뾰족새', '뾰중새', '미련새' 등의 새에 비유하면서 이들에 대한 화자의 생각을 드러내고 있다.
④ ㉣에서 화자는 '귀 먹어서', '눈 어두워', '말 못 해서' 등의 표현으로 며느리가 감당해야 하는 제약을 제시하여 시집살이를 하는 며느리의 처지를 드러내고 있다.
⑤ ㉤에서 화자는 결혼 전의 자신의 아름다운 용모를 '배꽃'에 빗대어 표현하였고, 결혼 후의 헝클어지고 거칠어진 용모를 '호박꽃'에 빗대어 표현하였다. 이는 시집살이의 어려움 때문에 외모가 거칠어졌다는 것을 한탄하고 있는 표현이다.

03 작품 간의 공통점과 차이점 파악 정답 ❸

정답해설 [A]의 '나'는 '형님'을 만나 시집살이가 어떠하냐고 묻고 있다. '형님'은 사촌 동생인 '나'와의 만남을 계기로 시집살이의 고충을 토로하고 있다. 그리고 [보기]는 두 여인의 대화 형식으로 이루어져 있는데, '어와, 너로구나.'라는 '각시'의 말로 보아 두 여인은 서로 알고 지내던 사이임을 알 수 있다. '각시'는 알고 지내던 '너'와의 만남을 계기로 '천상 백옥경'을 떠나오게 된 심정을 토로하고 있다.

오답해설 ① [A]는 '형님 온다', '형님', '이애' 등의 반복을 통해 리듬감을 살리고 있다. 그러나 [보기]에서는 시어가 반복되어 나타난 부분을 찾아볼 수 없다.
② [A]의 화자 중 '형님'은 시집살이가 맵다면서 문제 상황을 제시하고 있지만, 그것에 대한 책임을 다른 이에게 전가하고 있지는 않다. 또한 [보기]의 화자는 임이 날 사랑하지 않는 문제 상황을 '아양이며 교태며 어지럽게' 한 자신의 책임으로 여기고 있다.
④ [A]에서 계절의 변화가 드러난 표현을 찾아볼 수 없으며, [보기]에서도 공간의 변화가 드러난 표현을 찾아볼 수 없다.
⑤ [A]에서는 반어적 표현이 사용된 부분을 찾아볼 수 없다. 한편 [보기]에서는 '천상 백옥경'을 임금이 계시는 궁궐을 비유한 표현으로 볼 수 있지만, 화자의 처지를 다양한 비유를 통해 드러내고 있지는 않다.

정철, 「속미인곡(續美人曲)」

- **갈래**: 가사
- **해제**: 임금을 그리워하는 충신의 마음을 임과 이별한 여인의 심정에 빗대어 표현한 가사이다. 정철이 50세 때 벼슬에서 물러나 고향인 전남 창평에 은거할 때 지었다. 우리말을 절묘하게 구사하였다고 평가받고 있는 작품으로, 제시된 부분은 갑녀를 만난 을녀가 임과의 이별을 자신의 탓으로 돌리고 있는 장면이다.
- **주제**: 임금을 향한 그리움

* 참고: 본문 138쪽

민요 148 잠 노래

01 표현상의 특징 파악 정답 ❶

정답해설 4행의 '잠아 잠아 무삼 잠고 가라 가라 멀리 가라.'에서 '잠아'와 '가라'를 반복하여 잠을 멀리하고 싶은 화자의 정서를 강조하고 있다.

오답해설 ② 윗글에서는 '잠'을 의인화한 후 청자로 설정하여 내용을 전개하고 있다. 하지만 화자는 '잠'을 원망하고 쫓아내려 하고 있으므로 '잠'과 친근감을 형성하고 있다고 보기 어렵다.
③ 윗글에서 밤새 바느질을 해야 하는 고달픈 처지의 화자와 대비를 이루는 자연의 모습은 나타나지 않는다.
④ 윗글에서 화자는 '잠'을 청자로 설정하여 말을 건네고 있지만, '잠'이 대답을 하고 있지는 않다. 또 이외에 인물들 간의 대화도 나타나지 않는다.
⑤ 윗글에서는 반복법, 의인법, 대조법 등을 통해 내용을 전개하고 있지만, 역설법이 사용된 부분은 찾아볼 수 없다.

02 자료를 통한 감상의 적절성 파악 정답 ❷

정답해설 '잠 못 들어 한하는데'의 주체는 화자가 아니라 '주야에 한가하여 월명동창 혼자 앉아 삼사경 깊은 밤을 허도이 보내'는 사람이다. 따라서 '잠 못 들어 한하는' 사람은 밤새 바느질을 하기 위해 '잠'을 쫓으려는 의지를 지닌 화자와는 대조적인 처지에 있으며, 화자가 쫓으려고 하는 '잠'을 반기는 사람이라고 볼 수 있다.

오답해설 ① 윗글은 화자가 '잠'에게 말을 건네는 방식으로 내용이 전개되고 있으므로 대상인 '잠'을 의인화하고 있다고 볼 수 있다.
③ 화자는 낮에 다 못한 일을 밤까지 해야 하는 상황이므로, 밤낮없이 바쁘게 일해야 하는 화자의 애환을 짐작할 수 있다.
④ 당시에 바느질은 여성들의 일이었으므로 「잠 노래」가 여인들 사이에서 불렸다고 추측할 수 있다.
⑤ '잠'이 눈썹 속에 숨어 있거나 눈 아래로부터 솟아온다는 것은 잠이 오는 괴로운 상황을 익살스럽게 해학적으로 표현한 것으로 볼 수 있다.

03 작품 간의 공통점 파악 정답 ④

정답해설 윗글의 화자는 염치없이 자신의 눈에 쌓이는 '잠'을 의인화하여 말을 건네고 있다. [보기]의 화자도 자신을 잠 못 들게 하는 '한숨'을 의인화하여 말을 건네고 있다. 따라서 윗글과 [보기]는 모두 의인화된 대상에게 말을 건네는 형식으로 시상을 전개하고 있다고 볼 수 있다.

오답해설 ① 윗글과 [보기]는 모두 화자가 대상을 원망하고 있을 뿐, 감정을 이입하여 대상에 대한 친밀감을 드러낸 부분은 찾을 수 없다.
② 윗글의 '어제 간밤 오던 잠이 오늘 아침 다시 오네.'에서 시간의 흐름을 엿볼 수 있으나, 이는 잠의 변화 과정을 묘사한 것과는 거리가 멀다. 한편 [보기]에서는 시간의 흐름이 나타나지 않는다.
③ 윗글과 [보기]의 화자는 자신의 괴로움을 표현하고 있을 뿐, 시선의 이동은 나타나지 않으며 화자의 정서도 변화하고 있지 않다.
⑤ 윗글의 '이렇다시 자심하뇨.'와 [보기]의 종장 '잠 못 들어 하노라'에서 영탄적 어조를 느낄 수 있으나, 이는 자연물에서 받은 감흥을 표출하고 있는 것이 아니다.

민요 149 아리랑

01 작품 간의 공통점과 차이점 파악 정답 ①

정답해설 윗글의 1연에서 화자는 임에게 자신을 버리고 가면 발병이 날 것이라면서 임을 위협하고 있다. 이는 임을 떠나보내고 싶지 않은 간절한 마음을 드러낸 표현이다. [보기]의 화자도 생계 수단인 '질삼뵈'를 버리고서라도 임을 따르겠다는 의지를 보이고 있다. 따라서 두 화자 모두 임과 헤어지지 않고 함께하고자 하는 간절한 마음을 드러내고 있다고 볼 수 있다.

오답해설 ② 윗글의 1연에서 화자는 임이 자신을 버린다고 가정한다면 임이 십 리도 못 가서 발병이 날 것이라고 위협하고 있다. 그러나 [보기]의 화자는 임을 좇겠다고 할 뿐, 위협하고 있지는 않다.
③ 윗글의 화자는 떠나는 임을 위협하고 수심이 많다며 토로하고 있을 뿐, 이별을 자신의 탓으로 돌리거나 과거를 반성하고 있지는 않다. [보기]의 화자도 임과 이별하는 상황에서 '질삼뵈'를 버리고 임을 좇겠다고만 할 뿐, 이별을 자신의 탓으로 돌리거나 과거 자신의 태도를 반성하고 있지는 않다.
④ 윗글의 화자는 임이 자신을 떠난다면 발병이 날 것이라고 위협만 할 뿐, 임이 떠나는 것을 막는 등의 적극적인 행동을 하지는 않고 있다. 반면 [보기]의 화자는 생계 수단인 '질삼뵈'를 버리고서라도 임을 따르겠다면서 적극적으로 사랑을 쟁취하려고 노력하고 있다.
⑤ 윗글의 화자는 떠나는 임을 위협만 할 뿐, 임과 함께했던 공간을 떠나는 것에 대해서는 언급하고 있지 않다. [보기]의 화자도 임이 자신을 사랑만 해 준다면 임을 따르겠다고는 하였으나, 임과 함께했던 공간을 떠나는 것에 대해서는 구체적으로 언급하고 있지 않다.

작자 미상, 「서경별곡(西京別曲)」

- **갈래**: 고려 가요
- **해제**: 임과 이별한 여인의 심정을 노래한 고려 가요이다. 화자는 생업('질삼뵈')을 버리고서라도 임을 따르겠다며 이별을 거부하는 적극적인 태도를 보이고 있다.
- **주제**: 이별의 정한(情恨)
- **현대어 풀이**: (임과) 이별하기보다는 (임과) 이별하기보다는 길쌈하던 베를 버리고서라도 / 사랑만 해 주신다면 사랑만 해 주신다면 울면서 따라가겠습니다.

* 참고: 본문 50쪽

민요 150 진도 아리랑

01 표현상의 특징 파악 정답 ④

정답해설 1연 1행의 '지고 싶어 지느냐'와 2행의 '가고 싶어 가느냐'는 해는 지고 싶어서 지는 것이 아니고 임이 가고 싶어 가는 것이 아니라는 것을 의문형 어미를 사용하여 어찌할 수 없는 이별의 상황을 강조하는 설의적 표현이다. 따라서 대상이 처한 상황에 대한 의문을 드러낸 것과는 거리가 멀다.

오답해설 ① 1연의 '서산에 지는 해는 ~ 싶어 가느냐'와 3연의 '청천 하늘엔 ~ 눈물도 많다'는 유사한 문장 구조를 짝을 지어 반복한 표현이다. 윗글은 이러한 유사한 문장 구조를 반복하여 운율을 형성하고 있다.
② 2연의 '문경 새재'는 경상북도 문경시와 충청북도 괴산군 사이에 있는 고개로, 굴곡진 삶의 여정을 함축하고 있는 시어이다. 화자는 문경 새재의 굽이굽이마다 눈물이 난다고 표현함으로써 굴곡진 삶의 여정에서 느끼는 비애의 정서를 드러내고 있다.
③ 3연에서 '잔별'의 반짝이는 이미지가 '눈물'의 반짝이는 모습과 연결되어 화자가 느끼는 비애의 정서를 시각적으로 형상화하고 있다.
⑤ 각 연에서 '아리 아리랑 스리 스리랑 아라리가 났네 아리랑 으응 아라리가 났네'라는 후렴구를 반복하여 리듬감을 부여하고 구조적인 안정감과 통일성을 형성하고 있다.

MEMO

MEMO

MEMO

MEMO